# SYDONIA

ELŻBIETA CHEREZIŃSKA

# SYDONIA
## SŁOWO SIĘ RZEKŁO

ZYSK I S-KA
WYDAWNICTWO

Redaktor prowadzący
Filip Karpow

Redakcja
Elżbieta Żukowska

Opieka redakcyjna
Paulina Jeske-Choińska
Tadeusz Zysk

Projekt okładki
Tobiasz Zysk

Opracowanie mapy
Mariusz Mamet

Wydanie I

ISBN 978-83-8202-750-1

**ZYSK I S-KA**
**WYDAWNICTWO**

ul. Wielka 10, 61-774 Poznań
tel. 61 853 27 51, 61 853 27 67
Dział handlowy, tel./faks 61 855 06 90
sklep@zysk.com.pl
www.zysk.com.pl

Pamięci wszystkich spalonych, ściętych,
powieszonych, utopionych i wygnanych.
Skalanych mianem służebnicy diabła.
Czarownic. Osądzonych i skazanych.
Kobiet myślących samodzielnie.

# Spis treści

# Prolog – rok 1090

# Przez ogień, przez wodę

*Stary Kołobrzeg, rok 1090*

Z początku stos nie chciał się palić, ogień trzeba było zachęcać. Zgromadzeni niepewnie spoglądali po sobie, w spojrzeniach spod kapturów i chust czaiły się pytania, a odpowiadał im lęk. Do stosu przystawiono kolejne smolne pochodnie i płomień z nich leniwie przepełzł na starannie ułożone drewno, liznął gałęzie wysuszonego jałowca, prześlizgnął się po warstwie mchu i jakby wsiąkł w niego, zostawiając po sobie tylko maźnięcie dymiącego żaru. Śledziły go setki oczu i teraz w te oczy zajrzał żywy strach. Przez chwilę zdawało się, że całe powietrze na Wyspie Solnej, wokół ceremonialnego stosu i ponad jaśniejącą na jego szczycie postacią, wessał nieznany wir.

— Ogień nie chce… — szepnął ktoś z tłumu; powiedział to, co widzieli wszyscy.

I w tej właśnie chwili, tak zapamiętali to zgromadzeni i tak opowiadali później przez lata, ogień dosłownie buchnął spod mchu, obejmując stos żywym płomieniem.

— *A-aa, a-aa, a-aa!* — radośnie zawołali ludzie.

— *Przez ogień — przez płomienie — przez żar!* — donośny i głęboki głos pierwszego kapłana zaczął pogrzebową pieśń.

— *Przez ogień — przez płomienie — przez żar — z tych mar!* — podjął ją drugi.

— *Przez ogień — przez płomienie — przez żar — z tych mar —
w bogów czar!* — zaintonował trzeci i żałobnicy odpowiedzieli:

— *A-aa, a-aa, a-aa!*

Rozległ się dźwięk piszczałek i bębnów, tancerki i tancerze nie-cierpliwie czekający na swą kolej przez cały długi, majowy wieczór, ruszyli w taniec, korowodem, pobrzękując dzwonkami zawieszonymi na nadgarstkach rąk i kostkach nóg.

— *A-aa, a-aa, a-aa!* — radosna pieśń pogrzebowego stosu wzno-siła się, jak dym.

Oto kończy się czas opłakiwania śmierci, a zaczyna radość z połą-czenia duszy zmarłego z przodkami i bogami.

— *A-aa, a-aa, a-aa!*

Oto na oczach zebranych spopiela się ten, który tyle lat służył im wiernie, pośrednicząc między ludźmi a Trzygłowem, składając ofiary i przynosząc przychylność Najwyższego.

— Nie będzie już takiego jak on! — zakrzyknął Jarych, pierwszy kapłan, a jego głos brzmiał niczym przetaczający się grzmot. Ludzie patrzyli na Jarycha z podziwem i czcią, ich wzrok mówił: od dzisiaj ka-płanem będziesz ty i to nam wystarczy. Ale ceremonia trwała i trzeba było wypowiedzieć wszystkie należne słowa.

— Nie będzie drugiego takiego jak Strosz! — zawołał drugi kapłan i pokłonił się przed stosem. Konstrukcja była wysoka, ogień płonął raźno i doszedł już do warstwy wyłożonej gałęziami świętego cisu, ale wciąż jeszcze nie tknął ciała zmarłego.

— Niech jego imię krąży między bogami! — dopełnił trzeci z ka-płanów i płomienie wreszcie dotarły do ciała. Tłum wziął to za dobrą wróżbę, bo i taką było. Żywiczna woń cisu przez chwilę kryła swąd palonego ciała.

— *A-aa, a-aa, a-aa!*

Tancerze przedarli się przez tłum, ludzie odsuwali się od stosu niechętnie, ale posłusznie, bo patrzył na nich Jarych, ich nowy kapłan, a przez jego oczy mógł już spoglądać sam Trzygłów.

— *A-aa, a-aa, a-aa!*

Na podwyższeniu od strony głowy nieboszczyka została już tylko książęca rodzina: Bork i jego siostry: starsza Damroka i młodsza Sam-bora. Byli także rodziną zmarłego Strosza. W rodzie Borków tak było od lat — gałąź książęca i kapłańska niczym dwa pnie z jednego korze-nia. Jarych, który po Stroszu został pierwszym kapłanem, był wszakże prawnukiem zmarłego.

Bork miał na skroniach książęcy diadem z jednym tylko, ciemnym bursztynem nad czołem. Skromny, nie dlatego, że w jego skrzyniach nie było zacniejszych, lecz by pokazać, że dzisiaj, w Kołobrzegu, na Wyspie Solnej, najważniejszy jest spopielający się Strosz. Jego stryjeczny pradziad.

— Żył tak długo, jakby śmierć zestarzała się przed nim — powiedział do sióstr, nie przestając wpatrywać się w płonący stos.

— Był wolny — odpowiedziała Damroka. — Bo już nie było nikogo, kto by pamiętał jego młodość.

— Nawet jego pierwszej starości nie pamiętali żywi — odpowiedziała Sambora, również nie poruszając głową.

— Farbował włosy od pięćdziesięciu lat — dorzuciła Damroka, a Bork parsknął cichym śmiechem. — Korą dębu. Wiem, co mówię — potwierdziła.

— I pomyśleć, że to miał być mój stos — wyszeptała Sambora. Rude włosy starannie ukryła pod kapturem, a jej twarz zdobiły żałobne malunki. Rzędy czarnych kropek wiły się, niczym strumienie łez, od kącików oczu, do ust i z ust, podwójnym szeregiem w dół brody.

— W życiu — stanowczo powiedział Bork. — Nie było takiej siły, żebyśmy spełnili jego zachciankę.

Przez chwilę rodzeństwo milczało, wsłuchując się w dzwonki tancerzy, w przeciągłe, powtarzane *a-aa, a-aa, a-aa!*, ulegając czarowi chwili. Oto dzieje się historia, a oni są jej częścią: zmarł wielki Strosz z rodu Bork. Przeżywszy sto dwadzieścia, a może i sto trzydzieści lat; zwykli ludzie naprawdę nie żyją tak długo. I mogli kpić z kory dębu, którą barwił włosy, bo nic nie zmieni chwały tego starca: potężniejszego kapłana nie było przed nim. Ale może nadejdzie po nim.

— Pomyśleć, że w czasach świetności Strosz wypędził z Kołobrzegu biskupa Reinberna i do cna spalił jego świątynię — odezwał się po chwili Bork.

— Pamiętacie, jak zatrzymał wodę płynącą ze słonych źródeł? — dorzuciła Damroka. — Nie było mocnych na Strosza i Borków. Strosza już nie ma, a my trwamy. Silni w sobie.

— Nie ma co, dzięki niemu zrzuciliśmy piastowskie jarzmo — przyznała Sambora. — Choć, zaiste, to nie był powód, bym miała stać się żoną starca. Jego żądanie było dowodem, że stracił pamięć.

— I rozum — dodała Damroka, krzywiąc się. — Taki był suchy, taki stary, a śmierdzi! Myślałam, że będzie się palił lekko jak próchno.

— Patrzą na nas — upomniał ją brat. — Myślę, że powód, dla którego chciał Sambory na nową żonę, jest głębszy.

— Niech patrzą, z dołu nasze twarze nikną w dymie, a słów przez te śpiewy nie słychać — odrzekła Damroka, ale ponownie przybrała pełną czci pozę, dodając po chwili: — Żadnej w tym nie ma głębi. Zobaczył urodę Sambory i chciał, zaborczy dziad, by najpiękniejsza z panien grzała mu łoże. No co? Rozmawiałam z jego żonami. Nic więcej od dawna nie mógł. Był mocarny, owszem, ale natury nie można oszukiwać wiecznie. Czas zrobił swoje.

— Ciężko mi uznać, że chciał mnie poślubić tylko po to, bym jako nowa żona poszła z nim na stos — powiedziała Sambora. Zakasłała. Dym naprawdę był gęsty. — Żona ma prawo odmówić. Żadna ze Stroszowych się nie zdecydowała i oto popieli się sam.

— Sam, ale w zacnym towarzystwie — odrzekła Damroka i spojrzeniem wskazała na rozpoczynających taniec kapłanów.

Jarych i dwaj jego towarzysze przysłonili już twarze maskami. Na ich plecy założono czerwone płaszcze. Stanęli plecami do siebie, spletli się ramionami i oto zaczynali — taniec otwierający wrota Nawii. Wszyscy wstrzymali oddech, Bork i jego siostry też. Od ponad stu lat nikt tego rytmu nie wybijał, nikt tego kroku nie wykonał, nikt nie tańczył, by wrota krainy umarłych otworzyły się dla najwyższego z kapłanów.

— *Haaa-haaa-ha!*

Ich śpiew był jak kamienie toczone przez sztorm po morskim dnie, jak głazy przesuwające się pod ziemią, jak lawina spadająca ze skał.

— *Haaa-haaa-ha!*

Trzy postaci w maskach, pierwsza z czarnego dębu, druga z barwionej na czerwono olchy, trzecia ze złoconego cisu. Ramionami splecione, purpurowymi płaszczami okryte, wirujące, jakby były jedną istotą, i stające się nią, tu, teraz, na oczach wszystkich, w oparach i dymie stosu wielkiego Strosza.

— *Haaa-haaa-ha!*

Oto jest! Oto przyjął zaproszenie trzygłowy bóg, ten, który był, który jest, który będzie, trzy światy zawirowały przed oczami Sambory i tak, usłyszała skrzypienie wielkich bram, i tak, zobaczyła, jak otwierają się, i tak, dostrzegła za nimi dusze wszystkich zmarłych lecące w oparach mgły, jako kruki, jako wrony, jako sroki. Lecieli powitać Strosza, który uniósł się smugą białego dymu znad własnego stosu. Wyleciał z dopalającego się ciała, z rozwartych osmolonych bezzębnych szczęk. Sambora przez chwilę bała się, że dusza Strosza przyjdzie, by ją wziąć, dym bowiem ułożył się w zarys postaci wyraźnie zwróconej ku niej. Wyciągnęła ręce i dotknęła kącików swych oczu, pokazując tej odchodzącej duszy: oto uczciłam cię, kazałam sobie wymalować czarne łzy, jak żałobnica, jak wdowa. Dym zgęstniał. Sambora dotknęła ust: zobacz, wielki. Oto uczciłam cię, kazałam sobie wymalować czarne łzy na ustach, by łkać po twej śmierci i radować się w dniu, gdy przez ogień idziesz do Nawii. Dym poruszył się i odłączyła się od niego wąska stróżka, sunąc wprost do Sambory. Dziewczyna dotknęła czoła: zobacz, wielki — pomyślała — skryłam dzisiaj włosy, by…

Jej płuca wypełnił dym pogrzebowego stosu stryjecznego pradziada, jej powieki zamknęły się i zaczęły widzieć rzeczy niedostępne żywym. A jej usta wypełniła mowa, język posłusznie wypowiadał słowa, które przychodziły z krain …

— …*sól, sól z wody, ze źródła, ze źródeł, których więcej jest, niźli znamy… które ukazane nam będą, darowane, sól, co zamienia się w złoto, złoto, złoto…* — słowa wypadały z niej jedno za drugim, jakby wypychała je nieznana siła.

Tłum zajęty celebracją jeszcze jej nie słyszał, ale usłyszał ją Jarych i natychmiast uciszył zebranych. Zamilkły dzwonki tancerzy, piszczałki i bębny. Kończyła się chwila zmarłych, zaczynała żywych.

— …*z południa przybędzie… zbrojny pan, wielki i srogi… w zastępy bogaty… chciwy naszej ziemi… za nim zaś książę młody, niczym orlę bystry, drapieżny… jego bać się trzeba, złoto-złoto-złoto, szykować złoto. Przyjaciół zjednywać, braci broni, na ziemi walczyć będziemy, nie na morzu. Krew weźmie, ale nam jej nie odbierze, Bork, Bork obroni…*

Sambora przerwała na chwilę, może chciała wziąć oddech. Poruszyła głową, jakby szukała kolejnych obrazów i pewnie je znalazła, bo zebrani usłyszeli:

— *A ku nam już inny pan jedzie, inny… piękny…* — zapewne zobaczyła jego oblicze i albo zachłysnęła się urodą widziadła, albo zakrztusiła dymem, dość, że wzięła głębszy wdech, na chwilę zamarła, a potem pobladła i zaczęła kaszleć. Opary dymiącego cisu musiały wypełnić jej płuca. Dusiła się, charczała, zgięło ją wpół, a ciałem wstrząsały dreszcze.

Bork podtrzymał siostrę, Damroka uderzyła ją między łopatkami. Sambora wreszcie złapała oddech. Po twarzy popłynęły jej łzy, ścierając je, rozmazała czarne kropki. Wreszcie uspokoiła się i uśmiechając nieprzytomnie, oparła o pierś brata.

— Wizja skończona — oznajmiła jej siostra.

— Oto przemówiła Sambora Bork, dziedziczka wielkiego Strosza! — zawołał Jarych, odejmując od twarzy złotą maskę.

Tłum żałobników, który chwilę temu tak chciwie wsłuchiwał się w każde ze słów dziewczyny, poruszył się równo, jakby ludzie byli jednością, przybrzeżną falą, pchniętą siłą jej wieszczby i głosu Jarycha. A gdy dotarło do nich znaczenie jego słów, zawołali:

— Sława jej! Jej sława!

I zaczęli śmiać się, klaskać, pokrzykiwać, tańczyć. Oto pogrzeb skończył się prawdziwą radością! Bogowie są nam łaskawi.


Bork patrzył na siostrę z dumą. Mógł powiedzieć: „A nie mówiłem?", ale nie było potrzeby. To miał na myśli, mówiąc siostrom, że Strosz miał głębszy powód, niż starcza chuć i pomieszanie zmysłów, prosząc o rękę Sambory. Stary kapłan wiedział, że dziewczyna ma zdolności tak silne, jak on sam w swych najlepszych czasach. Pragnął jej, by pożywić więdnące ciało i ducha jej siłą. Ale ona zapłaciłaby za to utratą daru i na to nie chciał się zgodzić Bork. Chwała ci, Stroszu, podporo rodu Borków, chwała ci, odejdź w pokoju. Pij miód z duchami przodków, parz się z nadobnymi dziewicami, ujeżdżaj czarne rumaki bogów, dmuchaj dobrym wiatrem w żagle tych, co na morzu.

Gdy Sambora wróciła do przytomności, Bork pocałował ją w spocone czoło i powiedział kpiąco:

— I po to uwolniłem cię od stosu, byś nam wywieszczyła wojnę?

— „Bork obroni" — powtórzyła po wieszczbie siostry Damroka. I popatrzyła na nią nie z dumą, a z zadumą.


Nie było wiatru. Noc miała się ku końcowi, gdy Jarych wsiadł na pokład łodzi. Za wiosła chwycili jego dwaj niżsi kapłani, na maszcie smętnie zwisała wilgotna od mgły chorągiew. Na niej dwa wilki, znak rodu Bork. I trójrogi symbol Trzygłowa. Władza książęca i władza duchowna w jednym rodzie, odkąd ktokolwiek pamięta, i dopóki będzie żyła ludzka pamięć. Naciągnął kaptur płaszcza. Od Parsęty wionęło chłodem, a gdy wygasł stos, zrobiło się naprawdę zimno. Grzała go popielnica, którą trzymał na podołku, między skrzyżowanymi nogami. Urna z wciąż niewystygłymi prochami Strosza. Wieźli praojca do macierzy. W górę rzeki, do świątyni w Bardach.

Na zaczepie u dziobu łodzi kiwała się latarnia. Nie rozpraszała mroków, ale jej żółte światło dodawało otuchy. Milczeli. Byli zmęczeni. Uroczystości najpierw żałobne, a potem pogrzebowe ciągnęły się w nieskończoność. To może wykończyć nawet najmocniejszego kapłana. A przecież dla nich to jeszcze nie był koniec.

— Przez ogień, przez wodę do Nawii! — zaintonował Jarych, gdy minęli Wyspę Solną i wypłynęli na szersze wody.

— Do Nawii… — dało się słyszeć z lądu. Tak, ludzie dopiero wracali z tryzny, z wielkiej pożegnalnej uczty, na której zjedli trzyletniego ofiarnego byczka. Sam Jarych podrzynał mu gardło, a jego pomocnicy zbierali ofiarną krew. Teraz każdy, kto jeszcze trzymał się na nogach, chciał dać głos, że żegna Strosza, że czuwa.

— Idźcie spać — szepnął znad wiosła jeden z kapłanów, odwracając głowę tak, by go nie usłyszeli.

— Sam bym poszedł — odpowiedział mu drugi.

Wiosłowali z mozołem, pod prąd rzeki, wiatru wciąż nie było. Wreszcie dopłynęli do miasta; Wyspa Solna, gdzie płonął stos Strosza i gdzie wyprawiono pożegnalną ucztę, leżała blisko ujścia Parsęty do morza, grodzisko Kołobrzeg stało nad rzeką, ale w głębi lądu. Ludzie wylegli poza bramy, stali z pochodniami na nabrzeżu, machali ogniem, krzyczeli:

— Stroszu, pamiętaj o nas!

— Przez ogień, przez wodę do Nawii! — zawołał Jarych głosem tak gromkim, że zamilkli przestraszeni.

Kapłańska łódź minęła Kołobrzeg i poczuli uderzenie wiatru w plecy, z północy, od morza. Mijali nadrzeczne łąki. Tu, pośród morza traw stała wielka samotna olcha. Teraz, w ciemnościach nie było jej widać, ale Jarych czuł jej obecność. Drzewo przed wielu laty dało mu znak, że bogowie chcą widzieć go w szeregach swych kapłanów. To zdarzyło się w samo południe, w dzień bezwietrzny. Trawy stały w bezruchu, a drzewo poruszało konarami, jakby targały nim sztormowe podmuchy, i tak, właśnie tak, bogowie go wezwali.

Łódź wpływała w łagodne zakole rzeki, Jarych wiedział, że tam jeszcze czeka na nich ostatnia z gromad ludzkich. Ich obecność zdradzało tylko kilka drgających płomyków na brzegu. Wstał i z całych sił zaintonował:

— W mroku, we mgle latają dusze nieszczęśliwie zmarłych. Widzę was! Widzę! Zamordowani na rozstajach, umarli znienacka, poronione dzieci, zaginione dziewice! Widzę was! Widzę! Strosza między wami nie ma i być nie może. Jego dusza już za wrotami! Przez ogień, przez wodę do Nawii!

— Stanie się, stanie się, stanie się — zaszemrali ludzie zgromadzeni na brzegu.

Ten cichy i niemal niewidoczny tłum ubogich mieszkańców podgrodzi, tylko z pozoru był najmizerniejszą grupą tutejszych. Jarych wiedział, że właśnie z tymi ludźmi trzeba się liczyć. W razie nieoczekiwanego najazdu wroga, to oni albo rozpierzchną się jak ptactwo, albo staną do broni. Albo wyprowadzą z grodu kogo trzeba sobie tylko znanymi ścieżkami między szuwarami.

— Jeszcze tylko trzecia strażnica i będzie można wciągnąć żagiel — powiedział jeden z kapłanów, gdy światełka łojówek ostatnich żałobników zniknęły za łodzią.

Tak było. Straż czuwająca w czatowniach nadrzecznych pozdrowiła kapłanów, oni odpowiedzieli i już zniknęły wszelkie światła na brzegach. Otoczyła ich ciemność i drgający daleko, daleko po lewej stronie, nowy brzask.

Kapłani wstali, odłożyli wiosła i wciągnęli żagiel na maszt. Łódź od razu skoczyła, pchnął ją dobry wiatr. Jarych odetchnął. Zdjął przykrywkę ze smukłej szyjki popielnicy i zdecydowanym ruchem wysypał prochy Strosza do rzeki.

Jego pomocnicy gruchnęli gromkim śmiechem i wyciągnęli dzban z miodem.

— Niech żyje Jarych! — zawołali i napili się, aż miód płynął im po długich, dobrze przystrzyżonych brodach.

Jarych wsunął wilgotne od słodkiego trunku palce do popielnicy starego kapłana, swego pradziada i wyjął je całe oblepione jego prochem. Obaj młodsi kapłani przyklękli i pochylili głowy. Jarych posmarował ich czoła prochami Strosza i miodem. Potem oblizał palce i szeroko rozłożył ramiona.

— Dziękujemy ci, Stroszu, żeś nas prowadził ponad setkę lat. Daj nam siłę. A sam odejdź!

— Przez ogień, przez wodę do Nawii — odpowiedzieli kapłani i zadęli w długie rogi. Niski, głęboki dźwięk niósł się po wodzie i płoszył rzeczne ptaki.


Jarych stał u steru, jego pomocnicy pilnowali żagla, latarnia na dziobie łodzi kołysała się w prawo i lewo.

— Nie sądziłem, że u Sambory to objawi się tak szybko — powiedział Jarych.

— I pomyśleć, że ja, głupi, chciałem księcia Borka prosić o jej rękę, jeszcze zanim zrobił to stary Strosz — odrzekł jeden z nich.

— Za wysokie progi — zaśmiał się serdecznie drugi. — Teraz będą ją trzymać dla jakiegoś księcia pana.

— Teraz, to ona sama sobie wybierze.

— Ona już wybrała — odpowiedział w zadumie Jarych. — Myślę, że ona zobaczyła go tej nocy.

Nie mówili nic więcej. Po długiej chwili zamajaczyło im światło strażnicy pilnującej Bard. Trzeba było zwinąć żagiel i wziąć się do wioseł. Przed nimi, na wzgórzu po lewej, ciemniała dawna siedziba rodu Borków. Od lat zamieniona na świątynię Trzygłowa. Popielnica z resztą prochów Strosza wróciła do domu.


Sambora wyszła z morza. Długie, rude włosy spadały jej mokrymi pasmami na plecy. Wyżęła je i potrząsnęła głową. Chłodny wiatr na wilgotnej skórze przyprawił ją o dreszcze. Ruszyła ku siedzącej na brzegu Damroce, wołając:

— Nie podasz mi płaszcza?

— Sama go weź! — odkrzyknęła siostra, otulając się swoim. — Nikt ci nie kazał kąpać się w taki ziąb.

Sambora pochyliła się, złapała wełnianą materię i zawinęła w płaszcz.

— To tylko wiatr — odrzekła, szczękając zębami.

— No chodź — miękko powiedziała Damroka i wyciągnęła z kosza płócienny ręcznik. — Zawinę ci włosy.

Po chwili siedziały wtulone w siebie w promieniach czerwcowego słońca, które świeciło ostro, a nie dawało zbyt wiele ciepła. Damroka otoczyła ramieniem plecy młodszej siostry. To było ich miejsce, ich plaża tajemna. Z sosnowym lasem srożącym się na wysokiej wydmie, gdzie każde z drzew było wygięte inaczej, a ich nagie korzenie, niczym pazury wczepiały się w biały piach, gdzieniegdzie przecięty pasmem mchu. Z ostrym zejściem z lasu do morza, przez wydmę, którą zwały nadmorską łąką, patrząc na mnogość traw, zielonych delikatnych piaskownic i srebrnoszarych, ostrych jak sztylety wydmuchrzyc. Po raz pierwszy zabrała je tutaj ich matka, Czębira. Damroka miała siedem lat, Sambora pięć, nie więcej. „Tu nigdy nie przypływają rybacy — powiedziała Czębira. — Bo morskie prądy odpychają stąd ich łodzie.

Jeśli kogokolwiek tu znajdziecie, to będzie martwy rozbitek". Matka nie myliła się. Nigdy nikogo nie spotkały w tym miejscu. Tylko raz, ten jeden, najważniejszy. Łódź z roztrzaskaną burtą i płaszczem Często zwiniętym wokół złamanego masztu. Tak, ich matka zginęła na morzu i tak, nikt nie wie, dlaczego. Czy nie zdążyła przed sztormem wrócić do portu? Czy wypłynęła na jego spotkanie, by znaleźć śmierć? To było pięć lat temu, siostry miały wtedy piętnaście i trzynaście lat, do dzisiaj nie poznały odpowiedzi. Rozbitą łódź Często zaciągnęły pod wydmę, przewróciły do góry dnem, była dla nich pamiątką, symbolicznym grobem matki.

— Gdy będziemy miały córki — powiedziała Damroka, ściągając mokry ręcznik z włosów Sambory — przyprowadzimy je tutaj. A potem one pokażą tę plażę swoim córkom...

— A wtedy my będziemy tak stare, że wnuczki będą musiały nas spychać z wydmy — Sambora zaśmiała się, wyobrażając sobie plażę pełną jasno- i rudowłosych dziewczyn.

— Jak się czujesz? — poważnie spytała Damroka.

— Jakby było nas dwie — odpowiedziała Sambora, a siostra włożyła palce w jej mokre, rude włosy.

— Jesteśmy dwie — pocałowała ją w głowę Damroka.

— Mam na myśli, że ja się rozdwoiłam — Sambora odwróciła się i popatrzyły na siebie z bliska, bardzo bliska. — Połowa mnie wciąż jest tamtą dziewczyną, co wcześniej. Tą, która lubi ścigać się z tobą konno i nie lubi wstawać zbyt wcześnie. A druga ja — Sambora zawahała się i przestała patrzeć Damroce w oczy, utkwiła wzrok w poruszającym się nieustannie morzu — druga ja wciąż spogląda za wrota Nawii i nie interesuje jej świat żywych.

Damroka przygryzła wargę i spytała:

— Matka tam była?

— Nie widziałam jej — odpowiedziała Sambora i wstała. Odrzuciła płaszcz, przez chwilę znów drżała z zimna, a potem szybko sięgnęła po koszulę i suknię.

Damroka patrzyła na ubierającą się siostrę. Na jasną skórę jej ud i ramion. Ozdobiony pieprzykiem brzuch. Rozłączyłyśmy się — zrozumiała — jesteśmy jak to słońce, które świeci zbyt jasno i nie daje ciepła. Wstała i zaczęła zbierać swoje rzeczy. Dwie mewy przecięły białymi skrzydłami błękit nieba i z krzykiem przeleciały nad głowami sióstr.

— Przyszło ci kiedyś do głowy, że z matką mogło być zupełnie inaczej? — spytała Sambora, gdy wspinały się w górę wydmy. — Że nie zginęła, tylko odpłynęła na innej łodzi, zostawiając nam swój płaszcz?

— Nie mogłaby nas porzucić! — gwałtownie stanęła w miejscu Damroka.

Sambora nie zareagowała, szła dalej, z mozołem, w górę. Damroka ruszyła za nią, zapadając się w piachu. Dobiegła do siostry, chwyciła ją od tyłu za ramiona i odwróciła siłą.

— Mogłaby? — zapytała bezradnie, jak dziecko.


Bork przyjął gości w świetlicy swego dworzyska pod chorągwią z wilkami, pod tarczami przodków. Wstał z wysokiego krzesła, by powitać ich w wejściu, by okazać szacunek. Poprzedzała ich straż, niosąca chorągwie z gryfem.

— Młodszy książę i współrządca Pomorza, Świętobor! Pan Szczecina, Kamienia i Wolina. Stargardu i Pyrzyc — zaanonsował towarzyszący gościowi możny, Dzierżko Koska.

Bork znał ich obu. Wiedział, że Koska to po równo mąż stanu i cwany lis. Wojownikiem nie był nadzwyczajnym, ale na Pomorzu dość było sprawnych wojów, a takich jak Koska, niewielu. Bork sam chętnie wziąłby na służbę kogoś takiego, ale póki co, wystarczyć musiał mu kuzyn. Jarych stał przy nim teraz, barczysty i brodaty, odziany w purpurową szatę kapłana Trzygłowa, z nieprzeniknionym wyrazem twarzy.

— Wyrazy współczucia z powodu śmierci wielkiego Strosza — powiedział książę Świętobor.

— I gratulacje dla ciebie, Jarychu Bork — dodał Koska. — Mam nadzieję, że będziesz cieszył się podobną sławą.

— Nie mamy w Kołobrzegu biskupa, by to sprawdzić — odpowiedział poważnie Jarych, a jego niski głos zawibrował niebezpiecznie.

— I chwała Panu! — roześmiał się Świętobor. Napięcie spadło. Usiedli.

— Co was sprowadza? — spytał Bork, choć wiedział dobrze. Takie wieści rozchodziły się szybko. Dytryk, starszy brat Świętobora i główny książę Pomorza, związał się sojuszem z wielkim rodem Billungów z Rzeszy. A Billungowie od trzech pokoleń byli głównymi buntownikami, stali na czele większych i mniejszych rodów sprzeciwiających się cesarzowi.

— Małżeństwo — odpowiedział Świętobor, uśmiechając się szeroko.

Jest tak piękny, że gdybym nie widział go w boju, wyobrażałbym sobie, że śpi w jedwabiach — pomyślał Bork o księciu. Świętobor był od niego młodszy o jakieś dziesięć lat. Niewysoki. Jarychowi sięgał ledwie do ramienia. Gładko golił twarz, jasne, złociste włosy ujarzmiał przepaską. Jego szeroka pierś przyciągała spojrzenia kobiet i mężczyzn, po równo. Oczy bystre i uważne patrzyły spod ciemnych brwi. Młody Gryf — pomyślał o nim Bork. — I ponoć w walce konnej nie ma sobie równych.

— Mój brat, książę Dytryk, poślubi pannę Edeltrudę, krewną Magnusa Billunga, księcia Sasów — dodał Świętobor.

— A nie córkę? — spytał Jarych.

— Nie, panie — odpowiedział Świętobor, udając, że nie usłyszał ironii. — Córkę jego kuzyna.

— To najwyższy rangą mariaż w rodzie naszych książąt — przypomniał Koska.

— Saska żona, doceniamy — powiedział Bork. — I gratulujemy.

— W imieniu mego brata przybyliśmy prosić was w gościnę. Pragniemy, by książę Bork i jego siostry uświetnili tę uroczystość — dokończył zaproszenia Świętobor.

— Małżeństwo będzie sakramentalne — dodał szybko Koska. — Dlatego, choć żałujemy, nie możemy zaprosić ciebie, Jarychu. Wybacz nam.

— Jednak mojemu bratu, mimo iż jest chrześcijańskim władcą, zależy i na twoim błogosławieństwie — dorzucił Świętobor.

Jarych przymknął powieki, jakby się zastanawiał, wahał. Jego poważna twarz była nieruchoma, niczym wystrugana w drewnie. Bork zerknął na niego, potem na gości i pomyślał, że nie potrzebuje Koski. Naprawdę wystarczy mu kuzyn.

— Przywieźliśmy dla ciebie, Jarychu, dary od księcia Dytryka.

— Karego konia — powiedział Jarych Bork, otwierając oczy.

— Tak. Karego konia — skinął głową Świętobor. — Abyś wiedział, jak bardzo szanujemy tradycję.

— Przyjmę go — odrzekł Jarych, co było równoznaczne z akceptacją małżeństwa księcia.

Bork i Jarych ustalili to wcześniej. Więcej, na wieść o sojuszu z Billungami, wypili już kwartę miodu. Jeśli spełnienie przepowiedni Sambory, tej, o wojowniczym panu z południa, jest bliskie, wszystkim Pomorzanom potrzebny jest ten związek.

Dzierżko Koska mógł odetchnąć z ulgą. Dla niego każde spotkanie z Borkami było nieprzewidywalne, a należał do ludzi, którzy nie lubią się mylić. Ród Koski służył książętom od dwóch pokoleń, razem z ich przodkami przybył na Pomorze. Cóż, tutaj, w porównaniu z Borkami, wciąż byli nowi, choć nikt już głośno nie mówił o nich „obcy". Potrzebowali panów Kołobrzegu. Szacunku, jakim darzyli ich Pomorcy. Gdyby nie przychylność Borków, książęta Szczecina i Wolina, Stargardu i Pyrzyc musieliby każdego dnia dochodzić swych praw do tych ziem siłą. Propozycja, z którą dzisiaj przyjechali, którą złożą za chwilę, powinna paść wcześniej. Na przeszkodzie stało uparte pogaństwo Borków. Ojciec Dytryka i Świętobora wolał czekać, aż się ochrzczą, młodzi książęta uznali, że się nie doczekają, i postanowili podjąć wyzwanie.

— Przybyliśmy również z drugą, radosną nowiną — podjął Koska wreszcie. — Kto wie, może i ważniejszą, niż pierwsza? Czekaliśmy z nią zwyczajowe u was czterdzieści dni, by żałoba w waszym rodzie dobiegła końca, bo niedobrze łączyć śmierć z miłością.

Jarych, czujny i napięty od początku tej wizyty nie drgnął, zamarł. Wszystko w nim mówiło: nie. Wiedziałem — pomyślał. — I nie zdążyłem temu zapobiec. Słowa zaraz padną.

— Mój pan, książę Świętobor, pragnie poślubić twą siostrę — oznajmił Koska.

— Którą? — spytał Bork, a Jarych pomyślał: nie pytaj, tylko wskaż Damrokę.

Koska chciał coś powiedzieć, ale książę Świętobor był szybszy, mówiąc do Borka całkowicie poważnie:

— Tę, która mnie zechce.

— Doszły nas słuchy — szybko uprzedził odpowiedź Koska — że panna Sambora ma… występującą w waszym zacnym rodzie… nie wiem jak to ująć, moc?

— Ktoś was zwiódł — szybko powiedział Jarych, dbając, by głos mu nie zadrżał. — Sambora Bork ma dar. Dar wieszczenia. A moc posiada Damroka Bork. — Zrobił pauzę i dodał: — Możemy rozważyć starszą.

— Możemy rozważyć obie — zakończył książę Bork.


Damroka i Sambora wiedziały, kogo zastaną za stołem podczas uczty. Nie wspomniano im jednak, ani słowem, o co toczy się gra. Bork nie chciał, by Jarych wpływał na wybór jego sióstr. Jarych pragnął tego, ale pozbawiono go możliwości. Weszły razem. Damroka była nieznacznie wyższa od siostry. Na rozpuszczonych, jasnozłotych włosach miała przepaskę z bryłkami oszlifowanego bursztynu, w nią wplecione gałązki ledwie rozkwitłej ruty luźno układające się między pasmami włosów. Założyła suknię w kolorze jej kwiatów, żółtą, na ramiona zarzuciła zielony płaszcz. W złocie, żółci i zieleniach, wyglądała jak skrząca się w słońcu łąka. Sambora zawinęła rude włosy wokół głowy, jakby chciała je ukryć, pomniejszyć ich bujność, choć nigdy wcześniej tak nie robiła. Ubrała suknię w barwach kory drzew i wyglądałaby w tym stroju niemal żałobnie i smutno, gdyby nie złote zausznice oplatające płatki jej uszu. Gdy weszły, Jarych odetchnął. Jasnym było, która jest panną gotową do wydania, a której nie w głowie miłość. Powitano je, one powitały gości i uczta toczyła się dalej, jakby nie działo się nic. Kapłan nie przestał być uważny, ale przyjął kolejny kielich miodu i udawał, że bawią go rozmowy przy stole.

— Tak, tak — śmiał się Koska. — Na dworach saskich niemało jest trudu, by wymówić moje imię. Dzierżko. Herman Billung zwracał się do mnie „Darsco". Ale, to mało ciekawe. Tyle razy chciałem zapytać o pochodzenie Borków. Krążą o was legendy. Mówi się o „wilczych znamionach" prawowitych członków rodu, ha, ha, ha, nie żebym chciał dochodzić, kto pełnej krwi, a kto nie, ale ciekawi mnie, w czym rzecz!

Ciekawi cię, Drasco Koska, czy moje siostry nie mają czegoś, co by uszczupliło ich małżeńską wartość — pomyślał Bork, wychylając kielich i udając, że świetnie się bawi.

— No dobrze — powiedział na głos. — Czas na rodowe dzieje! Tak stare, a już nie ma wśród nas tego, który mógłby je potwierdzić. Powiadają, że w czasach, gdy nasi przodkowie założyli grodzisko w Bardach, nad Parsętą, jednego z nich porwała Mamuna. Książę wie, kim są Mamuny?

— Kim były — z udanym oburzeniem odpowiedział Koska.

— Demonami, co porywają dzieci? — pytaniem odpowiedział Świętobor.

— Demonicami — wszedł w ten sam żartobliwy i udający wzburzenie ton Bork. — Mamuna porwała małego Borka wprost z kołyski...

— Albo matka czy ojciec wynieśli go na rozstaje, bo był paskudny jak noc — podjął Jarych i po raz pierwszy tego dnia uśmiechnął się.

— W podaniu mówi się, że rozpacz trwała trzy dni — uniósł palec Bork. — Na morzu rozszalał się sztorm, woda w Parsęcie uniosła się niebezpiecznie, wiatr wpychał morskie fale w rzekę tak, że przystań przy Bardzie zalało wodą.

— Każdy sztorm ma swój kres — przyszedł mu w sukurs Jarych. — Tamten też. Woda na rzece powoli opadała. Strażnicy Bard zobaczyli, że ktoś płynie.

— To był wilk — zakrzyknął Bork. — Z niemowlęciem w pysku. Przyniósł je całe i zdrowe. Położył na przystani, zawył i odszedł w las. Rozpoznano dziecko i radości nie było końca.

— Gdyby nie było wcześniej paskudne, któż by je poznał? — ironicznie powiedział swoje Jarych.

— Grunt, że wilk odebrał je Mamunie i przyniósł do domu. Zapłatą za tę opiekę był ślad jego zębów na ciele niemowlęcia. Dlatego każde z nas nosi gdzieś, na sobie, wilcze znamię. Z pokolenia na pokolenie.

— A dlaczego wilki w herbie są dwa? — dopytał dociekliwy Koska.

Jarych i Bork spojrzeli na siebie, potem na niego i odpowiedzieli równo:

— Wilk i dziecko to dwoje.


Sambora nie słuchała opowieści, znała ją dobrze. Płonęła, odkąd weszła do świetlicy. Jedno spojrzenie i wizja znad stosu Strosza wróciła. Oto on. Przybył do niej piękny pan. Jej książę. Dlaczego tamtej nocy zaniosła się kaszlem? Dlaczego nie widziała, co będzie dalej? Przez chwilę pragnęła uciec stąd, na odludzie, rozpalić ogień w misie, czekać na żar i wieszczyć z popiołów. Zobaczyć go w ich szarych, białych, srebrnych i mrocznych liniach. Zapytać dusz przodków: co począć? Ale co oni mogą wobec miłości? Tak, wiedziała, że i on, Świętobor, pragnie z nią teraz zniknąć w świętym gaju. Czuła, jak namiętnie szuka wzrokiem pod jej suknią wilczych znamion. Więcej, czuła, co zrobi, gdy je znajdzie. Nie chciała unieść spojrzenia, nie chciała patrzeć na niego, bo jej oczy mówiły zbyt wiele, a cór książęcych nie oddaje się darmo.


Damroka zakochała się w nim od pierwszego wejrzenia, a spojrzenie miała bystre, nawykłe do mężczyzn. Znała ich pożądliwy wzrok, umiała oddzielić obietnice od prawdy i ocenić ich wartość. Świętobor dla niej wart był krocie. Rozumiała, co takie usta potrafią. Wiedziała, jak poczuje się w jego ramionach i w myślach odgarniała jego złote włosy ze spoconego czoła. Niestety, gdy szukała jego spojrzenia, gdy chciała je złowić swoim, dostrzegła, że Świętobor oka nie spuszcza z Sambory.

Wilki są dwa — pomyślała. — Poczekaj, aż poznasz moc Damroki.

— No to postanowione — podali sobie dłonie Bork i Świętobor. —
Możesz, książę, spędzić z nią nieco czasu, nim wyruszysz w podróż
powrotną. Wrócisz ze swoimi, na wesele. Swadźby udzieli wam Jarych, tu, w Kołobrzegu, za trzy miesiące. Potem zabierzesz Samborę
ze sobą.

— Będziemy szwagrami — powiedział Świętobor. — To dla mnie
powód do dumy.

Bork nie odpowiedział od razu, kiwnął tylko głową. Dopiero potem
dodał:

— Dobrze, że się połączymy.

— Nasze rody się potrzebują — potwierdził Świętobor. — Żyjemy
w czasach zamętu. Jakbyśmy zbliżali się do jakiegoś przełomu.


Damroka wyrwała korzeń wawrzynka wilczełyko i wycięła taki sam kawał
korzenia jarzębiny. Zestrugała je oba i zagotowała na nowym ogniu,
przed brzaskiem, przed pierwszym kogutem. Poszła z nimi do książęcych stajni, nikt jej nie widział, nikt nie słyszał. Zakopała korzenie
pod wschodnią ścianą i teraz miała dzień, by czekać. Nie zasypiała
gruszek w popiele. Pobiegła w rosie budzącego się dnia na łąki. Po
młodą leszczynę, po kopytnik, po inne. Nie zniosła tego do swojej
izby, miała szałas w lesie nad Parsętą, nikt nie wiedział, nawet siostra.
Rozłożyła zioła i kwiaty. Sokiem z trójbarwnego bratka natarła brwi.
Lubczyk i miód wzięła…

— Wiedziałem, że cię tu znajdę — głos Jarycha usłyszała dopiero,
gdy wchodził do szałasu.

Schowała lubczyk za plecy.

— Co tu robisz? — powiedziała hardo.

— Szukam cię — odpowiedział. Podszedł do ławy i przyglądał się
roślinom. — Ukwap. Dobry wybór, nasza babka używała go w czasach, gdy nie było pewnym, że nią się stanie. — Mrugnął i dodał kpiąco: — Kalina wcześnie w tym roku zakwitła, co? Macierzanka, wrotycz,
o, a gdzie znalazłaś kopytnik?

Nie odpowiedziała. On zresztą na to nie czekał. Stanął przed nią
i wyciągnął ramię, wyjmując z jej schowanej za plecami ręki lubczyk.

— „Lubieniec, ja cię rwę pięciu palcami, szóstą dłonią…" — wyrecytował zaklęcie. — Zmówiłaś je? Zmówiłaś. Nie rób tego siostrze.

— Wszystkie tak robią — odpowiedziała, wysoko unosząc podbródek.

— Ty nie jesteś wszystkie — powiedział ostro. — Jesteś Damroka Bork i co powiesz, się stanie. Chcesz odebrać miłość siostrze?

— Chcę dać ją sobie — odrzekła i poczuła zły smak w ustach.


Sambora i Świętobor szli przez Kołobrzeg w stronę rzecznej bramy. Wokół nich kipiało miasto. Woły ciągnęły wozy wyładowane beczkami tutejszego złota — soli. Z rozstawionych na placach wędzarni niosło woń dymu i rybiego tłuszczu ściekającego po złoconych od gorąca skórach makreli. Kramy złotników, bursztynników, handlarzy suknem i wełną, wystawy szewców pełne zdobionego srebrną nicią i paciorkami obuwia. Kołacze wystawione w koszach, dzbany miodu ze smukłymi szyjkami zalanymi woskiem, plecione z brzozowej kory łubianki wypełnione poziomkami nabrzmiałymi od soku.

— Nie wiem, czym cię obdarować, gdy przyjdzie dzień zaślubin — powiedział Świętobor. — Dziewczynę, wyrosłą w takim bogactwie.

— Kołaczem — mrugnęła do niego — jak każe obyczaj.

— Przywiozłem pierścień, ale twój kuzyn, kapłan, nie pozwolił mi go podarować.

Świętobor rumienił się i to ją zaskakiwało. Nie znała takich mężczyzn.

— I dobrze — odrzekła ze śmiechem. — Pierścień oznaczałby, że już jesteśmy sobie darowani.

— A nie jesteśmy? — przytrzymał ją za ramię tak poruszony, jakby mu coś zabrała.

— Nie — pokręciła głową — i tak. Na razie jesteśmy sobie tylko obiecani. — Wymknęła się spod jego ręki.

— Nic tego nie zmieni — powiedział i zadrgały mu szczęki, jak psu myśliwskiemu, który zwietrzył zdobycz i lęka się, że inny go uprzedzi. — Skoro nie mogę cię dzisiaj obdarować pierścieniem, co mogę zostawić na pamiątkę, wyjeżdżając?

Pocałunek, splecione dłonie, uścisk silniejszy niż śmierć — pomyślała i nie powiedziała tego głośno. Zaśmiała się, zasłoniła rękami oczy i zakręciła jak w tańcu, wołając:

— To, przy czym się zatrzymam!

Wirowała chwilę, aż zakręciło jej się w głowie. Poleciała w bok i wyciągając rękę, osłoniła przed upadkiem. Zatrzymała się, chwytając czyjegoś straganu. Otworzyła oczy.

— Kłódkę? Czy klucz? — doskoczył do niej Świętobor śmiejąc się. Stali przy stole pełnym wymyślnych zamknięć do skrzyń. Okuć, zamków, kłódek i kluczy. Wzrok Sambory przyciągnęła kłódka w kształcie ludzkiej twarzy. Otwór na klucz miała z tyłu głowy.

— Okropne — powiedziała — jakby zamknąć komuś umysł, zakluczyć myśli w głowie.

— Albo zatrzymać na zawsze chwilę — szepnął za jej plecami Świętobor.

— Niczego stąd nie chcę — wycofała się Sambora. — Chodźmy, pokażę ci rzekę.


Dzień dobiegał końca. Siedzieli nad wodą, patrzyli na łodzie płynące z południa na północ. Słuchali odległych śmiechów i śpiewów. Małe dzieci, takie, którym nie pozwala się jeszcze brać udziału w tańcach na Noc Kupały, pod opieką starszych sióstr i braci wiły sobie wianki, jakby wprawiały się w tej sztuce, której wkrótce będą częścią, szybciej, niż im się dzisiaj zdaje. Teraz, zagonione przez opiekunki, kolorową gromadą wracały do grodu. Tym najmniejszym głowy nie wystawały ponad nadrzeczne trawy. Nagle dwoje malców podbiegło do nich, w rękach ściskali nieporadne i kanciaste wianki. Ich odwaga skończyła się, gdy stanęli przed Świętoborem i Samborą. Dziewczynka skryła twarz w ramionach, na policzki chłopca wyszły rumieńce. Dzieci rzuciły wianki do ich stóp i uciekły do gromady, a ta przyjęła ich piskiem i śmiechem. Świętobor wziął wianek, wstał i założył na głowę Sambory. Ona chwyciła za drugi i obróciła w palcach, rozpoznając kwiaty:

— Ruta, barwinek, macierzanka, wrotycz, lubczyk…

— Czy mogę prosić? — spytał Świętobor, pochylając się nad nią nisko.

Założyła mu wianek na głowę i krótką chwilę byli blisko, blisko siebie. A potem znów siedzieli po dwóch stronach, nad dogasającym ogniskiem na miękkiej trawie nad Parsętą. Słońce zachodziło, kładąc na rzece krwistopomarańczowe cienie. Nie rozmawiali ze sobą, bo każde ze słów budziło w nich pragnienia. Ona myślała o jego plecach. O tym, jak wyginają się w łuk i przechodzą we wzniesienia pośladków. Ogień wygasł. Chłodny wiatr znad wody studził żar ogniska. Tliły się popioły. On przymykał powieki i widział jej jasne ramiona, ale i oczy. Nie mógł przestać myśleć o oczach. Wciąż umykała przed nim spojrzeniem, ale ten pierwszy raz i kilkukrotnie później, i teraz, gdy zakładała mu wianek, gdy pozwoliła mu w nie spojrzeć, zobaczył coś, od czego zadrżał i chciał wiedzieć, czy...

Sambora mimowolnie spojrzała w popioły i zobaczyła w nich żywą siłę. Pulsującą niczym roztopione złoto, przebiegającą między nią a Świętoborem. Dobrze — zadrżała pod tą wizją — niechaj tak będzie.

— Wracajmy — powiedział zduszonym głosem Świętobor. — Obiecałem twemu bratu, że odprowadzę cię przed zmrokiem. Zatem? — spytał.

Sambora skinęła mu głową. Zdjęła wianek i wyciągnęła z niego gałązkę macierzanki.

— Tak. Rzućmy nasze wianki na wodę! — powiedziała.

Kręgi na rzece rozchodziły się jak szalone.


Damroka wykopała korzeń wawrzynka wilczełyko i jarzębiny ze stajni o północy. Przed świtem była na rozstaju dróg. Wybrała tę na północ, którą do przystani na Wyspie Solnej wrócą goście. Zakopała korzenie pod drogą, a wodę, w której je wcześniej warzyła, rozlała na trakcie, na krzyż. Nim kur zapiał, wypowiedziała zaklęcie: „Wejdź na mą drogę, luby. Moją ścieżką podążaj. Ku mnie, za mną i przy mnie. Bądź!".

Gdy wracała do domu, w ciemni przedświtu, zobaczyła wysoką, nagą kobietę o rozczochranych włosach przemykającą z grodu ku zaroślom. Pod pachą trzymała szamocące się niemowlę.


Pierwszy i drugi miesiąc minęły jak we śnie, szybko a zarazem wolno. Szykowano wyprawę ślubną Sambory. Panny haftowały jej koszule i suknie. Kowale kuli broń, którą Borkówna zabierze do domu męża. Stajenni ujeżdżali konie, psiarczykowie układali psy, a szkutnicy sposobili łodzie panny młodej. W całym Kołobrzegu iskrzyło od bursztynowego pyłu, bo szlifowano i kształtowano morskie złoto. Oblubienicy niczego nie mogło zabraknąć. Solono śledzie i upychano je w beczki. Wyprawiano focze skóry. Wędzono łososie, sandacze, szczupaki i sieje. Przy okazji połowów ubodzy z podgrodzi przynosili cebry pełne letnich raków, Bork i siostry zajadali się nimi. Kobiety wyszywały wielką purpurową chorągiew z dwoma czarnymi wilkami uchwyconymi w skoku. Zbierano i suszono zioła. Bartnicy sycili miód. Warzono beczki piwa.

Tylko Damroka i Jarych byli niespokojni. Sambora spała dobrze, z wyschniętą gałązką macierzanki przy posłaniu.

— Posłaniec do księcia Borka! — zawołano na bramie i nikt nie zwrócił na to uwagi, bo posłańcy do pana Kołobrzegu przybywali codziennie. Ten jednak miał twarz ukrytą w obszernym kapturze i tylko pochylił się do ucha dowódcy straży, by dostać eskortę do dworzyska księcia.

— Co mówisz? — Bork kazał sobie powtórzyć wiadomość, choć Koska powiedział chwilę wcześniej wyraźnie:

— Książę Świętobor nie może poślubić Sambory.

Damroka podsłuchująca w izbie obok z całych sił wczepiła dłonie w mech uszczelniający belki ściany. Oto jest! Jej zaklęcie zadziałało! Świętobor będzie jej!

Mech wydrapała paznokciami. Przyłożyła ucho do ściany.

— Książę Dytryk zginął tragicznie na polowaniu. Narzeczona z domu Billungów zdążyła przekroczyć Odrę. Świętobor, decyzją możnych, musi poślubić narzeczoną brata. I zerwać zaręczyny z Samborą Bork w imię dobra księstwa.

Damroka zamarła. Nie to zaklinała. Nie śmierć tamtego, lecz miłość Świętobora. Co poszło nie tak? Wstrzymała oddech.

— To niedorzeczne i nie wyrażam zgody — orzekł Bork, opadłszy na wysokie krzesło.

To ma sens — pomyślał w tej samej chwili. — Potrzebujemy sojuszu z Billungami. Ale dlaczego kosztem mojej siostry?

— Nikt z nas nie godzi się ze śmiercią księcia Dytryka — powiedział Koska. — Jelenia, który go śmiertelnie przebódł, rozpłatał Świętobor nie ostrzem, ale własnymi rękami. Obdarł go żywcem ze skóry i wył po stracie brata, jak opętany. A drugi raz oszalał, gdy rada możnych orzekła o jego ożenku z Edeltrudą z Billungów. Nie było innego wyjścia — rozłożył ramiona Koska i pokręcił głową, a Bork uznał, że z tym haczykowatym nosem i głęboko osadzonymi oczami wygląda niczym jastrząb.

Jarych podsłuchujący w drugiej z komnat trzykrotnie podziękował bogom. Nie było innego wyjścia — pomyślał słowami Koski, choć zgoła o czym innym. Sława rodu Borków, Sambora, nie powinna dzielić się mocą ze Świętoborem. Ta kobieta przynosi chwałę, chwała potrzebna jest nam. Mnie. Trzygłowy Panie — wyszeptał — każdemu z twych wcieleń niech będą dzięki.

— Nasz książę gorącym uczuciem obdarzył twą siostrę — mówił Koska z bólem. — Ale już nie jest drugim księciem. Splotem strasznych zdarzeń stał się księciem zwierzchnim i musi sprostać swym obowiązkom. Zwrócić słowo dane tobie i twej siostrze. Prosić Borków o wybaczenie — głos Koski zadrżał. On sam w tej chwili wolałby się zapaść pod ziemię. Mógł tylko Bogu dziękować, że nie ma z nimi kapłana, Jarycha. Ten rozerwałby mnie na strzępy — myślał. Borkowie nam tego nie darują, ale co robić? Saska żona cenniejsza niż złoto, a Billungowie od nas wszystkich silniejsi.

— Mój pan na dowód swej miłości przekazał to — Koska wyciągnął rękę, a w niej zawiniątko. — Sambora zrozumie.

Bork odwinął złoty jedwab i zobaczył kłódkę w kształcie ludzkiej głowy.

*Piękny pan nadszedł. I odszedł* — przypomniał sobie w myślach przepowiednię siostry. — Skoro ta część wieszczby już się spełniła, to znaczy, że i jej pierwsza część jest bliska. *Z południa przybędzie zbrojny pan, wielki i srogi, w zastępy bogaty, chciwy naszej ziemi. Bork, Bork obroni.* Muszę szykować złoto, nie wojnę ze Świętoborem.

— Pojąłem powagę tej chwili — odparł z namysłem. — Ale za siostrę nie ręczę. Nie wiem, czy wybaczy księciu. — Bork zimno pożegnał Koskę.

Na nadrzecznych podmokłych łąkach rosła samotna olcha. Wyniosłe drzewo pośród morza traw. Tego dnia wiało. Trawy uginały się jak łan pod naporem wiatru. Ale gałęzie olchy pozostały nieporuszone. Nie drgnął nawet liść.

Jesień przyszła nagle. Bez zapowiedzi, bez babiego lata, jednej nocy. Samborze było to obojętne. Nie miała sił. Ludzie schodzili jej z drogi. Ból, który w sobie nosiła, dla innych był nie do wytrzymania. Z początku Damroka próbowała ją pocieszać, ale łzy siostry raziły Samborę. Odsunęła się od wszystkich. Najbardziej od brata, co „pojął powagę chwili". Od Jarycha, który wodził za nią wzrokiem, jakby wciąż pytał: „Czy twój dar, Samboro, jest bezpieczny?". Dar czy przekleństwo? Widziała, czym mogliby być. Dlaczego nie dostrzegła, że nie będą? Nie jeździła na plażę, nie chciała spotkać siostry. Włóczyła się po lasach bez celu.

Aż wreszcie, jednego dnia, w lesie na wydmach, postanowiła zmierzyć się ze sobą, bo już nie mogła dłużej siebie samej wytrzymać. Rozpaliła ogień i czuwała przy nim. Gdy wygasł, wyciągnęła ręce nad żarem. Ciepło nie rozchodziło się po jej ciele, żar nie ogrzewał. Przymknęła oczy i oddychała głęboko. Poczuła znajome pulsowanie pod powiekami. Uniosła je i spojrzała w popioły. Zobaczyła tylko rozpadające się spalone gałęzie. Nic więcej. Siwe płatki popiołu unosiły się na wietrze, a popielisko milczało. Pochyliła się nad nim, zaciągnęła wonnym popiołem. I znów pustka i cisza, tylko tyle.

Wypalone ognisko, tym jestem — pomyślała z goryczą. — Nie czeka mnie już nic.

Wstała. Osmolone dłonie przyłożyła do twarzy i odcisnęła na niej ślad, jak żałobnice po śmierci męża. Zawiał wiatr od morza i pustka, którą czuła, pchnęła ją ku wybrzeżu. Szła w jego stronę, jak we śnie. Gdy wyszła z lasu, podmuchy się wzmogły, jakby chciały ją jeszcze uchronić, wepchnąć z powrotem między sosny. Sambora zrzuciła płaszcz i zeszła z wydmy. Wiatr targał jej suknią, jej włosami. Zrzuciła buty. Odczepiła kłódkę, którą nosiła przy pasie, tę dziwaczną, ludzką głowę zamkniętą na klucz, i trzymając ją w ręku, szła do morza, do fal. Zdjęła suknię i rzuciła w piach.

W lesie zawirował popiół nad wygasłym wcześniej ogniskiem. Uniósł się, opadł i wystrzelił płomieniem. W miejscu, w którym siedziała Sambora, spomiędzy ściółki wyłonił się gładki pęd. W jednej chwili na jego szczycie rozwinął się jasnozielony kwiat. Niepozorny, ale gdy tylko rozchylił płatki, stał się podobny do kobiecej pochwy. Zwabił owady i zamknął je w sobie, jakby pożerał je żywcem. Płatki opadły, a w ich miejscu, jedna po drugiej i jedna nad drugą pojawiły się krwistoczerwone, lśniące jagody. Oblepiły pęd i uformowały kolbę hardo sterczącą z ziemi.

Sambora wyszła z morza z pustymi rękami. Nago wróciła do lasu, do płonącego na wydmie ognia. Czekał tam na nią kwiat.

# CZĘŚĆ I

Motto:

*ja tylko chciałam
mieć większy udział
w sobie samej*

Joanna Mueller

# Rozdział 1

# Dom Gryfa

*Księstwo Pomorskie, Wołogoszcz, rok 1566*

Łopatki ściągnięte, ramiona opuszczone, żebra przy każdym oddechu napierają na sztywny gors sukni. Wykrochmalona kryza wymusza wysokie uniesienie brody. Czuje, jak poruszają się perły w jej kolczykach, w przód, w tył, w rytmie kroków. Tego pilnuje; nie iść, lecz kroczyć równo, w miejscu wskazanym jej przez ochmistrzynię, w trzeciej parze książęcych dwórek. Jest spięta, to jej pierwszy dzień na wołogoskim dworze. Domyśla się, że dzisiaj wszyscy patrzeć będą tylko na nią. Oto jest. Wychodzi z cienia.

Nowe buty stukają na kamiennej posadzce, przed sobą ma plecy drugiej pary dwórek, ruchliwe szyje, siostrzano białe koronki kołnierzyków. Jedna odwraca się i obrzuca ją szybkim spojrzeniem, lustrując od stóp do głów. Zawiesza wzrok na jej kryzie i zaskoczona unosi brew. Trwa to ledwie chwilę, mgnienie. Orszak panien ma iść skromnie, ze wzrokiem spuszczonym, bez rozglądania się na boki, bez śmiechów i rozmów, dozwolony jest szept, ale naprawdę cichy. Fraucymer wizytówką swej pani. Przytrzymać suknię, nie potknąć się na schodach w dół. Zejście na dziedziniec jest jak pchnięcie zamkniętych drzwi. Nagle otacza je gwar. Szczekanie psów, pokrzykiwania stangretów, rżenie koni, przekleństwo masztalerza, turkotanie beczek toczonych po bruku do piwnic, rozpaczliwe gdakanie kury z biciem skrzydeł uciekającej przed tasakiem. Orszak panien ma tędy przemknąć godnie. Widzi, jak zręcznie omijają kałuże te dwie panny z pary przed nią. Nie gubią rytmu, nie opuszczają głów. Nauczę się — myśli i widzi, że służba wyższa i niższa przystaje, jakby nagle nie musiała pilnie wykonać swej pracy. Ogrodnik i jego pomocnicy, stajenni, pokojowcy, praczki, szwaczki, pomywaczki. Panny kuchenne tylko przez chwilę udają, że spuszczają głowy, już je podnoszą i się na nią patrzą. Oblepiają bezwstydnymi, lepkimi spojrzeniami. I gdaczą:

— Jest! O, patrzcie, idzie ta nowa panna! Sydonia von Bork...

To jeszcze nie komnaty książęce, to tylko dziedziniec i pańska służba, a ona nagle nie wie, co zrobić z dłońmi. Po chwili dociera do niej, że powinna nimi zatkać uszy. Ciżbę dworską słychać z daleka, nie obowiązuje ich szept?

— Co ona ma na szyi? W życiu czegoś takiego...

— Bo mało co widziałaś. To kryza, hiszpańskie damy tak się noszą.

— Ciekawe jak to to prać?

— Szybko się dowiesz — śmiech.

— Niebrzydka, choć słyszałam, że kobiety w ich rodzie...

— Ponoć jej brat, Ulrich...

— Bzdura. To bogacz. Pan na zamku. Przebiera w kandydatkach na żonę.

— Ale gadają, że ma dwa rzędy zębów! — śmiech.

Przechodzą w szept, gdy orszak je mija. Sydonia czuje, że się rumieni, ale nie gubi kroku, nie odwraca ku plotkarom głowy. Wciąga powietrze powoli, na chwilę zatrzymuje w płucach, a z wydechem posyła im zimne spojrzenie spod zmrużonych powiek.

— Ach! — ta, która się śmiała, cofa się gwałtownie, depcząc pomocniczkę ogrodnika.

Sydonia idzie dalej w trzeciej parze dworskiego szeregu, przygryza wargę z tryumfem. I wtedy za plecami słyszy syk:

— Wilcze szczenię na książęcych pokojach...

Chce się odwrócić, zobaczyć, kto się ośmielił, ale sztywna kryza, niczym osobista straż, zatrzymuje ruch głowy. Może tylko spojrzeć w bok. Orszak minął służebną ciżbę, widzi szczura uciekającego z piętką ubłoconego chleba.

— Naucz się udawać, że nie słyszysz — szepce towarzysząca jej w parze Elisabeth von Flemming.

A wieczorem, w chwiejnym blasku świecy, wyznaje szeptem:

— O mnie kiedyś podkuchenna powiedziała do praczki: ta to wygląda jak surowe ciasto.

— I co zrobiłaś? — pyta Sydonia.

— Nic — wzrusza ramionami Elisabeth i chowa włosy pod nocny czepek. — To służba księżnej pani. Nie chciałabym znaleźć muchy w polewce, albo pochorować się od ryby. Odegram się, gdy będę na swoim. — Wzdycha i przygładza koszulę na piersi. — A tym wilkiem się nie przejmuj. Flemmingowie też mają wilka w herbie. Tyle, że my białego — w jej głosie słychać nutę wyższości, nic więcej.

Milczą chwilę, Sydonia gasi świecę. Wciąga woń dymu w nozdrza. W mroku słyszy pytanie:

— A twój brat, Ulrich, naprawdę…

— Nie — zaprzecza, nim tamta skończy.

Ale ty rzeczywiście wyglądasz jak surowe ciasto — myśli Sydonia przed zaśnięciem.


Dzieliły ze sobą niewielką komnatę sypialną i parę w orszaku. Ochmistrzyni uznała, że dobrze się będą prezentować razem, są równe wiekiem i wzrostem.

— To nie był komplement — ponuro wyjaśniła Elisabeth, kiedy nazajutrz ubierały się do wyjścia. Broda jej drżała, gdy dodała szeptem: — Jesteśmy tu najstarsze!

Była w koszuli, gorsecie i fortugale, jego obręcze kołysały się w rytm jej nerwowych ruchów. Uniosła ramiona, a służąca zręcznie zawiązała jej na biodrach wałek, Elisabeth poprawiła go i już z pomocą służki zakładała spódnicę na rusztowanie fortugału. Sydonia spojrzała w smugę światła idącą z wysokiego okna.

— Powtarzają, że tu, w Wołogoszczy, jest przyszłość dynastii — powiedziała w zadumie.

— Szkoda, że fraucymer musi iść w tę przyszłość ciemno ubrany — odburknęła Elisabeth von Flemming. — Jak ja w tym mam sobie znaleźć męża? — szarpnęła ze złością czarny aksamit sukni. Jej służąca, chyba przyzwyczajona do humorów panny, spokojnie poprawiła fałdy, rozkładając je równo na zawiązanym pod spodem wałku, i poszła po rękawy.

— Pięć lat minęło, szósty rok idzie, odkąd nasza pani owdowiała — mówi Elisabeth, wciągając rękawy. — Ona stara, może i po kres swych dni chadzać w żałobie między matronami, ale dlaczego zmusza do tego nas? My przecież jesteśmy orszakiem jej córek — głos Elisabeth von Flemming z łatwością wchodzi w wysokie rejestry pretensji, służka starannie dowiązuje rękawy. — Mnie nie do twarzy w ciemnym! — wścieka się Elisabeth.

To prawda, choć nie jest tak brzydka, jak jej zdanie o sobie i gust pani matki, która na suknię wybrała jej czarne i fioletowe aksamity podkreślające cienie pod oczami, zamiast ich blask — myśli Sydonia.

— Kiedy ty się zdążyłaś ubrać? — Flemmingówna mierzy ją zaskoczonym spojrzeniem.

— Metteke jest niezawodna — śmieje się Sydonia, chwaląc służącą, którą przywiozła ze sobą z domu, i prosi: — Podaj kryzę.

Metteke ostrożnie okala jej szyję kręgiem wykrochmalonej kryzy i zawiązuje go z tyłu. Sydonia wkłada palec pod kryzę, podciąga stójkę partletu.

— U nas jeszcze się ich nie nosi, może w Szczecinie, może w Stralsundzie — mówi powściągliwie Elisabeth i szybko pyta: — To jest wygodne?

— To jest piękne — odpowiada Sydonia i puszcza do niej oko.

Elisabeth przez chwilę patrzy na nią zazdrośnie, zatrzymuje spojrzenie na ciemnej, mszystej zieleni jej sukni i komentuje:

— Ma barwę kory zdartej z drzew.

Dawno nie byłaś w lesie — myśli, ale zostawia to dla siebie. Elisabeth von Flemming jest córką i wnuczką marszałków dziedzicznych, całe życie będzie stąpać po lśniących posadzkach, nie po mchu.

Należały do sześciu znamienitych pomorskich rodów. W pierwszej parze ochmistrzyni ustawiła czternastolatki, tu miała swoje miejsce znana Sydonii Otylia von Dewitz. W drugiej szesnastolatki, marszałkówny, te, które z początku wzięła za siostry. A trzecią parę tworzyły one, Sydonia i Elisabeth, niemal osiemnastoletnie, najstarsze, jak podkreśliła Flemmingówna, sama z marszałkowskiego rodu.

Towarzyszki Sydonii były na dworze od kilku miesięcy, mówiono, że księżna pani chce zadbać o otoczenie dorastających córek. A matki pomorskich panien dla swych latorośli pragnęły ogłady, obycia, koligacji. Ojcowie, tego co zawsze — dobrych małżeństw. Sydonia nie miała już ojca, Otto von Bork zmarł, gdy była dzieckiem. Niemal go nie pamięta, może czasami wyobraźnia podsunie jakiś obraz. Sydonię na dwór w Wołogoszczy wysłał jej brat, Ulrich. Podjęła wyzwanie, przestała liczyć dni, nie tęskniła za domem. Czasami za matką i siostrą.

W nocy budzą je krzyki. Tupot stóp, pohukiwania służby. Wybiegają w koszulach nocnych, boją się, że to pożar zamku. Zbiegają schodami w dół. Tak, widać ogień, ale pochodni. Idą za ich blaskiem do wielkiej jadalni. Tam, po kamiennej posadzce kroczy wielki jeleń. Piękny, dostojny i wystraszony.

— Wydostał się z zamkowego zwierzyńca... — słyszą szept zbrojnego sługi.

— Ale jak wlazł na piętro? — dopytuje inny. — I to dzisiaj, gdy wolne ma nasz łowczy.

— Nigdy coś takiego się nie przytrafiło na dworze...

Durnie — myśli Sydonia. — Po co straszą go ogniem?

A jednak robią to.

— Hu-hu — wyrzucają przed siebie z rozmachem ramiona z pochodniami.

To tylko jeleń — myśli. — To nie drapieżnik.

Wielkie zwierzę zaczyna rzucać łbem na prawo i lewo. W jego ślepiach odbija się blask pochodni. Pewnie myśli, że znalazło się w płonącym lesie, choć racice stąpają po marmurze. Co czuje dzikie stworzenie trzymane w niewoli? Widzi ogień i reaguje instynktownie. Ucieka.

Sydonia zauważa spięcie ciała jelenia, cofnięcie łba i parę bijącą z nozdrzy. Poroże oświetlone blaskiem pochodni lśni niczym korona. Jeleń podkula łeb, a potem wyrzuca go z impetem i rusza przed siebie, biegiem. Odbija się racicami od posadzki i skacze prosto w okno. Porożem rozbija szyby. Brzęk tłuczonego szkła i zaraz po nim głuche uderzenie w bruk zamkowego dziedzińca. Sydonia podbiega do okna, czuje kruszone szkło pod podeszwą buta. Wychyla się między sterczącymi, ostrymi odłamkami. Widzi jelenia w śmiertelnym spazmie, w rosnącej kałuży krwi, charczącego głośno.

— Do komnat! Proszę wracać do komnat! — woła ochmistrzyni. — Nic takiego się nie stało. Proszę spać!

Jeleń skonał. Sydonia ostrożnie wycofuje się między odpryskami szkła.

— Ależ ziąb — rzuca sługa z pochodnią, ten, który straszył zwierzę. I spluwa na marmurową posadzkę.

Panien dworskich było sześć, a księżniczki trzy. Najstarsza, Amelia, miała dziewiętnaście lat i jak plotkowano, dotąd nie była swatana. „Jest słabego zdrowia" — mówiono. „Ma ataki nerwowe", „Choruje na płuca", „Dręczą ją melancholie" — jakby to wszystko miało tłumaczyć ten oczywisty mankament księżniczki — dotąd jej nie swatano. Sydonia zbyt krótko była na dworze, bo żadnej z tych plotek nie mogła potwierdzić. Amelia była drobna i Sydonii wydawała się prześliczna, choć jej uroda przypominała odbicie w wodzie — wszystko w niej było ulotne, kruche i odrobinę zamazane. Do ciemnych i przytłaczających ją ciężkich sukien nosiła jedynie bielutkie, marszczone mankiety i takiż, obszyty koronką, kołnierzyk. Na piersi medalion z podobizną świętej pamięci ojca, księcia Filipa.

— Ten to był piękny! — wzdychano, jednym pociągnięciem skreślając urodę jego córek.

Księżniczka Małgorzata liczyła trzynaście lat i była wzrostu starszej siostry. Miała rumiane, pulchne policzki, brwi wyraźne i śmiało zarysowane, a ciemne wijące się włosy skrywała pod ciasnym kapturkiem, który w kroju przypominał ten, jaki noszą naprawdę małe dziewczynki, tyle że wyszyty był drogimi kamieniami. I taka właśnie była średnia z sióstr — dorodna niczym panna i pogodna jak dziecko.

Najmłodsza księżniczka, Anna, miała tylko rok mniej i smukłe, jakby chłopięce ciało. Suknie, w które ją ubierano, wydawały się zbyt obszerne i Sydonia domyśliła się, że niektóre, te droższe, donasza po Małgorzacie. Ruchliwa i skora do śmiechu, kręciła się, gdy pastor uczył je psalmów.

Towarzyszenie trzem siostrom nie było kłopotliwe, ani przesadnie trudne. Dużo częściej wydawało się nudne. Codzienne nabożeństwo, spacery, przejażdżki, nauka katechizmu, śpiewanie, wyszywanie, bardzo rzadko taniec.

— Zobaczysz, wszystko się zmieni, gdy książęta wrócą — szeptała Elisabeth, zręcznie tłumiąc ziewanie.

— To gdzie teraz są? — spytała równie cicho Sydonia.

Odpowiedzi wyszeptały jej wszystkie dworskie panny:

— Najstarszy, Jan Fryderyk na wojnie z Węgrami…

— …Bogusław i Ernest Ludwik w kawalerskiej podróży. To kolejni wiekiem.

— Jest jeszcze Barnim. O, Barnim na studiach w Greifswaldzie…

— Wrócą w towarzystwie swych junkrów, paniczów i panów, i wtedy się zacznie — przeżegnała się Elisabeth von Flemming, jak wojak przed decydującą batalią.

Sydonia złowiła wpatrzone w siebie jasne spojrzenie najmłodszej z dwórek, Otylii von Dewitz. Powinna odpowiedzieć jej uśmiechem, tę jedną, jedyną z nich, znała od dziecka. Ale nie mogła się przemóc.


Księstwo Pomorskie jest jak gryf, którego ma w herbie — dwoiste w jedności. Jedno prężne ciało lwa, ale dwa orle skrzydła: dwa księstwa braterskie, szczecińskie i wołogoskie, a kierunek zawsze ten sam, ten, który wskazuje orli dziób otwarty do krzyku: ku chwale Pomorza i Boga Najwyższego, amen. Uczą tego dzieci na Pomorzu, jak długie i szerokie, od Rugii i Strzałowa po Kołobrzeg i Słupsk. Dobrze to brzmi, Dom Gryfa, gniazdo starej dynastii, dwa braterskie księstwa, dwa skrzydła, ale wiadomym jest, że ważniejszy i naprawdę stołeczny jest Szczecin. Tam bije serce Pomorza. Tyle, że dzisiaj to serce jest stare. Książę szczeciński Barnim ma sześćdziesiąt cztery lata, jego żona rok mniej, nie doczekali się synów i już ich nie zobaczą. Ich córki poszły za mąż. A wołogoski dwór dobry Pan pobłogosławił ośmiorgiem dzieci świętej pamięci księcia Filipa i jaśnie pani, księżnej wdowy Marii. Mówią, że to dlatego, że sam Marcin Luter udzielał im ślubu. To przypuszczenie, ale jedno jest pewne: przyszłość Pomorza wykuwa się tutaj, w zamku nad rzeką Pianą. Nawet, jeśli jej bohaterowie wciąż obecni są tu tylko duchem, w przywoływanych każdego dnia studiach, kawalerskich podróżach i wojnach.


— Panna von Bork — przedstawiono ją kanclerzowi. — Właśnie przybyła na dwór.

Przybyła na dwór przed dwoma tygodniami, a to on, Jacob von Zitzewitz, przyjechał przed chwilą. Wiedziała, kim był, tak mniej więcej. Najpierw kanclerzem księcia Barnima, potem księcia Filipa, a po jego śmierci opiekunem wdowy i synów. Jego nazwisko zawsze wypowiadano z czcią i bojaźnią, niewielu mogło się równać z jego wpływami na

Pomorzu. Dobiegał sześćdziesiątki i przypominał starego jastrzębia. Znad wydatnego, trochę zakrzywionego nosa patrzyły na nią blisko osadzone oczy. Lśniące, ciemne i bystre.

— Jak imię? — spytał, przekrzywiając głowę.

— Sydonia — powiedziała. — Sydonia z Borków.

Lustrował ją, patrzył tak, jakby obmacywał jej twarz, szczękę, szyję i głowę. Oglądał ją nie jak mężczyzna młodą kobietę, ale jak medyk pacjenta. Mogła, może nawet powinna, spuścić wzrok, ale nie zrobiła tego, sama nie wie czemu.

— Pierwsza Borkówna od… — zawahał się. Przymknął oczy i otworzył je szybko, jak ptak — …wielu lat na książęcym dworze. Zatem, witamy! — Zrobił przesadnie szeroki gest ramieniem i zrozumiała, że może już iść na swoje miejsce, do pozostałych. — Nasze rodziny mają długą, wspólną historię.

— Nic mi o tym nie było wiadome — odpowiedziała, mrużąc oczy przed wpadającym do komnat słońcem.

Zitzewitz pokiwał głową, jakby potwierdzał, co wydało się dziwaczne. Nie chcąc przedłużać niezręcznej sytuacji, ruszyła.

— Znałem twego dziadka, Ulricha — powiedział kanclerz, gdy go mijała.

— Mego brata nazwano na jego cześć — odpowiedziała, konstatując, że wspólna historia sięgająca dziadków to niewiele, jak na Pomorze.

— Oby nie w złą godzinę — uśmiechnął się kanclerz. Oczy pozostałych dwórek zalśniły ciekawością.


Uniwersytet, kawalerska podróż studentów, wielka wojna u boku cesarza i Turcy, nauka i studia, to nieodmiennie wracało. O czterech nieobecnych, starszych synach księżnej, nieustannie rozmawiano, niewiele zwracając uwagi na błąkającego się po komnatach najmłodszego. Piąty panicz miał na imię Kazimierz. Skończył dziewięć lat i wyznaczono mu trzech nauczycieli, którzy przynajmniej raz dziennie szukali chłopca po zaułkach zamku. „Skończy czternaście lat i pójdzie na studia, śladem braci", „Ruszy w kawalerską podróż, świat pozna, zobaczy, jak tamci". „Będzie, niczym starsi, honorowym rektorem na Uniwersytecie Gryfijskim. Ach, nasza duma, nasza Gryfia, nasz Greifswald, kuźnia uczonych" — powtarzano wokół Kazimierza i przy nim, nie zważając, że w ciemnych, melancholijnych oczach najmłodszego z książąt pojawia się lęk, za każdym razem, gdy słyszy tę przepowiednię, ten wyrok.

W tych pierwszych tygodniach w Wołogoszczy Sydonia miała wrażenie, że dwór kobiecy żyje nieustanną nieobecnością. Ci, których nie ma, karmili ciekawość.

Ale największego nieobecnego poznała, gdy dwór panien połączono z dworem matron. Niepodzielnie panowała tu jaśnie pani, księżna Maria. W ciemnych, wdowich sukniach i lśniącym bielą welonie zasiadała na fotelu pod portretem nieżyjącego męża. Książę Filip ze ściany i złotych ram na wszystko patrzył.

Widział, z jakim zapałem wyszywają jego młodsze córki, jak starają się przypodobać pani matce. Jak Amelia przymyka oczy nad książką i zdaje się odpływać w płytki sen.

— Nadaliśmy jej imię po matce mego męża, z domu palatynównie reńskiej, Amelii z Wittelsbachów — powtarzała księżna, jakby każda okazja była pretekstem do wspomnienia zmarłego.

— On był taki... — wzdychała przynajmniej raz dziennie, wznosząc spojrzenie ku niebiosom — ...gorliwy w swym wyznaniu wiary...

Sydonia patrzyła na portret księcia Filipa i przychodziło jej do głowy, że ktoś tak piękny nie mógł być aż tak pobożny.


Jest noc, księżyc lśni, obojętny i chłodny. W mroźnym powietrzu tworzy się wokół niego mglista aureola. Stopnie schodów same ją prowadzą w dół. Przejścia między dziedzińcami. Halabardnik śpi na służbie. Kot przemyka dziedzińcem, na skos. Gdzieś w oddali słychać męski śpiew i kobiecy śmiech. Nie wszyscy śpią jeszcze na wołogoskim zamku. Zatrzymuje ją ogrodzenie, zza niego bucha ciepło. Przylega do płotu całym ciałem. Chrzęst, fukanie, drapanie, parujący niski oddech. A po nim głośny, nachalny i pożądliwy dźwięk. Huczka. Widzi, jak za płotem zwierzyńca kopulują dziki. Odyniec porusza się rytmicznie na samicy. Z mroku, zza zajętej sobą pary, słychać parskanie. Wychodzi drugi samiec. Olbrzymi. Wącha samicę, wącha samca, zaczyna charczeć. Jest nachalny. Z nozdrzy bucha mu para, z pyska kapie ślina. Jego potężne cielsko drży z pożądliwości. Zauważa Sydonię. Już utkwił w niej spojrzenie ciemnego oka. Furczy. Ona odsuwa się przerażona. Od zatraconego w pożądliwości odyńca oddziela ją tylko drewniana zagroda. Locha wydaje przenicowane żądzą niskie jęki. Sydonia odwraca się i ucieka. Dziedziniec. Chrapiący halabardnik. Schody. Korytarz. Drzwi. Komnatka panien dworskich. Pada na łóżko, wzburzona.

— Gdzie ty się włóczysz po nocach? — pyta sennie Elisabeth, przewraca się z boku na bok.

— Nie mogę spać — szepce Sydonia. Serce jej wali.

— Może masz myśli nieczyste — ziewa jej towarzyszka i naciąga kołdrę. — Pomódl się, to ci ulży.

— Nie — łapie oddech Sydonia. — To ta pełnia. Jak tu spać, gdy księżyc wypełnia całą naszą komnatę?

— Uhm... — mruczy Elisabeth von Flemming. — Pilnuj się, jak będziesz nocą latać po dziedzińcu, pomyślą, żeś... — zasypia.


Po dwóch tygodniach od połączenia dworu panien i matron księżna wdowa wreszcie ją zauważa. Wcześniej, nim Sydonia dostąpi tego zaszczytu, sama widzi, że ulubienicą jaśnie pani jest młodziutka Otylia von Dewitz. Jasnooka, jasnowłosa, tak promienna, że nie gasi jej ciemny granat sukni. Raz, ale tylko ten jeden, Sydonia widzi na palcu Otylii drobny szafir, widok tego pierścionka doprowadza ją do pasji, którą kryje nawet przed sobą. Czy Dewitzówna widziała, że ona widzi? Trudno orzec, dość, że nie założyła go więcej. Otylia zdaje się czytać w myślach jaśnie pani. Gdy księżna Maria unosi twarz, a jej ciężkie podbródki wznoszą się znad koronek kołnierza, Otylia już wie, że ma podać pozłacany koszyk z robótką, albo przeciwnie, zabrać go, odstawić i podać pani kielich, szal, chusteczkę, czegokolwiek księżna wdowa by zapragnęła, Otylia von Dewitz przeczuwa to chwilę wcześniej. Widzą to także księżniczki, Małgorzata i Anna, i czasami starają się wyprzedzić Otylię w wyścigu do matki, ale za każdym razem księżna chce tego, co podsuwa jej Otylia, nie córki. Sydonia nieraz ukradkiem podawała chusteczkę do otarcia łez małej Annie. Księżniczka Amelia zdawała się tego nie dostrzegać, albo być poza tym, aż w końcu Sydonia doszła do wniosku, że to jest sposób najstarszej na swe miejsce na dworze: udawać tak pożądaną tu nieobecność.

— Niech się zbliży — mówi nieoczekiwanie księżna Maria i już to jest znakiem, że choć nie wypowiada imienia, nie zwraca się do Otylii von Dewitz. Jasnookiej nie trzeba wydawać poleceń. Ochmistrzyni kiwa na Sydonię. W komnacie zapada cisza, jakby wszyscy wyczekiwali na tę chwilę. Tak, czekała na nią sama Sydonia, być na dworze i nie dostąpić zaszczytu przedstawienia najjaśniejszej pani?

Odkłada książkę, robi kilka kroków, staje przed fotelem, panią, portretem za jej plecami, kłania się.

— Niech panna mówi — zachęca ją księżna Maria.

— Sydonia z Borków– odpowiada, bo to jedyne, co przychodzi jej do głowy.

— Sydonia von Bork — machinalnie poprawia ją pani. Dopiero z bliska widać, jak piękne oczy ma księżna wdowa. Z daleka chowają się w ciężkich fałdach powiek, giną w obfitości policzków i dalej, podbródków, rozpływają w bieli skóry i zawojach welonu spowijającego jej głowę. Z bliska są szmaragdowe, bystre, przenikliwe i chłodne.

— Jedynaczka? — pyta Maria Saska.

— Nie, mam starszą siostrę, Dorotę.

— Dorotea, to piękne imię — gra w nieobecnych nigdy się nie kończy. — A panny imię? Po kim?

— Schwicheltowie, ród mojej matki, pochodzą z księstwa Brunszwiku — odpowiada ostrożnie. W oczach księżnej widzi błysk, wie, że najjaśniejsza pani już zna odpowiedź, ale czeka, zmuszając Sydonię, by powiedziała to wszystkim. — Nim przyszłam na świat, książę brunszwicki poślubił księżniczkę saską, Sydonię. Matka nazwała mnie na jej cześć.

— O! — wyrywa się jednej z matron. — Kto by przypuszczał! Ja myślałam, że to imię z tego romansu, *Pontusa i Sydonii*.

— Nie lubię romansów — mówi księżna Maria, wzrok księcia Filipa z portretu to potwierdza. — Sydonia z Wettynów. Mamy wspólnych krewnych. Ja i ona, oczywiście — uściśla bez cienia złośliwości i wzdycha. — Nieszczęśliwe małżeństwo ma księżna Sydonia z Erykiem, okropne. Może dlatego, że jest od niego tyle starsza? Dziesięć lat, to źle wróży. Codziennie Bogu dziękuję, że moje małżeństwo było inne.

Księżna wdowa odpływa we wspomnienia, Sydonia próbuje się domyślić, co powinna zrobić. Nie przychodzi jej do głowy nic innego, tylko się cicho wycofać za plecy powierzonych jej towarzystwu księżniczek. Tym razem to mała Anna patrzy na nią współczująco. Sydonia bierze książkę z siedziska krzesła i słyszy:

— Mój świętej pamięci mąż wiele mówił o Hansie von Bork, pogromcy zbójców.

Sydonia zastyga w bezruchu, czując wbite w siebie pożądliwe od ciekawości spojrzenia dworskich panien. Co jeszcze powie księżna? Z daleka znów jej oczy giną w bladej twarzy.

— To dwój dziad? — pyta.

— Nie, najjaśniejsza pani, brat dziada. Moim był Ulrich.

— Ach tak — trudno wyczuć, co ma na myśli księżna Maria. — Biedna ta nasza Sydonia! — wzdycha po chwili. — Nieszczęśliwa istota. To oskarżenie o czary...

Sydonia blednie, panny dworskie otwierają usta, wpatrując się w nią z niedowierzaniem, Elisabeth upuszcza robótkę.

— Niech uważa, marszałkówna — łagodnie karci ją księżna pani. — Własny mąż jej to zrobił — wyjaśnia księżna matronom. — Książę Eryk rzucił na księżnę Sydonię taką potwarz. Ach, ludzkie gadanie, plotki, ośmieszenie rodziny. Zdaje się, że cztery kobiety spalono w tej sprawie, księżnę oczywiście uniewinniono. Poczytaj nam na głos, Sydonio von Bork, rozproszmy ciężkie myśli.

Sydonia oddycha z ulgą, otwierając książkę, łowi chmurne spojrzenie Otylii.

Pod koniec Wielkiego Postu nieoczekiwanie zrobiło się cieplej i księżna Maria zarządziła, że dwór może chodzić do miasta, na nabożeństwa do Świętego Piotra, dworskiego kościoła Gryfitów. Wcześniej nie wychodzono, słuchano słowa bożego w kaplicy zamkowej, w obawie przed zimnymi wiatrami z północy i zdradliwymi, z zachodu. Gdy orszak formował się na zamkowym dziedzińcu, Sydonia skryta pod szerokim kapturem uważnie przepatrywała służbę. Nie zapomniała „wilczego szczenięcia". Pamiętała aż za dobrze, choć nie umiała osądzić, czy wtedy głos należał do mężczyzny, czy kobiety.

— Gdzie panicz Kazimierz? — gorączkował się jeden z jego wychowawców.

Księżna Maria właśnie zeszła w asyście matron. Jej przysadzistą sylwetkę spowijało piękne, brunatne futro i takaż czapka nasadzona na strojny tym razem welon i czepiec. Otylia von Dewitz podawała jej rękawiczki.

— Gdzie moje córki? — spytała.

Elisabeth i Sydonia rozstąpiły się, robiąc miejsce księżniczce Amelii. Najstarsza sennie dygnęła przed matką.

— Niech panna założy kaptur — przykazała jej księżna. — Od wody zawsze wieje chłodem. Gdzie młodsze? — księżna wdowa spojrzała na drugą parę dwórek, która powinna towarzyszyć Małgorzacie. Te pokręciły głowami.

— Jaśnie panienka nie zeszła — wyjaśniły.

— Panienki Anny też nie ma, choć była ubrana na czas — usłużnie podpowiedziała Otylia von Dewitz.

— Pastor nie będzie czekał z nabożeństwem. To byłby zły przykład dla maluczkich. Borkówna i Flemmingówna znajdą moje dzieci i ich przypilnują. Pomówię z nimi, gdy wrócimy z domu bożego.

— Amen — odruchowo odpowiedziały matrony i orszak pani ruszył ku zamkowej bramie.

Saska Lwica — pomyślała o księżnej Marii Sydonia, a Elisabeth von Flemming sapnęła gniewnie:

— Pierwsze wyjście od tak dawna. Przeszukaj pierwsze piętro, ja przejrzę drugie.

Sydonia przygryzła wargę. Źle znosiła rozkazy.


Przemierzała komnatę za komnatą, aż się zgrzała i musiała zrzucić kaptur. Po raz pierwszy chodziła sama po niemal opuszczonym zamku. Jak jeleń, który wdarł się tu nocą — pomyślała. Weszła do wielkiej reprezentacyjnej sali, nigdy wcześniej tu nie była, odkąd jest na dworze, księżna nie wydaje hucznych uczt, nie przyjmuje wielu gości. Ostre wiosenne światło wpadało przez wielkie okna, oświetlając puste wnętrze. Drobinki kurzu wirowały w powietrzu. Panowała całkowita cisza, ale w tym bezgłosie czaiło się coś nieoczywistego. Sydonia powoli odwróciła głowę w prawo, w stronę szczytowej ściany i zamarła. Z olbrzymiego gobelinu wpatrywał się w nią tłum odświętnie ubranych ludzi. Mężczyźni, kobiety, dzieci. A na ambonie pomiędzy nimi Marcin Luter głosił nieme kazanie. Ledwie zdążyła pojąć, że to tapiseria, że wokół niej biegnie bordiura w owoce i kwiaty, że dołem i górą utkano napisy, a złudna naturalność ludzi pochodzi z barwnych i złotych nici, i z blasku wpadającego przez okna słońca, gdy nagle tkanina poruszyła się. Pękła w trzech miejscach jednocześnie... Nie! To trzy nieduże, czarne postaci oddzieliły się od gobelinu i z nisko spuszczonymi głowami wyszły przed szereg. Przez ułamek chwili Sydonia nie wiedziała, co jest prawdą, a co ułudą i wtedy jedna z postaci odezwała się. Głosem najmłodszej z panien Gryfitek, księżniczki Anny.

— Szukali nas?

Sydonia przebiegła wzrokiem łacińskie napisy u dołu bordiury. Imiona. I pojęła, co widzi: oto troje dzieci niesportretowanych na gobelinie i niezauważanych na dworze chciało dołączyć do wystawnie ukazanej rodziny. Znaleźć wśród jedwabnych i złotolitych swoje miejsce.

— Szukali, panienko — zapewniła dziewczynkę. — A ja miałam szczęście i was znalazłam.

Lewa strona tkaniny to Dom Wettynów. Prawa to Dom Gryfa, złocisty i kwitnący w swej krasie. Trzech dorosłych książąt i ich trzy żony. DOUX PRINCIPUM POMERANORUM. Jednym z nich jest nieżyjący książę Filip z portretu. Niżej, w pierwszym szeregu, jego dzieci, podpisane dumnie: JOHAN FRYDERYK. BOGISLAV. ERNST LUDVIC. AMALIA. BARNIM. Dzieci utkane są złotowłose, barwne i wykwintnie ubrane. Prawdziwe dzieci, w czarnych strojach, unoszą powoli głowy, by spojrzeć na Sydonię w milczeniu. Trzy mroczne, ale przecież żywe, plamy. Sydonia w pełni rozumie wymowę tej sceny i szuka w głowie słów, by zwrócić się do dzieci. W sukurs przychodzi jej księżniczka Małgorzata, pytaniem:

— Nie zdradzisz nas?

— Nigdy w życiu — odpowiada Sydonia i robi krok ku nim.

— Jesteś inna niż tamte — mówi nieoczekiwanie Anna. — Z tobą można mieć sekrety.

— Dzisiaj dzień moich urodzin — dzieli się pierwszym mały Kazimierz i patrzy na nią badawczo.

— Rozumiem, że z okazji święta wolał książę posłuchać kazania samego Lutra — odpowiada Sydonia, wskazując głową na postać w centralnym punkcie gobelinu.

Kazimierz kiwa głową zrazu niepewnie, ale docierają do niego słowa Sydonii i potakuje coraz szybciej. Małgorzata i Anna zaczynają się śmiać. Nie jak księżniczki, jak dzieci. Coraz głośniej, aż do rozpuku. Wypełniają swym śmiechem całą reprezentacyjną salę. Gdy kończą, Sydonia podaje Małgorzacie chusteczkę, starsza z panien Gryfitek wyciera oczy i oddaje chusteczkę młodszej siostrze. Kazimierz oświadcza:

— Ja nie potrzebuję. Ja nie płaczę.

— Często tu przychodzicie? — pyta Sydonia.

Nie odpowiadają, patrzą po sobie.

— Bardzo piękny gobelin — mówi po chwili. — I utkano go przed waszymi narodzinami. Pewnie za jakiś czas powstanie kolejny i na nim będziecie wszyscy, już jako dorośli, a niżej znajdą się wasze dzieci.

— Albo i nie — oświadcza Kazimierz hardo i mnąc w ręku czarną czapkę, rusza do wyjścia. Jednak przed drzwiami staje, ogląda się za siebie i patrzy na ścianę. Jego złocista, gobelinowa rodzina spogląda w przestrzeń, uśmiechając się wytwornie i jedwabnie.

Oto ród Gryfa — przebiega przez głowę Sydonii. — Ich blask rodzi cienie mroczniejsze, niż mogą przypuszczać.


Po świętach Zmartwychwstania Wołogoszcz odwiedza para książęca z Meklemburgii, książę Ulrich z małżonką Elżbietą i córką, dziewięcioletnią księżniczką Sofią. Suknie gospodyni i jej fraucymeru wydają się jeszcze ciemniejsze na tle kipiących barwami strojów gości. Księżna Elżbieta, nim poślubiła Ulricha, była wdową, ale teraz, jako żona, pani i matka, nosi się jasno i złoto. Jej suknia wygląda niczym bukiet angielskich róż, tych, których płatki z zewnątrz są ciemnoróżowe, a rozchylając się, z każdą warstwą nabierają coraz jaśniejszych odcieni. Górne i dolne ramowania rękawów, partletu i wysokiej, hiszpańskiej stójki są zdobione złotą taśmą, a całość zdobi kryza, barwiona także na różowo. Sydonia widzi, jak dwórki dyskretnie zerkają to na jej kryzę, to na księżną Elżbietę, porównując marszczenie, sztywność i rozmiar. Wie, że daleko jej do meklemburskiej pani, ale czuje się doceniona. Księżniczki pomorskie usiłują dotrzymać towarzystwa córce gości, ale panienka Sofia patrzy na nie z rezerwą, odpowiada zdawkowo, woli trzymać się blisko ojca lub matki. To tylko dziecko i może boi się obcych? Meklemburski książę nie jest przesadnie stary, Sydonia przypuszcza, że może nie mieć czterdziestu lat. Wyróżnia się wśród dworu znacznym wzrostem, co szybko zauważają dwórki, a matrony wyjaśniają z pobłażliwym uśmiechem, że owszem, jest wysoki, ale „gdzie mu tam do księcia Bogusława Wielkiego". Oczywiście mówią to szeptem i na stronie. Sydonia już wie, że Bogusław to istny król nieobecnych, punkt odniesienia wszelkich wspomnień, pod warunkiem, że wspominającą nie jest księżna wdowa. W jej pamięci nikt nie zdetronizuje Filipa i w tamtym czasie Sydonia rozumie już dość dobrze, że pamięć księżnej wdowy jest przemyślana i wybiórcza, a służyć ma wyniesieniu własnej rodziny, a nie odległych przodków. Chociaż Bogusław to pradziad jej dzieci i wybawiciel dynastii. Kiedyś na nim jedynym zawisła sukcesja pomorska, ale przezwyciężył wszelkie przeszkody i dał księstwu dwóch dziedziców. Gdy w jej obecności wspominają księcia Bogusława, Saska Lwica uśmiecha się pobłażliwie. Jest potężna pięcioma synami. W licytacji na potomków nikt nie może jej przebić.

Książę meklemburski to typ ruchliwy i ciekawy wszystkiego, mówią, że dobry z niego gospodarz i ma misję wydobycia swego księstwa z długów po ojcu. Co ciekawe, w odróżnieniu od innych ludzi wysokiego urodzenia, książę nie wstydzi się dziedzictwa długu. Może dlatego, że poświęcił życie, by go odrobić. Interesuje go wszystko, co wiąże się z gospodarstwem, uprawą ziemi, budową, cłami i podatkami. Chce o tym mówić na ucztach i podczas przechadzek. Sydonia, towarzysząc panienkom, czyli trzymając się z tyłu, nie może wszystkiego słyszeć, i żałuje, bo to rzeczywiście ciekawe i ożywcze, po tygodniach nudy nad katechizmem, kazaniami mistrza Bugenhagena i haftem. Na szczęście Saska Lwica wymawia się złym samopoczuciem i każe swym córkom dotrzymywać towarzystwa gościom, oczywiście w otoczeniu fraucymeru i asyście dwóch matron. Przyłącza się do nich nawet książę Kazimierz, który od czasu historii z tapiserią, jeśli tylko może, znajduje się blisko Sydonii. Przy nim jego nauczyciele, do których dołączył niejaki doktor Schwalenberg, nieco za młody, jak na doktora praw, ale tak się tu o nim mówi. Kazimierz nie wydaje się tą zwiększoną asystą zachwycony. Przewodnikami wycieczek są radcy dworu i marszałek Schwerin, który pod nieobecność kanclerza Zitzewitza czuje się pewniej i mówi głośniej. Na Sydonii nie robi to żadnego wrażenia. Ona już wie, że na tutejszym dworze nie trzeba być ciałem, by zdobyć sławę duchem.

Książę meklemburski, charakterystycznym dla niego długim, żurawim krokiem przemierza dziedziniec. Jego żona, księżna Elżbieta, nawet nie stara się nadążyć. Idzie swoim tempem, ciesząc się ciepłym dniem, chwaląc pomorskie księżniczki za ogładę i urodę, co za kobieta, myśli Sydonia, ileż dobrych słów ona ma w zanadrzu?

— Hiszpańska czerń jest taka elegancka — mówi do księżniczki Małgorzaty, a ona nie prostuje, że ich czerń nie wywodzi się z mody hiszpańskiej, lecz z przeciągniętej w czasie żałoby matki. — Ta rudowłosa panna nosi ją wybornie — wskazuje na Sydonię i ta czuje się w obowiązku zatrzymać i dygnąć.

Zostaje przedstawiona księżnej i z żalem gubi rozmowę jej męża z marszałkiem.

— Bork — meklemburska pani powtarza jej nazwisko w zamyśleniu. — Tak, słyszałam już o Borkach. Wybacz, nie pamiętam co — uśmiecha się tak ładnie, tak rozbrajająco. — Często cię pytają, czy twoje imię pochodzi z romansu?

— Owszem — potwierdza Sydonia. — Choć coraz mniej zręcznie mi odpowiadać, że go nie czytałam.

— Nie masz czego żałować, to banalna opowieść — śmieje się księżna Elżbieta. — Przy twojej urodzie, czekają cię ciekawsze romanse. Masz zapadającą w pamięć twarz. Wyraziste oczy i te rude włosy… przepiękne. Zapewne cieszysz się dużym powodzeniem na dworze księżnej Marii? Ach, wybacz, dziecko — udaje zakłopotanie i dla żartu przysłania dłonią usta. — Zapomniałam, że to dwór matron. Nie zatrzymuję, widzę, jak cię interesują rozmowy mężczyzn. Nie, nie miałam nic zdrożnego na myśli — zastrzega szczerze. — Rozumiem. Mój małżonek też wychowuje naszą córkę blisko siebie, śmiejemy się, że Sofia spędza czas w kancelarii zamiast w bawialni. On mówi, że umysły młodych dziewcząt są równie chłonne, jak chłopców. I że pozwoliłby córce studiować, oczywiście, pod swoim okiem. Ale — wzdycha księżna i robi ręką trudny do określenia gest — przeznaczeniem księżniczek jest mariaż. Nie sądzę, by przyszły małżonek Sofii był zainteresowany jej wykształceniem. A co ciebie interesuje, Małgorzato? — zwraca się do towarzyszącej jej Gryfitki i Sydonia rozumie, że wolno jej odejść.

Dołącza do księżniczki Anny i córki gości, Sofii, w chwili gdy książę Ulrich zatrzymuje się nagle po drugiej stronie dziedzińca. Zadziera głowę i donośnym głosem wypytuje marszałka Schwerina o pożar.

— Tak — odpowiada tamten. — Ten ciemny ślad to po ostatniej pożodze. Ogień wyszedł z książęcych komnat i…

— Czy to prawda — książę Ulrich wchodzi mu w zdanie tak zręcznie, że tamten nie zdąży się poczuć urażony — że pożar wywołał alchemik księcia Filipa?

— Nie, to plotka — zaprzecza Schwerin.

— Szkoda, bo dobra — śmieje się książę Ulrich.

— Ośmielę się wyjaśnić — odzywa się ten nowy nauczyciel, doktor Schwalenberg — że plotka o alchemiku pochodzi z Wawelu.

— W Krakowie obgadywali wasz pożar? — pyta książę, przekrzywiając głowę, ale nie patrząc na Schwalenberga. Unosi dłoń do oczu, osłaniając je przed słońcem, i wciąż wpatruje się w czarną linię na zamkowym murze.

— Tego nie wiem, najjaśniejszy panie — peszy się Schwalenberg. — Miałem na myśli to, że ongiś na Wawelu pożar wywołał alchemik i stąd przypisuje się…

— Tamto było dawno — lekceważąco przerywa książę. — Za starego króla Jagiellona. Choć nowy, Zygmunt August, też trzyma alchemików i to ponoć więcej, niż ojciec. Ja nie wierzę, by można było zrobić złoto z niczego. Złoto płynie z danin, ceł, handlu, a nie z alembiku do szkatuł, ot, co. To odbudowa po pożarze sporo was kosztowała, marszałku? Aleście się z nią szybko uwinęli. Z tego okna wyskoczył świętej pamięci książę?

— To stało się nocą — opowiada Schwerin i zdaje się, że wspomnienie wywołuje w nim niepokój. — Płomienie szybko objęły sypialną komnatę księcia pana, pokojowiec zaczadział od dymu, ogień odciął drogę ucieczki przez drzwi i książę Filip ratował się skokiem przez okno. Połamał się, medycy dokonywali cudów i wreszcie go poskładali. Tyle, że do końca cierpiał z powodu tego wypadku. Urazy się odnawiały, niestety.

— Dobrze, że tamtej nocy nie spał z żoną — mruknął pod wąsem książę Ulrich.

Sydonia zagryzła wargi, by się nie roześmiać, ale pech chciał, że on odwrócił się właśnie w tej chwili i spojrzał akurat na nią i niestety, dostrzegł to. Spodziewała się wszystkiego. Książę jednak nie skomentował, wyjątkowo.

— To może poprowadzę do kamienia pamiątkowego, który książę Filip kazał wykuć — chciał zmienić temat marszałek Schwerin. — Na cześć swego dziada, księcia Bogusława Wielkiego. Proszę, tędy.

— Chętnie. Jeszcześmy go dzisiaj nie wspominali — powiedział kpiąco książę Ulrich, ale tym razem Sydonia była przygotowana i zachowała kamienną twarz.

— Lubię opowieści o Bogusławie — cicho odezwał się przy jej boku Kazimierz, gdy szli za marszałkiem. — Najbardziej te, jak walczył z Turkami na weneckim statku.

Chyba nikt oprócz niej nie słyszy chłopca, więc czuje się w obowiązku uśmiechnąć do niego.

— I jeszcze tę, jak został ranny na polowaniu i flaki mu wyszły — chce jej zaimponować Kazimierz. — Płuca i wątroba na wierzchu. I jak go pozszywali szybko, bo Hohenzollernowie już pędzili przejąć tron i zagarnąć Pomorze.

— Tę opowieść i ja lubię — odwraca się niespodziewanie książę Ulrich i przygładza lśniące wąsy, przy okazji wracając do Sydonii przelotnym spojrzeniem. — Wszyscy mamy ten sam problem, młody książę, problem brandenburski. Można by rzec: od zarania dziejów! — zaśmiał się krótko, szczekliwie. — Moja dynastia pochodzi od Niklota, walecznego księcia Obodrytów. Wasz Gryf też ma wśród przodków Słowian. A marchia powstała, by Słowian za gardło złapać i przywieść do cesarskiego porządku. I choć dzisiaj Brandenburczycy są naszymi przyjaciółmi — to słowo książę wymówił mrocznym tonem — to nieswojo się czuję, wiedząc, że po nas i po was dziedziczą. Jak będę miał synów, bez urazy, Sofio, też im o waszym Bogusławie opowiem i pouczę: trzeba być twardym, jak Gryfita. Kazać się zszyć, ubrać i nie dać! To dobre!

To historia, którą przekazuje się dzieciom na Pomorzu, ku pamięci, przestrodze i chwale. Sydonia słyszała ją po wielokroć. Od brata, nie od ojca. Jeśli ród Gryfitów wymrze, księstwo przejdzie w ręce Hohenzollernów brandenburskich. Jej brat nie pamiętał niestety, kiedy i w jakich okolicznościach zawarto te ponure układy. Wiedział tylko, że pod presją i wojną. Cóż, nikt nie obiecałby swych ziem bez noża przy gardle. W długich dziejach Pomorza Gryfici rozradzali się i musieli dzielić ziemie między braci, ale raz, właśnie za dni Bogusława Wielkiego, los dynastii i księstwa zawisł na włosku: został tylko on jeden. I owszem, zjednoczył ziemię szczecińską i wołogoską, bo już nie miał się z kim władztwem dzielić, ale pod presją i wojną musiał przyjąć brandenburską żonę, Hohenzollerównę, Małgorzatę, gwarantkę sojuszu. Jakiż upiorny był to mariaż: wystarczyło, by żona nie dała mu syna, i księstwo przechodziło w ręce jej ojca. Przyłapali ją po kilku latach małżeństwa na spiskowaniu z własnym medykiem. Wersje są dwie, albo trzy: romans, spędzanie płodu, trucie księcia. Bogusław nie zastanawiał się, miał ponoć w ręku twarde dowody i zażądał rozwodu, a przecież to jeszcze czasy papistów! Byłby go dostał, ale Małgorzata zmarła, plotkom nie było końca, jednak żadna z nich nie była pochlebna dla niej. Dość, że wysłał swatów do Kazimierza Jagiellończyka i szybko dostał Annę Jagiellonkę za żonę. Gdy na świat zaczęły przychodzić dzieci, Jagiellonkę okrzyknięto matką Pomorza. Wprawdzie z synów wieku męskiego doczekało dwóch: Jerzy, na gobelinie wyobrażony jako pierwszy z brzegu, i stojący tam obok niego stary Barnim, który do dziś rządzi w Szczecinie, ale to wystarczyło. Jagiellonka uratowała dynastię i zachowano o niej wdzięczną pamięć. W przeciwieństwie do żon brandenburskich. Bo gdy Jerzy po pierwszej żonie, która przyniosła mu pięknego Filipa z portretu, żenił się drugi raz, z Brandenburką, nawet jego brat, Barnim, nie przyjechał na zaślubiny. „I miał rację" — mówią — „bo Brandenburka nie dała mu dzieci". Nie dała, owszem, ale jak miała zdążyć, skoro małżeństwo trwało rok, bo Jerzy umarł? O tym jednak się nie pamięta, gdy wciąż obowiązuje straszny pakt — my lub oni. Taki sam mają z Hohenzollernami książęta meklemburscy, stąd książę Ulrich wspomina teraz wyczyn Bogusława Gryfity. Bogusława, który za czasów tamtej, brandenburskiej żony, gdy nie miał jeszcze potomka i został śmiertelnie ranny podczas polowania, potrafił zebrać się w sobie i przyjąć delegację z Brandenburgii, która ponoć po drodze stroiła się w żałobne szaty i na każdym popasie już opijała przejęcie Pomorza. Jakże się musieli zdziwić. Dla samej tej sceny Sydonia chciałaby się przenieść w czasie. Wyobraźnia podpowiada jej widok potężnego Bogusława siedzącego sztywno na wysokim krześle w leśnym dworze we Wkryujściu. Skrywającego bandaże pod nieskazitelnie białą koszulą i skórzaną, myśliwską kurtką. Z pysznym, zdobionym złotem płaszczem, przerzuconym przez plecy. Bladego od upływu krwi. Pot perlący się na jego czole, woń jałowca. Dłonie z całych sił zaciśnięte na podłokietnikach krzesła. Rękawice. Nie, dłonie mu szybko puchły, musiał zzuć rękawice. Henryk Bork, Czarny Rycerz, rozciął mu pierścień, rozciągnął i znów założył. Rubin lśnił jak krew, która pod ubraniem wsiąkała w bandaże. „Prędzej czartów przeleci trzy — siedem" — klnie książę. Jego pies niespokojnie krąży wokół pana. Paź rękawem koszuli ociera mu pot z czoła, oni wchodzą, pewni siebie, butni i stają w progu, oniemiali. „Prosimy na ucztę" — mówi Bogusław. „Sarnina, dzik i czerwone wino, siądźcie".

— Czas na obiad — przywołuje ochmistrzyni. — Księżna prosi do wielkiej sali.

— Chodźmy — mówi tylko do Sydonii mały Kazimierz, jakby ta komnata była ich sekretem. — Chętnie coś jeszcze ci opowiem.


Na czas obiadu stoły ustawiono w podkowę. Najważniejsi goście i księżna Maria z dziećmi zajmują główne miejsca, za ich plecami rozpościera się przepyszny, mieniący się feerią barw, gobelin. Sydonia siedzi dalej, z dwórkami i może patrzeć na nich do woli — żywi ucztują pod bacznym okiem nieobecnych. Tylko Saska Lwica i księżniczka Amelia są niejako w dwóch osobach jednocześnie — na tapiserii i przy stole. Oto wielki portret rodzinny dwóch połączonych małżeństwem rodów: Gryfitów i Wettynów. Książęta pomorscy nadzwyczaj cenili sobie mariaże z saskimi księżniczkami. Ponoć pierwsze datują się na sam początek dynastii.

Na gobelinie stronę saską reprezentuje elektor. Brodaty, majestatyczny i gruby. Krótka i niezmiernie fałdzista szuba przydaje jego sylwecie nadnaturalnej objętości. Kończy się nad kolanami i gdy się zmruży oczy, sylwetka elektora przypomina grzyb. Po stronie Sasów są młodzieńcy, ale nie ma dzieci — te królują na części Gryfitów, jakby gobelin wołał: oto idzie młodość, przyszłość Pomorza! I tę młodość podpisano: Jan Fryderyk, Bogusław, Ernest Ludwik, Amelia i Barnim. Teraz troje nieobecnych na tkaninie — Małgorzata, Anna i Kazimierz — je w jej cieniu marynowane w winnym occie łososie, jakby nigdy nic. I tylko niepewne spojrzenie Kazimierza, rzucane Sydonii ukradkowo, przypomina, że mają swój sekret. Że tu, w tej pięknej sali, zapada od czasu do czasu cień.

Ostatnią z dam wyobrażonych na gobelinie po stronie Gryfitów jest Maria Saska. Jakże różna od siebie dzisiejszej, księżnej wdowy w czerni. Sydonia udaje, że je, tylko po to, by móc się wpatrywać na zmianę w księżną na gobelinie i tę na jego tle. Która z nich jest prawdziwą Marią Saską? Ta młoda na tapiserii, w czepcu mężatki naszywanym perłami, z których każda podkreśla błysk oczu? Z klejnotem zalotnie zawisającym z przystrojonego piórem kapelusza? Wszystko w niej utkane jest na miarę, strojne, wykwintne, dostojne. Delikatny półuśmiech spełnionej kobiety, księżnej, matki. Jej postać domyka kompozycję wizerunku po stronie Gryfitów i właśnie wtedy Sydonia zdaje sobie sprawę, że choć gobelin przedstawia rodzinę, z której wyszła, i tę, do której weszła, nigdzie nie pada jej imię. Jedyną kobietą podpisaną na tkaninie jest mała księżniczka Amelia. To jasne, Amelię podpisano, bo jest z Gryfitów, a na gobelinie umieszczono tylko imiona rodzonych członków obu rodów. Żonom tego przywileju nie dano i tym samym, choć to małżeństwo Marii i Filipa dało asumpt do powstania tapiserii, dla niej samej zabrakło miejsca w podpisie. Sydonia przygląda się księżnej wdowie i jednak zauważa podobieństwo między młodą a starą panią. Obie są pewne siebie. Uparte w spojrzeniu, mrużą oczy i nieznacznie pochylają głowę, jakby chciały podpatrzeć przyszłość i zawczasu na nią wpłynąć. To zrozumiałe. Jej pewnością siebie wtedy i dzisiaj są te dzieci. Podpis, którego nikt nie spruje.

I jest jeszcze druga rzecz, która łączy tamtą i obecną Marię — gest złożonych dłoni. Jakby całe życie było nieustanną modlitwą. Wzrok Sydonii wędruje do czarnej postaci, która niepodzielnie włada gobelinem: wielki Marcin Luter na ambonie ponad Sasami i Pomorzanami. Oto ich przewodnik i pan ich sumień. Jego zreformowane wyznanie wiary połączyło oba rody nierozerwalnym węzłem, wyprowadzając ze zbrukanej religii papistów ku czystej ścieżce Słowa Bożego. „Amen" — dopowiada w głowie Sydonii głos którejkolwiek z matron. Na gobelinie nie ma wspominanej po stokroć obrączki, która ponoć podczas zaślubin spadła Lutrowi z tacy na posadzkę, zbyt to przyziemne na to utkane tysiącem nici wyznanie wiary i zawiązanie między rodami Ligii Szmalkaldzkiej. Bo przyjęcie luteranizmu było równoznaczne z wojną z cesarstwem. Droga do nieba jest wyboista i wąska. Może dlatego obu rodów pilnują czarno odziani agenci Marcina Lutra? Po stronie Wettynów Filip Melanchton, u Gryfitów Doktor Pomeranus, Jan Bugenhagen. Ich głowy w czarnych beretach wystają zza pleców elektorów i książąt, a obaj patrzą w tę samą stronę co mistrz Luter: na prawo.

Obiad dobiega końca, służba zbiera naczynia, półmiski i tace. Jednakowo ubrani pokojowcy zdejmują ze stołów obrusy. Jeden z nich niechcący lekko potrąca ramię Sydonii i natychmiast szepce zawstydzony:

— Proszę o wybaczenie.

Czy to mógł być ten sam głos, który w jej pierwszym dniu syknął „Wilcze szczenię"? Wtedy się nie odwróciła i teraz też tego nie robi, choć natychmiast spina się w sobie. Lutniści pobrzękują, tłumiąc dźwięk książęcych rozmów. Na stołach pojawiają się patery owoców i słodkości. Deserowe wina, nalewki, kielichy, kieliszeczki. Wypolerowane kryształy lśnią, pobrzękują stołowe srebra. Szumi w uszach, jest duszno, ciężko złapać oddech. Ciasno zasznurowany gorset przestaje być rusztowaniem trzymającym ciało, jest jak pancerz na połamanych puchnących żebrach. Kryza niczym garota zaciska się wokół szyi. Sydonia unosi wzrok, spogląda na gobelin. Jaki obraz utkano by na tapiserii rodu Borków? Który moment w jego piekielnie długiej historii wybrano by na godny upamiętnienia? Barwne plamy migocą jej przed oczami. Woli zacisnąć powieki. Nie widzieć.


— Kto by ci się marzył na męża? — pyta którejś nocy Elisabeth von Flemming.

Jest późno, ale nie mogą zasnąć. Olbrzymi księżyc w pełni zalewa ich komnatkę zimnym światłem. Na szczęście Elisabeth nie czeka na odpowiedź. Pyta, by sama mogła zacząć mówić.

— Flemmingowie łączą się ze Schwerinami, czasami z Wedlami… — ziewa. — A mnie by się marzył któryś z hrabiów Nowogardu, Ebersteinów.

— Poznałam Ludwika von Eberstein — mówi Sydonia.

— I co?

— Nic. Jest stary.

— To bez znaczenia, przecież nie o niego mi chodzi, lecz o synów. Jest uprzejmy? Przystępny?

— Wciąż pytasz o Ebersteina ojca? — kpi Sydonia.

— Oczywiście.

— Jest niedostępny, jego żona żyje.

— Nie bądź dzieckiem — denerwuje się Elisabeth. — Pytam o niego, bo panna, by stać się narzeczoną, nie może podobać się kawalerom. Musi przypaść do gustu rodzicom.

— Wszystko przemyślałaś — mruczy sennie Sydonia.

— Miałam dość czasu.

— Ale nie dość dobrych informatorów. Jeśli marzą ci się Ebersteinowie, pomyśl o tym z Maszewa, Wolfgangu. Syn Ludwika ma jakieś dwa lata, nie więcej.

— Ech — sapie rozzłoszczona Elisabeth i drąży: — Gdzie go spotkałaś?

— U Dewitzów, w Dobrej.

— O! To stamtąd znasz naszą małą i sprytną Otylię von Dewitz. Powiesz coś więcej?

— Dobranoc — nakrywa się adamaszkową kołdrą Sydonia.


Książę Kazimierz znów uciekł z lekcji. Odkąd naucza go doktor Schwalenberg, zdarza się to częściej. Sydonia domyśla się, gdzie schował się chłopiec, ale póki cały dwór nerwowo go szuka, nie chce iść do wielkiej sali, by nie wydać kryjówki księcia. Dotychczas nikt nie wpadł na pomysł, że Kazimierz mógł schować się w tak reprezentacyjnym miejscu. Zresztą, jeśli znów stanął na tle gobelinu, zakrywając któregoś z nieobecnych braci, można tam wejść i go nie zauważyć — myśli.

— Panno Bork — w głosie ochmistrzyni brzmi przygana. — Dlaczego panna nie szuka księcia?

— Szukam — odpowiada, dyga i rusza szybko w stronę biblioteki.

— Proszę nie biegać! — woła za nią matrona.

Drzwi do komnaty bibliotecznej były uchylone, weszła tam bez trudu, w środku panuje cisza. Sydonia zatrzymała się przed jedną z półek. Same katechizmy. Ominęła je i zauważyła, że na stole leży duża, pięknie oprawiona księga, obok niej skrzynia z pakułami, wieko zdjęte, odłożone na posadzkę. Podeszła do stołu, uniosła okładkę, chciała przeczytać stronę tytułową, gdy zza półek wyszedł doktor Schwalenberg i krzyknął przestraszony.

— Ach! Co panna tu robi? Nie spodziewałem się — dodał zawstydzony, a na jego policzki wystąpiły rumieńce.

— Szukam księcia — odpowiedziała.

— Księcia — prychnął, odzyskując rezon. — A którego to?

— Mamy w zamku tylko jednego.

— Mamy pięciu i proszę o tym nie zapominać — powiedział wyniośle.

— Zatem szukam najmłodszego — powtórzyła. — Pańskiego podopiecznego.

— To złośliwość — orzekł i znów się zaczerwienił.

— Nie, doktorze. To fakty. Ochmistrzyni kazała wszystkim pannom z fraucymeru…

— Już starczy — przerwał jej. — Tu go nie ma. Ubolewam, że książę Kazimierz jest tak opornym uczniem i rzadko przebywa w otoczeniu ksiąg.

— Mogę? — spytała, wskazując na książkę i nie czekając na pozwolenie, otworzyła kartę tytułową.

— Owszem — powiedział. — Dzisiaj przyszło z Bazylei, ale to nie dla panny.

— *Kosmografia albo opisanie wszystkich krajów* — przeczytała tytuł. — Dlaczego nie dla mnie?

— To za trudne — oświadczył. — Skąd by panna mogła wiedzieć, co to w ogóle jest kosmografia — prychnął.

— To suma wiedzy o świecie — odpowiedziała Sydonia. — O jego budowie, rozkładzie lądów, biegu rzek, a nawet i o ciałach niebieskich.

— Ho, ho — pokręcił głową Schwalenberg. — Skąd panna to wie?

— To nie jest wiedza tajemna. Dobrze mówię — powiedziała pewnie.

— Nie twierdzę, że źle, tylko, że panien zwykle nie interesują takie sprawy.

Skąd pan wie, co interesuje panny — miała na końcu języka. Przemilczała, bo nie chciało jej się wdawać w dyskusje z przemądrzałym Schwalenbergiem. Mimo to, on ciągnął swoje:

— Wszystko, co potrzebne do ukształtowania umysłów dziewcząt, znajduje się tam — wskazał palcem na półkę z katechizmami.

— Naprawdę uważa pan, że tyle wystarczy? — przyjrzała mu się uważnie. — Czyż nie byłoby pożytkiem uczenie dziewcząt myślenia?

Spojrzał na nią, jakby go oparzyła. Szybko odwrócił wzrok i odpowiedział:

— Kobieta myśląca samodzielnie myśli niewłaściwie.

— Och — powiedziała Sydonia. — Co za zręczne zdanie. Powinien pan to zapisać.

Znów się zaczerwienił i zawahał.

— To już jest zapisane. W dziele Kramera i Sprengera.

— Zatem nie wymyślił pan tego samodzielnie — zadrwiła.

— Ojcowie reformowanej wiary wyraźnie definiują, dlaczego kobiety powinny uczyć się czytać — odparował szybko. — Dla lektury Biblii.

— Chwała im za to — odpowiedziała z ironią, której Schwalenberg nie wychwycił. Odwróciła się plecami i ruszyła ku wyjściu.

— A panna dokąd? — spytał pospiesznie, nie kryjąc rozczarowania tym, że go opuszcza.

— Po księcia Kazimierza — odrzekła, zwracając głowę ku doktorowi.

— To... to... jak to: po księcia? To panna wie, gdzie on może być?

— Nie — skłamała. — Skąd panna mogłaby to wiedzieć.

Schwalenberg stał tak, z otwartymi ustami, opuszczonymi ramionami, zdumiony i bezradny, nawet nie przeczuwając, że miała w zanadrzu wiele innych, ostrych zdań, na zakończenie tej rozmowy. Sydonia pewnie poszła do wielkiej sali, wśliznęła się tam niezauważona i w półmroku siedzieli z Kazimierzem, plecami do gobelinu. Wysłuchiwała po raz kolejny opowieści chłopca o Bogusławie Wielkim i jego podróży do Jerozolimy.

— To moja ulubiona książka — przyznał mały książę. — Tych, które każe mi czytać Schwalenberg, nie lubię.

— A ja nie znoszę Schwalenberga — odpowiedziała na wyznanie wyznaniem.

Nazajutrz księżna pani życzyła sobie, by panienki wyszywały, choć pogoda tak piękna, że Sydonia wolałaby spacer. Im bliżej lata, tym ciężej wytrzymać w ciemnych sukniach; tego dnia czują to wszyscy, nawet matrony. Pani pozwala otworzyć okno i do komnaty wlatuje bąk. Od razu kieruje się w stronę majolikowego wazonu. Przysiada na więdnącej od upału gałązce bzu. Naprawdę wolisz kwiat w wazonie od tego, który wciąż rośnie? — myśli Sydonia, nie mogąc oderwać wzroku od owada.

— Zbliż się do nas — mówi księżna wdowa.

Sydonia wyrywana z zadumy ruszyła ku niej zbyt szybko, zbyt gwałtownie.

— Nie aż tak! — Saska Lwica zatrzymała ją w pół drogi, unosząc pulchny, ozdobiony rubinem palec. — Stój tam. Jesteś córką Ottona von Bork?

— Tak jest, wasza miłość — dygnęła Sydonia.

— Czy to prawda, co o nim mówią? — pytając, przekrzywiła głowę, niczym kwoka.

— Ludzie opowiadają różne rzeczy — odpowiedziała Sydonia, dbając, by nie zadrżał jej głos.

— Czy to prawda, że twego pana ojca rozszarpały własne psy? — drążyła księżna wdowa.

— Nie, wasza książęca mość — zaprzeczyła Sydonia.

— Chwała Bogu — skwitowała pani, skinęła na Otylię von Dewitz i zawołała, co dziwne, z lekką przyganą. — Robótka, drogie dziecko!

To ty plotkowałaś o Borkach z jaśnie panią — zrozumiała Sydonia.

Jasnowłosa i jasnooka Dewitzówna, zręczna niczym kot, jak on przymilna, z uśmiechem pełnym białych, lśniących zębów, wyminęła Sydonię i klęknąwszy u stóp księżnej wdowy, podała jej koszyk z robótką. Lwica i jej ulubione kocię — pomyślała Sydonia, nie pierwszy raz widząc, że pani większą czułością obdarza dwórkę, niż rodzone córki. Już chciała się do nich wycofać, znaleźć chusteczkę dla Anny, której zaszkliły się oczy. Ale księżna przyszpiliła ją pytaniem, ponad jasną głową Otylii:

— Ponoć brat ma dla ciebie piękny posag, panno Bork?

Przez uchylone okno wpadł radosny dźwięk trąb. Dwórki poruszyły się zaciekawione. Księżna Maria najwyraźniej nie usłyszała, bo całą uwagę skupiła na robótce. Rozpoczęty przed tygodniami haft przedstawiał bukiet. Pani już wkłuwała w jedwab igłę nawleczoną przez usłużne paluszki Otylii.

— Szukasz godnego ci rodem kawalera? Czyż nie po męża brat przysłał cię na mój dwór? — skończyła pytanie, przeciągając nitkę przez napięty na tamburku materiał. Nitka pękła. Zaskoczona księżna fuknęła. Otylia zakryła dłonią usta i uniosła zdumione spojrzenie na Sydonię. W tej samej chwili paziowie gwałtownie otworzyli drzwi bawialni.

— Książę Ernest Ludwik! — zawołał marszałek Schwerin.

— Mój syn — pomarszczone lico księżnej rozciągnął najsłodszy uśmiech. — Ernest Ludwik. Ludke. Mój ukochany syn.

I otworzyła ramiona, by go przyjąć. Otylia zręcznie zabrała nieszczęsną robótkę. A Elisabeth von Flemming z całych sił wbiła paznokcie w rękę Sydonii.

— Widziałaś? — wyszeptała, ledwie łapiąc oddech. — Widziałaś? Cały haft księżnej pani spruł się w jednym momencie. Jakby wy...

wyparował… to… to… jakieś czary? — oczy Elisabeth były okrągłe i wypełnione lękiem.

— Spytaj Otylii von Dewitz — odpowiedziała zimno Sydonia.

Książę Ernest Ludwik nie przybył sam. Wraz z nim przyjechał rok starszy od niego Bogusław i cztery lata młodszy Barnim, ale tamtych dobra matka przywitała pocałunkami w czoło, a Ernesta Ludwika tuliła do piersi jak dziecię. Nie był nim. Gdy wydostał się z objęć księżnej, Sydonia zobaczyła pięknego, postawnego młodzieńca i w lot pojęła, skąd taka czułość matki. Ernest Ludwik był uderzająco podobny do ojca. Książę Filip z portretu Cranacha odbijał się w synu, jak w lustrze. Ciemnozłote loki okalające twarz, cień rudawego zarostu, jasne, żywe oczy, ramiona szermierza i palce lutnisty. Zielony, ramowany złotym sznurem wams modelował jego smukłą sylwetkę. Książęcym braciom niczego nie brakowało, też byli urodziwi, ale ich urodę dostrzec można było, tylko gdy nie patrzyło się na Ernesta Ludwika. Ten syn przyćmiewał.

Opowiadali jeden przez drugiego. O studiach, o nauczycielach, zwiedzanych krajach, o wojnie. Ernest Ludwik studiował ze starszym bratem w Greifswaldzie, a potem z młodszym w Wittenberdze i tam mieszkali obaj w domu syna Marcina Lutra. Widać związki Domu Gryfitów z reformatorem przechodzą z ojców na synów.

— Jaki on jest? — pyta Saska Lwica, promieniejąc dumą.

Ernest i Barnim patrzą na siebie, Barnim nabiera powietrza, wydyma policzki i unosząc brwi, wybałusza oczy.

— Właśnie taki! — wybucha śmiechem Ernest.

— Nie przystoi — gani ich matka i zwraca się do najstarszego w tym gronie, Bogusława. Ten odpowiada z powagą. Raz po raz przywołuje swego mentora, profesora Jacoba Runge, mówiąc, że teolog skończył pracę nad *Porządkiem kościelnym*, którą powierzył mu sam Bugenhagen. Jako że Bogusław mówi powoli, z namysłem szukając właściwych słów, już wyprzedza go Ernest Ludwik:

— A ja rozmawiałem z jego bratem, profesorem Andreasem Runge. Wspomniał, że na życzenie naszego świętej pamięci ojca obaj stawiali nam horoskopy.

— To prawda, książę Filip niezwykle cenił ich obu — przytakuje Saska Lwica, jakby już szykowała się do wspomnień. — Obaj przygotowali *nativitaten* dla was wszystkich.

— Dla nas też? — pyta w imieniu dziewcząt najmłodsza, Anna.

Księżna patrzy na nią jak na małe dziecko i mówi:

— Nie, tylko dla braci.

Ernest Ludwik być może czuje niezręczność, albo zakłopotanie siostry, bo dorzuca szybko:

— Zaprosiłem Andreasa Runge do nas.

— Kiedy? — księżna Maria niemal podskakuje, jakby już trzeba było szykować pokoje.

— W przyszłości — śmieje się Ernest i całuje matkę w rękę. — Nieokreślonej.

Potem opowiada o Francji i trzeba chwili, by się zorientować, że nie był tam sam, a z Bogusławem. Ten pozwala bratu się wygadać i Sydonia zauważa, że łączy go podobieństwo z Amelią. Najstarsza z sióstr potrafiła w jednej chwili stać się nieobecną duchem, Bogusław zaś zapada w zamyślenie, „bierze namysł", jak śmieją się z niego bracia. Ernest Ludwik opowiada o karierze wojskowej, o urządzeniu oddziałów francuskich i czym różnią się od angielskich, i o tym, że wracał z Anglii do Francji na wieść o kampanii przeciw hugenotom, i jak rwał się do walki.

— Ale nim statek dobił, dogadali się i wojny nie było — kwituje, poruszając brwiami.

— Bogu niech będą dzięki — mówi księżna Maria i zaciska dłoń na jego dłoni, szepcząc tkliwe zdrobnienie: — Mój Ludke.

— Proszę mnie tak nie nazywać, nie jestem już dzieckiem, pani matka powinna się z tym oswoić — zwraca się do niej czule, acz stanowczo. — Moi starsi bracia obejmą księstwa, mnie zostanie wojsko. Będę wodzem pomorskiej armii.

— A ja? — przekornie pyta Barnim.

Ernest Ludwik mruży oczy, lustruje młodszego brata, już widać, że znów zaczną kpić.

— Moim przybocznym!

— Synowie — wzdycha księżna Maria i tak, w tej chwili jest promienną Lwicą.

A w tle marszałek Schwerin, który jak jego pani, nie kryje dumy. Tyle lat przewodził radzie regencyjnej i pewnie teraz, gdy panicze wracają z kawalerskich podróży, odczuwa radość spełnionego obowiązku. Bogusław ma dwadzieścia dwa lata i wygląda na starszego. Ernest Ludwik dwadzieścia jeden, Barnim siedemnaście, tych dwóch wydaje się ze sobą mocniej związanych, starszy brat, przez swą powagę, jest nieco osobny. Wypytuje siostry, co robiły, gdy ich nie było w domu, ale one wolą słuchać o przygodach braci. Cóż zresztą mogłyby powiedzieć interesującego? Że matrony uczyły je prząść na kołowrotku? Ale gdy uwaga kieruje się na dziewczęta, Ernest Ludwik klaszcze w dłonie:

— Podarki!

I już paziowie wnoszą ozdobne pudełka. Bogusław obdarowuje Amelię książką, Barnim Annę szalem. A Ernest Ludwik Małgorzatę szczeniakiem.

— Francuski piesek dla mojej księżniczki — mówi i wszystkie trzy siostry zachwycają się zwierzakiem. — Jak go nazwiesz?

— Gryf — mówi Małgorzata.

— To nie przystoi — orzeka jej matka.

— Owszem, bo jest taki mały i śmieszny, że co najwyżej może być z niego Gryfonik — wyrokuje Ernest Ludwik i jako że wszyscy się śmieją, księżna zostaje przegłosowana.

Gryfonik szczeka, dziewczęta go ściskają, przez jazgot przebija się krzyk małego księcia Kazimierza.

— Kiedy wróci Jan Fryderyk?

Najmłodszy z synów pyta o najstarszego. To pierwszy raz, gdy ktoś inny niż księżna Maria przywołał nieobecnego. Sydonia patrzy na jej szczęśliwą twarz i rozumie, że dla niej już wypełniła się obecność. Bogusław wyjaśnia, że kampania turecka się przeciąga, ale z pewnością nie potrwa do zimy, tłumaczy bratu, kto z kim, dlaczego, jakie obie strony mają siły. Sydonia czuje na sobie czyjeś spojrzenie, unosi wzrok i widzi wpatrzone w siebie oczy Ernesta Ludwika. Natychmiast opuszcza powieki.


Dni po powrocie młodych książąt stały się pasmem niekończącej się zabawy. Przejażdżki konne, jazda powozami, spacery po ogrodach, wycieczki wodne łodziami po spokojnych wodach rzeki Piany. W pierwszej łodzi księżna Maria, księżniczki i matrony, w drugiej one, dwórki, w trzeciej książęta i kilku junkrów, w czwartej grajkowie. Uciekały przed nimi ptaki wodne, w pośpiechu łapiąc ryby, jakby ta dworska, wesoła kompania mogła im je sprzed dziobów zgarnąć. Na przystani czekały podwieczorki, w ukwieconych namiotach, w zacisznym cieniu drzew. Bogusław czytał głośno rozważania Lutra. Księżna pani kiwała głową, nic tak dobrze nie puentuje zabawy jak głębokie religijne słowo. Słodki deser po wykwintnej uczcie. Ernest Ludwik grywał na lutni, wsparty plecami o kolana matki. W takich chwilach, w szafirach jej kolczyków odbijał się cały świat.

Piesek Małgorzaty szczekał i gonił zające. Dwórki rozkwitły. Wreszcie mogły otwierać się, niczym wachlarze, przed towarzyszącymi książętom panami. Sydonia spod spuszczonych powiek obserwowała czasami Otylię von Dewitz. A ta, sprytna i zręczna, zawsze wiedziała jak się zachować. W obecności księżnej była wcieleniem skromności, gdy pani się odwracała, Otylia niczym kotka muchy, łowiła zaciekawione spojrzenia młodzieńców. Elisabeth von Flemming była wstrzemięźliwa w okazywaniu wdzięków, pilnowała swej zasady, że panna nie ma się podobać kawalerom, lecz ich rodzicom, a tych, póki co, nie zapraszano. Dworem wołogoskim zawładnęła młodość. Ludwik Ernest i Barnim prześcigali się w wymyślaniu rozrywek matce i siostrom. Nawet Bogusław potrafił „zrzucić beret uczonego", jak drwili młodsi bracia, i wymyślać zabawy, głównie słowne szarady i zagadki.

Jeździli od zamku do zamku. Grali w gonionego, albo w ciuciubabkę. Jedwabna szarfa przesłaniała oczy Sydonii, gdy przyszła jej kolej. Słyszała chichot Otylii von Dewitz, zdyszane głosy innych panien, gdy umykały między kolczastymi żywopłotami i równo przyciętymi drzewkami rajskich jabłoni. Nagle poczuła gorąco, jak ostrzeżenie, ale była zbyt rozpędzona, w pół kroku i nie zatrzymała się. Wpadła między kolce.

— Uważaj! — zawołała Otylia, ale jej głos nie kłamał, więc nie ukryła tryumfu.

Wtedy ktoś złapał ją w pasie, uniósł, obrócił i postawił na ścieżce.

— Krwawisz — powiedział Ernest Ludwik z tak bliska, że poczuła jego oddech na twarzy. — Ale nic ci nie grozi — dodał i zdjął z jej oczu jedwabną zasłonę.

— Sydonia z Borków — przedstawiła się, patrząc mu w oczy.

— Wiem, kim jesteś — odpowiedział, wpatrując się w nią. — Nie ma od ciebie sławniejszej na dworze mej matki.

— To nie moja sława — zachmurzyła się. — To sława przodków.

— Najstarsze z pomorskich nazwisk. Bork znaczy wilk. Dziki Ród — powiedział, odsuwając się nieco, a potem uśmiechnął, unosząc brew pytająco. — Jak mówi przysłowie? To jest stare jak Bork i?...

— Diabeł — dokończyła, patrząc mu prosto w oczy.

Otylia von Dewitz podbiegła do nich i ukłoniła się przed księciem przesadnie nisko:

— Jaśnie pani chce was widzieć. Martwi się o syna.

Pasmo niekończących się zabaw przerwał nieprzyjemny incydent. Zaczął się wrzaskiem o poranku, panny dworskie schodziły właśnie na śniadanie. Na zamkowym dziedzińcu służba marszałka ciągnęła za ręce jakąś dziewczynę, a ta wyrywała się, krzycząc:

— Nie pójdę! Nie pójdę!

Szamotanina trwała, panny dworskie patrzyły, nieszczęśnicę wreszcie okiełznano i popychając, prowadzono w stronę oficyny, do kapitana zamku.

— Coś takiego… — zaszemrały dwórki.

— Ciekawe, kto to?

— I co zrobiła, że przysłali do niej dwóch zbrojnych?

— Nic nie zrobiłam! Prawdę mówię! To on kłamie! — wrzasnęła rozpaczliwie dziewczyna, zapewne słysząc rozmowę panien.

— Zawrzyj gębę, ladacznico — warknął jeden z prowadzących ją zbrojnych i popchnął. — Nie będziesz bezkarnie obrażać porządnych ludzi. Niech panny jej nie słuchają — pouczył dwórki.

— To praczka — orzekła Elisabeth von Flemming z wyższością i szepnęła do ucha Sydonii: — Ta sama, która obgadywała cię pierwszego dnia na dziedzińcu.

— Ja nic nie zrobiłam! — krzyknęła dziewczyna po raz ostatni, nim wepchnięto ją do ciemnej sieni oficyny i zatrzaśnięto za nią drzwi.

— Miała w ręku nasze ubrania — szepnęła jedna z dwórek i mimowolnie dotknęła spódnic.

— Wróciły z prania? — drwiąco odpowiedziała Sydonia. — Więc ci ich nie ukradła.

— Bieliznę… — odkryła zgorszona Otylia von Dewitz.

— Panny! Panny! — rozległ się karcący głos ochmistrzyni. — Nic się nie stało, proszę wracać do komnat. Proszę nie plotkować, to nie przystoi fraucymerowi, nie uchodzi.

Pragnienie ochmistrzyni było nie do spełnienia. W południe cały dwór wołogoski huczał od pogłosek: praczka oskarżyła ogrodnika o czyn nieprzystojny.

— Powiedziała, że zrobił jej dziecko…

— …on jest żonaty! To ojciec rodziny… szanowany człowiek….

— A ona ladaco!

— Panna, podfruwajka…

— …sama się prosiła…

— Ja słyszałam od pokojowych, że się nie prosiła. Że siłą brał.

— W kuchni mówią, że sama tego chciała, schadzki mieli w ogrodzie warzywnym...

— W sadzie...

— W pralni...

— Nieprawda, schodzili się nad rzeką...

— Co z nią teraz będzie?

Nikt nie pytał, co będzie z nim.

Żeby uciąć spekulacje, praczka została ukarana szybko. Następnego dnia przykuto ją łańcuchem do ławy na podzamczu, a na głowę założono jej żelazny kaganiec z pyskiem świni.

— Maska hańby — wyjaśniła ochmistrzyni. — Kara za potwarz. Za pomówienie prawego, uczciwego człowieka. Ta... — słowo określające winowajczynię nie wyszło z ust matrony — będzie tam siedzieć, na widoku ludzkim, przez trzy dni. To kara i przestroga dla innych. Nie wolno rzucać słów na wiatr. Proszę się dobrze przyjrzeć, jak kończą takie jak ona.

Panny dworskie omijały to miejsce szerokim łukiem. Nie chciały patrzeć ani na karę, ani na przestrogę. Po trzech dniach praczka zniknęła, a z nią przeraźliwa, świńska maska hańby, ale pusta ława z łańcuchami stała, jakby czekając, kto teraz ją zajmie, i to budziło niepokój. Jeszcze tydzień mówiono o nieszczęśnicy; ogrodnika nikt nie widział, dywagowano, że wyjechał, albo że zachorował, a potem przestano mówić. Najęto nową praczkę i nowego ogrodnika, sprawa rozmyła się w powietrzu, a życie na dworze wróciło do swego zwykłego trybu.


Znów książę Ernest Ludwik wpadał na Sydonię, gdy biegła do zamkowych ogrodów z książką panny Amelii i peleryną księżniczki Anny. Znajdował pieska Małgorzaty, ale tylko wtedy, gdy szukała go Sydonia. Podczas zabaw był przy niej, gdy tylko matka dobrotliwym ruchem upierścienionej dłoni nakazała mu: „Idź, Ludke, lubię patrzeć, jak tańczysz". Ludke. Co za dziecinne zdrobnienie. Sydonię pewnego razu poprosił, by mówiła do niego „Lutz". Nie powiedziała „nie", ale i nie wyraziła zgody. Po prostu przemilczała poufałość, na którą się zdobył.

Kiedyś czekał przy trapie, gdy panny dworskie wysiadały z łodzi i wyciągnął rękę dopiero, gdy przyszła jej kolej. Widząc to, Otylia von Dewitz mało nie wpadła do wody. Przytrzymał dłoń Sydonii tak mocno, że przez rękawiczkę wyczuła każdy z jego palców. W odpowiedzi kciukiem dotknęła herbowej tarczy jego sygnetu. Zarumienił się.

Raz przyniósł jej czterolistną koniczynę, to znów dziwaczną lilię wodną o trzech płatkach i wyzywająco sterczącym pręciku. „Widzisz to?" spytał, wodząc palcem wzdłuż czerwonej linii biegnącej wokół płatka. „Widzę, Lutz" — odpowiedziała cicho. Byli na widoku, ale z dala od innych. „Chciałbym ci podarować wiele kwiatów" — powiedział i słyszała jego przyspieszony oddech. „Zerwany kwiat prędzej czy później zwiędnie" — odrzekła i spojrzała w bok. Biegła do nich księżniczka Anna.

Całą jesień adorował ją niemal jawnie. Oczywiście, gdy zwalniała go z towarzyszenia sobie matka.

Boże Narodzenie na zamku w Wołogoszczy obchodzono hucznie. Zjechali się pierwsi panowie księstwa, by pokłonić się księżnej wdowie i jej synom, niczym Trzej Królowie Marii i Dzieciątku. Na ten dzień wyglądała Elisabeth von Flemming, oto przybędą ci, którzy dokonują wyborów. Jej starszy brat, Ewald von Flemming, syn dziedzicznego marszałka ziemi pomorskiej, przyjechał wcześniej, jeszcze przed innymi.

— On także rozgląda się między dwórkami? — szepnęła zgorszona do ucha Sydonii. — Przecież narzeczoną już wybrał mu ojciec.

Miał w sobie coś z lisa, może sprawiała to ruda broda, może wąski nos i lekko uciekające oczy? Dość, że zamiast swą obecnością uradować siostrę, onieśmielił ją. Sydonia pożałowała towarzyszki, przywiędłej w chwili, na którą tak długo wyczekiwała. A może wolała skupić na Elisabeth swą uwagę, by nie myśleć o spotkaniu z własnym bratem?

Ale spraw, które muszą się wydarzyć, nie można było ani unikać, ani odwlec. Ulrich von Bork zjawił się w towarzystwie ich kuzyna, Josta von Bork. Gdy szli po lśniącej posadzce reprezentacyjnej komnaty, wyglądali niczym dwa wilki, które ród Borków nosi w herbie. Spowici w brunatne, lśniące futra, falujące w rytmie ich równych kroków. Pod spodem Ulrich miał wyzywająco czerwony wams, nieco dłuższy niż krótkie, ledwie zakrywające biodra stroje dworzan. W dodatku futro, które założył, nie miało rękawów, więc czerwień wamsu jeszcze bardziej rzucała się w oczy. Jost wybrał strój klasyczny i kolor rdzawy, choć przetykany czerwoną taśmą. Pobrzękiwały ich ozdobne pasy i złote łańcuchy na szyi. Ulrich von Bork był świadom, że nie można oderwać od niego wzroku i że teraz patrzą wszyscy. Gdy kłaniał się księżnej wdowie i jej synom, błyskał białkami oczu. Sydonia wstrzymała oddech.

Zegnie kolano? Odetchnęła, przyklęknął. Marszałek Schwerin dał znak grajkom, że czas zacząć. Muzyka drażniła jej nerwy, ale to był dopiero początek. Nie mogła stąd wyjść, ani zniknąć.

Zjawił się przy niej znienacka, gdy po powitaniach nadszedł czas radosnego składania życzeń. Chwycił ją za łokieć tak mocno, że poczuła ból promieniujący do stopy. I syknął:

— Jak się masz, garbusko? Słyszałem to i owo. Nie za głośno o zalotach, skoro nie słychać, by młody pan dawał na zapowiedzi?

— Zostaw mnie — żachnęła się i wyszarpnęła łokieć z jego palców.

Otoczył ją ramieniem, jak czuły brat, który wita dawno niewidzianą siostrę. Ale jego palce boleśnie wbiły się w jej łopatkę.

— Suknia tak dopasowana, że garbu nie widać — zachichotał wprost do jej ucha. — Opłacało się wykosztować na krawca. Ile będę z tego miał, siostrzyczko?

— Nie jestem twoją własnością — syknęła.

— Podbijasz stawkę, garbusko? — okręcił nią siłą i podbródkiem wskazał na Ernesta Ludwika. Książę stał bokiem, rozmawiał z matką. — Uważaj, żebyś nie przestrzeliła. — Pchnął ją lekko w drugą stronę. — Tam patrz, pamiętasz go? To młody Wedel, ma na imię Wedige, w sam raz na twoją miarę. Albo tutaj — zmusił ją do półobrotu. — Ewald von Flemming, będzie marszałkiem i kogoś tam mu już obiecano. Musiałabyś się pospieszyć i postarać, ale ponoć przyjaźnisz się z jego siostrunią? Miej na uwadze, po co cię tu przysłałem. Czekam na dobrych swatów. Najlepszych.

— Zostaw mnie w spokoju — wyrwała się z jego uścisku.

— Zapominasz, że mam pod opieką Dorotę. Nasza siostra sporo mnie kosztuje — powiedział zimno. Kosmyk ciemnych włosów spadł mu na oko, dzieląc je na pół. Nieoczekiwanie ją puścił i ruszył przed siebie, jakby nic się nie zdarzyło.

— Idź do diabła — szepnęła do jego pleców Sydonia.

Nie zwalniając, odwrócił do niej głowę i szepnął:

— Nie muszę.


Chwilę później rozmawiał z Berndtem von Dewitz, ojcem Otylii. Obaj rozglądali się po sali, jakby szukali Otylii. Nie znaleźli, jasnowłosa zniknęła w powodzi gości. Sydonia zdążyła uspokoić oddech, gdy podszedł do niej Jost von Bork, kuzyn.

— Mój ojciec przekazał prezent dla ciebie, a twoja siostra, panna Dorota, przesyła ci pozdrowienia — ostrożnie pochylił się nad dłonią Sydonii i pocałował jej palce. — Nic się nie martw. Czuwam nad nią i nad waszą matką.

— Dziękuję — odetchnęła z ulgą i Jost to dostrzegł. Między nim a Ulrichem istniało ledwie uchwytne rodzinne podobieństwo, ale w przeciwieństwie do jej brata, Jost emanował spokojem.

— Jeden z wilków musi być aniołem, skoro drugi jest diabłem — powiedział i czule pogładził ją po plecach. A potem westchnął i szepnął, patrząc za Ulrichem. — Raz na kilka pokoleń w rodzie Borków otwiera się piekło.

— Szkoda, że padło… — urwała w pół słowa, bo jak spod ziemi zjawił się przy nich Ernest Ludwik.

— Rodzinne sekrety? — spytał pogodnie, zatem nic nie słyszał. — Panno Sydonio, przedstawisz mi brata?

— To nie brat, lecz kuzyn, Jost von Bork, pan na Strzmielu, Resku i Łobzie.

— Widzę, że u Borków, jak u Gryfitów — uśmiechnął się książę. — Dzielicie się ziemią, ale tytuły pozostają w rodzie.

— Musimy się pilnować, inaczej Borków byłoby jak psów — zażartował Jost ryzykownie, ale rozbawił księcia. — Rodzina ma kilka gałęzi, ale prawdziwi dziedzice muszą przyjść na świat w rodowym gnieździe. To stary zwyczaj — dodał lekko.

— A panna Sydonia gdzie się urodziła? — Spojrzał na nią jak Lutz, nie jak Ernest Ludwik. Jakby byli tu sami.

— Tam właśnie, mój panie. W Strzmielu.

— W Wilczym Gnieździe — książę pokazał, że zna rodową nazwę. — Tam, gdzie Hans, który zasłużył się księstwu wojną, jaką wydał zbójcom. Albo Henryk, Czarny Rycerz, co z naszym Bogusławem bez wahania ruszył do Ziemi Świętej, a potem pobudował piękny zamek w Pansin.

— W Pęzinie — odruchowo poprawił go Jost, ale obaj się roześmiali.

Ze swego wysokiego krzesła, przez całą długość sali patrzyła na nich księżna Maria. Sydonia mogłaby przysiąc, że widzi uśmiech na ustach Saskiej Lwicy.

Ulrich stojący z boku zmalał i przybladł. Choć niestety, nie zniknął.

Uroczystości dworskie przeznaczone dla wszystkich możnych na szczęście nie trwały długo. Saska Lwica była na to zbyt oszczędna i rozsądna. Gdy ojcowie i bracia wyjechali, Otylia von Dewitz chodziła zasępiona, a Elisabeth von Flemming chmurna.

— Mój brat to bęcwał — zwierzyła się Sydonii.

— Dlaczegóż to? — Sydonia podniosła wzrok znad książki.

Elisabeth fuknęła gniewnie i machnęła ręką, dając do zrozumienia, że nie chce mówić o Ewaldzie Flemmingu.

— Za to twój brat zrobił wielkie wrażenie.

— To potrafi — Sydonia też chciałaby uniknąć rozmowy o swoim.

— Pokazał się — głos Elisabeth wyrażał mroczny podziw. — Z kim się ożeni?

— Nie pyta mnie o radę — odpowiedziała wymijająco.

Chwilę milczą i Elisabeth wybucha:

— Mój skąpi na posag! Gdy szłam na dwór jaśnie pani, mowa była o trzech tysiącach guldenów, a teraz mówi, że dwa to zbyt dużo! Jak przyszły mąż ma mnie szanować, jeśli nie wniosę dobrej sumy? Jakie dobra zapisze mi w umowie małżeńskiej, nie mając oparcia w wianie? Sama wiesz, trzeba się liczyć z wdowieństwem, mieć zabezpieczoną starość! Nie mogę się skupić na niczym innym, wciąż o tym myślę, już dwa razy nie zrozumiałam, czego chce ode mnie jaśnie pani.

Sydonia z całych sił chce, by Elisabeth przestała mówić. By zamilkła. Niech przestanie.

— Co ty robisz? — pyta Flemmingówna, zauważając wreszcie niewielką książkę w ręku Sydonii. — Czytasz psałterz, czy romans?

— Ani jedno, ani drugie — odpowiada Sydonia i zasłania się książką. — Kuzyn przywiózł mi prezent z domu. Opowieść o wyprawie księcia Bogusława Wielkiego do Ziemi Świętej.

— Też mi coś — fuka Elisabeth i wyciąga szpile z włosów. — Czytać w wolnym czasie!


Gdy Ulrich opuścił dwór wołogoski, Sydonia odetchnęła. Dużo myślała o matce i siostrze, i o tym, czy Jost na pewno się o nie troszczy. W opiekę Ulricha wątpiła. Napisała list do Jurgena von Bork, ojca Josta. I dodała liścik dla Ascaniusa, jego młodszego syna. Zawsze się lubili. Dostała odpowiedź jedną od obu: „Bądź spokojna". Więc była.

Księżna Maria lubiła patrzeć na synów. Byli urodziwi i nad podziw zdolni. Nauka przychodziła im bez trudu, ich umysły były chłonne, żywe, ciekawe świata. Może najmłodszy, Kazimierz, wydawał się nieco oporny, ospały i brakowało mu tak wyraźnego u starszych zapału, ale byłaby niesprawiedliwa, nazywając go niezdolnym. Do tego zręczni w ćwiczeniach rycerskich, żywi, jak młode żbiki. Maniery i obycie dworskie bez zarzutu, a po podróżach ich horyzonty myślowe zyskały na rozmachu. Czy dość się wyszumieli w świecie? Dobre pytanie i księżna Maria często je sobie zadaje. Najstarszego nie widziała od dawna, zatem trudno ocenić, ale z tego, co donoszą jej w listach, Jan Fryderyk cieszy się powodzeniem u panien. Bogusław po powrocie jest spokojniejszy, niż przed wyjazdem, może więc ukoił ten zew natury, który tak dokucza młodym mężczyznom, że czyni ich myśli niezdolnymi do skupienia się na rzeczach ważnych? Ernest Ludwik, jej kochany Ludke, kipi witalnością jak ogród w maju. Krążą w nim niespokojne soki i krew się burzy, to pewne. W końcu jest synem swego ojca i najbardziej ze wszystkich do niego podobnym. Księżna widzi, jak wodzą za nim wzrokiem dwórki, młode mężatki i nawet zażywne damy. On nie pozostaje im dłużny, choć wszystko w granicach rozsądku, i nie, nie ma mu nic do zarzucenia. Tak, tak, Maria Saska ceni w sobie spostrzegawczość, jakże inaczej przeżyłaby tyle lat na dworze. Tu nie tylko trzeba wiedzieć jak się zachować, jak odezwać. Tu trzeba widzieć to, co inni chcą ukryć. Owszem, wie, kto wpadł ukochanemu synowi w oko, nie podziela jego fanaberii i nie do końca rozumie, dlaczego także i inni darzą taką uwagą akurat tę pannę. Ta Sydonia nosi głowę wysoko z niewiadomych przyczyn, nie ma nic ciekawego do powiedzenia, jej ród owszem, kiedyś był najpotężniejszym w księstwie, ale to było wieki temu. Ludzka pamięć żyje zaskakująco krótko, dzisiaj nikt nie mówi, o co chodziło z tą dawną potęgą Borków. Co innego mała Otylia von Dewitz. Miła dziewczyna, naprawdę słodka i jaka usłużna. Tak, księżnej nie wydaje się, by było w Sydonii coś nadzwyczajnego. Wyróżnia się na tle fraucymeru, ale tylko dlatego, że jest rudowłosa i jako jedyna nosi hiszpańską kryzę. Efektowne i jak każda nowinka znudzi się prędzej czy później.

Sama księżna dla siebie i córek preferuje dużo mniej wyzywający i bardziej elegancki stojący kołnierzyk partletu, ozdobiony delikatną koronką albo riuszką. Zresztą, hołdowanie hiszpańskiej modzie niebezpiecznie sugeruje związki z papistami, a tego księżna by sobie nie życzyła, za nic. Poradziła się nawet w tej dyskretnej kwestii marszałka Schwerina i upewniła u kanclerza Zitzewitza. Obaj stwierdzili to samo:

„Już nawet w Wittenberdze, stolicy reformowanej wiary, nosi się te kryzy". Zitzewitz dodał do tego: „Na Pomorzu nikt nie posądzi Borków o sympatie katolickie, najjaśniejsza pani". Nie zrozumiała, ale i nie kazała sobie tego tłumaczyć, bo nie lubiła, gdy po tylu latach wciąż jej udowadniano, że nie jest stąd. Całe prawdziwe życie poświęciła, by stać się Pomorzanką. Przyjęła do wiadomości wyjaśnienia i przestała się zajmować kwestią ubioru tej panny. Na nią samą wciąż miała oko, od tego jest matką. Nie będzie broniła kochanemu Ludke dworskich zabaw, raz jest się młodym, niech się wyszumi, nim znajdą mu żonę i panią. Zaś co do Barnima, to siedemnastolatek. Kocurek, młody pies, ogierek, choć już nie źrebię, wszystko przed nim! Teraz, z tego co widzi, woli hasać z kompanami, młodych junkrów otacza atencją i jeszcze nie bardzo ciekawią go panny. Tym bardziej Kazimierz, chłopiec, dziecię, nie ma co mówić.

Jaką radością było dla niej, matki, patrzeć na całą tę książęcą gromadkę. Każdy z nich jest cenny, za każdego zapłaciła krwią i jeden Bóg wie, że nie było jej łatwo. Gdy wychodziła za Filipa, oboje byli „młodszą" albo „drugą książęcą parą". Pierwszą stanowili w Szczecinie książę Barnim z żoną Anną. Wówczas już mieli trzy córki, wiadomym było, że księżna Anna jest zdolną do wypełniania obowiązków, a ona, Maria, była dla wszystkich zagadką. Miała dwadzieścia lat, więc dawno nie była dzieckiem. Filipa pokochała od pierwszego wejrzenia i od razu na całe życie, niepodzielnie, mocno. Był tak pięknym mężczyzną, że zdarzało jej się płakać przed jego portretem. Do dzisiaj jej się to przytrafia, czasami, choć wiadomo, że to inaczej, z tęsknoty, pustki po nim. Po ślubie Filip natychmiast zaczął starania o potomka, więc wiedziała, że i ona jemu nie jest obojętna, i to jej pochlebiało. Ale przez pierwsze lata małżeństwa nic im z tego nie wychodziło i Filip czasami dawał jej odczuć, że się niecierpliwi. Bardzo to przeżywała, bolało. Przecież starania o dziecko powinny ich do siebie zbliżyć, a w tamtych pierwszych latach różnie bywało. Wreszcie, w trzecim roku zaszła w ciążę. I urodziła syna. Cóż to było za święto!

A potem się otworzyła. Stała się naczyniem, które Filip wypełniał raz po raz. Synowie, synowie, Jan Fryderyk, Bogusław, Maria rodziła zdrowe, piękne dzieci! Owszem, szczecińska księżna Anna jeszcze raz zaszła w ciążę, choć była już w latach, ale znów urodziła córkę. I złożyła broń, mówiąc: „Ja już więcej nie mogę rodzić. Wolę wychować cztery córki, niż umrzeć starając się o syna. Bóg tak chciał". I wtedy na świat przyszedł jej Ernest Ludwik, dziecko urodzone pod szczęśliwą gwiazdą matki. Do Marii dotarło, że wobec braku męskich potomków Barnima, to jej synowie odziedziczą oba księstwa. Oto, jako rodzicielka, przebiła Annę Jagiellonkę. I znów rodziła: Amelię, Barnima, Małgorzatę, Annę. Skończyła czterdzieści lat, gdy na świat przyszedł Kazimierz i też powiedziała „dość".

Pięciu synów, trzy córki, wszyscy wyszli bezpiecznie z trudnego czasu dzieciństwa. Bóg był dla niej hojny nad wyraz. Nie należało tego wystawiać na próbę, nawet, jeśli jej mąż myślał inaczej. Mężczyźni mają wiele sposobów, by spełniać swe potrzeby i zachcianki. Zresztą i Filip otrzeźwiał: kiedyś zmartwieniem było, kto będzie dziedziczył, teraz zgryzotą stawał się nadmiar. Dom Gryfitów miał zabezpieczoną ciągłość. Trzeba było zadbać o skarbiec. Przejęcie dóbr kościelnych po reformie Lutra ciągnęło się, szlachta koniecznie chciała udziału w kościelnych majątkach. Filip i jego stryj Barnim pracowali nad każdym z wielkich rodów z osobna, trochę ustąpić, by zyskać wiele. Wreszcie wieloletnia gra się udała i ustalono, że po śmierci biskupa kamieńskiego ta godność trafi do dynastii. A wraz z nią należne biskupstwu dobra, posiadłości i ziemie. Jan Fryderyk skończył czternaście lat, gdy został pierwszym w rodzie Gryfitów biskupem reformowanego Kościoła. To był wielki sukces, olbrzymi krok naprzód. Przekaże sakrę któremuś z młodszych braci, gdy nadejdzie odpowiedni moment, czas podziału. A co dalej? Po bezpotomnym Barnimie księstwo szczecińskie wziąć powinien Bogusław, choć może o podziale zdecyduje tradycyjne w Domu Gryfa losowanie? Tak czy inaczej, dwóch najstarszych będzie władać, to tylko kwestia czasu. A pozostali? Ernest Ludwik miałby przejąć biskupstwo? Ta wizja, że Ludke rezyduje w Kamieniu, nie uśmiecha się księżnej Marii. Zresztą, biskupstwo to administrowanie, a temperament trzeciego z synów wykracza poza rubryki ksiąg kościelnych.

Im bliżej powrotu Jana Fryderyka, tym częściej księżna myśli o przyszłości. Każdy z synów jest cenny, ale co począć, gdy jeden dla niej najdroższy. Co dla Ernesta Ludwika? Wie, że los należy zawierzyć Bogu. Tylko czy Wszechmogący okaże się tak wielkoduszny, jak matka?

W ostatnim dniu roku zamek w Wołogoszczy rozjarzył się setkami pochodni. Na zimnym wietrze załopotały dzielone na dziewięć pól chorągwie Gryfitów. Z galerii spuszczono powitalne wieńce na barwnych wstążkach. Dźwięk trąb rozsadzał uszy i odbity od murów wracał w dwójnasób głośny. Dziedziniec wypełniło szczekanie psów i rżenie koni. Wjechało kilkunastu zbrojnych ubranych w jednakowe, niebiesko-czarne szaty. Junkrowie wprowadzili przez bramy przedziwne, wielkie zwierzę, strojne w paradną uprząż z dzwonkami. Dwórki jęknęły.

— To wielbłąd! — krzyknął Kazimierz i wskazał na siedzącego w kunsztownym siodle błazna. — I Hintze! Sydonio, to on!

Najmłodszy z książąt z rozjarzonymi oczami stał między dwórkami na zamkowej galerii przyciśnięty do boku Sydonii w tym dniu radosnym, gdy w tryumfalnym orszaku wracał zwycięzca nad Turkiem, książę dziedzic, Jan Fryderyk. Gdy tylko wjechał na dziedziniec, Kazimierz oderwał się od boku Sydonii i zbiegł na dół.

Junkrowie pod proporcami z gryfem zapełnili dziedziniec. Na paradnych lancach furkotały wstążki. Za nimi wtoczyły się wozy z łupami okryte purpurowym suknem. Dalej karlica i karzeł w paradnych złotych czapkach jechali na jednym osiołku, za nimi kolejny błazen księcia, pobrzękując dzwonkami, wtaczał się fikołek za fikołkiem. Saska Lwica przyciskała jedwabną chusteczkę do oczu, rozwierała szeroko ramiona dla najstarszego syna. Oto on! Na ramionach płaszcz podbijany futrem rysia, książęcy kołpak z rubinową egretą zdobioną pękiem piór, puklerz z rodowym gryfem na piersi. Zeskoczył z siodła, dwór przyklęknął. Był o głowę wyższy od braci, nosił rapier na bandolierze przerzuconym przez bark, tak swobodnie, jakby się z bronią urodził. Więc to jest dziedzic księstwa — pomyślała Sydonia, a on już całował dłoń matki, kładł ramiona na barkach braci, Kazimierza podnosił, ściskał siostry, śmiał się pełną piersią. Wypełnił sobą cały dziedziniec, cały dwór.

— Czas na fajerwerki! — krzyknął marszałek Schwerin i wszyscy pospieszyli do pokrytych śniegiem ogrodów. Ognie błyskały tworząc na zamkowym murze najdziwniejsze w kształtach cienie i blaski. Potem czterech junkrów fechtowało ze sobą, jakby na śmierć i życie, a z długich cholew ich butów wystrzeliwały rakiety, aż wreszcie zawirowało wielkie koło na żerdzi i wśród huków zapłonęło żywym ogniem. Sydonia patrzyła na płonący krąg, płomienie były jaśniejsze niż gwiazdy, ale gdy wreszcie zgasły i nad żerdzią uniósł się dym, zza jego zasłony wychynął wielki, srebrny księżyc.

Pełnia zimnego księżyca — przypomniała sobie jej nazwę Sydonia.


Nastały zapusty. Dwór wołogoski kipiał muzyką, zabawą, ucztami i tańcem. Ernest Ludwik starał się prześcignąć braci w pomysłach. Odkąd przybył Jan Fryderyk, urok Lutze przygasł. Najstarszy z Gryfitów niczego nie musiał robić na siłę, bo sam był siłą. Kto wymyślił podróż saniami do Szczecina? Sydonia nie wiedziała, fraucymerowi oznajmiono, że będzie maskarada, potrzebne są maski oraz ciepłe ubrania, bo czeka ich jazda po śniegu. Tak było. Zasłaniały twarze kapturami, bo ten, zmarznięty i ostry, pryskał spod końskich kopyt. Dziewczęta piszczały, junkrowie jadący konno pokrzykiwali. Księżniczka Amelia zasnęła w saniach, Elisabeth z Sydonią otuliły ją mocniej błamem futra.

— Jutro będzie jeszcze szybciej! — oznajmił książę Kazimierz, gdy zatrzymali się na nocleg w drodze, w dawnym klasztorze w Słupie. — Bo jutro pojedziemy po lodzie. Po zmarzniętym Zalewie Świeżym. To ci dopiero, prawda, Sydonio? — śmiał się i ciągnął ją za rękaw, gdy wysiadła z sań.

— Kazimierzu! — przyzwała chłopca do siebie księżna matka i spod futrzanej czapy obdarzyła Sydonię karcącym spojrzeniem.

— Nogi mi zdrętwiały — poskarżyła się Elisabeth von Flemming i zadarła głowę na ponure mury klasztorne. — W celach będziemy spać?

Tak właśnie było. Klasztor od sekularyzacji stał pusty, od czasu do czasu służąc za gospodę i miejsce na nocleg dla podróżujących między stolicami Pomorza. Teraz obszerny podwórzec zastawiony był saniami, w dawnych kuchniach cystersów buzował ogień, a w refektarzu ustawiono stoły i ławy na ucztę. Znaleźli się i grajkowie, pisklive dźwięki odbijały się od kamiennych sklepień i murów, więc zgiełk i śmiechy wypełniły dawne miejsce modlitwy i pracy. Księżniczka Amelia była w niedyspozycji, dolegała jej kobieca przypadłość, więc ledwie uszczknęła chleba i piwnej polewki, i oznajmiła, że chce się położyć. Elisabeth i Sydonia odprowadziły ją do celi.

— Zimno tu — szepnęła Amelia.

Służące, które nie spodziewały się tak szybkiego powrotu swej pani, nie były gotowe. Zdążyły jedynie złożyć łóżko podróżne dla panienki, przytaszczyć z wozów pościel i na kamiennych ścianach zawiesić gobeliny, by choć trochę ocieplić niedużą izbę. Natychmiast pobiegły do kuchni, po gorącą wodę do mycia i wypełnienia cynowych butli, by rozgrzać lodowatą pościel. Potem Sydonia wysłała je ze szkandelą, po rozżarzone węgle i z Elisabeth pomogły się pannie rozebrać; choć drżała z chłodu, musiała zmienić ubrudzoną koszulę, obmyć się, przypasać świeże płócienne opatrunki. Gdy ubrały ją do snu, spod łóżka, od szkandeli rozchodziło się nikłe ciepło.

— Już ciut lepiej — powiedziała Amelia. — Ale brzuch tak boli.

— Przesunę butlę bliżej, panienka pozwoli — powiedziała Elisabeth i nie unosząc kołdry, włożyła pod nią rękę i przysunęła wygrzewadło do brzucha księżniczki. — Przydałby się napar z lipy z miodem. Mnie zawsze pomaga, jaśnie panienko, jak w te dni Sydonia mi zaparzy.

— Pójdę do kuchni i przyrządzę — zaoferowała się Sydonia, a wzrok Amelii był tak wdzięczny, że gdy wyszła z jej celi, ruszyła biegiem. Kamienne schody były wąskie i nierówne, potknęła się, krzyknęła i upadła.

— Co się stało? — usłyszała za sobą i po chwili ktoś pochylił się nad nią. — Panna Bork?

To był brat Elisabeth, Ewald von Flemming. Chwycił ją za ramiona.

— Może panna wstać? — spytał.

— Chyba tak — odpowiedziała. Bolała ją ręka, którą się osłoniła przed upadkiem.

Ewald podniósł ją.

— Dziękuję, proszę mnie puścić — powiedziała, bo wciąż trzymał ją za ramiona.

— Lepiej nie — wyszeptał i przysunął się jeszcze bliżej. Rudawa broda znalazła się tuż przy jej ustach.

— Lepiej tak — odpowiedziała i wyrwała mu się. — Co pan sobie wyobraża?

— Wszystko — jeszcze gorętszym szeptem dodał Flemming. Czuła od niego woń piwa i kiszonej kapusty. Szybko zerknęła w dół schodów. Na końcu, tuż przed ich zakrętem, w ściennej wnęce stał kaganek, oświetlał słabym blaskiem to, czego nie widziała. Nawet nie była pewna, czy tędy trafi do kuchni. Ale za nią górny bieg schodów zasłaniał swoją sylwetą Ewald. Stamtąd przyszedł. Nie zastanawiając się, ruszyła w dół, dłonią szukając oparcia w ścianie.

— Nie podobam się pannie Bork? — zawołał za nią. — A może za wysoko panna nosi głowę, by widzieć przyszłego marszałka?

Nie odwracała się, nie odpowiadała, szła szybko i ostrożnie, trzęsły jej się nogi. To schody dla mnichów, nie dla panien w sukniach na fortugale.

— Wilcze szczenię — usłyszała syk za swoimi plecami i zamarła. To nie był głos Flemminga. A może był?

Już dotarła do zakrętu, do małego podestu, na którym nie bała się postawić obu nóg. Odwróciła się za siebie. Nikogo tam nie było. Przed nią zaś zamajaczyły niewielkie półokrągłe drzwi. Pchnęła je i odetchnęła z ulgą. Była w kuchni.

Napojona ciepłym naparem księżniczka Amelia zasnęła.

— Zostanę z nią — szepnęła Sydonia do Elisabeth. — Możesz wracać na ucztę.

— Bez ciebie nie pójdę — żachnęła się Flemmingówna. — A jestem taka głodna, nic nie zdążyłam złapać ze stołu.

— Nie chcę tam iść — powiedziała Sydonia, ale Elisabeth zaburczało w brzuchu i niezręcznie było jej dalej odmawiać. Zostawiły z księżniczką służącą i poszły do refektarza. Sydonia zbierała się w sobie, by wyznać Elisabeth, co zaszło, gdy drogę zagrodził im Ewald.

On tu czekał — zrozumiała.

— Dobrze się panna czuje? Nic się nie stało? — zapytał z troską. Elisabeth spojrzała na niego i Sydonię zaskoczona.

— Panna potknęła się na schodach do kuchni — wyjaśnił siostrze. — Pomogłem wstać.

— Jesteś uprzejmy — odpowiedziała Elisabeth i Sydonia poczuła się niezręcznie. Co ma teraz powiedzieć? Że owszem, pomógł, a potem był zbyt natarczywy? Odpowie, że stał blisko, bo schody były wąskie. Szeptał coś? Skądże. Flemmingowie także noszą wilka w herbie.

— Chodźmy już — powiedziała, nie patrząc na niego.

— Tak — potwierdziła Elisabeth. — Umieram z głodu.

A gdy go wyminęły i uszły kilka kroków, pochyliła się do ucha Sydonii:

— Dlaczego mu nie podziękowałaś?

Sydonia nie zdążyła odpowiedzieć, z refektarza wyszła Dewitzówna i obrzuciła je obie spojrzeniem.

— Księżna pani już poszła na pokoje — powiedziała ze śmiechem. — I, oczywiście, już po mnie wzywa. Beze mnie nie zaśnie!

Owionął je zapach jedzenia, wina, miodu, piwa. Wesoły rozgardiasz uczty. Ewald zniknął, one zajęły miejsce między dwórkami, Elisabeth chciwie rozglądała się po tym, co zostało na stole. Książę Ernest Ludwik ożywił się, skinął głową Sydonii i uniósł w jej stronę kielich. Oczy błyszczały mu niebezpiecznie. Najwyraźniej nikt tu nie wylewał za kołnierz, nawet kanclerz Zitzewitz, bo perorował ze swadą:

— W lochach pod tym klasztorem grób księcia Warcisława! A moi, moi przodkowie przy tym byli, u samych początków rodu Gryfa...

— Naprawdę książę Warcisław przed śmiercią złamał napastnikowi szczękę? — wesoło zawołał książę Barnim.

— Mówiłem, że byli przy tym moi przodkowie, nie ja sam! — tubalnie zaśmiał się Zitzewitz. — Aż taki stary nie jestem. To było ponad czterysta lat temu!

Ucztujący gruchnęli śmiechem. Książę Barnim wykrzykiwał, że duch Warcisława może dzisiaj straszyć. Elisabeth udało się przysunąć do siebie miskę z resztką klusek i kiszoną kapustą. Na widok tej drugiej Sydonii zrobiło się niedobrze.

— Są przekazy, według których zabił go możny z plemienia Wieletów, inne mówią, że był Lucicem — pospieszył z wyjaśnieniami książę Bogusław. Mówił głośno, więc pewnie i on popił sobie, jak inni. — Tak czy inaczej, był to poganin, ze starych plemion, które nie godziły się z chrześcijaństwem przyjętym przez naszego przodka. Kto wie? Może zabójca należał do kręgu bliskiego władcy? Takie rozgrywki były częste w dawnych, mrocznych czasach. A Warcisław był synem księcia Świętobora, założyciela naszej dynastii i księżniczki saskiej z rodu Billungów…

— Przestań, bracie, przestań! — polał mu do kielicha książę Barnim. — Pij, baw się i nie nauczaj!

— Napiję się, napiję — potwierdził Bogusław i uniósł palec, jak uczony. — Ale nim się upiję, przypomnę, że ten klasztor, w którym gościmy, pobudowano na miejscu śmierci księcia Warcisława…

Wesoły Barnim odstawił dzban z napitkiem i teraz pokierował ręką starszego brata, by ten spełnił toast.

Sydonia skubnęła piętkę chleba. Nic więcej nie mogła przełknąć.

— Miodu? — usłyszała za plecami i aż podskoczyła. To chyba był głos, który szeptał za nią na schodach. Odwróciła się i przywołała do porządku: to nie mógł być ten sam człowiek. Dzban z miodem trzymał paź kanclerza Zitzewitza, ten zaś musiał być tu od początku uczty.

— Poproszę — powiedziała. — Do pełna.

— Do usług — odpowiedział młody mężczyzna i tym razem nie była już pewna. Podsunęła mu jeszcze kielich Elisabeth, ale nie odezwał się więcej. Ukłonił się obojętnie i odszedł, obchodząc stół i polewając, gdy ktoś na niego skinął.

— Chciałabym pójść spać — szepnęła Sydonia do ucha Elisabeth. — Za głośno tu.

— Te nagie mury nie pozwolą nam zasnąć. Chyba, że ucztujący się zlitują i też pójdą do komnat.

— Do cel — uściśliła Sydonia i upiła łyk miodu.

— Słodki i rozgrzewający — powiedziała Elisabeth do swojego kielicha. — Oby pomógł nam zasnąć. Jutro tańce, powinnyśmy dobrze wyglądać.

— Tańce z maskami — na siłę uśmiechnęła się Sydonia. — Więc właściwie nie musimy.

Marszałek Schwerin próbował przebić się przez zgiełk uczty, ale nie był w stanie, gdy w pobliżu był kanclerz Zitzewitz.

— Twój ród, marszałku — wyniośle ripostował mu Zitzewitz — jest w naszym księstwie wciąż młody.

— Moi przodkowie nazywali się Zwierzyn! — warknął na niego Schwerin. — Od nazwy miasta!

— A moi byli przy księciu Świętoborze! — powstał z ławy Zitzewitz. — Koska się wtedy pisali!

— Ochłońmy — niskim, donośnym głosem przerwał im Jan Fryderyk. Zitzewitz w jednej chwili pojął, że przeszarżował. Schwerin również, bo obaj skinęli sobie głowami.

— Jutro przed nami droga — powiedział stanowczo Jan Fryderyk. — Czas na spoczynek.

— Zmęczyłeś się, bracie? — dorwał się wreszcie do głosu Ernest Ludwik. — To idź spać. Muzyka! Grajcie! Są z nami damy! Panno Sydonio, będziemy tańczyć! — Już zrobił krok w ich stronę.

Sydonia zamarła. Naprawdę wywołał ją po imieniu, tutaj, w tym tłumie. Czas zwolnił. Dostrzegła, jak kanclerz Zitzewitz wstaje wolno z ławy, jak wpatruje się w nią, trzeźwiejącym wzrokiem. Jak podchwytuje jego spojrzenie książę Bogusław i patrzy raz na nią, raz na młodszego brata. Jak płoną oczy i policzki Ernesta Ludwika. I jak staje przed nim Jan Fryderyk. I mówi powoli, jakby chciał uspokoić narowistego ogiera:

— Będziemy tańczyć — i kładzie Ernestowi Ludwikowi dłoń na ramieniu, a ta dłoń wydaje się ciężka, niczym sztaba. — Jutro, w Oderburgu, na zamku odrzańskim. Nie w dawnym klasztorze, na miejscu pamięci i kaźni.

— Jan Fryderyk ma rację. To niestosowne — potwierdził książę Bogusław trzeźwo, choć chwiał się na nogach.

— Dwaj najstarsi zadecydowali — polubownie poparł ich Barnim. — Nam, młodszym, wypada posłuchać. Chodź, Lutz — zwrócił się do Ernesta Ludwika ulubionym zdrobnieniem. — Wypijemy pomorski kielich do dna, na sen.

Jan Fryderyk zdjął rękę z ramienia Ernesta, ten hardo uniósł głowę, jakby chciał jeszcze mu się odszczeknąć, ale Barnim natychmiast objął go ramieniem i zamknął w uścisku, oddzielając od gości. Sydonia i Elisabeth wstały, ukłoniły się szybko i bezszelestnie ruszyły do wyjścia. To samo zrobiły pozostałe dwórki.

Potem, w zimnej celi dawnego klasztoru, Sydonia długo nie mogła zasnąć. Zrozumiała, że podczas maskarady, na którą tak wszyscy czekali, będzie musiała być ostrożna. Niech maska stanie się moją tarczą — pomyślała — a nie pułapką.

Księżna Maria była dumna z Jana Fryderyka. Nie ucierpiał na wojnie, wziął łupy, zasłużył się przy cesarzu, co w trudnych czasach po wojnach szmalkaldzkich było ważne. Ale zrobił coś więcej, niż oczekiwała: na zjeździe w Augsburgu otworzył negocjacje w sprawie zamążpójścia Amelii z księciem ziębicko-oleśnickim Karlem z Podiebradów. To było wydarzenie! Wreszcie mogło zdjąć staropanieńskie odium ciążące na jej córce. Wiadoma rzecz: przyjmij pierwszych swatów, a przybędą kolejni. Czas był na to najwyższy, Amelia w domu dziwaczała.

Zima minęła szybko, dla matki zbyt szybko. Nie zdążyła się nacieszyć. A przecież po raz pierwszy od tak dawna miała wszystkie dzieci przy sobie. Całą swą gromadkę. Czegóż oni nie wymyślili! Kuligi, zimowe polowania, łowienie ryb spod lodu, tańce, szarady, pojedynki szermiercze, uczty, zgodziła się nawet na uciążliwą podróż do Szczecina, saniami, przez zamarznięty zalew, i maskaradę w Oderburgu, zamku odrzańskim! Ale po zapustach zjawił się Zitzewitz i miejsce zabaw zajęły narady. Kanclerz chciał, by księstwo zaangażowało się w wojnę inflancką. Dobry Boże, uchroń przed wojną. Księżna Maria nie była naiwna, by uważać, że można władać, całkowicie wyrzekając się wojen, ale po cóż włączać się w te, które dzieją się tak daleko, poza granicami? Czyż nie lepiej walczących pozostawić z ich racjami?

— Ta wojna — perorował kanclerz — zdecyduje o panowaniu nad Morzem Bałtyckim. A Księstwo Pomorskie opiera swą potęgę o Bałtyk! Nie możemy pozostać neutralnymi, bo obudzimy się nad morzem, które nie jest nasze.

— Po której stronie mielibyśmy się opowiedzieć? — podchwytliwie zapytał marszałek Schwerin.

Zitzewitz spojrzał na niego jak jastrząb polujący na mysz. Maria Saska znała to spojrzenie.

— Tylko jedna strona konfliktu jest nasza — zimno odpowiedział Zitzewitz. — Rzeczpospolita, królestwo Danii i Lubeka.

— Skąd ta pewność? — melodyjnie prowokował go Schwerin.

— Bo przeciwnikiem jest Moskwa i car Iwan Groźny. Jeśli coś więcej trzeba panu, marszałku, wyjaśnić, to znaczy, że pana obecność na urzędzie jest błędem.

Schwerin zamilkł, bo go urażono i nikt nie wziął jego strony. Potem rozważano kolejne sprawy, ale wszystkie toczyły się wokół tej obcej wojny. Maria ze wszystkich sił chciała powtórzyć sakramentalne powiedzenie świętej pamięci małżonka: „Pomorze jest i będzie neutralne", ale dyskusja mężów stanu nie zostawiała jej miejsca, by się wtrącić. Nie mogła opuścić spotkań rady, przecież to ona jest tu panią, ale koniec końców, nie bardzo ją to ciekawiło. Siedziała więc i słuchała o królu Polski, Zygmuncie Auguście, który szukał pieniędzy na flotę morską.

— Jagiellon sonduje możliwości domu bankowego Loitzów — mówił Zitzewitz i od razu zaznaczył, że jest pożyczce przychylny.

Loitzowie. Dobry Boże, czyż jest coś na Pomorzu, co nie ma na sobie sygnatury „Bank Loitzów"? Nawet jej Jan Fryderyk na tę turecką wyprawę musiał się u nich zapożyczyć. A przecież jeszcze niedawno pisali się „Łosice"! Nazwisko zniemczyli, rozkręcając interesy. Teraz to szczeciński dom bankierów, „dynastia", jak mówiono o nich. Dorobili się na pomorskim złocie, czyli śledziach i soli. I nawet, jeśli początki bankierów były tak przyziemne, to złoto, jakie zgromadzili, imponowało. Dzisiaj to oni udzielali pożyczek książętom, elektorom i najlepszej szlachcie. U nich kapitał trzymały wielkie rody w nadziei, że Loitzowie go pomnożą. Oni finansowali budowy zamków i fortec, wyprawy handlowe, handel bałtycki i, jak właśnie się okazało, wojny. Co gorsza, Maria zrozumiała z rozmowy kanclerza ze starym księciem, że udziałowcy banku mają nadzieję na zarobienie na inflanckiej wojnie.

Księżną Marię przytłaczał ten pieniądz ciągnięty z przelewu krwi, ale Loitzowie nie brzydzili się nim. „Na własnym pocie i na własnej krwi zbudowaliśmy finansowe imperium" — z dumą powiedział Stefan Loitz. I przyznała w duchu, że choć to ludzie z urodzenia prości, to potrafi ich zrozumieć. Ona, tak dobrze urodzona, do pozycji i szacunku ludzkiego także doszła przez krew. Z dróg rodnych.

Osiągnięto kompromis po miesiącach rozmów: Księstwo Pomorskie nie wejdzie do działań zbrojnych, ale Loitzowie udzielą pożyczki królowi Zygmuntowi Augustowi. Z ich szczecińskiego skarbca popłynie złota krew na zbudowanie polskiej floty. To będzie ich udział w *Dominium Maris Baltici*. Ich pazury, którymi trzymają się morza.

„Gryf ma ciało lwa, ale głowę orła" — wyszeptał w jej pamięci nieżyjący, ukochany mąż, książę Filip. W tamtych dniach, gdy patrzyła na synów, dostrzegła, że Jan Fryderyk ma oczy drapieżnika, a Bogusław przymyka powieki, kiedy trzeba podjąć decyzje. To dało Marii Saskiej do myślenia.

Po powrocie z maskarady Ernest Ludwik wodził za Sydonią wzrokiem, a Ewald von Flemming jej unikał. Starsi książęta, Jan Fryderyk i Bogusław, często wyjeżdżali do Szczecina, do swego stryjecznego dziada, księcia Barnima.

— Czas nauk uniwersyteckich minął — mówiła Saska Lwica, puchnąc z dumy. — Przyszła pora na nauki sprawowania władzy. Ludke, mój drogi synu — wyciągała po niego dłoń, jakby brak starszych synów w pełni pozwalał jej rozkoszować się młodszym. — Zagraj nam coś.

Sydonia widziała, jak Ernest Ludwik zaciska szczęki za każdym razem, gdy matka mówi do niego znienawidzonym zdrobnieniem. Jak patrzy spode łba, jak bieleją mu kostki dłoni, gdy chwyta lutnię i zaciska palce na gryfie z taką siłą, że mógłby go strzaskać. W takich chwilach w komnacie księżnej pani robiło się cicho i zdawało się, że książę Filip z portretu Cranacha spogląda na syna, swą wierną kopię, ze zrozumieniem, nie przyganą.

— Zagram — powiedział dzisiaj Ernest Ludwik — jeśli któraś z panien zechce mi towarzyszyć.

To zabrzmiało nie jak prośba, lecz jak wyzwanie. Otylia von Dewitz, siedząca z robótką u stóp księżnej pani, uniosła jasną twarz i spojrzała na Saską Lwicę. Nie, księżna Maria zdawała się nie słyszeć zmiany w głosie syna. Miała ten sam, rozanielony wyraz twarzy, co chwilę wcześniej. Sydonia z całych sił zapragnęła stać się niewidzialną, ale Ernest Ludwik szarżował, już było za późno.

— Panno Bork? — powiedział miękko i powtórzył: — Panno Sydonio, zechce panna zaśpiewać, jeśli zagram?

— Nie — odpowiedziała za nią księżna Maria. — Właśnie miałam pannę Bork posłać po ochmistrzynię.

Ernest Ludwik spojrzał na matkę z taką złością, że cały fraucymer nie wiedział, gdzie patrzeć. Sydonia zaś wstała szybko, odłożyła książkę, dygnęła przed panią i nie patrząc w stronę zbuntowanego księcia, wyszła. Niemal biegła. Wpadła na doktora Schwalenberga.

— Panno Bork — otrzeźwił ją swą przyganą. — A dokąd to panna tak gna, jeśli wolno wiedzieć?

— Szukam ochmistrzyni — powiedziała, łapiąc oddech.

— Już dobrze, dobrze, proszę się uspokoić — odrzekł protekcjonalnie. — Do pożaru wzywa się kapitana zamku — zaśmiał się krótko — a skoro poszukiwana jest ochmistrzyni, to pewnie nic aż tak pilnego. Widziałem jejmość na podzamczu, tam zapewne ją panna znajdzie...

Sydonia skinęła głową i ruszyła dalej, a zaskoczony jej odejściem Schwalenberg stał na dziedzińcu z rozłożonymi rękami i patrzył za nią. Zniknęła mu z oczu, wyszła przez bramę, ustąpiła miejsca dwóm wozom wiozącym zapasy do zamkowej kuchni. Wszędzie kręciła się służba, kury z gdakaniem uciekały przed psami, Sydonia rozglądała się za ochmistrzynią. I nagle, w tym spieszącym na wszystkie strony tłumie, niedaleko ławki kaźni, zobaczyła ją. Praczkę, z dzieckiem na ręku. Dziewczyna stała na uboczu i wpatrywała się w dawne miejsce swej hańby.

Była w ciąży, nie kłamała, urodziła — przebiegło przez myśl Sydonii. — Po co tu przyszła? Nie miała dokąd pójść — dotarło do niej i w tej samej chwili na głównej bramie rozległo się granie rogów.

— Przejazd dla księcia Jana Fryderyka! — zawołał gromko odźwierny.

Sydonia cofnęła się odruchowo, robiąc miejsce. Znów spojrzała na praczkę, z dzieckiem przy piersi. Ta teraz patrzyła prosto na nią. Uniosła podbródek wysoko, wykrzywiła usta, skrzyżowała palce na prawej ręce, tej, którą obejmowała niemowlę. I splunęła w bok, nie spuszczając wzroku z Sydonii.


— Dla nas, panien z fraucymeru, życie na dworze jest jak kawalerska podróż! — powiedziała rozgorączkowana Elisabeth von Flemming, choć dawno minęły zapusty. Wróciły do swej komnatki po dniu pełnym zajęć. W kominku buzował ogień, było naprawdę ciepło. Sydonia wezwała Metteke, a ta, zręcznie jak zawsze, rozwiązała jej kryzę i zabrała się do pomocy w zdejmowaniu sukni. Po chwili stała przed ogniem w samej koszuli uwolniona z gorsetu, fortugału i wałka na biodrach. Rozcierała bolące miejsca, zzuwając buty. Metteke stanęła za nią, by rozpleść warkocze, ale Sydonia odesłała ją. Chciała to zrobić sama. Dotknąć własnych włosów. Gdy była mała, matka pozwalała jej chodzić w rozpuszczonych. Sydonia lubiła swoje rude pukle, które w wilgotne dni skręcały się w niepokorne sprężyny, albo strąki. W suchą pogodę były posłuszne, choć przypominały morską falę. Mogła je dowolnie układać, przeczesując palcami. Na wołogoskim dworze każdego dnia poddawała włosy torturze, tak jak ciało. Układały je z Metteke na wałku, kształtując wysoką, elegancką fryzurę złożoną z warkoczy, zawijasów i podpięć. Stroiły je w przepaski, czasem chwytały w siatkę, a na największe uroczystości zdobiły nawet w perły. Przez ten rok, który minął jej na dworze, nauczyła się każdej z wymyślnych fryzur.

Teraz z rozkoszą zanurzyła palce w rozpuszczonych włosach. Uwolnionych z gorsetu upięć, szpilek i wałków. Pochyliła się nad bijącym od kominka blaskiem i poddała pukle ciepłu.

— Wyglądasz jak czarodziejka — zachichotała Elisabeth. — Albo jak wiedźma, która wywołuje demona z ognia!

— W ogniu nie ma żadnych demonów — przeciągnęła się z przyjemnością Sydonia.

— A gdzie są? — Elisabeth stanęła tuż za nią.

— W ludziach — zaśmiała się i odwróciła od płomieni. — To ich trzeba się bać, nie ognia.

— Szkoda, że nie jesteś czarodziejką — wzruszyła ramionami Elisabeth. — Poprosiłabym cię, byś zaczarowała mojego brata. On i tak wpatruje się w ciebie jak zadurzony. Mogłabyś go oczarować i dla mnie, żeby przestał być taki skąpy i ogłosił, że da te trzy tysiące w posagu. Przed Zielonymi Świątkami mój luby ogłosiłby zapowiedzi.

— Kto to taki? — spytała Sydonia.

— Ktoś, kto mi się podoba — tajemniczo odrzekła Elizabeth von Flemming. Podeszła do niej, wpatrując się badawczo. — Ewald nie jest cudem, wiem o tym aż za dobrze, ale będzie marszałkiem i obie rozumiemy, co to znaczy. Ojciec chce, by ożenił się z Puttkamerówną, lecz ty możesz to zmienić. Nie sądziłam, że to kiedykolwiek powiem, ale pomyśl o nim. Z tego, o czym marzysz, nic nie będzie.

Sydonia nie odpowiada, obie patrzą w płomienie. Elisabeth odzywa się bardzo cicho:

— Nie boisz się igrać z ogniem? On… to… ta sprawa zszarga ci opinię. Dzisiaj wydaje ci się, że masz u stóp cały świat, a jutro zostaniesz z niczym.

— Nie mam pojęcia, co będzie jutro — odpowiedziała wymijająco Sydonia.

Tym razem to Ernest Ludwik i Barnim wyjechali do Szczecina. Pod ich nieobecność Jan Fryderyk postanowił zrobić przyjemność najmłodszemu z braci i zabrać go nad morze. Saska Lwica, po prośbach Kazimierza, zgodziła się, by pojechały także córki. I oto radosna kawalkada wyruszyła wczesnym rankiem. Sydonia nie musiała się obawiać, że Ernest Ludwik znów postawi ją w niezręcznej sytuacji, mogła się cieszyć podróżą. Jan Fryderyk, Bogusław, Kazimierz, z nimi junkrowie, jechali konno, a księżniczki i ich dwórki powozami. Ona dobrze jeździła konno, ale wysoko urodzone panny powinny unikać siodeł, więc podróżowała, jak od niej wymagano. Okropnie trzęsło powozem, lecz krajobrazy wynagradzały wszystko. Pierwszy raz jechała przez wyspę Uznam i nie mogła się nasycić widokiem mokradeł i soczyście zielonych łąk, jezior, ciągnących się pasmami niewysokich wzgórz, a po dwóch godzinach podróży wreszcie zobaczyły wydmy, ten cud przyrody, piaskowe wzniesienia, dające odpór morzu i sile natury. Drżały jej dłonie i mocno biło serce, gdy wreszcie powóz wtoczył się na jedną z nich i wysiadły, i z klifu pierwszy raz w życiu zobaczyła morze. Musiała odwrócić się od wszystkich, bo w oczach stanęły jej łzy. Oto ono: potęga wody. Bezkres fal i wiatru. Zachwyt, a gdzieś pod nim nieuchwytne uczucie, jakby znała to miejsce, jakby wróciła do siebie.

Hen tam, w oddali, wydymał się żagiel, za nim drugi i trzeci. Statki, które stąd wyglądały jak dziecinne zabawki.

— To kogi płynące z Lubeki do Kołobrzegu — powiedział Jan Fryderyk.

— Co wiozą? — ekscytował się Kazimierz, osłaniając oczy dłonią.

— Wino, korzenie, sukno. I broń.

Służba książąt w zaciszu osłoniętym wydmą urządziła niewielki obóz. Dwa namioty odgradzające przed wiatrem, stół, na którym szykowano posiłek.

— Jakie ostre trawy — zauważyła księżniczka Anna. — Mogą przeciąć skórę.

— To wydmuchrzyce — powiedziała Sydonia i przygryzła wargę. Gdzie usłyszała to słowo?

— Chodźcie na dół! — zawołał najmłodszy z książąt. — Małgorzato, Anno!

— Ja zostanę — oznajmiła Amelia. — Pani matka nie pozwoliła mi zażywać wiatru. Ponoć może mi szkodzić.

Sydonii serce stanęło w pół uderzenia. Będzie musiała zostać z panną. Kazimierz chwycił ją za rękę bezceremonialnie i pociągnął:

— Ale ona idzie!

— Jeśli masz ochotę, Sydonio — łagodnie zgodziła się Amelia.

— Ja z radością zostanę — oświadczyła Elisabeth von Flemming.

— I ja — dodała inna z panien.

Sydonia odetchnęła z ulgą. Za nic nie chciała stracić tej chwili. Nogi zapadały się w piasku, wiatr szarpał spódnicami, raz po raz potykały się i podtrzymywały nawzajem, schodząc z wysokiej wydmy, ale nic to, tam w dole czekała nagroda. Fale rozpryskujące się na mokrym piasku. Księżniczka Anna i Małgorzata znów były dziećmi. Kazimierz krzyczał i biegał, mocząc sobie pończochy i buty. Piesek jazgotał. Bogusław wystawił do wiatru twarz i przymykał oczy. Panny walczyły o utrzymanie swych sukien w porządku. Sydonia widząc, że Otylia i tamte otoczyły obie księżniczki, pozwoliła sobie na to, czego pragnęła. Oddaliła się od wszystkich. Hen, w dali, widziała starą łódź rybacką, wyciągniętą na piasek, przewróconą do góry dnem. Szła pod wiatr, na zachód, pokonywała opór podmuchów. A gdy odeszła na tyle daleko, że tamci stali się małymi figurkami, że trudno było odróżnić pannę od panny, schyliła się i mocząc spódnice, zanurzyła dłonie w wodzie. Chciała poczuć sól na ustach, na języku. Ta chwila. Jakby całe życie czekała na nią.

Potem, gdy skóra jej wyschła, stała twarzą do morza. Szum fal, furkot targanych wiatrem spódnic. Oddychała głęboko, aż z tych wdechów i wydechów powstał dźwięk, jak jakaś dziwaczna melodia:

— *Haaa-haaa-ha!...*

Tak, znała ją, przypomniała sobie kołysankę. Kto ją śpiewał? Babka?

— *Przez ogień, przez wodę, piękny jedzie pan...* — zanuciła.

Zapamiętywała. Wpatrywała się w bezmiar morza. Przesypywała piasek z ręki do ręki, jej palce były klepsydrą. Niezmierzoność piasku. Czasu, który nigdy nie musiał upłynąć.


Książę szczeciński Barnim przybył na uroczystość do Wołogoszczy. Małżonka nie mogła mu towarzyszyć, księżnej Annie ostatnimi czasy nie dopisywało zdrowie. Przekazanie władzy w ojcowskim księstwie wołogoskim Janowi Fryderykowi i Bogusławowi było tylko formalnością, ale świętowano ją z rozmachem. Nigdy dość wzmacniających ceremonii. Jego już to nużyło, ale Saska Lwica, jak w skrytości ducha nazywał księżną Marię, upierała się, by zaprosić głowy pomorskich rodów i pokazać jedność Gryfitów. Niech jej będzie, myślał, zasłużyła. W końcu to krew z jej krwi, jej synowie uratowali ciągłość dynastii. On, od śmierci swego bratanka Filipa, głową ich księstwa był tylko formalnie. I Jan Fryderyk, i Bogusław, od dawna byli pełnoletni. Podobnie jak Ernest Ludwik, choć tego najchętniej nie wypuszczałaby spod skrzydeł matka. Wdał się w ojca, nie ma co, jak dwie krople wody. Ciekawe, czy wdał się we wszystkim. Stary Barnim nie lubił Marii Saskiej, było w niej coś nieznośnego, coś, co nieustannie mówiło „ja, mnie, moje", ale szanował jako księżnę głęboko. On rozumiał, ile przeszła z jego bratankiem i ile zrobiła, by nikt więcej o jej niedolach nie wiedział. Filip był piękny, uczony, uprzejmy i rozpustny. Można powiedzieć, prawdziwy Gryfita: bez umiaru pił i kochał. Owocem pozamałżeńskiej miłości był Ludwik, uznany za syna przez Putbusów, choć wszyscy wiedzieli, że jest Filipa. Dobrze, że więcej się takich Ludwików nie znalazło. Do uszu Barnima doszło także, że podczas studiów w Wittenberdze Filipa łączyła wyjątkowa przyjaźń z kilkoma młodzieńcami. Jeśli coś było na studiach, tam też zostało, ale czuł, że to i owo dotarło do ucha Marii. Może dlatego tak trzęsie się nad Ernestem Ludwikiem? Czy Barnim powinien jej powiedzieć, że są sprawy, na które nie ma wpływu? Nie. Pewnych tematów poruszać nie wypadało.

Przyjazd do Wołogoszczy obudził w Barnimie wspomnienia. Jak po raz pierwszy losowali z Filipem księstwa, cóż to było! Sam podział Pomorza nie był trudny, poprowadzono go wzdłuż rzeki Świny. Uwzględniono, że część szczecińska jest bogatsza w zbrojnych, a wołogoska w dochód, więc uzupełniono przychody przez dopisanie prebend, prałatur i dóbr kościelnych, a tu było się czym dzielić. Wyznaczono miasta, z których cła szły do podziału dla obu władców i właściwie było po wszystkim. Wystarczyło wybrać. Z pomocą przyszedł im sejm cesarski w Spirze, podpowiadając losowanie. W ten sposób Szczecin trafił do Barnima, a Wołogoszcz do Filipa, co osiem lat ponawiano losowanie, póki żył Filip, potem, na czas regencji, zaprzestano.

— Trzeba do tego wrócić, Barnimie — perorowała dzisiaj, podczas odświętnego obiadu, Maria.

Uroczystość objęcia władzy się odbyła, Saska Lwica kazała grać muzykom głośniej, bo chciała, by ich rozmowy nie podsłuchiwano. Dla niego było to zmorą. Od kilku lat miał kłopoty z uszami. Albo niedosłyszał, albo słyszał przesadnie. Teraz dźwięki muzyki wydawały mu się kanonadą. Skończył sześćdziesiąt sześć lat i ze zdumieniem zauważył, że proste czynności, na które niegdyś nie zwracał nawet uwagi, urastają do rangi wydarzeń, a ich wykonanie, do wyczynów. Na przykład schody. Uwielbiał widok z wieży wołogoskiego zamku. Patrzeć na lśniącą wstęgę Piany, na miasto z jednej, a wyspę Uznam z drugiej strony. Ileż razy wbiegał na wieżę gdy miał chwilę przerwy między posiedzeniami rady, albo przed kolacją. A dzisiaj zrezygnował z widoku, nie dochodząc nawet do połowy wieży. Jego, księcia Pomorza, pokonały schody. Albo szlachetne wina. Jakże lubił renal z Istrii, bastart, o, to cudowne mieszane wino hiszpańskie, albo grecką, słodką małmazję, która zostawiała osad na języku. Pasjami kochał petersimon, ciężki i ziołowy, kiedyś pijał go do śniadania, a dzisiaj? Odrobina do obiadu, odrobina do kolacji i jeszcze zdarzało się, że prosił, by lano mu nie mocne szczecińskie, tylko słabe, kołobrzeskie piwo. Wieczorami w ogóle wolał unikać napojów. Nocne wstawanie za potrzebą wykańczało go. Parcie na pęcherz, a potem co? Pięć kropelek do nocnika i za dwie godziny to samo. Starzenie się było męczące. I jeszcze ten szwankujący wzrok. Czytał bez kłopotu, ale gdy patrzył w dal, różnie bywało. Czasami oczy podmieniały mu kolory. Wiedział, że gryf na chorągwi jest czarny, a on nagle płonął mu oranżem, albo co gorsza, wydawał się czerwonym orłem, znakiem brandenburskiej dynastii.

— Barnimie? — głos Saskiej Lwicy jest natarczywy. — Czy moglibyśmy pomówić?

— Owszem, ale na osobności, nie tutaj.

— Jak sobie życzysz, mój najdroższy gościu — oblicze Marii rozjaśnia się, a on widzi ją jak rozwałkowane ciasto. Uśmiecha się kurtuazyjnie, ale narasta w nim panika i odwraca się szybko, wlepiając wzrok w komnatę pełną biesiadników. Czuje, jak oblewa go gorąco. Dlaczego zmysły płatają mu takie figle? Muzyka łomoce, ludzie przy stołach wrzeszczą niczym opętani, chciałby wsadzić ich na okręt szaleńców i odprawić w morze, hen, niech znikną, zabierze ich sztorm. Zdaje mu się, że uczta zamieniła się w morską jatkę, w histerię wiatru, słonych, tnących niczym brzytwy fal. Takielunek trzeszczy, żagiel drze się w strzępy, pokład pod nim zapada się z hukiem. Zaraz wpadnie w toń. I nagle, z dala przychodzi ratunek. Niczym ogień palony przez strażników wybrzeży, który woła „Płyń do mnie. Przez ogień, przez wodę". I z jego blasku tchnie spokój, ciepły, jak południowy wiatr. Ten, który zatrzymuje się na wzgórzach wydm, który koi spienione bałtyckie fale. Jeszcze siłą rozpędu morska piana rozbryzguje się o brzeg, ale w jednej chwili ustaje sztorm. „Chodź do mnie" — szepce światło, a on płynie do niego wpław. Światło jest zielonkawe, kojące. Morze ciepłe, fale pomagają mu dopłynąć. Piasek skrzy się w słońcu, które wyszło zza ołowianych chmur. Barnim czuje niezwykłą jedność z wodą, która chwilę wcześniej była śmiertelnie groźna. Wypełnia go spokój niemal wiekuisty. Zielone światło rozdziela się na dwie latarnie, dwoje oczu, nad nimi płomienna kopuła włosów, poniżej krąg białej jak morska piana kryzy i ciemna sylweta latarni.

— Kto to? — pyta Saskiej Lwicy.

— To ciekawe, że też zwróciłeś uwagę — odpowiada księżna z przekąsem. — Toż to Sydonia von Bork.


Wieczorem są sami, księżna i on, w jej komnacie. Właściwie trzeba dodać, że jest z nimi Filip, bo portret Cranacha nadzwyczajnie wydobył naturę jego bratanka.

— Napijesz się wina? — pyta Maria, choć powinna wiedzieć, że nie, skoro odmawiał go pod koniec uczty.

— Dziękuję — mówi i księżna odprawia sługę.

— Wydaje mi się, że skoro Jan Fryderyk przejął dzisiaj oficjalnie rządy w Wolgast, powinniśmy wrócić do tradycji losowania księstw.

— Jestem stary — odpowiada Barnim.

— I ja niemłoda — mówi zalotnie. — Ale chodzi o tradycję — dodaje twardo, a on wie, że chodzi jej o Szczecin.

— Poczekaj, aż umrę — Barnim nie krępuje się. Wciąż myśli o Sydonii von Bork.

— Nie chcę, byś umierał, Barni — używa zdrobnienia, którego on nie znosi. — Chcę tylko, by moi synowie…

— Twoi synowie wezmą całe Pomorze — przerywa jej, bo męczy go ta kobieta i jej rozwałkowana twarz. Panie, nie powinienem tak myśleć, oddal to. — Nie jestem wieczny. Pozwól Mario, by zadziałał Bóg i czas.

Ona kręci się po komnacie, zawija spódnicami. On słyszy, że sapie.

— „Jak Bóg zechce" — powtarza dewizę świętej pamięci Filipa, oczywiście wpatrując się w portret. — Barnimie, czy pamiętasz, co mówił astrolog o moich synach?

— Nie bardzo — wykręca się.

— Mogę zawołać profesora Runge? Właśnie przyjechał z Greifswaldu.

— Z Gryfii — poprawia ją złośliwie. — Daj spokój, jestem znużony ludźmi.

— Nie chciałabym nic sugerować — wzdycha. — Ale przecież mogę cię prosić, byś spotkał się z Runge jutro?

— Wyborny pomysł — pociera czoło i konstatuje, że jest trupio zimne. — Chciałbym się położyć.

— Naturalnie, już wzywam służbę.

— Nie trzeba — fuka na nią, choć nie chciał. — Znam ten zamek od urodzenia.

— Wybacz — obraża się, a potem przeprasza prawdziwie. — Nie chciałam, chyba jestem zmęczona.

— Nic takiego — mówi i rusza ku wyjściu. — Mario, śpij spokojnie.

— Ty także, Barnimie. Ale… — zawiesza głos niespokojnie. — Czy mógłbyś mi wyjaśnić, o co naprawdę chodzi z rodem Borków? Dlaczego wszyscy…

— Nie zawracaj sobie tym głowy, moja droga, to nic ważnego — kłamie i dodaje gwoli prawdy: — Stara historia. Tak dawna, że mawia się na Pomorzu, że są rzeczy tak stare jak Bork i diabeł.

Elisabeth von Flemming nie miała pojęcia, o czym mówi, a mimo to miała rację: Sydonia igrała z ogniem. I coraz trudniej przychodziło jej zachowanie spokoju. Każdy czegoś od niej oczekiwał. Matka, że wyjdzie za kogoś dobrego, kto zapewni bezpieczeństwo jej i Dorocie, jakby pojąć za żonę miał je obie. Brat, że wyjdzie za któregoś z Wedlów, albo lepiej, za Ewalda von Flemming. Elisabeth widząc, że Ewald wodzi za Sydonią wzrokiem, przymknęłaby oko na to, co wiedziała, o ile Sydonia zapewniłaby jej trzy tysiące posagu, o którym słyszeć nie chciał Ewald. A Sydonia nie mogła nawet patrzeć na Ewalda. Ilekroć o nim wspomniano, czuła smród kiszonej kapusty.

Ernest Ludwik stawał się coraz bardziej napastliwy, coraz mniej opanowany. Potrafił wyczekiwać na nią w zaułku korytarza, a ona naprawdę nie chciała, by ktoś ich zobaczył sam na sam. Adorował ją, odkąd wrócił na dwór wołogoski, z początku owszem, trochę jej to imponowało, ale gdy po przyjeździe Jana Fryderyka zaczął być niemal ostentacyjny w okazywaniu jej względów, poczuła się niezręcznie. Zaborczy i do tego zazdrosny. Jeśli zobaczył, że któryś z kawalerów rozmawia z nią, już był obok. Gdy z dwórkami towarzyszyły księżniczkom w zamkowych ogrodach, potrafił oddzielić ją od grupy, by móc korzystać z jej obecności niemal sam na sam. Czuła się jak owad owijany pajęczą siecią, każdego dnia mocniej, ciaśniej. Czasami przytrzymywał jej dłoń dłużej niż wypadało. Albo kładł swoją na jej ramieniu. Nie posunął się do niczego więcej, ale obawiała się, że to jest wyłącznie kwestią czasu, bo z dnia na dzień robił się coraz mniej przewidywalny, coraz bardziej gorączkowy. Co ma zrobić? Poskarżyć się Saskiej Lwicy? Może kiedyś, ale teraz to już niemożliwe. Cierpła na samą myśl o tym, że zaraz będzie jej drugie święto Trzech Króli na dworze i do Wołogoszczy zjadą się wszyscy. Czyli jej brat Ulrich.

Tym razem rozmach świątecznej uczty był większy, a rolę gospodarzy odgrywali wspólnie Jan Fryderyk i Bogusław. Książęta dziedzice. Zaproszono wszystkich do sali z gobelinem, podnosząc splendor młodych panów i zaskakując gości.

Ulrich, jak poprzednio, zjawił się w towarzystwie Josta. Jego oczy błyskały nieobliczalnie, a wams, poprzednio długi, wydłużył się jeszcze bardziej. A z oddali śledził Sydonię także wzrok Ernesta Ludwika. Bała się, że dojdzie do jakiejś konfrontacji.

— Wypiękniałaś, garbusko — wyszczerzył zęby Ulrich, gdy tylko mógł do niej podejść. — Słyszę od ludzi, że sprawy nie mają się dobrze.

— Co takiego? — spytała wyzywająco.

— Ty mi powiedz — syknął. — Piękniś adoruje cię na potęgę. Odstrasza poważnych kandydatów. Co, może tutaj zaprosisz garbatą Dorotkę? — zadrwił, rozglądając się po wielkiej komnacie. — Paradny dywanik — wskazał zuchwale głową na gobelin. — Ale, jak widzę, nie ma na nim wolnego miejsca dla Sydonii von Bork.

— Przestań — powiedziała krótko.

— Zrobiłaś się harda. Pewna siebie. O, proszę, miło spotkać! — już uśmiechał się olśniewająco do zmierzających ku nim Wedlów. — Lupoldzie! Jak się miewa twoja pani matka, a nasza siostra, Anna?

— Źle — krótko odpowiedział Lupold. — Jak rodzicielka po stracie syna.

— Książę dziedzic z wyprawy tureckiej wrócił cały i zdrowy, a twój brat poległ w jego barwach — twardo powiedział Ulrich. — Jedna wojna, niejednakowe straty.

Anna von Wedel, matka Lupolda, była ich starszą, przyrodnią siostrą, po ojcu Ottonie von Bork. Sydonia, nim przyjechała na dwór, czasami odwiedzała ich w Krępcewie, ale wolała spotykać się tylko z Anną, nie przepadała za Lupoldem.

— Góra z górą — wesoło wołał Ulrich, a ku nim szli kolejni Wedlowie, z krzywnickiej gałęzi tego licznego rodu. Tych z kolei Sydonia lubiła.

— Panno Sydonio — kłaniali się przed nią, nie przed Ulrichem.

— Jest i nasz Wedige — Ulrich chwycił ją za łokieć, obrócił i odsunął od Wedlów z Krzywnicy. — Zaraz do was wrócimy.

Wedige był niewysoki, jasne włosy zakładał za uszy, jak chłopiec. Lubiła go, naprawdę lubiła, ale zachowanie Ulricha było obcesowe.

— Wedige! — już witał się z nim przesadnie serdecznie, już przytłaczał go swym dzikim urokiem. — Dawno cię nie widziałem, dlaczego nie przyjeżdżacie z ojcem do Strzmiela?

— Bo nie zapraszasz? — odpowiedział Wedige von Wedel pytaniem i Sydonia roześmiała się szczerze.

— Panna Sydonia i wielu Wedlów — Ernest Ludwik zjawił się nagle przy nich.

— Książę — głęboko ukłonił się Wedige, a za nim, w tle, pozostali Wedlowie.

Ulrich stał wyprostowany i patrzył w oczy Ernesta Ludwika niemal wyzywająco. Sydonia miała wrażenie, że wpadła między dwa ognie. Mierzyli się wzrokiem. Rozmowy wokół nich zaczęły milknąć i coraz więcej oczu kierowało się na Ulricha i księcia Ernesta. Rozdzielił ich Jan Fryderyk, pojawiając się w samą porę.

— Bracie, kanclerz nas potrzebuje — oznajmił. — Nie każmy mu czekać. Czy panna Bork nam wybaczy? — spytał, ignorując Ulricha.

Skinęła głową z wdzięcznością. Ernest Ludwik odchodząc, posłał jej uważne spojrzenie. Gdyby byli psami, warczeliby na siebie wściekle — przebiegło jej przez głowę. A potem pomyślała jeszcze: — Gdyby byli psami, ja byłabym kością.

— Panna Sydonia cieszy się na dworze wielkim szacunkiem — odezwał się Wedige, a w jego głosie nie słychać było podtekstów.

— Nic takiego — wzruszył ramionami Ulrich. — Pomówmy o tobie. Jak majątek? Rozbudowujesz siedzibę?

Nie potrafi odpuścić — pomyślała o bracie. — Wbił sobie do głowy, że wyswata mnie z Wedige i będzie w to brnął, kalecząc nas wszystkich, nie zważając na nic. I pomyśleć, że kiedyś był dobrym bratem. Że wstawił się za Dorotą i zapłacił za to. I to nie było tak dawno.

Był zmówiony z Berndtem, ojcem Otylii von Dewitz, odkąd ta skończyła dwanaście lat. Podarował jej pierścionek z szafirem, po matce. Jeździł do Stargardu, do złotnika, by go zmniejszyć, bo palce tej małej były takie drobne. Ale potem, podczas zjazdu u Dewitzów w Dobrej, gdy jej ojciec Berndt pysznił się zamkiem, Otylia nagle wyzwała Dorotę i nie chciała przeprosić, ani odwołać. „Ona ma garb! Dorota von Bork ma garb!" — krzyczała, tupiąc, wreszcie uciekła i nie mogli jej znaleźć. Berndt próbował załagodzić, obrócić w żart, ale Ulrich honorowo ujął się za siostrą. Wyjechali przed kolacją i zaręczyny zerwano, choć panna nigdy nie odesłała pierścionka. Sydonia była z Ulricha dumna, zwłaszcza gdy zrozumiała, iż szalał za Otylią. Zakochał się i nie przeszło mu, nawet teraz szukał jej wzrokiem w tłumie.

— Tam jest — podpowiedziała Sydonia, licząc na zgodę z Ulrichem.

— Gdzie? — rozejrzał się gwałtownie.

— Rozmawia ze swoim ojcem i Ewaldem von Flemming — dyskretnie pokazała mu Sydonia.

Wciągnął powietrze ze świstem, spiął się, jak drapieżnik przed skokiem.

— Hamuj się. Nie jesteś w Wilczym Gnieździe, tylko na dworze — powiedziała chłodno i spokojnie, konstatując w duchu, że w takim tłumie nie obawia się Ewalda Flemminga.

Ulrich wpatrywał się w Otylię, jak urzeczony, jakby widział ją pierwszy raz i znów zakochał się od tego wejrzenia. Owszem, jasnowłosa wyglądała cudnie. Już nie była drobną dwunastolatką, która wyzwała Dorotę, tylko rozkwitłą panną. Roztaczała wokół siebie wdzięk, jak kwiat.

— Chodź za mną i się zachowuj — powiedziała do brata Sydonia. — Są święta, dostaniesz prezent.

Jeśli chciał, potrafił być ujmujący. Umiał czarować rozmówcę spojrzeniem, w takich chwilach było w nim coś zniewalającego. Sydonia nigdy nie chciałaby mieć w nim wroga. Otylia speszyła się, gdy podeszli, ale nie uciekła. Jej ojciec najwyraźniej ucieszył się, że są razem, że nie podszedł sam Ulrich. A Ewald von Flemming poczerwieniał na widok Sydonii. Chwilę rozmawiali o niczym, miło i niezobowiązująco, to potrafiła każda panna dworska. Otylia wspomniała o wyjeździe na bal z maskami; Sydonia podchwyciła, mówiąc o nocy w klasztorze, w którym ktoś straszył. Wystarczyło, Ewald von Flemming speszył się, jąkając przeprosił towarzystwo i odszedł. Potem Sydonia przejęła Berndta, ojca Otylii i nie przestając z nim konwersować, ujęła pod ramię i zaprowadziła do radców dworu. Sprawdziła, co robi Ulrich. Pochylony ku Otylii słuchał, a ona mówiła. Tak, dostał od siostry prezent, choć nie zasłużył. W podzięce przesłał jej z daleka pełne uznania spojrzenie.

— Mogę się z tobą gdzieś ukryć? — książę Kazimierz znalazł się przy niej.

— Przed kim? — spytała rozbawiona.

— Ucieknijmy stąd, to ci powiem.

Wymknęli się z sali, ale przechodząc przez kolejne komnaty, zrozumieli, że nie oni jedni chcieli wydostać się z tłumu. Wszędzie kręciły się grupki, lub pary, pragnących pomówić na stronie. To ich rozśmieszyło, Kazimierz śmiał się, przykrywając usta dłonią.

— Do moich pokoi! — zawołał wojowniczo i puścił się biegiem. Wydostali się z komnat na zewnątrz. Uderzyło chłodem.

— Poczekaj, przed kim uciekamy? — zawołała rozbawiona.

— Przed nudziarzem doktorem Schwalenbergiem! — odkrzyknął i z rozpędem wpadł na niego samego. Sydonia stanęła w miejscu. Doktor Schwalenberg poczerwieniał. Kazimierz spuścił głowę.

— Panna biegła — powiedział Schwalenberg, nie wiedząc jak zareagować, i zrobił dziwaczny ruch rękami. Był młody, a nadawał sobie wygląd starca. — Dworskie panny nie powinny…

Nie zdążył dokończyć reprymendy, bo nieoczekiwanie stanął przy nich książę Bogusław.

— Matka pyta o ciebie — zwrócił się do młodszego brata.

— Ja właśnie… — uniósł palec doktor Schwalenberg.

— Dziękuję, jest pan wolny. Panna również — ukłonił się Sydonii. Kazimierz spojrzał na nią smutno, Bogusław uważnie, obaj unieśli brwi. Podobieństwo między braćmi nigdy nie było tak widoczne. Ukłoniła się i wróciła na salę pełną gości, mając nadzieję, że już nie spotka Ewalda. Ją odprawić może tylko księżna pani.


Rok zaczął się śnieżnie, mroźnie. W komnatach palono, ale co rusz ktoś chorował. Książęta raz po raz gdzieś wyjeżdżali, ale pannom Saska Lwica zabroniła kuligów i przechadzek. Negocjacje ślubne Amelii stanęły w martwym punkcie. Jej samej to raczej nie obeszło, ale dotknęło matkę. Wszyscy byli rozdrażnieni, wybuchały sprzeczki z najbłahszych powodów. Sydonia trzymała się na baczności. Ernest Ludwik pojawiał się w najmniej spodziewanych miejscach i zawsze nieoczekiwanie. Chodził cicho jak kot i świetnie znał zamek. Dorastała przy Ulrichu von Bork, więc nie bała się Ernesta Ludwika, bała się konsekwencji jego zachowania. Wiadomym było, że ponieść je może tylko ona. Ławka na podzamczu stała pusta, ale Sydonia nie zapomniała o praczce i masce hańby. Zwłaszcza, że ktoś codziennie tę ławkę oczyszczał ze śniegu. Ponoć na osobiste polecenie księżnej wdowy.

Starała się poruszać wyłącznie w towarzystwie Elisabeth, albo innej z panien, choć mniej więcej wtedy zaczęły się od niej odsuwać. Nigdy nie były blisko, ale od pewnego czasu milkły w jej obecności i nie zadawały pytań. Tylko ich wzrok był kolejnym, który ją śledził. Zaciekawienie wszystkich budziła atencja, jaką darzył ją mały Kazimierz, a tej, którą oplatał ją Ernest Ludwik, jakby nikt nie widział. Czy to dziwne, że czuła się osaczona?

Dopadł ją w zaułku korytarza. Elisabeth była chora, Sydonia wracała od medyka doktora Hogenberga, z maścią. Ernest Ludwik przyparł ją do muru. Biło od niego gorąco.

— Co ci jest, panie? Jesteś chory? — spytała, próbując odwrócić głowę.

— Nie igraj ze mną, Sydonio — szepnął. Poczuła jego oddech na twarzy. — Co mam zrobić? — pytał gorączkowo. — Jak mam cię przekonać o swoich uczuciach?

— To niepotrzebne — odpowiedziała. — I niestosowne.

— Niestosowne! — wybuchnął i uspokoił się od razu. — Moja miłość do ciebie jest niestosowna? Jesteś okrutna, dzika, jak wszyscy Borkowie. Coś ty mi zadała, że nie mogę przestać myśleć o tobie?

Stała plecami oparta o mur. W rękach przed sobą zaciskała naczynie z maścią. On stał przed nią, oparł obie ręce o ścianę, zamknął ją jak w klatce.

— Nic nie zrobiłam. Nie jestem temu winna — próbowała wydostać się, schyliła się, chcąc przejść pod jego ramieniem. Nie wypuścił jej.

— Jesteś winna — szepnął. — Jesteś winna mojemu szaleństwu. Mam skoczyć z wieży? Proszę bardzo, skoczę!

Widziała jego oczy. Tak, w tamtej chwili to były oczy szaleńca. Usłyszała w oddali skrzypnięcie drzwi, potem lekkie kroki.

— Ktoś idzie, przestań — poprosiła.

Opuścił ramiona w jednej chwili, ale nim zdążyła się wymknąć, padł przed nią na kolana.

— Co mam zrobić, byś mnie zechciała? — niemal krzyknął.

— Proszę, daj mi spokój, odejdź — wyszeptała. — To nie przystoi, żebyś klęczał...

Kroki były coraz bliżej, ale w tej chwili nie wiedziała, czy bardziej boi się tego, że ktoś ją zobaczy, czy tego, co zaraz zrobi książę.

— Mogę klęczeć przed moją miłością.

Zza zakrętu wyszła Otylia von Dewitz. Zobaczyła ich, przeżegnała się i uciekła.

Po tamtym dniu Sydonia udawała chorobę. Wmówiła wszystkim, że zaraziła się od Elisabeth von Flemming. Nie chciała opuszczać ich komnatki, ale po tygodniu niepodobna było udawać dłużej, zwłaszcza, że księżna przysłała doktora Hogenberga, a ten orzekł, że panna Sydonia wróciła do sił. „Książęta Ernest Ludwik i Barnim wyjechali do Strzałowa" — dowiedziała się od Metteke i to przekonało ją do wyjścia. Dewitzówna chyba nikomu nie powiedziała, bo dwórki zachowywały się tak samo, jak przed tym wypadkiem. Dwa, trzy razy zauważyła, że Saska Lwica przygląda się jej badawczo. Ale nic, cisza, zmowa milczenia. Wahała się, co zrobić. Poprosić księżną o zwolnienie z dworskiej służby? Dwórki odchodzą, by wyjść za mąż, a to jakby nie ta okoliczność. Napisać do matki? I co jej powie? Przecież nie powierzy listowi prawdy. Ulrich? Nie, to rozwiązanie odrzuciła. Tylko nie on. Z nich dwóch, jej brat był mniej obliczalny niż książę.

Ten wrócił po tygodniu i wodził za nią wzrokiem. Zebrała się w sobie i postanowiła: pomówi z nim otwarcie. Poprosi, by dał spokój. O sposobność do rozmowy zadbał on. Modliła się w duchu, by to nie było miejsce zbyt ustronne. Wybrał dawny gabinet księcia Filipa, w którym jeszcze nie rozgościł się Jan Fryderyk. Pod ścianami ustawiono jego kufry pełne map, wykresów i książek. Na stole niezłożone astrolabium.

— Chcę cię przeprosić — zaczął sztywno. — Wiem, na co cię naraziłem i nie chcę tego powtórzyć.

Boże — pomyślała — dzięki Ci.

— Ale nie mogę wyprzeć się tego, co czuję. Jak wiesz, jestem trzecim synem i nie dziedziczę ani Szczecina, ani Wołogoszczy. W zasadzie żaden ze mnie książę — zaśmiał się nerwowo, a Sydonia cofnęła o krok, wietrząc podstęp. — A skoro tak, to nikomu nie zrobi różnicy, no, może poza panią matką, ale ona ma do mnie słabość…

— O czym ty mówisz? — przerwała mu.

— Daję ci słowo i proszę o twoje. Oddasz mi rękę? Będziesz moja? Zrobiło jej się gorąco.

— To niemożliwe — wyszeptała, głos wiązł jej w gardle.

— Możliwe — powiedział i uśmiechnął się jak kiedyś, łagodnie i czule. — Tylko daj mi trochę czasu, Sydonio.

Jeszcze tego samego dnia przyszło wybawienie. List z domu. Anna von Schwichelt, jej matka, zmarła nagle. Rodzina wezwała Sydonię do Wilczego Gniazda.

Wieczorem Metteke sprawnie pakowała jej kufry. Osobno rękawy do sukni, osobno bieliznę, na wierzch kryzy, by się nie pogniotły. Sydonia stała przed kominkiem, patrzyła w ogień. Elisabeth von Flemming podeszła do niej cicho.

— Ja swojej matki nie pamiętam — powiedziała. — Zmarła, gdy byłam mała. Jest ci smutno?

Sydonia nie odpowiedziała.

— Pusto tu będzie bez ciebie — odezwała się znów Elisabeth, jakby nie potrafiła milczeć. — Myślałam, że cię nie polubię, a zobacz, stałyśmy się przyjaciółkami. Tylko… — głos Elisabeth drży, Sydonia słyszy w nim wyrzut. — Dlaczego ty nic nie mówisz? Ja ci mówię wszystko, nawet o moim bracie, a ty… ja… ja nawet nie wiem, co ty myślisz, co ty czujesz…

Każde słowo może zostać wykorzystane przeciw mnie — słyszy w swojej głowie Sydonia. Elisabeth płacze:

— No powiedz coś!

— Ale co? — odpowiada Sydonia. — Nie mam nic ciekawego do powiedzenia.

# Rozdział II

# Wilcze Gniazdo

*Księstwo Pomorskie, Strzmiele, rok 1568*

Klagbinde, opaska lamentu, białe, cienkie płótno ściśle opinające twarz, zakrywające usta i nos. Biała chusta szczelnie przylegająca do głowy, by nie wydostał się spod niej nawet kosmyk włosów. Czarny welon okrywający to wszystko, spływający na plecy, niczym podcięte skrzydła, choć gdy wracali z pogrzebu, zawiał wiatr i Sydonia prowadząca Dorotę pod ramię wyglądała niczym zrywający się do lotu kruk. Spojrzały na siebie. W zakrytych opaskami niedoli twarzach zostały tylko szpary na oczy. Oto one, siostry Bork. Dwie sieroty we władzy brata. Anna Schwichelt, ich matka, zmarła przedwcześnie, mogła jeszcze żyć. Sydonia nie może pozbyć się natrętnej myśli, że mogła, ale nie chciała. Że życie w ostatnich latach stało się dla niej nieznośne.

— Zapadała się w sobie — opowiada Dorota, gdy są same, gdy zdejmują welony i rozwiązują klagbinde. — W tej czerni i bieli wyglądałyśmy jak sroki — mówi ze złością, ale składa opaskę starannie.

— Ktoś to dobrze wymyślił. Opaska lamentu — z przekąsem dodaje Sydonia. — Nie klagbinde, a knebel, by żałobnicom zatkać usta. Cierpiała?

— Jeśli tak, to po cichu. Pytałam: boli cię? Mówiła: nie, nie. Wysychała mateczka, jak zimowe jabłko.

Jest wiosna, wszystko kipi młodą zielenią. Sady w Strzmielu pokryły się kwieciem.

— A my będziemy teraz chodzić ubrane na czarno — ponuro mruczy Dorota.

— Wytwornie — odpowiada Sydonia, przypominając sobie słowa meklemburskiej księżnej.

— Też mi elegancja — złości się siostra. — Trumienna. Co dalej?

— Nie wiem — mówi Sydonia i to jest prawda.

Wieczorem siedzi z Jurgą z Borków na wielkiej kamiennej ławie, którą jakiś z ich przodków kazał ustawić na skraju zamkowego wzgórza. Rozciąga się stąd widok na rodowe ziemie. Z jednej strony łagodne pagórki zielonych łąk i ciemne plamy ponurych lasów. Z drugiej widok na miasteczko Strzmiele ułożone bezpiecznie, w zakolu między dwoma jeziorami, otoczone bagnami i rozlewiskiem strumienia, który je łączył. W mokrych porach roku zamieniał się w rzeczkę, sprawiając, że dla obcych było niedostępne. Jeszcze dalej, na łagodnym wzniesieniu za bagnami, stała wieś, w zapadającym powoli zmroku widać było dymy znad chałup.

— Skurczyło się nasze władztwo — mówi Jurga tak zwyczajnie, bez żalu. — Kiedyś tych ziem, które Borko Bork tu kupił, było tyle, że musiał z daleka sprowadzać chłopów.

— Dlaczego Borkowie tutaj osiedli?

— Dobre pytanie — Jurga ma spokojny, niski głos. Nawet gdy mówi cicho, jest donośny, jakby rezonował w środku. — Zauważyłaś, że są pytania, na które jest więcej niż jedna odpowiedź?

— Te są najciekawsze — mówi i odrobinę się uśmiecha. — Ilu odpowiedzi trzeba na moje?

— Tak ci powiem: to już będzie trzysta lat. — Marszczy czoło, waha się. — Tak, trzysta z okładem, jak nasi się tutaj przenieśli.

— Skąd? — Sydonia przekrzywia głowę, by spojrzeć na piękny, szlachetny profil rozmówcy.

— Jak to: skąd? — Jurga unosi brew. — Z solnego miasta. Nikt ci nie mówił?

— A kto miał powiedzieć? — odpowiada Sydonia pytaniem. — Ojciec zmarł, zanim ja porządnie nauczyłam się mówić. Może w dzieje rodu miał mnie wtajemniczać Ulrich? — parska, a Jurga kiwa głową. Sydonia przytrzymuje niesforny kosmyk włosów, który wiatr wciąż spycha jej na oko. — Zatem przyszliśmy tu z Kołobrzegu.

— Tak — w zamyśleniu potwierdza Jurga. — Jeden z Borków był tam kasztelanem. Księstwem władali bracia Gryfici, Warcisław i Barnim, nie powiem ci którzy, bo to święte imiona dynastii — w głosie Jurgi wyraźnie słychać kpinę — bardziej kochają tylko „Bogusławów". Dość powiedzieć, że Gryfitom różnie się wtedy wiodło, mieli kłopoty z tym, co zawsze, czyli z Brandenburgią, woleli skupić władzę na zachodzie. Na Kołobrzeg chrapkę miał biskup Gleichen. Wiadomo, żupy solne, białe złoto z warzelniczych panwi. A to były czasy, gdy biskup po władzę sięgał jak niejeden książę. Kawałek po kawałku wykupywał Kołobrzeg od braci Gryfitów, aż miasto w całości należało do niego. Gryfici nie powinni byli do tego dopuścić — wzdycha i dodaje twardo: — Inaczej umawiali się z Borkami na początku.

— Czyli kiedy? — pyta Sydonia.

Jurga już miał odpowiedzieć, gdy nagle zatrzymał się, wypuścił powietrze i zaśmiał krótko:

— Nie bierz mnie pod włos. Ja słowa nie łamię. Jestem stary i pamiętam wszystko, czego nauczyli mnie dziadowie.

Sydonia przysunęła się do niego blisko i spojrzała na jego szlachetny profil.

— Bo jesteś stary jak Bork i diabeł — szepnęła pieszczotliwie. Otoczył ją ramieniem, przycisnął do siebie i puścił.

— Gryfici nie powinni tego robić Borkom — wrócił do rozmowy. — Nasz przodek nie zamierzał być poddanym biskupa, ot co. Złożył urząd, z początku kupił szmat ziem pod Kołobrzegiem, ale z czasem nawet to sąsiedztwo zaczęło mu ciążyć. Biskup Gleichen był cwany, a Borko, wiadomo, niepokorny. Sprzedał podkołobrzeskie majątki i kupił to — Jurga unosi ciężkie ramię i robi nieokreślony ruch w powietrzu. — Od Łobza do Reska i Wilczą Górę, na której uwiliśmy gniazdo. Szkoda, że dzisiaj tu dla Borków za ciasno.

— To cała odpowiedź? — kpiąco pyta Sydonia.

— Tak mniej więcej — puszcza jej oko Jurga. — Źle wam tu nie będzie z Dorotą.

— Z Dorotą nie, ale z Ulrichem? — odpowiada pytaniem i z uznaniem wraca do tamtego Borka. — Kołobrzeg, mówisz. Kasztelan solnego grodu. Wielki pan.

— Wcześniej bywali więksi — mruczy Jurga donośnie. — A jak tobie poszło na dworze braci Gryfitów?

— Dobre pytanie — odpowiada, jak on wcześniej.

— Widzisz, jak nam się gada — mówi Jurga i Sydonia przez chwilę czuje się naprawdę jak w domu. Czasami, gdy była mała, wyobrażała sobie, że to Jurga jest jej ojcem, a nie zmarły Otto, którego imię służba do dziś wymawia z trwogą. Ale to byłoby zbyt piękne, mieć ojca, z którym można patrzeć na zachodzące nad ziemią Borków słońce i gadać. Jurga i jego synowie, Jost i Ascanius, mieszkali w obszernym dworzysku nieopodal zamku w Strzmielu. Ich dom był stary, ale solidny, jedno z tych rycerskich siedlisk, gdzie żyli drudzy lub trzeci synowie wielkich rodów. Ulrich po ojcu odziedziczył zamek Borków, ale szczerze mówiąc, to była ruina. Najsolidniejszy w nim zdawał się wysoki mur i wielka brama broniąca dostępu do zamku, o to Ulrich dbał, jakby zamknięcie, strzeżenie odrębności, było istotą jego władztwa. Wały i fosa wyglądały znacznie gorzej, a sam zamek? Dwukondygnacyjny, z daleka robił wrażenie, ale dla domowników był nieprzyjazny i od dawna przestał być wygodny. Na terenie folwarku wchodzącego w skład posiadłości stał też dawny dom ogrodnika, dużo bardziej przytulny niż wietrzne i zimne komnaty zamku. Sydonia zastanawiała się, czy tam się nie przenieść z Dorotą na lato, by oszczędzić siostrze wchodzenia po „schodach do łamania nóg", jak obie nazywały je od dziecka. Nieprawda, to nie było zastanowienie, to był tylko pomysł. Zastanowić się powinna nad czymś innym, dużo ważniejszym, dużo trudniejszym. Czy mogłaby o tym porozmawiać z Jurgą? Spojrzała na niego z ukosa. Dobrze się starzał. Jego skóra była ogorzała od słońca i wiatru, żłobiły ją bruzdy i niektóre z nich przypominały, że kiedyś śmiał się częściej. Lewe ucho miał osadzone niżej niż prawe, odziedziczyli to po nim synowie. Nie było tego widać z profilu, ale budziło pewien niepokój w rozmówcy, gdy patrzyło się na Jurgę z przodu. Jost ukrywał to pod włosami, młodszy, Ascanius przeciwnie, prowokacyjnie zakładał jasne pukle za uszy, jakby chciał powiedzieć całemu światu: widzicie to? Taki jestem. I oto był. Bezszelestnie podszedł do nich w mroku i zawołał pogodnie:

— Stary wilk i piękna wilczyca siedzą sobie w ciemnościach. Chyba nie podziwiacie widoków? Wietrzycie ofiary?

— Same nam wpadną w łapy — powiedział Jurga i tak szybko odwrócił się, że złapał zaskoczonego syna za ramiona.

— Nie pożeraj! — błaznował Ascanius. Wyrwał się ojcu, zręcznie przeskoczył przez kamienną ławę i usiadł na ziemi, u stóp Sydonii. — Mogę cię poadorować?

— Daj spokój — klepnęła go w ramię.

— Znudzili cię adoratorzy w Wołogoszczy?

— Dobre pytanie — odpowiedział za nią Jurga i zaśmiali się do siebie.

— A co? Już tylko my mówimy Wołogoszcz? — obruszył się. — A w Wołogoszczy panowie mówią Wolgast — przeciągnął głos i oparł głowę o jej kolana. Miał piętnaście lat, ona czasami nazywała go „Asche" i traktowali się jak rodzeństwo, od zawsze. — Mów o adoratorach. Chciałbym wiedzieć, a nie dowiadywać się od plotkar.

— O czym mówisz, Asche? — zaniepokoiła się.

— Ciotki Wedlowe — powiedział takim głosem, że parsknęła i ona, i Jurga. — Tylko nie mogą się ciotki zdecydować, czy wyjdziesz za Wedige, czy za Joachima, czy za Zygmunta.

— Za żadnego — odpowiedziała.

— Obiecujesz? Uf, to mogę żyć dalej. Nie zniósłbym ciebie jako Wedlowej…

W mroku ponad głową Ascaniusa dojrzała wpatrzone w nią, uważne oczy Jurgena.

— …gorzej byś wypadała tylko jako Flemmingowa — ględził dalej młody Bork.

— A kogo ty byś widział dla niej? — w głosie Jurgi zabrzmiała kpina.

— Kogoś lepszego — odpowiedział i po chwili milczenia zaśmiał się: — Skoro ja nie mogę.

— On źle skończy — orzekł Jurga i potargał czuprynę syna. — Wracajmy.

— Jak wataha do Wilczego Gniazda — Asche zerwał się jednym skokiem.

— Nie popisuj się — skarcił go ojciec. — To nie działa na Sydonię.

— A co działa? — szybko rzucił Ascanius.

— Zależy kto pyta — odpowiedział Jurga i popatrzył na nią przeciągle.


Książę Barnim zaszył się w swoim gabinecie przed zgiełkiem uczty. Zaprosił synów Filipa do Szczecina, ugościł, ale zmęczyły go popisy linoskoczków, wygłupy błaznów i siłowanie się na rękę tych tam, przyjaciół Jana Fryderyka, wiadomo było, że olbrzym Denis von Kleist pokona wszystkich, tylko kompletnie pijani junkrowie chcieli z nim jeszcze stawać do walki.

Kazał sługom nanieść światła i przeglądał stare księgi w poszukiwaniu, no właśnie? Czego? Odpowiedzi? Jego myśli błądziły po najważniejszych sprawach, ale żadnej nie mógł utrzymać zbyt długo. Zostawił dawne dzieje i wziął w rękę *Porządek kościelny* profesora Jacoba Runge. Właśnie przywieźli z drukarni, jeszcze pachniał farbą. Przerzucił stronice, przeczytał zdanie i w roztargnieniu odłożył książkę. Dzisiaj znów rozmawiał z bankierem, Stefanem Loitzem. Tak, zgadzał się z kanclerzem Zitzewitzem, że Księstwo Pomorskie zamieszane jest w wojnę o Inflanty, choć jej nie wywołało i w niej nie walczy. Morze to nie tylko woda i fale, nie tylko mieszkanie dla ryb. Morze to szlaki i porty, a te drugie to wrota na świat. Teraz świat jest nowy, rozszerzył się jak nigdy wcześniej. Już nie tylko Hiszpanie i Portugalczycy eksplorują nowe lądy, oceany czekają na odważnych. W głowie pulsowała mu nieznośna myśl: czy neutralność Pomorza jest najlepszym z rozwiązań? Czy nie pęta nam rąk? Nie zamyka horyzontów? Czy wysiłek włożony w bycie księstwem środka jest proporcjonalny do zysków? Gdyby był młody, jak oni, synowie Filipa, zrobiłby inaczej, posunąłby się jeszcze dalej, niż radzi Zitzewitz. Otworzyłby skarbiec, który zgromadzili, sekularyzując majątki kościelne, i kazałby w Szczecinie budować statki. Wojenne galeony. Ach! Ale był stary i każdy dzień mu o tym przypominał.

Zapraszał synów zmarłego bratanka do Szczecina, gdy chciał się im przyjrzeć bez natrętnej obecności ich matki, i posłuchać, bez jej podpowiedzi. Na pierwszy rzut oka nasuwały się stwierdzenia oczywiste: Jan Fryderyk był typem wojownika, Bogusław myślicielem, Ernest Ludwik pięknisiem, Barnim rycerzykiem, a Kazimierz dzieckiem. Ale im dłużej z nimi obcował, tym częściej widział talenty Kazimierza, uległość Barnima, filozoficzne skłonności Ernesta Ludwika, niezdecydowanie Bogusława i ostrość sądów Jana Fryderyka. Każdy z młodych Gryfitów był wieloznaczny, jak dobrze namalowany portret. Ale to nie znaczy, że każdy z nich może władać.

— Czy jaśnie pan życzy sobie czegoś? — zajrzał do niego pokojowiec. — Może wina?

— Dziękuję, już swoje wypiłem — uśmiechnął się i przeszedł do stołu zarzuconego mapami. — Przenieś tu jeszcze jeden kandelabr.

W półmroku zwoje map wydawały się kruche i liche, ale gdy pokojowiec ostrożnie ustawił wysoki świecznik, Księstwo Pomorskie rozkwitło. Barnim wygładził ręką mapę od wschodu i uległ ułudzie, że na palcach został mu morski piasek. Uśmiechnął się do siebie, chciałby tam jeszcze pojechać, zobaczyć bezmiar wydmowych pustyń Łeby.

Bezkres jasnego piasku przesuwającego się w podmuchach wiatru, układającego w góry, wzgórza, zdradzieckie zapadliny. Piasku, pochłaniającego wszystko, co stanie mu na drodze, jak ten las w Czołpinie, o który wojnę stoczyły morze z lądem, wojnę, której ślady odkrywają niektóre wielkie odpływy, a każdy przypływ ją ukrywa, niczym starą tajemnicę. Jedną z tych, o których wszyscy wiedzą i każdy wolałby zapomnieć. Sunął palcem po mapie, na zachód, jakby wytyczał granicę morską, przez Darłowo, Kołobrzeg. Zatrzymał się przy solnym skarbcu Pomorza, zakreślił palcem i przygryzł wargę. Niewybaczalnym błędem przodków było oddanie Kołobrzegu biskupowi Gleichenowi, a potem jego następcom. Co z tego, że dzisiaj, po reformie Kościoła, Kołobrzeg wrócił do dynastii. Trzysta lat, to szmat czasu, w mieście rozrosły się gildie kupieckie, tylko patrzeć, aż wybije się, jak nie przymierzając drugi Gdańsk. Uchowaj Panie, może Jan Fryderyk to zatrzyma i cofnie.

Książę oderwał palec od Kołobrzegu i sunął na zachód. Biskupia stolica, Kamień. Dalej ściśle przylegające do siebie wyspy Wolin i Uznam, aż po drapieżną w swym kształcie Rugię. Chciał wrócić palcem z zachodu na wschód, obrysowując południową granicę księstwa, ale zamiast tego pomyślał, że powinien zamówić nową mapę. Oto ich ziemie. Ich rodowe dziedzictwo. Kraj, którego przodkowie nie utrzymaliby bez Borków. To zaskakujące, że ta dziewczyna zjawiła się akurat teraz, choć przez setki lat Dziki Ród nie pozwalał swoim córkom służyć na dworze. To po prostu zaskakujące.

— Dobry wieczór, stryju — do gabinetu wślizgnął się mały Kazimierz. Jedenastolatek o smutnych oczach starca. Nazywał go stryjem, choć był jego stryjecznym dziadem, ale Barnim to lubił, to go odmładzało.

— Myślałem, że robisz w drewnie, przyszedłem popatrzeć.

— Za ciemno na snycerkę — odrzekł Barnim. — Przyjdź jutro.

— Pokażesz mi, jak używać dłuta? Może też coś wyrzeźbię — chłopiec nie zakradał się, ale wchodził nieśmiało, jakby nie był pewien, czy mu wolno.

— Uczta cię znudziła? — spytał Barnim.

— A ciebie nie? — szczerze odpowiedział chłopak. — Czym się zajmujesz?

— Wspominaniem. W tym starzy ludzie są dobrzy. A im głębsza przeszłość, tym lepiej ją pamiętamy. Na przykład, nie umiem sobie przypomnieć, co wczoraj jadłem, a pamiętam, gdy ty się urodziłeś.

Kazimierz już przechadzał się wzdłuż ścian, palcem wodził po grzbietach ksiąg, na wspomnienie swoich narodzin odwrócił się przez ramię i uśmiechnął do Barnima niepewnie.

— Dużo tych ksiąg — powiedział. — Czytałeś wszystkie, stryju?

— Tak. I wiele więcej, na studiach, w bibliotekach.

— Dlatego ja boję się czytać — wyznał nagle Kazimierz. — Że nie starczy mi życia, by nadrobić te zaległości. Te wszystkie księgi, które napisano, nim się urodziłem. Tego jest za dużo.

— To nasze dziedzictwo. Musimy zrozumieć, skąd jesteśmy, by wiedzieć, dokąd zmierzamy.

— Jesteśmy stąd, z Pomorza — wzruszył ramionami chłopiec. — Z rodu Gryfa.

— A jak się tu znaleźliśmy? — prowokująco zapytał Barnim. — Skąd przyszliśmy? Dlaczego? To są pytania, na które odpowiada historia.

— No to skąd? — spytał najmłodszy z Gryfitów.

— Czego cię nauczyli preceptorzy? — odwrócił pytanie stary książę.

Kazimierz spochmurniał, pochylił głowę i wzruszył ramionami.

— Nic o tym nie mówili — odrzekł. — A ja jestem głupi. Nie zapytałem.

— Nie jesteś głupi — zaprzeczył Barnim. — Pytasz mnie, a to roztropniejsze, niż sądzisz.

— Tak? — zdziwił się chłopiec. — Dlaczego?

— Bo nauczyciele powiedzieliby, że pierwszym znanym z imienia Gryfitą był książę Warcisław, ten, za którego czasu ochrzczono całe Pomorze.

— A nie był? — oczy Kazimierza stały się okrągłe.

Barnim westchnął.

— Był, ale przecież nie wziął się znikąd. Musiał mieć ojca, matkę, rozumiesz. Krew, z której powstał, która go ukształtowała. Samo „Warcisław" niewiele wyjaśnia — podprowadził.

— Mówi się, że był słowiańskim księciem — podjął trop chłopiec.

— Zamieniasz się w badacza — pochwalił Barnim.

— A doktor Schwalenberg uczy mnie, że Pomorze w najdawniejszych czasach zamieszkiwali Germanie. To jak? Rządził nimi nasz Warcisław? Słowiański książę germańskich plemion?

— Czasy germańskie były dużo, dużo wcześniejsze. Uczą nas o tym autorzy starożytni. Tacyt, Ptolemeusz...

Barnim zauważył, że na samo wspomnienie imion uczonych Kazimierz stracił zainteresowanie tematem.

— Lubisz uczyć się o wojnach? — spytał.

— W ogóle nie lubię się uczyć — wyznał pochmurnie chłopiec. — Kiedyś bracia bawili się ze mną w wojnę, ale jak wyjechali na studia...

— Posłuchaj. To czasy tak dawne, że mamy o nich tylko niejasne wyobrażenie. Tak, pewnie przed wieloma wiekami na Pomorzu byli Germanie. Czy tylko szli przez nie w swym pochodzie na zachód? Czy osiedlili się na dłużej? Tego nie wiemy. Ale potem, w takiej samej wędrówce, gdzieś ze wschodu, pojawili się Słowianie. I osiedli tu, nad morzem, w naszych lasach, puszczach, na bagnach.

— Przegonili plemiona germańskie? — błysnęło oko Kazimierza. — Pobili je?

— Och, może Germanie oddali ziemie pokojowo? — puścił mu oko Barnim i obaj się zaśmiali. — Musisz wiedzieć, że Słowianie zajęli ziemie hen, aż po Lubekę. Graniczyli właściwie z duńskimi wyspami i Sasami.

— To gdzie była marchia? — zdziwił się chłopiec.

— Ha! Marchii wtedy nie było — zaskoczył go Barnim. — Marchia powstała, właśnie po to, by powstrzymać pochód Słowian na zachód. By nie przekraczali granic cesarstwa.

— A mnie Schwalenberg uczy, że marchia szerzyła chrześcijaństwo — z przekąsem powiedział Kazimierz.

— Hm. Ująłbym to inaczej: obowiązkiem margrabiów była chrystianizacja Słowian, bo ci byli nieprzejednanymi poganami. Ale oni szerzyli religię siłą. Przez wiele dziesięcioleci toczyła się tu nieustanna wojna.

— Kto wygrał?

— Raz jedni, raz drudzy. Jesteś jednak dość bystry, by wiedzieć, że Lubeką dzisiaj nie władają Słowianie.

— Lubeką włada Hanza — pochwalił się malec. — Ale miałeś powiedzieć, stryju, skąd my jesteśmy. Nasza rodzina. Skąd?

— Ze Starszej Polski — odpowiedział mu Barnim. — Nasz ród pochodzi od Piastów. Od księcia Mieszka i jego ostatniej żony, Ody.

— Żartujesz ze mnie? — przekrzywił głowę Kazimierz, co upewniło Barnima, że młody co nieco liznął jednak historii.

— Są sprawy, z których nigdy się nie kpi, chłopcze.

— Opowiesz mi? Proszę, proszę...

Barnim uśmiechnął się. Nie miał synów i nagle poczuł całym sobą, że chciałby coś przekazać, coś ważnego po sobie zostawić. Odchrząknął i zaczął: — Po śmierci Mieszka jego syn pierworodny…

— Bolesław Chrobry — popisał się Kazimierz.

— Tak, owszem. Bolesław nie chciał się dzielić władzą z młodszymi braćmi, synami swej macochy, Ody. Wygnał ich z kraju. Ich matka, margrabianka, wpłynęła na króla Niemiec i ten powierzył jednemu z jej synów Pomorze. Ostatecznie objął je wnuk Mieszka.

— Czyli przyszedł tu, jakby na gotowe? — próbował zrozumieć Kazimierz. — Nie musiał wywalczyć sobie kraju, zdobyć mieczem?

— Musiał, ale inaczej, niż myślisz. Pomorze w tamtym czasie wciąż było pogańskie. I władali nim Panowie Pomorza, wielkie rody, które były tu od zawsze. Wnuk Mieszka i Ody był chrześcijaninem, wychowanym na niemieckim dworze, cesarz oczekiwał od niego nie tylko trybutu z Pomorza, ale i patrzył mu na ręce. Żeby utrzymać tu władzę, musiał…

— …ochrzcić Pomorze, jak jego dziadek Starszą Polskę! — wypalił Kazimierz.

— Gdyby to było takie proste, mój chłopcze, zrobiłby to Chrobry, albo i Mieszko przed nim. Przybywali tu jacyś misjonarze, owszem, ale przed Ottonem z Bambergu wszystkie misje były chybione. Na przykład taki biskup Reinbern, w Kołobrzegu było przecież biskupstwo, ale przetrwało parę lat i Pomorzanie wygnali swego biskupa. Przychodzili i inni, a ich imiona zaginęły, tak, jak nie przyjęły się ich misje. Pomorcy byli twardzi i hardzi, mówili, że woda chrztu po nich spływa jak deszcz. Nasi przodkowie płynęli łodzią bez żagla i wioseł.

Na bladą twarz Kazimierza wyszły rumieńce, jego melancholijne oczy roziskrzyły się.

— To jak to zrobili? Jak im się udało?

— Sprzymierzyli się z Panami Pomorza. Zawarli z nimi układ, że pozwolą im zachować starą wiarę w zamian za pomoc w utrzymaniu władzy. Wywyższyli jednych, by kolana zgięli inni, ot co. Tak się buduje władztwo.

— Udało im się?

— Udało — pokiwał głową Barnim. — Choć nie było łatwo.

— Ci Panowie Pomorza, to dzisiaj nasza szlachta, tak?

— Niektórzy, a właściwie dzisiaj już nieliczni — wymijająco odpowiedział stary książę. — Pierwsi Panowie Pomorza wywodzili się spośród Słowian, a w późniejszych czasach przybyło tu dużo szlachty niemieckiej. Pozycja naszych przodków była skomplikowana, chłopcze. Bo z jednej strony, po mieczu, byli dziedzicami Piastów, a z drugiej, po kądzieli...

— Margrabiów! — odkrył Kazimierz. — Przecież ta Oda, żona Mieszka...

Chłopiec zamrugał. Słyszał, że dzwonią, a nie wiedział, w którym kościele — pojął Barnim i pochwalił go:

— Dobrze rozumujesz. Oda była córką margrabiego Dytryka, więc ich synowie mieli w żyłach dziedzictwo obu krwi, słowiańskiej po ojcu, germańskiej po matce. W dodatku, zostali odrzuceni przez starszego brata, wygnani i wychowali się w Kwedlinburgu. Musieli pogodzić w sobie dwa żywioły, z natury rzeczy sprzeczne.

Barnim zamilkł, bo nagle ułożyło mu się w głowie to, o czym myślał, zanim przyszedł chłopiec. Dzisiejsza neutralność Pomorza była trudną próbą utrzymania równowagi, przedłużeniem tamtego wyzwania nałożonego na ich protoplastów.

— Gdybyś ty mnie uczył, stryju, nie bałbym się książek — westchnął Kazimierz.

Niektórych należałoby się bać — przypomniał sobie o czymś Barnim i odłożył tę myśl na później. Nie powinien chłopcu powierzać zbyt wiele.

— Chodź, sam cię odprowadzę do komnaty — zaproponował.

— Nie chcę, wolę posiedzieć tu z tobą, posłuchać — oponował Kazimierz, ale Barnim był stanowczy.

— Przejdziemy się jeszcze, zobaczymy, czy twoi bracia skończyli ucztowanie.


W komnacie jadalnej było ciepło i jasno jak w dzień. Wosk kapał na resztki potraw. Umęczeni muzycy wciąż grali, a błazen Hintze donosił im wino. Tak, ucztę zdominowali kompani Jana Fryderyka. Olbrzym Denis von Kleist wciąż popisywał się siłą, rozrzucał łamane przez siebie podkowy, jak trofea. Jego brat, Jacob, grał w puchary z Krukowem. Bogusław, w najmniejszym stopniu niezainteresowany ucztą, rozprawiał o czymś na boku z Andreasem Runge. Może mówią o astrologii, a może o teologii, dość, że obaj dyskutują. Młodziutki Barnim pod oknem szepce coś na ucho jasnowłosemu junkrowi, śmieją się do siebie poufale. Na nich stary Barnim zatrzymał wzrok nieco dłużej. Powinienem z nim pomówić — pomyślał. — Matka przecież tego nie zrobi.

Saska Lwica jest mistrzynią w przymykaniu oczu, przeszła szkołę z ich ojcem, a moim bratankiem, Filipem.

— Przegrałeś! — zawył Krukow do Kleista. — Pijesz!

— Pijesz! Pijesz! Pijesz! — skandowali młodzieńcy.

Denis von Kleist oderwał się od łamania podków i ryknął:

— Jeden brat wygrywa, drugi przegrywa! — tryumfalnie obszedł stół z uniesionymi ramionami, prezentując wszystkim swe męskie wdzięki. Poderwał Jacoba pokonanego przez Krukowa i usadził sobie na ramionach.

— Pijesz! Pijesz! — wołali goście. — Pomorski łyk! Pomorski łyk! Zwycięski Krukow podał Jacobowi kielich i ten, pomorskim zwyczajem, wypił go na raz. Strugi wina spływały mu po brodzie i wsiąkały w czuprynę niosącego go na ramionach brata.

— Jeden wygrywa, drugi przegrywa, wszystko zostaje w rodzinie! — zawołał, gdy wypił.

Jan Fryderyk i Ernest Ludwik siedzieli daleko od siebie i wpatrywali jeden w drugiego przez długość zastawionego stołu. Jednocześnie unosili kielichy, pili i odstawiali.

Ci też w coś grają — pomyślał Barnim i zauważył napięcie na twarzach braci Gryfitów. Jak przyczajeni do skoku. Usługiwała im karlica biegająca z dzbanem wina od jednego do drugiego. Młodszy nadawał tempo piciu. Nie uszło uwagi starego księcia, że coraz szybsze. Młody może więcej — pomyślał z nostalgią o swojej przeszłości. Ernest Ludwik przytrzymał karlicę za rękę, wyrwał jej dzban, ze stołu sięgnął wysoki, herbowy kielich i nalał jej. I kazał pić. Robiąc to, wciąż patrzył na starszego brata. Jan Fryderyk wydawał się nieporuszony. Karlica otarła usta i oddychała ciężko. Zabrała dzban i pobiegła do Jana Fryderyka. Potknęła się, ale nie rozlała wina. Zaczęła nalewać Janowi Fryderykowi, ten pokazał, że starczy. Wypił. Wstał od stołu i przeciągnął się. Ernest Ludwik tryumfował. Przywołał karlicę i znów sam nalał jej wina.

— Chyba czas na nas — przypomniał sobie o Kazimierzu Barnim. — Tu już nic ciekawego się nie wydarzy.

— Mówiłem — powiedział chłopiec. — No to chodźmy.

Zatrzymał ich Andreas Runge.

— Książę. Młody panie — ukłonił się im obu. — Chciałbym pomówić. Księżna Maria…

— Wiem, wiem — kiwnął głową Barnim. — Nie dzisiaj. Poślę po pana, profesorze Runge.

— Będę oczekiwał. Na Świętego Michała muszę wrócić do Gryfii, uniwersytet...

— Wiem, pamiętam jeszcze. Wybory rektora na semestr zimowy — uśmiechnął się do wspomnień Barnim. — Obiecuję, że zdążymy pomówić.

— Proszę o wybaczenie — zatrzymał go Runge. — Mój brat jest bardzo ciekaw opinii najjaśniejszego księcia na temat *Porządku kościelnego.*

— Nie jestem teologiem — wymijająco odpowiedział Barnim. — Ale lepiej niż pański brat nie ująłbym tak skomplikowanych zagadnień.

Pożegnali się, ruszyli ku wyjściu. Na niskiej konsoli pod ścianą stała wielka majolikowa waza z kunsztowną kompozycją świeżych kwiatów. Pochylała się nad nią karlica, ta sama, która wcześniej usługiwała książętom. Jej ciałem wstrząsały spazmy.

— Co ona robi? — zaniepokoił się Kazimierz i nim Barnim zdążył go powstrzymać, podszedł do karlicy i położył jej rękę na plecach.

Podniosła twarz znad płatków kwiatów. Nabrzmiałą i umazaną śluzem.

— Nie mogę tyle pić — wyszeptała bezradnie i otarła usta maleńką dłonią.

Kazimierz odsunął się z obrzydzeniem. Kobieta dygnęła niezdarnie i chwiejąc się na boki, odeszła. Znad majolikowej wazy rozszedł się kwaśny odór wymiocin. Nie przykryły go wonie kwiatów.

— Miałeś rację, książę — powiedział do Kazimierza Barnim. — Mogliśmy zostać u mnie i porozmawiać o historii.

— Masz o tym jakąś księgę? — spytał młodzian. — Taką chętnie bym przeczytał.

— Mam — po krótkim namyśle przyznał Barnim. — To zapis najstarszych, legendarnych dziejów naszych przodków.

— Lubię legendy — ucieszył się i spytał: — Myślisz, że tkwi w nich ziarno prawdy?

Oby nie — z trwogą pomyślał Barnim.


Sydonia poszła z Dorotą na grób matki. Dwie morwy rosły przed wejściem na niewielki cmentarz w pobliżu kościoła. Gdy podchodziły, z jednej zerwała się sroka i drapieżnym, zuchwałym lotem przeleciała przed siostrami. Wylądowała na kamiennym murze cmentarnym. Zaskrzeczała.

— Nie znoszę srok — pokręciła głową Dorota i ptak odleciał.

Sydonia wpatrzyła się w mur cmentarny. Poprzerastały go chwasty, gdzieniegdzie widać było obruszone kamienie. W dniu pogrzebu nie zwróciła na to uwagi, była zbyt zbolała.

— Zobacz — odezwała się Dorota. — Taka wiotka roślina, a potrafi wysadzić kamień z zaprawy.

— Jak tu cicho — przymknęła oczy Sydonia.

Szumiały rosochate topole znaczące granice cmentarza. Trzy głazy, na środkowym wyryty napis: Rodzina Bork. I tyle. Żadnych imion. Na ziemi płyta z piaskowca, w dzień pogrzebu odkopano ją i uniesiono, by spuścić w dół trumnę. Teraz wokół niej ziemia wyschła i ułożyła się, jakby nigdy jej nie podnoszono. Jakby kamień z krótkim „Rodzina Bork" połknął Annę Schwichelt.

— Wyobrażasz sobie, że my też tam leżymy? — spytała Dorota i mocniej przywarła do jej boku.

— Nie — odpowiedziała Sydonia.

Położyły na płycie wiązkę kwiatów. Stały nad grobem, w pełnym słońcu, promienie niemal parzyły je przez czarną materię sukni i żałobnych welonów. Od strony kościoła zamajaczyła jasna sylwetka dziewczyny. Stała przy wejściu i przyglądała się im.

— To nowa żona pastora — powiedziała Dorota. — Starą pochował, jak tylko wyjechałaś do Wołogoszczy, pisałam ci.

— I tak szybko wziął młodą?

— Owszem. Powiedział, że jego dzieci nie mogą trwać w sieroctwie, potrzebują matki.

Ja też potrzebuję matki — pomyślała Sydonia, patrząc na ponurą, cmentarną płytę i nagle poczuła przypływ złości. Jak można człowieka po śmierci tak odrzeć z imienia?

— Chodźmy — poprosiła Dorota. — Zaraz się ugotuję.

Ruszyły alejką w stronę kościoła. Pastorowa stała w chłodnym cieniu, ukłoniła się im.

— Panny Bork — powiedziała. — Może wody?

— Może piwa? — tubalnym głosem odezwał się zza jej pleców pastor. Nie widziały go wcześniej, stał w wejściu. — Moja żona warzy dobre piwo.

Była w ich wieku, nie mogła mieć więcej niż dwadzieścia lat. A pastor? Mógłby być jej ojcem. Jasne włosy przykrywała czepeczkiem, ale jakiś niesforny, spocony kosmyk wymknął się spod niego i przez to wydawała się jeszcze bardziej dziewczęca.

— W taki gorąc zawsze trzymam beczkę w kościele. Mury chłodzą! — tłumaczył się chyba z tego, że dzban i kubki były pod ręką. Rzeczywiście, piwo smakowało dobrze.

— Pastorze — odezwała się Sydonia. — Czy w kościele zachowały się jakieś pamiątki po naszych rodzicach? Z czasów ich ślubu?

Zamrugał, chustką przetarł spocone czoło i szyję.

— Zaskoczyła mnie panna — powiedział. — Zostałem proboszczem, już jak pan Otto i pani Anna byli małżeństwem.

— Może w kantorku? — podpowiedziała jego żona i zarumieniła się. — Nie zaglądamy tam…

— Księgi parafialne trzymam w domu — wyjaśnił. — Ale? Może coś jest w kantorku.

— Pójdę po klucze — zaofiarowała się pastorowa i nim zdążył odpowiedzieć, zniknęła w głębi kościoła.

— Chyża jak łania — uśmiechnął się — jak to młódka.

Dorota i Sydonia nie odpowiedziały na uśmiech, speszył się i odchrząknął.

— Tędy, proszę — wskazał drogę.

Wejście do kantorka znajdowało się naprzeciwko zakrystii. Małe drzwi, jak w starych budowlach. Pastorowa zjawiła się z kluczami; gdy jej mąż mocował się z kłódką, przelotnie spojrzała na Sydonię. Skrzypnęły zawiasy. W powietrzu zawirował kurz. Dorota zaniosła się kaszlem.

— Tak, jak sądziłem — mruknął. — Składowisko śmieci.

— Raczej cmentarz — powiedziała Sydonia i pochylając się pod futryną, weszła do środka.

Pomieszczenie nie było tak ciemne, jak można się spodziewać po wypchniętej na obrzeża świątyni komórce. Doświetlało je nieduże, zakratowane okienko. Za Sydonią wślizgnęła się pastorowa. Dorota została na zewnątrz, wciąż pokasływała od kurzu. Pastor wszedł, ale trzymał się z boku, jakby bał się dotknąć tych przedmiotów, z czasów przed reformacją. Stary, wielki krucyfiks, Chrystus z odłamaną nogą, kilka innych, nadpróchniałych krzyży.

— Co to za płaszcze? — pastorowa pochyliła się nad niedomkniętym kufrem i ostrożnie wyjęła z niego spłowiałą, ale wciąż purpurową obszerną szatę.

— To dawne ornaty — niechętnie odpowiedział pastor. — Tak kiedyś stroił się kler.

— Paradne — powiedziała jego żona, choć w jej głosie nie było kpiny, lecz ciekawość.

Sydonia przecisnęła się między wielkim krucyfiksem a zasiekami z krzyży i dostała za pusty korpus szafy. Dostrzegła stojące za nią obrazy, właściwie ich strojne ramy. Serce zabiło jej mocniej, uwierzyła, że za chwilę zobaczy portret ślubny, młodą Annę von Schwichelt i Ottona von Bork. Mocowała się z pierwszą z ram, rozeschła się i o coś haczyła, więc chwilę trwało, zanim udało się ją wyciągnąć. Pastorowa już była przy niej, pomogła jej bez słowa, razem wydobyły obraz i równocześnie jęknęły. Przedstawiał kobietę w barwnej szacie, o złotych, rozpuszczonych włosach i wydrapanych oczach.

— Straszne — wyszeptała pastorowa. — Kto jej to zrobił?

— Tumult — wzruszył ramionami pastor. — Jesteście za młode, nic nie pamiętacie.

— Dlaczego wydrapali jej oczy? — spytała gniewnie Sydonia.

— Nie jej jednej. Oberwało się wszystkim świętym. Nie pochwalam tego, żeby była jasność.

Pastorowa wyjęła haftowaną chusteczkę i przetarła szarą plamę pleśni pośrodku postaci.

— Przestań, żono — skarcił ją pastor. — Ubrudzisz…

— To i upiorę — hardo odpowiedziała ona. — Kosz z kwiatami… widzicie?

Spod plamy wychynęły kwiaty wciąż jeszcze barwne, mimo nadgryzającej je pleśni.

— Papiści nie chcieli ustąpić, lud się burzył, dochodziło do tumultów — niechętnie zaczął mówić pastor. — Ludzie chcieli nowych porządków, byli za nauką Lutra. Tu i ówdzie wdzierali się do kościołów i niszczyli wizerunki świętych. Ale nigdy Jezusa Chrystusa — zastrzegł. — Szlachta z początku broniła starej wiary, ale potem, gdy książęta Barnim i Filip opowiedzieli się za nową, to i szlachta ustąpiła.

— A nasz ojciec? — zapytała Sydonia.

— Nie wiem, nie było mnie tutaj. W tamtych czasach byłem młodym adeptem, w Trzebiatowie, rzecz jasna. W Trzebiatowie — powtórzył z namaszczeniem. — Stamtąd wyszedł zaczyn naszej reformacji — w jego głosie zabrzmiała duma.

— Tam też niszczono obrazy? — spytała męża pastorowa.

W odpowiedzi mruknął, ale ona docisnęła:

— Opowiedz, proszę.

— Jednego dnia, w samym szczycie tumultów, była taka historia, że katolicy chcieli iść z procesją do cudownego obrazu, ponoć cudownego — dodał. — Wisiał jeszcze u norbertanów, w Białobokach, to takie były czasy przejściowe, jedni zdjęli, inni jeszcze nie. No i z Trzebiatowa ruszyła procesja, z gromnicami, ze śpiewami a w tym samym czasie, w kościele Świętego Ducha... Były panny Bork w Trzebiatowie?

— Nie — zaprzeczyła Sydonia.

— To przy rynku — wyjaśnił pastor — więc procesja do Białoboków przechodziła obok kościoła Świętego Ducha w czasie, gdy protestujący w nim wierni wyrywali posągi świętych z cokołów. Ktoś krzyknął, żeby je spalić, ale inni się nie zgodzili, więc postanowiono je potopić.

Sydonia i pastorowa spojrzały na siebie ze zgrozą.

— I tego, tu idzie procesja do obrazu ze śpiewem i gromnicami, a tu z kościoła wychodzi druga, niosą posągi. Zrazu papiści myśleli, że ci z posągami może do nich dołączą? Ale patrzą, że nie, że tamci zmierzają do studni i jeden za drugim wrzucają do niej święte Anny, Katarzyny Sieneńskie i inne. No i doszło do rękoczynów — westchnął pastor. Przeciągnął dłonią po czole i odzyskał rezon. — A parę lat później tenże sam kościół Świętego Ducha gościł sejm trzebiatowski i to tam uchwalono nowy porządek kościelny na Pomorzu.

— A Borkowie? — powtórzyła pytanie o ojca Sydonia.

— Z tego, co mi mówiono... sama panna widzi, że nie bronili swojego kościoła. Tam, dalej, znajdziecie Świętego Andrzeja, Szymona, Świętą Małgorzatę i inne, ze wszystkimi obeszli się tak samo. Są i tu posągi, choć tych nie potopiono — głos pastora nabierał rozpędu, ale trudno było zrozumieć, czy jego gniew dotyczy Borków i znieważonych świętych, czy tego, że zmuszono go do opowieści o czasach tumultów.

Sydonia i pastorowa, napędzone jego wzburzeniem odstawiły obraz i przedostały się dalej, potykając o drzewce zmurszałych chorągwi. Tak, są i posągi. Święte, których nie rozpoznawały, z utrąconymi głowami, odrąbanymi ramionami, jeszcze widać nierówne ciosy siekiery. Spojrzały po sobie i wycofały się, wstrząśnięte.

— Tak więc, tego, nie bardzo są tu pamiątki po rodzicach panien — zakończył pastor. — Wracajmy.

— A ta kobieta, której wydrapano oczy, ta z kwiatami? — przypomniała Sydonia.

— To Święta Dorota — powiedziała, zaglądając przez drzwi kantorka, jej siostra.

— Skąd wiesz?

— Czytałam, że malowano ją z koszem kwiatów — z pozoru obojętnie odpowiedziała Dorota i wycofała się. Nie chciała wchodzić do środka.

— Zna pastor tę historię? — drążyła Sydonia.

— Jako tako — odrzekł. — Coś tam jeszcze pamiętam.

— Opowiedz nam — przymilnie poprosiła jego żona. — Przecież wiemy, że to zabobony, ale ciekawie posłuchać, gdy się już zobaczyło.

— Męczennica — oznajmił połechtany jej słowami pastor. — Papiści uwielbiali męczennice z czasów prześladowań chrześcijan. Żyli jak pączki w maśle, a wciąż chcieli słuchać o dziewicach umęczonych za wiarę, jakby w tym było...

— A ta Dorota? — pastorowa potrafiła nieznacznie zmieniać ton głosu, to wystarczało, by sterowała mężem, jak woźnica koniem.

— Córka bogatego patrycjusza, kazali jej się wyrzec wiary, ona nie chciała, bo ówczesne dziewice takie były pobożne, namówiła dwie inne i skazali je na śmierć.

— Za wiarę? — upewniła się pastorowa.

— Owszem. Kiedy je wiedli na śmierć, spotkały młodzieńca, ten się spytał, dlaczego Dorota idzie na miejsce kaźni z radością, ona mu powiedziała, że „zmierza do niebiańskich ogrodów".

Sydonia i pastorowa spojrzały jednocześnie na obraz. Na kosz kwiatów pokrytych pleśnią.

— Jak zginęły? — spytała Sydonia.

— Spalono je. Związano plecami do siebie i spalono w beczce smoły.

— A mnie matka mówiła — odezwała się sprzed wejścia Dorota — że ścięli jej głowę mieczem.

Potem się do niej modlono, a jeszcze później wydrapano jej oczy — pomyślała ponuro Sydonia i ruszyła do wyjścia. Dość miała tego miejsca.

— Chciałabym zamówić epitafium dla matki — powiedziała, gdy pastor zamknął kantorek z jego posępną zawartością.

— O, to nowość. Borkowie nie mieli dotąd epitafiów w kościele. Nawet krypty nie kazali sobie tutaj wykuć, woleli te ponure kamienie na cmentarzu.

— Co mam zrobić? — pominęła jego wywód.

— Znaleźć malarza i zamówić obraz — odpowiedział kpiąco. — To nie powinno być trudne, odkąd nie malują świętych, mają dużo wolnego czasu.

— Ci, którzy ich malowali, już dawno nie żyją — rzeczowo uściśliła pastorowa i jej mąż od razu zrozumiał, i poczuł się staro. — Ale ponoć w Stargardzie jest taki jeden, wyjątkowo zdolny.

— Krystyno — po raz pierwszy padło jej imię — nie musisz doradzać pannie Bork, która była dwórką w Wolgast. Panna z pewnością znajdzie godnego malarza, choć może nie ze Stargardu, bo tamtejsi nie lubią szlachty ze Strzmiela — uśmiechnął się z wyższością. — A jak obraz będzie gotowy, ustalimy, gdzie ma zawisnąć i ile kosztuje miejsce.

— Dziękuję — odpowiedziała sztywno pastorowi Sydonia, tak, jak zrobiłaby to na dworze księżnej Marii, i odwróciła się, odgradzając go od żony. — Cieszę się, że mogłam poznać panią, Krystyno. Gdyby miała pani ochotę, zapraszamy z siostrą na zamek.

— Moja Krystyna nigdzie nie chadza sama — uniósł głos za jej plecami pastor, jakby się im odgrażał. — Miejscem dobrej żony jest dom!

Pastorowa uśmiechnęła się do Sydonii tak, że nie mógł tego widzieć, i raczej by nie chciał. I to nie był pierwszy raz tego dnia.

Gdy wyszły z kościoła i ruszyły ku zamkowemu wzgórzu, Dorota ciężko wsparła się na ramieniu Sydonii. Była w gorszej formie, powłóczyła nogą.

— Boję się — wyznała po chwili. — Jesteśmy tylko ty i ja. Sieroty. Ulrich rozerwie nas na strzępy, gdy usiądziemy do układów spadkowych.

— Nie rozerwie — poklepała ją po dłoni. — Nie pozwolę mu na to.

— Jest coś, o czym nie wiem? — zatrzymała się w pół kroku Dorota. Droga pod górę, po kamienistej ścieżce, zmęczyła ją. Przystanęły.

Dla naszego wspólnego dobra nie powinnaś wiedzieć o wielu rzeczach — smutno pomyślała Sydonia. Na głos powiedziała:

— Poprosiłam brata naszej matki, wuja Kristofera, by nas reprezentował w czasie rozmów.

— Kogo wezwał Ulrich?

— To bez znaczenia — uśmiechnęła się do niej Sydonia. — Tak, czy inaczej, będzie jeden głos na jeden.

— Chyba, że wezwie samego diabła — parsknęła śmiechem Dorota.

— Daj spokój, nie może sam siebie reprezentować — mrugnęła Sydonia. — Możesz iść?

— Spróbuję. Matka twojej Metteke ma ponoć jakąś zielarkę, która umie kręcić dobre maści.

— To czemuś jej jeszcze nie wezwała?

— Bez ciebie było mi tu pusto i nieswojo. Dobrze, że wróciłaś, Sydonio.

Chwilę szły w milczeniu, zapewne każda z nich myślała o czymś innym.

— Naprawdę chcesz zamówić epitafium dla matki? — odezwała się wzruszona siostra.

— Tak, garbusko — odpowiedziała pieszczotliwie i pocałowała Dorotę w spocony policzek. — Chciałabym dać jej coś od nas, by nie przepadła bezimiennie pod kamienną płytą panów Borków. Dobierzemy się do naszych pieniędzy i zamówimy obraz w samym Szczecinie!

— Albo i w Stargardzie, a co nam zrobią? A co z ojcem? — spytała po chwili.

— Nie wiem — wzruszyła ramionami Sydonia. — Ja go nie pamiętam, nie będę umiała powiedzieć malarzowi, jak wyglądał.

— Był podobny do Ulricha — wyznała jej siostra.


Ulrich von Bork w nowym, zamówionym na pogrzeb matki żałobnym ubiorze wyglądał jak piekielny książę. Był szeroki w plecach, smukły w talii i podkreślał to długim, dopasowanym kaftanem, oczywiście czarnym, spod którego wystawał jedynie wysoki, śnieżnobiały kołnierz i takie same rękawy. Strój kazał ozdobić o dziwo nie złotem, lecz srebrem, Sydonia musiała przyznać, że wybrał połączenie nadzwyczaj wytworne. Ozdobny pas biegnący wzdłuż rękawów wyobrażał ulubiony wzór ich brata — chwytające się bestie. Nie zakładał szerokich i krótkich dworskich spodni, lecz wąskie i długie, wpuszczone w wysokie buty, dopasował je do kaftana srebrnym lampasem. Zauważyła też nowy łańcuch, zakończony ozdobą przedstawiającą, a jakże, skaczącego wilka Borków. Nosił się inaczej niż wszyscy mężczyźni na dworze, ten ubiór z czymś się Sydonii kojarzył, ale nie umiała tego nazwać. Na znak żałoby zgolił brodę i teraz jego mocno zarysowaną szczękę pokrywał cień kilkudniowego zarostu. Jego wąskie, ciemne oczy wyrażały najgłębszy smutek, ale proste linie czarnych, wyrazistych brwi, były tego dnia niepokojąco zadziorne.

Do dawnej zamkowej bawialni na piętrze, która dzisiaj była rzadko używaną jadalnią, wkroczył z właściwą sobie niedbałą, nonszalancką gracją. Lewą dłoń miał zatkniętą za ozdobiony srebrem pas. Towarzyszył mu paź, młodzieniec o intensywnie niebieskich oczach i wąskim, jakby lekko garbatym nosie.

— To Jacob von Stettin — szepnęła jej na ucho Dorota. — Służy Ulrichowi, jak pies.

Rzeczywiście, paź odsunął dębowe krzesło, wyprzedzając ospałego sługę, który stał nieopodal. Ulrich usiadł ciężko, jak człowiek pogrążony w żałobie. Paź usłużnie ustawił się za nim. Minął miesiąc od pogrzebu, niemal się nie widywali. Ulrich stale wyjeżdżał, albo po prostu nie pokazywał się na zamku. Co robił? Nie pytały go.

Teraz siedział naprzeciw sióstr przy długim dębowym stole. Między nimi mogłyby się zmieścić dwa tuziny gości, ale póki co, towarzyszył im tylko jeden srebrny kandelabr ustawiony pośrodku jak granica: brat i siostry.

Nie kazano rozpalać w kominku, było lato, upał, a kominy, jak dowiedziała się Sydonia od służby, wymagały pilnych napraw. Zresztą, co ich nie potrzebowało! Zamek Borków tylko z oddali wyglądał dostojnie i groźnie. Wystarczyło podrapać i się sypał. Ich przodkowie nigdy nie mieli sławy gospodarzy, przeciwnie, wśród najlepiej pamiętanych członków rodu, byli wyłącznie wojownicy i rycerze, lub ich czarne odbicia: banici, gwałtownicy i zbójcy. Co sprawiało, że stawali po jasnej, a co, że po ciemnej stronie? Jurga von Bork mówił, że sumienie, a Ulrich, że przypadek. O jednych mawiano, że są solą tej ziemi, o innych, że jej ciemnym ziarnem. Ale tych, którzy od pokoleń rodzili się w Wilczym Gnieździe, zawsze zwano Dzikim Rodem, i nie dlatego, że byli jakąś jego boczną gałęzią. Ci właśnie byli jego jądrem.

Messige von Bork z Zajezierza, którego Ulrich poprosił na świadka, był z drobnej, bocznej gałęzi Borków. Dlatego go wybrał — przejrzała brata Sydonia — Messige będzie w niego zapatrzony. Siostry reprezentował Kristofer von Schwichelt, brat matki. Właśnie przybyli, przywitali się, zajęli miejsca. Towarzyszący im notariusz usadowił się z boku. Rozłożył arkusze, pióra, kałamarz, naczynie z woskiem. Dorota pod stołem chwyciła za rękę Sydonię. Ta uścisnęła palce siostry, wyjęła dłonie i położyła na dębowym blacie, jedną obok drugiej.

Rozmowy przebiegły nad wyraz spokojnie. Ulrich był ugodowy. Tak, on odziedziczy całość dóbr ziemskich po rodzicach, bo zwyczajem jest nierozdrabnianie szlacheckiego majątku, zwłaszcza, że jest jedynym męskim potomkiem. Ale tak, spłaci obie swoje siostry. Na początek, dla każdej po pięćset talarów reńskich, gotówką. I uposażenie w ubrania, futra, kufry, sprzęty domowe, pościel, kosztowności. Obie mają gwarancję mieszkania i należnego im poziomu utrzymania w rodowym zamku, po kres dni. A gdyby chciały domowe pielesze opuścić, Ulrich musi je uposażyć stosownie do pozycji, w gotówce i naturze. Notariusz wypisywał ilość funtów zboża, beczek miodu, masła, kurcząt, prosiąt, wołów. Ciągnęło się, był pedantyczny.

— Nadto — wyrecytował, zerkając do prawa zwyczajowego — gdy panny wyjść będą chciały za mąż...

Ulrich von Bork demonstracyjnie przechylił głowę w prawo, by srebrny kandelabr nie przesłaniał mu Sydonii i przez długość stołu spojrzał jej w oczy. Za jego wzrokiem podążyli Messige von Bork i Kristofer von Schwichelt.

— Musiałaby panna najpierw wyrazić taką wolę — powiedział do siostry prowokująco.

— Owszem, owszem — zamruczał notariusz, nie unosząc głowy znad pisma — to naturalne, nikt panien von Bork nie może niewolić.

— Panny — poprawił go Ulrich i zręcznie przekrzywił głowę w lewo, by z drugiej strony kandelabru popatrzeć na Dorotę. Ta zacisnęła palce na blacie stołu, aż pobladły.

— Dlaczegóż to? — monotonnie spytał notariusz.

— Na zamążpójście Doroty raczej się nie zanosi, proszę spojrzeć!

Notariusz uniósł spojrzenie, Dorota zapłonęła rumieńcem i gniewem.

— Nie przesądzaj i nie przesadzaj, Ulrichu — polubownie zaczął wuj Kristofer. — Dorota ma miłe usposobienie, jest uroczą, młodą damą.

— I garbuską! — prychnął zza pleców Ulricha jego paź, Jacob von Stettin.

Ulrich rozłożył ręce, jakby mówił: wszyscy to widzą.

— Wyproś go — powiedziała Sydonia. — Nie życzymy sobie tu obecności obcych.

Ulrich odwrócił się i poufale klepnął pazia w tyłek, jak psa. Stettin posłał zimne, niebieskie spojrzenie Sydonii i zniknął.

— To układ spadkowy — podjął wuj Kristofer — i dopilnuję, by był spisany jak należy. Obu pannom przysługuje wiano.

— W przypadku zamążpójścia — uściślił Ulrich.

— Trzy tysiące guldenów — oznajmiła Sydonia.

Brat zaśmiał się głucho. Przeczekały go. Umilkł, wyjął z rękawa chustkę, udał, że wyciera łzę rozbawienia i powiedział:

— A teraz poproszę o rzeczywistą kwotę.

— Trzy tysiące guldenów — powtórzyła głośno Dorota.

— Nie macie pojęcia o finansach — prychnął. — Nie mam tyle gotówki.

— Nie chcemy jej dzisiaj — spokojnie powiedziała Sydonia.

— On kłamie — wtrąciła się szybko Dorota. — Ma pieniądze.

Wiem, słyszałam, jak rozmawiał z matką. Pieniądze jeszcze z jej ślubnego wiana, dała mu je.

— Proszę, proszę! Ledwie żywa, a słuch jak u zająca — Ulrich zaczynał się rozkręcać.

— Gdzie masz gotówkę? — próbowała uspokoić sytuację Sydonia.

— U Loitzów — odpowiedział. — Jak wszyscy. Ale nie wierz tej plotkarze — wskazał brodą Dorotę. — Większość wiana matki pochłonął ten zamek. Zostały same drobne. Zapomnij o trzech tysiącach, mowy nie ma, tylu nie dają nawet za marszałkowskie córy.

Przygryzła wargę. Zorientowany był dobrze.

— Po dwa — powiedziała.

— Musiałbym sprzedać zamek! Ojcowiznę. Ziemie z dziada pradziada Borków.

— Przesada, w tym jesteś niezrównany — znów rozeźliła go Dorota.

— Dwa — powiedział i dodał — dla obu. Czyli po tysiącu.

— To rozsądne — wtrącił się Messige von Bork.

— Nieco niedoszacowane — zaprzeczył Kristofer, ale słabo.

Sydonia i Dorota wiedziały, że wydając trzy lata temu córkę za mąż, dał jej właśnie tyle, tysiąc guldenów. I to w ratach.

— Pomówmy o klejnotach matki — podjęła negocjacje Dorota. — Pierścionek z szafirem stracony. Ale zostały jej złote łańcuchy i pierścień rodowy...

— Tak, pierścień Schwicheltów, pamiętam go! — wtrącił Kristofer.

— Może wrócimy i do prześcieradeł, które matka przywiozła z domu — błysnął zębami Ulrich. — Ile ich było? Trzydzieści?

— Nie pamiętam — rozłożył ręce Kristofer.

— Nie musisz, wuju — z udawaną troską odpowiedział Ulrich. — Dawno ich nie ma. Wytarły się — mówiąc to, zrobił obsceniczny gest, poruszając biodrami na krześle.

— Na szczęście złoto matki jest odporne na tarcie — odpowiedziała Sydonia z kamienną twarzą. — Podzielimy się z Dorotą. Proszę wpisać w umowę klejnoty Schwicheltów.

— Te, które zostały — bezczelnie powiedział Ulrich.

— Wiem, że jest złoty łańcuch i pierścień — zdenerwowała się Dorota.

— Och — jęknął obłudnie Ulrich — to już nie łańcuchy? Skarb nieodżałowanej mateczki stopniał w jednej chwili... a jej pierścień? Złamiecie na pół, żeby się podzielić?

— Nie martw się, jesteśmy siostrami, możemy się podzielić wszystkim — odparowała Dorota.

— Czyżby? — znów wyjrzał zza kandelabru tak, by patrzeć tylko na Sydonię. — Pięknym panem podzielisz się z siostrą? Czy jeszcze raz ruszysz na łowy i upolujesz dla niej drugiego? Powiedzmy, młodszego brata? Byłem świadkiem, jak młodsi ciągną do ciebie...

— Przestań, błaźnisz się — powiedziała bezbarwnie Sydonia.

— Ja? — podjął natychmiast i zrozumiała, że obrała kiepski kierunek.

Teraz mogła mu tylko odparować Otylią von Dewitz, ale z wiadomych przyczyn wolała tego nie robić. I dla siebie, i dla siostry. Ulricha nie było jej już żal. W tej chwili był gorszym sobą, Ulrichem podłym, choć przecież znała i jeszcze potworniejsze oblicza brata.

— Co mam zapisać? — z odsieczą przyszedł notariusz.

— Po tysiącu guldenów wiana i klejnoty po matce — szybko podyktował wuj Kristofer.

— Zgoda? — upewnił się notariusz.

Siostry spojrzały po sobie i odrzekły równo:

— Zgoda.


— Starczy nam na wygodne, dostatnie życie — powiedziała wieczorem Dorota.

Były same, w dawnej sypialni matki. W kominku niemal wygasło, ale od ledwie żarzących się głowni biło przyjemne ciepło. Siedziały w koszulach nocnych w jej łożu. Rozpuszczone włosy spadały im na plecy.

— Metteke, podaj wino! — zawołała Dorota i rzuciła na wysoko ułożone poduszki. Przeturlała się na bok niezdarnie i wyciągnęła coś spod nich. — Patrz, co mam! — wesoło pokazała Sydonii.

— Kielichy matki?

— Rodowe srebra Schwicheltów — udawała głos wuja Kristofera Dorota. — Metteke, polej pannom Bork. Napijemy się za pięćset guldenów natychmiastowej wypłaty! Gotówką!

— Nie guldenów, a talarów reńskich — uściśliła Sydonia. — Guldeny są złote, talary srebrne, to wielka różnica — chwyciła kielich i obejrzała z niedowierzaniem. — Skąd to masz?

— Nie widziałaś? — śmiała się Dorota. — Spod poduszki!

Metteke wzięła od niej kielich, by nalać wina i Dorota w tej samej chwili się rozpłakała, jak dziecko. Skryła twarz w dłoniach, skuliła się. Sydonia objęła jej krzywe plecy.

— Matka mi je dała — wyszlochała. — Wtedy zrozumiałam, że z nią źle. To było okropne.

— Wiem — pogładziła ją po włosach Sydonia.

— Nic nie wiesz — dalej płakała Dorota. — Nie było cię tutaj. Byłyśmy same, ona i ja. I Ulrich z tym jego strasznym paziem. Matka umierała, a oni urządzili sobie polowanie do poroży w saloniku myśliwskim. Potwory.

— Potwory — powtórzyła Sydonia. — Napijemy się?

Dorota westchnęła po płaczu, wytarła nos i wzięła od Metteke srebrny kielich.

— Gdy nas spłaci, będziemy bogate — powiedziała Dorota pociągnąwszy łyk. — Stać nas będzie na dobre życie! Właściwie — odgarnęła włosy spadające jej na twarz. — Ile takie życie kosztuje?

— Nie wiem — wzruszyła ramionami Sydonia. — Nie musiałyśmy nigdy rachować, ale…

— …nauczymy się — oznajmiła Dorota. — Na początek pojedziemy do krawca. Zamówimy dla mnie taki gorset, jak twój i takie same suknie. Wuj Kristofer powiedział, że nie jestem bez szans.

Wyciągnęła szyję do góry, z wysiłkiem ściągnęła łopatki, wypięła pierś.

— I co? — spytała. — Widać?

Sydonia pochyliła się ku niej, zebrała złociste włosy Doroty i ułożyła na jej lewej łopatce, zakrywając nierówność pleców.

— Lekko przekrzyw głowę w prawo — poleciła. — Nie, nie tak mocno, mówiłam, lekko. O, dobrze. Metteke — odwróciła się do służki. — Podaj moją kryzę.

Podniosła włosy siostry i założyła kryzę na szyję Doroty odwrotnie, łączeniem w przód, otwarła i przekrzywiła, tak, że ułożyła ją w sterczący, wysoki z tyłu i rozłożony na ramionach kołnierz. Potem znów ułożyła włosy na lewej łopatce. Odsunęła się, zmrużyła oczy i oceniła:

— Teraz prawie nie widać.

— Dziwnie — poruszyła ramionami Dorota. — Nie wiem, czy tak mi się podoba. Ktoś tak nosi?

— Noszą, noszą — potwierdziła Sydonia.

— Mnie się podoba, tak jak ty zakładasz — orzekła Dorota i zdjęła kryzę nerwowo.

— Ale w ten sposób odwrócisz uwagę od… wiadomo czego.

— U ciebie nie widać — szła w zaparte Dorota. — A nasze plecy aż tak się nie różnią. Zadrzyj koszulę, niech Metteke nas oceni, która jest bardziej krzywa.

— Daj jej spokój — wzięła służkę w obronę Sydonia. — Miałyśmy uczcić winem nasz sukces.

Dorota położyła jej rękę na łopatkach i pomacała odruchowo. Robiła to, odkąd Sydonia sięgała pamięcią. Wciąż sprawdzała, czy nierówność, którą obie od urodzenia nosiły na plecach, się zmieniła. W oczach Doroty zmniejszeniem własnego kalectwa byłby także powiększający się garb Sydonii. To wyrównałoby je w oczach świata, który do tej pory nie oceniał ich jednakowo. Najlepiej, rzecz jasna, los potraktował Ulricha. Ten urodził się z dłuższą lewą ręką, a to dawało się ukryć bez trudu. Sydonia nie strąciła dłoni siostry, choć to ciągłe porównywanie ją męczyło. Nie zrobiła tego, bo sama widziała, jak czas działał na niekorzyść Doroty. Poza piętnem, które odciskał na jej plecach, atakował i nogę.

— Chciał mnie pognębić — powiedziała Dorota. — Tym gadaniem, że możesz mieć kawalerów, jakich zechcesz.

— Nie mogę — zaprzeczyła odruchowo Sydonia.

— Przecież wiem — powiedziała Dorota, pociągając łyk wina. — Nikt nie dostaje za męża tego, kogo by sobie życzył, patrz na tę pastorową. Wolałaby kogoś młodego, pięknego, jak ona, ale takiego to można mieć w snach. W życiu trzeba uważać na pięknych i młodych, bo zjawią się, zawrócą w głowie dziewczynie, obiecają wszystko, gwiazdkę z nieba i ślub, a jak dostaną, czego chcieli, znikną. A panna zostaje ze złamanym życiem, opuszczona przez wszystkich. Jeśli jest wysokiego rodu, jak my, to jeszcze gorzej. Hańba dla wszystkich, na dwa pokolenia, jak nie więcej.

Sydonia poczuła, jak ciąży jej wypite wino. Jak zamienia się w kwaśną falę w żołądku.

Włosy ześlizgnęły się z lewej łopatki Doroty, i ta sterczała teraz pod nocną koszulą, jak złamane, chude skrzydło.

— Co miał na myśli Ulrich, mówiąc, że musiałabyś wyrazić wolę? — spytała. — Podpuszczał cię?

— Tak — powiedziała Sydonia. — Podpuszczał do igrania z ogniem. Sam nie rozumie, o czym mówił.

— Ja też nie pojmuję — westchnęła Dorota. — Masz coraz więcej sekretów przed siostrą. A przecież dzielimy los. Nie będzie ci lżej, gdy się zwierzysz?

Sydonia patrzyła na nią. Zgarbioną, wbrew swej woli wykrzywioną, nieszczęśliwą. Poczuła taki ciężar, takie brzemię, że skłamała:

— Naprawdę nie ma o czym mówić.

Siwe popioły zawirowały w kominku. Pewnie dostały jakiś podmuch z nieszczelnych przewodów kominowych. Sydonia pomyślała, że im więcej się w jej życiu dzieje, tym bardziej musi pilnować słów. Teraz także przed zaborczą przez swą ułomność i kruchość siostrą.

Księżna Maria z trudem łapała powietrze. Wbiła palce w jedwabną tapicerkę fotela. Jej świat właśnie się zawalił.

— Nie wolno ci! — krzyczała. — Nie masz prawa podejmować takich decyzji samodzielnie! Jesteś księciem.

— Ale nie będę dziedziczył — odpowiedział jej Ernest Ludwik. Był napięty, miał złą, zimną twarz. To nie był jej Ludke, zamienił się w obcego młodzieńca, którego nie znała.

— Ona cię całkiem odmieniła — załkała Maria. — Nie poznaję cię, synu.

— To wciąż ja, matko — powiedział twardo. — Właśnie taki jestem. Dałem słowo i go nie cofnę.

— Zrobisz to — warknęła. — Podaj mi nalewkę muszkatołową na uspokojenie.

— To zrobię chętnie — uśmiechnął się nieoczekiwanie i przez chwilę zobaczyła w nim cień swojego Ludke. Nalał jej do rżniętego w krysztale kieliszka i podał, mogłaby przysiąc, że jak dawniej, czule.

Upiła łyczek. Drugi. Odstawiła napoczęty kieliszek, bo drżały jej dłonie. Wzięła głęboki oddech, poczuła, jak uwiera ją na żebrach gorset.

— Powiedz — zaczęła.

— Pytaj — uśmiechnął się.

— Dlaczego ona?

— Tego akurat nie wiem — przysiadł naprzeciw niej i odsunął złote włosy z czoła. — Szczerze. Spojrzałem na nią i przepadłem. Ponoć tak właśnie wygląda miłość.

— Bzdura — żachnęła się. — Brednie poetów.

— Zawsze powtarzałaś, że pokochałaś ojca od pierwszego wejrzenia.

— Ja tak mówiłam? Wybacz, synu, jeśli usłyszałeś ode mnie takie rzeczy. Chciałam, by brzmiało to dobrze, zresztą, nie mówimy o mnie.

Rozumiem, że to ona zakochała się w tobie od tego pierwszego wejrzenia, jesteś piękny, uderzająco przystojny, ale ona? W niej nie ma nic nadzwyczajnego.

— Jak możesz tak mówić? — żachnął się. — Nie widzisz tego, matko? W niej nie ma nic zwyczajnego, wszystko jest niezwykłe, to jak patrzy, jak mówi…

Maria Saska przewróciła oczami. Westchnęła:

— Więc jak było? Zakochała się, zaczęła chodzić za tobą i wzdychać, nie wiedziałeś co zrobić i…

— Tak nie było — odpowiedział jej Ludke spokojnie. — Było na odwrót. To ja chodziłem za Sydonią…

— Nie wymawiaj jej imienia! — przerwała mu. — Nie chcę go słyszeć.

— Więc o czym chcesz rozmawiać? — w mgnieniu oka znów stał się wytwornie chłodny. — Ja mogę mówić wyłącznie o niej i proszę cię, jak syn matkę, zgódź się. Borkowie to dobry ród, nie znajdziesz starszego w tym księstwie. Byli Panami Pomorza, rozumiesz, co to znaczy?

— Nie pouczaj mnie! — rozeźliła się i sięgnęła po kieliszek. — Panowie Pomorza, też coś, tytuł bez znaczenia, dzisiaj nikt nie pamięta, kim byli. Czy jakiś Bork został marszałkiem lub kanclerzem w ostatnich stu latach? — triumfowała. Jakże Ludke potrafił ją zdenerwować, jak nikt inny. Zawsze taki układny, posłuszny, a teraz zerwał się, niczym… Upiła łyk. Nalewka była mocna, ale nie przynosiła uspokojenia tak szybko, jak potrzebowała tego księżna.

— Nawet polski król poślubił swą poddaną, córę Radziwiłłów — w głosie Ernesta Ludwika coś zadrżało. Wykorzystała to, wytykając mu:

— No i jak to się skończyło? Źle. Ona umarła, nie dała mu syna.

— Matko, Zygmunt August był jedynym dziedzicem, królem, nie księciem, królem olbrzymiego mocarstwa i mimo to, nie widział dla siebie ujmy w poślubieniu panny szlacheckiego rodu. Odrzucił dla niej Habsburżanki. A u nas? Księstwa odziedziczą moi starsi bracia. Ja co najwyżej zostanę uposażony w Barth albo dostanę Darłowo. Ja dla księstwa nic nie znaczę.

— Przestań! — wrzasnęła księżna zaskoczona siłą głosu, który się z niej wydobył. — Jesteś moim synem. Nie ośmieszysz nas na całe cesarstwo! Nie pozwolę ci na to, rozumiesz?

Wstał i podszedł do okna. Dopiła nalewkę, zakrztusiła się. Zakasłała.

— Co ci zadała ta dziewczyna, że zrobiłeś takie głupstwo? — odezwała się po chwili. Czuła się koszmarnie zmęczona. Jakby śniła zły sen i nie mogła się obudzić. Jej najdroższy syn odwracał się od niej. Jak to się mogło stać? — Ludke, rozumiem, że to jej wina — spróbowała polubownie. — Młodzi mężczyźni czasami coś obiecają, coś powiedzą, gorące głowy. Można się z tego wyplątać.

— Matko — usłyszała jego głos spod okna. — Nie cofnę danego słowa.

— Nie będziesz musiał — wyjaśniła mu. — Powiemy, że źle cię zrozumiała, tak będzie najlepiej. Przesłyszała się. Tylko przyznaj, czy doszło do czegoś między wami. Muszę to wiedzieć, sam rozumiesz, dlaczego.

Usłyszała trzaśnięcie drzwi. Zabrzmiało jak policzek wymierzony na odlew. Tak było. Ernest Ludwik wyszedł.


Stary Barnim czuł, że pilne wezwanie od Saskiej Lwicy ma związek z jej synami. Ale to, co usłyszał za szczelnie zamkniętymi drzwiami jej komnaty, niemal zbiło go z nóg.

— Powinienem to przewidzieć — przyznał ciężko i złapał się za głowę.

— Nikt tego nie mógł przewidzieć — powiedziała zapalczywie. — Ja tu byłam, patrzyłam na nich, te dwórki, wszystkie panny wodziły za nim wzrokiem, każda jedna, ach. Na moich oczach musieli się zejść, a ja tego nie postrzegłam, Boże, mój Boże! — Z gniewu w lament przechodziła niemal płynnie.

— Skąd miałaś wiedzieć? — wzruszył ramionami.

— No właśnie — pokiwała głową, a szafiry w jej uszach poruszyły się, jakby chciały jej przytaknąć. — Co to, ja mężczyzn nie znam? Myślałam, że to tylko tak, jakiś taniec, zabawa w chowanego, dworskie życie. Nie przyszło mi do głowy, że mój syn zachowa się jak głupiec i obieca jej małżeństwo.

Nie powiem jej — podejmuje decyzję Barnim. — Jest zapatrzona w swój ból, nie dotrze do niej nic ponadto. Zresztą, to już nie ma znaczenia. Stało się, trzeba zatrzymać tę falę przypływu, zamienić ją w odpływ.

— Pamiętasz, co mówił Andreas Runge? — przychodzi mu myśl do głowy.

— Nie przewidział tej katastrofy — fuka Maria ponuro.

— Przez chwilę nie myśl o Erneście Ludwiku — powiedział i patrzył na nią. Czekał, czy sama sobie przypomni słowa astrologa, profesora uniwersytetu w Gryfii.

Maria Saska zmrużyła oczy, bezwiednie zaczęła okręcać pierścionki na palcach. Jeden, drugi, trzeci. Gdy tylko go dotknęła, cofnęła palce i znów chwyciła za drugi.

Uniosła spojrzenie na Barnima i powiedziała:

— Poprośmy tu Bogusława.

Pokiwał głową. Dobrze zrozumiała.

Rozmowa z drugim synem Lwicy była trudniejsza, niż oboje się spodziewali. Zadawał wiele pytań, oczekiwał konkretnych odpowiedzi. Na szczęście był pilnym studentem i dobrym uczniem profesora Runge. Wierzył w potęgę arytmetycznych wyliczeń i moc planet.

Po powrocie do Szczecina Barnim kazał służbie porządnie napalić w gabinetowym kominku. Spalił księgę, którą kiedyś obiecał najmłodszemu z książąt. Strona po stronie, jakby wymazywał rok za rokiem, dziesięciolecia, stulecia. Pamięć o tym, czym dla pierwszych Gryfitów był ród Borków, powinna zaginąć, zniknąć, jak niespełnione obietnice.

Nie ma historii, której nie można napisać od nowa.


Pastor i pastorowa zaprosili Borków na chrzciny. Ulricha i obie siostry. Sydonię pastorowa poprosiła na matkę chrzestną. Ulrich się zżymał, cóż to dla niego za towarzystwo, ale nawet on rozumiał, że są prośby, którym się nie odmawia.

— Myślisz, że była w ciąży, jak ją poznałyśmy? — interesowała się Dorota. — Nic nie było widać. Ukryła pod suknią?

— Po pierwsze, to mężatka, nic nie musi ukrywać. Po drugie, jak ty liczysz? Poznałyśmy ją rok temu — sprowadziła siostrę na ziemię Sydonia.

— No tak! — zaśmiała się Dorota. — Cudzy czas inaczej płynie.

Dobrze wyglądała w nowej sukni. Zamówiły specjalny kołnierz, na lekkim, metalowym stelażu. Marszczony i układany jak kryza, ale otwarty przodem i sterczący na bokach, tak, jak wymyśliła Sydonia. Do niego lekka, krótka pelerynka na plecy i gubiły się wszelkie nierówności, ginęła krzywdząca Dorotę krzywizna. Wzrok gości, który przyciągała, mówił, że osiągnęły, co chciały. Jej siostra promieniała.

Sydonia kupiła dla dziecka grosz chrzcielny z wyobrażeniem narodzin Chrystusa i gdy po egzorcyzmach kładła ten medalik na niemowlęciu, przebiegł przez nią dreszcz. Gdy chowały matkę, włożyły jej własny chrzcielny grosz do trumny. Z prochu powstałeś, w proch się obrócisz. Teraz jednak, narodzone dla Boga niemowlę, sennie przymykało niebieskie oczy. Skrępowane powijakami wyglądało jak ludzka larwa, białe, bezbronne, w całości zależne od innych. Zwłaszcza, że to dziewczynka. Dano jej imię Klara. Pastorowa obdarowała rodziców chrzestnych gałkami muszkatołowymi, każda była zawinięta w osobny papier, przewiązana wstążeczką. Sydonia dostała ich dziewięć, znak, że rodzice chcieli się pokazać, dowieść, że ich stać na kosztowny podarunek.

Przyjęcie chrzcielne było wystawne, jak to na Pomorzu. Mięsiwa, kiełbas, ryb wędzonych i solonych, jaj, pasztetów i ciast było aż nadto. Gospodyni pastorowej wyglądała niczym jej matka i, co nie umknęło uwadze Sydonii, nie ustawała w próbach przypodobania się pastorowi. Podsuwała mu co smakowitsze kąski. Ten jednak niemal nie zwracał na gospodynię uwagi, bo całą skupiał na młodej żonie i nowo narodzonym dzieciątku. Sydonię, Dorotę i Ulricha, jako honorowych gości, usadzono obok siebie, a po ich bokach zasiedli pastor i pastorowa. Dalej zaś, u końca stołu, siedziały dzieci pastora po poprzedniej żonie. Osowiała czwórka. Nie odzywali się, jedli niewiele, na ojca spoglądali z szacunkiem pomieszanym z trwogą. Na macochę nie patrzyli wcale. Zaproszono muzykantów. Daleko im było do dworskiej kapeli, ale przygrywali wesoło i dziarsko, w pewnej chwili Sydonia poczuła, że Dorota przytupuje do taktu. Gospodarz sam polewał gościom wino, ale że na dworze było ciepło, jak to późnym latem, a w domu duszno od ciżby ludzkiej, szybko na stole pojawiły się dzbany z piwem.

— Zimne — pochwalił Ulrich.

— Bo w taki gorąc zawsze trzymam beczkę w kościele — powiedział pastor. — Mury chłodzą.

Sydonia zerknęła na Krystynę. Tak się poznały, to właśnie wtedy powiedział.

— Moja żona warzy dobre piwo — i mówił dalej, to samo, co rok temu.

Krystyna uniosła wzrok i spojrzała na Sydonię. I po prostu mrugnęła do niej.

— Niedługo my będziemy prosić — odezwał się po chwili Ulrich — na wesele.

— Panna Sydonia idzie za mąż? — wesoło spytała pastorowa.

— Nie. Ja biorę żonę.

Sydonia poczuła ostre jak szpilki paznokcie Doroty wbijające się w jej nadgarstek.

— Pierwsze słyszę — szepnęła siostra. — Szkoda, że nie powiedział nam wcześniej.

— No tak — kiwnął głową pastor, jak znawca. — Żałoba się skończyła, czas, by w Strzmielu była nowa pani Borkowa. Kto szczęśliwą wybranką?

— Otylia von Dewitz — oznajmił z uśmiechem tryumfu Ulrich. — Ślub jesienią.

Reprezentacyjną salę szczecińskiego zamku rozświetliły dziesiątki świec. Ich chwiejny blask odbijał się w złotych łańcuchach zaproszonych gości. Z Wołogoszczy przybyli kanclerz Zitzewitz, marszałek Schwerin i radcy dworu. Przyjechali marszałkowie dziedziczni, od lat ten dzierżący ten tytuł Flemmingowie, Buggenhagenowie, Maltzanowie Głowy szlacheckich rodzin, dość tego było, by zapełnić obszerne wnętrze. Wtedy weszły dzieci Saskiej Lwicy, jedno za drugim, i ustawiły się pod szczytową ścianą: Jan Fryderyk, Bogusław, Ernest Ludwik, Barnim, Kazimierz, Amelia, Małgorzata, Anna.

Jakbyśmy od nowa tkali rodowy gobelin — pomyślał Barnim i ruszył na swoje miejsce, prowadząc pod ramię Marię Saską.

Serce przez chwilę odmówiło mu posłuszeństwa, bo załkało za własną żoną, Anną, która odeszła ledwie co. Dawniej to ją wprowadzał na uroczystości, a teraz wdowiec wiedzie wdowę.

Zajęli miejsca, zagrały trąby, przemówił Zitzewitz:

— Oto Dom Gryfitów! Zagnijcie kolano przed przyrodzonymi władcami Pomorza.

Zgięli.

— Tradycją naszą jest losowanie księstw, bo władza zawsze jest gotowością na służbę, nawet, jeśli dana jest przez Boga dynastom. Nasi prześwietni książęta okazują w ten sposób szacunek poddanym, dowodząc, że nie do zbytku się przywiązują, a do sprawowania sprawiedliwych rządów. Bo władza to odpowiedzialność — ciągnął Zitzewitz i drgały mu czubki siwiejących wąsów. — Oto za chwilę książęta nasi znów ciągnąć będą losy, przedkładając wolę Bożą nad własną.

Barnim spojrzał na książęcych synów. Jan Fryderyk skupiony, Bogusław spięty, Ernest Ludwik błądzi wzrokiem po zgromadzonych, jakby szukał kogoś w tłumie. Już czas — zebrał się w sobie i dał znać Zitzewitzowi, że będzie mówił. I oznajmił to w pierwszym zdaniu:

— Abdykuję.

Po zebranych przeszedł szmer, gdzieniegdzie jęk, ktoś nawet krzyknął:

— Święty Boże!

Synowie Lwicy spojrzeli po sobie zaskoczeni. Podniósł się szmer, Barnim uciszył go ruchem dłoni.

— Jestem stary — powiedział — ale to widzicie sami. Możecie zaś nie wiedzieć, że jestem zmęczony i złamany żałobą po księżnej Annie. Nie doczekam kolejnego losowania, więc po co przeciągać? Synowie mego bratanka są w najlepszym wieku, by przejąć stery w obu księstwach. I, jak również widzicie — starał się nadać głosowi żartobliwy ton, ale chyba wyszło płaczliwie — mamy ich wielu. Zrobiłem swoje, potomni mnie ocenią, a Bóg osądzi. Dzisiaj oddaję im władzę. Niech losują między sobą Wołogoszcz i Szczecin.

Usiadł. Patrzył po twarzach swoich poddanych. Niektórych darzył przyjaźnią, innych ledwie znosił, ale tak, spędził z nimi tyle lat i nagle to poczuł. Każdy długi rok. Westchnął. I przypomniał sobie, że to dopiero początek na dzisiaj. Jeszcze nie może odpocząć. Odwrócił się i spojrzał na młodzieńców. Jednemu z nich chciał dodać odwagi, ale jego wzrok przechwycił mały Kazimierz. Unosił brwi, jakby chciał spytać: stryju, co robisz? Co dalej?

Bogusław wiedział, że teraz jego kolej. Wyszedł przed zaskoczonych jego ruchem braci. Ukłonił się matce i Barnimowi. I oznajmił:

— Nie jestem gotowy do wzięcia na barki ciężaru władania księstwem. Wiem, że prawem dziedziczenia jedno z nich należy się mnie. Ale mam młodszych, gotowych na ten trud braci. Przekazuję swoje prawa Ernestowi Ludwikowi, a was, pomorscy panowie, biorę sobie na świadków.

Ernest Ludwik jęknął zaskoczony i powstrzymał się, jakby stracił oddech.

Bogusławowi oddającemu władzę głos nie zadrżał, powiedział to spokojnie, tak pewnie, jakby wypływało z jego woli. Byłbyś świetnym władcą — pomyślał z żalem Barnim. — Mam nadzieję, że Bóg ci na to kiedyś pozwoli.

— W imieniu pomorskich stanów — powiedział Zitzewitz — przyjmujemy tę decyzję księcia Bogusława.

Wśród zebranych nikt nie furczał. Dla nich dużo większe znaczenie miało, jak teraz książęta wylosują. Pod kim będą służyć, to się liczyło, na to czekali.

Barnim mógł wreszcie się odwrócić i spojrzeć na Ernesta Ludwika. Młody książę był śmiertelnie blady, starał się utrzymać kamienną twarz, ale drżące ręce musiał schować za plecami. Barnim znał go na tyle, by zrozumieć, że targa nim teraz sztorm. Oto dostanie władzę, jakiej się nie spodziewał. Spadnie na niego splendor, który uwielbiał i którego nigdy nie miał dostąpić. Otworzyli przed nim niebo i skazali na piekło: teraz już wie, że nie poślubi tamtej. I nie może odmówić. Nie powie jak Bogusław: nie jestem gotowy, bo coś takiego może zdarzyć się tylko raz.

Zitzewitz, wtajemniczony w bieg zdarzeń, szybko sterował ich przebiegiem. Już wprowadzono chłopca, nikomu nieznane pacholę. Już podano pomorską czapkę i kanclerz wkładał w nią dwa losy.

Jan Fryderyk pewnym krokiem wystąpił naprzód. On jeden jest na swoim miejscu. Urodził się dla tej chwili. Dla niego nic się nie zmieniło — pomyślał o najstarszym Barnim.

Stał prosto, jak dowódca. Ubrany w aksamitny wams w kolorze przytłumionej purpury. Niech ten kolor przyniesie ci szczęście — pomyślał Barnim. — Niech purpura da ci Szczecin, synu.

Ernest Ludwik wyminął Bogusława i stanął obok brata. Był niższy, smuklejszy, odziany w szmaragdową zieleń morskich traw. Drżały mu łydki.

— Po starszeństwie — oznajmił Zitzewitz, dając znak Janowi Fryderykowi.

Ten nie wahając się, sięgnął do czapki, szybko wyciągnął los i uniósł dłoń, trzymając go mocno. Ernest Ludwik wziął drugi, wziął to, co zostawił mu starszy brat i na znak kanclerza obaj rozwinęli papier.

— Szczecin! — krzyknął Jan Fryderyk. — Niech żyje Szczecin!

— Wołogoszcz — odczytał Ludwik Ernest, przełknął ślinę i powtórzył głośno: — Wołogoszcz.

Maria Saska chwyciła Barnima za rękę z radością. W jej oku zalśniły łzy radości. Przynajmniej ty jesteś dzisiaj szczęśliwa — pomyślał Barnim, gdy po uroczystościach zaczęli ucztować. — Będziesz miała najdroższego syna przy sobie.

Przeszły wszystkie możliwe toasty. Za Pomorze, za pomyślność, za każdego z braci osobno, za ich matkę, za Barnima, który tak wspaniałomyślnie oddał władzę młodszym. Nie uszło uwadze starego księcia, że Ernest Ludwik nie podziękował Bogusławowi, ani tam, podczas losowania, ani teraz, przy toastach, choć każda z okazji była równie odpowiednia.

Kanclerz Zitzewitz kuł żelazo, póki gorące:

— Rokowania małżeńskie czas zacząć — oznajmił i Barnim pomyślał o nim z podziwem. Pił każdy toast, do dna, po pomorsku, a wciąż był trzeźwy. Na szczęście Ernest Ludwik nie miał tak mocnej głowy, puścił mimo uszu zawołanie marszałka. Ale inni usłyszeli i poparli go.

— Prawda!

— Racja!

— Obejmując władzę, trzeba objąć i małżonkę — zaśmiał się tubalnie nieco podpity Schwerin.

— Najlepsze dwory stoją przed naszymi książętami otworem — dodał marszałek.

I wtedy Barnim zobaczył rozpacz w oczach Ernesta Ludwika. Bezmierną, ciemną, dziką i na szczęście, nieco pijaną. Widział też wycofanie i smutek Bogusława. Złość swego imiennika, młodego Barnima, pewnie teraz do niego docierało, że szczęście było tak blisko, o włos, wystarczyło, by Bogusław pominął kolejność braci i wskazał na niego. Widział dezorientację małego Kazimierza. I posągowego Jana Fryderyka. Wzrok starego księcia czasem płatał mu figle. Coś zamazywał, ukrywał, dodawał. Teraz ułożył dwie plamy za plecami Jana Fryderyka, jakby nowy książę szczeciński miał tam skrzydła. Młody Gryf — pomyślał Barnim i odkrył, że ten książę, od dziecka przeznaczony na władcę, jest jednak dla niego zagadką. Że tylko jego uczuć nie widzi i nie czyta.

— Wznoszę toast za Dom Gryfa — powiedział Barnim i uniósł kielich, choć sama woń wina boleśnie wykręcała mu żołądek.

— Za Dom Gryfa! — podchwycili biesiadujący.

Stary Barnim przesuwał spojrzeniem po każdym z młodych książąt. Widział ich wyraźnie, jak nigdy wcześniej. Przyłożył kielich do ust, przymknął oczy i pomyślał: Wszyscy musimy się dzisiaj poświęcić dla dynastii. Po czym wypił do dna.


Ślub Otylii i Ulricha urządzono w Dobrej, w rodowym zamku Dewitzów. Siostry sprawiły sobie na tę okazję nowe suknie. Czarne. Ulrich zaklinał, prosił, potem groził, mówił, że żałoba po matce dawno się skończyła, ale Dorota odparowała mu, że z dniem, w którym wybrał Otylię, ona wkroczyła w nową. A Sydonia odpowiedziała tylko, że czerń jest elegancka i dobrze jej w ciemnym. Jurga skwitował to chrząknięciem, a Ascanius śmiechem, którego długo nie umiał powstrzymać. Jost pokiwał głową i dodał, że bałby się podpaść siostrom, gdyby je miał. A potem powiedział jeszcze, że pamięta dobrze, czym sobie Otylia zaskarbiła ich względy, i dodał, że powinna dziękować, iż na jej wesele nie założyły klagbinde. Sydonia cieszyła się, że mają ich przy sobie: Jurgę, Ascaniusa i Josta. Bez nich ten dzień byłby nie do zniesienia. Po drodze, w powozie, Dorota z wypiekami na twarzy wymieniała Sydonii, co wyczytała w umowie przedślubnej.

— Berndt von Dewitz daje jej tysiąc pięćset guldenów posagu. Nie mogę tego przeżyć, siostro. Tysiąc-pięćset. Nam Ulrich żałował, a Dewitz ma sześć córek na wydaniu!

— Kto bogatemu zabroni — mruknęła niechętnie Sydonia.

— W umowie stało: tysiąc wypłaci w ciągu roku od pokładzin, a pięćset w kolejnym. Czyli — zaśmiała się złośliwie — jakby pokładzin nie było?…

— Siostro, mówisz o Ulrichu. Jest gotów wziąć Otylię do łoża, odkąd skończyła dwanaście lat — ta rozmowa nużyła Sydonię, ale Dorota nakręcała się z chwili na chwilę.

— Zapisali, że Dewitz ma wydać na wesele trzysta guldenów. Słyszysz mnie? Trzy-sta. Na stoły pójdzie trzydzieści owiec, cztery woły i dwieście kur. Dwieście! Do tego jeden fuder reńskiego wina i tyle samo naszego. Przecież tym upić można całe Pomorze.

— Nie można — spokojnie zareagowała Sydonia. — Pomorzanie mają mocne głowy. Nie zabraknie, ale zobaczysz, wiele nie zostanie. Na fuder wchodzą cztery beczki.

— Gdzie ty się tego nauczyłaś? W Wołogoszczy byłaś dwórką, czy kucharką?

Sydonia parsknęła:

— Ochmistrzyni najjaśniejszej pani miała donośny głos. Słyszałam, jak poucza służbę kuchenną.

— A! więc teraz mnie traktujesz jak służbę?

— Trzymaj się — przerwała jej Sydonia. — Wjeżdżamy na wzgórze Dewitzów, będzie stromo.

— Pamiętam, proszę pani — odgryzła się Dorota. Sydonia pocałowała ją w policzek.

Grzało jesienne słońce. Lśniły w nim drobne i żółte listki brzóz. Podmuch ciepłego wiatru zerwał je z gałęzi i spadały wokół nich, niczym płatki złota.

Nad okazałą bramą pysznił się herb Dewitzów: trzy złote puchary na czerwonym polu. Powitała ich matka Otylii, Ursula. Zaskoczona patrzyła na czerń ich sukien i niemal obmacywała wzrokiem plecy Doroty. Ta zaś dumnie wyciągała szyję w wysokim kołnierzu i, jak nauczyła ją Sydonia, lekko przekrzywiała głowę w prawo. Jeszcze nigdy nie wyglądała tak dobrze. Jurgę i Josta Ursula znała, ale Ascaniusa widziała po raz pierwszy. Młodzian prowokacyjnie założył włosy za uszy, odsłaniając ich nierówne położenie. Wszyscy widzieli, jak Ursula stara się nie patrzeć na jego lewe ucho, jak na twarz wychodzi jej zakłopotany rumieniec.

— Gdzie pan młody? — spytała niespokojnie po wymianie powitalnych formuł.

— Zaraz będzie — wyjaśnił Jost i dodał: — Kuzyn chce zrobić wrażenie na swej wybrance.

Już dołączył do nich Berndt von Dewitz, jego synowie i córki, młodsze siostry Otylii. Było ich z nią dziewięcioro, niezłe stadko, teraz ubrane odświętnie, na dziedzińcu swego wspaniałego zamku. Wybudował go ojciec Berndta, który studiował w Bolonii, zbił fortunę, podróżował po świecie i postawił siedzibę wzorowaną na zamkach italskich. Brukowany dziedziniec, dwa równoległe budynki zwane Domem Starym albo Północnym i Domem Nowym. Ten miał trzy kondygnacje i dwa skrzydła połączone krętymi klatkami schodowymi, nikt takich nie miał na Pomorzu. W Starym Domu mieścił się browar, stajnie, kuchnie, nad nimi duże, reprezentacyjne sale, a schody umieszczono w baszcie. Do tego po jednej „złotej komnacie" w każdym skrzydle, poznać je można było po wielkich, łukowato zakończonych oknach.

— Zamek w Strzmielu rozczaruje panienkę wychowaną w takim zbytku — szepnęła naprawdę cicho Dorota. — Nasze schody do łamania nóg, kominki, w których wyje wiatr i chluba Ulricha, wyszczerbione blanki jego ukochanej baszty. Mam nadzieję, że właśnie tam uwiją sobie gniazdko.

Jurga i jego synowie musieli myśleć o tym samym, bo stanęli za Sydonią i Dorotą murem, wyprostowali plecy, założyli ramiona na piersiach i dumnie unieśli głowy. W tej samej chwili usłyszano dęcie myśliwskich rogów. Odpowiedziały im trąby na zamkowej bramie i wściekłe szczekanie psów.

— Berndt, ucisz je — powiedziała podniesionym głosem Ursula.

Ale Berndt von Dewitz się śmiał.

— Goście jadą, musi być głośno! Córkę wydajemy za mąż!

Tętent koni wzmagał się z chwili na chwilę. Melodyjny i dziki śpiew rogów zagłuszało wycie i ujadanie psów.

— Berndt, błagam cię! — krzyknęła Ursula. — Wyją jak potępione, a nie jak na ślub!

— To brzmi jak najazd — zażartował ktoś z tyłu.

Na dziedziniec wjechał galopem Jacob von Stettin z chorągwią, na której łopotały dwa czerwone wilki, za nim oddział konnych ubranych w jednakowe, żółte stroje. Na ich czele, w purpurze i błękicie, Ulrich von Bork. Osadzili konie w miejscu. Parskały gniewnie, toczyły pianę, tak, Ulrich umiał zajeździć nawet najlepsze wierzchowce. Zeskoczył z wysokiego siodła.

— Nie wierzę — wyszeptała Dorota.

A jednak tak było: ich brat był ubrany w polski strój. Błękitny żupan z wzorzystego jedwabiu, długi za kolano, dopasowany w talii, a na nim purpurowa, aksamitna delia z rozciętymi rękawami i ciemnym, futrzanym kołnierzem. Wąskie spodnie wpuścił w miękkie safianowe buty. Zgolił brodę i teraz długie, ciemne wąsy drapieżnie znaczyły mu twarz. Na głowie miał kołpak ramowany futrem i zdobiony nie czaplim piórem, a srebrną broszą w kształcie orlego skrzydła. Gdy go zdjął do powitania, okazało się, że wysoko podgolił łeb.

— A niech mnie — powiedział zaskoczony Berndt. — A niech mnie.

— Gdzie narzeczona? — krzyknął Ulrich wesoło, opierając lewą rękę o zdobną rękojeść polskiej szabli.

— Nie może się doczekać — Berndt objął ramieniem plecy Ulricha i poprowadził do wejścia. Zatrzymał się na chwilę, odsunął, kolejny raz obejrzał przyszłego zięcia, pokręcił głową z uznaniem i dodał: — Otylia zemdleje z wrażenia, ale, co mówić? Nie będzie dzisiaj tak strojna, jak ty!

Ulrich śmiał się, błyskając zębami spod sterczących, długich wąsów. Jego junkrowie uformowali szereg i szli za nim, jak oddział, który zamykał Jacob von Stettin z chorągwią.

— Będzie ją brał pod skaczącymi wilkami? — powiedziała Dorota z przekąsem.

— Jost nie zgoliłby włosów, no wiesz — mruknął do Sydonii Ascanius Bork. — Myślisz, że twój brat zrobił to, by udowodnić pannie młodej, że wszystko ma na swoim miejscu?

— Myślę, że planował to przedstawienie od dawna — odpowiedziała Sydonia. — Jego wams w ostatnim roku wydłużał się z każdą wizytą u krawca, by dzisiaj zamienić się w żupan.

Jak wyczytała Dorota w wykradzionej Ulrichowi umowie, obie strony zobowiązywały się, że zaproszą nie więcej, niż dwudziestu krewnych, ci, wraz z członkami rodzin, dali niemal czterystu gości. Zamek Dewitzów pomieścił wszystkich.

Zjawili się tłumnie Wedlowie, z różnych gałęzi rodu, Zygmunt, Bastian, Wedige, którego niedawno tak nachalnie swatał Sydonii Ulrich. Był i wyniosły Lupold, radca dworu, i jego matka Anna, przyrodnia siostra Borków. Z nią przywitały się serdecznie. Byli i Borkowie z Pęzina, Maćko i Henryk, z żonami. I zapatrzony w Ulricha Messige, ten, który mu świadkował podczas umów spadkowych, i wuj Kristofer Schwichelt. Był hrabia Nowogardu Ludwik Eberstein, Ostenowie, kilku Rohrów, z których wywodzi się Ursula, Putkamerowie i nawet Ewald von Flemming. Sydonia zamrugała, widząc go, bo wydał jej się postacią z innego świata, odległego i dalekiego. Ale był tu, patrzył na nią przez długość sali, swoim lekko zezującym spojrzeniem, przypominając jej, że rok i dwa temu widywali się na wołogoskim zamku. Poczuła się speszona. Serce zabiło panicznie w klatce gorsetu. Na szczęście była obok niej Dorota, która po raz pierwszy w życiu święciła dzień tryumfu. Sydonia skupiła się na siostrze. Otoczyli je kuzyni Wedlowie i ci Wedlowie, z którymi nie były spokrewnione. Dorota śmiała się z nimi, bawiła ich swym kąśliwym dowcipem.

— Panny von Bork i wielu Wedlów — Jost zjawił się nagle przy nich.

Sydonii zaschło w ustach. Tak powiedział na Trzech Króli Ernest Ludwik. Uczucie osaczenia wróciło do niej w jednej chwili.

— Dobrze się bawisz? — spytał kuzyn.

— Duszno mi — przyznała.

— To chodź, przejdźmy się. Jest piękny wieczór.

Na dziedzińcu świętowała służba. Stoły ustawiono ciasno, by zrobić miejsce na tańce. W zapadającym zmierzchu jaskrawo odbijały się żółte długie żupany jeźdźców Ulricha.

— Chciał zrobić wrażenie i zrobił — skwitował Jost.

— Co chce udowodnić? — spytała zmęczona.

— Że jest Borkiem? — odpowiedział pytaniem kuzyn i ucichł, by po chwili się rozpędzić: — Kimś więcej niż wszyscy, niż jego weselni goście, ta szlachta pomorska, którą ubierając się z polska, niemal wyzwał od Niemców. Ach! — westchnął, jakby zaklął. Dodał spokojniej: — Sądzę, że Ulrich od jakiegoś czasu chce przywołać pamięć o dawnej potędze, o pierwszym, słowiańskim rodzie księstwa, przypomnieć, kim kiedyś byli Borkowie.

— Kim już nie są — poprawiła go Sydonia.

— Tak sądzisz? — spytał ją kpiąco Jost.

— Przestań, patrz na żółte żupany. Mógłby te pieniądze wydać na remont zamku. Wszystko tam się sypie.

— Wiem, nie myśl o tym teraz. To jego zmartwienie, pana dziedzica. Jak ci się podobało ślubowanie brata?

— Na śmierć i życie — zadrwiła. — Gdyby nie to, że jej nie lubię, to bym jej chyba współczuła.

— O wilku mowa. Kłopoty nadchodzą — wziął ją mocniej pod ramię Jost.

Państwo młodzi wyszli z zamku i od razu ich dostrzegli. Jakże dziwnie razem wyglądali. On, wysoki, smukły, czarny i ona, drobna i jasna. Jego podgolona głowa i drapieżne wąsy, jej misternie upięte loki. Jego długi błękitny żupan z mnóstwem zdobionych guzów, pyszna, purpurowa delia, z odrzuconymi na boki rękawami i jej skromny strój panny młodej, z wysokim kołnierzykiem zakończonym riuszką, z pomorskim fartuszkiem dopiętym do przodu spódnicy. Jego kołpak ze srebrnym ptasim skrzydłem i jej czepek mężatki, owszem, wyszyty perełkami, z jedwabną taśmą, ale mimo to niepokaźny. On wołał: oto jestem, ona szeptała: należę do ciebie.

— Wszędzie cię szukamy — Ulrich błysnął okiem do Sydonii. — Gdzie Dorota?

— Z Wedlami — odpowiedziała.

— Pójdziesz po nią? — spytał Josta, ale jego głos zabrzmiał jak rozkaz.

— Do usług, panie młody — ukłonił się kuzyn i po chwili wrócił z ich siostrą.

— Zostawię was samych — powiedział, a Sydonia pomyślała, że jest nadzwyczaj domyślny.

— Moja panna młoda chce wam coś powiedzieć — oznajmił Ulrich. W jego głosie zabrzmiała duma. Czy to najszczęśliwszy dzień w jego życiu? — zapytała sama siebie Sydonia.

— Słuchamy — wyniośle skinęła głową Dorota.

Otylia spuściła głowę, zakłopotana i wyszeptała do swoich stóp:

— Chciałabym was przeprosić. Ciebie, Doroto. Za tamte słowa, z zaręczyn. Ja... byłam taka młoda... ja... — wciąż wpatrywała się w zamkowy bruk — ...bałam się — głos jej uwiązł w gardle. Ulrich łagodnie ścisnął jej dłoń, owiniętą niczym pęd delikatnej rośliny wokół jego ramienia. — Bałam się garbu — wyszeptała. — Jak wtedy cię zobaczyłam, Doroto. Myślałam, że to jest dziedziczne... i że, jeśli wyjdę za Ulricha, to nasze dzieci... chyba mnie rozumiesz? — spytała kamieni pod swoimi stopami. — Ale Ulrich — uniosła głowę i spojrzała na niego, jak kotka, którą podrapano pod brodą — wyjaśnił mi, że to od wypadku, jaki miałaś w dzieciństwie. A potem upewniłam się jeszcze u doktora Hogenberga — teraz spojrzała na Sydonię, przypominając sekret, który je łączył — i on potwierdził, że takich rzeczy się nie dziedziczy, i zrozumiałam, jaki popełniłam błąd. Przyjmujesz przeprosiny?

Ulrich patrzył na nią jak pan na psa, który przynosi na polowaniu kaczkę, bo tak go wytresowano. Rozpierała go duma z Otylii. Dorota przyjęła jej przeprosiny i z niekłamaną wdzięcznością spojrzała na brata. Sydonia pomyślała, że Otylia jest jak pnącze, które rozsadziło cmentarny mur z kamienia.

— Sprawa załatwiona. Wracajmy do naszych gości — powiedział Ulrich i gestem małżonka poprowadził Otylię na górę.

— Owijaj się wokół jego lewego ramienia — szepnęła do jej ucha Sydonia, gdy zrównały się na schodach. — Jest dłuższe. Od wypadku, który miał w dzieciństwie.


Weselna uczta kipiała muzyką, wymyślnymi potrawami i winem. Reńskie, zakontraktowane w umowie, skończyło się o północy. Służba zaczęła wnosić krajowe, na zmianę z dzbanami piwa, bo pragnienie doskwierało gościom. Woliński Bukinger, mocne szczecińskie i jasne z Kołobrzegu, lały się strumieniami.

— Ulrich się sprawił. Wrażenie zrobił piorunujące! — zawołał gospodarz.

— Borkowi przystoi więcej. Hrabia Eberstein tak by się nie wystroił — dorzucił któryś z Wedlów. Ten nie usłyszał i perorował z kielichem w dłoni:

— I oto znowu razem! — wołał Ludwik von Eberstein. — Borkowie z Dewitzami, jak przed dwustu laty, połączyli siły!

— Hej, hej, hrabio! — chyżo powstał naprzeciw niemu młodziutki Wedige. — Borkowie z Dewitzami i Ebersteinami ruszyli wtedy na wojnę z nami! Wedlami!

Po sali gruchnęła salwa śmiechu.

— Wtedy to było! — przytaknęli liczni tu Wedlowie.

— Wtedy to było! — odpowiedzieli im Borkowie, wstając.

— Zaraz, zaraz! — Ludwik von Eberstein był niezatapialny, choć do kielicha lał mu sam Berndt von Dewitz. — Ale później Wedlowie byli z nami, kiedyśmy walczyli o biskupstwo dla mego dziada, Ludwika II.

— Przeciwko władzy! — wyrwał się Ulrich, a jego czarne wąsy stanęły niemal na sztorc. — Przeciw księciu Bogusławowi Wielkiemu, jego mać, Dziesiątemu!

Oto on — pomyślała gorzko Sydonia. — Bork, wieczny buntownik. To go cieszy, tym się chełpi, jak inni nasi przodkowie, od zarania dziejów, od pokoleń. Piekielny Dziki Ród. Przeklęte dziedzictwo.

— Dobra jest Dobra — zaśmiał się gospodarz i wyciągając rękę, próbował uspokoić Ulricha. — Raz przeciw księciu, raz z księciem. — Przecież ten zamek udzielił schronienia naszemu panu, Bogusławowi Wielkiemu, jak z dwiema setkami rycerzy uciekał przed wojskiem margrabiego Albrechta Achillesa. Te mury go kryły! Ach! — zmęczył się na chwilę pokrzykiwaniem. — Dobrze, że nam Albrecht Achilles nie spalił Dobrej — zarechotał, ta gra słów nieodmiennie go bawiła. — Jak wam Krzyżacy z dymem Strzmiele puścili — zaczepił Ulricha von Bork. — W odwecie za tego tam, komtura, co go wasz Maćko porwał.

— Na pohybel Krzyżakom, komturom, Brandenburczykom i wszystkim! — ponuro wyrwał się Ulrich. — I za chwałę mego przodka, Maćka Borka, buntownika! Banity!

— Tak się bawi Pomorze! — zawołał ojciec panny młodej i zamiast polewać hrabiemu Nowogardu prosto z dzbana wlał sobie w gardło.

— Chryste — szepnęła do nich Anna von Wedel z domu Bork, choć nie musiała ściszać głosu w tym tumulcie. — Jeśli zaczną kolejkę pomorskich łyków, uciekajcie za mną. Przeżyłam takich wesel dużo, tylko dlatego, że wiem, kiedy zniknąć, siostry.

Do komnaty weselnej weszło trzech mężczyzn w barwach hrabiego Ebersteina. Podeszli do niego, wyczekali, aż spocznie i jeden z nich dłuższą chwilę szeptał mu na ucho.

— A to dobre! — zakrzyknął Eberstein, klepnął junkra w ramię i zawołał do gości: — My się bawimy tutaj, na prześwietnym weselu

Borka i Dewitzówny, a książęta skończyli bawić się w losowanie. Ja odmówiłem przybycia, tłumacząc się waszym ślubem, wy tak samo, przyjdzie czas, pojedziemy przed nowym zgiąć kolano. A co wczoraj wylosowano w Alte Stettin?

— Na moim ślubie mów: Szczecin — wstał nagle Ulrich. — Ludwiku, wiem, że potrafisz — dorzucił z uśmiechem, który był nieodparty.

— Powiem — pijany hrabia Eberstein chwiał się nad stołem — Szczecin. I co mi zrobisz?

— Pochwalę — uśmiechnął się Ulrich, choć uwodzicielskość tegoż mogły docenić wyłącznie kobiety. Reszta gości zbyt wiele wlała w siebie.

— No więc, mój junkier właśnie wrócił ze Szcze-ci-na — popisał się hrabia. — I… e, niech sam powie, ja jestem pijany. Winny, ale krajowym się sprawiłem — zarechotał i padł na krzesło.

— Stary książę Barnim abdykował, książę Bogusław zrzekł się władzy. Jan Fryderyk wylosował Szczecin, a Ernest Ludwik Wolgast. Wołogoszcz — poprawił się pod spojrzeniem Ulricha zdający raport junkier.

Zapadła cisza.

— A to się porobiło — powiedział Berndt von Dewitz i zachwiał się.

Hrabia Eberstein zachrapał odchylony na wysokim krześle.

Jego słowo od tej chwili nic nie znaczy — chłodno pomyślała Sydonia. — Koniec. Stało się. Mogłam, nie wzięłam. Nie ugięłam się. Jestem z niczym.

— Słowo się rzekło — powiedział Ulrich, wstając zza stołu. Jego pijani goście usłyszeli to, albo i nie. Kiwali głowami, wyciągali szyje jak gęsi. Ulrich utkwił drapieżne spojrzenie w Sydonii. — Ja swoim nie szafuję. Daję je raz na zawsze.

Chwycił siedzącą obok Otylię za ramiona, uniósł ją, lekko, jakby nic nie ważyła.

— Oto moja żona, nowa pani na Wilczym Gnieździe, od teraz: Otylia von Bork. — Potrząsnął nią i posadził z powrotem. Otylia wyprostowała się godnie. Ulrich stał dalej. Szeroko rozłożył ramiona, oparł się nimi o stół i spuścił głowę, ale tylko na chwilę. Kosmyk ciemnych włosów spadł mu na oko. Podniósł głowę i dorzucił: — Ja i moja pani jesteśmy gotowi na pokładziny. Żegnaj, siostro.

# Rozdział III

# Ostre powietrze

*Księstwo Pomorskie, Strzmiele, rok 1569*

Była późna jesień, niskie, popołudniowe słońce. Tafla jeziora lśniła w nim, niczym płynne złoto. Przy brzegu unosiły się na powierzchni drobne listki brzóz.

Sydonia wyszła z wody, trzęsąc się z zimna. Mokre, rude włosy przerzuciła na lewą łopatkę.

— Okryj się — powiedziała Dorota, szczękając zębami, i zarzuciła jej na ramiona płaszcz.

Niespokojnie odwróciła się w stronę lasu, dodając szybko:

— Mamy szczęście, że nikt nas nie widział. Pospiesz się.

Sydonia wytarła zaczerwieniony nos i mocno owinęła się płaszczem. Dorota pochyliła się do kosza, wyjęła z niego ręcznik, a potem przytuliła się do siostry na chwilę, jakby chciała ją tym gestem ogrzać.

— No, wytrzyj włosy, bo się przeziębisz — powiedziała z troską. Sydonia nie wzięła ręcznika, było jej tak zimno, że wolała nie wyciągać ręki spod płaszcza. Dorota sama zaczęła osuszać jej włosy, mówiąc przy tym bez ustanku:

— To już nie dla mnie. Jeszcze parę lat temu, jak byłyśmy młodsze, zanim wyjechałaś na dwór, ale teraz już nie. Wolę suknie, które wymyśliłaś, przynoszą większy efekt niż te kąpiele. Cieplej ci?

Sydonia zawinęła włosy w ręcznik, otarła kroplę wody, która skapnęła jej z podbródka.

— Nie — odezwała się wreszcie.

Dorota podała jej koszulę, Sydonia odwinęła się z płaszcza i z trudem zaczęła wciągać ją na mokrą skórę. Siostra patrzyła na nią chciwie, zwłaszcza na plecy. Nie opanowała się i dotknęła łopatki Sydonii.

— Ale tobie pomaga! — zawołała z podziwem. — Nic, nic nie widać.

— Wolałabym zanurzyć się w morzu. Nasze jezioro już mi nie wystarcza — usunęła się spod jej dłoni Sydonia i zawiązała koszulę pod szyją.

— Opowiedz jeszcze raz, jak byliście nad morzem — poprosiła Dorota, podając jej suknię.

— Wiał wiatr — zaczęła powtarzaną po raz kolejny historię. — Gryfonik szczekał, bał się fal. Książę Kazimierz przeciwnie, biegał po wodzie, moczył buty. Hen, w dali, leżała na plaży przewrócona do góry dnem rybacka łódź. Jan Fryderyk galopował konno w tę i z powrotem, rozbryzgiwał fale.

— Galopował? — przerywa jej Dorota. — A ostatnio mówiłaś, że konie zostały w tym obozie na wydmach, w tym, co były stoły i ławy, i posiłek…

— Przepraszam, pamięć płata mi figle. Tyle się zdarzyło ostatnio.

— Nic takiego. Przypomnij mi, jak byli ubrani. Jak panny, jak służba i jak książę Jan Fryderyk.

— Zimno mi, może kiedy indziej ci opowiem?

— Mogłabym tego słuchać godzinami — zaśmiała się Dorota, pomagając jej zawiązać suknię. — Ale prawda, na nas już czas, ja kuśtykam powoli, a słońce zaraz zajdzie. Dzisiaj takie ostre powietrze. Myślisz, że dałabym radę zejść po takiej wydmie?

— Tak — nie chciała jej odbierać nadziei Sydonia. Zarzuciła płaszcz i ruszyły ścieżką, w stronę zamku. Nim jezioro zupełnie zniknęło za drzewami, Sydonia przystanęła i odwróciła się, by na nie spojrzeć.

— Nie rób tak — żachnęła się Dorota. — To, jakbyś chciała spojrzeć na nie po raz ostatni.

— Kto wie — odpowiedziała Sydonia. — Metteke już pewnie spakowała nasze kufry.

— Nigdy nie wyjeżdżałam z domu — powiedziała głucho Dorota. — No wiesz, tak naprawdę.

Po wystawnym weselu w Dobrej Ulrich uroczyście wprowadził żonę do Strzmiela i ogłosił panią na Wilczym Gnieździe. Otylia rzuciła im spod czepka mężatki tryumfujące spojrzenie. I zaczęła rządy w ich rodzinnym domu.

Nie minął miesiąc, a stary zamek okazał się dla nich wszystkich za mały. Nie potrafiły żyć pod jednym dachem. Ona stała się panią komnat, w których się urodziły, władała ludźmi, którzy służyli im od dziecka, i zajęła przy stole miejsce, które jeszcze niedawno należało do ich matki. Przysługiwało jej prawem małżeństwa, ale dla Sydonii i Doroty to było nie do zniesienia. Może gdyby Ulrich poślubił kogoś innego? Ale to była Otylia von Dewitz.

Wniosła Ulrichowi posag zbyt mały, by zamienić Strzmiele w siedzibę na miarę zamku w Dobrej, ale zachowywała się tak, jakby to było możliwe. Nosiła głowę wysoko, jak księżna, brakowało jej tylko dwórek. I na to bratowa znalazła sposób: szybko ściągnęła jakieś uboższe kuzynki i otoczyła się nimi jak własnym fraucymerem. Oczywiście, traktowała je lepiej, niż Dorotę i Sydonię. Na każdym kroku dawała odczuć siostrom, że pozycja mężatki znaczy więcej niż panny. Że pani Bork to lepiej niż panna Bork. Miała rację, tak był urządzony świat, w którym wszystkie żyły.

Ulrich, rzecz jasna, brał stronę żony. Niczego poza nią nie widział, nieba by jej przychylił. Jacob Stettin, jego upiorny paź, uprzykrzał siostrom życie na każdym kroku. A służba? Bała się Ulricha. Gdy Sydonia chciała przejechać się konno, stajenny mnąc w rękach czapkę, wybąkał, że pan nie pozwolił dawać koni.

Postawiły się bratu. Zażądały wypłaty sum spadkowych, dał każdej po pięćdziesiąt z należnych pięciuset talarów. Obiecał, że reszta trafi do nich wkrótce. Kazały wypłacić sobie pieniądze na utrzymanie, powiedział, że skarbiec pusty, wykosztował się na ślub z Otylią. W sukurs przyszła im Anna, starsza, przyrodnia siostra. Otworzyła ramiona i drzwi zamku w Krępcewie, zapraszając je do siebie serdecznie. Załadowały skrzynie, kufry i ruszyły w drogę. Sydonia zabrała ze sobą kłódkę od zamkowej baszty. Dlaczego? Dobrze, że nikt nie zauważył i nie pytał. Choć Otylia orzekłaby, że po to, by uprzykrzyć im życie. Sydonia miała gdzieś zdanie Otylii. Ulrich dał konie na podróż i stangreta, a bratowa szybko kazała za nimi zamknąć bramy zamku. W bagażu podróżnym Sydonia wiozła list od ochmistrzyni dworu z Wołogoszczy.

„Dalsza obecność panny Sydonii von Bork na dworze jaśnie pani księżnej Marii nie jest konieczna. Jego wysokość książę Ernest Ludwik powoła dwór kobiecy dopiero po zaślubinach książęcej małżonki".

Znała już kolejność słów na pamięć. Czytała z nich złośliwe niuanse. Czy „dwór kobiecy po zaślubinach książęcej małżonki" to tylko zgryźliwość wobec niej, czy też przestroga i dla Ernesta Ludwika? Po wielokroć wyobrażała sobie, co wydarzyło się na dworze podczas jej nieobecności. Jak przebiegła rozmowa księcia z matką? On płakał i prosił? Czy płakała i prosiła ona? Byli sami, czy też Saska Lwica wezwała na pomoc starego Barnima? Wreszcie, kto wpadł na szatański pomysł abdykacji księcia Szczecina i pominięcia Bogusława w dziedziczeniu? Niemal widzi jego bladą, poważną twarz. Uczony książę, który podczas dworskich zabaw, podobnie jak księżniczka Amelia, stawał się niewidzialny, teraz naprawdę się takim stał. A Ernest Ludwik? Jak zareagował na ten dar? Pamięta, jak mówił z drwiną, że on nie dziedziczy. Czy to była nagroda za rezygnację z szalonego planu małżeństwa z nią? Kazali mu coś podpisać? Chyba nie… bo to byłoby równoznaczne z zapisaniem jej imienia. Poznała Saską Lwicę. Ta kobieta jest mistrzynią wykluczenia. Nie pozwoliłaby sobie na to, by na piśmie została pamiątka po takiej Sydonii von Bork. Kto na dworze jest wtajemniczony? Ochmistrzyni, która wysłała jej list? Zitzewitz? Którzy z braci Gryfitów?

Dwa lata temu wydawało jej się, że list wzywający do domu jest wybawieniem przed potrzaskiem, w jakim się znalazła na wołogoskim dworze. Jakże niewiele wówczas wiedziała. Dopiero teraz, z Otylią i Ulrichem w Strzmielu, z Dorotą przy boku, zdana na uprzejmość krewnych, była w matni.

„Najlepiej byłoby wydać was za mąż" — powtarzały ciotki Wedlowe. — „Ulrich wypłaci wam posagi i pójdziecie na swoje". Póki co, nie spłacił nawet sum testamentowych. I nie wysyłał pieniędzy na życie, choć to było zapisane w umowie. Na szczęście, goszczono je chętnie, w Krępcewie, Chociwlu, Krzywnicy, Dzwonowie. Mogły przebierać w zaproszeniach od krewnych, jakby ci chcieli mieć je u siebie na złość Ulrichowi. Czemuż się dziwić? Córy głównej gałęzi rodu, tych Borków, co przez dziesiątki lat pysznili się swym Wilczym Gniazdem i starym pochodzeniem, oto one, zdane na łaskę pomniejszych krewnych.

Przyjmowały tę łaskawość i gościnność z pokorą, jakiej uprzednio nie znały.

Każda z ciotek miała służące, zręczne i wprawne. W mig reperowały im suknie. Przeszywały, wydłużały, zwężały, dodawały nowe obszycia rękawom, krochmaliły i bieliły kryzy. Metteke szybko uczyła się naprawiania zniszczonej odzieży. Wcześniej nie musiała tego robić, ale nastały nowe czasy i każda z nich wiedziała, że nie będą lepsze. Dorota starała się widzieć jasno to, co już było ciemne. Gdy Sydonia traciła sens życia, a w tamtym czasie były dni, gdy nie widziała go wcale, Dorota wynajdywała dla niej choćby okruchy sensu, wymyślała cele, by pomóc siostrze wstać z łóżka o poranku. Na przykład wołała:

— Wielkanoc była w Krępcewie, lato spędźmy w Chociwlu!

I nie pozwalała Sydonii na opór. Już wzywała Metteke, pakowały kufry, rano całowały na pożegnanie przyrodnią siostrę Annę, by wieczorem wpaść w ramiona innej ciotki Wedlowej — Korduli. A te ramiona zaiste były ogromne! Kordula to postawna dama. W podobnym do nich wieku, choć ciotka, i jako mężatkę otaczał ją nimb matrony, dodający lat zwłaszcza na prowincji. Nie miała dzieci, więc każdy przyjazd Doroty i Sydonii traktowała jak święto. Do tego wszelkie sąsiadki schodziły się w jej obszernym dworze, jakby Kordula była pszczołą matką, a jej znajome, krewne i krewnych znajome — pszczołami pomocnicami, które znoszą plotki do ula. Siedząc w świetlicy jej dworzyska, można było poczuć się jak na dowolnym dworze, szczecińskim, czy wołogoskim. A nawet jak w siedzibie marchijskich rodów, nie mówiąc o pomorskich. Każda gdzieś miała rodzinę, znajomych, sąsiadów i każda skądś przynosiła nowiny. Sydonia i Dorota musiały za wyborną gościnę zapłacić opowieścią o zaślubinach Ulricha i Otylii w Dobrej, życiu na wołogoskim dworze, fajerwerkach w ogrodach zamkowych i przyjęciu z okazji wizyty pary meklemburskiej oraz osobno, o sukniach księżnej Elżbiety. W świetlicy Korduli upływ czasu nie był przeszkodą w opowiadaniu historii. Kobiety, które tam się spotykały, nie potrzebowały relacji z najnowszej chwili, potrzebowały nieustannego snucia opowieści o życiu. Dla Sydonii szum ich słów, przetykany refrenem stukotu kołowrotków, był obojętny, tak jak ona w tamtym okresie była obojętna życiu. Z czasem Dorota przejęła jej opowieść „o prześwietnym dworze w Wolgast". Słuchaczkom nie robiło różnicy, a Sydonii dawało ulgę, że nie musiała być bohaterką tej historii. Zwłaszcza, że miała własną opowieść, tajemną, tylko dla siebie samej. I z dnia na dzień, z uwagi na pogarszającą się sytuację sióstr, ta jej prawdziwa opowieść stawała się coraz bardziej nie do opowiedzenia.

Przebudzenie z letargu nastąpiło nagle, niemal wbrew woli Sydonii. Do Chociwla przybyła matka Korduli, Małgorzata. Rzutka, głośna kobieta. Z pochodzenia Borkówna, z którejś z licznych, odległych gałęzi rodu; po mężu, Danielu, Wedlowa.

I któregoś wieczoru opowiedziała o procesie, który bratanica jej męża wytoczyła swym krewnym o spadek.

— Miała umowę spadkową — powiedziała matka Korduli i uśmiechnęła się chytrze. — I, o czym nie wiedzieli krewni, pokwitowania każdej kwoty, którą jej wypłacili. Przedstawiła je w sądzie, podliczono, było za mało, Sąd Nadworny orzekł, że winni jej są z odsetkami i tak w majestacie księcia odzyskała, co się jej należało.

Sydonia zrozumiała w jednej chwili, że prawo jest po ich stronie. I że należy pozbyć się skrupułów, zapomnieć o dumie „wielkiego rodu" i wyegzekwować je, skoro Ulrich nie zamierza dotrzymać umowy.

— Zapłacili? — upewniła się Dorota, a oczy jej zabłysły.

— Zapłacili — kiwnęła głową Małgorzata i zaśmiała się przebiegle. — Idzie taki, pięknie odstrojony w Szczecinie ulicą Małą Tumską, kłaniają mu się z lewa, z prawa, on się uśmiecha, hoho, taki jest sławny. A nagle zza węgła wyjeżdża nieostrożny stangret, koń dziki, błoto głębokie, prask! I na pana szlachetnie urodzonego czarnym tłustym błotem chlapnęło, poprawiło łajnem, bo koń się ze strachu zesrał. I pospólstwo w śmiech, w ryk, dobrze się pośmiać z takiego, co nosa zadziera. A odczyścić gównianą plamę niełatwo.

— Mamo — Kordula udaje, że rani ją ostry język matki, a przecież policzki drżą jej od tłumionej schadenfreude.

— Dla szlachetnie urodzonego słowo musi być droższe od pieniędzy — kwituje Małgorzata.

Ulrich zapłaci nam za to — myśli w tamtej chwili Sydonia i już wie, co robić.


Książę Barnim usunął się ze szczecińskiego zamku po abdykacji, ale nie za daleko. W pobliskim Grabowie kazał sobie odszykować Oderburg, zamek odrzański. Z jego wieży widać było Szczecin, jak na dłoni, w przeszłości, gdy żyła księżna Anna, mieli tu letnią rezydencję. Chłód od rzeki, ogrody, spokój od zgiełku miasta. Wreszcie nie musiał swych narzędzi trzymać wciśniętych w kąt gabinetu, tylko polecił sobie zrobić osobny gabinet snycerski. Strużyny lipowego drewna, dłuta, ostrzałki, piły. Przychodził tu o poranku, gdy dopisywało światło i pracował nad dziełem, które sobie wymarzył: kościelnym ołtarzem, osobistą wykładnią nowego, kościelnego porządku. Kto, jak nie on, skoro przywiódł naukę Lutra do swego księstwa? Przemyśliwał wynalazki z użyciem mechaniki, na studiach nie miał na nią dość czasu, tam królowała teologia, filozofia i retoryka, teraz był dość stary, by móc robić, co zechce. Oderburg otwierał przed nim nowe możliwości, przed reformą Kościoła była tu kartuzja, a wśród pomieszczeń klasztornych warsztaty, czyli laboratoria. Przebudowując klasztor na zamkową rezydencję, zachować się ich nie dało, ale już wtedy Barnim kazał zanotować i naszkicować wygląd laboratorium, a wszelkie instrumenta pochować w kufrach. Teraz sobie takie laboratorium rekonstruował i z podziwem myślał, że kartuzi nie byli w ciemię bici.

Na początek samodzielnych rządów Jana Fryderyka w Szczecinie, otoczył go kilkoma ze swych wybitnych radców. Niektórych zaś, jak Laurentiusa, pozostawił w podwójnej roli: był i kanclerzem Jana Fryderyka, i starym kanclerzem Barnima. Dzięki nim, swoim dawnym zaufanym, Barnim wciąż wiedział, co dzieje się na dworze i co ważniejsze, sam pozostając niewidocznym, pomagał młodemu księciu kształtować politykę Pomorza. Jan Fryderyk o rady nie prosił, ale ich potrzebował. Czasy były niespokojne.

Zitzewitz, wołogoski kanclerz, porzucił służbę u boku Ernesta Ludwika. Oficjalnie z powodów rodzinnych, a prywatnie wyznał Barnimowi i Laurentiusowi, że książę jest chimeryczny, drażliwy i odporny na dobre rady.

— Jedną przyjął — ujął się za Ernestem Ludwikiem Barnim i Zitzewitz nie mógł zaprzeczyć. Spojrzał jednak na księcia tym jastrzębim wzrokiem, potem wzruszył szczupłymi ramionami, jakby składał i rozkładał skrzydła. I dodał z lekceważeniem:

— Żeby takie coś zaważyć mogło na szczęściu naszego księstwa. Władcy mogą być chutliwi, ale tylko wtedy, gdy to nie wpływa na ich decyzje. Że też księciu Ernestowi Ludwikowi nie wystarczyła kawalerska podróż. Mógł sobie pofolgować na boku...

— Z tą panną? — przerwał mu zgryźliwie Barnim i na szczupłe policzki Zitzewitza wyszedł rumieniec.

— Nie — zaprzeczył. — Zagalopowałem się, proszę o wybaczenie. To byłby koniec świata.

— Albo początek — odpowiedział ponuro Barnim i więcej do tego nie wracali.

Zitzewitz wymówiwszy służbę w Wołogoszczy, natychmiast znalazł się na szczecińskim dworze. Jan Fryderyk przyjął go, ale urzędu kanclerskiego nie dał. Podwoił pensję, dodał należytych apanaży, uhonorował starego dyplomatę i na niemłode barki dołożył obowiązków.

Jakie to ciekawe — myślał z boku Barnim. — Jak zaczynałem książęce rządy, skłóciłem się z Zitzewitzem, ten odszedł na dwór Filipa, do Wołogoszczy, a teraz stamtąd ucieka od Ernesta Ludwika. Pomorze na tym zyska, to pewne. Zitzewitz jest wart każdych pieniędzy, ale czy problem tkwi w książętach, z którymi nie chce pracować, czy w nim i jego ambicjach?

Sprawa małżeństw obu książąt: Jana Fryderyka i Ernesta Ludwika została podjęta natychmiast po przejęciu przez nich władzy. Nie wszyscy byli wtajemniczeni w kulisy, ale każdy z radców dworu rozumiał powagę. Książęce małżonki to sojusze, a w tamtej chwili, szczęśliwym zbiegiem okoliczności, można było dwa sojusze zawrzeć niemal jednocześnie. Zitzewitz zaangażował się w to zajęcie, jak w każde inne — rzeczowo i całym sobą, choć, co zauważał Barnim, bezdusznie. Wiedząc, w czym rzecz leży, od razu oznajmił, że Ernestowi Ludwikowi trzeba znaleźć najpiękniejszą partię, a Janowi Fryderykowi najmocniejszą. W tym duchu wybór był oczywisty — książę Szczecina musi związać się z marchią.

— Hohenzollerówny nie dają nam dzieci — oświadczyła stanowczo Saska Lwica i dodała, by nikt nie miał wątpliwości, jak dobrze jest zorientowana: — Z wiadomych powodów. Chcą jak najszybciej doprowadzić do przejęcia Pomorza. Te stare układy!

— Owszem — powiedział Zitzewitz. — Ale dzięki najjaśniejszej pani, w obecnych czasach to wręcz niemożliwe. Gdyby małżeństwo Jana Fryderyka zawiodło w kwestii następców, mamy ich pod dostatkiem. Dziedziczyć po Janie Fryderyku mogą jego młodsi bracia, a potem ich potomstwo. W sprawie następstwa jesteśmy bezpieczni.

Saska Lwica była ukontentowana odpowiedzią, Barnim też, ale poczuł niepokój. Ukłucie w sercu, potem strach, że ta nadmierna pewność może wieść do zguby.

— Możemy sobie pozwolić na brandenburską narzeczoną — perorował Zitzewitz o marchii i związaniu jej polityki, nagięciu jej do interesów pomorskich, a Barnim czuł, jak kołacze mu serce, aż wreszcie zrozumiał: jestem stary i dlatego niechętny odważnym decyzjom. Dobrze, że oddałem władzę młodym.

Tamtego dnia postanowiono wysłać swaty do Hohenzollernów, prosząc o rękę elektorskiej wnuczki, Erdmuty. Dla Ernesta Ludwika Zitzewitz i jego agenci znaleźli istną perełkę z Brunszwiku: księżniczka Zofia na przesłanym przez jej dwór portrecie wyglądała tak ślicznie, że szkliły się oczy. A księstwo Brunszwiku było naturalnym partnerem Pomorza.

— I, od czasu mariażu z Domem Jagiellonów, wyniesione! — powtarzał Zitzewitz. — W kwestii Jagiellonów: mam kolejny koncept — dodał, a ciemne oczy mu lśniły. — Śmiały, owszem, wymagający pewnych poświęceń, ale przynoszący Pomorzu zysków niewyobrażalną ilość.

— Słuchamy — powiedział Barnim.

— Została na Wawelu ostatnia z panien, królewna Anna — zaczął i przekrzywił głowę. — Nie najmłodsza…

— A nawet stara — bezwzględnie ucięła jego zapał Saska Lwica. — Komu byś chciał wcisnąć czterdziestosiedmioletnią pannę? — Zacisnęła upierścienione dłonie nie jak dama, ale w pięści, jak matka broniąca synów.

— Księciu Barnimowi Młodszemu — odpowiedział nieustraszony Zitzewitz. — Owszem, jest dwadzieścia lat od niego starsza, ale zważywszy na naturę księcia…

A to lis — pomyślał z uznaniem Barnim o Zitzewitzu. I jednocześnie o swym imienniku, młodym księciu, o jego, rozpoznawalnej dla niektórych, skłonności.

— To jest warte rozpatrzenia — natychmiast poparł dawnego kanclerza. — I warte każdych poświęceń.

— Ośmielę się przypomnieć coś mało optymistycznego — odezwał się Laurentius. — Ukłony Pomorza wobec Rzeczpospolitej Jagiellonów, a wcześniej piastowskiej Korony, nigdy nic konkretnego nam nie przyniosły, oczywiście, poza cudowną Anną Jagiellonką, żoną księcia Bogusława Wielkiego, która urodziła następców, gdy topór wisiał nad głową. Ja nie mogę oprzeć się wrażeniu, wybaczcie, że my tu na Pomorzu, jesteśmy z Wawelu niewidzialni.

— Cechą mężów jest nieustannie próbować — mruknął poruszony, tym co powiedział Laurentius, Barnim.

— To mi przyświeca! — zakrzyknął Zitzewitz. — Mieć Jagiellonkę w rodzinie, to stawia nas w zupełnie nowym położeniu.

— Ależ ona nie da mu dzieci! — ogniście zaprotestowała Maria.

— Dzięki tobie, nie musi — powiedział Barnim to, co myślał Zitzewitz.

Ustalono, że hrabia Nowogardu, Ludwik von Eberstein, podejmie rozmowy z Wawelem. Umowy przedślubne z Hohenzollernami i Brunszwikiem podpisano niezwłocznie i przy głosie trąb zwycięskich. O związanej z tym drobnej niedogodności samych zainteresowanych poinformowano po fakcie. Ich narzeczone były jeszcze dziećmi. Nie miały lat dziesięciu. Ernest Ludwik wściekł się, Jana Fryderyk przyjął to obojętnie, mówiąc tylko:

— Ważne, że sojusze, tak potrzebne księstwu, mamy sfinalizowane. Na żony możemy poczekać.

Panna Jagiellonka miała lat czterdzieści siedem, panicz Barnim dwadzieścia, tu czekanie nie było wskazane, ale rozmowy trudne, wszak to Wawel, a król Zygmunt August słynie z odwlekania decyzji. Tym niemniej podjęto wyzwanie.


A po nim nastały kolejne; każde następne było coraz bardziej ekscytujące, a za wszystkimi stał Zitzewitz. Jego zainteresowanie wojną o Inflanty i zaangażowanie w pożyczkę domu bankowego Loitzów na flotę wojenną Jagiellona, przyniosło Szczecinowi niespodziewany splendor. Oto bowiem stolica Pomorza stać miała się gospodarzem kongresu pokojowego, jakiego nie widziano. W gościnnych progach miasta zakończy się siedmioletnia wojna inflancka.

Szczecin kipiał. Na moście Kłodnym terkotały koła wozów, wiozących z Łasztowni to, co przypłynęło w ładowniach statków. Meble, krzesła, dziesiątki krzeseł i opatulone jak niemowlęta lustra. Jechały i drobne towary z przystani odrzańskich, z cumujących tam mniejszych jednostek. Traktem lądowym zwożono piasek, zaprawę. Na Dolnym Wiku wrzała praca w książęcej cegielni. Trzeba było przebudować, rozbudować, powiększyć. A potem upiększyć, dodać splendoru, podnieść książęce miasto, choć czasu było niewiele.

— Wojna mocarstw o Bałtyk, ale pokój szczeciński — powtarzał Zitzewitz, który dwoił się i troił, by Szczecin olśnił gości kongresu. A tych zapowiadało się wielu.

W imieniu Królestwa Szwecji wystąpić miał kanclerz z doradcami. Królestwo Danii zapowiadało pięciu posłów, choć jeszcze nie podano, kto na czele delegacji. Rzeczpospolitą Obojga Narodów reprezentować miał, rzecz jasna, słynny Marcin Kromer. Hanzę obaj burmistrzowie Lubeki, z radcami. A cesarza Maksymiliana Habsburga spora delegacja, na czele której stanąć miał ni mniej, ni więcej, tylko książę szczeciński Jan Fryderyk. Oczywiście, załatwił to Zitzewitz. On sam, jak i Laurentius i inni panowie pomorscy weszli w skład delegacji cesarskiej, a cesarz w tej wojnie nie był stroną, lecz pośrednikiem między zwaśnionymi. Oto kwintesencja i ukoronowanie neutralnej polityki Pomorza: zawsze po stronie pokoju.

Dzięki Laurentiusowi książę Barnim każdego dnia miał sprawozdanie.

— Zitzewitz chce olśnić — opowiadał, gdy późnym wieczorem siedzieli przy kominku w Oderburgu. — Osobiście obejrzał każdą z kwater gości i orzekł, że jest zbyt prześnie.

— A było? — spytał Barnim.

— Było — uczciwe potwierdził Laurentius. — Może prześnie to przesada, do której skłonność ma nasz Zitzewitz, ale skromnie. Zatem posłał służbę do swoich dworów, kazał ściągnąć gobeliny, meble, obrazy, zastawę i wszystko to ustawić na kwaterach gości.

— Zależy mu — kiwnął głową Barnim.

— Zależy.

— Jan Fryderyk mu nie pomaga? — zaniepokoił się stary książę.

— Pomaga, ale zdaniem Zitzewitza, nie dość się angażuje. Książę odgryza się, że to Zitzewitz chciał kongresu w Szczecinie i nadwyrężył pomorski skarbiec, dawny kanclerz ripostuje, że z własnego daje bez umiaru.

— Kłócą się?

— Jeśli uda im się spotkać, owszem. Jan Fryderyk usuwa się, robi miejsce Zitzewitzowi, wyjeżdża, poluje.

— Nie powinien. Przemów mu do rozsądku.

— Staram się — zapewnił Laurentius. — Ale problemy się mnożą. Dwie główne delegacje jeszcze nie przybyły. Cesarska i...

— Niech zgadnę. Polska?

— Owszem — potwierdził Laurentius. — Zygmunt August ma swoje powody, by przeciągać rozpoczęcie obrad. Jego kaperzy wciąż polują na moskiewskich i chcą przed kongresem zdobyć dowody na tajną współpracę Duńczyków z Moskwą.

— Do licha — ciężko westchnął Barnim. — Zły prognostyk na początek wielkiego kongresu. Aleśmy czasów doczekali, co, stary przyjacielu? Ruszysz jedną cegłę w murze, a wiekowa budowla może runąć. Wystarczyło, że rozpadł się mały i niewiele już znaczący zakon kawalerów mieczowych, a Moskwa zyskała realny dostęp do Bałtyku. Kto by przypuszczał, że na naszym morzu zrobi się tak gorąco i niebezpiecznie?

— Jagiellon to przewidział, ale ocknął się za późno — przypomniał Laurentius. — Wawel wiedział, Wawel krzyczał, że Moskwa za nic ma tytuły prawne, co Iwan Groźny siłą weźmie, to jego.

— Pamiętam — podrapał się po brodzie Barnim. — Czytałem jego list. Wawel słał to na wszystkie dwory, a myśmy myśleli, że Moskwa daleko. Zygmunt August pisał, że Moskwa chapnęła port w Narwie i otworzyła imperium carów na świat. Groził, że Narwą popłyną flotylle z zachodu, by dostarczyć zacofanej Rosji towary, rzemieślników, proch i broń, i że tej broni car użyje w wojnie z Rzeczpospolitą.

— Przesada, mówiliśmy, nie zaprzeczę — z goryczą potwierdził kanclerz. — Zresztą, Jagiellon to potęga, kto by tam współczuł wielkiemu monarsze. Po części wina spoczywa i na nas, na każdym mieście Hanzy. Mateczka Lubeka tylko czekała, by wypuścić swe statki na wschód, po towar, po zysk. I futra, które tak kochamy, a których Moskwa ma w nadmiarze.

— Przestań — żachnął się Barnim — mam zdjąć szubę?

Laurentius zostawił to pytanie bez odpowiedzi.

— To, że Dania i Polska sprzymierzyły się w tej wojnie, od początku było wbrew logice — podjął Barnim po chwili. Niewielu widziało tę sprzeczność z taką ostrością, jak on. Dwór Gryfitów zawsze musiał manewrować między dwoma wielkimi sąsiadami.

— O tak — Laurentius poruszył zesztywniałymi barkami. — Dania chciała pognębić Szwecję, Polska Moskwę. Ta wspólnota interesów była krucha, chwiejna i słaba. A do tego mateczka Hanza, która cierpiała na każdym dniu blokady.

— Nie ona jedna — przypomniał Barnim. — Zza ramienia Hanzy wygląda i Francja, i Anglia. Świat niecierpliwie oczekuje uspokojenia dróg handlowych.

— Mogę o coś spytać, mój książę? — przerwał tok myśli Barnima Laurentius.

— Pytaj, najwyżej ci nie odpowiem — zaśmiał się książę.

— Czy myślisz teraz o tym, co by było, gdybyśmy zerwali z tradycją neutralności Pomorza, jak nie wprost, ale i nie raz, sugerował Zitzewitz?

— Myślę o tym, że nawet potężny Jagiellon potrzebował pożyczki naszych Loitzów, by zacząć budować flotę wojenną — powiedział

Barnim. — A także o tym, że zrobił to za późno, bo wojna już trwała. Chcę przez to powiedzieć, że nawet jeśli dusza wyrywa mi się do wojny, to rozum podpowiada, że do takich rzeczy nie można przygotować się na ostatnią chwilę. Ja jestem już stary, mój następca jeszcze nie jest gotowy. Zatem, odpowiadając na twoje pytanie, tak, myślę o tym nieustannie. I moja odpowiedź wciąż jest taka sama: jedyne, co nam pozostaje, to neutralność i rola mediatorów. Z niej musimy wywiązać się najlepiej. Godzić przeciwieństwa, to nasze posłanie i przekleństwo.

Milczeli chwilę. Kanclerz pił wino, Barnim tylko patrzył w ogień.

— Na moich oczach rozpadał się stary porządek i formował nowy świat — powiedział Barnim w zamyśleniu. — To znak, że naprawdę jestem wiekowy. Miałem w tym swój udział, gdy jako student poszedłem słuchać Marcina Lutra, a potem, pod wpływem jego nauk, mogłem wprowadzić reformę Kościoła w swoim księstwie. I wiesz, stary druhu, na koniec dnia, to wydaje mi się najważniejsze.

— A pamiętasz, mój panie, jak niderlandzcy kupcy mówili, że w prądach morskich wreszcie zwyciężą północne? Wszyscy myśleli, że to przechwałki żeglarzy, wiadomo, do tego są pierwsi. Ale mieli rację, krok po kroku wielkie morza zamieniły się rolami. Kolebką narodów od zawsze było Morze Śródziemne, przez wieki tamtędy wiodły główne szlaki, stamtąd wypłynęli wielcy odkrywcy...

— A potem się okazało, jak pracowite i zdolne są ludy Północy i jaką mają żyłkę do handlu — wtrącił Barnim, a jego kanclerz się rozochocił:

— Ho, ho! I że bogactwa Północy płynące Bałtykiem, to nie zbytki, które można mieć, ale można też ich sobie odmówić, lecz że to fundamenty, na których buduje się potęgi: zboże i drewno. Człowiek musi mieć chleb i dach nad głową.

— Ty o chlebie — żartobliwie skarcił go Barnim — a ja o Marcinie Lutrze. I wiesz co? Gdyby nie reformator z Wittenbergii, nie rozpadłby się zakon kawalerów mieczowych.

— Moskwa nie weszłaby na nasz Bałtyk i nie byłoby kongresu pokojowego w Szczecinie — zaśmiał się Laurentius.

— Zatem, jeśli kongres się uda, to będzie zwycięstwo naszego Zitzewitza? — przerwał mu Barnim.

— Bez wątpienia. Ale jeszcze większe księstwa, Szczecina i Jana Fryderyka. Nie wątpię, że dawny kanclerz nad swe zasługi przedłoży miejsce, które powinien zająć w szeregu.

— Dobrze — powiedział Barnim. I pożegnał kanclerza. Potem siedział w półmroku, patrzył w dogasający ogień i myślał o tym, że gdy do stołu zasiadają zwaśnione strony o nierównych siłach, to jedynie najsłabszym chodzi o pokój.


Sydonia zabrała się do Szczecina z Joachimem von Wedlem mężem Korduli. Dorota też chciała jechać, lecz Joachim oznajmił, że ma tylko jedno wolne miejsce w powozie. Nie był zadowolony z towarzystwa, tym bardziej, jak powtarzał przed wyjazdem, ciążyło mu towarzystwo panny, którą trzeba się zajmować w drodze w sposób szczególny. Udobruchał się dopiero na koniec wspólnej podróży, gdy dowiodła, że nie potrzebuje specjalnego traktowania i że nie trzeba jej zabawiać rozmową. Milczała, odkąd wyjechali z Chociwla, a gdy powóz zbliżał się do Szczecina, on sam zaczął szukać okazji do wygadania się.

— Pewnie się panna Sydonia dziwi, tym groblom i zmyślnym mostom.

Nie dziwiła się, patrzyła po prostu. Szczecin wydawał się opleciony siecią wód. Rzeczek, kanałów, strumieni, rozlewisk, podmokłych łąk, na których kołysały się łagodnie trawy wodne.

— Groble usypano dawno, a niektóre z łączących je mostów są ruchome! — uniósł głos z dumą, jakby sam je budował, i dalej objaśniał jej świat ochoczo. — Zaraz wjedziemy na Wielką Kamienną Groblę, a z niej to już prosto na most Długi i przywita nas miasto. Rzeka Odra ma niezliczoną ilość dopływów. Parnica, Regalica Mała i Wielka, a między nimi bagniska — paluchem pokazywał na to, co widziała. — A do tego ręką ludzką wykopane niezliczone kanały, tak dla ryby, jak małej żeglugi zdatne. Wszystko to zbiega się w Zalewie Świeżym, a on dopiero łączy się z Bałtykiem. Dzięki temu miastu nie grożą powodzie, a woda, która je opływa, jest krystalicznie czysta.

Patrzyła na jeden z tych bocznych kanałów, pokryty kożuchem żółtawego nalotu, wydzielający woń rozkładających się ryb i wciąż nic nie mówiła. Joachim ledwie go zauważył, bo pewnie z powodu smrodu odwrócił głowę i zmienił temat.

— Ziemia wokół miasta jest żyzna, daje pszenicę, jęczmień, żyto i wszelkie ziarno, które w nią zasieją, wyda plon obfity.

Tak, widziała łany zbóż, mijali je w drodze.

— Na zboczach wzgórz za miastem rozpościerają się sady i winnice, na niżej położonych łąkach wypasa się bydło, a ryby, ach, ryb jest pod dostatkiem, bo Zalew Świeży, jezioro Dąbie i Odra to istne skarbnice gatunków. Minóg, sandacz, okoń, miętus, jesiotr, sum, lin, węgorz, ale powiem między nami, że mnie smakuje i flądra.

Rajski Ogród — pomyślała znużona Sydonia i wreszcie dostrzegła rozłożone nad Odrą miasto. Wysmukłe wieże kościołów, dachy, dziesiątki, setki dachów kamienic i domów. I mury szczecińskiego zamku. Uniosła się nieco na twardej ławce powozu, wyciągnęła głowę, Joachim tylko na to czekał, by jej, pannie ze Strzmiela, wyjaśnić. Przekrzywił głowę, oblizał wargi i niemal się uśmiechnął:

— Panna pierwszy raz widzi Szczecin? No to proszę — wyciągnął palec, musiała się uchylić, żeby jej oka nie wybił — wieża kolegiaty Mariackiej i wieża kościoła Świętego Jakuba, tam Święty Mikołaj, a to zamek. Robi wrażenie, jak się pierwszy raz te cuda zobaczy.

— Za drugim razem również — odpowiedziała uprzejmie i dodała, wskazując brodą na odległe, ale widoczne Grabowo: — Byłam z dworem księżnej Marii na zamku w Oderburgu. Na wielkim balu z maskami, w zapusty.

Klapnął na ławkę, niezadowolony.

Gdy koła powozu zaturkotały na miejskim bruku, wokół nich zrobiło się ciasno. Ciżba ludzka, mnogość konnych, wozów, ujadające psy, pokrzykiwania ludzi.

— Tłumy na kongres ściągnęły, trzeba sakiewek pilnować — klepnął się po udzie. — Ja, jak mówiłem, od jutra jestem zajęty, kanclerz wezwał nas, radców, żebyśmy mądrym słowem i doświadczeniem służyli w tym czasie, dla Pomorza tak ważnym — znów zaczął się nadymać. Sydonia wciąż odganiała od siebie natrętną myśl — jak wytrzymuje z nim Kordula? Czy wychodząc za takiego Joachima von Wedla, na pewno zyskała coś, czego brakuje niezamężnym?

— Pannie do kancelarii książęcej to trzeba będzie do Dworu Opata, to ja potem pokażę jak i którędy, ale głowy nie daję, że w czasie kongresu panna Sydonia coś załatwi. Teraz cały Szczecin żyje tylko spotkaniem posłów — zatarł dłonie, jak mucha odnóża i wydał się Sydonii jeszcze bardziej odrażający. — Zatrzymamy się w moim domu, dół oddałem panu Zitzewitzowi dla posłów szwedzkich króla Jana, ale górę kazałem trzymać wolną, dla siebie. Dla panny służki też miejsce się znajdzie, w izbie mojej służby.

— To nie będzie konieczne — odezwała się wreszcie. — Nie będę nadużywać pana Joachima gościnności. Zaprosili mnie Brockhausenowie.

— Nie może być! — zaoponował.

— Wspominałam pani Korduli, pokazywałam list od Barbary von Brockhausen, oczekują mnie.

— Hm — mruknął. — Dziwne, żona mi nie powiedziała?

— To było w dzień wyjazdu pańskiej teściowej — przypomniała Sydonia.

— Ach tak. Dlatego mi umknęło. No to zawieziemy pannę na Wielką Tumską, do Brockhausenów. Muszę dopilnować, żeby tam wszystko było jak należy. Kordula by mi nie darowała, gdyby coś — Joachim wyraźnie stracił rezon.


Barbara von Brockhausen w oczach Sydonii była uosobieniem Szczecina. Sprawiała wrażenie damy wrośniętej w tkankę miasta, jakby się z nim nie rozstawała, jakby bez niego istnieć nie mogła. Z najwyższą niechęcią wspominała pierwsze lata po urodzeniu syna, Clausa, gdy mąż zmusił ją do pobytu w dobrach rodowych w Gostyniu.

— Banicja — mówiła, zamykając oczy. — Mówię ci, Sroczko, banicja.

Sydonię rozbawiło przezwisko, które wymyśliła na poczekaniu, gdy spojrzała na suknię Sydonii, czarną, z pasami połyskliwego ciemnego fioletu na spódnicy i białą kryzą pod szyją.

— Nigdy więcej rodzenia dzieci i wyjazdów na wieś. To nie dla mnie. Oczywiście, jemu o tym nie powiem.

„On", czyli pan Brockhausen należał do szanowanej rodziny od lat związanej ze szczecińskim dworem. Ochmistrzowie, marszałkowie nadworni, radcy księcia, to byli małżonka rodowcy. „Blisko dworu" mogłoby być dewizą jego żony, gdyby było w zwyczaju, że zwykłe kobiety je miewają. Sydonia przyglądająca się życiu dam wiedziała, że nie brzmiałyby jak książęce: „Wyczekuję godzin", „Naprzód z radością", „Dla prawa i ludzi", tylko prościej: „Więcej dzieci", „Jedwabi i pereł", „Dobrego męża i dworu". Jej własna? Przyjdzie czas i ją wypowie.

— Czy ci pokażę, jak trafić do kancelarii książęcej? Sroczko, ja cię tam wprowadzę! Z radością. Teraz miasto jest niespokojne, buzuje jak piwo w kadzi, ach, powiem ci, na każdym kroku możesz spotkać dyplomatę! Szwedzcy noszą rozdwojone brody, ponoć taką miał ten ich szalony, zdetronizowany król Eryk, widziałam portrecik, jak czart był przystojny — drży i lśnią jej oczy. Sydonia patrzy na nią z przyjemnością, jak na egzotyczną roślinę i myśli: chciałabym mieć taki apetyt na życie, jak Barbara Brockhausen.

— Wiesz, że związał się z dziewczyną z ludu? — ścisza głos, choć są w bawialni same. — Skandal był na całe królestwo, trzy albo i cztery córki z nią spłodził.

Gdy mówi „skandal", niemal mlaszcze, jakby jadła coś nadzwyczaj smacznego.

— Chcę zamówić epitafium dla matki — zaczyna Sydonia, a Barbara kończy:

— Czyli potrzebujesz malarza. Znam trzech. Dwóch z nich pracuje dla dworu, doskonali, ale kosztowni. Trzeci zaś nic nie gorszy, ale pracownie ma na przedmieściach i sama rozumiesz. O ile musisz zaoszczędzić, bo może stać cię i na tych dworskich? A zresztą, nawet jeśli stać cię na nich, po co przepłacać? Skoro jesteś w stolicy, powinnaś odwiedzić krawca, koniecznie. Twoja suknia dobra, nic jej nie brakuje, ale...

Barbara mówi i mówi, wysnuwa z jednego zdania trzy kolejne, jakby dzieliła nić na wątki. Sydonia przez kurtuazję pyta, co u syna, gospodyni przez grzeczność poświęca mu zdanie:

— Claus studiuje na Uniwersytecie Gryfijskim. Skończył czternaście lat, czas najwyższy.

Sydonia wie, że skończył szesnaście, ale o tym nie wspomina. To nie jej syn, lecz Barbary.

— Studia kosztują fortunę — dodaje po chwili gospodyni. — Ponoć w Rostocku taniej wychodzi stancja, ale co Greifswald, to Greifswald. Nasza Gryfia, Academia Gryphica, mój mąż nie zasnąłby, gdyby syn nie skończył pomorskiej uczelni, i mówi, że z odsetek od kapitału u Loitzów zapłaci za to, ile będzie trzeba. Szkoda tylko, że Claus nie załapał się na studia z żadnym z naszych książąt. Kazimierz jeszcze za młody.

Na wspomnienie najmłodszego z Gryfitów Sydonia czuje tęsknotę, jak za małym bratem. Nagle przychodzi jej do głowy myśl, co by było, gdyby to Ulrich był w wieku Kazimierza. I szybko się z tej myśli wycofuje: daliby im opiekuna, póki nawet najmłodszy brat nie osiągnął wieku męskiego. A potem byłoby to, co teraz: Sąd Nadworny w Szczecinie. Nawet z maleńkich Borków wyrastają panowie na Wilczym Gnieździe.

Nazajutrz Barbara jest odświętnie ubrana. Jej wersja pomorskiej sukni nie ma w sobie wiele wspólnego ze skromnym strojem matron. Owszem, fartuszek na spódnicy, ale z jedwabiu. Partlet zakrywający

szczelnie dekolt sukni i szyję z tafty o barwie cielistej, wyszytej drob-
nymi, połyskliwymi kamieniami, który przyciąga wzrok bardziej, niż
gdyby pani Brockhausenowa wystąpiła z odkrytą piersią. Na włosach
czepeczek zalotnie odchylony do tyłu, odkrywający jasne włosy, gładko
przyczesane.

— Skromny, co? — mówi, przekrzywiając głowę.

Nieskromny, ale przecież ona nie czeka na odpowiedź.

Powóz już stoi.

— Największy ścisk dzisiaj na Rynku Siennym i Panieńskiej, ale
nam tamtędy nie trzeba — informuje panią stangret.

— Trudno — wzdycha Barbara von Brockhausen. — Jedź Panieńską.

Szybciej byłoby pieszo — orientuje się Sydonia w połowie drogi
i oczywiście, zachowuje to dla siebie, pilnie śledząc, którędy jadą.

— Widzisz? — pokazuje jej Barbara, niemal kładąc się na ramieniu
Sydonii — to posłowie Hanzy. Idą do gospody zajętej przez posłów
duńskich, to tutaj, na Kuśnierskiej.

Sydonia ciekawie ogląda niewysokich, skromnie ubranych mężczyzn i konstatuje:

— Czyli będą dogadywać się na boku, poza głównymi salami obrad.

— To mnie akurat nie ciekawi — mówi Barbara i przepatruje
tłum. — Patrz! Ci dwaj, to burmistrzowie Lubeki. A tamci z przodu
i dwaj, nie, czekaj, trzej z tyłu, to ich siepacze. Strach pomyśleć, co by
było, gdyby spotkać ich w zaułku sam na sam.

W jej głosie znów ta drżąca ekscytacja. Skąd Barbara zna wszystkich? Sydonia nie pyta, pozwala mówić gospodyni i pomija fakt, że
burmistrzowie Lubeki poruszają się na własnych nogach. Gdy tylko
mijają Rynek Sienny, na uliczkach robi się nieco swobodniej. Dom
Opata jest nim już tylko z nazwy, na pamiątkę dawnego właściciela,
opata kołbackich cystersów. Stoi w pobliżu Bramy Passawskiej, niemal
oparty o mur miejski, na wyniesieniu zwanym Psią Górą, i tej nazwy
Barbara nie umie wyjaśnić.

— Na pewno jest stara — oznajmia, a Sydonia orientuje się, że w jej
ustach oznacza to coś nieciekawego. Chyba jednak Barbara nie umie się
pogodzić z porażką, bo po chwili dodaje, śmiejąc się: — Za to ulica,
którą podjeżdżaliśmy, nazywa się Różana, a sama czułaś, jak śmierdzi!
Te nazwy — macha dłonią. — Myślałby kto, że przy Kuśnierskiej mieszkają sami kuśnierze. A przecież sam Zitzewitz ma tam swą kwaterę!

Powóz staje przed wysokim, górującym nad kwartałem kamienic, Domem Opata i Barbara fuka:

— Nic nie zobaczyłyśmy! Miałam nadzieję złowić pana Dancay, z delegacji francuskiej. Raz go widziałam pod Świętym Jakubem, mówię ci, Sroczko, ależ miał koronki. Na szczęście, kongres nie skończy się szybko. Jeszcze ci go pokażę. Muszę przyjrzeć się francuskim butom, bo wtedy je przeoczyłam.

— Skąd wiesz, że kongres potrwa długo? — pyta Sydonia.

— Od niego — odpowiada pani Barbara krótko. On, to wiadomo, pan mąż, Brockhausen.

W kancelarii Sądu Nadwornego przyjmuje je notariusz. Przedstawia się jako Elias Pauli. Jest rozkojarzony, młody, przeprasza, mówiąc:

— Moje pierwsze dni służby w sądzie. Wszystkich doświadczonych pisarzy porwał kanclerz Zitzewitz.

— Były kanclerz — poprawia go Barbara bez złośliwości, odruchowo.

— Tak jest — płoszy młodzieńca.

W tej samej chwili do pokoju notariuszy wchodzi hrabia Ludwik von Eberstein. Sydonia zamiera. Ostatni raz widzieli się na weselu Ulricha i nie wątpi, że Eberstein wie, co stało się potem. Barbara ożywa. On wita je obie wylewnie, ale Sydonię obrzuca uważnym spojrzeniem. Brockhausenowa oplata go grą słów, Eberstein z początku szamoce się w gąszczu jej pytań, jak ryba złowiona w sieć, próbuje wracać do Sydonii, ale po chwili nie może wzroku oderwać od zakrytego i upojnie niestosownego dekoltu pani Brockhausen.

— Pół domu oddałem posłom szwedzkim — mówi. — Potrzeba chwili! I przywiozłem do Szczecina Wolfganga. Zna pani mego kuzyna, pana na Maszewie?

Oczywiście, tylko z widzenia i słyszenia, i to od Sydonii, ale tego akurat nie wyjawia Brockhausenowa. Gdyby były same, już dodałaby, że młodszy kuzyn jest „w typie posłów szwedzkich", co w oczach Barbary znaczyło: piekielnie przystojny.

Eberstein nawet nie czuje, że ona całą rozmowę kieruje na Wolfganga, aż wreszcie zaprasza panią Brockhausen, naturalnie z małżonkiem, na kolację do swego domu.

— Jesteśmy niemal sąsiadami — dodaje. — Wolfgang będzie zachwycony.

— Mój mąż również — mówi Barbara — nawet jeśli nie zdąży z zebrania radców dworu. Pan hrabia dzisiaj nie musi być na spotkaniu? — upewnia się.

— Nie — w głosie Ebersteina brzmi nuta wyższości.

— Zatem proponuję nasz powóz — przejmuje stery Barbara. — W tym ścisku nierozsądnie byłoby jechać na dwa.

— Urodzona z pani gospodyni — je z jej ręki Eberstein, wciąż sądząc, że to on wymyślił przebieg wieczoru.

— To ruszajmy! — oznajmia Barbara i wychodzi. W progu przypomina sobie o Sydonii. Odwraca się pytająco.

— Dziękuję — odpowiada Sydonia. — Załatwię swoje sprawy i sama wrócę do domu. Życzę udanej kolacji.


Sydonia rozkoszuje się długim wieczorem u schyłku lata i początku jesieni. Już nie siłuje się dzień z nocą, już wygrał zmierzch. Bez trudu rozpoznaje drogę. Gdy po wejściu do domu Brockhausenów zdejmuje rękawiczki, w mroku sieni wpada na Barbarę.

— Wyobraź sobie, Sroczko, największą sensację tego dnia — mówi podekscytowana gospodyni. Służka zdejmuje jej lekki płaszczyk z ramion, co znaczy, że też dopiero wróciła. — Dzisiaj przybyła delegacja cesarza Maksymiliana!

— Sądziłam, że już są w mieście, skoro trwa kongres — mówi Sydonia, oddając rękawiczki służącej.

— Nie, spóźnili się! Ale najlepsze jest to, że witał ich Zitzewitz, a nie książę Jan Fryderyk! Co za afront ze strony naszego pana, nieprawdaż? Nie zdążył wrócić z polowania. Przyjechał do miasta po uroczystości — śmieje się pełną piersią Barbara. — Przedłożył łowy nad posłów cesarskich! Ma tupet, nasz książę! — w jej głosie dźwięczy niekłamany podziw. — Niektórzy mówią, że to spóźnienie jest małą zemstą księcia na Zitzewitzu, no wiesz, za to, że obu dziedzicom wyszukał tak młode narzeczone. Dzieci! — fuka Barbara radośnie.

— Najważniejsze, że zabezpieczył sojusze księstwa, na żony mogą poczekać — mówi Sydonia, poprawiając włosy niesfornie wymykające się z upięcia. Barbara mruży oczy, przygląda się jej badawczo.

— Wydawało mi się, że miałaś dzisiaj warkocze — mówi, robiąc palcem zgrabny łuk nad głową, jakby pokazywała poprzednią fryzurę Sydonii. Jak twoje sprawy?

— Dobrze — odpowiada Sydonia. — Dzięki twojej pomocy zaczęły się dobrze.

Książę Barnim zjawił się na kilku przyjęciach i uroczystym rozpoczęciu obrad, ale wszystko to razem było ponad jego siły. Dziwił się, że Zitzewitz znosi tę pracę od rana do nocy tak dobrze. Byli w podobnym wieku, a dawny kanclerz dwoił się i troił, sprawiając wrażenie, że jest w kilku miejscach jednocześnie. Barnim wolał obserwować kongres oczami Laurentiusa, choć, po prawdzie, nie on jeden był jego uchem i okiem.

Polacy przybyli ostatni. Spóźnieni o dwa miesiące. Pod ich nieobecność plotkowano w gospodach, że Zygmunt August przyśle delegację nie dla skrojenia, lecz sprucia pokoju. Coś było na rzeczy, bo gdy wreszcie się zjawili, zaczęli od rozmów z każdą ze stron na boku, a potem na wspólnym posiedzeniu w ratuszu wnieśli, by łacina była językiem kongresu, a nie, przyjęty wcześniej, niemiecki. Przegłosowano ich; nawet wysłannik francuski zgadzał się na język większości. Ten zresztą przesadnie pilnował, by rwące się z dnia na dzień nadzieje na pokój podtrzymać.

— Czy wszyscy, poza Polakami, uważają, że pokój równa się wznowieniu handlu z Moskwą? — spytał Barnim w trzecim miesiącu trwania kongresu w Szczecinie.

Laurentius w odpowiedzi rozłożył ręce. Od przyjazdu posłów polskich zjazd pokojowy zamienił się w stan wojenny. Szwedzi byli wprost załamani ofertą, jaką mieli dla nich Polacy, choć Jagiellon mienił się przyjacielem i obrońcą swego szwagra, Jana, na szwedzkim tronie. Duńczycy też odrzucili skierowane do nich twarde stanowisko Jagiellona. Marcin Kromer przypuścił szturm na księcia Jana Fryderyka, jako głowę pośredniczącej między stronami delegacji cesarskiej.

— Nasz książę poradził sobie — pochwalił go przed Barnimem Laurentius. — A gdy stawał pod ścianą, w sukurs przychodził mu Zitzewitz.

— Nie nazbyt nachalnie? — spytał Barnim.

— Ostrożnie, bo taka jest główna wytyczna Habsburga.

— Czyli wielki projekt kanclerza Zitzewitza, do którego pozyskał najmożniejszych tego świata, okazuje się porażką? — spytał po chwili i sam dla siebie skonstatował, że klęska Zitzewitza go nie cieszy, lecz boli.

— Stary jastrząb nie poddaje się łatwo, podziwiam — powiedział Laurentius. — Chyba postawił sobie za punkt honoru, że Szczecin ma się kojarzyć delegatom z sukcesem. Kazał nawieźć win z własnych piwnic, bo trunków już brakowało. Wozy z wiktuałami też przysłano z jego posiadłości. I stwierdził, że skoro nie można znaleźć porozumienia między wszystkimi, sukcesem będą osobne traktaty.

— Co mówisz? — nie dowierzał Barnim.

— Uparł się, że kongres pokojowy ma się udać, i dopiął swego — zaśmiał się Laurentius. — Zitzewitz nam wszystkim dał lekcję. Krążył między stronami, aż wypracował porozumienie między Danią a Szwecją, Szwecją i Hanzą oraz między Szwecją i naszą, cesarską delegacją.

— A co z Polską? Jagiellon nie ustąpił ani na krok?

— Nie ustąpił, a dziwne, skoro jego ludzie siedli do negocjacji. Za nic nie chciał się dzielić wpływami na Inflantach, bo dla niego to przyczółek do oparcia się Moskwie. My rozumiemy jego racje, więcej, my się z nim co do istoty, zgadzamy. Ale co zrobić? Nikt nie lubi Polaków. Pewni swego, przekonani o własnej racji i gniewni, gdy się z nimi nie zgodzisz. Przez cały kongres gadano o posłach polskich, że na dwóch stołkach siedzą i ledwie co nie spadli z obu, mogli stracić i Danię, i Szwecję. Tymczasem Kromer, który przewodniczył polskiej delegacji, przebił osobne traktaty Zitzewitza i zaproponował formułę protestu.

— Formuła protestu — gorzko, ale z niejakim podziwem, skomentował Barnim. — Pierwsze słyszę.

— Nie ty jeden, mój książę — zaśmiał się kanclerz. — Polacy mogli wyjechać przed podpisaniem traktatów, bo z żadnym się nie zgadzali. Lecz zamiast tego, wybrali oficjalny protest, opatrzony ich podpisami pod każdym z porozumień. Zatem, jeśli Hanza i Szwecja zapisały w traktacie, że król Jan daje statkom lubeckim wolną drogę dla żeglugi do Narwy, Kromer kazał podpisać „bez zgody polskiego króla", tym samym dowodząc, że Liga Hanzeatycka i Królestwo Szwedzkie zgadzają się na polski protest.

— I Jagiellon zostawił sobie wolną rękę na przyszłość w sprawie Inflant i Narwy, rozumiem — pokiwał głową Barnim. — Posłowie rozjadą się do swych królów, odtrąbią własne zwycięstwa i porażkę Rzeczpospolitej, która ze Szczecina wyjechała z niczym, a Jagiellon zbierze siły, zbuduje za pożyczkę Loitzów flotyllę i zacznie drugą wojnę.

— Tak uważa Zitzewitz, ale nie mówi tego głośno — potwierdził zaskoczony Laurentius. — U ciebie, książę, głowa wciąż kanclerska.

— Opuszczają Szczecin? — spytał Barnim, nie zwracając uwagi na komplement. — Dadzą odpocząć gospodom, skrybom, grajkom?

— A także woźnicom, służbie i ladacznicom — zaśmiał się Laurentius. — Mieszczenie napchali kabzy. Dla nich kongres to wielki sukces.

— Czego mi nie mówisz? — spytał Barnim, przyglądając się mu spod zmrużonych powiek.

Uśmiech Laurentiusa zniknął. Dotknął czoła, jakby w głowie szukał odpowiedzi na to pytanie.

— Stefan Loitz — przyznał po chwili. — Wybacz, książę, ale wszyscy byliśmy zaskoczeni, nie wiedziałem, jak ci to powiedzieć, boś był, panie, zgodny z Zitzewitzem, że bank Loitzów powinien udzielić pożyczki na flotę Jagiellonowi.

— Nie jestem dzieckiem, by chronić mnie przed prawdą — obojętnie rzucił w przestrzeń Barnim.

— Zatem powiem: Stefan Loitz, nasz bankier, był członkiem delegacji polskiej. Ponoć to nie jedyny zaszczyt, jakim obdarzył go król Zygmunt August. Tym niemniej mogę zaświadczyć, że sprawował się godnie i reprezentując Rzeczpospolitą, w niczym nie umniejszył interesom Pomorza.

— A co z małżeństwem naszego młodego Barnima z Anną Jagiellonką? — celnie zadał drugie pytanie Barnim.

Laurentius uniósł brew i powiedział:

— Strona polska zwleka, przeciąga, nie daje jasnych odpowiedzi. Uprzedzę pytanie, z Ebersteinem negocjował wspomniany już Loitz, reprezentując interesy jagiellońskie.

— Czyli nie mamy już bankiera — powiedział głucho Barnim. — Dziękuję, żegnam.

— Mogę o coś spytać?

Książę kiwnął głową.

— Kto najjaśniejszemu panu powiedział?

Barnim milczał, więc Laurentius skapitulował i pożegnał się.

Gdy książę został sam, pomyślał, że nie musi lubić Zitzewitza, by go szanować. Bo to on znalazł czas w piekielnym ferworze u zarania kongresu, by przyjechać do Oderburga i powiedzieć mu o Loitzu osobiście.


Malarz, który miał pracownię na Dolnym Wiku, przedmieściu Szczecina, okazał się dla Sydonii za drogi. Już zrozumiała, że musi trzymać pieniądze na sprawę sądową z Ulrichem. Barbara von Brockhausen podsunęła inne rozwiązanie:

— Stangret! Jedziemy do apteki Melchiora Brunnera. Chyżo!

Kongres się skończył, posłowie i ich dwory opuścili Szczecin, nawet w karczmie „Pod Wierzbą", nieopodal której mieszkał malarz, było już pusto. Widziały wyjeżdżających z niej junkrów w barwach książąt meklemburskich, pewnie zatrzymali się na ostatnią przed podróżą polewkę rybną i kufel szczecińskiego piwa. Barbarze brakowało podniet.

— Byle nie zaczęły się szarugi — mówiła. — Nic mnie tak nie nudzi, jak zima. On marudzi na Zitzewitza, a ja jestem wdzięczna, że otworzył Szczecin na świat, że sprowadził tu wszystkich, którzy coś znaczą, niech znów wymyśli coś równie ekscytującego, nową wojnę, nowy pokój.

Dolny Wik ciągnął się wzdłuż Odry od Grabowa i zamku Oderburg aż do Bramy Panieńskiej. Przed nią minęli dawny klasztor dla panien, obecnie przytułek dla ubogich.

— Ponoć, gdy książę Barnim rozwiązał zgromadzenie zakonne, kilka sióstr odmówiło opuszczenia klasztoru — mówi Barbara. — Wyobraź to sobie, Sroczko. Dali im możliwość wyjścia zza krat, a one się zaparły. I wcale nie były stare, tak on mi powiedział, bo mnie w tamtym czasie na świecie nie było — śmieje się wesoło i już zmienia temat, bo Barbarę interesuje wszystko, ale po trochu. Chwilę stoją przed Bramą Panieńską, jest jakiś zator. Barbara komentuje futrzaną szubę jegomościa, który wyjeżdża z miasta.

— Wreszcie będzie można kupić nowe futra. Ta cała blokada portów — robi nieokreślony ruch dłonią w rękawiczce — ceny okropnie skoczyły, wiedziałaś o tym? Pięć guldenów na pęku kunich skórek, coś takiego. Żeby to jeszcze była nasza wojna — wzdycha i dodaje: — Zresztą wszystko jedno. Nam wojny nie grożą, bo Pomorze jest neutralne i takim po-zo-sta-nie — to słowo, jak manifest wystukuje palcem o burtę powozu. — Dlaczego jedziemy do Melchiora Brunnera? Bo malarze przynależą do cechu aptekarzy, już on nam poradzi takiego, co weźmie mniej, niż ten z Dolnego Wiku. W końcu wszyscy kupują u Melchiora składniki na farby. — Mówiąc to, poprawia rozcięcia na palcach lewej rękawiczki, by ładniej wyeksponować pierścienie. Później to samo robi z prawą dłonią.

„Apteka mistrza Melchiora" mieściła się po drugiej stronie Szczecina, blisko Bramy Świętego Ducha, nieco na uboczu. Z zewnątrz wyglądała niepozornie. Mało czytelny szyld, okute drzwi, kołatka, okienko, przez które sługa aptekarza sprawdzał, otworzyć, czy nie? Oczywiście, wpuszczono je od razu, pani Brockhausen była stałą klientką.

Sydonia rozglądała się po aptece. Szeregi półek z ciemnego drewna, na nich słoje, podpisane skrzyneczki, butelki, rząd glinianych, zamykanych naczyń. Pęki suchych makówek, pewnie niedawno kupionych, bo wciąż leżały powiązane sznurkiem w kilku koszach. Pod sufitem bujała się łagodnym ruchem dziwna ryba: pękata, kolczasta, z nastroszonymi płetwami, które teraz wyglądały jak skrzydła. Sydonia nie mogła oderwać od niej wzroku. Wybałuszone, matowe oczy ryby wpatrywały się w najwyższe półki apteki, jakby szukały tam czegoś na wzdęcia. Niezwykłe — pomyślała — że takie stworzenia naprawdę pływają w głębinach.

— Szanowna pani Brockhausen — ukłonił się aptekarz i obdarzył spojrzeniem Sydonię. Miał zeza, co sprawiało, że patrzył raz z prawej, raz z lewej strony, przekręcając głowę, i jego wzrok przez to był bardziej uważny.

— Panna Sydonia von Bork — przedstawiła ją Barbara. — Moja daleka krewna.

— Co panie sprowadza? — spytał, gdy już przyjrzał się Sydonii. — Mam nadzieję, że nie choroba.

— A gdzieżby! — założyła pod piersiami upierścienione dłonie Barbara.

— Zatem uroda — orzekł aptekarz i dodał: — Choć tej ani pani, ani pannie nie brakuje, ale wiadomo, kto ma dużo, pragnie więcej! Czym mogę służyć? Barwiczka na policzki? A może bielidło? Mam coś nowego — uniósł palec i poszurał w stronę zamykanych skrzynek. — Trzymam to pod kluczem, bo zapłaciłem za składniki fortunę.

Złapał skrzynkę i ostrożnie wracał do nich. Postawił na blacie roboczym, obok alembików i dwóch aparatów do destylacji. Z pęku kluczy przy pasie wybrał jeden i otworzył zamek. Sydonia i Barbara pochyliły się nad skrzynką. Była wyścielona sianem, w nim zaś stały nieduże, płaskie naczynia z przykrywką. Wyjął jedno i otworzył.

— Biel wenecka — zaprezentował z dumą. Rozszedł się wyczuwalny zapach octu. — To bielidło zdeklasuje wszystkie inne. Nakłada się ją na twarz szpatułką, żeby nie za dużo, trzeba zachować umiar. Rozsmarowana, wmasowana w skórę, zapewni jej nieskazitelny, atłasowy wygląd i biały, porcelanowy odcień.

— Dlaczego tak… pachnie intensywnie? — spytała Barbara, poruszając nosem.

— Kwas octowy — wyjaśnił aptekarz. — Niezbędny składnik. Ale bazą wyrobu jest ołów! Zapach znika, zanim dama skończy się ubierać, ocet jest ulotny.

Mówiąc to, zamknął słoik, jakby bał się, że biel wenecka też się ulotni.

— Ile to cudo kosztuje? — spytała Barbara obojętnym głosem.

— Na cenę składa się wiele czynników — zaczął licytację Melchior. — Specjalnie przetworzony proszek ołowiowy, tynktura…

— Ocet jest tani — przerwała mu Barbara.

— Ale tu mamy dobrze wydestylowany kwas octowy — uniósł palec Melchior. — I sekretne składniki, które są równie istotne. Bez nich biel wenecka byłaby zwykłym — zaśmiał się krótko — bielidłem.

— No to ile? — westchnęła znudzona.

— Pięć guldenów — odpowiedział zawstydzony.

— Za całą skrzynkę — stwierdziła, robiąc nad nią w powietrzu kółko palcem.

— Za słoik — przeprosił Melchior.

— Dobrze, że nie potrzebujemy takich bielideł — oświadczyła. — Dobrze, że wiemy, iż pan je posiada — dodała, co go niezmiernie ucieszyło. — Co tam jeszcze nowego?

— Francuski wynalazek, który sprawia, że ciało utrzymuje wieczną młodość — odpowiedział i widząc zainteresowanie obu, uśmiechnął się chytrze. — Sole złota! Przyjmować na czczo, z łyżeczką wina.

— To sól, czy złoto? — dopytała trzeźwo Brockhausenowa. — Bo już się zgubiłam.

— Chryzoterapia, szanowna pani, to wyjątkowa dziedzina. Hildegarda z Bingen zalecała picie wina ze sproszkowanym złotem, Paracelsus leczył nim trudno gojące się rany…

— Żadna z nas nie jest ranna — przerwała mu Barbara. — A złoto to ja lubię mieć na sobie, nie w sobie. I zwykle zakładam je po śniadaniu, nie na czczo. Coś jeszcze ciekawego, mistrzu Melchiorze?

— Barwiczka do ust — powiedział niezrażony.

— Z czego zrobiona? — spytała Sydonia.

— Rtęć i antymon, jeśli panna wie, co to takiego — odrzekł. Nie odpowiedziała.

— Jest i zwykłe bielidło. Ze sproszkowanych skorupek jaj, ałunu i cynkowej bieli, jakby pannę Sydonię ciekawiło — dodał złośliwie. — Oczywiście, o sekretnych składnikach nie wspomnę.

— Magistrze — przeszła do rzeczy Barbara. — Poleciłbyś nam malarza? Kogoś spoza kręgu dworskiego, mam na myśli ceny usług. I nie tego zdziercę, co mieszka niedaleko karczmy na Wiku.

— Krąg, jak raczyła pani powiedzieć, dworski, jest obecnie niedostępny. Jest mi poufnie wiadomym, że dostali intratne i pilne zlecenie.

— Powiada pan pilne? — zaciekawiła się Barbara. — Wobec tego zlecenie, to owoc kongresu, dobrze myślę?

— Pani znajomość spraw dworu jest wyjątkowa — powiedział chytrze.

— Portret? — podjęła grę.

— Pani to powiedziała — podjął Melchior.

— Panna czy panicz?

— Pierwsze skojarzenie doskonałe — potwierdził.

— A zatem na kongresie utkano mariaż którejś z naszych księżniczek. Niech zgadnę. Amelię odsunęli, bo mówi się, że wyjechała do wolińskiego klasztoru. No to Małgorzata! Czy ona będzie portretowana? A jeszcze ciekawsze, dla kogo?

— Tego malarz nie wiedział — rozłożył ręce Melchior. — Zamówił komponenty do wielu odcieni czerni i bieli.

Sydonia słuchała ich rozmowy, rozglądając się po aptece. Nigdy nie była w ciekawszym niż to miejscu. Każdy słój krył tajemnicę, substancję, która mogła przywrócić zdrowie, lub je odebrać. Teraz, gdy jej wzrok oswoił się z półmrokiem wnętrza, widziała więcej. Oko przyciągały szafki zamykane na klucz, nieduże, masywne drzwiczki, każde jedne okute, jakby za nimi przechowywano skarby. Moździerze najróżniejszych wielkości, niektóre z nich miały zwykłe drewniane tłuczki do ubijania, inne tłuczki kamienne, z dziwnie spłaszczoną główką. Była i waga, jak u złotnika, przy niej odważniki. Flaszki zakorkowane i takie, których szyjkę dodatkowo szczelnie owinięto płótnem. Już nie potrzebowała malarza, ani krawca, do którego także chciała ją zaciągnąć Barbara, mogłaby tu zostać i rozpocząć studia u magistra Melchiora.

— Sydonio — przerwała jej kontemplację aptecznych półek Barbara von Brockhausen. I pożegnała się za nie obie. — Do widzenia. Bardzo nam pan pomógł.

— Do usług szanownym paniom — mistrz odprowadził je do drzwi.

— Małgorzata będzie swatana — powiedziała Barbara, rozsiadając się w powozie. — Oby szybko, oby szczęśliwie. Jeśli to ktoś odpowiedni, może wesele wyprawią w Szczecinie, a nie w Wołogoszczy.

No, dalej, Sroczko, teraz twoja kolej. Opowiadaj o tej Małgorzacie, o księżnej matce, o tamtejszym dworze. Muszę wiedzieć wszystko.

— Dobrze, Barbaro, chętnie ci wszystko opowiem — nieuważnie odpowiedziała Sydonia.


Rok po wielkim kongresie szczecińskim Maria Saska osobiście pilnowała pakowania kufrów Małgorzaty. Ernest Ludwik kpił, że razem z siostrą do Nykobing wysłać będzie trzeba straż pod bronią, przeznaczoną wyłącznie do pilnowania bagażu księżniczki. Czegóż tam nie było. Cztery paradne suknie, aksamity, złotogłowie i jedwabna tafta na stroje płynęły na statkach z Rostocku. Na suknie codzienne, które były wykwintniejsze, niż wszystko co Małgorzata nosiła po śmierci ojca, materiał jechał z Augsburga. Kosztowne klejnoty Zitzewitz zamówił dla niej aż w Lipsku! On to, dawny kanclerz, wymyślił ten mariaż i dosłownie, postawił wszystko, by wydać Małgorzatę za mąż. Za Fryderyka Oldenburga, króla Danii. Księżna Maria kiepsko spała, odkąd ten plan ujrzał światło dzienne. Jej córka królową Danii, Boże. Sama życzyła jej jak najlepiej, ale myślała raczej o kręgu meklembursko-brunszwickim. O czymś na skromniejszą miarę i bliżej domu. Dwór kopenhaski, dobry Panie. I jeszcze te przygotowania. Najpierw wysłano portrecik Małgorzaty. Wybrano jeden z dwóch, ten korzystniejszy. Król Fryderyk odpisał, że panna podoba mu się, ale chciałby ją poznać. To był wstrząs dla księżnej Marii.

— Mąż poznaje przyszłą żonę w dniu zaręczyn — grzmiała na siwą głowę Zitzewitza. — Duński król obraża mnie, moich synów, księstwo Pomorskie i Małgorzatę, mą najdroższą córkę.

Zebrali się wszyscy, Jan Fryderyk przyjechał ze Szczecina, Bogusław z Barth, no i oczywiście Ernest Ludwik, pan na Wołogoszczy.

— Protestuję jako księżna i jako matka — oznajmiła.

— Gdyby król Danii był młodzianem, któremu ojciec wybiera żonę, wystarczyłby portrecik i negocjacje radców — spokojnie wyjaśnił Zitzewitz. — Ale, że do czynienia mamy z dojrzałym władcą, a naszej pannie idzie na dziewiętnasty rok życia, król postawił warunki. Ten mariaż wyniósłby Dom Gryfa ponad dotychczasową wartość i jakżeby ułatwił księciu szczecińskiemu prowadzenie zagranicznej polityki Pomorza.

— Zgadzam się z Jacobem von Zitzewitzem — powiedział Laurentius, kanclerz Jana Fryderyka i wciąż jeszcze, Barnima. — Po kongresie pokojowym znaczenie księstwa wzrosło, to małżeństwo byłoby świetnym rozwinięciem udanie rozpoczętego panowania Jana Fryderyka.

Jej najstarszy syn wyraźnie zgadzał się z kanclerzami. Ratunku poszukała w młodszych:

— Ludke, dlaczego milczysz? Powiedz coś. Erneście Ludwiku!

Był osowiały, nieobecny duchem, ale gdy go wezwała po imieniu, natychmiast stał się rozdrażniony.

— Co pani matka chciałaby usłyszeć? — odezwał się kwaśno. — Bo ja swoje właśnie usłyszałem.

— Nie rozumiem — westchnęła księżna Maria.

— Pan Zitzewitz nas obraził — powiedział Ernest Ludwik — a mój starszy brat, Jan Fryderyk, przytakuje mu. Grzecznie, czy bezrozumnie?

— Nie rozumiem — powtórzyła księżna płaczliwie.

— Powiedział, że portrecik narzeczonej wystarczy młodzianom — prychnął gniewnie jej ukochany syn.

— Ach, ty znów o tym — powiedziała cicho i zrozumiała, że wciąż się gniewa, za te zbyt młode mariaże. Doprawdy, ciężko było w ostatnich czasach z nim się porozumieć. Zwyczajem się stało, że miał zdanie inne, niż Jan Fryderyk. Ich spotkania najczęściej przeradzały się w kłótnie.

— Bogusławie? — sięgnęła po najrozsądniejszego ze starszych synów. — Co ty myślisz o duńskim projekcie małżeńskim?

— Ja nie rządzę — odpowiedział chłodno. — Decyzja należy do moich braci.

— Słusznie — odezwał się Jan Fryderyk. — Ja ją podejmę.

— Ty? — natychmiast ocknął się Ludke. — Dlaczego ty?

— Bo książę szczeciński odpowiada za politykę zagraniczną. — Maria widziała, że Jan Fryderyk z trudem utrzymuje nerwy na wodzy. Zacisnął szczęki, ale pulsował mu mięsień nad żuchwą.

— Oczywiście — rozkręcał się Ernest Ludwik. — Książę szczeciński ma kongres pokojowy, przyjmuje posłów, przewodniczy cesarskiej delegacji i lekceważąc gości, spóźnia się na jej powitanie! A książę wołogoski ma być tylko władcą malowanym, tak? To ci pasuje, bracie? Ty bierzesz wszystko, ja nic. Ty dostajesz, ja płacę rachunki!

Zerwał się z miejsca, Jan Fryderyk też wstał, tyle że spokojnie, jak drapieżnik kontrolujący pole walki. Ernest Ludwik krążył wokół starszego brata, wszyscy zamarli, ten wybuch i teraz to wzajemne skradanie się, nikt się nie spodziewał. Do Marii dotarło, że już nie panuje nad nimi, nad swoimi synami. Że nie może im powiedzieć „uspokójcie się". Ostatnim poleceniem, które wykonał jej syn, było porzucenie nadziei na mariaż z tą dziewczyną, od tamtej pory straciła władzę nad nim. Chciała mu pomóc, z pozoru wygrała, ale teraz już wie, że straciła go. Ludke przestał należeć do niej, jest tu tylko ciałem, nie duchem.

Księżna Maria patrzyła osłupiała na wojenny taniec dwóch ukochanych synów, widziała, jak są dorośli, jak męscy i jak odlegli. Pomyślała: Boże, zrób coś, żeby się teraz nie pozabijali, i trach! Z naszyjnika Ernesta Ludwika wypadł szafir i potoczył się po posadzce. To ich ostudziło. Odetchnęła z ulgą, złowiła z pozoru obojętne, ale zdegustowane spojrzenie Bogusława. Zitzewitz wyczekał chwilę i podjął temat. Tak, zgodzono się na wyjazd księżniczki Małgorzaty do Nykobing. Towarzyszyć jej miała książęca para z Meklemburgii, książę Ulrich, jego żona Elżbieta i ich córka, młodziutka, czternastoletnia Sofia. Jakże Maria żałowała, że jej ulubiona dwórka, Otylia, wyszła za mąż i już nie służy. Mogłaby pojechać z Małgorzatą i być jej pomocą w tym obcym świecie, wobec wyzwań, które przytłaczały samą Marię. O tym, za kogo Otylia wyszła, księżna wolała nie myśleć. To potworne, że ojciec zmusił delikatną i łagodną dziewczynę do związku z tym dziwakiem. Niektórzy rodzice bywają okrutni dla córek.

Zitzewitz zasugerował podatki na zebranie sum potrzebnych na należytą oprawę podróży księżniczki Małgorzaty; szlachta się burzyła, byli tacy, co mówili:

— Niech księstwo pożyczy od Loitzów!

Ale Loitzowie orzekli, że nie stać ich na udzielenie pożyczki, póki nie dostaną spłaty od Jagiellona i od Hohenzollernów. Wczesną wiosną zmarł margrabia Joachim Hektor i ponoć nie zdążył oddać szczecińskim bankierom należności. Księżna Maria nie lubiła Loitzów, a jeszcze teraz, gdy polski król przyjął Stefana Loitza na swą służbę, straciła do nich zaufanie do reszty. Na śmierci Joachima Hektora skorzystał Jan Fryderyk, bowiem tron objął po nim syn, Jan Jerzy, a to przyszły teść Jana Fryderyka. Niech tylko ta mała, Erdmuta, podrośnie zdrowo i pobiorą się wreszcie. W sprawie podatków szlachta protestowała, ale sumy należne zebrano i oto jej córka i wystawne kufry są gotowe do drogi. I ona, matka, Maria Saska, poszła na ustępstwa w imię powodzenia tej wyprawy i zgodziła się, by Małgorzata zrzuciła czerń żałobną i wystąpiła w ferii barw. Niech ich tam olśni. Pora tylko niezbyt dobra na podróż, listopad, szarugi, deszcze. Ale Zitzewitz. Za powodzenie tego planu odpowiada Zitzewitz.

Dorota zaplatała długie, rude włosy Sydonii w warkocze, a potem znów je rozplatała i tak od nowa, bez końca. Znów były w gościnie u Korduli i Joachima Wedlów. Czas ciągnął się niemiłosiernie. Zimy na wsi bywały przygnębiająco długie. Wolałaby, jak zwierzę zapaść w sen i zbudzić się wiosną. Po jej wizycie w Sądzie Nadwornym i złożeniu skargi na Ulricha, książę Jan Fryderyk w poprzednim roku wyznaczył Martina i Hasse Wedlów na prawnych opiekunów Doroty i Sydonii. Oni w imieniu sióstr pertraktowali z Ulrichem spłaty sum spadkowych. Szło im opornie, bo Ulrich niewiele sobie z nich robił. Nie pojawiał się na wyznaczonych spotkaniach, grał na zwłokę, kręcił.

— Potrzebujemy kogoś lepszego niż Wedlowie — wyrwało się Dorocie to, co myślały obie. Niestety, usłyszał to pan domu, Joachim von Wedel. Wściekł się i o dziwo, nie wymówił im gościny, lecz sam spakował kufer i wyjechał z domu, rzucając na odjezdnym, że wróci wiosną. Kordula nie wyglądała na niepocieszoną, jakby towarzystwo sióstr Bork było jej milszym od widoku męża.

— Potrzebujecie kogoś mocniejszego od Wedlów — orzekła matka Korduli, Małgorzata, gdy u progu zimy zjechała do Chociwla, do córki. Pierwsza śmiechem wybuchła Kordula. Potem śmiały się wszystkie, Sydonia zaciskała dłonie tak mocno, że wbiła sobie w nie paznokcie.

— Jak Wedlowie mają przegadać wielkiego Ulricha von Bork, skoro w kółko żenią się z Borkównami z pomniejszych gałęzi rodu — zaświeciła własnym przykładem Małgorzata. — A wy, moje panny, nie wypadłyście sroce spod ogona, by poddawać się po pierwszym rozstrzygnięciu. Jak żyjecie z hrabią Nowogardu? — przeszła do rzeczy. — Ludwik ma posłuch, jest mocarny. On mógłby przydusić waszego brata.

— Eberstein jest przyjacielem Ulricha — pokręciła głową Kordula.

— Siedzisz na wsi, bez obrazy, córko, Chociwel nie Stargard, to nic nie wiesz. Po wsiach trzeba jeździć, nie siedzieć.

— Mamo — Kordula w obecności pani Małgorzaty zawsze była córką. — Przecież wiesz, że mój Joachim nie lubi, gdy opuszczam dom.

— Ja nie lubię deszczu, a on pada mimo to — wzruszyła ramionami Małgorzata. — Wiem, że Ulrich pożyczył od Ebersteina pieniądze i nie oddał. Dlatego to on powinien reprezentować siostry. Przydusi drania.

Kordula otworzyła usta, by zaprotestować przeciw językowi matki, ale odpuściła.

— Mamy jechać do Nowogardu i prosić hrabiego Ludwika? — spytała Dorota.

— Lepiej, by propozycja wyszła od księcia — powiedziała Sydonia. — On poprzednio ustanowił reprezentantami Wedlów i on może ich zmienić. Pamiętaj, w naszej sprawie w Sądzie Nadwornym wyrokuje wyłącznie Jan Fryderyk.

— No to postanowione — orzekła Małgorzata. — Sydonia jedzie do Szczecina wpłynąć na jaśnie księcia.

Sydonia poczuła, jak wszystko podchodzi jej do gardła. Znów trzeba się z tym zmierzyć.

— Sydonia? A dlaczego nie ja? — drapieżnie zareagowała Dorota.

Kordula i Małgorzata odruchowo spojrzały na coraz bardziej krzywe plecy jej siostry, Dorota to zobaczyła, Kordula spłonęła rumieńcem, a jej matka pokręciła głową, mówiąc:

— Bo Sydonię znają i wciąż pamiętają z czasów dworskich. Nic więcej.

Dorota przygryzła dolną wargę, jak dziecko. A po chwili zarzuciła Sydonii ręce na szyję i powiedziała:

— Jedź szybko. Jedź od razu.

— To samo bym doradzała — wtrąciła się matka Korduli. — Bo słyszałam u Puttkamerów, że w Szczecinie jest księżna wdowa z córkami. Może przyjmie twoją siostrę i jako dawną dwórkę wesprze przeciw Ulrichowi?

To niemożliwe — pomyślała Sydonia, ale nie podzieliła się wiadomością. Historia raz nieopowiedziana, obrasta w milczenie.


Przyjechała do Szczecina dawno po Trzech Królach, jazda saniami się udała, mróz skuł drogi. Udało jej się również towarzystwo, wiadomo, panna nie może podróżować sama, ale matka Korduli skojarzyła ją z Emerencją, żoną Maćka von Bork z Pęzina. Znały się z wesela Ulricha, polubiły się, Emerencja nazywała Sydonię „kuzynką" i opowiadała jej, jak Otylia z Ulrichem zaprosili ich na drugie chrzciny.

— Mój Maćko nie chciał trzymać jego syna do chrztu, ale co zrobić — tłumaczyła. — Są trzy prośby, którym nie można odmówić: chrzciny, ślub i pogrzeb. A twój brat, Sydonio, wystroił się jeszcze lepiej niż na swoje wesele — opowiadała. — W pysze, gniewie i bucie nie ma umiaru wasz Ulrich.

Sydonia głębiej wcisnęła palce w rękawice. Mimowolnie przeliczała jego strój na guldeny, które był im winien. Właściwie, w tamtej chwili, zapragnęła stanąć oko w oko z Ulrichem, spojrzeć mu w twarz, wykrzyczeć złamane słowo. Wypuściła powietrze, obłok mroźnej pary uniósł się wokół jej twarzy. Co by to dało? Nic. Po Ulrichu wszystko spływa jak deszcz. Trzeba się dobrać do jego pieniędzy. Zmusić go procesem do zapłaty należnych kwot.

— Naprawdę chcesz się zatrzymać u Brockhausenów? — upewniła się Emerencja. — Bo może razem ze mną zamieszkasz u Andreasa von Bork? Znasz go — uśmiechnęła się współczująco i nieśmiało położyła dłoń na ręce Sydonii — on z tych lepszych Borków, jak mój mąż. Jak mawiają u was w rodzinie: z młodszej gałęzi.

— Dziękuję — odpowiedziała Sydonia. — Już powiadomiłam panią Barbarę.

— Ale jakbyś potrzebowała — zastrzegła towarzyszka — to wiesz, gdzie jesteś mile widziana. I liczę przynajmniej na wspólny powrót, Sydonio. Za dwa tygodnie!


— Jak dobrze, że ciągle masz sprawy w sądzie, a Sąd Nadworny w Szczecinie! — powitała ją Barbara von Brockhausen i odsunęła służkę. Sama pomogła Sydonii zdjąć podróżne futro. — Rok cię nie było, mam nadzieję, że tęskniłaś za przyjaciółką, Sroczko? Słuchaj, sprawa księżniczki Małgorzaty zdaje się nas łączyć. Gdy byłaś poprzednio, aptekarz wygadał się o portrecie, a teraz proszę, panna po powrocie z duńskiego Nykobing siedzi na zamku w Szczecinie, brat jej nie puszcza do matki. Ponoć książę Jan Fryderyk chciałby tutaj urządzić dwór siostry. Może znów poszłabyś do niej? A ja, jako twoja przyjaciółka, bywałabym na dworze?

Wszyscy chcą widzieć mnie z powrotem na dworze, bo nikt nie wie, dlaczego mnie od niego odsunięto — pomyślała chmurnie Sydonia, wchodząc za Barbarą do jasnej bawialni. Gospodyni mówiła nieustannie:

— Bo tak, to książę Jan Fryderyk ciągle wyjeżdża ze Szczecina, poluje. Aż dziw, że jeszcze się jakiś zwierz uchował w tych lasach. No proszę! Czas mija, a ty wierna sobie, suknia ciemna, łańcuch złoty. Może tym razem dasz się namówić na krawca?

— Najpierw muszę wyciągnąć swoje pieniądze od Ulricha — ostudziła jej zapał Sydonia.

— Pieniądze — pani Brockhausen westchnęła, jak ktoś, kto ich nie ma, i machnęła ręką, jak osoba, która lekko wydaje.

— To księżna Maria nie przebywa w Szczecinie? — wyłowiła z potoku jej wcześniejszych słów Sydonia.

— A gdzieżby! — zaśmiała się gospodyni. — Księżna wdowa pilnuje zamku w Wolgast i syna, Ernesta Ludwika. U nas tylko księżniczka Małgorzata i jej panny. Czy ja niedowidzę? Gdzie twoja kryza?

— Jutro założę — uśmiechnęła się wreszcie Sydonia.


Ubrała się starannie, Metteke chciała zapleść jej włosy, ale Barbara von Brockhausen zarządziła inaczej, mówiąc:

— Gdybym ja miała takie loki, za nic w świecie nie uwięziłabym ich w warkoczach.

— Na dwór nie wypada... — zaoponowała Sydonia.

— To nie dwór starej Marii, tylko młodego Jana Fryderyka i, chociaż chwilowo, Małgorzaty. I owszem, nie wypada pójść w rozpuszczonych włosach, jak wieśniaczka, ale pożyczę ci taki panieński czepeczek, który nosiłam, zanim on mnie poślubił. Dość skromny.

Już uśmiech Barbary mówił, że takim nie będzie. Składał się wyłącznie z kilku sznurów pereł naszytych na przejrzystą, połyskliwą taftę. Sama założyła go Sydonii.

— Duszę bym diabłu oddała, by znów móc się tak nosić — mruknęła Brockhausenowa, patrząc na swoje dzieło. Metteke przeżegnała się szybko i trwożnie. — Dam ci mój powóz i stangreta. A po powrocie liczę na długą opowieść.


Znając nowiny i wiedząc, że Saskiej Lwicy nie ma na dworze, po przyjeździe do Szczecina Sydonia nie poszła do kancelarii sądu. Wysłała wiadomość do księżniczki Małgorzaty i do księcia Jana Fryderyka, oczywiście na ręce ochmistrza dworu, z prośbą o spotkanie w sprawach rodzinnych. Odpowiedź przyszła od razu. I zaproszenie na zamek, z wyznaczoną godziną od samego księcia pana, z pominięciem księżniczki.

— Książę osobiście wysłuchuje skarg, próśb i innych spraw raz w miesiącu, a ciebie zaprosili osobno. To dość wyjątkowe, nie sądzisz?

— Nie — skłamała Sydonia.

— Tak, czy inaczej, to dobry znak — zawyrokowała Barbara i pewnie dlatego sięgnęła po perłowy czepeczek.

Na dziedziniec wyszedł po nią dystyngowany dworzanin.

— Hans Rambow — przedstawił się i ukłonił. — Osobisty pokojowiec księcia Jana Fryderyka. Mam zaszczyt pannę do niego zaprowadzić. Spotkanie będzie prywatne.

Poczuła dreszcz, a potem niepokój. Szli przez pokoje szczecińskiego zamku, a każdy z mijanych przystawał i kłaniał się Rambowowi i jej, czekając, aż ruszą dalej. Przebiegło jej przez myśl, że chcą ją zawstydzić. Pokazać wielkość i splendor szczecińskiego zamku, przewyższającego przecież wołogoski. Na to znała sposób: plecy prosto, broda wysoko, pancerz kryzy. Rozpuszczone włosy osłaniały jej plecy. W rytm kroków kołysały się kolczyki.

— Gabinet księcia Jana Fryderyka — powiedział Rambow, stając przed wejściem. — Będę na pannę czekał na zewnątrz.

Uderzył lekko w lśniące wypolerowanym drewnem drzwi i natychmiast zostały otwarte od środka przez lokaja, który przepuścił ją przodem. Sydonia wstrzymała oddech i spuściła powieki, przestępując przez próg.

— Panna Sydonia von Bork — zaanonsował ją lokaj.

Otworzyła oczy i zastygła zaskoczona. Księcia nie było. Zobaczyła natomiast dawnego kanclerza, Zitzewitza. I trzech innych panów, a w głębi, przy pulpicie, notariusza.

— Marszałek Karsten von Manteuffel, hrabia Ludwik von Eberstein i radca Jacob von Kleist — przedstawiono jej pozostałych.

Eberstein? O jego pośrednictwo miała prosić, to dobry czy zły znak, że jest obecny?

Wszyscy wstali i ukłonili się nisko.

— Książę Jan Fryderyk — zaanonsował lokaj i zrozumiała, że książę wszedł za nią i to dla niego ten głęboki ukłon.

Zajął swoje miejsce; oni stali, jak i ona. Zitzewitz półgłosem odezwał się do księcia:

— Panie, przyszły listy od króla Danii. Do twojej siostry i ciebie. Tutaj — wskazał na tacę — mam jeden i drugi.

— Rozumiem — skinął głową Jan Fryderyk.

Sydonia mimowolnie spojrzała na listy. Obydwa były już otwarte. Zitzewitz wiedział, co zawierają i dlatego zapewne z trudem krył niecierpliwość.

— Czy nie lepiej przełożyć rozmowę z panną Bork? — nacisnął.

— Słowa zostały już napisane. Cokolwiek kryje pismo z Danii, stało się, czasu nikt nie cofnie — mówiąc to, książę spojrzał najpierw na

Zitzewitza, a ten pobladł lekko, potem zaś utkwił wzrok w Sydonii. Dał znać, by zaczęła mówić. Tak zrobiła. Książę wysłuchał i zacisnął dłonie na podłokietnikach krzesła.

— Nie może być, że w moim kraju krzywda się dzieje szlacheckim pannom — powiedział.

— Rozwiązanie tej sprawy to wejście w jawny konflikt z rodem Borków — ostrożnie powiedział Zitzewitz.

— Stoi przed nami Sydonia z Borków — uniósł głos Jan Fryderyk. — Dlaczego jej sprawa ma być mniej ważna, niż jej brata?

— Bo nikt nie tyka Borków ze Strzmiela? — zakpił Jacob von Kleist.

— Ja także jestem ze Strzmiela — powiedziała Sydonia.

— To sprawa rodzinna — w perswazyjnym tonie głosu Zitzewitza usłyszała lekceważenie. I niechęć.

— Od tego jest sąd książęcy — nie zgodził się z nim Jan Fryderyk — by wyrokować w sprawach szlachty. Większość spraw, którymi się zajmujemy, to waśnie rodzinne. W zeszłym miesiącu mieliśmy pięć pozwów Wedlów przeciw innym Wedlom.

— Ale Wedlowie to co innego — bez ogródek zbagatelizował Kleist.

— Prawda — orzekł Jan Fryderyk. — Dlatego panny ze Strzmiela powinny mieć porządną reprezentację. Kto się nie boi Ulricha von Bork?

Chwila ciszy, jaka zapadła po pytaniu, była wymowna i sprowokowała ją.

— Ja się nie boję Ulricha — oświadczyła. — Ale prawo boi się szlachcianek mówiących w swoim imieniu przed sądem.

Zitzewitz cmoknął zniecierpliwiony i pokręcił głową z jawną dezaprobatą. Znów wydał jej się tak podobnym do ptaka.

— No to panna dała nam przykład — zaśmiał się chrapliwie Ludwik von Eberstein. — Zgłaszam się na reprezentanta.

— I ja — głos Karstena von Manteuffel zabrzmiał ciężko, jakby był postawiony przed murem. — Marszałek może być, panno von Bork?

Skinęła głową, mówiąc:

— Dziękuję panom.

Potem wzięła głęboki oddech i dodała:

— Dla szlachetnie urodzonego słowo musi być droższe od pieniędzy.

Zitzewitz przekrzywił głowę, jakby szukał czegoś na ścianie. Pozostali milczeli. Wreszcie odezwał się Jan Fryderyk:

— Ulrich von Bork zapłaci za to.

Kleist, Eberstein i Manteuffel odetchnęli.

— Sprawa panny Sydonii von Bork załatwiona. Wszystko spisane? — odwrócił się do notariusza Zitzewitz.

— Tak jest — potwierdził tamten i na chwilę oderwał wzrok od pulpitu. Spojrzał na Sydonię, zastygł z piórem w ręku. Widziała kroplę atramentu spadającą na dokument, który dla niej miał taką wagę; co jej po tym, że głupi skryba się na nią gapi?

— Panna wybaczy — zimno odpowiedział Zitzewitz. — Ale mamy niecierpiącą zwłoki sprawę największej wagi.


Hans Rambow czekał na nią pod drzwiami. Obrzucił Sydonię uważnym spojrzeniem, jakby chciał spytać, czy spotkanie było pomyślne, ale tego nie zrobił. Pokojowcy to najbardziej zaufani ludzie książąt. To oni są przy nich pierwsi o poranku i zwykle jako ostatni opuszczają sypialnię swych panów. Widzą ich nagimi, podają kielich wina na sen i wodę na otrzeźwienie. I słyną z dyskrecji.

Gdy przeszli przez kolejne komnaty, w których uwijała się tylko bezgłośna służba, sprzątając i polerując, z wyścielanego taboretu zerwał się nieduży, może dziesięcioletni chłopiec i podskoczył ku nim.

— Tato! — zawołał.

— Hansie — powstrzymał jego entuzjazm pokojowiec. — Najpierw należy się przedstawić i przywitać.

Malec natychmiast stanął na baczność, pokłonił się i patrząc na nią ciekawie, oświadczył:

— Hans Rambow Młodszy, syn.

— Sydonia z Borków — odpowiedziała równie poważnie i przeniosła wzrok na jego ojca. — Panie Rambow, chciałabym się zobaczyć z księżniczką Małgorzatą.

Spojrzał na nią zdezorientowany.

— To chyba nie najlepszy moment, panno — odpowiedział niepewnie.

— Byłam jej osobistą dwórką w Wołogoszczy. Na chwilę — poprosiła.

— Proszę mi uwierzyć, to zła chwila — odrzekł smutno.

Skinęła głową i ruszyli dalej, ku schodom. I wtedy usłyszała kobiecy krzyk, płacz a zaraz po nim tupot stóp na posadzce. Odwróciła się. Zobaczyła biegnącą Elisabeth von Flemming. Ta także ją poznała, stanęła jak wmurowana.

— Sydonia?

— Ty biegniesz? — zamiast odpowiedzieć spytała.

— Ach — Elisabeth zrobiła coś, co nie zdarzyło się nigdy, nawet gdy dzieliły komnatę. Po prostu wpadła w jej ramiona i wybuchła rwanym płaczem. — Coś strasznego, coś niewyobrażalnego — łkała, gniotąc kryzę Sydonii.

— Co się stało, Elisabeth? Co się stało?

— Nie mogę powiedzieć — wyszlochała głośno, a na ucho szepnęła: — Król odmówił Małgorzacie. Żeni się z małą Sofią.

Sydonia w lot zrozumiała niecierpliwość Zitzewitza sprzed chwili: otwarte listy z Danii. Tylko kto zdążył powiedzieć księżniczce, zanim dowiedział się jej brat? Dwór — pomyślała z goryczą. — Tu żaden sekret się nie ukryje.


— Jesteś warta każdych klejnotów — oznajmiła wieczorem Barbara von Brockhausen. Sydonia mogła jej powiedzieć, bo wieczorem nie było już tajemnic i o sprawie huczał cały Szczecin. Król Danii, Fryderyk Oldenburg, napisał Małgorzacie, że ujęła go niezwykle podczas wizyty w Nykobing i chciałby pozostać z nią w szczerej przyjaźni, ale nie widzi ich dwojga małżeńską parą. Tyle, że zanim księżniczce oddano do ręki list królewski, młody Puttkamer przywiózł z meklemburskiego dworu wiadomość, że tam już świętują zaręczyny Sofii.

— Słów mi brak na takie draństwo — powiedziała Barbara, co było nieprawdą, bo zalała Sydonię całym ich potokiem. — Księżna Maria tej obelgi nie daruje. Toż wysłała naszą Małgorzatę do Danii pod opieką książęcej pary meklemburskiej, a ci zabrali ze sobą własną córkę, dziecko czternastoletnie, i to ją upodobał sobie Fryderyk Oldenburg. Boga w sercu nie mają. A suknie, a klejnoty z Lipska, na które złożyć się musiała cała pomorska szlachta? Toż Małgorzata jechała tam strojna jak infantka. A ta Sofia? Ciekawe, czy chociaż ładna?

— Owszem — powiedziała Sydonia. — Widziałam ją wprawdzie, gdy miała lat dziewięć, nie więcej. A może i osiem?

— Nie przeżyję tego — jęknęła Barbara, wygodnie moszcząc się w fotelu. — Dolej nam wina — kiwnęła na służącą. — A Małgorzata? Jak ona się ludziom pokaże po takim afroncie? Przecież sprawa się rozniesie, od dworu do dworu. Podaj migdałów w miodzie — rozkazała pannie, która ledwo odstawiła dzban z winem. — Małgorzata stracona — orzekła, mocząc migdał w kielichu i wkładając do ust. — Po czymś takim nie znajdą jej męża. Koniec. — Zagryzła migdał głośno, aż chrupnęło. — Nieszczęśliwe te nasze panny, Amelii swaty rozwiały się w dym, Małgorzatę obrażono sromotnie, o Annę nikt nie pytał, co prawda, jest młodziutka, ma jeszcze czas. Rok, dwa, nie więcej. — Wypiła wino, wysunęła ramię z kielichem, a służąca zrozumiała, że ma go od pani odebrać. Barbara pokręciła głową i skrzywiła się, twarz miała cierpiącą. — A ja liczyłam na wielkie wesele w Szczecinie. No i się przeliczyłam. Co za nieszczęście. Powiedz coś zabawnego, Sroczko — poprosiła jak dziecko. — Pociesz mnie.

— Zostaję na dłużej — odpowiedziała Sydonia.


Marcowy poranek nie rozpieszczał pogodą. Chmury o barwie ołowiu przetaczały się nad Odrą, od Grabowa w stronę książęcego zamku. Barnim obserwował je, jadąc w tym samym kierunku. W moim wieku — pomyślał — widzi się lepiej, choć wzrok słabnie. Te chmury zbierają się nad nami. Jeśli nie uda się ich przegnać, rozpęta się piekło, jakiego księstwo nie widziało za mojego życia.

Na niewielkiej wyspie, zwanej Łąką Rzeźników, ponuro porykiwało bydło. O tej porze roku daleko wyspie było do łąki, krowy czekające na swoją kolej nie miały się czym uspokoić. Barnim odwrócił wzrok.

Wiatr wzmógł się nagle, silny podmuch uderzył w burtę powozu, aż nim zakołysało. Konie zarżały, stado mew wcześniej krążących nad powierzchnią wody uniosło się z krzykiem. Powiewy wiatru były tak mocne, że ptaki rozpaczliwie machające skrzydłami stały w miejscu.

Barnim gładził wypielęgnowaną siwą brodę; była długa, sięgała mu już do piersi. Zbierał siły. Przed jego orszakiem otwarto Bramę Panieńską, straż wstrzymała ruch. Powóz wjechał w opróżniony z ciżby przepust bramy. W jej ceglanej gardzieli konie parskały niespokojnie, a stukot kopyt odbijający się od ścian brzmiał nienaturalnie głośno. Książę przeżegnał się odruchowo.


W sali obrad, za jego czasów zwanej rycerską, zebrali się obaj panujący, Jan Fryderyk i Ernest Ludwik. Wokół nich kanclerze i radcy dworu. Najbliżej Jana Fryderyka stał Jacob von Kleist; Barnim z trudem powstrzymał grymas, toż to był kiedyś kompan młodego księcia od hucznych zabaw i kielicha. Co on tu robi? Ktoś taki nie ma predyspozycji do dyplomacji, nie powinien towarzyszyć szczecińskiemu księciu, nie w takich chwilach.

Wezwano Zitzewitza, lecz Jan Fryderyk nie zaprosił go, by usiadł. Stary kanclerz stał i już ta scena, nim padły pierwsze słowa, była sądem. Barnim drżał z chłodu, mimo iż w obu kominkach płonął ogień.

— Apelowałem do samego kanclerza króla Zygmunta Augusta — tłumaczył się Zitzewitz. — Wysłałem jednoznaczny, ostry w tonie list do wojewody pomorskiego Jana Kostki.

— O listach wiemy — gniewnie wyrzucił mu Ernest Ludwik. Przystojna twarz młodego księcia była wykrzywiona od złości. — O wymijających odpowiedziach również! Wiesz, gdzie ma nas Wawel? Tam gdzie zawsze!

Kanclerze i radcy niemal przysiedli pod jego chłoszczącym głosem, pod jawnie obraźliwym tonem. Zitzewitz starał się zachować spokój. Barnim widział, że w ostatnim roku dawny kanclerz postarzał się bardzo. Policzki zapadły mu się, wychudł, przez co jego długi nos jeszcze bardziej upodobnił się do ptasiego dzioba. Siwe włosy przerzedziły się i tylko wytworny, granatowy wams i potrójny złoty łańcuch na piersi przypominał, że oto stoi przed nimi człowiek, którego nazywano najpotężniejszym na Pomorzu.

— Termin spłaty pożyczki przez Jagiellona minął dawno — powiedział Zitzewitz matowym głosem. — Brak reakcji ze strony królewskiego dworu wskazuje, iż polska szlachta nie zamierza brać na siebie odpowiedzialności za dług króla. Ale sytuacja nie jest tak beznadziejna, jak w wypadku pożyczki Loitzów dla elektora Joachima Hektora, ten zmarł, a Zygmunt August żyje — Zitzewitz uniósł głowę. — W dyplomacji rzadko kiedy coś jest stracone na zawsze.

— Mówimy o finansach, nie dyplomacji — nie pozwolił mu na unik Jan Fryderyk.

— A fakty są takie, że Loitzowie dzisiaj w nocy opuścili Szczecin! — wypalił Kleist i książę Barnim zrozumiał, po co zaprosił go tu Jan Fryderyk.

Zitzewitz pobladł i zgiął się, jakby niewidzialny przeciwnik wymierzył mu cios w żołądek. Kleist mówił dalej:

— Przez ostatni miesiąc po cichu wyprzedawali majątek, było to panu wiadomym?

Stary kanclerz pokręcił głową z niedowierzaniem, trudno stwierdzić, co bardziej go zaskoczyło: ucieczka Loitzów czy podejrzenie z ust kogoś takiego, jak Kleist. Ten mówił dalej:

— O świcie zaalarmowano nasze straże i oddział kapitana Lange wszedł do ich kamienicy. Zostały pojedyncze meble, zbyt ciężkie, by ładować je na wozy. Nie muszę dodawać, że skarbiec bankierów jest pusty. Ani jednej beczki ze złotem.

— Czy wysłano za nimi pościg? — zachrypłym głosem spytał Zitzewitz.

— Nie ty nas przesłuchujesz, tylko my ciebie — żachnął się, obrażając starca, Ernest Ludwik.

— Wysłano — odpowiedział na pytanie Jan Fryderyk. — Pościg i listy. Do rady miasta Gdańska i do Rzeczpospolitej. Przypuszczamy, że schronienie dostaną w obu miejscach. W końcu w Gdańsku prężnie działa filia ich banku. Ale jaka jest szansa, że Jagiellon ich wyda? Skoro Stefana uhonorował tytułem swego sekretarza i jemu oraz jego bratu udzielił polskich tytułów szlacheckich?

— W dyplomacji szansa jest… — zaczął Zitzewitz i to rozjuszyło młodszego z książąt.

— Koniec z dyplomacją! — krzyknął Ernest Ludwik. — Przez twoje fanaberie księstwo zostało z długiem! Sto tysięcy talarów popłynęło do Jagiellona na budowę flotylli, a ten sprzeniewierzył pieniądze na ladacznice i szarlatanów! Niewypłacalni Loitzowie ulotnili się jak dym! Uciekli przed wierzycielami!

— A kapitał, jaki u nich trzymały pomorskie rody, zniknął wraz z nimi — dokończył ponuro Jan Fryderyk.

— Wiem o tym nazbyt dobrze — wyprostował się Zitzewitz. Na jego szczupłe policzki wystąpiły krwawe rumieńce. — Z własnego skarbca dołożyłem do tej pożyczki piętnaście tysięcy.

— I dobrze — żachnął się młodszy z książąt. — Przynajmniej katastrofę odczujesz na własnej skórze.

— Książę — Barnim od początku tej rozmowy czuł, że skala impertynencji ze strony Ernesta Ludwika przekroczyła granice dobrego smaku. — Panuj nad sobą — upomniał go.

— Panowałem nad sobą przez ostatnie lata — wypalił Ernest. — Nic innego nie robiłem! Wypełniałem polecenia Zitzewitza i twoje, stryju Barnimie!

Oczy Ernesta Ludwika zwęziły się w szpary, jak u kota. Był tak rozjuszony, że Barnim nie potraktował jego wybuchu osobiście.

— On stoi za wszystkim — wycelował palec w zapadniętą pierś Zitzewitza. — On wynalazł nam narzeczone, dzieci z portretów — to ostatnie rzucił z taką pogardą, że Zitzewitzem wstrząsnął dreszcz. — I kazał się chwalić, że lepszych partii nikt by nam nie znalazł. On wymyślił duński mariaż naszej siostry, który naraził nas na śmieszność i wydatki, a Małgorzatę na upokorzenie, po którym nie podniosła się do dzisiaj. On próbował naszego brata Barnima wydać za Annę Jagiellonkę, która jest niewiele młodsza od naszej matki! Rozporządzał naszymi życiami, jak rzeźnik bydłem!

— Hamuj się, błagam — syknął Barnim. — Bo padną słowa, których nie cofniesz.

— Ja nie zamierzam się już cofać przed niczym — okrutnie zaśmiał się Ernest Ludwik. — Przez Zitzewitza dość się cofałem w ostatnich latach. Wygodnie zarządzać księstwem, które nie jest twoje? — spytał kanclerza. — Wydawać pieniądze, które spłacać teraz będą wszyscy? Nie widzę innego rozwiązania, niż ogłosić twoje bankructwo, panie Zitzewitz. I zlicytować twoje dwory, kamienice i klejnoty twej żony na pokrycie zobowiązań Loitzów wobec pomorskiej szlachty!

— Bracie, przestań — próbował go uspokoić Jan Fryderyk. — Stary kanclerz zawinił, ale nie możemy obarczać go całym długiem. Słyszałeś, że sam włożył w pożyczkę piętnaście tysięcy.

Barnim schował twarz w dłoniach. Nie umknął mu zimny i przeraźliwie ironiczny ton Jana Fryderyka. Czarne chmury, które widział rano, właśnie przysłoniły wszystko. Nawet niewątpliwe i po prawdzie olbrzymie zasługi Zitzewitza. Skąd w książęcych braciach tyle jadu? Ten rok zaczął się źle i fatalnie się rozwija. Nagle Barnim zapragnął zniknąć stąd. Zaszyć się w Oderburgu i skończyć mechanizm zapadni w przejściu między gabinetem a laboratorium. Tak dobrze mu szło, choć miał kilka konstrukcyjnych pomyłek, trzeba je rozwiązać, bez zwłoki. Pomyślał, że jeszcze dzisiaj zwolni Laurentiusa, niepotrzebnie tak długo trzymał przy sobie kanclerza, wikłał się w politykę, którą powinien był od siebie odciąć trzy lata temu, w dniu abdykacji. Teraz krach finansowy Loitzów i wielkich rodów Pomorza nie byłby jego sprawą, tylko tych dwóch młodych, skaczących sobie do oczu książąt.

— Wody — wycharczał Zitzewitz. — Proszę o kubek wody.


Było wczesne popołudnie, Sydonia pięła się ulicą Szewców Łataczy, uważając, by nie pośliznąć się na mokrym bruku. Za sobą miała wędrówkę zaułkami Szczecina, ku swej radości samotną i pieszą, bo Barbara von Brockhausen niedomagała. Dzięki temu mogła odkryć to, co w Szczecinie zaskakujące: przyjrzeć się miastu w mieście. Biły w nim dwa serca: zamek książęcy i mieszczański ratusz. Wokół nich kwitło życie, jak wypielęgnowany ogród. Domy należące do szlachty, bogate kamienice mieszczan, niektóre z nich miały własne dziedzińce, nieduże, ale prywatne. Wokół składy towarów, sklepiki, pracownie, warsztaty, wszystko to, co służyło najgodniejszym z mieszkańców. Między nimi krzątała się za sprawami swych panów i pań dobrze odziana służba. Gdzieniegdzie powóz z damą, jeździec ze sługą prowadzącym konia za uzdę. Wózek z towarem terkocący na bruku. Dostatnio i godnie.

A im dalej od zamku, im dalej od ratusza, zaczynał się drugi krwiobieg Szczecina znaczony ciemną, grubą kreską. Nierówną, jak zbutwiała deska. Niczym grzybnie na murowanej tkance miasta wyrastały drewniane, byle jak sklecone, budy. Między nimi gwar i zgiełk, chmary dzieci ganiających się z psami, kurami i prosiętami. Żebracy, ladacznice i ciężko pracujący na chleb ludzie. Tu także terkotały koła wozów, ale jakże inny towar wiozły.

Mewy z krzykiem krążyły nad odpadkami, szczury węszyły w pełnych nieczystości rynsztokach. I wystarczyło przejść kilka ulic, by znów znaleźć się przy olśniewającej kamienicy Loitzów z prywatnym dziedzińcem, na którym zresztą dzisiaj kręciło się sporo zbrojnych. Dwa razy wracała pod ratusz, by przyjrzeć się mozaice z ciemnych cegieł na jego fasadzie. Gdy po krótkim deszczu wyszło słońce, lśniły w nim zachwycająco. Oglądała również słynny Dom Żeglarzy, postawny i przestronny, ale gdy zajrzała na jego dziedziniec, także i tam dostrzegła drugą stronę miasta: budy.

Miała na sobie skromny płaszcz z obszernym kapturem, pożyczyła go od Metteke, by przykryć suknię i nie rzucać się w oczy. Wolała wyglądać jak własna służka, niż narazić się na niewybredne zaczepki, albo coś gorszego. Szlachecka panna bez towarzystwa tylko zwracałaby na siebie uwagę. Pamiętała przestrogi, pilnowała sakiewki ukrytej w fałdach materii pod suknią wierzchnią, raz po raz wsuwała dłoń w rozcięcie sukni, by sprawdzić, że jest na miejscu. To nie była jej pierwsza samotna wycieczka. Czekając na posiedzenie sądu, na którym reprezentować ją i Dorotę mieli Eberstein i Manteuffel, miała sporo czasu. Korzystała z najróżniejszych pretekstów, by odpocząć od towarzystwa swej gospodyni. Mówiła: „Idę zanieść list dla Doroty do Andreasa von Bork" albo „Odwiedzę panią Emerencję, muszę wyjaśnić, dlaczego nie wrócę z nią do Chociwla". Emerencja i Andreas byli dla Barbary ludźmi z prowincji i nie wchodzili w jej pasję „bliżej dworu".

Sydonia poczuła głód i pomyślała, że mogłaby wrócić do piekarza, którego minęła wcześniej, pod ratuszem. Albo pokrążyć jeszcze chwilę i spotkać chłopczyka, który sprzedawał małe, wędzone rybki z kosza uwieszonego na szyi. Rozejrzała się. Z Szewców Łataczy doszła na ulicę Kuśnierską, już miała niedaleko do domu Brockhausenów. Zamek został za jej plecami, a wieża kolegiaty majaczyła przed nią. Odwróciła się, by popatrzeć na siedzibę książąt bezkarnie, spod kaptura służ-ki. Oto Dom Gryfa, w pełnej krasie. Lśni wysokimi murami, wieżami, splendorem księstwa. I nieważne, czy tego chciała, czy nie, ale Ernest Ludwik prosił ją o rękę. Nie wymyśliła sobie tego. Taka jest prawda.

I wtedy zobaczyła zgarbionego, chudego mężczyznę, który samot-nie szedł od strony zamku. Słońce przebiło się zza ołowianych chmur, oświetliło mokry, lśniący bruk i natychmiast zaszło. Ulica Kuśnierska była pusta, tylko idący ku niej mężczyzna i ona. Coś ją przykuło. Stała i nie mogła się ruszyć. Poznała go dopiero, gdy był blisko. To dawny kanclerz, Zitzewitz. Zapomniała, że ma na sobie płaszcz służki. Wypro-stowała się i choć chciał ją wyminąć, nie ruszyła się, stała mu na drodze.

— Odejdź, dziewko — syknął, nawet na nią nie patrząc.

— Kanclerzu Zitzewitz — powiedziała mocno i zdjęła kaptur. Zatrzymał się. Zmrużył oczy, jakby jej nie poznawał.

— Panna Bork — odezwał się i wyprostował z trudem. — Sama?

— A w czyim towarzystwie widziałby mnie pan kanclerz? — od-powiedziała prowokująco.

— Najchętniej wcale — odrzekł; w jego głosie nie usłyszała dawnej ostrości.

— Z tym nigdy się pan nie krył. Z niechęcią do mojej osoby. Przekrzywił głowę, jak dawniej, ptasio i syknął:

— Na nic twoje pozwy, panno. Nic nie dostaniesz od brata. Ani guldena. Ulrich von Bork jest od dzisiaj bankrutem, jak my wszyscy — powiedział okrutnie. — A co do panny osoby — zawahał się, zmrużył oczy. — Być może popełniłem błąd. Może trzeba wam było na to szaleństwo pozwolić. Ha, ha, ha — zaśmiał się krótko, chrapliwie. — Panna nie zna historii. Panna nie wie, że ona się powtarza. Na pohybel z tym wszystkim — to mówiąc, pchnął ją lekko i wyminął.

Ukłucie jego kościstych palców czuła na ramieniu jak odcisk. Jakby ją drapnął pazurem.

Po tym spotkaniu Sydonia długo nie wracała do Brockhausenów. Zapomniała o głodzie. Krążyła po mieście, żeby się uspokoić. Zamiast tego spotkała Andreasa von Bork, a ten przekazał jej list od Doroty, z wiadomością, że ich przyrodnia siostra, Anna, ciężko zachorowała. To była kolejna zła nowina. Wciąż huczały jej w głowie słowa Zitzewitza, że Ulrich jest bankrutem, jak od dzisiaj wszyscy. Co to ma znaczyć? Za cztery dni posiedzenie sądu, miały z Dorotą odzyskać od niego swoje pieniądze. Niepokój się potęgował. Sama nie wiedziała, kiedy znów się znalazła w pobliżu książęcej siedziby. Nieliczni przechodnie przemykali szybko, tu i ówdzie słudzy zaczęli zapalać lampy. Chybotliwe płomyki nie dawały światła, tylko drżały na wietrze niespokojnie. Od strony Odry przetoczył się burzowy grzmot. Niebo przecięła błyskawica, wtedy się ocknęła. Stała z zaciśniętymi rękami i wpatrywała się w zamek książąt Pomorza.

Historia się powtarza — historia się powtarza — huczały jej w głowie słowa Zitzewitza.

Otrząsnęła się i rozejrzała nieprzytomnie. Ruszyła przed siebie, deszcz moczył jej włosy. Dwa razy pomyliła drogę, wróciła do Brockhausenów wieczorem. Pobladła Metteke wzięła od niej swój płaszcz, spływała po nim woda.

— Pani prosi do bawialni — powiedziała grobowym głosem.

Sydonia weszła, zmrużyła oczy przed światłem.

— Długo cię nie było — z wyrzutem przywitała ją Barbara, a potem wybuchła: — Nie chcę, żebyś wyjeżdżała! Zawsze gdy jesteś, w Szczecinie dzieje się coś nadzwyczajnego!

Nie wiedziała, co odpowiedzieć, skąd ten atak? Czyżby Barbara już wiedziała o chorobie Anny?

— Słuchaj tylko — Barbara dopadła do niej, chwyciła za rękaw. Miała rumieńce na policzkach i błyszczące, jak od gorączki oczy. — Kanclerz Zitzewitz zamordowany! Znaleźli go w jego domu na Kuśnierskiej. Całego we krwi, zarżniętego jak barana. Nic więcej nie wiem, niestety! Ale wysłałam już pana Brockhausena na zamek. Musi przynieść nowiny! Kto go zabił? Za co? Kiedy pogrzeb? Czy dwór będzie uczestniczył?

# Rozdział IV

## Chwasty przy płocie

*Księstwo Pomorskie, Krępcewo, rok 1572*

W Krępcewie ponury nastrój. Anna nie wstawała z łóżka. Jej syn, Lupold von Wedel, chodził nastroszony, niczym chmura gradowa. Dorota słysząc nowiny, jakie przywiozła Sydonia ze Szczecina, wściekła się, niczym dzika kotka. W tamtych dniach każdy kipiał gniewem.

Krach pomorskiego banku wywrócił wszystko. O niczym innym nie mówiono, od zamku do dworu, od dworu do zamku, wszędzie powtarzano: Loitz. Upadek bankierów przetoczył się po Pomorzu jak niszczycielski sztorm, uderzając w niemal każdy ród. W Wedlów u których gościły, w Dewitzów z Dobrej, w Puttkamerów, Ostenów, Flemmingów, w samego hrabiego Ebersteina i w Borków. W Jurgena ze Strzemiela, w Maćka z Pęzina, męża Emerencji. Henninga z Wysiedla. I w Ulricha. W pieniądze, które trzymał u Loitzów, a z których mógł spłacić siostry. Zwłaszcza teraz, gdy miały tak dobrych reprezentantów, najlepszych z możliwych. Takich, w których mogły pokładać pewność, nie tylko nadzieje.

Oszalała tym zrządzeniem losu Dorota wciąż kazała sobie powtarzać przebieg komisji pojednawczej, na którą wezwano Ulricha. I za każdym razem udzielała zaocznych rad hrabiemu Ebersteinowi i marszałkowi Manteuffel, którzy wystąpili w ich imieniu.

— Byli za miękcy — osądzała Dorota raz po raz i dodawała płaczliwie: — Nie można wszystkiego tłumaczyć krachem Loitzów, na Boga! Sydonia chciała, by siostra miała rację, ale tak nie było. Upadek bankierów zmiótł nawet dawnego kanclerza, Zitzewitza. Gdy Sydonia opuszczała Szczecin, jeszcze mówiono „morderstwo". Gdy dotarła do Krępcewa, Lupold, radca dworu, już wiedział: „samobójstwo". Kanclerz ponoć zostawił list pożegnalny i sam poderżnął sobie gardło, co orzekli przybyli na miejsce radcy dworu. Pogrzeb wyprawiono wystawny, w kolegiacie Mariackiej, sam Jan Fryderyk odprowadził starego sługę księstwa. Dorota nie chciała słuchać o Zitzewitzu, w jej własnej historii nigdy nie wystąpił i nic nie znaczył.

W Krępcewie panował więc dwugłos: Dorota pomstowała, Lupold, syn ich siostry Anny, pod niebiosa wychwalał zmarłego kanclerza. Sydonia milczała.

Lupold był w wieku Doroty, dobiegał trzydziestu lat, wciąż nieżonaty.

— Powiedział mi jednego razu, gdy popił wina — szepnęła Sydonii Dorota — że panna młoda dla niego jeszcze się nie narodziła.

Sydonia z żalem patrzyła na upływ czasu na twarzy Doroty. Jej siostrze ciągłe przebywanie wśród ciotek Wedlowych nie służyło. Mówiła wyłącznie o małżeństwach, swataniu, czasami w gorszych chwilach wchodziła na grząskie tematy wdowieństwa, choć żadna z tych rzeczy jej nie dotyczyła. A jeśli udało się wyrwać ją z oków niewieścich plotek, zaczynała orzekanie we własnej sprawie:

— Eberstein i Meutauffel zawiedli. Wystraszyli się Ulricha von Bork — powtarzała sędzina Dorota.

— Ten jeden raz nie mam im nic do zarzucenia — brała stronę sprawiedliwości Sydonia. — Posłuchaj, kochana, to nie koniec. Będzie kolejna komisja pojednawcza.

— Pojednawcza? — srożyła się Dorota. — Ja nie chcę pojednania, chcę wyroku. Naszych pieniędzy. Odsetek. I to już.

Komisję wyznaczono na wrzesień i Sydonia, wbrew siostrze, uważała, że to dobrze.

— Po żniwach — tłumaczyła jej. — Będzie miał pieniądze ze zbiorów. Wyrwiemy je.

Lato w Krępcewie było deszczowe. W nieliczne słoneczne dni kazały służbie wynosić Annę na powietrze. Ustawiły jej wysłane poduchami łoże w różanym ogrodzie. Ona tak bardzo lubiła to miejsce.

— Jeśli umrę latem — pouczała siostry — ustrójcie kryptę w kościele bukietem tych róż.

Nie ona umarła latem, lecz król Polski, Zygmunt II August. Ostatni Jagiellon. Ponoć dzwony biły we wszystkich kościołach Rzeczpospolitej trzy dni. Nawet jeśli, w Krępcewie ich nie słyszano, a na Pomorzu wspomnienie króla krzyżowało się z nieszczęsnym krachem Loitzów. Już nikt nie pamiętał, że bankierom pożyczki nie spłacił także elektor Joachim Hohenzollern, tu wszyscy pomstowali na Jagiellona i dawali sobie upust, roztrząsając jego życie. Dwie niekochane żony z domu Habsburgów i ta jedna, dla której zaryzykował wszystko: Barbara z Radziwiłłów. Sydonia nie mogła tego słuchać, ale latem o niczym innym się nie mówiło.

— I wymarł słynny ród bezpotomnie — tubalnym głosem zaczynał popołudniowe rozmowy Lupold. — Rzeczpospolita, taki kraj wielki, taki bogaty, a nie mają dziedzica. Nie to co my, gryfickie Pomorze! Panów ci u nas dostatek. Ach, gdyby powiódł się plan ożenku naszego młodego Barnima ze starą Jagiellonką, teraz byśmy mieli pierwszeństwo w drodze do wawelskiego tronu!

Tak więc czas dożynek, choć powinien być świętem plonów, obchodzono pod znakiem strat.

Sydonia, kiedy tylko mogła, zatapiała się w lekturze. Lupold miał sporą bibliotekę, książki stały się jej ucieczką. Znalazła u niego rękopis tragikomedii o podróży księcia Bogusława do Jerozolimy.

— Panna zna łacinę? — zdziwił się Lupold, gdy spytała, czy może przeczytać.

— Znam — przytaknęła. — Choć wolałabym opanować ją lepiej. Gdy byłam mała, Jurga von Bork mnie nieco nauczył. To była ulubiona opowieść małego księcia Kazimierza.

— Książę już nie jest dzieckiem — z dezaprobatą pokręcił głową gospodarz. — Panna się zapomina.

Pokazała na rękopis i siląc się na grzeczność, powiedziała:

— Mam ją po niemiecku, więc pomyślałam, że dzięki pana wersji, poduczę się łaciny.

Lupold nadął policzki.

— Mogę poczytać? — spytała, zaciskając zęby.

— Proszę — odpowiedział obrażony.

U progu jesieni rozmowy zawróciły na dynastię Gryfitów. Książę Bogusław się żenił. Z księżniczką Luneburgu z domu brunszwickiego.

— Odsunął się od władzy — perorował Lupold, który zdanie na każdy temat miał wyrobione. — I jako pierwszy życie sobie ułoży. Panny dla książąt Szczecina i Wolgast wciąż jeszcze niegotowe. Że też im Zitzewitz naraił takie dzieci! A Bogusław, tylko patrzeć, jak spłodzi synów, tamci wciąż jeszcze będą w kawalerskim stanie. Księżna wdowa Maria ani myśli do rezydencji wyjechać, czuwa nad ukochanym Ernestem Ludwikiem, jak kwoka.

Zatem i drugi z tematów, po pierwszych zdaniach, stawał się dla Sydonii nieznośnym.

W najwyższym napięciu czekała na posiedzenie komisji, a ta zebrać się miała nie w Szczecinie, lecz na miejscu, w Krępcewie. Lupold to załatwił, bo nie chciał się oddalać od chorej matki, a jego książę wyznaczył na świadka ugody, której jeszcze nie zawarto. Poza nimi kilku pomniejszych Wedlów i Borków z okolicy.

Ulrich przyjechał skromnie, w czwórkę koni. Zapuścił włosy, dobrze rozumiał chwilę. Podgolony polski czub źle się kojarzył. Założył ten sam czarny wams, sznurowany srebrem, który miał na sobie podczas pierwszej sprawy spadkowej. Wcześniej dopasowany, teraz był na niego za luźny. Na piersi miał nie złoty, a srebrny łańcuch, na nim krzyż. Nie odstępował go na krok Jacob von Stettin; policzek dawnego pazia znaczyła nierówna blizna.

— Siostry — otworzył szeroko ramiona. — Moje drogie siostry.

Jeśli sądził, że wpadną w nie, jak w sidła, to się mylił. Stały nieporuszone, wsparte jedna o drugą, sztywne. Czekały, aż uśmiech spłynie mu z ust, pokaże Ulricha takim, jakim był. Gdy otoczeni przez świadków siedli za stołem, Sydonia zobaczyła coś, czego nie dostrzegła w Szczecinie, w sądzie. Twarz Ulricha pokryta była siecią drobnych, czerwonych wybroczyn. Pijaństwo odcisnęło na niej swą pieczęć. Eberstein i Manteuffel odczytali mu w imieniu sióstr listę żądań. Przeżegnał się zamaszyście, gdy skończyli.

— Jest mi wstyd — powiedział. — Niewymownie wstyd. Nie sądziłem, że odsetki tak szybko rosną, Bóg mi świadkiem — ujął w dwa palce zawieszony na szyi krzyż i ucałował, spuszczając wzrok.

— Nowe oblicze brata — szepnęła jej na ucho Dorota. — Ulricha Polskiego zastąpił Ulrich Pobożny.

— Pożyczę pieniądze, by spłacić moje szlachetne siostry — oznajmił i zrobił krótką przerwę, nim podjął. — Kto z was mi udzieli pożyczki? Nikt? Rozumiem, bracia. Wszyscyśmy polegli na Loitzach. Wszyscy, jak jeden mąż.

— Jesteś po zbiorach — twardo odezwała się Sydonia.

— Możesz do mnie mówić? — spytał z udawaną życzliwością. — Bo sądziłem, że za ciebie mówić ma hrabia. Zawsze lubiłaś wysoko urodzonych, choć, jak widzę, już spuściłaś z tonu, mała Sydonio.

Świadkowie popatrzyli po sobie, skonsternowani. Eberstein podjął:

— Z dumą reprezentuję pańską siostrę. Zatem co z pieniędzmi? Każdy z nas już szacuje zbiory.

— Liche — odpowiedział Ulrich, patrząc w oczy hrabiego Ludwika. — Beznadziejne. Szarańcza, deszcze. Grad w czerwcu. Nie wiem, z czego wyżywię dzieci zimą. Zwłaszcza, że pan, hrabio Nowogardu, zalegasz memu teściowi ze zwrotem pożyczki. Berndt von Dewitz śle listy, czyż nie?

Na policzki Ludwika von Ebersteina wystąpił gwałtowny rumieniec.

— To nie ma nic do rzeczy — powiedział szybko.

— Otóż ma — uśmiechnął się Ulrich współczująco. — Ty pożyczyłeś od Dewitza i nie spłaciłeś. Dewitz nie spłacił mnie. Ja pożyczyłem od ciebie i nie spłaciłem tobie. A wszyscy umoczyliśmy rezerwy u Loitzów. Jesteśmy jedną wielką rodziną, czyż nie? Moje biedne siostry należą do niej tak samo, jak my. Nie spłacając Dewitza, przyczyniasz się, hrabio, do tego, że ja nie spłacam swych ukochanych sióstr.

Sydonia poczuła, że się dusi. Dorota z nerwów drapała się pod stołem po dłoniach.

— Mimo koszmarnie złych czasów pragnę zaopiekować się siostrami. Dlatego, by nie musiały się tułać, zapraszam je na zimę do domu.

— Ponoć nie masz czym wykarmić własnych dzieci — zadrwił marszałek Manteuffel.

— Jurga von Bork pożyczy mi zboża, już obiecał — złożył dłonie Ulrich. — Biorę was na świadków, że moje siostry nie muszą się prosić o gościnę u krewnych, że czeka na nie rodzinny dom.

— Wilcze Gniazdo — rzucił któryś z Wedlów krótko.

— Gdyby tobie padało na głowę, kuzynie, także zapraszam. Mój zamek skromny, ale spory, pomieścimy się — uśmiech Ulricha był obłudny, ale zniewalający.

— No to postanowione — westchnął Lupold ciężko, choć Sydonia przypuszczała, że ucieszył się, iż nie będzie miał ich na głowie całą zimę.

— Pojedziemy — oświadczyła. A do Doroty szepnęła: — Na miejscu policzymy, ile naprawdę zabrał, i co ma. Wyślemy zestawienie do kancelarii książęcej.

— Oczywiście, na czas pobytu pod moim dachem zaprzestajemy doliczania do długu kwot na utrzymanie sióstr — powiedział Ulrich, gdy notariusz hrabiego zapisał, że zgadzają się wrócić do domu.

W jednej chwili „dom rodzinny" zamienił się w „jego dach" i dług przestał rosnąć. Sydonia i Dorota spojrzały na siebie wściekle. Dały się okpić.

— Podziękujmy Bogu za tak dobre rozstrzygnięcia — powiedział Ulrich, wznosząc oczy ku niebu.

Kim naprawdę jesteś, obłudniku? Borkiem — Wilkiem, który próbuje naciągnąć na grzbiet owczą skórę?

Ulrich spojrzał jej w oczy, jakby czytał w myślach. I znów pocałował noszony na szyi krzyż. Nie zauważył, że odwrócił go do góry nogami.


— Nasz ojciec był pięknym mężczyzną — opowiadała im Anna. Powieki miała przymknięte, jej jasne rzęsy drgały. Na policzkach przyrodniej siostry, która mogła być w wieku ich matki, tańczył cień. W kominku buzował ogień; Annie było zimno, choć wieczór był ciepły. — Pięknym i zmiennym, jak płomień. Potrafił być czuły, a chwilę potem nieostrożnym słowem sparzyć do kości. Moja matka bardzo go kochała.

— Nasza też — pociągnęła nosem Dorota.

— A on, Otto von Bork, kochał psy — ciągnie swą opowieść Anna. — Brał mnie na kolana, mówił: „Anna, na Strzmielu panna", śmiał się, całował mnie po włosach, albo w rączkę. Jak byłam mała, miałam takie pulchne rączki — jej powieki zaczynają coraz szybciej drgać, jakby przepływały pod nimi obrazy. — A potem zsadzał z kolan i nie oglądając się na mnie, wychodził ze świetlicy. Wychodził, bo usłyszał na dziedzińcu skomlenie psa. Podbiegałam do okna, wdrapywałam się na ławę, wciąż mając we włosach jego pocałunki. I widziałam, jak biegnie przez dziedziniec zamku, jak bierze w ramiona chore szczenię i nie brzydząc się, całuje w zaropiały pysk.

Anna milknie. Jej usta poruszają się, jakby mówiła, ale nie wychodzi z nich żaden głos. Mlaszcze sucho. Sydonia domyśla się i podaje jej kielich z rozwodnionym winem. Anna pije chciwie. Dorota patrzy, jak wino z wodą i śliną cieknie jej po brodzie i brzydzi się wytrzeć siostrę chustką. Robi to za nią Sydonia.

— Któregoś razu, a już byłam panienką, podrostkiem, uświadomiłam sobie — Anna zaczyna się śmiać. Wciąż ma przymknięte oczy, więc sprawia to wrażenie upiorne. — No tak, późno, co? Zrozumiałam, że mnie całował w rękę albo po głowie, rozumiecie, nigdy nie pocałował mnie w twarz. Ale nadal kochałam ojca, mimo, że on bardziej ode mnie kochał swoje psy. Może nie powinnam takich rzeczy wspominać?

— Mów, co chcesz, siostro — odpowiada jej zdjęta współczuciem Dorota.

— A ty? — pyta Anna. — Ciebie pocałował w policzek? W twarz? — jej głos staje się natarczywy, zdjęty zazdrością.

— Nigdy o tym nie myślałam — szczerze mówi Dorota. — Ale nie. Nie przypominam sobie żadnego ojcowskiego pocałunku.

Anna oddycha świszcząco. Przy każdym wdechu jej policzki zapadają się.

— Jestem podobna do mojej matki — wyznaje po chwili. — Ileż razy, patrząc w lustro, myślałam, że Ottona von Bork nie było. Nie został we mnie żaden jego ślad.

Patrzą na siebie z Dorotą, nie wiedzą, co powiedzieć. Oddech Anny jest coraz płytszy, szybki, krótki. Sydonia znów podaje jej wino z wodą, ale siostra odmawia.

— Już byłam mężatką — podejmuje opowieść po chwili. — Dorota i Ulrich byli już na świecie, a ty, Sydonio, siedziałaś w brzuchu swej matki. W czarnym lesie, wiecie, tym za Strzmielem, zaczęły grasować wilki. Nasz ojciec wyprawiał się tam, chłopi skarżyli się na szkody. Był wściekły, nie mógł tej watahy przegonić. To trwało, rok za rokiem, widziałam, jak ojciec marniał. Spotykaliśmy się wtedy rzadko, ja piastowałam małego Lupolda, potem ty się urodziłaś, skarżył się, że ilekroć pojedzie szukać watahy, ginie mu jeden pies ze sfory.

Sydonia i Dorota chwyciły się za ręce. Zaraz usłyszą tę opowieść, skrywaną przed nimi przez lata.

— Wygubił je wszystkie — głos Anny jest już niemal niesłyszalny. — I to zgubiło jego. Któregoś dnia zagonił się w leśne ostępy sam, oszalały z żalu po wychowanych własną ręką szczeniętach. Dlatego Ulrich jest taki... — Anna z trudem łapie powietrze. — On widział ojca. Przywieźli go z lasu... nigdy nie zapomnę... ciebie, Doroto, zamknęli w baszcie z Sydonią, wierzgałaś, krzyczałaś, ale założyli na drzwi dwie kłódki. Tak się boję, że on wyjdzie po mnie w tej postaci... Poszarpany...

— Twoja matka czeka na ciebie po tamtej stronie — zaczęła ją gładzić po suchej dłoni Dorota.

— Moja matka? — głos Anny nagle stał się ufny, dziecinny. — Czekaj, czekaj. Ja chyba ją widzę.

— Jakie miał oczy? — szybko spytała Sydonia. — Ponoć takie, jak Ulrich.

— Chciałabyś — szepcze Anna. — Oczy to akurat miał takie jak ty. Mamo, poznajesz mnie? To ja, twoja Anna.

Sydonia z wyrzutem szarpie ramieniem Doroty.

— Zawsze mówiłaś, że jestem podobna do matki! — płacze. — Kłamałaś!

— Nie chciałam cię martwić — chlipie jej siostra.


Książę Barnim tej nocy śnił wodę.

Był młody, krążyły w nim soki. Wpław płynął przez morze. Bez trudu pokonywał fale. Wyrzuty jego ramion były pewne. Mijał ławice ryb morskich. Lśniących śledzi. Goniących je i połyskliwych jak klejnoty makreli. Zwinnych belon, śmigłych dorszy i wielkich, raz po raz wynurzających łby z wody, morświnów. Zbliżał się do brzegu. Na piasku wylegiwały się foki. Nad nimi, w wietrznym tańcu wirowały mewy. Całym ciałem odczuł ruch wody. Zasysanie i wypychanie, jednocześnie. Bił ramionami o fale, a mimo to pozostawał w miejscu. Wtedy dostrzegł u brzegu morza szerokie ujście rzeki. Wielką gardziel otwartą wprost przed nim. Nurt porwał go i skierował ku niej. Musiał płynąć pod prąd, miał dość siły. Dostrzegł lasy po obu rzecznych brzegach, a przed nimi łąki wodne, łagodnie falujące trzciną. O jego nogi owinęły się śliskie ciała węgorzy. Zrzucił je kopnięciem, wciąż płynął. Mewy nad jego głową krzyknęły głośno, umilkły, biły skrzydłami powietrze. Wtedy zrozumiał, że lecą za nim, ale mu nie towarzyszą. Woda stawała się coraz gęstsza, to dziwne, pomyślał we śnie. Rzeka, chwilę temu rozlana szeroko, zaczęła się zwężać. Uderzał ramionami z coraz większym wysiłkiem. Mewy zniżyły lot. Cień ich skrzydeł zawisł nad nim.

— W imię Pana, otwórzcie — powiedział jakiś głos.

Odwrócono go na plecy. Leżał na stole, nagi i mokry. Cień nad nim zrobił znak krzyża.

Płynął, wciąż jeszcze płynął. Jego nogi raz po raz trafiały na wodorosty. Ich śliski dotyk był mu niemiły. Oczy zalewała woda. Wpływała do nosa. Krztusił się nią, gęstą i cuchnącą.

Poczuł ostrze noża przyłożone do piersi.

— Doktorze, czas nagli — usłyszał.

Ostrze wbito mu w pierś, zrazu niepewnie, potem mocniej. Czuł to wyraźnie, choć nie niosło za sobą ani krzty bólu.

Rzeka była coraz płytsza. Zobaczył po obu jej stronach ujścia dopływów. Do nurtu, którym płynął, wlewała się przez nie woda. Gęsta i brudna.

— Serce — powiedział głos. — Niepowiększone. Proszę zważyć, magistrze.

Poruszał ramionami rozpaczliwie. Wokół niego było coraz mniej wody. Mewy nad jego głową krzyczały łakomie. Zrozumiał, że płynie rzeką, która wysycha.

— Wątroba — oznajmił głos i dodał: — Ślady stłuszczenia. Żółć i czerń.

— Zważyć?

— Naturalnie. I zapisać wynik.

Kolanami tarł o piach. Koryto rzeki było wciąż szerokie, ale od brzegów suche, w niebo, jak ostrza, sterczały pożółkłe trzciny. Głazy, coraz więcej kamieni. Na niektórych z nich siedziały mewy. Czyściły pióra. Coś w nim mówiło, że powinien wstać i uciec. Wiedział, że to niemożliwe. Że może tylko płynąć.

— Płuca — ktoś westchnął. — Zbliżcie się, proszę. Pierwszy raz coś takiego widzę. Magistrze? Jak to opisać?

Chciał się sprzeciwić temu wewnętrznemu nakazowi, który zmuszał go do płynięcia wyschniętym korytem. Ukląkł na piachu. Wsparł się na ramionach. Dyszał. Podniósł głowę, postanawiając, że wstanie z kolan i ruszy ku brzegom.

— Tak — potwierdził głos. — Tak proszę zanotować. To wszystko. Teraz sól, mieszanka ziół gotowa?

— Gotowa.

— Dobrze. Wypełnimy szczelnie korpus i szyjemy. Nie ma co przeciągać.

— Co z winem?

— Proszę polać na zioła, gdy skończymy wypełniać. Nasz dobry pan ostatnimi czasy nie pił wcale, niechże jego ciało się nasyci po śmierci. Boże, bądź miłościw.

Zerwał się. Nogi mu drżały w kolanach. Zacisnął dłonie w pięści, zebrał się w sobie i ruszył. Stanął w pół kroku. Na wysokim wschodnim brzegu usłyszał bicie serca i odgłos oddechu. Z tamtej strony aż biło zielenią, obfitością roślinną pyszniły się wysokie trawy. Jego stopy grzęzły w mule i jałowym piasku. Między pustymi muszlami pełzły ku niemu węże. Mewy krzyczały mu nad głową. Ratunek był tylko tam, na bujnym, kipiącym zielenią brzegu. Wyrywał się tam strachem, nie sercem. Trawy rozchyliły się płynnym, łagodnym ruchem. Spomiędzy nich wychynęły dwie potężne łapy. Obok nich kolejne. Nad głową świst skrzydeł i krzyk. I ból ramienia, w które wbił się dziób mewy. Skoczył ku brzegowi, choć już zrozumiał, kto tam na niego czeka. W kim jest ratunek. Warczenie i przeciągły skowyt. Czekały na niego dwa wilki.

— Pan będzie strzegł twego wyjścia i przyjścia, teraz i po wszystkie czasy — głos nad nim zaintonował psalm.

To nie pierwszy werset, lecz ostatni — z przerażeniem zrozumiał Barnim.

— *Memento mei*. Pamiętaj o mnie — zaszumiały trzciny.


Barbara von Brockhausen przez trzy dni zmagała się z myślami, jak najlepiej wystąpić na uroczystości. Gdy pan Brockhausen przyniósł do domu wiadomość o trasie żałobnego konduktu, jego małżonka odkryła, że potrafi połączyć potrzebę bycia z chęcią obejrzenia.

— Kondukt szedł będzie Kuśnierską, potem Wielką Tumską do kościoła. Usadowimy się z Sydonią w oknach i będziemy wszystko oglądały z góry, a gdy przyjdzie nasza kolej, a to dopiero za książęcymi damami, zejdziemy i włączymy się w kondukt.

— Barbaro — zaoponował pan Brockhausen i to był pierwszy raz, gdy Sydonia widziała jego sprzeciw. — Tak nie wypada. Powinnaś stanąć w kondukcie na zamkowym dziedzińcu.

— Zrobiłabym tak — zgodziła się zbyt zapalczywie, by zgoda była prawdziwą. — Gdybym mogła iść z tobą, blisko trumny. Ale sam mówisz, gdzie pójdą damy. Z szarego końca konduktu nic nie zobaczę.

Pan Brockhausen machnął ręką i wyszedł. Miał obowiązki. Jego żona również.

Warsztaty kuśnierskie i krawieckie przeżywały oblężenie. Był początek listopada, wystąpić należało w czerni, Barbara uważała, że ani jej suknie, ani płaszcz, nie nadają się na uroczystość. Nie ona jedna była tego zdania, bo gdy zawitały do pana Petrusa, krawca Barbary, zobaczyły, że cały jego zakład tonie w ciemnej materii. Mistrz siedział ze skrzyżowanymi nogami na wielkim stole. Na kolanach trzymał obszerną czarną spódnicę z tafty, którą wykańczał właśnie jedwabną taśmą. Stół był tak duży, że poza mistrzem siedzieli na nim po krawiecku dwaj jego synowie, każdy skupiony na robocie. Łapali resztki dziennego światła wpadającego do pracowni przez okno. Pomiędzy nimi z sufitu zwisała półka, bujała się lekko, a przerzucone przez nią czarne, ciemnogranatowe, ciemnozielone i ciemnofioletowe nici wyglądały jak żałobne wodorosty. Mistrz Petrus przywołał żonę, ta starannie wytarła ręce, zanim odebrała od niego spódnicę, nad którą pracował, gdy weszły. Dopiero wtedy zszedł ze stołu, rozprostował barki, poruszył zesztywniałą głową i ukłonił się Barbarze i Sydonii.

— Czarny aksamit podrożał — ostrzegł. — Czarna tafta niemal podwójnie. Jedwabiu mam bardzo mało, starczy ledwie na wykończenia. O czarnym suknie można zapomnieć, wszystko, co w cechu mieli na składzie, zamówił dwór.

— Zamek ustalił datę samolubnie — przytaknęła mu pani Barbara. — Żeby dać od zgonu do ceremonii ledwie dziesięć dni! To brak poszanowania dla zmarłego, nie zadbać, by żałobnicy wystąpili godnie.

— Zgadzam się z jaśnie panią — potarł obrzękłe powieki. — A to od bardzo dawna pierwszy książęcy pogrzeb w Szczecinie. Tych w Wolgast nie liczę, nie nasza sprawa. Czym mogę służyć?

— W takiej sytuacji — Barbara rozejrzała się po zakładzie, szukając czegoś odpowiedniego. Wypatrzyła aksamit przetykany lekko połyskującą, także czarną, taśmą. Wskazała na materiał, mistrz Petrus skinął głową i wyciągnął aksamit spod innych. Barbara zdjęła rękawiczkę i dotknęła materii. — Zamówię wyłącznie nowe rękawy do sukni. Jak najobszerniejsze, marszczone górą, wąskie dołem.

— Naturalnie — skinął głową krawiec i złapał się za obolały kark. — Przydałyby się do tego mankiety. Niestety, z tym nie pomogę.

— Nie trzeba, moje służące poradzą sobie.

— A panna? — spytał, patrząc na Sydonię.

— Dziękuję — odrzekła.

— Moja krewna od lat chodzi w czerni — zaśmiała się Barbara. — Namawiałam ją tyle razy na zmiany, nigdy się nie dała przekonać i proszę. Okazało się, że jest przygotowana nawet na żałobną ceremonię.

W dniu pogrzebu starego księcia dzwony we wszystkich kościołach Szczecina biły od świtu. Rano padało, potem wiatr przepędził chmury, co tłumy mieszczan ustawiające się od wczesnych godzin na trasie konduktu przyjęły z ulgą. Pan Brockhausen wyszedł z domu wcześnie, strojny w obszerną, czarną szubę i takiż kapelusz, przyozdobiony egretą. Wrócił po chwili.

— Zapomniałem rękawiczek — uchylił kapelusza i pokręcił głową. — Na co dzień bez nich bym z domu nie wyszedł. Te dzwony — machnął ręką i poszedł.

— Tylko popatrz — Barbara przylgnęła do ramienia Sydonii i wskazała na okna kamienic naprzeciwko. — Nie znam tych ludzi, niemożliwe, by tam mieszkali. To dom starych państwa Ostenów, rzadko tu przyjeżdżają, na wsi siedzą, we dworku. Ach — oderwała się od Sydonii, zrobiła wielkie oczy i zasłoniła usta dłonią. — Sądzisz, że Ostenowie sprzedali miejsca widokowe na pogrzeb?

— Sądzę, że powinnyśmy skończyć się ubierać. Zamarzniemy w otwartych oknach — powiedziała Sydonia.

— Jeszcze dwie godziny do rozpoczęcia, a tu już szpilki nie wetkniesz — wyjrzała na uliczkę Brockhausenowa, ale po chwili cofnęła się i poszły zająć się strojem.

Klagbinde. Sydonia trzymała przez chwilę opaskę żałobną w dłoniach. Myślała o matce. To już pięć lat od jej śmierci. Epitafium nie powstało, Sydonii wciąż nie było stać na malarza.

— Panna pozwoli, pomogę — stanęła przy niej Metteke i okręcając białe płótno wokół głowy Sydonii, pogładziła ją przelotnie po włosach. Sydonia zacisnęła szczęki, by powstrzymać szloch, który nieproszony i niespodziewany, wstrząsnął jej ciałem.

— Płaczesz po księciu Barnimie? — spytała Barbara.

Sydonia nie odpowiedziała, jej twarz znikała pod kolejnymi zawojami płótna. Zręczne dłonie Metteke kończyły wiązać klagbinde i ukryły pod nim Sydonię.

— Możesz w tym mówić? — zaciekawiła się Brockhausenowa, wyglądając zza ramienia ubierającej ją służki.

— Niewiele — odpowiedziała Sydonia.

— Ja w swojej mogę, spójrz — odsunęła służącą.

Klagbinde Barbary przypominało wysoki, okalający twarz kołnierz, wykończony od góry delikatną koronką. Zakrywało jedynie usta, już nie nos.

— U nas się tak nosi — oznajmiła.

Założyły płaszcze, wykładając na nie długie pasy białej tkaniny wieńczące żałobną szatę. Służba zdążyła przygotować stołeczki ze stopniem, na które weszły, by oglądać wygodniej. W kamienicy naprzeciwko zajęto już wszystkie okna.

— Ale tylko nasze przystrojone jest angielskim suknem. Dobrze, że kazałam zatrzymać po pogrzebie starego Brockhausena, mój mąż chciał je rozdać biednym — pokręciła głową. — Nie wszystko, co przystoi księciu, pasuje skromnemu szlachcicowi.

Dzwony biły nieprzerwanie i dziwne, choć były tak blisko kościoła Mariackiego, lepiej słyszały te od Świętego Jakuba. Stada gołębi spłoszone dzwonami krążyły niespokojne. Przysiadły na chwilę na dachu kamienicy naprzeciwko i już poderwały się do lotu, uciekając w stronę zamku. Kilka mew, które zwabione tłumem zabłąkały się nad miastem, latało chaotycznie ponad dachami domów. Wreszcie jedna z nich krzyknęła ostrzegawczo i wszystkie naraz zawróciły ku Odrze. Stado ogłupiałych gołębi z szumem skrzydeł już wracało od strony zamku. Przez ciżbę ludzką przetoczyły się krzyki:

— Nareszcie!

— Idą!

Barbara von Brockhausen wychyliła się mocniej przez okno i oznajmiła:

— Widzę czoło konduktu!

Oczy miała roziskrzone, na policzkach rumieńce.

Przodem puszczono straż książęcą, by rozganiała tłum, który cisnął się, tarasując drogę. Dopiero za nimi szły kolejno trzy trójki żałobnie ustrojonych pomorskich panów. Dalej zakapturzony pochód chłopców ze szkoły miejskiej i ich profesorowie. Uczniowie śpiewali, ale ich głosy niknęły w biciu dzwonów i wrzawie tłumu. Przebił się dopiero wysoki dźwięk trąbek. Słyszały go, zanim zobaczyły trębaczy, przez cały kroczący przed nimi pochód pastorów, a tych było więcej, niż uczniów szkoły miejskiej.

— Patrz tylko! — krzyknęła Barbara, by przebić się przez zgiełk. — Mają czarne wstęgi na trąbkach. Ładne to — pochwaliła. — Za nimi marszałek krajowy, widzisz go? Och!

Jęknęła i nietrudno się było domyślić, że ten zachwyt wzbudził majestatyczny kondukt chorągwi. Każda reprezentowała jedną z dziesięciu ziem księstwa, niósł ją szlachcic, a za nim prowadzono czarno okrytego konia. Zwierzęta kroczyły godnie, jakby były do tego szkolone. Nie płoszyły ich ani dzwony, ani trąby, ani tłoczący się z boków tłum mieszczan.

— Puttkamerowie, Wedlowie, Ostenowie — wyliczała Barbara. — O! Jest i Eberstein z główną, żałobną chorągwią!

Hrabia Nowogardu zamykał tę część konduktu, Sydonia zauważyła, że na wielkiej chorągwi, którą niósł, wyszyto złotem imię księcia i daty. Urodzenia i śmierci.

Haft skończony — przebiegło jej przez myśl.

Za Ebersteinem szedł marszałek Manteuffel i niósł miecz książęcy, przepasany kirem, z ostrzem skierowanym w dół. Potem kanclerz Laurentius z czarną aksamitną poduszką, na której spoczywała książęca pieczęć. Gdy przechodził pod ich oknem, Barbara wychyliła się mocniej.

— Jedwabna tafta — oświadczyła, gdy wróciła na swoje miejsce. — Tym obwiązali pieczęć. Ładne i gustowne.

Kondukt bardzo wolno przesuwał się w stronę kościoła. Za kanclerzem było pusto i ciżba, jak woda, już miała tę pustkę wypełnić, gdy nagle zza zakrętu ktoś krzyknął ostro, przejmująco:

— Miejsce dla trumny!

— Ach — jęknęła Barbara i złapała za rękę Sydonię. — To mój pierwszy książęcy pogrzeb. Nigdy go nie zapomnę.

Trumnę niosło dwunastu zakapturzonych szlachciców. Posuwali się ciężko, lekko szurając, kolebiąc się na boki. Była zasłonięta czarnym angielskim suknem, długim, niemal do ziemi.

— Żeby nie przydepnęli — szepnęła poruszona Barbara. — Żeby tylko nie przydepnęli.

Wierzch trumny przykryto bielutkim płótnem, na nim czarny aksamit z pomorskim herbem i krzyżem.

— Srebro z czernią — jęknęła Barbara. — Ładne. Wytworne.

Trumnę otaczało dwudziestu czterech dworzan z zapalonymi pochodniami. Twarze zakrywały im żałobne kaptury, ubrani byli jednakowo.

— Nic dziwnego, że aksamit podrożał — mruknęła Brockhausenowa. — Są i nasi książęta! Młody Dom Gryfa podąża za starym w żałobnym kondukcie.

Sydonia pobłogosławiła klagbinde. Pierwszy szedł Jan Fryderyk. Za nim Ernest Ludwik. Dalej Bogusław, młody Barnim, Kazimierz. Oddychała szybko, zaschło jej w ustach. Po książętach szli wysłannicy ościennych dworów, z Brunszwiku, Meklemburgii, marchii. Potem zaczynał się kondukt panów pomorskich. Dostrzegła Jurgena von Bork, Josta z Ascaniusem. Nie widziała Ulricha.

— Musimy iść — zarządziła Barbara. — Widzisz Brockhausena? Tam idzie. Jemu jednak niedobrze w tym kapeluszu. Jest za niski. Mówił, że jak go zobaczymy, czas na nas. Chcesz dołączyć do żon Borków, czy zostajesz przy mnie?

— Zostaję — zduszonym głosem odpowiedziała Sydonia.

— I dobrze. W tym czymś i tak nikt cię nie rozpozna.

Kilka dni po pogrzebie Sydonia udała się do kancelarii książęcej w Domu Opata. Przywitał ją ten sam młody notariusz, Elias Pauli. Przez trzy lata okrzepł w pracy, panował nad dokumentami i, jak pochwalił się Sydonii, wybierał się na studia prawnicze do Gryfii.

— Życzę powodzenia — powiedziała szczerze, składając do akt dokumenty. — To wykaz zbiorów Ulricha von Bork z poprzednich żniw — wyjaśniła. — Mój brat mówi, że przyniosły straty i dlatego nie będzie płacił naszych alimentów. Chwilowo mieszkamy z nim, więc sprawdziłam spichrze i proszę. Chcę, by sąd uwzględnił to na kolejnym posiedzeniu.

— Oczywiście, choć uprzedzam, że to potrwa — potwierdził młodzian i uśmiechnął się przepraszająco. Pożegnali się.


Po Trzech Królach Sydonia wróciła do Strzmiela, do Doroty. Siostra była kłębkiem nerwów.

— Każdy dzień sam na sam z nimi był torturą — powiedziała, rzucając się Sydonii na szyję. — A jeszcze ta sprawa… — zawahała się, odsunęła i ujęła twarz Sydonii w dłonie. — Musisz iść do Jurgena, ach, ja ci tego nie powiem, siostro! To mi nie przejdzie przez usta.

Znalazła go na skraju wzgórza. Prószył drobny śnieg, pierwszy od dawna, pokrywał burą ziemię nierówną warstwą bieli. Jurga siedział na kamiennej ławie, w zarzuconej na ramiona futrzanej szubie, z gołą głową. Płatki śniegu osiadły na jego długich włosach, przyprószając je, jak siwizna. Musiał tak siedzieć już długo, w świeżym śniegu nie widać było jego śladów. Na jej widok skinął głową i dalej wpatrywał się w las u stóp wzgórza.

— Nie znaleźliśmy ciała — powiedział chrapliwie.

Serce podeszło jej do gardła.

— Czyjego? — spytała.

Milczał chwilę. Przymknął oczy.

— Ascaniusa — powiedział.

Zasłoniła twarz dłońmi.

— Przed Bożym Narodzeniem wypłynął na jezioro łodzią. Sam, nie wziął nawet sługi. Jostowi powiedział, że będzie łowił ryby. Zabrał harpun na szczupaka.

Każde zdanie było dla Jurgi wysiłkiem. Robił długie pauzy.

— Wieczorem zaczęliśmy go szukać z Jostem. Zabraliśmy służbę, psy, pochodnie. Znaleźliśmy łódź wywróconą do góry dnem.

Zepchniętą hen, głęboko w suche trzciny. Harpun znalazł Jost, trzy dni później i w innym miejscu.

Chciała krzyczeć. Że każdy, tylko nie Ascanius. Że może to okrutny, ale żart. Że żyje i przyjdzie któregoś dnia i wtedy będą na niego wściekli i szczęśliwi. Że to niemożliwe, widziała ich niedawno wszystkich trzech, z okna Brockhausenów, w kondukcie. Że Jurga nie może wyprawić mu pogrzebu. Nie ma ciała i nie wolno uznać go za zmarłego. Jest tylko zaginionym Ascaniusem von Bork.

Po miesiącu zrozumiała, że żałoba po zaginionym jest trudniejsza niż po zmarłym. Jost chodził jak pijany. Jego ojciec jak chory. Dorota skurczyła się i pokrzywiła jeszcze bardziej. Ulricha to nie obeszło. Otylii też. Jego nie było całymi dniami. Ona chodziła w kolejnej ciąży, obrzęknięta i zła na cały świat.

Wiosna wzmogła niedorzeczną nadzieję, że Ascanius się odnajdzie. Sydonia, nic nie mówiąc Jurgenowi, chodziła nad jezioro i przeczesywała szuwary, szukając jakiegoś śladu przeoczonego wcześniej.

Pewnej nocy nawiedził ją sen. Przebudziła się skostniała z zimna, mokra od potu i otumaniona. Nie umiała sobie przypomnieć ani jednego obrazu, jaki śniła, ale czuła lęk przed zamkniętym pomieszczeniem. Dorota spała, włosy wysunęły jej się spod nocnego czepka i oblepiły twarz. Tak wodorosty oplatają topielca — przebiegło przez myśl Sydonii i nie mogła się od tej wizji uwolnić. Czy to właśnie śniła? Utopce? To chodzenie wokół jeziora mnie wykończy — pomyślała i wstała po cichu, by nie zbudzić siostry. Założyła buty i owinęła się płaszczem. Musiała wyjść na powietrze, choć było jej zimno. Potrzebowała zaczerpnąć tchu, odsunąć mroczne senne wizje, czymkolwiek były. Na dziedzińcu panowała cisza. Ostatnie chwile przed brzaskiem. Służba spała, tak jak zamkowe psy, jak konie w stajni, jak kogut i jego stadko kur. Tylko kot cicho przemknął przez podwórzec, wracając z nocnych łowów. Poszła w kierunku, z którego wybiegł, zza domku ogrodnika, i przypomniała sobie, że tam kiedyś była mała bramka w murze, mówili na nią „dziurka dla służby". Drewniana furta była uchylona. Pewnie ktoś wymknął się nocą do miasteczka na schadzkę, jednak Sydonia, choć myśl o jakimś stajennym biegnącym do swojej Grety czy Kaśki była pierwsza, nagle uległa nadziei, że otwarta furta ma związek z Ascaniusem. Ruszyła przez nią i dalej, wąską ścieżką, przez plątaninę chaszczy za zamkowym murem. Suche pnącza czepiały się jej płaszcza, szła coraz szybciej i szybciej, jakby zbliżający się świt mógł oddalić ją od znalezienia, no właśnie? Czego? Dawno zeszła z zamkowego wzgórza i zgubiła ścieżkę, lecz zorientowała się za późno. Stawiała nogi coraz ostrożniej, wciąż myśląc, że powinna zawrócić, i wciąż idąc dalej. Była w lesie, ale który to z lasów? Czy już obeszła łukiem miasteczko? Czy jest nad jednym z jezior? Przez gałęzie drzew nie docierał brzask, choć wydawało jej się, że błądzi tak długo, iż świt powinien już nadejść. Zatrzymała się nagle, bo poczuła ciepło, jakby dotknęła ją fala rozgrzanego powietrza. Rozejrzała się wokół. Owionęła ją gorzka, żywiczna woń. I wtedy zobaczyła coś w leśnym półmroku: obok drzewa stała olbrzymia kobieta. Sydonia widziała tylko zarys jej postaci. Była naga i stara. Barczysta, choć ramiona miała nieco pochylone, jakby się garbiła. Długie, skołtunione włosy spadały jej na plecy. Sydonię przeszył niepokój. Gdzie ja jestem? Kim ona jest? Kobieta, jakby w odpowiedzi, uniosła ramię, wyciągnęła szponiasty palec i wskazała w głąb lasu, jakby kazała tam iść. Sydonia posłuszna jej rozkazowi ruszyła przed siebie. Gdy przechodziła obok niej, wyczuwalna wcześniej woń żywicy przybrała na goryczy, jakby powietrze przesączono piołunem. Kobieta potrząsnęła włosami. Zwróciła twarz w jej stronę i Sydonia zobaczyła, że choć ciało olbrzymki jest owłosione i pokryte starczymi bruzdami, tak, że przypomina korę drzew, to jej twarz jest młoda. Zapłonęło żółte spojrzenie, jak dwa ognie w mrocznym lesie i kobieta zaczęła znikać, niczym mgła. Wraz z jej znikaniem ulatywała żywiczna i piołunowa woń. Sydonię znów owiał chłód. A jednak, posłuszna poleceniu widziadła, szła we wskazaną stronę i odnalazła wąską leśną ścieżkę. Poczuła zapach dymu i po chwili wyszła na niewielką polanę. Czy to był sen? Jeśli tak, to wciąż trwał. Dniało. W brzasku zobaczyła dogasające, niewielkie ognisko. Potem potężny, uschnięty jesion, jego konary nosiły czarne ślady po uderzeniu piorunem. Na najniższych zawieszone były rogi do picia. Naliczyła trzy, wszystkie ozdobne, rzeźbione, okute srebrem. Jeden z nich kołysał się lekko, aż skrzypiał rzemień, na którym go zawieszono. Krzyknął zbudzony ptak, a zza pnia dębu ktoś wyszedł.

— Jurga? — spytała zaskoczona, choć od razu poznała go po sylwetce. — Co tu robisz?

— Dałem Trzygłowowi miodu na ofiarę — odrzekł chrapliwie.

— Komu? — nie zrozumiała w pierwszej chwili.

— Trzygłowowi — powiedział, jakby zawstydzony, a potem dodał: — Pastorzyna odprawił nabożeństwo w intencji odnalezienia mego syna — jego głos był jeszcze głębszy niż zwykle. — I nic. Więc poprosiłem stare bogi, te, którym się kłaniali Borkowie. Te bogi, co im dawali siłę.

Utrata sił, to śniłam — zrozumiała.

— Chodźmy już — powiedział i pociągnął ją za rękę w las, z którego wyszła.

— Jurga, gdzie my właściwie jesteśmy? — odezwała się cicho.

— Nie wiesz? — spytał. — Nie wiesz. To czarny las za Strzmielem.

Tu mojego ojca zagryzły wilki — zrozumiała i przeszedł ją dreszcz. Szli w milczeniu. Ledwie nadążała za Jurgą.

— Widziałam tu kobietę — odezwała się do niego po długiej chwili. — Dużą, jak olbrzymka. I całkiem nagą.

— To nie kobieta — odrzekł Jurga, sprawnie omijając zwalony pień. — To Mamuna.

— Pokazała mi ścieżkę — dodała Sydonia.

— Dziwne — Jurga przystanął na chwilę i spojrzał na nią uważnie. — Zwykle zwodzi, umie wygubić w lesie nawet wprawnych wędrowców. Może to nie była ona, tylko zwykła, leśna baba, która ulitowała się nad panienką Bork — zaśmiał się chrapliwie.

— Często tam chadzasz? — spytała Sydonia, gdy już zamajaczył na końcu ścieżki zamkowy mur.

— Nie — uciął Jurga.


Kilka dni później Jurga znalazł w wyschniętych szuwarach płaszcz Ascaniusa.

— Prosiłem bogi, by oddały mi syna — wycharczał, wczepiając w ubłoconą, zatęchłą wełnę palce. — A dostałem to… szmatę jak… pusty odwłok. Stare bogi umarły… i my wymrzemy… już dawno nie jesteśmy tymi samymi Borkami, co przedtem…

Jurgen von Bork kazał wsadzić ten płaszcz do trumny i pochował zamiast Ascaniusa. W grobowcu na cmentarzu, pod szarą płytą piaskowca, tą, na której jest tylko jeden napis: Rodzina Bork.


Sydonia jeszcze nie raz poszła do czarnego lasu. Za dnia, by dobrze rozpoznać drogę. Wpatrywała się w potężne pnie drzew, ale żaden z nich się nie poruszył, żaden nie był kobietą chodzącą nago po lesie. Dwa razy pobłądziła, ale wreszcie odnalazła ścieżynę i potrafiła dojść do polany i czarnego, spalonego jesionu. Gałęzie drzewa były puste, nie wisiał na nich żaden róg, choć była pewna, że tamtego dnia, kiedy spotkała Jurgę, ten zostawił rogi ofiarne na drzewie. Znalazła jednak odcięty rzemień, więc tak, ktoś tu był, ktoś je zabrał. Wracając, blisko miejsca, w którym, jak jej się wydawało, widziała Mamunę, odkryła dziwaczną roślinę. Najpierw poczuła ostrą woń nasienia i moczu, przez głowę przemknęło jej, że ktoś tu jest, może idzie za nią, może ją śledzi. Wtedy zobaczyła zielone, pysznie żyłkowane liście w kształcie strzałek i gdy pochyliła się nad nimi, zrozumiała, że to spomiędzy nich czuć tę nieprzyjemną woń. Tak śmierdział kwiat, jasnozielony, nieco bezwstydny, w kształcie pochwy z wyzywająco wystawionym spomiędzy płatków brunatnym pręcikiem. Zerwała go, plamiąc palce sokiem i smrodem. Zasuszyła na pamiątkę nieodnalezienia Asche. Z czasem smród wywietrzał, ból po stracie Ascaniusa pozostał.

Tej samej wiosny Otylia urodziła trzeciego syna. Na szczęście, nie przyszło im do głowy, by dać mu na imię Ascanius. Nazwali go Berndt, po Dewitzu, ojcu Otylii. Ich pierworodny nazywał się Otto III, potem mieli Maćka, a jakże, święte imiona Borków. Otylia krzyczała całą noc, rodząc tego Berndta. Ulrich szalał i pił na umór, a potem, gdy poród i bóle żony nie chciały się skończyć, z Jacobem Stettinem wspiął się na zamkowe mury i strzelał z łuku do ptaków, które ośmieliły się przelecieć nad jego zamkiem. Wreszcie rano wszystko ucichło. Otylia urodziła, dzieciak był zdrowy, matka ledwie przeżyła. Sydonia szła spod komnaty Otylii, była spytać o jej zdrowie. Sypialnia pani na Strzmielu mieściła się w jedynej odnowionej części zamku. Gdy wspinała się schodami do swojego i Doroty pokoju, usłyszała westchnienie, potem szuranie. Płomień kaganka, którym oświetlała sobie drogę, zamigotał. Podniosła rękę, poświeciła na schody. U ich szczytu siedział Ulrich. W rozdartej, brudnej koszuli. W skórzanych, myśliwskich spodniach. Był skulony, głowę trzymał na kolanach, ciemne włosy zakrywały mu twarz. Podeszła bliżej.

— Co z tobą? — spytała.

Uniósł głowę. Na obrzękłych policzkach miał brudne ślady po łzach. Przykucnęła, odstawiła kaganek na schody i spojrzała mu w oczy.

— Bałem się — powiedział. — Że ją stracę dziś w nocy.

Nic nie powiedziała. Po raz pierwszy od dawna patrzyła na brata z tak bliska. Czuła woń jego potu i skóry. Odór wina, który z niej parował.

— Ona się boi każdego dziecka — wyznał. — Boi się, że będzie z nimi coś nie tak. Jak z nami, siostro.

Położył jej lewą dłoń na ramieniu, a ona jej nie odtrąciła.

— Wiem, że Berndtowi nic nie dolega — powiedziała. — Ani tym dwóm starszym. Macie wielkie szczęście.

Wpatrywał się w nią. Przesuwał wzrokiem po jej twarzy.

— Trzech synów, dziedziców Strzmiela. Możesz dać Otylii odetchnąć.

— Jak?

— Nie musi więcej rodzić.

Ulrich zacisnął jej dłoń na ramieniu. Jego ciemne oczy zalśniły.

— Ja jej pragnę. W każdej chwili. Nawet teraz.

— Nie mówię, że masz przestać jej pragnąć — powiedziała Sydonia. — Mówię tylko, że nie potrzebujecie więcej dzieci.

Puścił jej ramię i potarł zmęczoną twarz. Pokręcił głową.

— To wbrew naturze, co mówisz.

Westchnęła.

— Jeśli uważasz, że zgodne z nią jest umieranie kobiet podczas porodu…

— Tfu — przerwał jej i splunął przez ramię. — Ty też wypluj to złe słowo — rozkazał.

— Jak chcesz — powiedziała Sydonia i wstała.

Ulrich podał jej kaganek. Lewą, dłuższą ręką. Niezgrabnie, ale wzruszająco.

— Nie mogę jej stracić — powtórzył. — Bez niej nic nie ma sensu. Rozumiesz?

Nie odpowiedziała. Skinęła mu głową.

Dwa dni później Ulrich wykąpany, ogolony, ubrany w prosty i skromny, ale czysty wams z białym kołnierzykiem, zjawił się w komnacie sióstr. Z notariuszem. Przyniósł im sto guldenów i kazał to zapisać.

— Chcę, byście zostały w naszym domu — oświadczył.


Sydonia zabrała się do Szczecina z Marią z domu Ramel żoną Henryka von Bork z Pęzina. „Z młodszej gałęzi rodu" — jak nie omieszkała zaznaczyć w podróży miła gospodyni powozu.

— Szmat czasu! — powitała ją na Wielkiej Tumskiej Barbara von Brockhausen. — Dwa lata cię nie było, Sroczko, a nic się nie zmieniłaś. Nawet on pytał, dlaczego panna Bork u nas już nie bywa.

— Mój brat się o to postarał — odpowiedziała Sydonia, oddając płaszcz służącej Barbary.

— Spłacił was?

— Nie mówiłam o cudzie — zaśmiała się. — Powiedzmy, że zapanował między nami pokój.

— Wieczysty? — przekornie spytała Barbara, ale Sydonia nie zdążyła odpowiedzieć, bo przerwało im wejście wysokiego, przystojnego młodzieńca.

— Mój syn, Claus — przedstawiła go Brockhausenowa. — Wrócił ze studiów w Gryfii.

— I zaraz wyjeżdża na kolejne — ukłonił się chłopak. — Do Wittenbergi.

— Tym razem postudiuje z naszym księciem — uniosła palec Barbara. — Biskupem! Ach, ty nic nie wiesz, Sroczko, zasiedziałaś się w Wilczym Gnieździe. W zeszłym roku książę Kazimierz został biskupem kamieńskim.

— Pani matka życzy sobie, bym zaprzyjaźnił się z księciem Kazimierzem — wesoło wtrącił Claus. — Chciałem kontynuować naukę w Rostocku, ale gdy okazało się, że książę wybiera się do Wittenbergi, pani matka kazała mi zmienić plany.

— Jeszcze podziękujesz — machnęła ręką. — Możesz iść, ja już mam towarzystwo. Ciebie miewam na co dzień, Sydonia von Bork jest rzadkim gościem.

— Ledwie przyjechałem — pokręcił głową Claus, ale najwyraźniej pasował mu brak zainteresowania Barbary. — Pan ojciec prosił, bym przypomniał, żeby się pani matka nie wybierała dzisiaj na miasto. Z wiadomego powodu — chrząknął i jakby się speszył — wstrzymano nawet ruch z portu, choć statki z saskim piaskowcem wyładowano na Łasztowni. Pan ojciec mówi, że jest biały, jak marmur i że książę Jan Fryderyk chce, by mu z niego zrobiono portale i attyki do nowego skrzydła zamku — Claus dostrzegł, że matki nie interesują szczegóły budowy, skłonił się i wyszedł szybko. Lecz wystarczyło, by zniknął, a oczy Barbary Brockhausen zalśniły.

— Zawsze, gdy przyjeżdżasz, dzieje się coś ciekawego — wyjaśniła. — Dzisiaj będą wozić stare książęce trumny!


Książę Jan Fryderyk zaczął przebudowę zamku. Kazał zburzyć „Kamienny Dom" i rozebrać stary kościół zamkowy pod wezwaniem

Świętego Ottona z Bambergu, bo życzył sobie postawić piękne i przestronne skrzydło mieszkalne, rezydencję na miarę swoją i nowej małżonki, tej, która wciąż nie dorosła do ślubu. Zapragnął także nowej kaplicy, bo stara pamiętała jeszcze czasy papistów. Tyle, że w starym kościele spoczywały trumny Gryfitów i na czas budowy trzeba było je przewieźć.

— Oczywiście do kolegiaty Mariackiej — oznajmiła wtajemniczona przez męża Barbara. — Nie mogę się zdecydować, czy wolę oglądać z okna, czy z ulicy. Bo do kościoła nie wpuszczają, straż książęca ma pilnować. Zresztą, słyszałaś Clausa, nawet transporty z portu wstrzymano.

Wybrała okno i szybko się znudziła. Spodziewała się czegoś „w guście książęcego pogrzebu", tymczasem nie było żadnej oprawy, żadnego splendoru, tylko wozy szczelnie przykryte suknem.

— Jestem zawiedziona. I w dodatku muszę odwiedzić kuzynkę męża, Katarinę. Co ona ciekawego ma do powiedzenia, skoro przyjechała z dworu na prowincji? Z Kobylnicy, gdziekolwiek to jest — wzruszyła ramionami Brockhausenowa.

— Pod Słupskiem — podpowiedziała jej Sydonia.

Sydonia mogła wyjść z domu Brockhausenów bezkarnie. I wmieszać się w tłum, który mimo „barku splendoru" przyglądał się przewożeniu trumien dawnych władców. Było w tym coś ponurego, w tej wędrówce zmarłych.

— Czy książę zabierze ich zuruck na zamek? — zastanawiał się na głos jakiś jegomość za nią. — Jak wyszykuje nową kryptę?

Większość oglądających stanowili mieszczanie. Kryza i wysoko uniesiony podbródek Sydonii budziły pewien respekt i bez trudu znalazła się przy wejściu do kościoła. Tam każdy z wozów zatrzymywał się, urzędnik oznajmiał, kogo przywieziono, a służba zdejmowała z wozu trumnę i wnosiła do strzeżonego wnętrza.

— Barnim III i jego żona — zaanonsował urzędnik. Sydonii wydał się znajomy. Przyjrzała mu się i poznała doktora Schwalenberga, dawnego nauczyciela księcia Kazimierza. Skoro Kazimierz wybiera się na studia, pewnie nie był już mu potrzebny.

— Imię małżonki książęcej? — spytał notariusz, któremu ustawiono pulpit w sieni kościoła.

— Nie ma — oświadczył Schwalenberg beztrosko. — Następny: Otto II, syn Świętobora.

Podczas przenoszenia trumny sukno, którym była okryta, zahaczyło się o wóz i zsunęło. Sydonia zobaczyła, że wieko jest przegnite. Gapie jęknęli.

— Mogli na zamku przełożyć to do nowej skrzyni — pokręcił głową niezadowolony Schwalenberg.

Puste wozy odjeżdżały w stronę murów miejskich i tamtędy wracały do zamku, a Małą Tumską wjeżdżali kolejni, dawno nieżyjący Gryfici.

— Książę Kazimierz V — oznajmił Schwalenberg.

— Bohater spod Grunwaldu? — upewnił się notariusz.

— Powiedzmy — kwaśno mruknął doktor. — Walczył po stronie przegranych. Polacy wzięli go do niewoli, a Jagiełło uwolnił, za co książęta zapłacić musieli wiernością wobec Korony.

Trumna Kazimierza na ramionach sług została wniesiona w mroczne wnętrze świątyni. Wóz odjechał, przybył kolejny, a za nim już czekał drugi i trzeci. Sydonia spojrzała na tę kolejkę umarłych. Nie każdy odpoczynek jest wieczny.

— Joachim Młodszy, Otto III — dyktował notariuszowi Schwalneberg. — Tu przynajmniej trumny porządne, podwójne, bo obaj zmarli na zarazę.

— Otto III to był ostatni książę z linii szczecińskiej — powiedział notariusz, choć Sydonia nie wie, czy to notował.

— Owszem, z poprzedniej linii szczecińskiej. Bo teraz mamy nową — gdy doktor Schwalenberg przyznawał komuś rację, robił to kwaśno i znajdował powód, by potwierdzić i zaprzeczyć jednocześnie.

Nic się nie zmienił — pomyślała o nim Sydonia.

— No to teraz przydałyby się fanfary — oznajmił doktor, gdy podjechał kolejny z wozów. Tę trumnę nawet okryto inaczej. Aksamitem z herbem Gryfitów.

— Bogusław X, zwany Wielkim! — wykrzyknął.

Tłum za plecami Sydonii zafalował i przyklęknął nabożnie. Ona stała nieporuszona, górując nad klęczącymi. I wtedy zauważył ją doktor Schwalenberg.

— Panna Sydonia von Bork — lekko skinął głową.

— Doktorze — odpowiedziała podobnie.

— Ciągnie pannę do dynastii — powiedział, wpatrując się w nią.

— To było niestosowne — stwierdziła i przeniosła wzrok na trumnę, którą słudzy z wysiłkiem ściągali z wozu. Nie mogli jej zsunąć, jak poprzednich. Musieli wypiąć całą burtę. Trumna była dwakroć większa od innych.

— Zaiste wielki był nasz książę — mruknął Schwalenberg, szukając wzroku Sydonii. Udała, że tego nie widzi. Żałowała, że ją rozpoznał, bo od tej chwili zaczął się popisywać, a gdy mówił głośniej, jego głos stawał się nieznośnie skrzeczący. Kiedy trumna Bogusława zniknęła w kościele, tłum powstał z kolan.

— Książę Kazimierz, syn Bogusława — powitał kolejną Schwalenberg. — Wielka nadzieja swego ojca, niespełniona, niestety — chełpił się doktor, jakby był przy tym.

— Dlaczego? — dopytał notariusz.

— Otóż książę Bogusław sądził, że Kazimierz obejmie po nim księstwo, ale ten odziedziczył po ojcu apetyt, lecz nie głowę.

— Nie rozumiem — bezradnie odpowiedział notariusz.

— Spadł z drabiny — ściszył głos Schwalenberg. — Po upojeniu winem.

— Aha — odetchnął skryba. — Dobrze, że tego nie zapisałem.

— Nie uchodzi — skarcił go doktor. — Na szczęście książę Bogusław miał dwóch synów. Oto i starszy z nich. Książę Jerzy. Ta trumna również powinna być duża, bo książę Jerzy ponoć był jeszcze wyższy niż ojciec. — Schwalenberg zerknął, czy Sydonia słucha, i dodał: — Książę uległ wypadkowi na polowaniu i w ostatnich latach życia był jednooki.

Zaczynają się bohaterowie wielkiego gobelinu — pomyślała Sydonia.

— Księżna Amelia — anonsował przy kolejnej trumnie.

„Ta, po której imię ma księżniczka" — powiedziała w głowie Sydonii księżna Maria, Saska Lwica.

— To jest ta pani, która zmarła w czasie przygotowań do ślubu księcia Barnima? — zapytał Schwalenberga notariusz.

— Owszem — odpowiedział nie jemu, a Sydonii. — Bo ślub niedawno zmarłego pana był zimą. To była bardzo piękna dama.

— Pan ją znał, doktorze? — spytał notariusz i Sydonia omal nie parsknęła śmiechem.

— Nie, na świecie mnie wtedy nie było.

— Proszę o wybaczenie — wymamrotał notariusz.

— Ale gdy pracowałem w bibliotece książąt, widziałem szkic do portretu księżnej — dodał natychmiast Schwalenberg. — Stąd wiem. No, to były ostatnie katolickie pochówki w kościele Świętego Ottona. Teraz będą reformowane.

Jako pierwsze przyjechały dzieci, małe trumny.

— Elżbieta, Barnim, Otto. Bez numerów, bo nie doszli do lat sprawnych — poinformował Schwalenberg.

Wszystkie trzy trumienki zmieściły się na jednym wozie. Słudzy brali je pod pachę, bez ceregieli. Na kolejnym pojeździe również przywieziono małe trumny.

— Bogusław, syn księcia Jerzego, i takoż samo Bogusław, syn księcia Barnima. Zmarli od razu po narodzinach — szybko załatwił ten wóz doktor. Trumnę pierwszego słudzy już wnieśli do kościoła, drugą z nich przesuwał na wozie chłopak na posyłki. Sługa, który miał ją odebrać, zagapił się w ciżbę, nie chwycił jej na czas i spadła u wrót kościoła.

— Ach! — jęknął tłum.

Wieko pękło i na bruk posypały się kostki, drobne jak zajęcze.

— Do licha — zaklął Schwalenberg i zagroził sługom: — Każę was obić!

Ci rzucili się na kolana i zaczęli zbierać kości, niektóre były tak małe, że wydłubywali je spomiędzy kamieni. Chłopiec na posyłki niechcący dotknął buta Sydonii.

— Najmocniej przepraszam, o wybaczenie proszę — wymamrotał.

— Spakujcie do trumny, co do jednej — ordynował doktor Schwalenberg. — I cieślę zawołać, niech nowe wieko zmajstruje raz dwa. Z drogi — usunął ich, robiąc miejsce dla kolejnego wozu. — Księżna Anna, żona księcia Barnima. Ostrożnie, na litość boską, ostrożnie!

— To mamy już wszystkich — odetchnął notariusz. — Osiemnaście trumien.

— I kawał świętej historii — odpowiedział Schwalenberg.

— A co z pozostałymi pochowanymi u Ottona? Tam przecież i kilku możnych miało groby. Ich tu nie przewiozą na czas remontu?

— Nie — odpowiedział głośno doktor, a ciszej, ale tak, by usłyszała Sydonia, dodał: — Książę Jan Fryderyk nieboszczyków spoza rodziny książęcej nie potraktował szczególnie. Skłócił się był o to z Joachimem von Schulenburgiem, któren tam miał ojca i dziada. Jaśnie pan Schulenburg zabrał swoich trumny w gniewie i powiedział, że sam zadba o drugi pochówek, skoro książę z pierwszego wyrzucił drogich mu zmarłych.

Joachim von Schulenburg jest dla doktora „jaśnie panem" — zauważyła Sydonia. — Ciekawe, czy dlatego, że nieprawdopodobnie bogaty, czy raczej stąd, że ma wielką bibliotekę i znaczne kwoty daje na uniwersytet w Gryfii.

Chciała się wycofać, wydarzenie dobiegło końca, ale tłum za nią wciąż stał i nie było jak wyjść z tej ciżby. Odwróciła się w bok i wtedy dostrzegła postać w szarym kapturze. I patrzące na nią spod kaptura oczy.


Książę Barnim nie zawracał sobie głowy tym, że jeszcze przez rok po śmierci Barnima Starego, jego nazywano „Młodym Barnimem". W Domu Gryfa były imiona uważane za święte: Warcisław, Barnim i Bogusław, jemu przypadło jedno z nich, nic więcej. Tylko patrzeć, jak starszemu bratu urodzi się chłopczyk i nazwą go Barnimem, wtedy on stanie się „starym", a dziecko „młodym", zwykła kolej rzeczy. Nosił swoje imię, nie zwracając na nie większej uwagi, nie wybrał go, nadał mu je ojciec. Gdyby wybór należał do niego, nazwałby się Raciborem. Nauczyciele młodych Gryfitów zawsze sporo czasu poświęcali księciu Warcisławowi, starszemu bratu Racibora, bo „to pierwszy z rodu, którego imię zapisano". Zapisano — fukali wtedy młodzi książęta — bo Warcisław musiał zgiąć kolano przed Bolesławem Krzywoustym, gdy potężny Piast przypuścił wieloletni szturm na Pomorze. Barnim wołał Racibora, Gryfitę sprzed czterystu lat, którego okręty opanowały Bałtyckie Morze. Gdy byli mali, bili się z braćmi o to, który w zabawie będzie Raciborem. Wygrywał Jan Fryderyk, wiadomo, najsilniejszy. Potem godzili się, najstarszy przydzielał im role i każdy z braci był wodzem flotylli. Racibor miał pięćset okrętów, z którymi ruszył na Danię. To była siła. Z trzydziestoma tysiącami zbrojnych zdobył Konungahelę i wrócił na Pomorze z łupami, niewolnikami i nieśmiertelnym tytułem „morskiego króla". Gdy Barnim studiował w Gryfii, pokazano mu stary łaciński rękopis o bitwie, w nim przeczytał inwokację: „Od furii Słowian uwolnij nas, Panie". Z wypiekami na twarzy czytał, jak w zatokach między Lubeką a Wyszomierzem zbierała się ta wielka flota. Jak wodzowie narzekali, że zaprowiantowanie dla chąśników musieli wziąć z domu, z Pomorza, bo Zelandię splądrowali rok wcześniej i nie było jak się z niej zaopatrzyć w drodze. Pamiętał opis zdobycia wielkiego portu, a potem pobicia wojsk wezwanych przez Konungahelę na pomoc i wreszcie złupienia bogatego grodu. Widział także niezdarne rysunki: statki, które wymijają wbite w dno portu ochronne pale, łuczników na statkach, grad strzał, płonące miasto. Na innej stronicy powiązani pętami jeńcy, mężczyźni, kobiety. Dzisiaj Wyszomierz nazywa się Wismar, a Lubeka to wolne miasto Rzeszy, mateczka Hanzy. Już nie wypadało się chełpić tymi jeńcami, paleniem miast, statkami pełnymi łupów. W obecnych czasach uznanie wzbudzał pokój, prawo, porządek, pobożność. Dobrym władcą nazywano tego, który te dary potrafił zapewnić poddanym. Pomorze i neutralność łączono zgrabnie w jednym zdaniu. Biedny Jan Fryderyk. Jako szczeciński książę Pomorza, musi sprawować sądy, układać się ze szlachtą o podatki, wznosić kościoły, łożyć na uniwersytet w Gryfii, rozbudowywać zamek. Dobrze, że jako dziecko sobie powojował, pobawił w „morskiego króla". Teraz był nim Barnim.

Po nieoczekiwanej abdykacji starego księcia, po usunięciu się w cień Bogusława, po tamtej spektakularnej uczcie, na której wznoszono toasty, nastąpiły żmudne narady, a potem sejm w Jasnitz, gdzie za zgodą stanów zatwierdzono wszystkie podziały, uposażenia i spadki. Jan Fryderyk dostał Szczecin i zwierzchność, Lutze Wołogoszcz, dla Bogusława wydzielono Barth, na małego Kazimierza przeniesiono biskupstwo kamieńskie, a jemu, Barnimowi, wykrojono Darłowo i teraz, po śmierci starego księcia, dołożono Bytów. Tak, Darłowo i Bytów, był księciem ubogim, ale za to jako jedyny z braci miał morski zamek, dlatego pozostali nazywali go „morskim królem", a on wiedział, że pod kpiną kryje się zazdrość.

Nie jadał wczesnych śniadań, ale wstawał o świcie. Stajenny czekał z koniem. Wskakiwał na siodło i nim zmówiłby *Pater noster*, a nie zmawiał, był na brzegu. Przywiązywał konia do wykrzywionej wiatrem sosny. Zrzucał ubranie i biegł w fale, krzycząc, gdy ich zimne grzywy dosięgały nagiego brzucha. Tak, był najuboższym z braci. I według własnej miary — najbogatszym. Pływał, ile zechciał. Potem wracał na zamek trzeźwy, pobudzony i żywy, jak nie zdarzało mu się przez całe dzieciństwo i wczesną młodość. Daleko od zaborczej matki. Bez ojca, którego obraz w jego pamięci już dawno nie wykraczał poza ramy portretu Cranacha. Śniadanie podawano mu w sali z widokiem na rzekę. Patrzył na zielone, leniwe wody, jadał prosto: jajka, chleb, śmietanę, śledzie. Czasem prosił, by towarzyszył mu Caspar Winsius. Potem przebierał się i ruszał do pracy. Miał małą kancelarię, oszczędzał. Kilku radców, dwóch prawników, jak na Darłowo i Bytów wystarczy. Lubił swoich poddanych i ich zwykłe sprawy. Okoliczna szlachta niewiele różniła się od bogatszych rybaków. Gdy skarżono się: „Sztorm nadszarpnął portowe pomosty", wsiadał na konia i w towarzystwie Caspara Winsiusa ruszał to zobaczyć. Nie zaczynał od „skarbiec jest pusty", tylko od rozmowy, kto może w tym pomóc. Listy czytał osobiście, dostawał ich mało. Sam również odpisywał siostrom, braciom i matce. Znacznie łatwiej się do niej pisało, niż z nią dyskutowało. Do dzisiaj pamięta jej krzyk, gdy

Ernest Ludwik zapragnął wybić się na swoje. Obaj, on i mały Kazimierz to słyszeli. Byli w komnacie obok. Pisywał też z kilkorgiem przyjaciół ze studiów. Obiecywali sobie spotkanie w Gryfii, albo Wittenberdze, ale póki co, nie miał jak się wyrwać, kto by go zastąpił w Darłowie? Nie ustanowił na swym dworze marszałka.

Był szczęśliwy, bo pogodził się ze swoim miejscem, a w książęcych rodach to nigdy nie jest łatwe. Gdy byli mali, kolejno, każdy z nich poza Janem Fryderykiem, zadawał pytanie: dlaczego to nie ja dziedziczę? Braterstwo wbijano im do głowy, odkąd każdy sięgał pamięcią, ale to braterstwo było zgodą na nierówność. Ciało lwa, łeb i skrzydła orła. Rodowy gryf. Jesteśmy złożeni z przeciwieństw, ale tylko w środku, tylko wewnątrz. Świat musi widzieć siłę i idealne braterstwo.

Cieszył się, że kanclerze nie doszli do porozumienia i wielka partia z Wawelu przeszła mu bokiem. I nie, nie dlatego, że Jagiellonka byłaby żoną w wieku matki, z tego naigrywali się dworzanie. Jemu było to obojętne, wtedy, jako dwudziestolatek powiedział: „Zrobię to dla dobra dynastii" i dotrzymałby słowa. Ale Bogu dziękuje, że nie musiał. Z Anną Jagiellonką u boku z Darłowa zrobiłaby się wieża Babel. Nie byłoby siedzenia na wydmie z Casparem Winsiusem i picia wina na uczczenie codziennych zachodów słońca. Nocnej ciszy zamku. Nieplanowanych wypadów do lasów Bukowej Góry, torfowisk Lisiej Kępy, czy przedzierania się przez dziką dolinę Słupi. Byliby kanclerze, marszałkowie, ochmistrze, osobny dwór pani, dwórki, dworzanie, ich spiski, jątrzenie, szukanie stronnictw.

Jest przed trzydziestką. Wbiega na zamkową wieżę bez zadyszki. Patrzy z niej na Bałtyk. Pije za pamięć Racibora i jego okrętów płynących do Konungaheli. I zastanawia, czy osławiona neutralność nie stępiła pazurów pomorskim gryfom. Czy nie odebrała im czegoś ważnego.


Mały Berndt von Bork miał trzy lata i tyle trwał pokój między jego ojcem Ulrichem a siostrami. Szlachta pomorska lizała rany po krachu Loitzów. W czasie zawirowań po śmierci ostatniego Jagiellona, podległy Rzeczpospolitej Gdańsk chciał się usamodzielnić, zaczął zaciągi do własnego wojska i floty. Cesarz był temu przychylny, skłonił księcia Jana Fryderyka do zgody na rekrutację i wielu młodych junkrów i knechtów, zachęconych wizją żołdu, pospieszyło na kolejną cudzą wojnę. Niestety, zły duch Ulricha, Jacob von Stettin, nie opuścił swego pana i niczym pies przy nodze, towarzyszył mu wszędzie, nawet w jadalni i, jak złośliwie plotkowała Dorota, może i w sypialni. Jacob von Stettin unicestwiał w Ulrichu tę odrobinę dobra, jaką ich brat czasami umiał okazać. I zwielokrotniał wszystko, co było w nim złe i potworne. Okazywał respekt wyłącznie Ulrichowi i Otylii, ale w jej przypadku, zachowanie Stettina jeszcze bardziej przypominało psa. Kłaniał się żonie Ulricha, ustępował jej z drogi, przynosił, co prosiła, ale wszystko to sprawiało wrażenie, jakby wykonywał wdrożoną mu przez pana tresurę. Dorotę i Sydonię w najlepszym przypadku omijał szerokim łukiem. Udawał, że ich nie widzi. A jeśli był pijany, a często bywał, przyglądał im się wrogo i spode łba.

Trwały z Dorotą w przedziwnym zawieszeniu. Z pozoru wyglądało, że prowadzą życie jak kiedyś, przed śmiercią matki, że wciąż są pannami na Strzmielu. Miały do dyspozycji komnaty na pierwszej kondygnacji, w tym jedną ogrzewaną, choć okna trzeba było zabijać deskami na zimę, by śnieg nie wpadał do wnętrza. Dorocie z roku na rok wchodzenie na górę sprawiało coraz większą trudność, często więc zostawały w pokojach i nie schodziły wcale, a posiłki służba przynosiła do nich. Gdy pojawiały się w jadalni, bawialni, albo dawnej wielkiej sali, o ile spotkały Otylię, za każdym razem okazywała zaskoczenie, jakby zastanawiała się, kim są i co tu robią. Z miesiąca na miesiąc to zaskoczenie zamieniało się w zniecierpliwienie i wrogość. Ulrich ich losem nie przejmował się wcale. W końcu dał im dach nad głową. Żyły w większym odosobnieniu, niż u krewnych, którzy, trzeba im przyznać, wciąż je zapraszali.

— Dzień po dniu wydzierają nam podłogę spod nóg — powiedziała któregoś razu Jurdze, gdy usiedli na kamiennej ławie.

— To chodźcie do mnie — odpowiedział głucho. Wciąż na widnokręgu wypatrywał syna, mimo iż pochował jego płaszcz w trumnie.

— Jost niedługo się ożeni — zaprzeczyła Sydonia. — Wtedy dla niego staniemy się niezręcznym ciężarem. Więcej znaczy dla mnie nasza przyjaźń, niż… — pocałowała go szybko w nieogolony policzek. — Dziękuję, za zaproszenie. Nie zapomnę ci tego.

— Tylu spraw chciałbym nie pamiętać — rzucił w przestrzeń i nie obejrzał się, gdy odchodziła.

Do tamtego zdarzenia, do jego ofiary złożonej Trzygłowowi w intencji syna, nigdy więcej nie wracali, choć wspomnienie tkwiło między nimi, niewypowiedziane i ciężkie. „Stare bogi pomarły" — powiedział wtedy Jurga, a Sydonia rozumiała, że on musi czuć się jak taki stary bóg. Tak, był niczym potężny, wiekowy jesion, uschnięty, a wciąż żywy.

Postać kobiety widzianej w lesie Sydonia wypierała z pamięci tak skutecznie, że z czasem sama siebie przekonała, że to sen.

Ale po tamtej wyprawie do czarnego lasu pozostała namacalna pamiątka — smrodliwy kwiat. W zielniku napisano, że nazywa się aron, ale gospodyni Jurgi powiedziała, że to smerwort. Stare, pomorskie słowo, w którym śmierć i smród splatają się w jedno. „Jest trujący jak licho" — przestrzegła ją gospodyni, zielnik też nie polecał zbierania arona. Latem Sydonia przekonała się, że smerwort traci złą woń, gdy przekwita, a u jego schyłku odkryła, że owoce arona są najdzikszą i najbezwstydniejszą rośliną, jaką widziała. Krwistoczerwone kolby z ciasno ułożonych jagód wyzywająco wybijające się z brunatnej ściółki. Już pozbawione liści, samotne i wyzwolone. Chciała podzielić się swoim odkryciem z Jurgenem, ale zaniechała.

Smerwort zbyt mocno przypominał Sydonii o ofierze, której od niego stary bóg nie przyjął.


W tamtym czasie Klara, chrzestna córka Sydonii, dziecko pastora i pastorowej, skończyła lat osiem. Sydonia zabrała ją na spacer po zamku w Strzmielu. Trafiły na zły moment. Ulrich ze Stettinem wrócili z objazdu wsi.

— Nic tak nie dodaje chłopom rozumu, jak obicie im grzbietów — przechwalał się Stettin. — A ich baby muszą dostać batem na goły zadek, wtedy robotność im wzrasta.

— Zamilczcie — poprosiła Sydonia, wskazując na Klarę. — Tu jest dziecko.

— Jaśnie panienki? — zarechotał Jacob von Stettin.

— A jakże — potwierdził Ulrich ze śmiechem. — Jedyne, jakie może mieć. Chrzestne!

Zeskoczyli z siodeł, stajenny zabrał im konie, ale nie kwapili się z wejściem do zamku. Stali na dziedzińcu i przyglądali się Sydonii spacerującej z małą. Wyczuła w tym coś więcej, niż zwykłą przekorę.

— Zabiorę cię do matki — szepnęła na ucho Klarze a ta, najwyraźniej przywykła do posłuchu, a może i do sytuacji, w których wyprowadza się dzieci, skinęła główką grzecznie. Ruszyły ku bramie.

— Wychodzisz? — kpiąco rzucił za ich plecami Ulrich. — Może nie będzie miał kto ci otworzyć bramy, jeśli zechcesz wrócić.

— Uważaj na słowa — gniewnie rzuciła mu Sydonia, odwracając się ponad głową małej.

Jacob von Stettin zmarszczył nos i wyszczerzył zęby. Warknął.

— Milcz, psie — powiedziała cicho i wyszły.

Zeszły z zamkowego wzgórza, były w połowie drogi. Szły aleją, wzdłuż której rosły stare topole. Klara odezwała się wreszcie:

— Moja mama uszyła sobie taką kryzę, jak ty nosisz, matko chrzestna. Nie taką dużą, mniejszą. Ale pan ojciec nie pozwolił jej nosić.

— Dlaczego? — spytała Sydonia nieuważnie.

— Powiedział, że pastorowej wystarczy kołnierzyk, ma być skromnie.

— Kryza jest skromna — powiedziała Sydonia i przyjrzała się dziecku. Klara patrzyła na nią jasnymi oczami swej matki. — Coraz więcej dam na Pomorzu nosi kryzę. Nawet żałuję — zaśmiała się. — Już nie jestem taka wyjątkowa.

— Jesteś, matko chrzestna — powiedziała poważnie Klara. — Dlatego pan ojciec nie pozwolił na to matce. „Jak bowiem z odzienia wychodzą mole, tak przewrotność kobiety, z jednej na drugą" — wyrecytowała. — To mądrości Syracha, pan ojciec mnie ich uczy.

Z gałęzi topoli, na całe ptasie gardło, zaskrzeczała sroka. Mała się wystraszyła.

— Coś ci wyznam, w sekrecie. Chcesz? — uścisnęła jej rączkę Sydonia.

— Chciałabym — kiwnęła głową. — Chociaż boję się tajemnic. Zawsze, gdy dorosły mówi, żeby dziecko zachowało sekret, dziecku... — zamilkła i przygryzła wargę.

— Dzieje się krzywda? — spytała Sydonia.

Nie odpowiedziała, spuściła głowę. Sydonia przełknęła ślinę.

— Ale twoje sekrety są inne, chrzestna matko, prawda? — spytała po dłuższej chwili. — Co byś chciała dać mi na przechowanie? W tajemnicy?

Wieża kościoła w Strzmielu była przed nimi, rzucała cień na ścieżkę. Dom pastora stał niedaleko kościoła.

— Chcę ci powiedzieć, Klaro, że nawet bez kryzy ty i twoja mama jesteście wyjątkowe.

— I tyle? — spytała dziewczynka. Pomyślała chwilę i dodała z powagą: — Rozumiem. To trzeba zachować w sekrecie przed panem ojcem.

Pastor wyszedł na próg domu, z daleka biały kołnierzyk lśnił na jego czarnej sukni. Przysłonił dłonią oczy, by przekonać się, że to Sydonia z jego Klarą. Dziecko w pierwszej chwili mocniej ścisnęło ją za rękę, ale z każdym krokiem ku domowi rozluźniało palce, by wreszcie, podchodząc do ojca, chwycić spódnicę w obie dłonie i dygnąć. Obejrzała się na Sydonię.

— Dziękuję ci, chrzestna matko — powiedziała na odchodnym.


Gdy Sydonia wróciła na zamek, brama była zamknięta. Musiała wołać odźwiernego, psy na dziedzińcu ujadały jak wściekłe. Przyszedł, gdy zapadał zmierzch. Otworzył nie bramę, a boczną furtę.

— Panna mi wybaczy — wyjęczał przestraszony. — Pan nie pozwalał. A Jacob von Stettin straszył, że mnie obije, gdy przyjdę otworzyć bramy. W końcu gdzieś poszli, zaraz do panny przybiegłem.

— Widziałeś moją siostrę?

Stary odźwierny zamrugał i skulił ramiona.

— Nie — powiedział po namyśle. — Ale… słyszałem, że pan Ulrich jej szukał po zamku. Wołał: „Gdzie garbuska Dorota?".

— Ile masz kluczy do tej furty? — spytała szybko.

Nie odpowiedział. Przyjrzał się jej i po chwili odczepił duży żelazny klucz z koła przy pasie i podał.

— Niech panna nikomu nie mówi. Obiliby mnie na śmierć.

Nie była pewna, co robić. Schowała klucz przy pasku od spódnicy, pod suknią. Ruszyła na poszukiwanie Doroty. Wbiegła stromymi schodami do ich komnaty. Tam było pusto. W małej jadalni ogień rozpalono w jednym kominku, na stole walały się resztki posiłku, chleb porwany na części, zimny, do połowy ogryziony bażant na półmisku. Dzban na wino, puste, przewrócone kielichy. I żywej duszy. Ruszyła do drugiego skrzydła, w stronę komnat Otylii, Ulricha i ich dzieci. Usłyszała płacz bratanków i krzyk Otylii. Bratowa krzyczała na dzieci.

— Dlaczego nigdzie nie widać służby? — przeszło jej przez głowę. — Dlaczego wszyscy się pochowali?

Dotarło do niej, że psy na dziedzińcu ucichły, a cisza, jaka panuje w zamku, jest czymś dziwnym. Chwyciła spódnice i biegiem ruszyła do dawnej bawialni. Nie pomyliła się. Tam ogień płonął w obu kominkach. Na długim dębowym stole siedział Ulrich. Opierał się o srebrny kandelabr, z którego spadły wszystkie świece. Dorota, zgarbiona, struchlała, siedziała tyłem do wejścia, na odsuniętym od stołu krześle. Pierwsze, co przyciągnęło uwagę Sydonii, to jej związane za plecami ręce. Wbiegła i położyła dłoń na plecach siostry.

— Co ty jej u diabła zrobiłeś?! — krzyknęła do Ulricha.

— Niech panna nie wzywa diabła — z półmroku wyłonił się Jacob von Stettin.

— Nie mów mi, co mam robić — fuknęła na niego.

— O, nieładnie, tak na „ty" zwracać się do szlachetnie urodzonego — powiedział Stettin. — Ja nie Bork, ja nie wielki pan, ale nie byle kto.

— Każ mu wyjść — zażądała od Ulricha. — I rozwiąż Dorotę.

Wciąż siedział na stole, po turecku, jak krawiec. Teraz łokcie oparł na kolanach, a na nich brodę.

— Nie mogę — odpowiedział spokojnie. — Muszę ją ukarać.

— O czym ty mówisz? — odwróciła się do Doroty. — Co się stało?

— Niech ci garbata siostrzyczka powie, co zrobiła — zmarszczył nos Ulrich. — No, dalej, przyznaj się.

Dorota odwracała twarz, włosy miała w nieładzie.

— Pobił mnie — wydusiła, patrząc z ukosa na brata.

— Coś ty zrobił? — naciskała na niego Sydonia.

— Co ona zrobiła? — odpowiadał pytaniem.

— Nieładnie — znów odezwał się Stettin. — Brat gości wielkodusznie siostry pod swym dachem, a one w zmian odpłacają mu czymś takim. Panna Dorota chciała okraść swego brata.

— Nieprawda! — wrzasnęła Dorota.

— To po co węszyłaś w mojej komnacie? — wreszcie ruszył się Ulrich. Spuścił nogi ze stołu i zeskoczył. — Czego tam szukałaś?

— Jak to czego! Pieniędzy, które jesteś nam winien! — krzyknęła płaczliwie Dorota.

— Panna Sydonia sobie paraduje po Strzmielu z pastorówną za rączkę, udając, że ma córkę, a jej starsza siostra w tym czasie obrabia bratu kufry! — Stettin mówiąc to, parodiował krok Sydonii.

— Wynoś się, psie — warknęła na niego i zwróciła do Ulricha: — Cokolwiek się stało, nie możesz więzić siostry. Rozwiąż ją — zażądała.

— Nie mów mi, co mam robić — prychnął na nią, jak ona wcześniej na Stettina.

Ten zaśmiał się dziko spod ściany, na której wisiał wielki łeb dawno ustrzelonego odyńca.

— O pieniądze trzeba ładnie poprosić — powiedział Ulrich, wolnym krokiem zbliżając się do Sydonii i Doroty. — Jak będę miał, to dam — jednym susem przyskoczył do Doroty i wyjął nóż z pochwy przy pasie. Uniósł ostrze tak, że światło z kominka odbiło się od wypolerowanego żelaza. A potem wolnym, bardzo wolnym ruchem, opuścił je i przeciął sznur na jej nadgarstkach. Dorota chciała zerwać się z krzesła, ale Ulrich położył jej rękę z nożem na ramieniu i przytrzymał. — Ale trzeba poprosić — powtórzył, patrząc w oczy Sydonii.

— Proszę — powiedziała bez wahania. — Puść ją.

Brat uniósł obie dłonie gestem człowieka bezbronnego, mimo iż w jednej wciąż trzymał nóż.

— Proszę bardzo — powiedział obłudnie.

Dorota wstała, potknęła się, musiały jej nogi ścierpnąć. Sydonia złapała ją i nie puściła.

— Siostrzyczki — wycedził Ulrich przez zęby. — Moje kochane siostrzyczki. Gołąbeczki.

Gdy był taki, gdy mówił zduszonym fałszywie uprzejmym głosem, bała się go najbardziej. Nie wtedy, gdy krzyczał, złość go wyczerpywała szybciej, niżby chciał. Teraz krążył wokół nich, jak drapieżnik, który bawi się strachem ofiary.

— Po co wy żyjecie? — zapytał, stając naprzeciw i patrząc w twarz raz jednej, raz drugiej. — Na co?

Ruszył dalej, gdy znalazł się za ich plecami, zaśmiał się.

— Jak chwasty przy płocie. Nikomu niepotrzebne. Zbędne.

Dorota trzęsła się w jej ramionach, po równo ze strachu i wściekłości. Z bezradności, że Ulrich, uzbrojony w nóż i Stettina pod ścianą, może teraz zrobić z nimi, co zechce.

— Znudził mi się wasz widok — podjął po chwili i znów zaczął je okrążać. — Wiecznie skrzywione, wiecznie czegoś żądające garbuski — nie zatrzymując się, pochylił się nad Dorotą, jakby chciał ją powąchać. Znały to, robił tak nie pierwszy raz.

— A mogło być tak pięknie — zaśmiał się. — Wykosztowałem się na wyprawę ładniejszej i młodszej siostrzyczki na dwór książęcy. Miała sobie znaleźć bogatego męża, mogła w kawalerach przebierać. Ale nie! Zachciało się pannie panicza z wysokiego rodu, z rodu, do którego nie mogła doskoczyć.

— O czym ty mówisz? — spytała Dorota, przytrzymując się Sydonii jeszcze mocniej.

— Nie powiedziała ci? — zmartwił się obłudnie. — Nie powiedziała!...

— Gadasz bzdury — twardo zaprzeczyła Sydonia.

— Takie kochane siostrzyczki, jedna bez drugiej dnia nie może wytrzymać, a proszę. Nie powiedziała ci.

— O czym? — Dorota odwróciła się do niej i spojrzała na nią z tak bliska, że Sydonia widziała pęknięte, krwawe żyłki na białkach jej oczu.

— Masz szansę — szczuł Ulrich. — Przyznaj się teraz.

— Nie mam do czego — twardo powiedziała Sydonia. — Nie wierz mu. Chce nas skłócić.

— Wystarczyło przestać być taką hardą — cicho zaśmiał się Ulrich tuż nad uchem Sydonii. — I powiedzieć „tak" Ewaldowi von Flemming. Byłabyś dzisiaj marszałkową.

— To prawda? — zapytała Dorota. Wpatrywała się w Sydonię, jakby chciała z niej wydrzeć to wyznanie. — To prawda, powiedz mi?

— Nie. To nieprawda.

— Będzie zaprzeczać do śmierci — Ulrich był już przy uchu Doroty. — Bo nie przyzna się, że mogła sobie i tobie zapewnić godne życie. Ona już taka jest, ta nasza siostra. Będzie szła w zaparte, choćby ją przypalali.

Odstąpił od nich równie nagle, jak doskoczył. Włożył nóż do pochwy, podszedł do stołu, zaczął zbierać świece.

— Na dworach książęcych dzisiaj tańczą — rzucił w przestrzeń i jedna po drugiej wkładał świece do kandelabru. — Zapal je — rozkazał Jacobowi, a sam odsunął krzesło i usiadł przy stole. Pogładził blat prawą dłonią. Lewą rękę odruchowo zostawił pod stołem.

— No to wszystko jasne. Waszej niedoli winna jest Sydonia, zapamiętaj to sobie, Doroto. Teraz już pewnie za późno. Ty skończyłaś trzydziesty trzeci rok życia, ona dobiega trzydziestki, nikt już was nie zechce. — Po tych słowach zamilkł. Wzięły głębszy oddech, obie jednocześnie. Myślały, że już po wszystkim, że skończył. Wtedy z całych sił uderzył pięścią w stół. Kandelabr podskoczył, jedna ze świec spadła, potoczyła się do Ulricha. Zdmuchnął płomień. — Nie liczcie na to, że wypłacę posagi bez ślubu, głupi nie jestem. Nie pozwolę oszukać siebie i moich biednych dzieci. A tych będzie jeszcze więcej — mrugnął do Sydonii. — Zwiędniecie jak pokrzywy, ale wolę na to nie patrzeć. Już dzisiaj wasz widok nie jest mi miłym. Najlepiej będzie, jeśli wyjedziecie.

— Jesteś nam winien pieniądze. I to niemało — powiedziała Dorota.

— Już wiecie, jak to się załatwia. Trzeba poprosić — uśmiechnął się Ulrich.

— Można też iść do sądu — powiedziała Sydonia i pociągnęła siostrę za rękę.

— Można, można! — zawołał za ich plecami. — Ale na sąd trzeba
mieć pieniądze! Stać was? Pytam: stać was na to, garbuski?

Stettin wył jak błazeński pies, gdy uciekały korytarzem do swych
komnat.

Wstawał świt, zimny, mglisty i obcy. Przytulone do siebie, okryte der-
ką, kołysały się na wozie. Za nimi w kufrach cały ich dobytek. Kilka
skrzyń. Naczynia, pościel, obrusy, poduszki. Suknie, niewiele klejnotów, płaszcze, buty na zmianę. I Metteke otulona kocami, śpiąca. Wóz
podskoczył w koleinie, woźnica zaklął i smagnął biczem woła. Dorota
ocknęła się i potrząsnęła ramieniem Sydonii.

— O czym on mówił? Powiesz mi wreszcie?

— O Ewaldzie Flemmingu — wymruczała, nie otwierając oczu
Sydonia.

— Nie o niego pytam. Kim naprawdę był ten panicz?

Wół ciągnący wóz ryknął krótko, ostrzegawczo. Szarpnął jarzmem,
wozem zakolebało, Dorota poleciała na Sydonię, ta na twardą ławkę,
gdzieś pod nimi rozległ się trzask pękającego drewna, wóz przechylił
się jeszcze mocniej i stanął.

— Psiakrew! — zawołał woźnica. — Pękła piasta w kole. A do
Krępcewa jeszcze pół dnia drogi.

Książę Barnim ósmy rok swego pobytu w Darłowie uważał za stracony.
Niewiele czasu mógł spędzić w nadmorskim zamku, jego bracia, jego
panujący bracia, tegoż roku zaplanowali swe śluby. A matka, cóż, Maria Saska się nie zmieniała, zażądała, by bracia młodsi stanowili w tych
dniach oprawę dla starszych. Było zatem zimowe wesele w Szczecinie
i jesienne w Wołogoszczy. Nieco staroświecki złotogłów, aksamitną
taftę, atłasy, koronki, futra, szuby i inne niezbędne dodatki, zamówiła
dla niego i Kazimierza księżna matka. Na szczęście, według wytycz-
nych od braci, na których guście mógł polegać Barnim, bo oni również
przykładali wagę do wyglądu swych orszaków. Dla Jana Fryderyka barwą
weselną miała być purpura, burgund i złoto. Ernest Ludwik postawił
na szmaragd, zieleń, granaty i błękity. Jednak na przymiarki Barnim
musiał jeździć na książęce dwory braci. Tyle dobrego, że krawców obaj
mieli wybornych. A on, rozmiłowany w surowym nadmorskim życiu
w Darłowie, jednego nie stracił z młodzieńczych lat: pasji do dobrego

wamsa z baskinką i dopasowanych do niego spodni. Lubił, by odcień dzianych, jedwabnych i niezwykle drogich pończoch, jedynie o ton, najwyżej dwa, różnił się od pludrów. Tych nie nosił nazbyt szerokich, wolał umiar w nogawkach, a przepych w koronkowej ozdobie butów. Przedkładał rozetę nad kokardę. Cenił sobie niewielkie, ale za to misternie plisowane kryzy. Na wesele Jana Fryderyka jedną miał barwioną pod strój, w kolorze mocnego wina, drugą śnieżnobiałą i wykończoną koronką. Na wesele Lutza udało mu się namówić krawców na barwienie kryzy smaltą, przez co dostał ją niemal błękitną, olśniewającą i unikatową. A co tam, Lutz płacił. Z darłowskiego skarbca Barnim nie pozwoliłby sobie na tyle zbytków.

Jan Fryderyk do wesela niemal skończył przebudowę szczecińskiego zamku. Po wyburzeniu starego kościoła i „Kamiennego Domu" powstało nowe północne skrzydło, z wieńczącą świątynię Wieżą Dzwonów. Biały, saski piaskowiec z Pirny nadał zamkowi sznyt, jakiego nigdy nie miał, nawet za czasów Bogusława Wielkiego i Anny Jagiellonki. Płaskie dachy trzeciego piętra zniknęły pod attykami, których wzór łączył w sobie ślimacznice i szyszki. Barnim, który u siebie liczył się z każdym guldenem, musiał przyznać, że najstarszy z braci wydał fortunę godnie. W nowej świątyni kazał wybudować kryptę, obszerną, porządnie sklepioną.

— Tu będziemy spoczywać. Oto nekropolia dla przyszłych pokoleń Gryfitów — pokazał mu ją z dumą.

— Czyli dla nas — skwitował Barnim.

— I naszych prawnuków — powiedział Jan Fryderyk i zupełnie niepoważnie dał mu kuksańca, jakby znów byli dziećmi.

— Pusto tu — zaśmiał się Barnim, a jego głos odbił się od sklepień piwnicy. — Trumny z kolegiaty Mariackiej wrócą? — spytał na poważnie. Wiedział, o czym się mówi na mieście.

— Nie wszystkie — wymijająco odpowiedział Jan Fryderyk. — No, może Barnim i Bogusław Wielki.

— Uważaj — ostrzegł brata. — Mówią, że dzielisz przodków na lepszych i gorszych. A przecież bez jednych nie byłoby drugich.

— Dobra, dobra. Gadasz jak pastorowie z mojego konsystorza. Dla ciebie miejsce się tu znajdzie — zaśmiał się.

— W życiu — zaprzeczył Barnim. — Tu jest miejsce dla książąt szczecińskich.

— To zapraszam po śmierci! — zaśmiał się Jan Fryderyk i skoczył mu na plecy, jakby czas się cofnął.

— Sam sobie tu leż! — próbował go zrzucić. — Ja chcę spocząć na dnie morza!

Starszy brat pochylił się i klepnął go w pierś, jak konia. Barnim chwycił go mocno pod kolanami i pogalopowali po pustej krypcie, nowej nekropolii, pokrzykując na zmianę:

— Kto jest morskim królem?

— Kto zdobędzie Konungahelę?

— Kto weźmie łupy i jeńców?

Wreszcie zrzucił Jana Fryderyka z pleców i sapiąc, wyznał:

— Jesteś ciężki, stary byku.

A ten klepnął go w plecy i powiedział:

— Chodź, poznasz moją przyszłą żonę.


Erdmuta von Hohenzollern nie skończyła w dniu ślubu lat szesnastu. Była złożona z krągłości, linii zagiętych, półokręgów i łuków. Miała pulchną dziecinną twarz, okrągłe oczy i usta z mocno zarysowanym łukiem Kupidyna. Wystrojono ją w bogate suknie z rozcinanymi rękawami, mocno ściśnięte w pasie gorsetem i jeszcze mocniej rozszerzone na biodrach, pewnie schowanym pod spodem wałkiem i fortugałem. Pontaliki ze szlachetnych kamieni i pereł, jakie zdobiły jej strój, też ujęte były w owalne oprawy, a gdy tuż po ceremonii zaślubin założono jej małżeński czepeczek, ten nad czołem miał aż dwa łuki. „Panna Serduszko" nazwał ją Barnim w myślach i choć niczego nie zakładał, polubił. Nie przypominała żadnej z jego sióstr, była barwna jak łąka w maju, świeża, rumiana, mimo eleganckiego pudru, pod którym starano się ukryć naturalny róż policzków. Do tego pogodna, uprzejma i wesoła.

— Inaczej wyobrażałem sobie elektorówny — wyraził to, o czym myślał Barnim, Kazimierz, najmłodszy z braci Gryfitów.

— Wiem, co mówisz — szepnął mu Barnim. — Miały być kościste, blade, zacięte i zimne. Tak obiecywała matka.

— Kłamała — z udawanym zgorszeniem odpowiedział brat. — Erdmuta to jabłuszko do schrupania, pączek z szafranowym lukrem, śmietanka, poziomki i miód.

— Ej, ekscelencjo biskupie! — szturchnął go Barnim i spojrzał na dwudziestolatka, jakby widział go po raz pierwszy. — Ładnych rzeczy teraz uczą w Wittenberdze.

— Takich ładnych tam nie ma — wyszczerzył się Kazimierz

i Barnim musiał dostrzec, że najmłodszy z Gryfitów dorósł i stał się piekielnie przystojny.

— Chyba wrócę na studia — mruknął i obaj zamilkli pod karcącym spojrzeniem matki.

Po długim nabożeństwie, po ślubowaniu, po wielkich słowach o żonie oddanej we władzę męża i jej posłuszeństwie były kolejne deklaracje — o braterstwie Hohenzollernów i Gryfitów, wzajemnym dziedzictwie. Barnim puszczał to mimo uszu, traktat traktatem, ale po żadnej ze stron końca rodu nie widać. Braci Gryfitów jest teraz obfitość, jakiej nie było wcześniej, i wbrew nadziejom i zwyczajom Hohenzollernów, Gryfici dziedziczą po sobie wzajemnie. Tak więc, powtarzano formuły, ale dzięki Bogu, pozostawały puste.

Elektor Jan Jerzy Hohenzollern, ojciec Erdmuty, miał już następcę, syna w wieku ich Ernesta Ludwika, a tenże już doczekał się młodego dziedzica. Od z górą stu sześćdziesięciu lat, od czasów Złotej Bulli cesarza Karola Luksemburskiego dla Hohenzollernów, w ich szeroko rozrodzonej rodzinie obowiązywała zasada primogenitury w stosunku do cennej Brandenburgii. Tylko główna gałąź rodu dziedziczyła w niej władzę, pozostałym dając inne, mniej ważne ziemie, jak księstwa Bayreuth czy Ansbach. Po prawdzie, cesarz tylko zatwierdził *Dispositio Achillea*, wolę Albrechta Achillesa Hohenzollerna, który w ten sposób umocnił swój ród, jakby wbijał żelazne słupy pod jego potęgę. Hohenzollernowie byli zaborczy i wojowniczy. Teść Jana Fryderyka jawił się mężczyzną na schwał. Jak przystało na margrabiego: szerokoplecy, postawny, gruby, o ciężkich rysach, których na szczęście nie odziedziczyły jego córki. Miał ich kilka i nową narzeczoną w zanadrzu. Przekroczył pięćdziesiątkę i po krótkim wdowieństwie szykował się na własne, trzecie wesele, już jesienią. Dużo pił, jadł z apetytem, mówił bardzo głośno. „Nadrobić czas" powtarzał często, jakby to zawołanie było jego dewizą. Tym „czasem" były lata, gdy rządził jego ojciec, Joachim Hektor i gdy druga żona rodziła mu córki.

— Przed nową panią elektorową nie lada zadanie — plotkował Barnim z Kazimierzem podczas uczty. — Słyszałem, że jest młodsza od Erdmuty.

— To powinno być zakazane. Czternaście lat? — szczerze zdziwił się Barnim.

— Tak mówisz teraz. Poczekaj, gdy będziesz w jego wieku — zaśmiał się Kazimierz cicho.

— Wiesz, co się gada, gdy stary chłop bierze młódkę? — odparował mu Barnim. — Że to jakby łatkę z delikatnej tkaniny przyfastrygować do starego barchana. Szybko odpadnie.

Matka ponownie zgromiła ich spojrzeniem, wychylając się nad stołem. Znów byli dziećmi, za nic nie mogli zatrzymać śmiechu. Zwrócił na nich uwagę elektor Jan Jerzy.

— W domu Hohenzollernów są jeszcze dwie panny na wydaniu — skierował palec w stronę obu braci. — Młodsze siostry Erdmuty.

— Jestem biskupem — z udawaną powagą rozłożył ręce Kazimierz. — Choć, gdy pada taka oferta, żałuję, że nie zwykłym pastorem.

— Ty, Barnimie, pasowałbyś do naszej Anny Marii, ona też lubi się stroić — nie odpuszczał Jan Jerzy i wpatrywał się w niego świdrującym wzrokiem.

— To nic z tego — pokręcił głową Barnim. — Ja taki ozdobny jestem tylko na weselu brata, na co dzień ze mnie książę ubogi.

Kto słyszał, ten się zaśmiał, najgłośniej Kazimierz.

— Moi śwagrowie są dzisiij bardzo wiseli — zaświergotała do nich Erdmuta.

— Bo dzień radosny — odpowiedział jej Kazimierz i omal nie parsknął. — Mamy nową księżną — podpuścił ją. Złapała się na to i powtórzyła:

— Hirzogin zu Stittin Pamirn, ja także się ciiszę, niiziemsko!

Księżna wdowa, Maria Saska nie wytrzymała tego i zwróciła młodziutkiej synowej uwagę.

— Mówimy: Herzogin zu Stettin Pommern, nie musisz zdrabniać, jesteś dorosła, księżno.

— Przepraszam, dobra matko — zarumieniła się panna Dwa Serduszka, a im zrobiło się głupio, że ją podkusili i sprowokowali surową matkę.

Jan Fryderyk nie wziął żony w obronę i Barnim poczuł się z tym jeszcze gorzej. Tak, dobrze było mówić, że Erdmuta jest urocza, słodka, że zabawnie wymawia każde słowo, ale żyć z nią komuś takiemu jak Jan Fryderyk nie będzie łatwo. On potrzebuje znacznie mocniejszych podniet.

Przez większość pierwszej z weselnych uczt pan młody rozmawiał ze swym teściem, Janem Jerzym. O polowaniach, o koniach, o broni, nawet o statkach. Towarzyszył im druh Jana Fryderyka, Jacob von Kleist, który w pewnej chwili, zachęcony przez obu, zajął miejsce między Erdmutą a Janem Fryderykiem. Barnim, który miał duszę skorą do żartów, ale serce wrażliwe, poczuł, że to niezręczne i zaczął Erdmutę zabawiać rozmową. Niestety, lektury młodej księżnej nie wybiegały poza to, co czytywały panny. Czyli Biblia, katechizm i nic więcej. Postanowił, że oprowadzi ją po pokaźnej bibliotece zamkowej, może podsunie coś ciekawego, oczywiście, nie podczas jej wesela. Dość już niezręczności na jedną uroczystość.

Drugie wesele, zwane w rodzinie ślubem jesiennym, odbyło się w Wołogoszczy. Było nie mniej wystawne, jakby chciano na siłę przekazać wiadomość, że Ernest Ludwik zaczyna najszczęśliwszy czas w swoim życiu. Ta myśl natrętnie wracała do Barnima — że w czasie gdy książę wołogoski ślubował księżniczce brunszwickiej cały dwór wołogoski wspominał wyłącznie jego pierwszą, młodzieńczą miłość, że cień panny w kryzie przenika ściany, jak duch.

Zofia Jadwiga z Wolfenbuttel, podobnie jak Erdmuta, miała niespełna szesnaście lat i w przeciwieństwie do tamtej, wydała się Barnimowi panną niezwykle powściągliwą. Miała urodę Madonny z dawnych czasów, gdy matkę Zbawiciela portretowano młodą i olśniewającą. Barnim znał takie obrazy z podróży po Europie, widywał je częściej w rezydencjach książąt niż kościołach i za każdym razem doznawał zawstydzenia. Madonny były niedostępne w swej boskości i wyzywająco pokazywały nagą szyję, obojczyk i pierś z przyssanym do niej Dzieciątkiem. Zofia Jadwiga piersi miała szczelnie przykryte eleganckim partletem, który zasłaniał dekolt sukni i kończył się pod brodą koronkową falbanką. Wysokie, eleganckie czoło, na nim łuki ledwie widocznych brwi i powieki spuszczone do połowy, więc wciąż nie miał pojęcia, jakiego koloru są oczy bratowej. Nie była uwodzicielska i nie chciała za taką uchodzić. Mogła sobie pozwolić na skromność, bo jej uroda nie pozostawiała nic do życzenia. Ernest Ludwik adorował swą żonę przez całe, wielodniowe wesele. Nie opuszczał jej ani na chwilę, świadom, że oczy dworu śledzą go z wzmożoną czujnością.

Podczas długich uroczystości plotkowano o ich nieobecnej siostrze Małgorzacie, którą po nieszczęsnej przygodzie z królem Danii wydano za mąż za księcia lauenburskiego. Najbardziej zadowoloną z małżeństwa wydawała się ich matka, Maria Saska, bo zięć wydawał jej się „kimś na miarę". Ku zawstydzeniu najmłodszej z sióstr, Anny, o planach związanych z nią mówiono w jej obecności.

— Ubiegają się o naszą pannę, ubiegają — perorowała matka, nie patrząc, że Anna spuszcza wzrok i kuli się w sobie. — Powiem tylko, że rozważamy Prusy albo Rzeczpospolitą. Oferty są na stole — te słowa przyklepała pulchną dłonią i to było takie prostackie, takie do niej niepodobne.

O najstarszej, Amelii, nie wspominano, choć była na weselu ważnym gościem. Jej to nie przeszkadzało, Amelia już dawno nauczyła się być nieobecną. Obdarzała swym łagodnym uśmiechem każdego, choć możliwe, że ledwie zauważyła, gdzie gości.

Za to obecnym w pełni był ich brat Bogusław z synkiem. Czteroletni chłopczyk nosił imię Filipa i przez to stał się ulubieńcem babki.

— Mój najstarszy wnuk — powtarzała raz po raz. — Taki podobny do dziadka, mego świętej pamięci męża, księcia Filipa. Ty malutki Filipku, będziesz Filipem II — szczypała go w policzek.

Bogusław nie zaprzeczał, choć chłopiec podobny był do niego, nie do ich ojca. Powściągliwy, ułożony, poważny nad wiek. Potrafił nawet powiedzieć krótkie sentencje. Na przykład:

— *Munimentum aulae regii sunt liberi.*

„Podporą królewskiego dworu są dzieci", to się babce Marii szczególnie podobało.

Żona Bogusława, a matka małego Filipa, nie towarzyszyła im, wiosną szczęśliwie powiła drugiego syna, a mieli już także i córeczkę, więc oddawała się opiece nad młodszymi dziećmi w ich skromnej rezydencji, w Barth.

Oczywiście, gościem honorowym był Jan Fryderyk. Zjechał z całym dworem, z siłaczem i olbrzymem Denisem Kleistem, z nierozłącznym z nim Jacobem Kleistem, Krukowem, Peterem Kameke, którego niektórzy nazywali złym duchem Jana Fryderyka, hrabią Ludwikiem von Ebersteinem i błaznem Hintze, a jakże. Oczywiście w towarzystwie żony. Księżnej Erdmucie także przyglądano się uważnie, każdy życzyłby sobie, by pod jej szeroką, wystawną suknią już mieszkał przyszły dziedzic Szczecina. Jan Fryderyk wobec żony zachowywał się uprzejmie, ona na każdy jego gest i spojrzenie reagowała czułością. On od tej czułości robił się chłodny. Ona chciała roztopić lody, więc świergotała jeszcze słodziej. On odsuwał się bardziej, najwyraźniej nie lubił sposobu, w jaki mówiła. Gdy oddalał się od niej w wolną przestrzeń, niczym barwne ryby, wpływały jej dwórki, otaczając panią serdecznością.

Jest kochana, ale nie tak jak potrzebuje i nie przez tego, od którego miłości pragnie — zauważył Barnim i poczuł smutek. Lubił Erdmutę von Hohenzollern.

— Zdrowie obu młodych par książęcych! — zawołał marszałek Schwerin.

Podczaszy lał do kielichów, a adresaci toastu ponad głowami swych młodziutkich żon spojrzeli sobie w oczy. Bez cienia życzliwości.


— Pamiętasz wielki gobelin z Wołogoszczy? — zagadnął Bogusław, gdy kolejnego dnia wesela przeszli się nad rzekę.

— Trudno zapomnieć — uśmiechnął się Barnim. — Ileż razy śmialiśmy się z Ernestem Ludwikiem z tych grzywek, w których nas przedstawiono.

— A Kazimierz cierpiał, że nie ma go na rodzinnym portrecie, wiedziałeś o tym?

— Skądże — zawstydził się Barnim. — Nie wspominał.

— Postanowiłem, że zamówię wielkie drzewo genealogiczne rodziny — odezwał się Bogusław po chwili. — Od samych początków.

— Czyli od kogo? Warcisława i Racibora?

— Od Świętobora, ich ojca — powiedział Bogusław.

— Na studiach czytałeś więcej niż my wszyscy razem wzięci — bezradnie westchnął Barnim.

— Nie w tym rzecz — odpowiedział brat. — Postanowiłem być innym ojcem niż nasz i nie faworyzować żadnego z dzieci, i nikogo Broń Boże nie pominąć, bo każdego dnia odczuwam wielką wdzięczność za niespodziewane szczęście, jakie odnalazłem w rodzinie — dodał po chwili Bogusław.

Barnim dostrzegał to w każdym geście. Gdy mały Filip zatrzymywał się przy krzaku, Bogusław tłumaczył mu z powagą:

— To głóg, zobacz, jakie ma owoce i jakie ich strzegą kolce.

Zawsze wiedział, kiedy synowi trzeba zaproponować pójście na stronę, a kiedy poprawić aksamitną czapkę.

— Tyle razy chciałem cię zapytać, co stało za twoją decyzją — odezwał się Barnim, gdy mały Filip z godną uczonego uwagą przyglądał się wirom w nurcie rzeki. Jeden z nich porwał ułamaną brzozową gałąź, zaczęła się kręcić.

— Racja stanu — odpowiedział Bogusław, podążając wzrokiem za tym samym wirem, na który patrzył jego syn. — Potrzeba wyższa tamtej chwili. Prośba matki. Cokolwiek to było, sprawiło, że stałem się człowiekiem szczęśliwym i spełnionym, choć tego nie oczekiwałem.

Moja córeczka ma na imię Klara Maria. Klara po mej żonie, a Maria, jak zresztą wiesz, po naszej matce. Szczerze i z wdzięcznością.

— Może cię rozumiem — odpowiedział Barnim, myśląc o chwilach, w których był najszczęśliwszy. Tych, gdy był księciem ubogim na Darłowie i morskim królem, jednocześnie.

— Chciałbym tego samego dla Kazimierza. Nie mam pewności, czy drogą dla naszego najmłodszego brata jest biskupstwo. W skomplikowanej układance, której pionkami jesteśmy, jemu przypadła rola, do której raczej nie czuje powołania.

— Jest młody — wymijająco odpowiedział Barnim.

— Jest zagubiony — nie dał się oszukać Bogusław. — Filipie, chodź do mnie. Pokażę ci grzyb, który musisz znać.

Chłopiec odwrócił się od nurtu Piany i z ufnością przybiegł do ojca. Bogusław wziął go za rękę i poprowadził dwa kroki w bok. Potem przykucnął, rozchylił trawy i pokazał Filipowi czerwony i nierówno nakrapiany kapelusz z wdziękiem wyrastający ze śnieżnobiałej nóżki, ozdobionej porwaną, delikatną kryzą.

— Przyjrzyj się mu — powiedział.

— Jaki piękny! — zawołał synek.

— To prawda. Patrz, podziwiaj jego urodę.

Mały Filip przykucnął i wyciągnął rączkę w stronę muchomora.

— Zatrzymaj się — spokojnie poinstruował go ojciec i palec chłopca zawisł w powietrzu. — Nigdy go nie dotykaj, nie próbuj i nie pragnij. To trucizna.


Tamtego roku siostry na krótko zatrzymały się u Korduli w Chociwlu. Panowała między nimi nieufność, chłód, którego nie potrafił ogrzać ogień płonący w bawialni gościnnej pszczoły matki. Dorota traktowała Sydonię jak wroga. Jak kłamczuchę, która kryje jakiś pęczniejący niczym wrzód sekret. Złotą tajemnicę, o mocy porównywalnej ze sztormem, co zmyłby z powierzchni ziemi każdy ich kłopot, łącznie z Ulrichem.

Mam sekret, siostro — myślała Sydonia, unosząc wzrok znad książki i spoglądając na Dorotę ukradkiem. — Ale jeśli go poznasz, nie poczujesz się lepiej, lecz gorzej. Prosiłam, byś nie słuchała Ulricha. Nasz brat jest złym duchem. Moje sprawy tajemne są już skończone, a wiedza o nich niczego w naszym życiu nie zmieni.

— Wzrok sobie popsujesz — karci ją, jak co wieczór, Kordula. — Co ty tam czytasz, Sydonio?

— Zielnik — odpowiada zgodnie z prawdą.

— Nie jesteś aptekarzem, nie potrzebujesz uczyć się o roślinach — kręci głową Kordula. — Uczciwej kobiecie wystarczy lektura Biblii.

— Ani wiejską babą — dorzuca zgryźliwie Dorota — byś musiała je zbierać.

— Właśnie, że jestem wiejską babą — odpowiada jej przekornie Sydonia i cytuje słowa matki Korduli: — „Chociwel nie Stargard".

I choć są sobie wrogie, Dorota nie wytrzymuje, parska śmiechem i po chwili śmieją się obie, otwarcie i nie do zatrzymania. A Kordula im wtóruje szczerze, przykrywając upierścienioną dłonią podbródki i rozglądając się, czy jej mąż, Joachim von Wedel, nie słyszy.


Po Bożym Narodzeniu przybył do Chociwla Jacob von Stettin z czwórką zbrojnych i notariuszem, bladym i zastraszonym. W ręku trzymał okutą skrzynkę. Było późne popołudnie, zebrane w gościnnym dworze kobiety siedziały w bawialni, przędły, snuły opowieści. Małgorzata, matka Korduli, przodowała w wynajdywaniu tych najstraszniejszych. O utopcach, co porwały dzieciaka od sąsiadów, o krowie, której z wymion płynęło nie mleko, lecz krew.

Na stole stała misa racuchów z konfiturą, pod nim piesek Korduli sennie ogryzał drobną kość. Gdy do izby wszedł Stettin, piesek struchlał i obie łapy położył na kości, jakby bał się, że intruz mu ją odbierze.

— Przywożę pieniądze od Ulricha von Bork, jaśnie pana na Strzmielu, Resku i Łobzie!

— Wilczej mordy — szepnęła Małgorzata, matka Korduli, grzejąc dłonie na garncu z korzennym piwem.

— Nie pozwolę pana mego obrażać! — zakrzyknął Stettin i wlepił w nią spojrzenie jasnych oczu.

— Co ten junkier krzyczy? — zaskrzeczała Małgorzata, udając staruszkę. — Będzie drzwi wyważać?

Stettin uspokoił się, wziął ją za przygłuchą. Dorota mrugała niepewnie, przygładzając dłonią wełnianą chustę, którą okryła piersi przed zimnem. Kordula wstała godnie, co przy jej posturze nie było trudne. Przysadzista i strojna w czepiec, zasłoniła sobą światło z kominka.

— Proszę się wstrzymać z oświadczeniami, nim nie wezwę męża i pana. Jechta — zwróciła się do służącej. — Znajdź pana Joachima. Poczekamy.

Założyła dłonie o pasek pomorskiego fartuszka.

Gdyby nadszedł koniec świata — pomyślała Sydonia — chciałabym być pod skrzydłami Korduli.

Stettin nie był cierpliwy. Nie umiał wystać spokojnie w komnacie pełnej kobiet i stukających kołowrotków. Zaczął się kręcić, rzucać nerwowe spojrzenia na boki. Raz po raz zerkał na garniec z piwem grzejący się na trójnogu przy ogniu.

— Długo jeszcze? — spytał.

— Siostry czekały latami — wyniośle odpowiedziała Kordula.

— Psie — dorzuciła jej matka, a gdy Stettin rzucił w jej stronę wściekłe spojrzenie, udała, że kicha. — Ach sie!

Piesek poczuł się pewniej, jakby zrozumiał, że przybysz nie może nic mu zrobić, i znów zajął się ogryzaniem chudej kości, wydając przy tym mlaśnięcia i pojękiwania.

— O czymże to mówiłyśmy, zanim przerwał nam ten junkier? — spytała pani Emerencja.

Pani Małgorzata zamieszała w garncu z piwem, aż uniosła się z niego wonna para.

— O wiedźmach — zełgała, patrząc z ukosa na Stettina. — Czarownicach, co wygrzebują ze starych smętarzy ludzkie kości. Naści, naści, maluśki — cmoknęła do pieska. — Nie bój nic, pojedz sobie.

— Ponoć do najstraszliwszych zaklęć używają trupich jadów — pokiwała głową Emerencja. — Ileż to trzeba takie piszczele warzyć, żeby wciągnąć jad?

Stettin niespokojnie strzelił oczami, przełknął ślinę.

— Gadają, że najmocarniejsze do czarów są dziecięce kości.

Małgorzata i Emerncja prześcigały się w straszeniu Stettina, a Sydonia niemal słyszała dukt myśli Doroty. Ile tych pieniędzy? Ile? Ile? W rytm obrotów kołowrotka Metteke. Wreszcie przyszedł Joachim von Wedel, choć właściwiej byłoby powiedzieć: przybył. Kolebał się i sapał, zatknął dłonie za pas i pańsko oświadczył:

— Czego?

Jacob von Stettin z namaszczeniem otworzył skrzynkę, wyjął z niej złotą monetę.

— Ulrich von Bork, pan na Strzmielu, Resku i Łobzie, przysyła swym siostrom, Dorócie i Sydonii von Bork osiemset guldenów sum spadkowych. Prawdziwych, złotych guldenów — to mówiąc, zagryzł zębami monetę, jak pies. Potoczył wzrokiem po zebranych, czekając na uznanie. Nie znalazł go, wszyscy przybrali miny obojętne. Stettin włożył guldena do skrzynki, zamknął wieko z trzaskiem i powiedział:

— Tym samym pan Ulrich von Bork zamyka spłatę sum spadkowych wobec sióstr. I dołącza także zaległe wypłaty tytułem utrzymania. Pokwitować przed notariuszem sądowym!


— Jesteśmy bogate! — powiedziała wieczorem Dorota i rozkładając ramiona, ze śmiechem rzuciła się na łóżko.

— Nie sądzę — Sydonia siedziała na jego skraju, rozwiązując kryzę. Odesłała Metteke wcześniej, wciskając jej w rękę parę drobniaków, pieszczotliwie zwanych ziębim oczkiem. Wiedziała, że dziewczyna ma w Chociwlu kawalera, niech się zabawi w ten dzień radosny.

— Wszystko musisz zepsuć — żachnęła się siostra. — Jesteśmy bogate, jak na nasze możliwości.

Sydonia wstała, ostrożnie ułożyła kryzę na skrzyni, odwróciła się do Doroty i powiedziała łagodnie:

— Wiesz, że wypłacił nam dużo, ale to nie wszystko. W szeregu liczb ukrył odsetki i alimenty, pieniądze na utrzymanie, które miał nam wypłacać, a nie płacił, gdy gościły nas ciotki. — Dorota wciąż leżała na łóżku, bawiła się swoimi włosami. Coś wezbrało w Sydonii, głos jej zadrżał. — Pamiętasz? Na początku, gdy zapraszały nas do siebie, byłyśmy dla nich „pannami z Wilczego Gniazda". Mówiąc „trzeba was wydać", każda z nich miała na myśli własnych synów, albo siostrzeńców. Nie tylko dla łowców posagów byłyśmy dobrymi kąskami, ale dla ciotek także, rozumiesz?

— Co w tym złego? — Dorota puściła jasne pukle.

Sydonia przygryzła wargę i powiedziała:

— Kiedy ostatnio któraś z ciotek zaproponowała kawalera?

— Nie pamiętam — odpowiedziała Dorota głucho.

— W tym rzecz. Przestały wierzyć, że nam się uda. Że Ulrich kiedykolwiek wypłaci nasze posagi.

Dorota gwałtownie podniosła się i usiadła na łóżku, odsunęła włosy spadające jej na twarz.

— Ale dzisiaj Stettin przywiózł nam pieniądze. Możemy zacząć od nowa. Kupić dom i pójść na swoje — oznajmiła.

— Wiesz, ile trzeba wydać na dom? Ile na ziemię, na której stoi? — spytała jej Sydonia i zaczęła wyliczać, na jednym tchu: — Ile kosztuje utrzymanie? Służba, wiktuały, wosk, olej do lamp, obrok dla zwierząt, stajnia…

— Nie mamy koni — bezradnie zaprotestowała Dorota i natychmiast zmieniła zdanie: — Nie kupujmy domu. Zgodnie z umową to Ulrich musi zapewnić nam mieszkanie.

— Ulrich oszukał nas już na pierwszej rozprawie, byłyśmy głupie. Zbyć się praw do majątku za pięćset guldenów na głowę? Obudź się. Minęło dziesięć lat od śmierci matki. Gdzie jesteśmy?

Dorota poruszyła ramionami, jakby miała skrzydła.

— A gdzie byśmy były, gdybyś zrobiła, co trzeba? — odpowiedziała pytaniem.

— Czyli co? — zaatakowała ją Sydonia. Dość miała ciągłych wymówek.

— Gdybyś wyszła za mąż, jak mogłaś — powiedziała Dorota. — Mogłaś, ale nie chciałaś.

— Jesteś głupia — odparowała Sydonia.

— I garbata, zapomniałaś dodać.

Cisza zaległa między nimi jak ciemność. Metteke nie zapaliła świec przed wyjściem, miała to zrobić Sydonia, zapomniała.

— Wybacz — cicho opadła w swym gniewie Sydonia.

— Postaram się — odpowiedziała w mroku Dorota. — A tymczasem muszę odpocząć od ciebie. Twoja obecność mi ciąży. Nie mogę cię znieść. Zamieszkamy osobno.

— O czym ty mówisz?

W kominku trzasnęła mokra głownia. Posypały się iskry. Dorota ich nie widziała, wodziła wzrokiem po suficie.

— Joachim von Wedel zaproponował mi pobyt w domu dla panien, w Marianowie. Jest tam zarządcą, czy kimś takim.

— Nadzorcą — głucho powiedziała Sydonia.

— Jak wolisz — głos Doroty był obojętny. — Zwolniło się jedno miejsce, pensjonariuszka zmarła i uznał, że mogłabym spróbować. Ciekawe, co? Zaproponował je mnie, a nie tobie. Dostanę dwie komnaty.

— Izby — poprawiła ją Sydonia. — Cele.

— I wyżywienie oraz uposażenie dla szlachetnie urodzonej panny. Jak dodam do tego, co dostałam dzisiaj od Ulricha, będę świetnie sytuowaną partią. Może znajdę męża, a wtedy brat wypłaci mi posag!

— O czym ty mówisz, Doroto? Już zapomniałaś, co powiedziałam przed chwilą?

— Co takiego? — udawała, że nie rozumie. — Ach tak, zapomnia-łam dodać, że będę panną garbuską?

— Przestań.

— Ty przestań. Siejesz wokół mnie zatrute nasienie, jesteś moją zmorą, Sydonio. Piękniejszą i młodszą siostrą. Tą, która może godzi-nami biegać po lesie, gdy ja ledwie z pokoju do pokoju kuśtykam. Tą mądrą, co czyta trudne książki i wie, co to kosmografia. Tą, która umie to i owo po łacinie: dafe mererum srerum — przedrzeźnia.

— *Daphne mezereum* — cicho poprawia ją Sydonia. — Wawrzy-nek wilczełyko.

Dorota tego nie słyszy i dobrze. Zapamiętała się w gniewie, syczy:

— Już nie trzeba mówić, że ja jestem głupią, wystarczy cię po-chwalić i znikam.

Sydonia słyszała w mroku swój oddech. I nie słyszała oddechu Do-roty. Była osaczona jej wyznaniem, któremu zaprzeczać mogła w nie-skończoność, ale nie umiała mu zapobiec.

— Życzę ci szczęścia, Doroto — powiedziała szczerze.

— A ja tobie, byś dostała to, na co zasłużyłaś — odpowiedziała jej siostra.

## Rozdział V

# Brak pokory

*Księstwo Pomorskie, rok 1579*

Sydonia Bork wstąpiła na drogę gniewu, jej dukt wyznaczała droga sądowa. Tamta zima była czasem klęsk gradu i śniegu, wiosna przyszła późno, lato stało się pasmem deszczu, zimna, sztormów i nieurodzaju. Pomorze jęknęło gorzej niż po krachu Loitzów, bo tamten unicestwił srebro i złoto, a ten bydło i zboże; przez rok cały ludzie jedli ryby, aż wytrzebili rzeki, stawy, jeziora i nawet, zdawałoby się, niezmierzony, Zalew Świeży. Śmiałkowie wypłynęli na połowy na pełne morze.

Sydonia mimo zeszłorocznej spłaty, a może dzięki niej, uznała, że czas na prawdę, a za nią szedł odwet. Pięciuset guldenami nie można pozbyć się sióstr, nawet, jeśli są liczone na głowę. Nękała Ulricha pozwami, jeden po drugim, bo odkryła, że prawo musi bronić sierot, wdów i innych szlachetnie urodzonych kobiet, nawet, jeśli nie chce, nawet, jeśli to niewygodne.

Wygodną kobietą jest żona. Bo zaraz zamieni się w matkę, opiekunkę dziedziców majątku. A co w innych przypadkach?

Sydonia poczuła się przypadkiem. Kobietą ujętą w prawie, lecz mu obojętną. Postanowiła to zmienić. Gniew dodawał jej skrzydeł, prowadził ją, niczym Anioł Stróż. Dobrze, niech oskarżeni zwą go Aniołem Gniewu. Elias Pauli, dawny nieśmiały notariusz, skończył studia prawnicze w Gryfii.

— Będę dalej się uczył — wyznał jej, gdy zjawiła się w kancelarii, by złożyć przeciwko bratu kolejne dokumenty. — Chcę uzyskać tytuł doktora obojga praw — poprawił kołnierzyk i szukał w jej oczach aprobaty. Znalazł ją. — Tylko muszę popracować, rok, może dwa. Zarobić na studia. Nauka kosztuje.

— No właśnie — odpowiedziała mu i poprosiła o radę.

— Proszę przyjść za tydzień. Wszystko sprawdzę — szepnął, by nie usłyszał radca sądowy.

Gdy Dorota wyjechała do Marianowa, Sydonia zamieszkała u Wedige von Wedla w Mielnie Łobeskim. Tak, tego miłego, który zakładał włosy za ucho za każdym razem, gdy się wstydził. Wedige, pracowity i skromny, nie ustawał w wysiłkach i rok za rokiem remontował zamek, który przypadł mu w dziedzictwie po przodkach. Dawał Sydonii powóz i stangreta, gdy chciała jechać do sądu, do Szczecina. Tam zatrzymywała się u Barbary von Brockhausen, oczywiście. Wysłuchiwała narzekań: „Dlaczego nie było cię na książęcym weselu?" i to wystarczało by chciała złożyć dokumenty i uciec. Ale nie, zapłatą za noc na Wielkiej Tumskiej była wizyta u krawca Barbary, wybieranie z nią rękawów do sukien, okrycia gorsetu i obszyć spódnic. Albo wydziwianie nad żoną dla Clausa i dlaczego podobają mu się skromne panny? A do tego roztrząsanie, czy księżna Erdmuta jest bezpłodna, bo jeśli nie, to czemu nie mają dzieci, w końcu wina nie może leżeć po stronie księcia, nasz pan jest jurny jak ogier z jego słynnej stajni.

W końcu gościna u Barbary stała się dla niej brzemieniem i przyjęła zaproszenie Andreasa von Bork, który miał dom koło kościoła Świętego Jakuba, nieopodal gospody „Pod Białym Łabędziem". Stąd miała jeszcze bliżej do Domu Opata, do kancelarii książęcej. Poczuła się wolna. Nagle Szczecin zapachniał i zasmakował inaczej. Bez wszechobecnego komentarza Barbary sama dostrzegła, że jej suknie są stare. Że kryza, owszem, wciąż doskonale wytworna, ale nosi ją zbyt wiele dam. Poszła do krawca i nie był to mistrz Petrus Barbary. Wybrała mistrza Dobrosza, który pracownię miał nieopodal Bramy Młyńskiej. Kazała sobie uszyć suknię na miarę swoich potrzeb, taką, która będzie służyć jej, a nie ona sukni. Z krótszym gorsetem, bez wałka i fortugału, ten stelaż poszerzający spódnicę nie sprawdzał się w podróży. Materiał był czarny, a jakże, ale połyskliwy i światło wydobywało z niego tony raz ciemnozielone, raz niemal fioletowe. Rękawy zdobił wzór w ptaki. Tak, chciała, by dodały jej skrzydeł. Potem wybrała się po rękawiczki i nad nimi też zastanawiała długo. Następne były mankiety, dwie, lepiej trzy pary. Białe, z koronką, z drobną plisą, z riuszką. Zamówiła koszulę zdobioną angielskim, czarnym haftem. Wśród Pomorzanek jeszcze nie był pożądany, krzywo patrzyły na czerń z bielą, mówiły, że to zbyt „żałobne". Sydonii wydało się doskonałe. To wciąż nie było wszystko. Suknia mistrza Dobrosza z rękawami w ptaki, ozdobne makiety, czarno wykończona koszula, kryza. Czegoś jej brakowało. I wtedy trafiła do kapelusznika. Wystarczyło, by zastrzegł:

— Mam tylko męskie kapelusze, kobiece wciąż się nie przyjęły w Szczecinie.

I już wiedziała, że potrzebuje kapelusza. Z wysoką, lekko zwężającą się główką. Z rondem nie za szerokim, ale nie wąskim.

— Z egretą? — podsunął lśniącą ozdobę kapelusznik.

— Nie — zaprzeczyła. — Z zieloną wstążką.

Gdy wyszła z jego pracowni, patrzył na nią cały Szczecin. Przyciągała wzrok kobiet i mężczyzn. I dzieci. Ktoś zachichotał, odpowiedziała uśmiechem. Nawykła do noszenia głowy wysoko i prosto. Za to Metteke idąca za nią kuliła ramiona.


— Panna nie wyprze się tego, że z krwi i kości jest Borkówną — przywitał ją Andreas von Bork, gdy wróciła.

— Ja się tego nigdy nie wypierałam — odrzekła. — Przeciwnie.

— Niby tak — zmrużył oczy gospodarz. — Ale ten spór z własnym bratem… To kala rodzinę, rozumie panna? Lepiej by było załatwić takie sprawy po cichu.

— Nie z moim bratem — odpowiedziała. — Żałuję.

— Ja także — skinął jej głową. — Bo zła sława idzie na cały ród Borków.

— I tobie się to nie przysłuży, Sydonio — z troską dodała żona Andreasa. — Czy to pomoże ci znaleźć męża? Nie jesteś już najmłodsza.

Sydonia zacisnęła usta, Andreas wyszedł. Jego żona wyczekała, aż zamkną się za nim jedne drzwi i drugie. Powiedziała zmartwiona:

— Ludzie plotkują. Na Pomorzu procesy z rodziną nie są niczym szczególnym, ale… — próbowała spojrzeniem przekazać to, co nie chciało jej przejść przez usta. Sydonia patrzyła na nią bez zrozumienia, więc w końcu wydusiła z siebie — …panne z dobrego domu tak nie wypada. Raz, drugi, dobrze, lecz ty, moja droga, nie wychodzisz z sądu. To rujnuje opinię, rodzinie i tobie. Zrozum, Sydonio, nikt nie lubi złoszczących się kobiet.

Dotarło do niej, że czas gościny u nich się kończy i nie powinna go przedłużać. Została jej jeszcze jedna sprawa w kancelarii książęcej i trzeba ją było załatwić.

— Nasz książę — westchnął Andreas von Bork — nawet jeśli póki co, nie spłodził dziedzica, inaczej dowodzi swej męskości. Kosztownie. Jan Fryderyk budował. Tworzył kolejne dwory. Myśliwskie w Kołbaczu i Podlesiu, rezydencję rybacką w Kopisach. Drukarnię i papiernię dla niej w Dąbiu nad Płonią, mennicę, a w planach miał nawet wodociąg. Jan Fryderyk nie ustawał w dziele uczynienia ze swego księstwa perły. A perły są drogie. Jan Fryderyk potrzebował pieniędzy i był w sporze ze szlachtą. Przyziemnym sporze o młyny. Wiedziała o tym od Andreasa, ale nie zwróciłaby uwagi na coś takiego, koszty obsługi młynów, kto by się tym zajmował. Lecz Elias Pauli, gdy odwiedziła go po raz ostatni, szepnął Sydonii coś cennego:

— Wasz brat, panno, naraził się księciu. Nie on jeden, co prawda, ale on szczególnie. Książę powiedział — Elias ściszył głos jeszcze bardziej — że Ulrichowi tych młynów nie odpuści. W tym konflikcie nie ma znaczenia powód ich sporu, lecz fakt, że twój brat, panno, uchybił księciu. Jan Fryderyk nie puści płazem umniejszania swego majestatu. Proszę skorzystać z tego, panno Bork, że Ulrich naraził się nie tylko tobie, ale komuś znacznie potężniejszemu. I... — Elias urwał nagle, bo do kancelarii wszedł protonotariusz, jego przełożony.

Sydonia podziękowała, spuściła głowę pod spojrzeniem protonotariusza i wyszła. Odczekała chwilę i zawróciła. Miała szczęście. Przełożonego już nie było, Elias Pauli dokończył zdanie:

— Nie ubiegaj się, panno, tym razem o reprezentację u hrabiego Ebersteina. Unikaj go. Znów zaczął interesy z Ulrichem. Podżyrował twemu bratu potężną pożyczkę u Schulenburga, co pewnie związane jest z tym, że pan Schulenburg także ma konflikt z Janem Fryderykiem.

O trumny przodków wyrzucone z kościoła Świętego Ottona — wiedziała o tym.

Opuszczała Szczecin bogata w tę wiedzę. Także w inną, której nie pragnęła, a huczało o tym całe miasto: oto żona Ernesta Ludwika urodziła ich pierwsze dziecko. Córkę. „Jest córka, będzie i syn", „Niechże się książęcej parze darzy!". Lukrowane ciastka w kształcie serduszek z okazji narodzin księżniczki, na każdym ulicznym straganie. Nie kupiła.

Wyjeżdżała w nowej sukni, kapeluszu, koszuli z czarnym haftem. W powozie, który przysłał dla niej Wedige von Wedel. Jechała ku życiu, którego nie lubiła, ale które należało do niej i nad którym, choćby wbrew wszystkim, chciała mieć kontrolę.

Nad miastem zbierały się ciężkie chmury. Koła turkotały na Moście Długim raz po raz zagłuszane przez pomruki nadciągającej burzy. Gdy zjechali na Wielką Groblę, pierwsza błyskawica rozcięła niebo nad Szczecinem. Stangret przeżegnał się trwożliwie.

— Przeczekajmy gdzieś, jaśnie panno! — poprosił.

Sydonia odwróciła się i spojrzała na miasto. Na nawałnicę, która rozpętała się nad nim. Patrzyła na pioruny uderzające w strzelistą wieżę kolegiaty Mariackiej.

— Jedź — rozkazała mu. — Nam nic nie grozi.


Potem poszło jak lawina w górach, jak kra w czas odwilży. Sydonia z Borków się nie cofnęła. Powiedziała, że nie pozwoli zamknąć sobie ust tamtą spłatą, i słowa dotrzymała.

— Przepuścisz fortunę na sądzenie się z nim — ostrzegał Joachim von Wedel.

— Być może. Ale nie daruję Ulrichowi ani guldena.

Pozwy o alimenty, o odsetki, o zaległości. Zawsze pisała je w imieniu ich obu. O spóźnienie w zapłacie, o brak korca żyta w rozliczeniu. Do pasji doprowadzała ją każda wiadomość ze Strzmiela, od Josta. Wszystkie brzmiały jednakowo: „Ulrich trwoni wasz majątek". Zmieniały się tylko wydatki brata: stroje, psy, konie, nowy powóz dla żony. Zadłużał się, u kogo się dało. Sydonia przeciwnie. Sama udzieliła pożyczki Wedige von Wedlowi. Miała w zapasie siedemset guldenów. Za mało, by kupić dom w Szczecinie, albo chociaż Stargardzie. Za dużo, by trzymać w kufrze podręcznym, w końcu ciągle mieszkała gdzie indziej. Była go pewna, wiedziała, na co Wedige wyda pieniądze — nowy dach nad remontowaną z mozołem mieszkalną częścią rezydencji. A może pożyczyła mu na złość Ulrichowi? A może z rozpaczy, że Wedige robi to, co powinien robić Ulrich? Dba o zamek.

— Jesteś moją dobrodziejką, Sydonio — powiedział i spisali akt pożyczki. Sydonia pieniądze traktowała poważnie.


Dwa lata zajęło jej doprowadzenie do egzekucji. Elias Pauli studiował w dalekim Rostocku, ale napisała do niego, a on jej odpisał: „Moja nauka zajmie jeszcze dużo czasu, ale panny Sydonii nie poszła w las. Gratuluję". Książę Jan Fryderyk wydał oficjalny nakaz egzekucji kwot, które Ulrich zalegał siostrom, z jego dóbr.

— Coś takiego! — śmiała się i płakała Dorota. — Zrobiłaś to!

Przyjechała z Marianowa, jak tylko dostała wiadomość od Sydonii. Do Strzmiela, bo Sydonia zatrzymała się u Jurgi. Na prośbę Josta, który robił karierę, przy księciu w Szczecinie i bał się o starego ojca.

— Zrobiłaś to! — piszczała z uciechy Dorota i całowała Sydonię w policzki, czoło, usta. Jakby nigdy nie było między nimi tamtej strasznej rozmowy, jakby nie padły tamte słowa.

— Ulrich wam tego nie daruje — powiedział Jurga.

— Nasz brat nie może przeżyć tego, że istniejemy — odpowiedziała mu Dorota. — Co za różnica? Przypuszczam, że przed snem zmawia jakąś piekielną litanię, która ma przyspieszyć naszą śmierć i go uwolnić.

— Psalm 109 — powiedziała Sydonia.

— No właśnie. Albo jakiś inny, złowieszczy, śmierć nastręczający, żartuję, wiem, że nie ma takich modlitw. Boże, jak ja się cieszę! Kiedy przybędzie książę?

— Nie przybędzie — wyjaśniła jej Sydonia. — Od tego ma urzędników, fiskała konkretnie.

— Szkoda. Myślałam, że zobaczę, jak Ulrich wije się przed księciem. Ile konkretnie dostaniemy?

— Widziałaś w pozwie, wysyłałam ci kopię.

— Pogubiłam się w tych kwotach — wzruszyła ramionami Dorota. — A bardzo potrzebuję pieniędzy.

— Co zrobiłaś ze spadkiem? — zaniepokoiła się jej niefrasobliwością Sydonia.

— Wszystko kosztuje — wymijająco westchnęła Dorota.

— Miałaś w Marianowie utrzymanie, miałaś dach nad głową!

— Też mi dach. To była cela, jak kiedyś dla zakonnic. Wytrzymać tam zimą nie sposób. A jedzenie? Lepiej karmią w przytułkach, daj spokój.

— Masz piękny płaszcz — surowo wypomniała jej Sydonia.

— A ty kapelusz jak mężczyzna — odparowała siostra. — Ja cię nie przepytuję, co zrobiłaś ze swoimi pieniędzmi. To ile wyegzekwuje dla nas ten fiskał?

— Trzydzieści guldenów z odsetkami — odpowiedziała Sydonia. — I zaległe dobra.

Dorota zbladła.

— Tylko tyle? Ale w piśmie było, że dziewięćdziesiąt…

— Sześćdziesiąt nam spłacił. Dostałaś pieniądze do Marianowa.

To przytłoczyło Dorotę, przygarbiła się w jednej chwili, skurczyła i jak ptak przysiadła na oparciu krzesła.

— Myślałam, że więcej, że egzekucja to coś poważnego…

— Bo to nie są żarty — ponuro zagrzmiał Jurga. — Ja zawsze trzymam waszą stronę, Ulrich to zbój, utracjusz, pijak i bez czci łachudra. Źle was potraktował, bez szacunku należnego siostrom. Ale żeby za trzydzieści guldenów nasyłać na niego fiskała? Egzekucja z dóbr szlacheckich to utrata honoru — skończył surowo i odwrócił się w stronę okna. — To skaza na rodzie Bork.

— Skazą jest to, że wyzuł nas z majątku i domu. Jak inaczej mamy dojść swego, skoro każdą z umów łamał?

Jurga nie odpowiedział. Sydonia zagryzła wargę i ze swojej skrzynki z dokumentami wyjęła papiery.

— Egzekucja obejmie gotówkę, te trzydzieści guldenów — powiedziała do Doroty, choć mówiła głośniej, by słyszał i Jurga. — Oraz dobra rzeczowe dla każdej z nas, zgodnie z umową spadkową. Pamiętasz, jak opuszczałyśmy dom, większości rzeczy nam nie dał, wyjechałyśmy z ubraniami i tym, co było pod ręką. Czytałaś zestawienie? — Wyjęła na wierzch właściwy dokument. — Słuchaj: jest nam winien dwie świnie, za poprzedni rok. Do tego tobie: podwójną adamaszkową kołdrę, kołdrę ozdobną, parę prześcieradeł, sześć dużych pościeli, pięć poduszek, sześć wezgłowi, dwie ozdobne komody. A dla mnie: tak samo, jak u ciebie, kołdra adamaszkowa, podwójna i druga, ozdobna. Dwadzieścia jeden par prześcieradeł. Sześć poduszek, dziewięć wezgłowi. Dwie komody, trzy skrzynie. Dwadzieścia obrusów, tyleż chust i koszul. Mam nadzieję, że niczego nie pominęłam.

— Dużo — rozchmurzyła się Dorota. — Zapomniałam, że to tak dużo.

— Do tego naturalia, trzeba będzie sporządzić nową listę, bo od pierwszej minęło trzynaście lat i należy ją poprawić. Jeszcze raz wyznaczyć kwotę roczną na utrzymanie nas i naszej służby, na wynajem domu, ceny się zmieniły. Rozumiesz?

— Inaczej to sobie wyobrażałam. Ale tak, rozumiem.

Dorota uśmiechnęła się i uścisnęły się jak siostry, jak kiedyś.


Książęcy urzędnicy przybyli do Strzmiela wczesnym rankiem. Ulrich pił całą poprzednią noc ze Stettinem, przeklinał i strzelał z zamkowej wieży. Odźwierny otworzył bramę, bo urzędnik miał glejt z pieczęcią księcia i był w asyście. Sydonia nie miała pewności, czy ludzie, którzy z nim przybyli, są uzbrojeni. Oglądała wszystko z pewnej odległości, z ukrycia. Wtedy po raz pierwszy stwierdziła, że wzrok jej się popsuł. Ale nie czas był zajmować się wzrokiem. Główny urzędnik był konno, tamci pieszo, mieli ze sobą wóz na dobra, które należało zarekwirować. Odźwierny nie zamknął za nimi bramy, słyszała, że wzywa służbę, i słyszała głos urzędnika, nakazującego, by stanął przed nim Ulrich. Długo nic się nie działo. Aż wreszcie wysoko ponad dziedzińcem trzasnęły gwałtownie otwarte okiennice.

— Wynoście się! — wrzasnął Ulrich. Był w rozchełstanej koszuli, z gołą głową. Domyśliła się od razu, że wciąż jest pijany.

— Z rozkazu księcia dokonamy egzekucji z dóbr Ulricha von Bork, syna Ottona — krzyknął do niego urzędnik. — Na rzecz jego sióstr, Doroty i Sydonii.

— Garbate kurwy! — zawył Ulrich z okna. — Nie pozwolę się okraść.

— To wyrok sądu — wyjaśnił urzędnik.

Ulrich zamknął okiennice z taką siłą, że jedna z nich pękła i drewniana deska spadła na dziedziniec, u stóp urzędnika. Minęła chwila, gdy Ulrich zjawił się na dziedzińcu. Miotał się jak szczute zwierzę. Chwycił jednego z ludzi urzędnika za kaftan na piersi, uniósł i rzucił go na pusty wóz.

— Wynocha! — ryczał. — Wynocha z mego domu! Złodzieje! Pozabijam!

Złapał kolejnego, uderzył pięścią w twarz. Tamten zawył. To jeszcze bardziej rozwścieczyło Ulricha. Był jak drapieżnik, zwietrzył krew i zrobił się głodny. Pozostali zbili się w gromadę, wokół urzędnika. Ulrich szedł ku nim z gołymi pięściami, na ugiętych nogach. Zaczęli się cofać. Urzędnik zatrzymał swoich ludzi. Zagroził Ulrichowi:

— Obraza książęcego wysłannika będzie cię sporo kosztować.

— Kosztują mnie siostry. Dziwki garbate. Weź je sobie w zastaw, może ci dogodzą.

Sydonia usłyszała otwierane okno, w skrzydle Otylii. Spojrzała w górę. Jasna głowa bratowej, w nocnym czepku ukazała się w szparze okiennicy. Możesz go uspokoić — pomyślała. — Zrób to. Krzyknij do niego. Posłucha cię.

— Ulrich! — zawołała Otylia niezbyt głośno. Poprawiła się: — Ulrich!

On zatrzymał się w pół kroku, gwałtownie odwrócił. Szukał jej wzrokiem, ale pijany, patrzył nie w tę stronę, co trzeba. Wydał się Sydonii prawdziwym zwierzęciem. Urzędnik odważnie wyminął Ulricha i kazał ludziom zabrać wóz, z leżącym na nim chłopem. Wyprowadzili wóz szybko. W bramie zatrzymał się i rzucił Ulrichowi:

— O twoim zachowaniu dowie się książę.

Wypchnęli wóz. Podsadzili urzędnika na siodło. I ruszyli w drogę powrotną. Z pustym wozem.


Książę Barnim ożenił się. Przystał na elektorównę, Annę Marię von Hohenzollern, jak zapowiedział na weselu Jana Fryderyka jej ojciec. Teraz ich wspólny teść. Wiedział, że to lepsza partia, niż mógłby sobie wymarzyć książę na Darłowie, gdyby marzył o żonie. On nie marzył. Uległ namowom. Nie miał pretekstu, by odmówić, jak Kazimierz, biskup. Jesienią zaręczyny i ślub w zamku nad Sprewą, to pokazywało, kto w tym związku jest stroną silniejszą. Potem dano mu pół roku wolności, zanim żona przyjechała do Darłowa. Tego wymagała przyzwoitość, musiała skończyć piętnaście lat. Czkawką odbijał mu się żart z wesela brata, ten o łatce i barchanie. Czuł się młodo, a był od niej ponad dwa razy starszy.

Na szczęście była skromna. Zrobili to raz, ukłonił się jej, podziękował i obiecał, że da jej spokój na długo. Po wszystkim musiał jej zapisać oprawę wdowią. Małżeństwo skonsumowane, pani ma prawo do spokojnego życia w razie jego śmierci. Jak było umówione, zatwierdził dla niej Bytów i Lębork. Jej posag wpływał ratami, mógł remontować morski zamek.

Po jej przybyciu starał się zachować dawne zwyczaje. Jeździł wczesnym rankiem nad morze. Pływał. Wieczorami chadzał z Casparem i dzbanem wina na wydmy. Tylko śniadań nie mógł jadać sam.

Jan Fryderyk zaprosił ich na Zielone Świątki do Szczecina. Barnim ucieszył się, chciał sprawić jakąkolwiek przyjemność Annie Marii.

W końcu ona i Erdmuta to rodzone siostry. Dwie młode dziewczyny w ciężkich, przesadnie zdobionych i zbyt fałdzistych sukniach. Miały ten sam gust: złotogłów, pontaliki, gęsto rzezane rękawy. Tak nosił się dwór Hohenzollernów — żeby lud wiedział, że stać ich. „Marchijski smak", jak kpił jego brat, który wciąż nie przekonał się do własnej żony.

Barnim chciał namówić Annę Marię na lżejsze suknie, ale ona nie zrozumiała jego intencji, myślała, że chce oszczędzać na jej garderobie. To owszem, przydałoby się, ale rzecz była w czym innym. Nie zrozumieli się zupełnie, nie chciał jej obrazić, zaniechał prób.

Chciał ją także przekonać do konnej jazdy. Mieliby coś wspólnego, co mogliby razem robić. Ale ani ona, ani Erdmuta nie jeździły konno i nie chciały się uczyć.

— Od wożenia dam są powozy — wyjaśniła mu jak dziecku bratowa.

Zatem jeździli sami, on i Jan Fryderyk. Oczywiście cała kamaryla brata musiała im towarzyszyć: obu Kleistów, Krukow i błazen Hintze. Barnim krył się z tym, że ich nie lubi.

Dzięki Bogu, konie Jan Fryderyk miał wyborne.

Szli teraz przez stajnię, prowadził ich odświętnie ubrany masztalerz, Barnim oglądał czyste, wielkie boksy.

— Wybieraj, bracie, którego chcesz ujeżdżać! — Jan Fryderyk zapraszał go szerokim gestem. — Poznaj moich chłopców! Oto Turek!

— Pamiętam, jak go przywiozłeś z wojny.

Starszemu bratu czas służył. Owszem, we włosach pojawiły mu się srebrne pasma, ale w oczach Barnima dodawało to Janowi Fryderykowi elegancji. Sylwetkę miał cięższą, lecz wciąż muskularną. Nic dziwnego, regularnie ćwiczył fechtunek i jazdę.

— Mój ulubiony łup — wyszczerzył się Jan Fryderyk i poklepał ogiera po pysku. — Dał mi już źrebaki. Najładniejszy z nich to Tausent Teufell, tam stoi — wskazał na czarnego wierzchowca z białą strzałką na czole.

— Tysiąc Diabłów. Znam to — zawahał się Barnim, przeszukując pamięć. — Tak klął Bogusław Wielki?

— Nie, książę Eryk, jego ojciec.

Podeszli do wierzchowca. Tysiąc Diabłów był płochliwy i piękny. Barnim położył mu rękę na głowie.

— Często myślę o jego poprzedniku, królu Eryku Pomorskim — powiedział, patrząc w smoliste oczy konia.

— Nie dziwię się — Jan Fryderyk pchnął go lekko ku kolejnym koniom. — W końcu mieszkasz w jego zamku. Co? Przekułeś już piwnice, by znaleźć skarby Eryka?

W Barnimie natychmiast obudził się chłopiec. Uczono ich historii rodu, ale nic tak nie rozbudzało wyobraźni braci Gryfitów jak Racibor płynący z okrętami na Konungahelę i skarby króla Eryka. Znali ich zawartość na pamięć.

— „Figura Jezusa wysoka jak piętnastoletni chłopiec z czystego arabskiego uczyniona złota" — wyrecytował.

— „Dwunastu apostołów o wielkości dzieci, z czystego srebra!" — podjął licytację brat, natychmiast gubiąc powagę.

— „Złota gęś z zamku Vordingborg, którą król Eryk własnoręcznie zrobił!" — podbił stawkę Barnim.

— „Cały jednorożec!" — krzyknęli wspólnie.

— „Złoty fenig wartości stu tysięcy guldenów, który król otrzymał w posagu małżonki" — zakończył Barnim.

— O, bracie — rozmarzył się Jan Fryderyk. — Jak byłem mały, ten fenig mnie najmniej interesował, wolałem jednorożca, ale dzisiaj chciałbym, żeby Erdmuta miała taki posag. A szczerze — stanął nagle i złapał Barnima za barki. — Znalazłeś jednorożca?

— Mówiłem ci, zapominasz, staruchu — zaśmiał się. — Są te świeczniki z rogów jednorożca. Ale róg bez czaszki nie jest dowodem na istnienie tego cudownego zwierza. Ach. Gdyby została choć jedna skrzynia po Eryku, księstwo darłowskie byłoby stać na zakup całej twojej stajni.

— Życzę ci, byś coś znalazł. Ale koni nie sprzedam! Poznaj Oriando, Juniusa, o, Junius pasowałby na dzisiejsze czerwcowe popołudnie! Jest i October, proszę bardzo!

— Wyobraźni ci zabrakło. Nazwać tak kasztanka — zakpił z brata Barnim.

— Ty mi odmawiasz fantazji? — Jan Fryderyk przy nim zapalał się łatwo, jakby nie miał tych siwych pasem we włosach i budził się w nim chłopiec, który dowodził zabawami braci na wołogoskim zamku.

— Oto Małpa! — wskazał na karą klacz piękną jak bogini. — Komtur! — popchnął go do bułanka. — Samarytanin, Krótki Jaś!

— Książę Jan Fryderyk, a Jaś krótki — Barnim poruszył biodrami w przód i w tył. — Och, bracie, ostatnio widziałem cię nago, jak byliśmy mali. Nic a nic ci nie urósł? Naprawdę? Biedna Erdmuta. Współczuję.

Najstarszy z braci był mistrzem błazenady w każdej chwili, w której nie był księciem. Wyszczerzył zęby i zawołał:

— Równie mocno jak ja Annie Marii? Dalej, dalej. Poznaj mój Piękny Łeb, Młodego Barona i proszę! — wskazał na wyjątkowo postawnego białego ogiera. — Oto Wielki Święty Chrystus.

— Jezu — jęknął Barnim. — Nasz brat, biskup wie o tym?

— Nasz brat biskup jako pierwszy ujeżdżał tego — Jan Fryderyk z szelmowskim uśmiechem wskazał nieco smuklejszego ogierka. — Oto Mały Chrystus. Kazać ci go osiodłać?

— Nie śmiałym — Barnim powiedział poważnie. — Wolę tego — wskazał na tarantowatego ogiera, który wyglądał, jakby oprószył go śnieg.

— To Kryształ — przedstawił konia Jan Fryderyk. — Masztalerzu! Przygotuj go dla mego brata.

Wtedy Barnim zobaczył niezwykłą klacz. Stała w ostatnim boksie. W pierwszej chwili pomyślał, że jest w coś ubrana, dopiero po chwili zrozumiał, że tak nietypowo jest umaszczona. Była smolista, czarna, ale z białą obwódką na szyi.

— Jak ją nazwałeś? — spytał zaskoczony.

— Sss… — syknął Jan Fryderyk, mrużąc oczy. — Sowa — powiedział i krzyknął: — Dla mnie osiodłać Małego Chrystusa!


Gdy Jan Fryderyk poprosił Barnima, by towarzyszył mu podczas hołdu Ulricha von Bork, chciał odmówić.

— Słuchaj, to dla mnie niezręczne. Ulrich był w moim orszaku podczas podróży do Danii, dwa lata temu.

Brat spojrzał na niego swymi ciemnymi, głęboko osadzonymi oczami. Dopiero teraz Barnim dostrzegł sieć zmarszczek wokół nich i głęboką bruzdę przecinającą mu czoło między brwiami.

— Co z tego? To nic nie znaczy. Pamiętaj, bracie, że bunt Ulricha wobec mnie jest buntem wobec księstwa. Nasza szlachta jest różna. O Rugijczykach nie wspomnę, to szaleńcy, wariaci, od dziesiątek lat nasi przodkowie od Rugijczyków i Strzałowa biorą hołd na końcu. Ale Ulrich? Nie pokłonił się, odkąd objąłem władzę. Zawsze miał powód. Potem ten proces z jego siostrami, który musiałem rozsądzić i obraza mojego urzędnika. Koniec. Nie będzie lżył fiskała na służbie.

— To Bork — przestrzegł Barnim.

— Wiem. Dlatego wśród świadków hołdu znajdzie się inny z Borków. Andreas.

— Andreas to Bork tylko z nazwiska — żachnął się Barnim. — Nie mogłeś wezwać kogoś ze starszej gałęzi rodu?

— Odmówili — krótko odpowiedział Jan Fryderyk. — Nawet Jurga ze Strzmiela.

— Rozumiem — przełknął gorycz Barnim i kiwnął głową. — Stanę przy tobie, bracie.

— Dziękuję.


Ulrich von Bork zmienił się od czasów, gdy na wołogoskim zamku, na Trzech Króli, kłaniał się ich matce i im samym. Zestarzał się, to jasne. Minęło piętnaście lat. Wychudł. Wydłużył się za sprawą polskiego żupana i delii, którą mimo czerwcowych upałów założył. Przy pasie miał szablę, nie rapier. Podgolił wysoko włosy, po polsku. Spojrzeli na siebie z Janem Fryderykiem. Zrozumieli. Obaj studiowali w Gryfii, znali księgę o początkach rodu Gryfa i rodu Borków. Ulrich trzymał czapkę w garści, jakby to była broń, nie nakrycie głowy. Gdy podszedł bliżej, Barnim zobaczył, że palec Ulricha spoczywa na broszy wyobrażającej ostre, orle skrzydło. Mógłby nią przebić komuś gardło — pomyślał. Bork szedł powolnym krokiem drapieżnika. Był spięty w sobie, gotów do skoku. Oczy lśniły mu niepokojąco.

Kanclerz Jana Fryderyka zatrzymał go i wskazał, gdzie ma stanąć. Ulrich spojrzał na niego, jakby przez sen, ale zrobił co należy.

— Klęknij — powiedział kanclerz.

Bork uniósł brodę wysoko, przekręcił głowę w lewo i zatrzymał na chwilę ten dziwny, zwierzęcy ruch. A potem klęknął nagle, jakby podcięto mu nogi w kolanach.

— Ja, Ulrich von Bork — kanclerz przeczytał początek przysięgi. Ulrich spojrzał na niego gwałtownie, oczy pociemniały mu jeszcze bardziej.

— Wiem, co powiedzieć — warknął cicho. — Nie przedstawiaj się moim nazwiskiem, kanclerzu. To mnie rani.

— Wybacz — odruchowo przeprosił kanclerz, choć nigdy nie był skory do przyznawania komuś racji.

Bork poruszył nosem i zaczął mówić:

— Ja, Ulrich z Borków, wobec prześwietnie urodzonego pana, księcia mego, Jana Fryderyka…

Chryste — przebiegło przez głowę Barnimowi. — On mówi, jakby go przeklinał.

— ...wyznaję swoje winy — mówiąc te słowa, Ulrich wyprostował plecy i zaczął głośniej — wśród których uznano za występek obrazę urzędnika książęcego na służbie — przy tych słowach promieniał — i wstrzymywanie wypłat dla swych sióstr oraz wydania im majątku po rodzicach — to z kolei zabrzmiało pogardliwie, lekceważąco i wyniośle. — Przyznając się do winy, proszę mego — tu głos mu się zatrzymał, jakby Ulrich nagle stracił mowę.

— Pana — podpowiedział kanclerz i pożałował, bo Bork gwałtownie zwrócił na niego spojrzenie.

Za nic w świecie nie chciałbym, żeby ktoś na mnie tak patrzył — pomyślał Barnim, choć nigdy nie był tchórzem.

— Proszę mego księcia — pociągnął Bork matowym głosem — o wybaczenie zniewag i przyjęcie w pokorne służby.

— Masz powiedzieć, że prosisz, by nasz pan przebaczył i przyjął cię ponownie jako wiernego lennika — powiedział olbrzym Denis von Kleist.

— O nic więcej nie proszę — szepnął Ulrich, przekrzywiając głowę jak wilk chwilę przed wyciem.

— Przyjmuję — odpowiedział Jan Fryderyk.

— Jeszcze przysięga lenna, której nie złożyłeś po objęciu przez księcia władzy — przypomniał mu Kleist. — Znasz tekst, czy kanclerz ma ci go przeczytać?

Bork nie odpowiedział, nie spojrzał na olbrzyma. Zaczął:

— Ja, Ulrich z Borków przyrzekam i ślubuję najjaśniejszemu panu Janowi Fryderykowi oraz jego naturalnym sukcesorom, że pragnę być mu wiernym, na usługi gotowym i posłusznym. O dobro jego dbać, przed szkodami i uszczerbkiem ostrzegać i w miarę sił moich je odwracać. Tak mi dopomóż Bóg.

Powiedział to tak szybko, że gdy skończył, wciąż panowała głucha cisza, jakby wszyscy, łącznie z Janem Fryderykiem, byli zaskoczeni, że to już. Że Bork to zrobił.

Barnim nie zapytał przed ceremonią, czy Bork będzie przysięgał na swój miecz, czy na czapkę, ale najwyraźniej Jan Fryderyk uzgodnił to z radcami.

— Czapka — powiedział kanclerz i wyciągnął po nią rękę. Stał dość daleko od Ulricha, powinien podejść, ale nie zrobił tego. Ulrich klęczał i nie zamierzał iść na kolanach. Przełożył aksamitny, czerwono-czarny kołpak do lewej dłoni, a potem wyciągnął rękę, która Barnimowi nagle wydała się nieprawdopodobnie długa, do kanclerza. Ten wziął od niego czapkę i poszedł z nią do Jana Fryderyka. Książę spojrzał na broszę, na srebrne orle skrzydło. Odwrócił czapkę, zgodnie ze zwyczajem i wyciągnął rękę, by podać ją Ulrichowi.

Ulrich von Bork szybko odebrał ją od księcia, potwierdzając ważność przysięgi.

— Zgoda — szybko powiedział Jan Fryderyk, a Ulrich przymknął powieki.

— Ogłoszę wyrok sądu książęcego w sprawie obrazy majestatu — oznajmił kanclerz i wycofał się o kilka kroków, by wziąć w rękę opieczętowany dokument. — Sentencja wyroku: Ulrich von Bork jest winnym obrazy majestatu, za co skazuje się go na pokłon przed księciem...

— To już było — gwałtownie przerwał mu Ulrich i zerwał się z kolan jak oparzony.

— Owszem — obojętnym tonem potwierdził kanclerz, zasłaniając się długą płachtą dokumentu. — Część pierwszą wyroku wykonano, co potwierdzi zapisem nasz notariusz — ruchem głowy wskazał na mężczyznę przy pulpicie. — Ale to nie wszystko. Grzywna, jaką Sąd Nadworny zasądził za obrazę majestatu książęcego, wynosi pięć tysięcy talarów. Ulrich von Bork musi wpłacić ją do książęcej kasy...

— Pięć tysięcy? — Ulrich rzucił się jak pies na smyczy. — Pięć tysięcy?

— Tyle zasądzono — oświadczył kanclerz.

— Odwołam się — warknął Bork.

— Ma pan do tego prawo. Doczytam w skrócie, że zobowiązania wobec twych sióstr są w mocy. Jeśli sam ich nie zaspokoisz, przybędzie kolejny urzędnik, tym razem ze zbrojną obstawą.

— Złożę apelację do Sądu Kameralnego w Rzeszy! — krzyczał Ulrich, wychodząc z komnaty.

— Przesadziłeś — powiedział Barnim do Jana Fryderyka, gdy zostali sami.

— Tak sądzisz? — odpowiedział brat.

— Tak. Tak sądzę. Pięć tysięcy kary za trzydzieści guldenów?

— Nie. Za obrazę majestatu.

— Popełniłeś błąd — szczerze wyznał mu Barnim.

— Nie sądzę — trwał przy swoim Jan Fryderyk.

— Co ci się stało? — Barnim dostrzegł krew na ręce brata. Wyjął chustkę i mu podał.

— Nic takiego. Ta brosza na czapce była ostra. Czas pokaże, ile znaczy ukorzenie Ulricha — odpowiedział na odchodnym.

Pół roku później, zimą, w Szczecinie przejazdem był okultysta i alchemik John Dee i jego medium Edward Kelly. Jan Fryderyk odmówił zaskakującym gościom audiencji, ale Barnim przyjechał z Darłowa, by ich poznać.

— Czuję tu silne fluidy, pierwotne prądy, silniejsze niż morskie.

— Skąd płyną? — spytał Kelly'ego Barnim. — Od kogo?

— Nie od księcia — rozłożył ramiona Kelly.

— Z mroku lasu — podpowiedział John Dee. — Z wysokich traw. Z pradawnych drzew i wysokich jak mąż paproci. Ze słonej, mętnej wody. Z bagnisk. Mokradeł. Torfowisk. Są mgłą, która unosi się nad podmokłą, słoną łąką. Owija wokół wszystkiego, co żyje. Wielki Gryf stoi pośród tej łąki i nie ma czym się bronić. Jest potężny i całkowicie bezbronny. Nagi, jak niemowlę w dniu narodzin. Już krążą nad nim kruki, choć on ich jeszcze nie słyszy, nie widzi…

— To białe kruki — dopowiedział Kelly.

— Mewy — zrozumiał Barnim.

Po wyroku upokarzającym Ulricha Dorota i Sydonia zamieszkały w Stargardzie. Nie mogły wybrać lepszego miejsca, wszak legenda mówi, że to stargardzianie na rozkaz księcia zdobyli Strzmiele. Księciem był wówczas Barnim III, a powodem jego gniewu fakt, że Borkowie, jako jedyni, nie złożyli mu należnego hołdu. Minęło niemal dwieście pięćdziesiąt lat, a legenda wciąż żywa. Wynajęły dom, na to było je stać. Kłaniano im się na ulicach, wyrok na bracie odbił się szerokim echem po księstwie. Wedige von Wedel spłacał pożyczkę, którą dała mu Sydonia, terminowo, co do dnia. Od Ulricha nadal nie wyegzekwowano całości ich dóbr. Wydał siostrom wyłącznie rzeczy dla ich służby. Zrozumiały zniewagę, ale nie przejęły się.

W Stargardzie doszły ich wieści o śmierci księżnej wdowy, Marii Saskiej. Sydonia zapragnęła to uczcić. Kupiła dzban reńskiego wina i wzniosła toast:

— Piecz się w piekle!

Dorota przyjrzała jej się uważnie i spytała:

— Właściwie, dlaczego źle życzysz zmarłej? Nigdy nie wspominałaś, by coś ci zrobiła.

Sydonia przełknęła wino.

— Uważała się za panią mojego życia — odrzekła po chwili.

— No tak — zaśmiała się Dorota. — Borkówna miałaby komuś służyć?

W następnym roku wypiły za śmierć Berndta Dewitza, ojca Otylii.

— Smaż się! — zawołała Dorota, opróżniając kielich.

Sydonia nie zapytała siostry, czemu złorzeczy.

Pół roku później w Stargardzie wybuchł pożar. Ich mieszkanie i wszystko, co w nim miały, spłonęło. Sydonia płakała, bo ogień pochłonął jej skrzynię z dokumentacją sądową.

Musiały znów zacząć wędrówkę po krewnych. Padło na Krępcewo, dzięki Bogu, Lupold von Wedel był w podróży do Anglii, domem zarządzał Joachim von Wedel, a służba ich siostry Anny przyjęła je gościnnie. Tam dowiedziały się o narodzinach Juliusza Filipa, trzeciego dziecka i pierwszego syna Ernesta Ludwika.

— Dziedzic wołogoski! — zawołała Dorota. — No proszę!

Sydonia odwróciła głowę, mówiąc:

— Niech mu się wiedzie.

Nie odpuszczała bratu. Sam z siebie nigdy nie płacił na ich utrzymanie, ale przywracała porządek każdym pozwem. Wyroki trzymały go w ryzach. Z opóźnieniem, ale spłacał siostry. Dokumentację po pożarze zaczęła prowadzić od nowa.

— W Anglii osobliwie tropi się teraz czarownice — opowiadał im Lupold po powrocie z podróży. Niespecjalnie był rad, że zastał je w domu, lecz potrzebował słuchaczy, jak wody.

— Kogo konkretnie? — zaciekawiła się Dorota. — Znachorki, zamawiaczki?

— Bywa, bywa — pogładził się po brodzie. — Ale nie każda zabobonna baba interesuje wymiar sprawiedliwości. Ten skupia się na maleficium, zła czynieniu.

— Ja jestem zła raz dziennie — zaśmiała się jej siostra.

— Ty jesteś złośliwa, panno — pouczył ją Lupold. — A tu chodzi o celowe działanie na szkodę. Czarownice angielskie szczególnie upodobały sobie familiariusze, po naszemu to by było chowańce. Zwierzęta, które przysyła im diabeł i za pośrednictwem których szkodzą.

— Co za bzdura — westchnęła Sydonia.

— Posłuchaj, panno, zanim zaprzeczysz istnieniu sił zła.

— Nie przeczę złu. Nie zgadzam się na głupotę — odparła Sydonia.

— A jednak najwięksi uczeni pochylają się nad tym, bo stosy znów zaczęły płonąć. Król Jakub w Szkocji, człowiek nadzwyczaj religijny, bardzo zgłębia sprawy paktów czarownic z diabłem. Wraz z nim wróciły do obiegu dawniejsze traktaty, które teraz należy zweryfikować, wszak człowiek z upływem czasu staje się rozumniejszy. W Anglii i Szkocji wiele się o tym mówi…

— W Szczecinku też — wtrąciła się Dorota, pilnując garnca z piwem, który grzał się na trójnogu przy ogniu. — Już kilka bab zatrzymano i jakąś stracono. Tyle, że nie za pakt z diabłem, tylko za odejmowanie krowom mleka i psucie piwa sąsiadkom.

— Bagatelizujesz, panna — pogroził jej palcem Lupold. — A sprawa jest poważna, bo niezależnie od rozmiaru, w jakim manifestuje się zło, przyczyna jest ta sama: zawarcie układu z siłą nieczystą. Czarownica…

— Albo czarownik — dodała Sydonia znad kołowrotka.

— Oczywiście. Czarownica wzywa złego ducha, zaprzysięga go i zmusza do służby…

— To jak książę Jan Fryderyk naszego Ulricha — zachichotała znad garnca Dorota. — Jeszcze chwilę, miód rozpuszcza się powoli, był gęsty jak smoła.

Sydonia uśmiechnęła się pod nosem. Dorota prowokowała Lupolda, ale on tego nie widział.

— W jakimś sensie, masz panna rację — powiedział i zamyślił się. — Gdzieś czytałem, że tak, że można ten układ porównać do przysięgi lennej.

— U. To nasz książę byłby magiem — poważnie powiedziała Dorota, ale Lupold już nie zwracał na nią uwagi, tylko rozpędzał się w wywodzie, kręcąc młynka krótkimi palcami.

— Potem zaś sprawa się komplikuje, jak wskazują na to zeznania czarownic. Niby zły duch ma jej służyć, ale służyć może tylko w złym celu. A gdy taka niewiasta się rozmyśli i nie chce złego robić, ten sam demon, który miał jej służyć, karze ją.

— Jak? — spytała Dorota, mieszając w piwie.

— Różnie. Czytałem o takich, które je biją, szturchają, poniżają, wyzywają.

— To jak większość mężów — puściła do niej oko siostra.

— U zarania paktu demon obiecuje kobiecie korzyści. Różne. Pieniądze, jedzenie, czasem pomoc w gospodarstwie, wszak czarostwo jest domeną kobiet ubogich. Dla nich te kilka szylingów przyrzeczonych podczas paktu to bogactwo. Ale nigdy ich nie dostają. A nawet jeśli, to diabelski pieniądz po kilku chwilach zamienia się w bezwartościowy szmelc. Kamień, metal, a nawet, czytałem takie zeznanie, odchody.

— Czyli gówno z tego mają — podsumowała Dorota.

— Brak pokory odróżnia czarownicę od pobożnej niewiasty — perorował Lupold von Wedel.

— A co ma do tego pokora? — spytała Sydonia ostro.

— A to, że pobożnemu człowiekowi do głowy by nie przyszło, by wpływać na swego Anioła Stróża. Zaś u podstawy czarostwa jest chęć kontroli demona.

— Zwykle nieudana, z tego co pan wywiódł, Lupoldzie — trzeźwo podsumowała Dorota. — Piwo gotowe.

— Dobre — pochwalił ją, gdy spróbował. — Bardzo dobre. Korzenne, słodkie i szczypie w język. Popytam o te procesy w Szczecinku, ciekawe, jaki mają kontekst.

— Mówiłam. Psucie piwa — przypomniała Dorota, popijając swoje.

— Tak, tak — zbagatelizował Lupold. — Rzecz w tym, że jednostkowe przypadki czarów zdarzają się rzadko. W Anglii zauważono, że najczęściej te sprawy łączą się w duże spiski. Pociągnie się jedną wiedźmę, a okazuje się, że jest ich więcej i wspólnie na coś lub kogoś się zawzięły. Były takie, co działały na szkodę królowej Elżbiety. Na stos poszły! A też mówiono — ściszył głos, co ubawiło Sydonię — że kardynał Wolsey z czasów jej ojca, Henryka, zawdzięczał czarom karierę.

— A, czyli jemu się udało, tak? Jego demony nie oszukały, jak tych biednych kobiet — zwróciła uwagę Dorota. — Świat jest podły.

— Skończył oskarżony o zdradę, odarty z łaski królewskiej. Byliby go stracili, ale zmarł w drodze do więzienia w Tower — oznajmił Lupold.

— Chociaż tyle — westchnęła Dorota.

— A te kobiety oskarżone o czary, to w jakim wieku? Pytam o te ze Szczecinka.

— Nie mamy pojęcia — powiedziała Sydonia.

— Bo czarownica jest stara — wyjaśnił im Lupold.

— I brzydka? — zakpiła Dorota.

— Zwykle tak — poważnie zapewnił Lupold. — W Anglii policzono, że większość skazanych to samotne, żyjące na uboczu staruchy.

Może dlatego paktują? Że pragną cofnąć czas? Widziałem sporo ilustracji...

— Czarownic? — zdziwiła się Dorota.

— Owszem. Procesy cieszą się wielką popularnością. Rozbudzają ciekawość, więc wydawcy wypuszczają druki ulotne, za parę pensów, gdzie można przeczytać sprawozdanie z procesu i ilustruje się to portretem oskarżonej. Dzięki temu wiem, jak odbiera urodę pakt z diabłem.

— Oczywiście. Piękna, młoda, bogata nie potrzebuje diabła — z przekąsem odpowiedziała mu Sydonia.

— Ach, byłbym zapomniał, a mam dla panien nie lada nowinę!

— Z Anglii? — zakpiła Dorota.

— Ze Szczecina! Otóż, jak pannom wiadomo, długi Ulricha są słynne w księstwie, ale czegoś takiego jeszcze nie było! Joachim von Schulenburg też miał nieszczęście pożyczyć mu pieniądze.

Dzięki temu, pośrednio, doprowadziłam do upokorzenia Ulricha — pomyślała Sydonia.

— A że to człowiek powszechnie szanowany, przecież był jednym z ojców chrzestnych naszego księcia Ernesta Ludwika — Lupold nie umiał powiedzieć wprost, musiał zawsze pokazać, co wie — zatem wystosował do waszego brata jeden, drugi, trzeci list. Wezwania do zapłaty...

— Które Ulrich pewnie wrzucał w ogień — powiedziała Sydonia.

— Tak mogło być, bo długu nie zwrócił. Rozwścieczył Schulenburga do tego stopnia, że ten napisał nie tylko list pełen inwektyw, a zdenerwować takiego dobrego człowieka, to sztuka, ale także... — Lupold zaczął chichotać. — Naleje mi panna Dorota jeszcze tego piwa?

— Naleję — powiedziała siostra z powagą.

— Narysował go! — wydusił z siebie Lupold. — Narysował Ulricha wkładającego w zadek osła rodowy pierścień.

Dorota i Sydonia spojrzały na siebie. Były wściekłe. Lupold tego nie dostrzegł, zanosił się śmiechem.

— Rozumiecie, panny? Że jak Ulrich nie spłaci go, to jakby w dupę honor...

— Zrozumiałyśmy — ucięła gniewnie Sydonia.

Nazajutrz zaczęła pisać listy do wierzycieli Ulricha, tych, o których wiedziała. Postanowiła przyłączyć skargi swoje i Doroty do ich wezwań do zapłaty. Elias Pauli kiedyś powiedział jej, czym jest pozew zbiorowy.

Pięć lat po hołdzie Ulricha von Bork Sąd Kameralny Rzeszy, do którego odwołał się Ulrich, wydał wyrok przychylny dla pana na Strzmielu. Karę za obrazę książęcego urzędnika uznano za zbyt wygórowaną i zmniejszono z pięciu tysięcy do tysiąca talarów. Majątek Ulricha zajęty na poczet kary nakazano mu zwrócić.

Książę Barnim chciał powiedzieć bratu: „a nie mówiłem?", ale zaniechał wypomnień. Jan Fryderyk miał inne zmartwienie, znacznie ważniejsze, niż niepokorny szlachcic, nawet jeśli ten był Borkiem. Minęło jedenaście lat od jego ślubu z Erdmutą, a wciąż nie miał dziedzica.

— Poroniła — wyznał Barnimowi. — Poroniła.

— Współczuję — szczerze powiedział bratu.

Byli w zbrojowni, oglądali nowe falkonety, które służba wcześniej wypakowała ze skrzyń. Po ziemi walały się trociny.

— Pojadę z nią na kurację do Karlsbadu. W przyszłym roku, zaraz po sejmie w Trzebiatowie.

— Chcesz forsować akcyzę od zboża i piwa?

— Muszę — ponuro odpowiedział Jan Fryderyk, zaglądając w lufę falkonetu.

— Ernest Ludwik cię nie poprze — wyznał mu Barnim. — Wiem, bo już mi to zapowiedział.

— Jest przeciwny wszystkiemu, co robię — Jan Fryderyk był rozdrażniony, odepchnął od siebie lufę i usiadł na skrzyni. Barnim strzepnął dłonią trociny i przysiadł się obok niego.

— Czy któreś z nas jest szczęśliwe w małżeństwie? — rzucił w przestrzeń po chwili. Oparł głowę o zgrabne koło falkonetu, myśląc o sobie, o nich, Erdmucie, która poroniła.

— Bogusław — odpowiedział pewnie Jan Fryderyk.

— Oczywiście, Bogusław — powtórzył po bracie. — Jest też wspaniałomyślny. Nadał piątemu synowi imię łączące ciebie i Ernesta Ludwika. Mały Jan Ernest. Chciał was pogodzić.

— Gdyby to miało moc sprawczą! — zaśmiał się Jan Fryderyk głucho i zamilkł. — Wierzysz w czary? — spytał nieoczekiwanie.

— Nie wierzę — opowiedział Barnim. — Co nie znaczy, że one nie istnieją.

— Jacob von Kleist nadzoruje procesy czarownic w Szczecinku.

— Kleist? To zapytaj, jaki ma w tym interes — wyrwało się Barnimowi. Nie znosił Jacoba i był pewien, że wszystko co robi, robi dla siebie.

— Nie o niego chodzi — powiedział Jan Fryderyk w zamyśleniu. — O moją żonę.

— Co? — nie zrozumiał Barnim. — Ktoś oskarża Erdmutę?

— Nie, nie. Źle się wyraziłem. Ktoś powiedział, że pewna kobieta ze Szczecinka mogła jej zaszkodzić. Rozumiesz? To poronienie…

— Chryste Panie, chyba postradałeś rozum. Erdmuta straciła ciążę, to naturalne u kobiet, jesteś człowiekiem wykształconym. Co jakieś stare baby ze Szczecinka miałby z tym wspólnego? Przestań. Odczuwasz naciski, jesteś księciem Szczecina. Wszyscy patrzą na was, czekają na tego dziedzica. Bogusław i Klara mają pięciu synów i córkę, ale dwie z ich dziewczynek zmarły i nikt w tym nie wietrzył działania złego. Dzieci umierają, tak bywa. W dodatku Ernest Ludwik już ma syna. Patrzysz, że im się te dzieci rodzą i czujesz żal, tak?

— Ja nikomu nie żałuję — powiedział Jan Fryderyk.

— Teraz ja się źle wyraziłem. Czujesz smutek, że ty nie masz dziedzica.

— Ja mogę mieć dzieci — cicho rzucił Jan Fryderyk. — Jest przecież Katarina.

Tajemnicą Jana Fryderyka było, kto jest matką tej dziewczynki, tajemnicą dworu, kto ojcem. Chowała się dobrze i wyglądała jak skóra zdjęta z Jana Fryderyka.

— No właśnie. Zabierzesz Erdmutę na tę kurację i będziecie mieć wspólne. Nie zawracaj sobie głowy wiedźmami ze Szczecinka.

— Masz rację — podziękował mu Jan Fryderyk.

— A jak będziesz chciał pogadać o sprawach małżeńskich, to ze mną, nie z Kleistem — pogroził mu Barnim. — W końcu nasze żony to siostry. Ja jakoś nie widzę problemu w braku potomstwa.

— Bo Darłowo daleko i nikt ci nie zagląda do łóżka — roześmiał się na koniec Jan Fryderyk. — I wybacz, miałeś rację także w sprawie Ulricha. Chciałem upokorzyć wielkiego Borka ze Strzmiela. Poniosło mnie wtedy.


Po tym, jak Sąd Kameralny Rzeszy zmniejszył wymiar kary nałożonej na Ulricha, ich brat urósł w siłę. Od Jurgi Sydonia wiedziała, że natychmiast pojawiły się nowe konie, nowy powóz, drogie stroje. Zrzucił delie i żupany, kazał szyć sobie wamsy, jerkiny i szerokie pludry. No tak, cesarski sąd mu pomógł, warto podkreślić, kto dobry, kto zły. Komu należy się szacunek.

Znów przestał im płacić, musiały pożyczać pieniądze. Trochę tu, trochę tam. Czasami pożyczyć na spłatę gdzie indziej. Trzy lata, prawie cztery, zajęła Sydonii walka o podwyższenie alimentów dla siebie i Doroty. Wywalczyła trzydzieści trzy guldeny rocznie dla każdej i wściekłość ją ogarniała na myśl, że on więcej potrafi roztrwonić w dwa tygodnie. Do tego zwiększyła deputat w naturaliach, jaki miał im dostarczać. I doprowadziła do tego, że Jan Fryderyk nakazał Ulrichowi wynajęcie dla sióstr domu w Resku. Ale kwotę pięciu i pół tysiąca guldenów, o jaką go pozywała, Ulrich podważył. Napisał oświadczenie i przedłożył do akt, że nie da. Pomstował w nim na swą biedę, długi, wierzycieli, bunty chłopstwa. A siostry oskarżył o rozrzutność i niepotrzebne podróże.

— Cynik — skwitowała Dorota i całą sobą, jak to ona, zaczęła cieszyć się na myśl o domu.

Przyjechały do Reska z dwoma wozami swego skromnego dobytku. Ale dom okazał się chałupą przy miejskim rynku. W dodatku zamieszkałą przez właściciela, Hansa Hitze, jego nazwisko przywodziło Sydonii na myśl Hintze, błazna książęcego, ale siostrom nie było do śmiechu, gdy ten oświadczył, że nie wyprowadzi się, póki sobie innego domu nie wybuduje i że tak właśnie się z Ulrichem umówił.

— Mamy mieszkać z prostym chłopem pod jednym dachem? — zaperzyła się Dorota.

— Nie jestem chłopem — oburzył się Hitze. — Jestem mieszczaninem.

— Też mi mieszczanin, co mieszka w takiej ruderze! — wściekła się siostra i wzięła pod boki. — Po podwórzy chodzą kury!

— Podwórze jest moje — odparł Hitze. — Podwórza pannom nie wynajmuję!

— Ja się tu nie wprowadzę — oświadczyła Sydonia, oglądając dom, w którym chciał widzieć je brat. — Tu jest jedna izba z komorą, a ten dach? Dach przecieka? — spytała właściciela.

— Przy zwykłym deszczu nie przecieka — oświadczył.

— A jak leje?

— A jak leje, to trochę tak — wyznał szczerze, choć nie uważał, by to umniejszało domowi. — Ja się o wynajem nie prosiłem — dodał obrażony. — Pan Ulrich von Bork nalegał. I, między nami mówiąc, zaliczki nie wpłacił.

— Tym lepiej — oświadczyła Sydonia. — Bo my tu mieszkać nie będziemy.

Drugi dom w Resku wynajęła dla nich Otylia. Były zaskoczone, póki nie zrozumiały, że z Ulrichem nikt już nie chciał zawierać umowy. Tu również okazało się, że dzielić dom mają z właścicielem, nazywał się Joachim Luchte i był nieuciążliwy. Dom wymagał remontu, Ulrich nie chciał dać na to pieniędzy, szarpały się z nim, przepychały o każdą kwotę. Luchte był uprzejmy i niewidzialny, ale okna musiały naprawić za swoje.

— W Stargardzie to było! — wzdychały sobie czasami do dawnego domu, tego, który zniszczył pożar. Właściwie, to wzdychały do Stargardu. Do miasta. Bo Resko miastem było z nazwy, a w rzeczywistości dziurą. Wszyscy się tu znali, obecność sióstr Bork budziła pewną sensację. Sydonia w kryzie i męskim kapeluszu przyciągała spojrzenia i szepty. Dorota zaniechała maskowania garbu. Była tym zmęczona, chodziła o lasce. Ich konflikt z Ulrichem szybko stał się „sprawą" w Resku. Zrozumiały, że ich brat ma po swojej stronie burmistrza, więc one pozyskały wójta. Ulrich utrudniał im życie, jak mógł i potrafił, a z roku na rok szlifował mistrzostwo w perfidii. Jak miał dostarczyć naturalia, dostarczył połowę. I na dodatek nałożył na to „areszt" u burmistrza. Były tam dwa korce żyta, korzec jęczmienia i antał masła, kazał to wszystko zdeponować w piwnicy ratusza, wraz z należnymi im trzydziestoma trzema guldenami. Burmistrz pokwitował odbiór naturaliów i trzymał je pod kluczem.

— Bo pan Ulrich von Bork złożył odwołanie do sądu — wyjaśnił siostrom, które przyszły po swoje. — Póki sąd nie rozpatrzy odwołania, nie wolno mi wydać depozytu.

— Czyś ty zwariował, człowieku? — nakrzyczała na niego Dorota. — Tam jest antał masła, a mamy sierpień!

— Ja nic nie mogę. Jest gleit, ja jestem w prawie, pan Bork jest w prawie. Tu stoi, że pan przekazał w terminie — uśmiechnął się burmistrz chytrze. — Żeby odsetek za zwłokę fiskał nie mógł nałożyć.

Zanim z sądu w Szczecinie przyszedł do magistratu nakaz wydania naturaliów, był listopad. Myszy zżarły pół antała ich masła.

Wójt Reska, który trzymał z siostrami, dowodził, że należy im się mieszkanie w połowie majątku. Wpadł na pomysł, że po prostu trzeba je dla nich zająć. Pojechał do Strzmiela, a jakże, zbrojny w rozporządzenia i dokumenty. Ulricha nie zastał, a Otylia oświadczyła, że może sobie te papiery zabrać, bo ona nie potrafi czytać.

— Czytać nie umie? — nie mogła wyjść ze zdumienia Dorota, gdy wójt zdał im relację. — To jak nam ten dom wynajęła?

— Z notariuszem, głuptasko — powiedziała Sydonia.

— Ale ty wiedziałaś, że ona czytać nie umie?

— Nie miałam pojęcia — po zastanowieniu odparła Sydonia. — Choć powinnam się domyślić, bo księżna wdowa nigdy nie kazała swej ulubienicy czytać na głos.


Siostry Bork wciąż były osobliwością Reska, ale emocje, jakie budziły, ostygły. Miasteczko żyło teraz procesem czarownic ze Szczecinka, który jak słusznie przewidział Lupold von Wedel, okazał się „czymś więcej". Zaczęło się od piwa, mleka i masła, a z czasem z oskarżeń kilku kobiet wyłoniła się straszliwa nowina: pani Elisabeth von Doberschütz, małżonka burmistrza Szczecinka, została oskarżona o podanie księżnej Erdmucie mikstury, która miała pomóc pani w wyjściu z gorączki, a sprawiła, że ta utraciła płodność i nigdy nie będzie miała dzieci. Oskarżona nie była chłopką, ani starą ubogą kobietą, którą sądzić ma prawo jej pan szlachcic. Była szlachcianką, za którą ujmował się szanowany mąż, więc sprawę prowadził Sąd Nadworny w Szczecinie. Szybko okazało się, że książę Jan Fryderyk potraktował to oskarżenie poważnie i sam przewodził posiedzeniom sądu. O niczym innym nie mówiono. Od rana do południa kobiety wystawały na progach domów i mieliły językami. Ich mężowie, w piwnicy z wyszynkiem, nie byli lepsi. Roztrząsano, obgadywano, wydawano werdykty, podczas gdy ta kobieta, Elisabeth von Doberschütz, siedziała w lochu, w Szczecinie. Gdy zapadł wyrok: winna, ludzi ogarnęła histeria.

— Winna — powtarzano na targu.

— Winna — szeptano w kościele.

Jak się rozniosło, że będą ją ścinać na Rynku Siennym w Szczecinie, kilku rajców z żonami wybrało się na egzekucję, jak na widowisko. Po powrocie stali na rynku w Resku i opowiadali zasłuchanemu tłumowi. Porażające wrażenie na kobietach robiła wiadomość, że w czasie procesu kat zgolił Elisabeth von Doberschütz włosy. Na mężczyznach, zwłaszcza tych z rady miejskiej, że płonące wiechcie słomy ze stosu, na którym spalono jej ciało, latały pod miejską bramą.

— Pożar, cudem uniknęli pożaru.

— Dobrze, że w mieście tylko ścięli, a nie palili.

— Ale katastrofa była blisko.

— Oj, była.

Stos Doberschütz ostygł, pojawiły się wprawdzie pogłoski, że teraz czarownice wykryto w Stargardzie, a to przecież bliżej Reska, niż Szczecinek, ale te plotki się nie potwierdziły. Wtedy Ulrich von Bork dostarczył ludziom nowych emocji.

Już wcześniej, gdy do Strzmiela przybywali posłańcy z Sądu Nadwornego, Ulrich zakazywał ich wpuszczać. Starego odźwiernego zwolnił, po rozróbie z fiskałem. Nowi strażnicy krzyczeli z bramy, że pana nie ma i nic nie przyjmują. No i doszło do sytuacji, w której posłaniec książęcy, po dobie stania pod zamkową bramą, wsunął wezwanie do zapłaty pod nią i odjechał. Gonił go Jacob von Stettin, krzycząc, że ma zabrać to pismo z powrotem, ale go nie dogonił. Teraz tym żyło Resko. O tym plotkowano się przy kuflu piwa, w piwnicach z wyszynkiem, na straganie z rybami, u piekarza i szewca.

— Wiesz, Sydonio — powiedziała któregoś letniego wieczoru Dorota. — Gdyby nie chodziło o nas, o naszego brata, o dom, w którym się urodziłyśmy, to śmiałabym się z tego.

Sydonia siedziała na niskim stołeczku przy jednym ze swych kufrów. Porządkowała go. Wzięła w rękę kłódkę zabraną przed laty z zamku, z Wilczego Gniazda. Czy to jedna z tych kłódek, o których mówiła ich siostra Anna? Ta, którą zamknięto basztę, a w baszcie dwie dziewczynki, Sydonię i Dorotę. W dzień śmierci ich ojca, Ottona von Bork, rozszarpanego na strzępy. Przeczyściła kłódkę. Rdza tak bardzo przypomina krew. Otworzyła ją bez trudu i zamknęła z trzaskiem.

Nie unosząc głowy i nie odwracając się, spytała:

— Z czego byś się śmiała? Ze Stettina goniącego posłańca z listem, którego nie chcieli przyjąć?

— Albo z posłańca wsuwającego list pod bramę — ponuro dodała Dorota. — Bo myszy, co wyżarły nasze masło, mnie jednak nie śmieszą. Boże, do czego myśmy doszły.

Sydonia zacisnęła palce na kłódce, zamknęła ją w dłoniach. I powiedziała:

— To prawda.

Trwała tak chwilę. Potem dodała:

— Doszłyśmy do miejsca, w którym nigdy nie chciałyśmy się znaleźć.

W tej samej chwili dzwony kościelne zaczęły bić. Zrazu nieśmiało, potem coraz mocniej.

— Co jest? — zaniepokoiła się Dorota i dodała, siląc się na żart: — Ulrich von Bork najechał Resko, by wreszcie pozbyć się sióstr buntowniczek?

Sydonia wstała. Chwyciła kapelusz, wyszła przed dom. Panował duszny półmrok, cały dzień zbierało się na burzę, pora była późna. Ludzie, zaniepokojeni tak samo jak ona, spieszyli w stronę kościoła. Obejrzała się na dom, nie chciała zostawiać Doroty, a siostra już zdjęła suknię, siedziała tylko w koszuli. Nagle w półmroku dostrzegła wójta, przyświecał sobie drogę pochodnią. Zawołała go.

— Co się wydarzyło? Dlaczego uderzono w dzwony?

— Jaśnie pan książę wołogoski nie żyje — powiedział wójt i przeżegnał się. — Zmarł nasz Ernest Ludwik. Mój Boże, nie był stary nasz książę.

Sydonia obróciła się. Zrobiła krok w stronę domu. Zawahała. Cofnęła. Zakręciło jej się w głowie, przytrzymała się ściany. Palce wciąż zaciskała na kłódce. Dzwony biły. Grzmiało.

Wreszcie przyjdzie burza — pomyślała — i schłodzi upał. Spłucze ten brud, który wszystko kala. Niech to się już oczyści.

Uniosła głowę, niebo przeszyła piekielna błyskawica. W jej blasku kościelna wieża stała się trupio blada. Kolejne błyskawice rozdzierały niebo, z którego nie chciało lunąć. Wreszcie spadł deszcz, ale deszcz ognisty. Piorun trafił w Resko i rozpętał pożar, jakby się w tym miasteczku otworzyło piekło.


Luchte, biedny Joachim Luchte, właściciel domu, w którym mieszkały w Resku, poparzył się, próbując ratować dobytek. Ich dobytek. Kolejny, który straciły. To, co udało się ocalić, Luchte pomógł spakować na wóz. Jechały do Strzmiela, bo dokąd? Ostra woń spalenizny wyzierała z załomu ubrań, z włosów, wlokła się za nimi, jak niechciana towarzyszka. Ludzie mijani po drodze przystawali, kiwali głowami ze współczuciem. Z ulgą, że ich domy pożar ominął. W Strzmielu skierowały się do dworzyska Jurgi, nie na zamek.

— Wszystko śmierdzi dymem — powiedziała Dorota, poprawiając ubranie, bo już dojeżdżały.

— Tam się coś pali — Sydonia zmrużyła oczy i wskazała na niewyraźny słup dymu unoszący się za laskiem.

— Przy drodze na Nowogard? — zdziwiła się Dorota, patrząc za jej ręką. Wóz wtoczył się na podwórzec przed dworem Jurgi. — Co się może palić przy drodze?

— Czarownice — odpowiedział im Jost i zaśmiał się krótko, nerwowo. — Dobrze was widzieć. Jak żeśmy się dowiedzieli o nieszczęściu, to ojciec chciał po was wóz wysyłać, i gdyby nie ta sprawa — wskazał na słup dymu — byłby to uczynił. Ale jesteście, i dobrze. Doroto, pomogę — podszedł podać jej rękę przy zsiadaniu z wozu. Dorota mimo to nie mogła sobie poradzić. Okręcała się nerwowo, to tyłem, to bokiem. Jost powiedział:

— Zamknij oczy, kuzynko — chwycił ją w pasie i zsadził jak dziecko.

— Gdzie Jurga? — spytała Sydonia, gdy podał jej rękę, by zeszła. — I co tu się naprawdę dzieje?

Jost poruszył nosem. Sydonia pokręciła głową przepraszająco za bijący od ich rzeczy swąd spalenizny.

— Wasz brat pali czarownice — odpowiedział.

— Nie wierzę — jęknęła Sydonia.

— Postanowił być panem na Strzmielu pełną gębą. Panem i sędzią. Chłopi z Zachow oskarżyli kobietę, Ulrich ją przesłuchiwał, osobiście. Wskazała dwie inne i proszę, oto wyrok — pokazał na gęstniejący słup dymu.

— To trzy kobiety teraz pali? — zduszonym głosem zapytała Dorota.

— Nie, tylko dwie — z przekąsem powiedział Jost i przygryzł wargę. — Mój ojciec się musiał wtrącić w nie swoje sprawy.

— Nie wydam jej! — krzyknął Jurga, wychodząc z domu. Jego niski tubalny głos nigdy nie był tak głęboki.

Sydonia przypadła do szerokiej piersi Jurgena, przylgnęła do niej z całych sił. Otoczył ją ramieniem, ale patrzył na syna. Był zły.

— Ukryłeś leśną babę — wyrzucił ojcu Jost — i co? Ulrich skończy z tamtymi i przyjdzie do nas. Będzie jej szukał.

— Niech szuka — hardo opowiedział Jurga. — To dobra kobieta, ktoś musiał jej pomóc, gdy wszyscy wokół potracili rozum.

— Dobrych kobiet nikt nie oskarża o czarostwo! — prychnął Jost tak pogardliwie, że nagle wydał się Sydonii innym, zupełnie obcym człowiekiem. — Leśna baba, też coś. Miewasz z nią schadzki w ciemnej kniei? Myślisz, że twoje samotne wyprawy do czarnego lasu umknęły mojej uwadze? Nie jesteś już młody, uważaj, bo kiedyś się zgubisz.

— Jost, przestań — dotknęła jego ramienia Sydonia.

— Ojciec się zmienił — powiedział do niej Jost, jakby go oskarżał i znów zwrócił się do Jurgi:

— Schowałeś ją w domu? Powiedz. To także mój dom — twarz Josta była ściągnięta, gniewna.

— Nie jestem głupi — odpowiedział Jurga. — Kobieta jest daleko, już jej nie znajdą. A ja się Ulricha nie boję.

Dwie sroki skrzecząc głośno, przysiadły na lipie przed domem.

— Ja też — powiedziała Sydonia i podjęła decyzję. — Idę tam. Poprawiła kapelusz i chwyciła z wozu płaszcz.


Szła szybko, zadyszała się, raz po raz mijała ludzi wracających, pewnie z egzekucji, bo na jej widok trwożliwie robili znak krzyża. W pół drogi usłyszała za sobą ciężkie kroki i niski głos Jurgi:

— Zaczekaj. Nie jestem taki młody jak ty.

Wybuchła śmiechem, choć nikomu do niego nie było. Skończyła czterdzieści pięć lat.

Gdy dotarli na miejsce, na rozstaje między drogą na Nowogard a Dobrą, stos buzował płomieniami. Kobiety, przywiązane do pala pośrodku, chyba już nie żyły, ich okopcone głowy zwieszały się, ogień sięgał im piersi. W pewnym oddaleniu stał pastor z całym stadkiem dorosłych już dzieci. Obok Krystyna i Klara, chrzestna córka Sydonii. Trzymały przy ustach chusteczki. Po drugiej stronie, zbita gromada chłopów. Milcząca, zacięta i ponura. Pilnowali ich zbrojni ze Strzmiela. Jacob Stettin krążył wokół stosu jak stróżujący pies. Ulrich von Bork stał ze skrzyżowanymi ramionami na wozie teraz pustym, pewnie wcześniej przywieźli nim skazane. Na widok Jurgi i Sydonii zeskoczył na ziemię i wyszedł ku nim.

— Co ty robisz? — krzyknęła do brata Sydonia. — Po co ci śmierć tych kobiet?

— Brakuje mi trzeciej — powiedział Ulrich, wpatrując się w nią, a potem przeniósł wzrok na Jurgena. — Na starość zrobiłeś się obrońcą czarownic, stryju?

— Czarownic mi nie żal, ale niewinnych kobiet krzywdzić nie dam.

Jedna ze skazanych ocknęła się i zawyła. Próbowała unieść głowę. Sydonii zdawało się, że kobieta patrzy na nią, że w niej upatruje ratunku.

— Dokładaj! — rozkazał Stettinowi Ulrich. — Za słabo się pieką.

— Przestań! — krzyknęła Sydonia. — Cokolwiek uczyniły, to nieludzkie.

— Nic nie wiesz — wykrzywił się Ulrich. — Ja je sądziłem.

— Więc przeszły przez piekło — rzuciła mu w twarz Sydonia. Poczuła rękę Jurgena na ramieniu, chciał ją uspokoić, ale swąd palonych ciał, teraz, krótko po pożarze w Resku, po tamtej strasznej nocy, z ognistą burzą, ze śmiercią Ernesta Ludwika, wszystko to podeszło jej do gardła i wybuchła.

— Przestań! Przestań! Skończ z tym! — krzyczała do brata.

— Więcej chrustu! — wrzeszczał w odpowiedzi Ulrich. — Niech się hajcują! Może diabeł przybędzie uwolnić swoje dziwki?

— Diabeł jest tu! — syknęła Sydonia. — Ty nim jesteś!

Ulrich doskoczył do niej, Jurga odciągnął Sydonię i stanął przed nią, zasłaniając ją przed wściekłością brata.

— Co? Spaliłyście się w Resku i przyjechałaś na żebry? A gdzie druga garbuska? Pokłóciłyście się, tak? Już mi ludzie mówili, jak potraficie sobie skakać do oczu!

— Nie muszę żebrać — odparowała dotknięta Sydonia. — Majątek nam się należy. Ostrzegam, jeśli nie wypłacisz pieniędzy po dobroci, naślę na ciebie kolejnego egzekutora. Ani guldena nie daruję.

— Nawet talara nie zobaczysz — odciął się. — Zejdź mi z oczu, bo drewna i chrustu mi nie brakuje, ale jednej wiedźmy, owszem.

— Dorzucić do stosu? — Stettin wyrósł przy nich niespodziewanie.

Jurga otoczył ramieniem Sydonię i po prostu ją odciągnął, wyprowadził. Na chwilę przystanęli przy pastorze i jego gromadzie. Klara, córka chrzestna Sydonii, nie była już dzieckiem. Była kobietą. Odjęła od ust chustkę, którą zasłaniała się przed swądem palonych ciał i dymem. I złożyła przed Sydonią głęboki ukłon, jak przed matką chrzestną. Jej ojciec coś chciał powiedzieć, ale zaniechał. Dopiero teraz zauważyła, jak bardzo się postarzał. Jak zgarbił. Cały ciężar ciała opierał na lasce. Krystyna wciąż trzymała się prosto, spojrzały sobie w oczy głęboko i krótko.

— Musimy iść — wyjaśnił Jurga i mocno pociągnął Sydonię.


Sydonia odwiozła Dorotę do Chociwla, pod skrzydła pszczoły matki, Korduli von Wedel. Kordula po wielu latach małżeństwa zaszła w ciążę, urodziła dziewczynkę, ale dziecko zmarło zaraz po narodzinach. Była przygaszona, smutna i nieufna.

— Trzeba jej spokoju i modlitwy — orzekł mąż Korduli, Joachim von Wedel.

Kolebali się w powozie, w drodze do Szczecina.

— A panna Sydonia znów do sądu? — zagadnął.

— Oczywiście. Będę składać skargę na Ulricha.

Joachim pokręcił głową z dezaprobatą.

— Nic tylko panna go pozywa i skarży.

— Owszem.

Podrapał się po brodzie, westchnął:

— Że też się nie pogubiła w tych wyrokach.

— Prowadzę rejestry — odpowiedziała obojętnie.

— Uhm — mruknął, cmoknął i dodał niechętnie: — Ja muszę pannie powiedzieć, bo kto inny nie powie. To nie jest dobrze widziane, że się panna tak po sądach włóczy. Jaki Ulrich jest, każdy wie, ale to brat, rodzina. Dałaby panna już spokój.

— Nie dam — odrzekła. — Mnie i siostrze należą się pieniądze i dobra. Pan by odpuścił, gdyby go wyzuto z majątku?

— Ja? — zdziwił się Joachim.

— No właśnie — powiedziała i zostawiła dla siebie to, co niezręcznie było teraz powiedzieć Joachimowi.

Jechali w milczeniu, ale Joachim nie umiał długo wytrzymać bez słowa.

— Czasy takie niespokojne — zagadnął wreszcie. — Tamtego roku, co zmarł nasz książę Ernest Ludwik, synod był w Szczecinie. Radziliśmy przeciw kalwinistom. Tfu — splunął. — Zaraza z nimi i tego, te, czarownice, kolejne zło, które się rozpleniło na Pomorzu jak chwasty, sama panna mówiła, że i w Strzmielu takie się znalazły.

— Mówiłam, że Ulrich osądził te kobiety i spalił, nie mówiłam, że były winne. Tego nie wiem, a po bracie nie spodziewam się sprawiedliwości.

— Ale ta Elisabeth von Doberschütz, co ją spalili w Szczecinie, to była winna — orzekł pewnie. — I nie ona jedna. Z nią skazali dwóch pomocników i pomocnicę. Spisek na księżnę Erdmutę zrobiła wiedźma. Ja tam za brandenburską żoną dla księcia nie byłem, ale coś takiego? Kiedyś nie do pomyślenia, co za czasy nastały. A książę Ernest Ludwik? Też go szkoda. Jego syn, Filip Juliusz, taki młody. Teraz studiuje, ale już mu podróż kawalerską szykują. Ponoć Lupold von Wedel ma być dla niego za towarzysza, ten to się świata napatrzył. Nie wiem, czy jest taki drugi w księstwie. Italia, Egipt, Ziemia Święta, Hiszpania,

Portugalia... — z zazdrością wymieniał Joachim. — Anglia, Szkocja, że też się nie pogubi w tych wyprawach. No, ale czy będzie mentorem młodego księcia wołogoskiego, to na razie niepewne, tak tylko powtarzam, co słyszałem. Książę Bogusław kuratelę nad młodym bratankiem objął, to ja myślę, lepszej mu opieki dać nie można, bo co jak co, ale ojcem Bogusław jest wyśmienitym. Kto by się spodziewał? Wszyscy myśleli, że będzie uczonym, a proszę.

Sydonia z przymkniętymi oczami słuchała Joachima. Uważniej, niż przypuszczał.

— A panna Dorota już za stara na takie podróże? — wypalił nagle.

W pierwszej chwili Sydonia chciała zaperzyć się, zaprzeczyć, zaognić, ale potem pomyślała: Tak, wszyscyśmy się zestarzeli, ale Dorota jakoś szczególnie. I powiedziała tylko:

— Mojej siostrze potrzebny jest spokój.

— To jak i mojej Korduli — polubownie zakończył Wedel.


Zestarzała się nawet niezniszczalna Barbara von Brockhausen. Wciąż była ruchliwa, żywa i barwna, wbrew surowej, luterańskiej modzie. Z upływem czasu zaczęła wybierać coraz intensywniejsze kolory, co zamiast dodawać urody, ujmowało jej. Tego dnia miała na sobie suknię żółtą z niebieskimi rękawami. Jak papuga, którą dostała od syna i trzymała teraz w klatce, w salonie.

— Zobacz, Sroczko. Kupuję tę biel wenecką — prezentowała mocno ubieloną twarz, na której wykwitły rumieńce od barwiczki mistrza Melchiora, aptekarza. — Ładnie mi w niej.

Jak w masce — pomyślała Sydonia i zostawiła to dla siebie. Barbara nie pytała.

— Myślę też o peruce — zwierzyła się szybko. Widać, tęskniła za towarzystwem Sydonii. — Pojawiły się w Szczecinie angielskie peruki, na modłę królowej Elżbiety. Co sądzisz?

— Może pojedziemy obejrzeć? — zaproponowała Sydonia.

— Bez tego cię nie wypuszczę. Co w twoich sprawach? Bardzo długo komentowano hołd twego brata. Kto by uwierzył, że to już dziesięć lat minęło?

— Dwanaście — poprawiła ją Sydonia.

— Żartujesz — powiedziała poważnie i zmieniła temat, nie czekając na odpowiedź Sydonii. — Teraz dwór szczeciński łapie oddech po chorobie naszego pana. To zeszłego roku było, Jan Fryderyk ciężko, ale mówię ci, ciężko zaniemógł. A przecież wcześniej był zdrów jak ryba, zresztą, Jan Fryderyk mężczyzna na schwał. Jak urządził w zamku myśliwskim w Podlesiu polowania dla książąt i elektorów, to na wyścigi z teściem Hohenzollernem strzelali. Sto trzydzieści sztuk zwierzyny ubili, wyobrażasz sobie, Sroczko, takie coś? On ma też taką wieżę myśliwską pobudowaną w lesie, na co można z wieży polować, ja tego pojąć nie umiem. Napiłabym się majerankowego wina, to na trawienie dobre. Skosztujesz?

Służąca nalała im do miniaturowych kieliszków z rżniętego szkła. Sydonia się skrzywiła.

— Dobre, co? — orzekła Barbara. — Piję codziennie, na żołądek. Po odrobinie. Może gdyby nasi książęta też pili po odrobinie, nie chorowaliby tak? I jeszcze ci zdradzę sekret, mistrz Melchior wyrabia Gebrandwasser na poziomce, ta mikstura to cud!

— Na co zachorował książę? — spytała Sydonia, gdy Barbara na chwilę przestała mówić.

— Nie wiem — uniosła szczupłą upierścienioną dłoń gospodyni. Dłoni nie pokrywała bielidłem od Melchiora i znaczyły ją ciemne plamy. — A lekarze chyba wiedzą tyle, co ja. Bo żadna wiadomość z dworu się nie przedostała, a przecież znasz dwór. Nigdy nie był szczelny. Doktor Oessler go kurował — Barbara rozłożyła palce i przez chwilę oglądała pierścienie. — Dość powiedzieć, że jak leżał w chorobie, zjechali się Hohenzollernowie, jak kruki. Na łożu boleści zmieniał testament. — Druga dłoń Barbary, z pustym kieliszkiem zawisła w powietrzu. Służąca natychmiast zjawiła się z karafką, jak pszczoła zapylająca kwiat. — Dla ciebie? Jeszcze kapkę? — spytała Barbara.

— Kap-kę-kap-kę — powtórzyła po niej papuga.

— Dziękuję — odmówiła Sydonia.

— W nowym testamencie powiększył włości dla Erdmuty. Ona, jak na marchijkę, jest naprawdę przyjemna, ale to jednak krew Hohenzollernów, niesmaczne, żeby tak przy śmiertelnie chorym księciu jak pijawki żerowali. Erdmuta, jej siostra wdowa po elektorze i brat.

— Wyzdrowiał, rozumiem?

— To jest cud — mlasnęła Barbara, bo kropla ciężkiego majerankowego trunku spadła jej na brodę. — A zaraz potem kazał półtalara ze swoim wizerunkiem bić. Na awersie, droga Sydonio, półbóg, piękny i młody rycerski książę. I, jak to nasz Jan Fryderyk, żadnego rozklejania się, dziękczynień żadnych, po prostu półtalarek, byśmy widzieli, jaki z niego chwat. A lekarze powiedzieli, że wbrew wszelkim nadziejom, ozdrowiał. Odwrotnie, niż Ernest Ludwik, prawda?

Ciemne, bystre spojrzenie Barbary spoczęło na Sydonii.

— Książę zmarł młodo — powiedziała. — Nie miał nawet czterdziestu ośmiu lat.

— I się nie spodziewał — klepnęła się w kolano Barbara, jakby to było największą niespodzianką. — Przed śmiercią zaczął budowę nowego gmachu uniwersytetu w Gryfii! A teraz jego żona, księżna Zofia Jadwiga, jest już wdową z Loitz. Opuściła Wolgast. Oni jej chyba nie lubią — wyznała nagle.

— Kto? — spytała Sydonia, ale Barbara nie odpowiedziała.

— Kto-kto-kto? — ostro powtórzyła papuga.

Gospodyni znalazła plamkę na rękawie sukni i natychmiast musiała wezwać pokojową, kazać się rozebrać i wziąć suknię do czyszczenia.

Sydonia mogła udać się na spoczynek. Zanim poszła spać, stanęła przy oknie i patrzyła na wciąż noszącą ślady tamtego pożaru wieżę kolegiaty Mariackiej.


W kancelarii Sądu Książęcego nie zastała Eliasa Pauli. Skończył studia, ponoć wrócił do Szczecina, ale jeszcze nie do pracy w sądzie.

— Mówi się, że nasz pan, Jan Fryderyk, ma nieskończoną cierpliwość do panien Bork — rzucił beztrosko rumiany notariusz, z którym wymieniła kilka zdań. — Przeglądałem panien akta i widzę, że każda sprawa załatwiona pozytywnie. Tylko pogratulować.

— Byłabym tego zdania co pan, gdyby mój brat respektował wyroki — odpowiedziała powściągliwie.

— Ja to myślę, że tu sąd może i zaordynować kolejną egzekucję z dóbr. Oczywiście, nie mogę wychodzić przed szereg — zastrzegł i zarumienił się.


Sydonia z przyjemnością przeszła się po mieście. Przyglądała się, co się zmieniło. Na straganie przy Rynku Siennym kupiła nową wstążkę do kapelusza. Potem wstąpiła do składów sukiennych i znalazła cienką, jasną chustę. Założyła ją na włosy i dopiero na nią kapelusz. Wzrok przechodniów mówił jej, że tak jest dobrze.

Chociaż jeden z nich, mężczyzna w skórzanej kurcie żeglarza, niepokoił ją. Widziała go już trzeci raz jednego dnia. Gdy kupowała wstążkę, on przy drugim kramie wybierał taki sam kolor. Wyświechtany kapelusz miał mocno naciśnięty na czoło. Pilnowała sakiewki. Może to złodziej, który widzi w niej łatwy łup? Postanowiła mimo wszystko nie marnować pięknego popołudnia i zejść nad rzekę, do przystani. Popatrzeć na statki.

W murze miejskim biegnącym wzdłuż Odry były bramki, zwane też wodnymi furtami. Za każdą furtą znajdowały się pomosty, przy których cumowały łodzie i małe statki. Te naprawdę wielkie kotwiczyły wcześniej, przy Łasztowni. Tam rozładowywano je do spichrzów na wyspie, albo do płaskodennych cezów, łodzi, którymi towar wieziono do miasta. Między mostem Kłodnym a mostem Długim były cztery pomosty. Ten najbliżej mostu Długiego zwał się pomostem Księży i wiodła do niego najokazalsza z bram wodnych, Mariacka. Można rzec: honorowa droga z portu do miasta. Jeśli do Szczecina przypływali dostojnicy, wybierali ten pomost i bramę. Sydonia nie chciała spotkać żadnego z radców dworu, poszła więc do kolejnej furty, zwanej Byczą, a czasem Cebulową. Za nią w rzekę wchodził pomost Kurzej Stopki. Cumował przy nim zgrabny jednomasztowiec ze strzałowską banderą. Widziała go już z ulicy, ale kiedy weszła w podcień murowanej bramy, nagle ktoś złapał ją za ramiona i zamknął jej dłonią usta.

— Nie krzycz, Sydonio — szepnął jej do ucha. — To ja, Ascanius. Jak nie wierzysz, pokażę ci ucho, tylko nie krzycz.


Siedzieli w tawernie „Popiołek". Wokół było gwarnie, hałaśliwie. Pijackie przechwałki żeglarzy, rubaszne żarty, podbijanie stawek werbowników.

— Ty to się co najwyżej nadajesz na okucie świńskiego koryta!

— A ty? A ty? Na wzorek na dzbanie z octem!

Milczeli. W słabym świetle łojówki wpatrywali się w siebie.

— Nigdy nie uwierzyłam, że nie żyjesz — powiedziała wreszcie.

— A Jurga? — spytał, wodząc palcem po łączeniu desek na stole.

— Dlaczego im to zrobiłeś? — odpowiedziała pytaniem. — Cierpieli. Jurga pewnie nadal cierpi. Czego on nie zrobił, by cię odnaleźć.

— To najtrudniejsze — zacisnął palce w pięść i otworzył ją, kładąc obie dłonie na stole.

Oczy miał takie same, jak wtedy, gdy był chłopcem. Ale zmienił się, zmienił się tak bardzo, że nie poznałaby go. Stał się mężczyzną, jakim nie byłby, gdyby został w Strzmielu. Ogorzałym, twardym, w niczym nieprzypominającym szlachcica, którym się urodził. A może tak właśnie wyglądali ci pierwsi Borkowie? Mocarni mężczyźni, którzy ujarzmili tę ziemię? Zapuścił włosy, nosił je związane na karku, ale luźno puszczone przy uszach. Nie chciał, by ktoś go rozpoznał, poza nią. Dłonie miał zgrubiałe, od lin, wody, ciężkiej pracy i soli.

— Powiesz? — spytała.

— Nie powiem — odrzekł. — W każdej rodzinie są sekrety. Nie chcę, żebyś ten znała. I ty nie chcesz, uwierz mi.

Odpuściła. Sama miała tajemnice, których nie powierzyła nawet siostrze. W czym jest lepsza od Ascaniusa? W niczym.

— Siedemnaście lat cię nie widziałam — pogładziła go po tej szorstkiej dłoni.

— Ja cię widziałem — uśmiechnął się. — Raz, przed kolegiatą, jak przenosili trumny Gryfitów.

— Ach — przypomniała sobie oczy przyglądające się jej spod kaptura. — To byłeś ty…

— Tak — kiwnął głową Asche. — I tamtego dnia, gdy kupiłaś kapelusz. Aż mnie w dołku ścisnęło, taka byłaś piękna. I jeszcze kiedyś, pod apteką czekałem na ciebie, ale nie wychodziłaś strasznie długo, a mnie już czas był na statek.

— Mieszkasz gdzieś? — spytała go.

— Zostałem Rugijczykiem — zaśmiał się krótko. — Nie wiedziałem, że jestem do tego stworzony. By być wyspiarzem.

— *Omnes insulares mali*, wszyscy wyspiarze są źli?

— Lepiej być złym wyspiarzem, niż złym Borkiem, Sydonio — chwycił ją za rękę, uścisnął i puścił.

— Jak to jest być Rugijczykiem? — spytała zmieszana.

— To znaczy chodzić z bronią do kościoła, do karczmy i na pogrzeb. No i oczywiście kłaść się z nią do grobu. Rugijczyk za broń uznaje dwie rzeczy: kordelas i włócznię na dziki. Z samym kordelasem jest tylko półzbrojny.

— Wpuszczają ich do kościoła z włóczniami?

— A jakże. Niektórzy pastorowie wprawdzie każą zostawić je przed wejściem, poznasz taki kościół po stojaku na włócznie. Ale tych jest mało. Co jeszcze? Są tak porywczy, jak o nich mówią, ani ciut mniej. Kłótliwi, skłonni do bitki. Ale lubią się i sądzić. Na takie sądy może przyjść, kto chce: zeznać, posłuchać, wtrącić się, niewielu jest magistrów prawa, bo każdy Rugijczyk ma prawo krajowe w małym palcu, a jakby się wyrok nie podobał, to włócznia i kordelas, bracia, szwagrowie i wujowie.

— Jak u Borków — pokręciła głową.

— Dlatego szybko stałem się dla nich swojakiem. Wiesz, co tam jest dobrego? Że chłop wolny, pańszczyzny nie ma. A jak chłop bogaty, to traktują go prawie na równi ze szlachtą. Jeszcze dwa rejsy obrócę i dom kupię, z kawałkiem pola. Mam upatrzone dwa, jeden w pobliżu Arkony, nikt tam nie chce mieszkać, bo blisko do miejsca, gdzie stała dawna kącina Świętowita. Kamień na kamieniu z niej nie został, ale miejscowi gadają, że straszy — zaśmiał się i mrugnął do niej. — Ale my się popiołów starych bogów nie boimy, co? Borkowie starzy jak sam diabeł.

Pomyślała, że Ascaniusa łączy z Jurgą więcej, niż można się było spodziewać. Miała już na końcu języka, że ojciec w jego intencji prosił starych bogów, ale poniechała. Spojrzała na Asche i pokręciła głową z dezaprobatą. Znów był jej młodszym kuzynem. Chrząknął i dorzucił:

— Drugi dom ci się spodoba. Jest na półwyspie Jasmund. Kredowobiałe klify wzniesione nad morzem, niczym mury warownego zamku. I dom jest ładniejszy. Ma cały dach i prawie wszystkie okna. Chciałabyś go zobaczyć?

Patrzyli sobie w oczy. Żadne z nich nie było już młode.

— Sydonio — powiedział to, co wisiało w powietrzu między nimi. — Nie każ mi dłużej czekać na siebie. Co tu masz, od czego nie chciałabyś się uwolnić?

— Mam Dorotę — powiedziała. — I długi do spłacenia.

— Dorotę zabierzemy ze sobą, a przed długami uciekniemy. Tam nikt cię nie zna.

Przez sporą chwilę nic nie mówili. Asche zamówił jeszcze dzban piwa. Kręciło jej się w głowie, szczecińskie piwo mocne.

— Muszę wracać na statek. Przed zmrokiem wypływamy. Dwa rejsy i dom na Jasmund jest nasz. Patrz, to syn karczmarza, Mattias — wskazał na krępego, jasnowłosego chłopaka. — Teraz płynę na „Wielkim Stralsundzie", pod strzałowską banderą.

— Widziałam ten statek, stoi przy pomoście. Dlaczego nie pod rugijską?

— Rugijczykom nie wolno pod własną, kara od naszych książąt, za tę kłótliwość. Ale Strzałów to brama na Rugię, wychodzi na to samo. W przyszłym roku mam oko na dłuższy rejs, z Rotterdamu, ale wiadomość będzie u Mattiasa.

— O kogo mam pytać? Jak się teraz nazywasz?

— Boras — odpowiedział dawny Ascanius von Bork.

Sydonia parsknęła śmiechem.

— Tak właśnie śmieje się Borasowa — pocałował ją w policzek i zniknął w tłumie takich jak on. Żeglarzy w wyświechtanych kurtach. Morskich braci.


Sydonia nie ustępowała. Proces za procesem. Niósł ją gniew. Wiedziała, że prawo stoi po jej stronie. Bolała ją niemożność wyegzekwowania prawa. Ulrich przegrywał, siostry wygrywały. On miał zamek, wsie, chłopów, zbrojnych, służbę. One w nieustannej gościnie u krewnych. Były zmęczone i coraz starsze. Pragnęły własnego domu. Miejsca, gdzie będą u siebie. Sydonia patrzyła na swój kufer podróżny. Odrapany, poobijany, jak one. Nawet ten kufer chciał już mieć swój kąt. W pozwie zażądały tego jasno: Ulrich ma im kupić albo wybudować dom. Koniec z najmowaniem. Książę przychylił się, wydał nakaz. Brat kupił ziemię od Jurgi, ten kawałek wzgórza, na który tyle raz spoglądała Sydonia z Jurgą, w wieczory gdy siedzieli na kamiennej ławie. I postawił tam drewnianą szopę. Tamtego dnia coś pękło w Dorocie. Załamała się. Zgięła wpół, jak staruszka. Sydonia zabrała ją do Chociwla, do Korduli. Tam Joachim przywiózł wiadomość, że Ulirch przepisał dobra na Ottona, najstarszego ze swych synów.

— Za życia? Po co? Przecież i tak Otto wszystko po nim dziedziczy — Dorota w pierwszej chwili nie zrozumiała, jak daleko sięga perfidia ich brata. Mocniej owinęła się wełnianą chustą Korduli. Patrzyła spod niej nieufnie.

Joachim i Sydonia spojrzeli po sobie, jakby pytając, które z nich ma uświadomić Dorotę.

— Posłuchaj, siostro — powiedziała Sydonia i chwilę dobierała właściwe słowa. — Ulrich chce przestać nam płacić.

— Też nowina — ofuknęła Dorota. — I tak przysyła pieniądze z rzadka i po awanturach.

— Alimenty dla nas były zabezpieczone na tych wsiach, które właśnie przekazał synowi.

— I co? Wyrok przecież jest na Ulricha — powiedziała Dorota i po chwili dotarło do niej. — Boże — jęknęła. — To niemożliwe.

— Pamiętam, co mówiłem o procesowaniu się z rodziną, jak żeśmy jechali do Szczecina — powiedział Joachim. — Ale tym razem wasz brat zrobił rozbój w biały dzień. To trzeba od razu zaskarżyć. Od ręki. Sąd książęcy weźmie panien stronę, bez obaw.

— Sąd, drogi Joachimie, zawsze jest po naszej stronie, jak prawo — odpowiedziała Sydonia, wiążąc na włosach chustę. — A Ulrich po raz kolejny pokazuje, że stoi ponad prawem. Jestem pewna, że on tych dóbr nie mógł przepisać.

Pochyliła się nad czołem Doroty, pocałowała ją.

— A ty dokąd? — w głosie siostry było zmęczenie, rozczarowanie, pretensja.

— Do Szczecina — odpowiedziała Sydonia, chwytając kapelusz. — Minęły dwa lata, odkąd tam ostatnio byłam.

Barnim podziwiał rezydencję myśliwską Jana Fryderyka w Podlesiu. Dwa obszerne, czworoboczne dziedzińce, na każdym z nich po sześć powozów na raz mogło manewrować, nie wchodząc sobie w paradę. Stajnie na trzysta koni; zbrojownia bogata w muszkiety, zbroje i lance, i kilka nowiutkich, dużych falkonetów. Magazyny myśliwskie pełne sań do polowań zimowych, wozów dla łowczych i zwierzyny, sieci do jej chwytania. A wszystkie budynki otoczone ogrodami, rabatami kwietnymi, ziołowymi, warzywnymi i owocowymi, według rozmiaru i gatunku. Zadbane alejki, przystrzyżona zieleń. Ukryte w jej cieniu ławy i stoły do wypoczynku. Budynki mieszkalne obszerne i wygodne. Barnim zajął komnatę jelenią, gdzie ściany zdobią najpiękniejsze wieńce. Jego żona i inne damy dostały osobne piętro. Jan Fryderyk miał swój ulubiony apartament książęcy z rotundą. A ich wspólny teść, elektor Jan Jerzy Hohenzollern, cóż. Dla starego grubasa Jan Fryderyk kazał wybudować schody, po których ten do apartamentu wjeżdżał konno. Rezydencja w Podlesiu była stworzona do zabawy i olśniewania gości. Barnima po równo urzekła i wytrąciła z równowagi. Trudno mu było uwolnić się od myśli, że za jedną setną wydanych na Podlesie pieniędzy gruntownie wyremontowałbym morski zamek.

Na jesienne polowanie zjechali wszyscy, których Jan Fryderyk zaprosił. Ich teść, Jan Jerzy z trzecią, najmłodszą z żon i ich małymi dziećmi. Margrabia Jan Zygmunt i jego małżonka, z Hohenzollernów królewieckich. Oczywiście ich żony, Erdmuta i Anna Maria. Cała kamaryla brata, więc Kleistowie, Krukow, Rambow, innej pomorskiej szlachty sporo i na końcu błazen brata, Hintze. Ucztowano i pito bez umiaru. Potem długie trzeźwienie i wreszcie łowy. Po łowach toasty, pomorskie łyki i znów uczty, plotki i picie.

— Dlaczego nie zapraszasz naszego brata, Bogusława? — spytał Barnim Jana Fryderyka między jednym toastem a drugim.

— Sądzisz, że dobrze by się bawił tutaj? — odpowiedział pytaniem. — Bogusław jest inny niż my. Pamiętasz, jak cię pytałem, czy wierzysz w czary?

— Pamiętam — westchnął Barnim.

— Syn Bogusława, ten Jan Ernest, którego nazwał od pierwszych imion mojego i Lutze, dzieciak, który miał nas pojednać...

— Wiem, zmarł — przerwał zniecierpliwiony Barnim.

— A dwa lata po nim umarł nasz brat, Ernest Ludwik.

— Upiłeś się — stwierdził. — Już mówiłem wtedy: dzieci umierają, to normalne.

— Nam nie pomogły ciepłe wody. Erdmuta nie może począć.

— Tylko nie zaczynaj z czarownicami, proszę. Spaliłeś tamtą kobietę na stosie, czy to pomogło twojej żonie? Nie. Ale Kleistowi na pewno. Z tego, co słyszę, wziął sobie urząd po mężu rzekomej wiedźmy. Bracie, co z tobą? Kleist to krętacz.

— Przestań.

— Za chwilę — Barnim wypił trochę, był hardy. — Jeszcze coś muszę ci wypomnieć. Wszyscy wiemy, jak źle żyłeś z Ernestem Ludwikiem, ale jesteś księciem i pewnych zasad powinieneś się trzymać. To, że ledwie trzy miesiące po jego śmierci, tu, w Podlesiu, wyprawiłeś huczne wesele swojej bękarciej córki, to niegodne. I, nie, nie mam na myśli tej małej, ani tego, żeś ją wydał za syna swego pokojowca, Rambowa, to twoje sprawy. Ale nie podoba mi się, żeś nie uszanował żałoby po naszym bracie.

— Skończyłeś? — ponuro spytał Jan Fryderyk.

— Tak.

Brat położył mu ręce na ramionach. Był wyższy.

— Przyjmuję naganę tylko dlatego, że przyszła z twoich ust, Barnimie. Jutro rano ruszamy do Zielonczyna. Czy zechcesz polować u mojego boku?

— Tak — uścisnęli się i Barnim szepnął mu na ucho: — Jeśli pozwolisz mi ustrzelić tego starego, jurnego Hohenzollerna, naszego teścia!

Wieża myśliwska miała pięć pięter. Drewniana, ale solidna. Przetrzymała już niejedno szalone polowanie Jana Fryderyka i niejedną pomorską burzę. Kamaryla księcia szczecińskiego urządziła dla gości zabawę: na każdym z pięter ustawili bramę i kto chciał przejść dalej, musiał wypić po pomorsku, wielki kielich do samego dna. Małżonki książęce zostały we dworze w Podlesiu; Jan Fryderyk swojej Erdmuty do wyjazdu nie zachęcał, a Barnim Anny Marii nie zdołał przekonać. Wolała spędzić czas z siostrą i innymi członkami rodu Hohenzollernów, którzy tak licznie przybyli na słynne jesienne polowania. Teraz, gdy na czwartym piętrze zakręciło mu się w głowie od kolejnego kielicha wina, nie żałował, że nie ma z nimi dam. Caspar Winsius podtrzymał go pewnie.

— Ależ widok — westchnął Barnim, na chwilę zatrzymując się przy każdym kolejnym oknie. Patrzył teraz na jasne wody Zalewu Świeżego. — To wyspa Wolin? — spytał, wskazując na ciemniejszą linię za zalewem.

— Wolin! — potwierdził starszy brat. — A Uznam widzisz?

— Widzę — zaśmiał się Barnim. — Nie jestem taki stary jak ty!

Jan Fryderyk chciał go uderzyć w plecy, Barnim odskoczył w stronę kolejnego, północnego okna.

— Bałtyk — jęknął.

— Wolę widok z wieży darłowskiego zamku — szepnął mu do ucha Caspar. — Tam morze jest na wyciągnięcie ręki.

— Do-góry! Do-góry! — skandował Krukow, już stojąc na schodach.

— A gdzie nasz teść? — spytał Barnim, bo zdał sobie sprawę, że Hohenzollerna nie ma z nim na czwartym piętrze.

— Powiedział, że zamiast się wspinać woli jeździć konno — odpowiedział Jan Fryderyk. — Myślę zaś, że urwał się spod oka małżonki i chędoży w Zielonczynie jakąś dziewkę. Lubi to robić i przed polowaniem, i po.

— Ma zdrowie — pokręcił głową Barnim.

— Złapałeś oddech, chłopaczku? — zaśmiał się brat. — To dalej, najwyższe piętro czeka!

— Ja nie mogę tyle pić! — jęknął Barnim. — Kto mnie później zniesie z wieży?

— Mój olbrzym, Denis von Kleist — odpowiedział starszy brat.

Ze szczytu wieży rozciągał się widok zapierający dech w piersiach. Oprócz sinych fal Bałtyku i wysp, widocznych już piętro niżej, dostrzec można było i Wołogoszcz, i zalew, i Szczecin, i Kamień, i puszczę, wielką, nadodrzańską puszczę.

— Leśne morze, ocean zielony — jęknął zachwycony Barnim.

— I widok niemal na całe Pomorze — Jan Fryderyk stanął za jego plecami, jak zawsze wyższy, potężniejszy. Caspar dyskretnie usunął się w bok.

— Szkoda, że Rugii nie widać.

— Szkoda — przytaknął brat. — Ale jak wypijemy jeszcze po kielichu, to może wzrok nam się wyostrzy?

— I zobaczymy, jak unosi się nad Rugią, której teraz nie widzimy, wielki Odoaker, król Rugian… — Barnim zaczął, a Jan Fryderyk w lot podchwycił.

— …co Italię pobił, cesarza Augustulusa zdetronizował, a Rzymianie sami go na Kapitol powiedli i kraj mu swój poddali.

— A po Odoakerze był Teodoryk.

— Tako rzekł mistrz Kantzow — skończył Jan Fryderyk i dał Barnimowi kuksańca.

— Miał fantazję nasz pomorski kronikarz. Najbardziej bawiły mnie te fragmenty, gdy wychwalał Germanów, jako pierwszych mieszkańców Pomorza, a potem łajał Słowian, co przeszli Dunaj i zdobyli ziemie ruskie, czeskie, polskie i biedną, biedną marchię.

— I zmienili prawe zwyczaje Rugijczyków, którzy według tegoż Kantzowa byli dobrymi Germanami, a nie słowiańskimi Ranami — dokończył Jan Fryderyk, zaśmiał się, zamilkł i dodał: — Kto wie, jak było. Stare dzieje. Ale prawda, u Kantzowa groch z kapustą.

— Nasz uczony brat, Bogusław, mówi, że Kantzow wszystko kopiował z Tacyta.

— Może — wzruszył ramionami Jan Fryderyk. — Mnie się udało Tacyta nie przeczytać.

Zaśmiali się. Każdy z braci miał innego preceptora. Najstarszy swojego owinął wokół palca.

— Zdarza ci się myśleć o tamtych, legendarnych czasach? — spytał Barnim, gdy patrzyli w bezkres koron drzew, ponad którymi stali.

— Tak — krótko odrzekł Jan Fryderyk. — Myślę o naszych przodkach. Za Odrą Pomorzanie zrzucali chrześcijaństwo raz po raz, zabijali swoich książąt, gdy ci wracali z dworu cesarskiego pobłogosławieni wodą chrztu. Trzeba było być twardym, by to przetrwać i utrzymać władzę.

— Kiedyś stary książę Barnim wypił trochę, miał w czubie i zaczął ze mną rozmowę o dwoistości naszej natury. Z początku myślałem, że chce mnie obrazić, plątał się, ale potem… — Barnim zamilkł, chciał dobrze przypomnieć sobie słowa stryjecznego dziada. — Potem powiedział, że to się wzięło z naszej krwi. Że jesteśmy pół na pół. Potomkowie potężnego księcia Mieszka, władcy Słowian i margrabiego Dytryka, który swą pogardą wobec Słowian wywołał tamto straszne powstanie połabskie. Zapłacił za to srogo, zginął podle i marnie, ale wiesz, krew pamięta. Tacy jesteśmy. Jakby pół na pół, a może w niektórych z nas... Spójrz na tę puszczę pod nami. Zbudowaliśmy wieżę i patrzymy na nią z góry, jakbyśmy się oderwali od ziemi, od korzeni...

— Jest wiele tajemnic — przerwał mu Jan Fryderyk. — Słyszałeś, że stary Barnim miał księgę, w której spisane były legendy z początków naszego rodu? Inne niż te, które można znaleźć na uniwersytecie w Gryfii.

— Nic mi o niej nie wspomniał. Trzeba popytać naszych braci, z Bogusławem nie był blisko, ale może powiedział Kazimierzowi? Masz coś konkretnego na myśli? — dopytał.

— Nie. Ale pociągają mnie tamte, najdawniejsze lata. Czasy chaosu — Jan Fryderyk odszedł od brata i patrzył teraz z innej strony wieży, nie na puszczę, lecz na morze. — Mam wrażenie, że znów zbliżamy się do przełomu.


Sydonia długą chwilę stała w Bramie Byczej wiodącej na nabrzeże, wprost ku pomostowi Kurzej Stopki. Patrzyła na statek z wymalowaną na burcie nazwą „Wielki Stralsund", na nielicznych przechodniów, co dziwne, bo o tej porze do tawern powinny ciągnąć tłumy. Padał deszcz, wiało. Z olinowania i zwiniętego żagla „Wielkiego Stralsundu" kapało. W taką pogodę — pomyślała — nawet szczury uciekają na ląd. W podcień bramy wbiegła kobieta przykryta lichym płaszczem. Otrzepała się z deszczu, jak pies.

— Zdejm ten kapelusz — zawołała do Sydonii. — Bo w nim se nikogo nie przygruchasz, a mnie klientów spłoszysz. Zara, zara — pochyliła się ku niej i przyjrzała bacznie. — Czy ty nie stałaś ostatnio w Bramie Mariackiej?

Sydonia wyminęła kobietę i mocniej nasunęła kapelusz na czoło. Podjęła decyzję. Tak, wejdzie do „Popiołka".

We wnętrzu panował półmrok, gości było niewielu. Za pierwszym razem w zaduchu tawerny unosiła się wyłącznie woń piwa. Dzisiaj Sydonia poczuła zapach polewki rybnej, świeżego chleba i wina. Zaburczało jej w brzuchu. Niepewnie podeszła do kręcącego się przy piecu niskiego blondyna.

— Mattias? — spytała.

Odwrócił się, był umorusany od sadzy. Patrzył, jakby chciał ją przewiercić spojrzeniem na wylot.

— Mattias — powiedział. — Czym mogę służyć?

— Chciałam zostawić wiadomość dla... Borasa — z trudem przeszło jej przez usta to przezwisko.

— Tam siedzi — Mattias wskazał stół za przepierzeniem, a pod nią ugięły się nogi.

W to, że go dzisiaj spotka, nie wierzyła.

On też, bo gdy stanęła nad nim, długo na nią, patrzył i patrzył, a potem dotknął jej ręki i sam siebie uszczypnął.

— Prawdziwa — mrugnął do niej. — Prawdziwa.

— Dwa lata — powiedziała, siadając na ławie naprzeciw Ascaniusa.

— Dom na Jasmund stoi, jak stał — odpowiedział.

I nie dodał nic więcej, a jego spojrzenie było smutne.

— Brakuje mi jeszcze dwustu guldenów — powiedział po bardzo długiej chwili. — Zarobiłem mniej, niż było umówione.

— Nie mam tylu — pokręciła głową. — I na razie nikt mi takiej sumy nie pożyczy.

Położył zniszczoną, ciężką dłoń, na jej dłoni.

— Ja to zarobię — obiecał.

Pogładził jej rękę i zatrzymał palec na sygnecie. Spojrzał jej w oczy, pytająco. Uniósł brwi.

— Sygnet Jurgena — przyznała. — Dał mi go, gdy widzieliśmy się ostatnio.

— Powiedziałaś mu? — cofnął rękę.

— O tobie? Nie. Nie powiedziałam. Choć wierz mi, Asche, naprawdę nie było mi łatwo. Nie chcę okłamywać Jurgi. Jest stary, przed nim ostatnie lata życia. Byłoby mu lżej...

— Nie byłoby — zaprzeczył tak mocno, że uwierzyła.

Podszedł do nich Mattias. Nim zapytał, co podać, patrzył na nich chwilę.

— Mój brat kupił od Jurgena kawał ziemi na wzgórzu — powiedziała Sydonia, gdy zamówili wędzone makrele, chleb i piwo. — Sąd nakazał mu wybudowanie domu dla Doroty i dla mnie, on postawił tam szopę i jeszcze się wykłócał, że to dobry dom i takie tam, jak to Ulrich. Dorota źle to zniosła — Sydonia westchnęła, nie miała nawet siły opowiadać tej historii. — Wszyscy doszliśmy do jakiegoś kresu. To już nie rozdroże, to koniec drogi. Gdy wyjeżdżałyśmy, Jurga po prostu dał mi swój rodowy sygnet. Zmniejszyłam go — dodała po chwili.

— Ojciec miał wielkie dłonie — powiedział w zamyśleniu Asche.

— Ma — poprawiła go Sydonia.

Ascanius uniósł jej rękę, pochylił się nad nią i pocałował. Najpierw jej dłoń, potem sygnet.

— Co u Josta? — spytał po chwili.

— Marzy, żeby zostać radcą dworu, ale póki co, książę wciąż cięty na panów ze Strzmiela. I ożenił się z Ilse von Below.

— Dobra partia — obojętnie skwitował Asche. — Opiekują się ojcem?

— Owszem. Chociaż on wciąż umie sam zadbać o siebie. Wiesz, że Ulrich musi mi wypłacić posag? — dodała na jednym tchu. — Tysiąc guldenów.

— Zapomnij. Po pierwsze, nie ożywimy mnie, skoro umarłem. Po drugie, nawet gdyby, to nikt nie da ślubu kuzynom.

— Zgodziłabym się wyjść za Borasa, pod warunkiem, że nigdy tak do niego nie musiałabym mówić.

Pokręcił głową.

— Ścieżka kłamstw jest grząska. Borasem mogę być na Rugii, bo tam nikt tego nie sprawdza. A Ulrich nie jest w ciemię bity. Nie wydostaniesz od niego posagu na gębę. Zawaruje wszystko umową i notariuszem. Zapomnij o swoim tysiącu guldenów, Sydonio. Choć szkoda — stuknął odwróconą pięścią w stół i rozłożył palce. — Kupilibyśmy dom od ręki.

— Na długo musisz wypłynąć? — spytała.

— Mówi się, że rejs potrwa dwa lata — powiedział, nie patrząc jej w oczy, lecz wbijając spojrzenie w blat stołu. — Kolejne dwa lata — powtórzył cicho.

— Nie widzieliśmy się już dłużej — pocieszyła go.


Ciotki Wedlowe zabrały Dorotę od Korduli i Joachima. Trudno było zrozumieć, o co poszło, wszystkie nabrały wody w usta. Lublino, gdzie mieszkały, było tak blisko Chociwla, że można tam było przejść piechotą. Oczywiście, Dorota z ciotkami pojechała powozem. Sydonia dołączyła do nich po powrocie ze Szczecina, na krótko. Ciotki wolały towarzystwo Doroty i nie kryły się z tym. Na Sydonię patrzyły krzywo.

— Lepiej będzie — powiedziała jej siostra — jeśli znajdziesz sobie miejsce gdzie indziej. I nie u Korduli — zastrzegła. — Ja już nie mam siły. Widziałaś, jak wykręciło mi nogę? Przejdę parę kroków i muszę usiąść.

— Nie martw się — odpowiedziała Sydonia, zagryzając wargi. — Poradzę sobie.

Nie mówiła prawdy. Nie miała pojęcia, co robić. Rozumiała tylko, że nie ma po co wracać do Chociwla. Wynajęła wóz, nie powóz. Z chłopem woźnicą, nie stangretem. Kazała załadować swoje kufry i jechać do Krzywnicy, do Zygmunta i Martina Wedlów. Przyjęli ją ciepło. Bawiła u nich tydzień, dwa, odwiedziła z Zygmuntem kościół, chciał pokazać jej, jak przebudowują ołtarz i tam właśnie, między cieślami stawiającymi słupy pod nowy, spotkała kogoś dawno niewidzianego. Potrzebowała chwili, by przypomnieć sobie, kim jest. On przeciwnie, poznał ją od razu, ukłonił się.

— Panno Bork, pamięta mnie panna?

Uśmiechnęła się niepewnie.

— Hitze. Hans Hitze — przypomniał się. — Nie chciały panny u mnie mieszkać, w Resku. A ja już ten dom wyremontowałem, teraz by się pannie spodobał.

— Ile sobie pan życzysz za rok? — spytał Zygmunt, widząc, że Sydonii błysnęło oko.

— Bo ja wiem? Jak by mnie panna więcej nie obrażała, to by mogło być dwanaście.

— Talarów? — Zygmunt von Wedel miał smykałkę do handlu.

— A gdzie tam — zaprzeczył Hitze. — Co ja srebra od złota nie odróżniam? Guldenów.

— Dogadajmy się na dziesięć — zaproponował.

— No, ale to by musiało być... — Hans Hitze podrapał się po ręce. — Bez stajni. Ze stajnią dwanaście.

— Panna Bork nie ma konia — uśmiechnął się Zygmunt.

— To dziesięć — potwierdził Hitze.

— A pan, panie Hitze — odezwała się pierwszy raz Sydonia — gdzie pan będzie mieszkał?

— Ooo... — zaperzył się. — No chyba, że nie z panną! Ja już sobie dom postawiłem, też w Resku, ale za rynkiem. Po pożarze tanio można było kupić parcele.

— A pański dom nie ucierpiał? — spytała.

— Ja doceniam. — Wyprostował się, pogładził po rzadkiej brodzie. — Panna się bardzo zmieniła, na korzyść. Dziękuję, mój dom, ten, który chcę wynająć pannie, nie ucierpiał. Jest w stanie daleko lepszym niż był wtenczas, osiem lat temu. Ja tu interesy z panem dziedzicem Wedlem robię, pokost do ołtarza dostarczam, jestem osobą szanowaną…

— Panie Hitze — przerwał mu Zygmunt von Wedel. — Pan się o rękę panny Sydonii nie starasz, więc nie trzeba tak pańskiej osoby zachwalać. Przygotujemy umowę.

Zygmunt pożyczył jej dwadzieścia guldenów, na początek. Hans Hitze nie policzył za wóz, bo wracał z Krzywnicy do Reska pustym. Sydonia i Metteke pojechały z nim.

— Wóz w niczym nie gorszy od powozu — powiedziała Metteke, czym zaskarbiła sobie przychylność woźnicy; Hans Hitze sam powoził. Pomógł wyładować kufry, najął parobka, który wniósł je do domu, i pańsko oznajmił:

— Na mój koszt rozładunek.

U Wedlów takie rzeczy robiła służba. Na koszt gospodarzy.

Dom naprawdę był po remoncie, a Sydonia też patrzyła na niego inaczej niż wcześniej. Miał jedną izbę na górze, wiodły do niej schody, które kiedyś nazwałaby drabiną. Dzisiaj urządziła w niej swoją sypialnię. Na dole były dwie izby, w tym jedna połączona z kuchnią, w tej spała Metteke. Spora sień; podwórze, po którym kiedyś dreptały kury, dzisiaj było czysto uprzątnięte. Zadowalająco, choć bardzo skromnie.

— Pięknie się tu panna urządziła — pochwalił Hans Hitze, gdy przyszedł w odwiedziny. — Ja nie z pustymi rękami — zastrzegł i wyprostował plecy. — Wędzonej ryby przyniosłem. Szwagier mój ma udziały w łodzi rybackiej, na jeziorze Dąbie i w morzu łowią, czasami na Zalewie Świeżym, ale tam konkurencja duża. A w Szczecinie i Nowogardzie sprzedają. Sandacz to dobra ryba. Panna Sydonia lubi ryby?

— Lubię — odpowiedziała.

— A jakie najbardziej? — przekrzywił głowę.

— Raki — powiedziała.

— Ach, raki! Że też to jeszcze nie pora na raki — rozpromienił się Hitze. — Mogłem od razu zgadnąć gusta panny Sydonii. Szlachetne białe mięso. Nawet mój dom poszlachetniał, jak panna w nim zamieszkała. Niby znam te ściany, ale patrzę i widzę, że to prawie dwór! I takie narzuty ładne, pańskie, i obrusy. I serwety.

Od tamtej pory żartowały z Metteke, nazywając dom „dworem w Resku przy rynku". Ulrich szybko dowiedział się, gdzie mieszka. Wszak Resko było miastem Borków. Burmistrz wciąż był na usługach jej brata, ale i wójt się nie zmienił, złożył wizytę i obiecał, że w czym będzie mógł pomóc, pomoże. O dziwo, Ulrich przysłał jej roczne naturalia bez wielkiej zwłoki. A wraz z wozem z żytem, jęczmieniem, masłem i mięsem przyjechała jego córka.

— Dorota — przedstawiła się, dygając przed Sydonią.

— Dorota — Sydonia powtórzyła jej imię i przyjrzały się sobie.

Bratanica patrzyła na nią ze skrępowaniem, walczącym z ciekawością. Sydonia oglądała córkę Ulricha i Otylii i naprawdę zobaczyła w niej Dorotę von Bork. Swoją siostrę w latach młodości. Te same jasne włosy, przejrzysta cera, kpiące i uparte spojrzenie. Pewna niezdarność w ruchach, zwłaszcza, gdy chciała zrobić coś szybko.

— Ciotka patrzy na moje plecy? — zauważyła Dorota.

— Wybacz.

Dziewczyna odwróciła się, pokazując je Sydonii, przekręciła głowę i spytała:

— Co ciotka myśli?

— Wszystko w porządku — uspokoiła ją Sydonia. Kto wybrał jej imię? Otylia czy Ulrich? — Zjesz ze mną? — spytała.

— Będzie mi miło — odpowiedziała dziewczyna i usiadły przy stole.

— Od rodziców niczego nie mogę się dowiedzieć — mówiła przy obiedzie. Jadła ładnie, zręcznie manewrowała sztućcami. Dobrze trzymała łokcie, brodę, plecy. Szkoła Otylii — pomyślała Sydonia. — Dobra szkoła.

— Chciałam poznać ciotkę Dorotę, po której mam imię. Nie pozwolili mi. Ja się owszem, tego czy tamtego dowiaduję, ale od ludzi. Od służby — dodała szeptem, by nie urazić Metteke urzędującej przy kuchni. — Ja wiem o długach ojca — westchnęła. — Bracia nas straszą, że jak pan ojciec ich zostawi z tymi długami, to nie mamy co liczyć na posagi. A my jesteśmy cztery, poza mną Delige, Ursula, Margareta, więc sama ciotka rozumie: boimy się — powiedziała to bez cienia strachu i, co najdziwniejsze, powiedziała to tonem jej siostry.

— Ojciec mówi o nas źle? — spytała Sydonia.

Dorota nie odpowiedziała. Odłożyła widelec, wzięła serwetę i delikatnie wytarła usta. Spojrzała na Sydonię z udręką i ta kiwnęła głową, że nie musi odpowiadać.

— Czyje to książki? — spytała Dorota po chwili.

— Moje — odpowiedziała Sydonia i przypomniała sobie o czymś. — Umiesz czytać?

Bratanica lekko odwróciła głowę.

— Odrobinę — powiedziała. — Trochę. Za mało. Matka nie...

— Jeśli chcesz, mogę cię nauczyć — zaproponowała Sydonia.

— Ojciec nie zabronił mi tu przyjeżdżać — odpowiedziała nie wprost Dorota. — I, jeśli ciotka się zgodzi, to chętnie znów ją odwiedzę.

— Przyjeżdżaj — szczerze powiedziała Sydonia. — Chcę cię poznać.


Dorota von Bork, bratanica, była niespodzianką. Sydonia nigdy nie przypuszczała, że pozna któreś z dzieci Ulricha. Nie oczekiwała tego i nie tęskniła za taką znajomością, bo konflikt z bratem sprawił, że była w stanie wojny z najbliższą rodziną. Dlaczego rodzice pozwalali Dorocie odwiedzać ją? Jeśli miała wybadać Sydonię, czy ta zrezygnuje ze swoich roszczeń, nie robiła tego. Żadna z jej sióstr nigdy nie przyjechała, ale Dorota odwiedzała ją chętnie i często.

— Jacob von Stettin żeni się z córką burmistrza — powiedziała któregoś razu. — Tu, w Resku.

— Coś takiego!

— Owszem. A dodam, że wcześniej był po słowie z moją panną służebną. Ale jak mu się córka burmistrza trafiła, to sama ciotka rozumie. Wybrał lepszą partię. A moja Małgośka beczy w poduszkę.

— Stettin jest dziwny — powiedziała ostrożnie Sydonia.

— Dziwny? Jest straszny — wprost wypaliła Dorota. — Nawet nasza pani matka żywi wobec niego obawy. Nie zgadza się, by Stettin zostawał w Strzmielu, gdy wyjeżdża pan ojciec.

— Jest jak źle oswojony pies — rzekła Sydonia.

Dorota zapatrzyła się w nią i pokiwała głową w zdumieniu.

— To prawda — szepnęła. — Ale nie przyszłyby mi do głowy takie słowa.

— Kiedy ten ślub?

— Na Świętego Jana. Ze Strzmiela będzie się wybierać na wesele trochę ludzi, mogłabym z nimi przyjechać. Oczywiście, nie do Stettina — zaśmiała się tak, jak śmiać się powinny osiemnastolatki.

— Będzie mi miło — odpowiedziała Sydonia.


Przyjechała i została u Sydonii parę dni. O weselu Stettina wiedziało całe Resko. Burmistrz chciał się pokazać, nie pożałował na ślub córki. Muzykanci grali przy miejskim rynku. Sydonia się tam nie wybrała, ale Dorota owszem. Potem siedziały przy stole, jadły placki i o wszystkim opowiadała ciotce. Śmiały się.

— Nie musisz wracać? — spytała Sydonia czwartego dnia po weselu.

— Znudziłam się? — mrugnęła do niej Dorota.

— Nie, nie znudziłaś — szybko zaprzeczyła.

— Pojadę pojutrze, z młodszą siostrą Stettina. Ma na imię Sofija. Sofija Stettin, brzmi dziwnie.

— Zostań, ile zechcesz — powiedziała Sydonia i sama zaparzyła im świeżej mięty. Dała wolne Metteke. Jej służąca miała kuzynów na wsi pod Reskiem. — Mówią, że mięta najlepsza przed Świętym Janem — rzuciła, stojąc przy ogniu.

— No to pijemy nie najlepszą — zaśmiała się Dorota.

— Coś ty, zrywałam w zeszłym tygodniu — zapewniła Sydonia.


Hans Hitze przyszedł nazajutrz i speszył się na widok młodej panny. Postawił wiadro z wodą na progu i powiedział, że nie będzie przeszkadzał.

— Przyniosłem raków dla panny Sydonii. Bo, jak to mówią, najlepsze raki na Świętego Jana — pochylił się do wiadra i podniósł pokrywkę. — W prezencie.

— Dziękuję — odpowiedziała i zabrała Dorotę na spacer. — Potrzebujemy niedźwiedziego czosnku.

Nazbierały go aż nadto, na cienistej łące za Reskiem rosły całe łany. Wróciły do domu, Sydonia sama zakrzątnęła się koło ognia.

— Też chciałabym się tego nauczyć– powiedziała Dorota, patrząc, jak rozpala. Sydonia miała jej odpowiedzieć, że kobiety ich stanu nie powinny znać takich rzeczy, ale się powstrzymała. Postawiła na ogniu gar z wodą. Wrzuciła do niego młode łodygi czosnku.

— Lubisz raki? — spytała.

— Bardzo — odpowiedziała Dorota. — I pierwszy raz widzę, jak się je gotuje.

— Podaj wiadro — poprosiła Sydonia. — Tu postaw.

Bratanica zdziwiła się, że takie ciężkie, pochlapała wodą i zaśmiała, że teraz rozumie, dlaczego gospodynie jak tylko wstaną, zakładają fartuchy. W jej odkryciach nie było nic niestosownego. Przeciwnie, była panną, otwartą na to, że życie nie kończy się w paradnych komnatach zamku.

— Mnie też nikt nie wychował do takiego życia — powiedziała Dorocie, gdy czekały, aż woda się zagotuje.

— A mi się podoba, że ciotka jest taka samodzielna. Odprawia służącą na kilka dni i radzi sobie z tym wszystkim — zrobiła nieokreślony ruch dłonią po kuchni.

— Skoro ci się podoba, nauczę cię sprawiać raki — uśmiechnęła się do niej Sydonia. Sięgnęła do wiadra i wyjęła jednego gołą ręką.

— On nie szczypie? — zdziwiła się Dorota.

— Jest już otępiały, spójrz, jak wolno rusza odnóżami. Złapali go nad ranem. — Zrobiła ruch, by wrzucić raka do wrzątku, ale Dorota przytrzymała jej rękę. Chciała popatrzeć z bliska. Palce dziewczyny były miękkie i ciepłe.

— Jest taki dziwaczny — powiedziała. — I szary.

— Myślałaś, że one rodzą się czerwone? Nie martw się, ja też tak sądziłam, póki znałam je tylko od strony półmiska.

— To inny gatunek? — spytała szeptem Dorota.

— To żywy rak. Czerwony będzie po ugotowaniu.

Wzruszyło ją, że bratanica po prostu oblała się rumieńcem, że zalśniły jej oczy. Oczy młodej Doroty von Bork.

— Wrzucamy wszystkie, pomóż mi — poprosiła Sydonia i sprawiło jej przyjemność patrzenie, jak dziewczyna pokonuje obrzydzenie i strach przed dotknięciem żywego raka. Sydonia wzięła cedzakową łyżkę i mieszała je ostrożnie. Wokół roznosił się zapach niedźwiedziego czosnku.

— Panna Dorota? — spod drzwi rozległ się głos Jacoba Stettina. Był zaskoczony. — Co panna tu robi?

— Jestem w odwiedzinach u ciotki — odpowiedziała Dorota grzecznie i natychmiast zmieniła ton na kpiący. — Pogratulować młodemu małżonkowi? Ach, ale to znaczy, że pożałować trzeba porzuconej panny. Panny, której dano słowo i je cofnięto.

— Niech się panna hamuje — warknął i Sydonia zrozumiała, że jest pijany. Pijany od kilku dni, co najmniej pięciu, od początku wesela. Że pił, trzeźwiał i pił dalej. Że nie mył się przez ten czas i może tylko raz przebrał. Był w paradnych, szerokich pludrach, pewnie szedł w nich do ołtarza. W brudnej koszuli i rozpiętym, wyświechtanym wamsie. Wyminął bratanicę i ruszył wprost do Sydonii.

— Panno Sydonio — syknął wyzywająco — nie poda mi panna ręki?

— Jest mokra — odpowiedziała. — Nie chciałabym, żebyś ubrudził swoją młodą żonę.

— Nie mów do mnie na „ty" — warknął gniewnie i zrobił krok dalej. Był przy niej, zajrzał jej do garnka. — Nawet raków nie umiesz gotować — powiedział.

Miał dzikie, złe oczy, z przekrwionymi białkami, źrenicami wąskimi jak kropki. Wodził wzrokiem po kuchennym piecu, po rakach, wiadrze, garnku. Wziął do ręki talerz, poskrobał paznokciem, odstawił tak, jakby nim rzucał. Szukał zaczepki. Sydonia musiała udawać, że nie zwraca na niego uwagi. To go rozeźliło. Próbował wytrącić jej łyżkę z ręki, odsunęła się na czas, poparzył się o gorący garnek.

— Jak ty gotujesz?! — krzyknął na nią. — Jesteś stara — powiedział jej prosto w twarz, wionąc oddechem cuchnącym sfermentowanym piwem.

— Moja ciotka może gotować jak chce. Jest u siebie — wzięła jej stronę Dorota, a Sydonia usłyszała, jak bardzo bratanicy drży głos.

— Oczywiście, że jestem stara — powiedziała Sydonia spokojnie.

— Trzy razy starsza ode mnie — wrzasnął Stettin.

— Trzy? — zapytała kpiąco, biorąc się pod boki, i zaśmiała ostro. — Trzy! A dlaczego nie sto?

— Uciekajmy, ciotko — szepnęła Dorota. — To się źle skończy.

— Nie boję się go — skłamała Sydonia.

— Bo go nie znasz, ciociu… — to ostatnie zabrzmiało błagalnie.

— Ty stara kurwo — krzyknął na nią Stettin, aż z ust poleciały mu krople śliny. — Ty dziwko!

— Jacobie von Stettin, proszę się uspokoić — głos Doroty zabrzmiał płaczliwie, choć pewnie chciała, by był groźny.

Sydonia cofnęła się przed nim i opuściła rękę z łyżką. Ta upadła na podłogę, Stettin spojrzał za łyżką, nie zobaczył, że Sydonia za fałdami spódnicy szuka ręką pogrzebacza. Nie mogła go znaleźć. Patrzyła w oczy wściekłemu psu, cofała się, widziała, że przy pasie ma kordelas.

— Co ty sobie myślisz, dziwko? Że można tak pohańbić rodzonego brata? Egzekutora nasłać? — zatrzymał się na chwilę, potoczył dzikim wzrokiem po domu i zatrząsł się. — Stroisz się jak kurwa z miasta, a powinnaś zdechnąć!

Nie mogła się odezwać, póki nie znajdzie pogrzebacza. Ale nie była w stanie go namacać.

— Jesteś jak wór — warczał, idąc za nią. — Wór hańby. Cuchnąca kurwa. Przynosisz wstyd każdemu, z którym się zetkniesz…

Miał żółte zęby, odsłaniał je jak pies.

— Jacobie von Stettin — powiedziała cicho, gdy jej dłoń za plecami trafiła nie na pogrzebacz, ale na grube polano, które odstawiła wcześniej, uznając, że parobek musi je porąbać, bo nie będzie się paliło. — Wyjdź z mego domu, zanim wstyd przejdzie na ciebie. — Zacisnęła palce na polanie i uzbrojona, chowając je za plecami, powolnym ruchem oddalała się od niego.

— W tobie płynie dzika krew, kurwo — powiedział. — Wszyscy odwrócili się od ciebie.

Usłyszała, że Dorota wybiega z domu, krzyczy:

— Ratunku! Na pomoc! Ludzie, niech ktoś nam pomoże!

— Nikt cię nie uratuje, dziwko — syknął cicho i zaczął chichotać, obnażając zęby. Wydał jej się nagle spokojny. Powolnym ruchem uniósł rękę i chwycił ją za szyję. Sparaliżowało ją. Zaciskała palce na polanie trzymanym za plecami, ale nie była w stanie go unieść. Za to on, nie spuszczając z niej wzroku, drugą ręką sięgnął po kubek stojący na ławie. Przystawił go sobie do ust, upił łyk i wypluł, prosto na nią:

— Co jest, kurwo?! — wrzasnął. — Co ty pijesz? Gdzie masz piwo?

Wyszarpnęła mu się i wyciągnęła polano zza pleców. Zasłoniła się nim, ale nie zdołała go uderzyć, był szybszy. Wyrwał polano z jej ręki, jakby było drzazgą. Z głuchym trzaskiem potoczyło się po podłodze. Słyszała krzyczącą Dorotę:

— Pomóżcie nam! Ratunku! Ludzie, pomocy!!!

Stettin zatoczył się wściekle, wykorzystała to i zrobiła unik. Po schodach, które właściwie były drabiną, uciekła na górę. Chciała zamknąć drzwi alkowy na skobel, ale ręce jej się trzęsły i nie zdołała go uchwycić. Stettin był silniejszy, pchnął drzwi na nią. Upadła na deski podłogi. Pierwsze uderzenie spadło na jej obojczyk. Drugie na brodę. Zasłoniła twarz ramionami, ale on złapał ją za rękę i odciągnął na bok. Wtedy musiał dostrzec sygnet z wilkami. Zawył i chwycił ją za palec, jakby chciał go oderwać z sygnetem.

— Nie zasługujesz na herb, stara kurwo! — warknął, siłując się z nią.
Sydonii udało się wyrwać rękę i schować za siebie.

Dostała pięścią w twarz. Potem w szczękę. Policzek. Przy oku już
nie liczyła uderzeń. Zamroczyło ją. Straciła na chwilę przytomność.
Gdy ją odzyskała, przez napuchniętą powiekę zobaczyła wykrzywioną
twarz Stettina. Pochylał się nad nią, dyszał ciężko, ślina kapała z jego
rozwartych ust wprost na nią. Zamknęła oczy z obrzydzeniem i wtedy
usłyszała śmiech przy drzwiach na dole. Kobiecy śmiech. I wołanie:

— Jacobie! Gdzie jesteś, mężusiu?

Drugi głos był niespokojny.

— Bracie? Co z tobą?

— Zbiłeś starą pannę? — zapytał pierwszy z kobiecych głosów.
Był drwiący.

— Nie — odkrzyknął Jacob. — Zlałem kurwę.

— O, to dobrze — w głosie zabrzmiał niepokój, choć kobieta starała się zachować wesołkowatość. — To już chodź do mnie. Żonka czeka.

— Jacobie? — drugi z głosów nie potrafił udawać spokoju. Ta kobieta była przerażona. Sydonia starała się oddychać cicho. Jej oprawca
wciąż dyszał zmęczony.

— No, mężulku, ile mam czekać? — ponagliła córka burmistrza.

Sydonia szybko zamknęła oczy, udając, że nie żyje. Jacob von Stettin sapnął, z trudem poniósł się znad niej i ruszył, pojękując.

— Idę — oznajmił.

W progu się zatoczył. Sydonia otworzyła oczy, choć prawa powieka
nie była jej posłuszna. Stettin wrócił do niej. Wyjął z pochwy kordelas,
pochylił się i przystawił jej do piersi. Zacisnęła powieki z powrotem.
To koniec — pomyślała.

— No to chodź — zagruchała młoda żona z dołu.

Czuła ostrze kordelasa między piersiami. Nie chciała tak umierać.
Z ręki psa swego brata. Kundla.

— Dostałaś za swoje, suko — powiedział. — Spróbuj jeszcze raz
iść do sądu, a użyję tego — pokręcił ostrzem, wbijając w nią zimne
spojrzenie.

A potem oderwał kordelas od jej piersi, pociągnął nosem i ruszył
do drzwi.

Usłyszała, jak schodzi po drabinie. Po schodach — poprawiła się
w myślach.

— No jesteś wreszcie — przymiliła się do niego żona.

— Chodźmy spać — powiedziała ta, która była jego siostrą.

Zakasłał, charknął, splunął.

— Ulrich obiecał mi za to konia — rzucił.

— Żartujesz? — powiedziała żona.

Trzasnęły drzwi wejściowe, pewnie otworzył je kopniakiem.

— Nie żartuję — krzyknął z podwórza. — Stangret, konia!

— Dostanie Jacob konika — zaśmiała się żona. — Tylko już chodź-my, chodźmy.


— Ciotko? Cioteczko? Sydonio? Sydonio!

Głos Doroty długo nie docierał do niej. Był gdzieś daleko, za gęstą mgłą. Czuła dotyk dłoni, wiedziała, że Dorota unosi jej głowę, kładzie na swoich kolanach i głaszcze jej włosy. Potem poczuła, jak wprawnie rozwiązuje jej kryzę i delikatnie zdejmuje ją z szyi. Cały czas szeptała:

— Nie umieraj, nie umieraj, zdejmę kryzę, masz na niej krew, bła-gam, nie umieraj, Sydonio, widzisz? Aksamitny gorset uchronił cię przed ostrzem.

Sydonia nie czuła dłoni Doroty, gładzącej jej pierś.

— Przebił między piersiami, ale tylko materiał sukni, pod spodem wszystko całe.

Słyszała, jak przyszedł Hans Hitze, jak pomaga Dorocie położyć Sydonię do łóżka. Któreś z nich obmyło jej twarz wodą, nie wie które, docierały do niej pomieszane głosy.

— ...Stettin poszedł do gospody, żona z siostrą położyły go spać. Parobek je zawiadomił, że ten tu się awanturuje, zaalarmował go krzyk panny Doroty. Odważna jest panna — zrozumiała, że to mówi Hitze.

— Nie jestem odważna — rozpłakała się Dorota. — Myślałam, że jestem, a wcale nie byłam. Mój ojciec go nasłał, własny ojciec... Tak strasznie się bałam, że zabije moją ciotkę... Boże drogi, co to za człowiek...

Łzy Doroty oprzytomniły Sydonię. Otworzyła lewe oko, prawego nie czuła.

— Nie daruję mu. Han-sie Hi-tze — wycharczała z ledwością.

— Och, kochana moja — Dorota zasypała jej ręce pocałunkami. — Żyjesz, żyjesz.

— Niech pan zbierze świadków — wydusiła z siebie z trudem Sy-donia. — Pójdę do sądu.

Sydonia usłyszała, jak dziewczyna bierze głęboki wdech i nie pusz-czając jej rąk, mówi:

— Ja będę twoim świadkiem. Dla ciebie, Sydonio, będę zeznawać przeciw własnemu ojcu.

Szczecin zimą był mglisty. W powietrzu wisiał dym z pieców, palono ponad miarę, bo mróz był po wielokroć większy niż zwykle. Odrę skuł lód, Zalew Świeży tak samo, a ci, którzy kursowali po nim saniami, mówili, że pod krą znalazł się i Bałtyk.

— Foki wylegują się na brzegach stadami — opowiadał pan Brockhausen, wracając z zamku do domu. — Chciałbym to zobaczyć.

— A ja nie — okryła się szczelniej domowym futrem Barbara. — Też mi coś, foki! Morskie psy, nic więcej.

Pan Brockhausen oddał szubę i czapę służącemu, rozcierał zmarznięte dłonie.

— Książę Jan Fryderyk pojechał z żoną saniami do Wolgast. Na zapusty. Ponoć pani Erdmuta nalegała na spotkanie z księciem Juliuszem Filipem. Młodzian wrócił z kawalerskiej podróży.

— To po co opowiadasz o fokach, skoro takie masz nowiny? — ofuknęła męża Barbara. — O tym mów. Książę sierota wraca z dalekich krajów do Wołogoszczy, stęskniony spotkania ze stryjem, stryjną i resztą rodziny.

— Skąd wiesz? — wytrzeszczył oczy pan Brockhausen.

— Co? — zdziwiła się Barbara. — Ach, podpuszczam cię, byś sam opowiedział, co mówią na zamku.

— To samo — oświadczył niezrażony. — Jakbyś tam była, pani moja.

— Tak z nim już jest, Sydonio — szepnęła do niej Brockhausenowa. — Gubi się jak dziecko. Ja powinnam być radcą dworu, nie on. Co rano dziwi się, że słońce wstaje — przewróciła oczami. W ubielonej twarzy wyglądało to upiornie. Bielidło wysuszyło się od ognia buzującego w kominku i popękało niczym błoto na wyschniętej kałuży.

Odwróciła się do męża, który grzał dłonie przy kominku.

— Z kim pojechali? Czy wdowa z Łosic dołączy do nich? Na jak długo? Co właściwie wiesz? — to ostatnie pytanie zabrzmiało obraźliwie.

— Tak, wdowa po Erneście Ludwiku się wybiera, przyjedzie z Loitz, i książę Bogusław ma do nich dołączyć. A pojechali z księciem Franciszkiem, synem Bogusława…

— Nie pouczaj mnie! — skarciła go. — Co ja nie wiem, kim jest Franciszek? Niektórzy starzeją się brzydko — szepnęła do Sydonii, ale tak głośno, że zrobiło się niezręcznie. Wybrnąć z tego próbował sam Brockhausen.

— Panna Sydonia — powiedział uprzejmie, jakby dopiero zauważył jej obecność. — Czy znów sprawy sądowe sprowadzają pannę do Szczecina?

— Tak — odrzekła. — Proces o pobicie.

— Och — wykrztusił z siebie pan Brockhausen. — Kogo pobito? Teraz miała ochotę zgodzić się z Barbarą.

— Połóż się — skrzywiła się do niego pani Brockhausen. — Widać, że jesteś zmęczony.

— Dziękuję za troskę, prawda, mieliśmy tyle pracy… — ucieszył się jej mąż, zatarł dłonie, jakby chciał zabrać w nie ciepło z kominka. — To ja panie pożegnam. Dobrej nocy.

— Teraz rozumiesz, dlaczego czasami ci zazdroszczę? — spytała Barbara kąśliwie, gdy wyszedł. — Mam dobre, wygodne życie. Kamienicę przy Wielkiej Tumskiej, jego dwór rodowy na wsi w Gostyniu i niczego mi nie braknie. Prócz wolności, Sydonio. Ty nie masz kamienicy i domu, pożyczasz pieniądze, ale jesteś panią samej siebie.

— Mam też proces — przypomniała Sydonia.

— A właśnie — wysunęła palec spod futra. — Miałam pytać: nie wstyd ci wnosić pozew o pobicie? No wiesz. Przyznać się przed wszystkimi, że spotkało cię coś takiego?

— Ja mam się wstydzić? Czy Jacob von Stettin? — zmarszczyła brwi Sydonia.

Pani Brockhausen szybko znalazła lepszy temat.

— Kaznodzieja się pojawił na mieście. Mówi… — szepnęła, wodząc wzrokiem za służącą, która weszła pozbierać naczynia. — Ależ się guzdrzesz — rzuciła do dziewczyny. — No, dalej, zmykaj do kuchni. Srebra trzeba wypolerować.

Służąca dygnęła z tacą, aż zabrzęczały sztućce, i wyszła.

— …mówi, ten kaznodzieja, że czas sądu jest bliski. Sądu Bożego — uściśliła. — To straszne. Ponoć ta zima, to zapowiedź gniewu Pana naszego. Owszem, pastor ten i ów ciągle wspomina, że taki dzień nadejdzie, ale sama rozumiesz. Nikt nie mówił, że to ma być za naszych czasów! Niesłychane i niesprawiedliwe. Nie chcę żadnego Sądu Bożego, nic złego nie zrobiłam, chcę sobie pożyć.

Sydonia codziennie wychodziła do miasta, kierowała się ku Odrze. Ale rzeka wciąż była skuta lodem. Pomosty portowe stały puste. Nigdy ich takimi nie widziała. Raz mignął jej wśród przechodniów Mattias, syn karczmarza. Szedł w grupie, z innymi. Poznał ją, skinął głową z daleka i rozłożył ręce. Zrozumiała. Kra to kra. Żaden statek nie przypłynie. Zawróciła w stronę ratusza. Zaczął padać śnieg. Z powodu zimna handlarzy było niewielu. Dzień wcześniej widziała na rynku rybnym, jak sprzedawali ryby zamarznięte w bloku lodu. Łowili je pod lodem, ale zamarzły w wiadrze, w którym trzymali je później. Pomyślała wtedy o szwagrze Hansa Hitze. Jak idzie mu interes w taką pogodę? Teraz szła między nielicznymi straganami, bardziej z przyzwyczajenia, niż z ochoty oglądając towar. Wstążki zesztywniały na mrozie.

— Panno Sydonio! — krzyknął ktoś za nią. — Panno Sydonio, och, po kapeluszu poznałem.

Joachim von Wedel był ledwie widoczny pod futrzanym kołpakiem wsuniętym na uszy i oczy. Złapał ją za łokieć, zdziwiła się tym poufałym gestem, pomyślała, może chce się przytrzymać, bo ślisko.

— Byłem u Brockhausenów, wszędzie panny szukam.

To znaczy, że ma wiadomość, której nie chciał zostawić na piśmie — pojęła w lot i mimo zimna poczuła, jak oblewa się potem.

— Tak? — zapytała.

Patrzył na nią i mrugał o chwilę za długo. Zrozumiała, zanim powiedział:

— Panna Dorota, siostra pani, nie żyje. Zmarła dwa tygodnie temu. Wyrazy współczucia.

Układała myśli, jedną do drugiej. Rozsypywały się, zbierała je znowu i znowu.

— Lublino? To się stało w Lublinie u ciotek? — spytała.

— Tak, tak. U nich. Skłóciły się z moją Kordulą i… tak nie powinno być, ale… tak się stało. Nie powiadomiono nas o pogrzebie.

— Pogrzebały ją beze mnie? — wyszeptała Sydonia.

— I bez nas — dodał Joachim. — Po tym wszystkim, co moja Kordula dla panny Doroty zrobiła, to było… — szukał słowa. — Niestosowne.

— Beze mnie — powtórzyła Sydonia. — Poszła do grobu sama, nie pożegnałam siostry…

— Ciotki mówią, oczywiście nie mnie, bo do mnie się nie odzywają, ale wiem od Lupolda, że wysłały do panny zawiadomienie, do

Reska. Ale czy im wierzyć? Nie wiem, nie wiem. Ponoć po pogrzebie przyjechał do Lublina Ulrich i zabrał rzeczy Doroty.

— Nie — powiedziała cicho. — To nie może być prawda. Ciotki byłyby tak okrutne?

— Albo głupie — powiedział Joachim von Wedel mściwie.

— Przyjechał pan tylko po to, by mnie odnaleźć? — spytała Sydonia.

— Między innymi. Spraw mam parę w ratuszu i sądzie — poprawił czapę, która spadała mu na oczy. — Nowy rok, nowe kłopoty. Strach pomyśleć, rok tysiąc sześćsetny! Ta zima, jak z koszmaru, a co jeszcze? Co jeszcze?

— Mnie przyniósł śmierć najbliższej osoby — powiedziała Sydonia.

Gdy szła do Brockhausenów, sypał śnieg, raz po raz ślizgała się, musiała ostrożnie stawiać nogi. Najpierw usłyszała dzwon na zamku. Odpowiedziała mu kolegiata Mariacka. Potem Święty Jakub. Powietrze gęste od dymu, przesłonięte śniegiem, wypełniły żałobne dzwony. Zanim dotarła na Wielką Tumską, już wiedziała, że nie biją dla Doroty. Z ust do ust powtarzano na ulicach:

— Zmarł książę Jan Fryderyk!

— Biada, biada, biada!

— Nasz pan nie żyje!

Z wież szczecińskiego zamku spuszczono czarne, żałobne sukno. Sydonia nie widziała go. Spojrzenie miała zamglone.


Barbara von Brockhausen czekała na nią niecierpliwie. Kazała służbie zagrzać piwa i nie żałować korzeni. Metteke odbierała od Sydonii płaszcz ciężki od śniegu.

— Będzie kapało, zabierz do sieni — ordynowała gospodyni. — Buty zdejmij, moja droga, musisz się rozgrzać. Płaczesz po Dorocie? Nie płacz. Twoja siostra nie będzie się więcej męczyła. Sama mówiłaś, że żyła w udręce. Nie mówiłaś? Bo jesteś zbyt dobrze wychowana. Ja mówiłam. Chodź, usiądź wygodnie. A te wasze ciotki? Z piekła rodem. A może i nie? Może się bały Ulricha? Dajcie pannie Sydonii ciepłego.

W Barbarę wstąpiło życie. Nie, nie z powodu nieszczęścia Sydonii. Z powodu śmierci Jana Fryderyka.

— Stało się — oświadczyła, gdy siedziały przy ogniu. — Teraz już nie masz się po co spieszyć. Dorota spoczęła w ziemi, czasu nie cofniesz. Zostań, przy mnie się pocieszysz. I, sama rozumiesz, co nas czeka: drugi książęcy pogrzeb.

Sydonia spojrzała na nią gniewnie, Barbara zmieniła ton na przymilny.

— Moja droga, jest życie, jest i śmierć. A takie rzeczy, jak pogrzeb panującego, to rzecz nadzwyczajna. I nadzwyczajne jest, że drugi pogrzeb możemy celebrować razem. Nie odmawiaj mi tego, proszę. W końcu Ernesta Ludwika chowali w Wolgast i nas tam nie było. Czy ty wiesz, ilu ludzi ściągnie do Szczecina? Toż tłok taki będzie na drogach, że nawet wracać teraz niespokojnie. Przeczekaj.

Gniew, rozpacz, lament, żal. Mroźna pustka roku tysiąc sześćsetnego.

Radca dworu, pan Brockhausen, znów stał się w oczach żony kimś ważnym. Miał to, czego pragnęła: wiadomości z zamku.

— Ciało najjaśniejszego pana już wyruszyło z Wolgast. Karawan sprawiono nowy, zaprzężono doń szóstkę koni z książęcej stajni, najpiękniejszych, specjalnie dobranych.

— Och — westchnęła Barbara. — Na konie Jan Fryderyk nigdy nie żałował.

— Przewidujemy wjazd książęcego ciała do miasta w sobotę, albo niedzielę, to zależy, jak w drodze będzie, w końcu zima. Musimy zadbać, by przywitały go tłumy.

— O to bym się nic a nic nie martwiła. Sama bym poszła na wjazd księcia, ale moje nowe okrycie na niedzielę nie będzie gotowe.

— To uroczystość raczej dla mieszczan — chciał wyperswadować żonie Brockhausen. — Burmistrz, starsi cechów. Karawan wjedzie Bramą Młyńską...

— Chwileczkę — przyłapała męża Barbara. — A dwór? Nie przeoczyłeś czegoś?

— Dwór będzie, jakżeby inaczej. Dwór musi ciało swego pana powitać. Tyle, że radcy dworu bez małżonek, małżonki proszone dopiero na pogrzeb.

Barbara przewróciła oczami, pan Brockhausen kontynuował.

— Ciało książęce wystawimy w nowej Wielkiej Sali, na zamku, dzień i noc pod strażą...

— Trumna będzie z okienkiem? — dopytała Barbara, oblizując spierzchnięte wargi.

— Z okienkiem. Sarkofag cynowy już zamówiono, najwięcej roboty konwisarze będą mieli z wiekiem, bo tam musi być wielki herb Pomorza, krucyfiks, dewiza księcia, sentencje biblijne, epitafia z tytulaturą, wszystko złocone, wszystko.

— Czerń i złoto. Bardzo wytwornie — pochwaliła Barbara.

Pan Brockhausen poczuł się doceniony, ciągnął szczegółowo:

— Na bocznych ścianach sarkofagu wstęgi, na narożnikach kariatydy.

— Ach — westchnęła. — Już to widzę.

— Zawiadomienia o zgonie pana wysłano do cesarza, do polskiego króla Zygmunta Wazy, do elektora, do książąt meklemburskich, saskich, brunszwickich...

— Przyjadą? — niecierpliwie przerwała mu żona.

— Nie wiemy jeszcze — pan Brockhausen zdawał się nie widzieć jej ekscytacji. Odpowiadał spokojnie, po kolei i powoli. — Komnaty książęce i kościół zamkowy już służba zaczęła wykładać kirem...

— Ja też tym razem byłam mądrzejsza — wtrąciła się Barbara. — Jak tylko wiadomość o zgonie księcia gruchnęła, pchnęłam służącą do mistrza Petrusa. Nikt mi czarnego aksamitu sprzed nosa nie sprzątnie. Trzeba się uczyć na błędach. A data pogrzebu wyznaczona?

— Nie wspomniałem? — zmartwił się Brockhausen. — Owszem. Za cztery tygodnie.

Cztery tygodnie — powtórzyła w myślach Sydonia. I za tą myślą pobiegły kolejne: że z Dorotą ciotki nawet jednego nie poczekały. Że dla najbliższych księcia te cztery to będzie mordęga.

— Mistrz Petrus zdąży ze wszystkim — odetchnęła z ulgą Barbara. — Co jeszcze ciekawego? — ponagliła męża.

Odchrząknął niepewnie. Zerknął na żonę, na Sydonię.

— Egzenteracji, czyli otwierania ciała nie było i nie będzie. Książę przed śmiercią wyraźnie zabronił.

— Co ty powiesz...

— Tak, tak — potwierdził pan Brockhausen. — Medycy już orzekli, że to palec Boży, *digitus Dei*, ta śmierć to coś nadnaturalnego. Pan nasz odszedł jakby w środku zabawy, tak, że się nikt nie spodziewał.

Sydonia nie chciała tego słuchać. Pragnęła wstać i wyjść, ale ciało miała obolałe, nieposłuszne, bezwolne. Siedziała, jak wmurowana.

— W środku zabawy? — powtórzyła Barbara po mężu. — Co to znaczy? Że pił, ucztował, tańczył?

Spojrzał na nią, zamrugał.

— Tak, jakbyś tam była, Barbaro.

Brockhausenowa zacisnęła szczęki, Sydonia widziała, że walczy w niej chęć szybkiego usłyszenia nowin ze złością na męża. To pierwsze wygrało. Uśmiechnęła się do niego i poczekała, aż zacznie mówić dalej.

— Trzy dni trwały zapustne bale i maskarady. Pan się bawił ze wszystkimi wyśmienicie. Tamtego, feralnego wieczoru, po kolacji, książę zatańczył z księżną Erdmutą, a potem nawet z dwórkami. Puttkamer mówi, że książę tańcząc, śmiał się i kroku nie zmylił ni razu. Potem zaś stanął koło kominka i rozmawiał z bratem, Bogusławem.

Za plecami musieli mieć wielki gobelin — pomyślała Sydonia. — Dwaj dorośli bracia na tle siebie samych, młodziutkich. A teraz z gobelinowych książąt żyje już tylko jeden, Bogusław. Jak się czuje przed tą wielką tkaniną, pełną wpatrzonych w niego oczu nieżyjących?

— Po skończonej pogawędce nasz pan chciał dotrzymać towarzystwa wdowie z Loitz, księżnej Zofii Jadwidze. Ale gdy tylko usiadł przy niej, złapał się za głowę i zaczął krzyczeć. Osunął się, opadł na fotel. Nie minęła godzina, odkąd wszedł do sali balowej, Puttkamer dokładnie czas wyliczył, jak zaniesiono naszego pana do komnaty, w której się był narodził.

— Och — jęknęła Barbara i z oczu popłynęły jej łzy. Osuszyła je chusteczką, ale wytarła nią ślady w bielidle i wyglądała okropnie. — To takie wymowne. Zmarł w łóżku, w którym na świat przyszedł. Mogłabym o tym słuchać w nieskończoność.

— Mam powtórzyć? — spytał wzruszony Brockhausen.

— Nie! — fuknęła na niego. — Mów dalej.

— W komnacie wyrzucił z siebie, za przeproszeniem pań, tyle ropy i krwi, że służba nie raz zmieniała pościel. A potem opadł pan nasz z sił. Następnego dnia, to było w środę, pan mdlał, nie mógł nic zjeść, ledwie trochę przełknął napoju. W czwartek Martin Glambeck, kaznodzieja osobisty pana, przyjął jego spowiedź i udzielił mu absolucji. Potem pan spał i był coraz słabszy.

— Powiedział coś? — spytała Barbara. — Jakieś ostatnie słowo?

Brockhausen pokręcił głową.

— Nawet jeśli, to mnie o tym nic nie wiadomo. W sobotę zmarł, rano, z głębokim westchnieniem.

Przeżegnali się wszyscy troje, a służba stojąca w progu komnaty ten gest państwa powtórzyła nabożnie. Metteke uderzyła w płacz, ale ktoś ją uciszył.

— Mówisz, że ciała nie otwierano do badania — podjęła Barbara po chwili. — Mówisz, że coś nadnaturalnego. A o truciźnie nikt nie pomyślał?

— Pomyślano — powiedział ciężko Brockhausen. — Ale kto to sprawdzi? Nikt nie potwierdzi, a lekarze mówią jeszcze o schorzeniu śledziony, albo o rupturze. Prawda jest taka, że książę skończył lat pięćdziesiąt siedem i mógł jeszcze pożyć.

— Ernest Ludwik zmarł dziesięć lat młodszy — przypomniała Barbara.

— A ich stryjeczny dziadek Barnim dwadzieścia lat starszy. Nic to nie znaczy. Zmarł książę, niech żyje książę.

— Kto po Janie Fryderyku obejmie Szczecin? — spytała Sydonia.

— Młody książę Barnim — odpowiedział jej Brockhausen.

— Już nie taki młody — poprawiła go żona.


Choć był już początek marca, mróz nie puszczał, w dzień pogrzebu wiało chłodem. Metteke okręciła klagbinde wokół głowy Sydonii. Mogła skryć się pod nim i był jak jej pancerz. Założyła żałobny welon, nie kapelusz. I jak na pogrzebie Barnima, zajęła miejsce u boku Barbary.

— Z Borkami byłabyś bliżej trumny — powiedziała Brockhausenowa i dodała szybko: — Ale z nimi ci nie po drodze. Musiałbyś iść przy Otylii. Mężczyźni wiadomo, bliżej czoła konduktu.

Nie wypatrzyła Jurgi, za to mignął jej Jost i jego żona, Ilse. Jost patrzył na nią, ale jej nie poznał. Spod klagbinde widać było tylko oczy. Ulricha też nie dostrzegła, ale mógł być jego pierworodny, Otto, skoro była Otylia. Poznała ją po wzroście i po tym, że do niej Jost przyprowadził swoją żonę. Innych kobiet przy Otylii nie było, więc córek nie zabrała ze sobą.

— Za pierwszym pogrzebem mogłyśmy i popatrzeć, i pójść w kondukcie — wspomniała Barbara, której klagbinde wciąż więcej odsłaniało, niż kryło, jak wtedy. — Teraz, odkąd w nowej kaplicy nekropolia Domu Gryfa, już tak się nie da jak kiedyś. I pomyśleć, że Jan Fryderyk jako pierwszy spocznie w wybudowanej przez siebie krypcie. Życie płata niespodzianki, śmierć w niczym nie jest gorsza.

Gdy przybyły na zamek, w tłumie innych żałobników ciągnących tam przy dźwięku żałobnych dzwonów, trumna stała już na katafalku zasłanym czarnym suknem. Marszałek dworu pilnował formowania konduktu. Za trumną szli bracia. Ustawili się w jednym szeregu, jako pierwszy Barnim, bo dziedziczy księstwo, obok niego Bogusław, bo najstarszy z żyjących, i Kazimierz jako trzeci, choć był urzędującym biskupem. Księżnej Erdmuty Sydonia nie poznała.

— Przytyła sporo w ostatnich latach — wyjaśniła Barbara. — Ale żeby na fotelu ją nieśli w kondukcie? — zdziwiła się nieco za głośno i pokazała na czarny mebel, który dworzanie nieśli przy księżnej.

— Okropnie przeżywa śmierć męża, boją się, że zasłabnie — odwróciła się z wyjaśnieniem kobieta stojąca przed nimi. — Dzień dobry, pani Brockhausen — powiedziała.

— Smutny dzień — odrzekła jej Barbara. — Naprawdę może zasłabnąć?

— Tak mówią — potwierdziła tamta. — W podróży z Wolgast, gdy jechali z ciałem, to mdlała raz po raz i nawet jeden dzień musieli na nią czekać, bo tak zaniemogła. Dlatego wjazd nie odbył się w sobotę…

— Wiem — szybko weszła jej w słowo Barbara. — Tylko w niedzielę.

Dama potwierdziła skinieniem głowy i odwróciła się z powrotem.

— Nie mam pojęcia, kto to jest — szepnęła Barbara tym razem cicho, wskazując na jej plecy. — To zmora i urok pogrzebów, nic prócz oczu nie widać — zaśmiała się i spoważniała natychmiast, bo pastor skończył kolejną z mów żałobnych i dano znak, że kondukt ruszy.

Jak poprzednio, przodem szło dziewięciu dostojników, za nimi uczniowie szkół miejskich, potem uczniowie Pedagogium Książęcego z profesorami, organista, muzycy, kaznodzieje, dopiero za nimi trębacze. Barbara zdołała się przebić przez dźwięk instrumentów i powiedzieć, że zimno. Sydonia zrozumiała, że się nudzi, czekając na ich kolej. Żałobników było tak wielu, że czoło konduktu mogło już przejść ulicę Wjazdową i skręcić w Kuśnierską, a trumna nadal czekała na swą kolej na katafalku. Ale w końcu i ten moment nastąpił. Dwunastu szlachciców poniosło wielką trumnę z ciałem Jana Fryderyka w jego ostatnią drogę. Początkiem był zamkowy dziedziniec i końcem ten sam zamek, na który wrócić mieli przez Dzieciniec Żurawi wprost do kaplicy. Księżna Erdmuta rzeczywiście zasłabła po kilkunastu krokach i trzeba ją było posadzić i cucić. Kondukt stanął.

— Pomyśleć, że księżna szczecińska tylko przez tych kilka dni, od śmierci męża do jego pogrzebu, nosi zaszczytny tytuł szczecińskiej wdowy — powiedziała Barbara von Brockhausen.

— Takie jest życie — włączyła się w rozmowę ta sama dama co wcześniej. — Im więcej splendoru, tym więcej żalu. Od jutra pani Erdmuta będzie wdową słupską.

— Przecież wiem — powiedziała Barbara, która nie znosiła, gdy mówiono jej o rzeczach oczywistych. — Dadzą jej czas na spakowanie i wywiozą do Słupska. A my będziemy mieli księżną Annę Marię.

— I księcia Barnima — dodała tamta.

— Kondukt ruszył — pokazała jej zniecierpliwiona Barbara. — Proszę nie zatrzymywać ruchu.

Gdy kobieca część pochodu wychodziła z zamku, rozpoczynający kondukt szlachcice już stali z boku. Okrążyli całą pogrzebową trasę i czekali, aż reszta do nich dojdzie. Zaczął prószyć śnieg. Sydonia schowała dłonie w rękawach futra. Spojrzała na otaczające je kobiety. Tylko biel i czerń. I oczy. Cała reszta skryta pod żałobnym strojem. Gdy szły Tumską, nieopodal domu Brockhausenów, Barbara wyprostowała się i westchnęła. Dzwony nie milkły. Wzdłuż trasy przemarszu cisnęły się tłumy mieszczan. Wiele kobiet łkało.

— Nasz drugi pogrzeb — westchnęła Barbara uroczyście. — O czym myślisz?

— Czy ciało zamarzło — odpowiedziała Sydonia. — Gdy je wieźli karawanem z Wołogoszczy.


Tydzień po wielkim pogrzebie, gdy przeminęły wszystkie uroczystości, gdy ubogim rozdano już sukno pogrzebowe i jałmużnę, nadeszła odwilż. Mewy krzykiem obwieściły, że kra na Odrze puściła. Po kilku dniach, jeden za drugim, zaczęły wpływać do portu statki. „Wielki Stralsund" zawinął, bez Ascaniusa. Nie było go na pokładzie.

— Zaciągnął się gdzie indziej — powiedział Mattias, gdy Sydonia zajrzała do „Popiołka". — Ale marynarze ze „Stralsundu" mieli wiadomość dla panny.

— Jaką? — spytała.

— „Czekaj" — odpowiedział Mattias.


Nie czekała. W kancelarii Sądu Nadwornego złożyła pismo, że domaga się wydania przez brata spadku po siostrze. I dodatkowo przekazania sobie sumy posagowej, którą Ulrich winien był Dorocie. Wróciła do Reska. Zostało jej jeszcze kilka miesięcy w domu wynajętym od Hansa

Hitze. Musiała zastanowić się, co dalej. Po raz kolejny w coraz dłuższym życiu.


Książę Barnim przejął księstwo i długi swego szlachetnego brata, Jana Fryderyka. Szczecin pod rządami starszego brata zamienił się w kwitnące miasto, każda z książęcych posiadłości była perłą. Dwór myśliwski w Podlesiu, dwór rybacki w Kopicach, Oderburg, nie wspominając o samym szczecińskim zamku, który po przebudowie stał się wymarzoną rezydencją. Każdy z gości Jana Fryderyka wyjeżdżał olśniony. Barnim nie był naiwny, znał koszty władzy, choć przed śmiercią brata gospodarzył ledwie w Darłowie. Jednak stan skarbu książęcego przeraził go.

Stał przed dokumentami, które przedstawił mu kanclerz. Od patrzenia w nie zaszumiało mu w głowie, a po chwili, gdy dotarło do niego znaczenie liczb, poczuł ucisk w piersi. Potem kołatanie serca, którego nie był w stanie uspokoić, lęk, paraliżujący lęk, huk rozsadzający czaszkę. Jego przyjaciel, Caspar Winsius, wsunął mu w rękę kielich. Barnim wypił duszkiem.

— Wolałbym umrzeć w Darłowie, jako najsłabiej uposażony z braci, niż teraz dziedziczyć to wszystko — wyszeptał, przesuwając na stole sprawozdanie skarbowe. — Czy mój brat kiedykolwiek rozmawiał ze skarbnikiem księstwa?

— Unikał tych rozmów — przyznał kanclerz. — Na obronę świętej pamięci księcia powiem, że było wiele możliwości przeprowadzenia reform, lecz każdą z nich torpedował nieżyjący książę Ernest Ludwik.

— Do diabła — zaklął Barnim. — Konflikt tych dwóch ciągnie się po śmierci.

— Książę wołogoski Bogusław jest świadom konieczności uzdrawiania księstwa. Z nim znajdziesz, panie, wspólny język — powiedział kanclerz dość oschle, jakby odpychał od siebie problem.

To moja sprawa — przełknął to Barnim, choć gorzko. — Moja, mojego brata, mojej rodziny. Ja się muszę tym zająć, on nie zamierza się wtrącać. Ale pojawi się znów, jako kanclerz, gdy będzie mnie można zrecenzować.

Kanclerz poprawił elegancki, biały mankiet i ciągnął dalej:

— Jednak teraz najpilniejsze jest uregulowanie spraw spadkowych. Księżna Erdmuta opuszcza swe dawne komnaty, ale przyznam, że robi to dość opornie i…

Przez tyle lat byłem szczęśliwy w Darłowie — pomyślał Barnim, zaciskając szczęki. — W morskim zamku, ze skromną stajnią i kilkorgiem służby. Teraz otaczają mnie prawdziwi dworacy, najwyższej rangi. Z ich grą podstępów, szczuciem na siebie, z ich wytworną, zdobną koronkami podłością.

— Proszę mówić, kanclerzu — powiedział tak obojętnie, jak potrafił.

— Jak księciu wiadomo, siedem lat przed śmiercią pana, gdy zachorował, zmieniono testament.

Teraz będzie opowieść o tym, jak nad chorym Janem Fryderykiem stała rodzina Erdmuty i naciskała, by dopisał jej dóbr do oprawy wdowiej — Barnim doskonale wiedział, co powie kanclerz. — Ciekawe, czy opanuje złośliwość wobec Hohenzollernów przez wzgląd na to, że moja żona jest siostrą wdowy?

— Rzecz w tym, że księżna Erdmuta każe służbie pakować rzeczy niewymienione w testamencie — powiedział kanclerz. — Klejnoty, precjoza, cenne meble, gobeliny, instrumenta z gabinetu świętej pamięci pana.

— Gabinet należy do mnie — przypomniał Barnim.

— Wiem o tym, najjaśniejszy panie — z chłodną uprzejmością potwierdził kanclerz. — Zainteresowaniem księżnej Erdmuty cieszą się osobliwie rzeczy zgromadzone przez księcia w dworze w Podlesiu. Wysłała tam najbardziej zaufanych dworzan. I...

Tego zawieszania głosu chyba ich uczą od dziecka — wściekł się w duchu Barnim. — Pewnie w Greifswaldzie jest osobny, tajemny fakultet, dla kanclerzy, marszałków i innych dworaków. On ukończył go z wyróżnieniem. Lepiej niż ja swój, książęcy. Wszyscy wiedzą, że nie byłem kształcony na władcę.

— Proszę dalej, kanclerzu — powiedział, hamując gniew.

— Nadzwyczajna aktywność wokół dóbr po zmarłym nie dotyczy wyłącznie księżnej wdowy.

Barnim widział, że rozmówca patrzy na niego wyczekująco. Że go podpuszcza, chce, by pytanie wyszło od księcia. Zagrał z nim zupełnie inaczej. Zagrał z nim w szczerość.

— Kanclerzu, nie podjąłem jeszcze decyzji, kto obejmie urząd po tobie. Wiesz, dlaczego? Bo nie mam pojęcia, jakich umiejętności trzeba dzisiaj, za czasów mnie: księcia Barnima X, by poradzić sobie z zarządem księstwa.

Zdecydowanym ruchem sięgnął po stojącą na olbrzymim stole klepsydrę. Odwrócił ją i piasek zaczął przesypywać się wąską strugą. Obydwaj usłyszeli szum czasu, który zaczął się liczyć.

Kanclerz zrozumiał.

— Najbliżsi dworzanie Jana Fryderyka ruszyli na łowy — powiedział. — Po rezydencjach dawnego pana. Zbierają trofea. A wierz mi, książę, jest ich mnóstwo i wiele z nich nigdzie nieujętych. W dodatku ci, których świętej pamięci książę obdarzał specjalnymi przywilejami, wykazują w dniach po jego śmierci aktywność finansową. Z dóbr książęcych, którymi w moim mniemaniu gospodarują bezprawnie, ściągają gotówkę i naturalia. Szczególną uwagą należy otoczyć książęce stajnie. Rumaki Jana Fryderyka to majątek.

— Kto? — spytał Barnim.

— Kameke jest pierwszy. Krukow mu nie ustępuje w niczym. Bracia Kleistowie. Ale i synowie nieżyjącego hrabiego Nowogardu, Ludwika Ebersteina.

— Co proponujesz?

— Powołać komisję z ludzi, którzy nie byli u stołu nieżyjącego księcia. Z wiernych, ale trzymanych z dala od dworu. Najlepiej z twoich zaufanych, książę.

— Nie będę zastępował jego ludzi swoimi. Znajdziemy nowych.

— Doskonała decyzja, panie — skinął głową kanclerz. — Należy także zwrócić uwagę na Hansa Rambowa.

— Na zięcia Jana Fryderyka — uściślił Barnim i sprawiło mu radość, że najwyższy dworski urzędnik się zawstydził. Pałacowa moralność. Wszyscy wiedzieli, że Jan Fryderyk wydaje nieślubną córkę za syna zaufanego pokojowca. Bawili się na ich weselu w Podlesiu. Ale nazwać Rambowa zięciem, to dla nich zniewaga. Dworskie psy.

— Zapisz moje polecenia — powiedział. — Po pierwsze, zatrzymać działania księżnej Erdmuty i zrewidować kufry przeznaczone do wysyłki do Słupska w obecności komisji, wedle zapisów testamentowych. Wszystko to, co się już w nich znajduje, a czego nie uwzględniono w testamencie brata, wyładować i zostawić w osobnej komnacie w Szczecinie. Komnatę ty wyznacz, kanclerzu.

— Tak jest — przytaknął i dodał śmielej: — Wielka Sala będzie w sam raz.

— Wezwać panów: Joachima von Wedla, Ewalda von Flemminga i Johana von Hechthausena na członków komisji sprawdzającej.

Dołączyć do nich mają przedstawiciele mych miast, Szczecina i Strzałowa, na równych prawach.

Widział, jak kanclerz się skrzywił. Obecność miejskich rajców mu nie pasowała. I dobrze.

— Komisja, którą powołuję, ma bezzwłocznie sprawdzić uprawnienia wszystkich korzystających z dóbr książęcych. Dokumenty, jakie przedłożą, ma ocenić Sąd Nadworny. Oczekuję sprawozdania na piśmie. I dalej: straż książęca pod bronią ma pilnować stajni i dworów, by wspomóc działania moich komisji, i uniemożliwić jakiekolwiek bezprawne wejścia osób nieuprawnionych. Na dzisiaj tyle — Barnim uniósł klepsydrę, w której piasek się przesypał. — Kolejnymi sprawami zajmiemy się jutro.

— Wedle rozkazu — ukłonił się kanclerz i wyszedł.

Uwadze Barnima nie uszło, że w progu się zgarbił.

Noc była zimna i wietrzna, ale księciu brakowało tchu. Przywołał Caspara Winsiusa. Ten bez słów zrozumiał. Przyniósł do obszernej komnaty sypialnej skórzane spodnie, takąż kurtę i płaszcz. Pomógł się Barnimowi przebrać i pieszo ruszyli na miasto. Za Dziedzińcem Żurawim narzucili na głowy kaptury. Dołączyło do nich czterech tak samo, po żeglarsku ubranych i dyskretnie uzbrojonych ludzi z darłowskiego zamku. Przez furtę Rybacką wyszli na pomost, wsiedli do zacumowanej tam łodzi i popłynęli Odrą w dół rzeki. Dopiero gdy ciężka woń miasta została za nimi, Barnim zaczął oddychać równo. Caspar podał mu bukłak z winem. Barnim wychylił łyk, potem drugi.

Byłem szczęśliwy w Darłowie — zaczął swoją osobistą żałobną mowę do brata. — Nie chciałem, żebyś umarł. Życzyłem ci długich rządów i syna, który odziedziczyłby księstwo. Ani jedno, ani drugie się nie spełniło. Ja też nie będę miał synów. Wiesz, kto będzie po nas dziedziczył? Chłopcy Bogusława. Ma ich pięciu. Ciekawe, czy już dzisiaj, gdy są tacy młodzi, nasz mądry i przewidujący brat uczy ich kunsztu kłamstw, gier dworskich i szarad dynastycznych. Mnie pozbawiono tej sztuki. Od dziecka wiadomym było, że nie będę panował. I co? Stała się rzecz nieprzewidziana i niewiadoma. Jestem błędem, wiesz o tym? Nigdy nie powinna na mych barkach spocząć taka władza. Nie cieszę się z niej. Nie poważam splendoru, obce jest mi pragnienie chwały. Nie będę tu szczęśliwy, wybacz, a może i mnie uda się wybaczyć tobie, że znalazłem się tu, gdzie nigdy nie sięgałem myślą.


Wyniki prac powołanej przez Barnima komisji przyszły szybko. Wedel, Flemming, Hechthausen i pilnujący ich kanclerz spisali się świetnie. Erdmudzie odebrano to, co nie należało do niej, lecz do dynastii. Barnim właściwie jej współczuł. Wyjeżdżała do Słupska otoczona dworem i samotna. Bezdzietna. Ze względu na okropny stan jej zdrowia pozwolił, by dworski lekarz, doktor Oessler, pojechał wraz z nią. On nie potrzebował doktora, w każdym razie, nie takiego, jak mieli. Kamarylę Jana Fryderyka odcięto od dochodów. Te skierowano do skarbu. To już było coś, choć Barnim z goryczą dostrzegał, że utrzymanie dwóch wdów po braciach, pani z Łosic i pani ze Słupska, kosztuje kraj fortunę. Źle, gdy apanaże pośmiertne ciążą na wydatkach żywych, ale nie tknął niczego, co bracia zapisali swym żonom. Tak dyktował mu honor. Najmłodszy z braci, biskup kamieński Kazimierz, miał się coraz gorzej. Wyniszczyła go ospa, którą przeszedł pięć lat temu. Bywało, że tygodniami, dzień w dzień, wył z bólu. Jego los był jeszcze bardziej splątany, niż los Barnima. Jako dziecko samotny, jako młodzian zagubiony, wrzucony w stan biskupi, do którego nie miał ani krzty powołania. Dlatego nikt nie mrugnął okiem, gdy Kazimierz wydał sporo pieniędzy, budując sobie własną siedzibę, zamek nad brzegiem morza w Neuhausen. Barnim rozumiał go najbardziej. Teraz jednak namawiał Kazimierza, by na parę miesięcy porzucił morski zamek i pojechał na kurację do ciepłych wód. Coś musi wrócić mu zdrowie, a im dalej od księstwa, tym mniej będą patrzeć na to, kto mu w uzdrowieniu pomaga. Bogusław był zły, że ta kobieta jest zwykłą mieszczką. Katarina z Kołobrzegu. O co się wściekać? Panna Frorycken była bogaczką, córką zacnego rajcy, a Kazimierz, jako biskup pomorski, nigdy nie mógł obiecać jej małżeństwa, jak wiadomo kto, wiadomo komu. Tu nie było niuansów. Barnim, odwrotnie niż jego brat Bogusław, uważał, że tej kobiecie należałaby się pensja, za posługę, jaką wykonuje przy ich bracie. Ale o tym nie było mowy. Czyżbyśmy mieli się stać parą antagonistów — pomyślał po kolejnym starciu z Bogusławem. — Jak Jan Fryderyk i Ernest Ludwik przed nami?

— Książę — Caspar Winsius wszedł tak cicho, że Barnim nie zwrócił na niego uwagi. — Z Podlesia przywieziono rzeczy świętej pamięci księcia Jana Fryderyka. Jest w nich coś, co powinieneś zobaczyć.

— Co takiego? — spytał, posłusznie idąc za Casparem do Wielkiej Sali.

— Sam zobacz — powiedział jego towarzysz.

Weszli do komnaty. Wciąż wysłana była czarnym suknem, jak na czas ceremonii pogrzebowej. I nadal unosił się w niej ten nieznośny zapach śmierci. Ciało brata, wprawdzie w trumnie cynowej, ale stało tu cztery tygodnie.

— Chryste — jęknął Barnim, gdy weszli. — Tyle tego zabrano?

— Tak — potwierdził Caspar. — Słupska wdowa, Kameke i inni wiedzieli, co i gdzie twój brat ma cennego.

Patrzył na najróżniejszego rodzaju meble, na skrzynie okute, na końskie rzędy wysadzane kamieniami, na naczynia, wazy, kielichy, srebra stołowe, na obrazy, książki, złotogłowie.

— Pozwól do tego kufra, panie — dyskretnie wskazał Caspar.

Niepozorna, prosta skrzynia, bez okuć. Otworzył jej wieko. Wyjął sztambuch oprawny w purpurowy jedwab. Poczuł się z tym nieswojo, bo zrozumiał, że za chwilę dotknie jakiejś tajemnicy brata. Przeciągnął dłonią po jedwabnej oprawie i wtedy zauważył coś, co było na dnie skrzyni. Odłożył sztambuch na jej krawędź i sięgnął.

— Co to jest? — spytał zduszonym głosem. Bał się w obecności tego przedmiotu mówić głośno.

— Pamiętasz, panie, wieżę w Zielonczynie? Samotne polowanie, na które udał się twój brat w drugim dniu pobytu? To trofeum z tych łowów. Pas wykonany ze skóry z jelenia obdartego z niej żywcem — powiedział Caspar, a jego głos zawibrował dziwnie.

Barnim wypuścił go. Pas upadł cichutko na dno skrzyni. Wstrząsnął nim dreszcz. Znów sięgnął po sztambuch. Otworzył się na miejscu zaznaczonym jedwabną zakładką. Na portrecie.

Barnim długo wpatrywał się w oczy na rysunku. Potem odłożył sztambuch.

— Nie miałem pojęcia, że mój brat ma takie zdolności do ilustracji — powiedział.

— Jest więcej rzeczy, które powinieneś zobaczyć, książę.


Rok wynajmu domu w Resku skończył się, Hans Hitze chciał przedłużyć umowę, mówił, że opuści guldena z ceny.

— Jak tylko odzyskam w sądzie spadek po siostrze, panie Hitze — powiedziała, podając mu rękę na pożegnanie. — Wrócę tu, obiecuję.

Zamieszkała w Krzywnicy, u Wedlów. Wciąż zalegała Zygmuntowi ze spłatą, ale mimo to nie poskąpił jej gościny. I zgodził się podżyrować pożyczkę, sprawy w sądzie kosztują.

Krzywniccy Wedlowie byli jej przyjaźni. Traktowali ją wciąż jak nieco młodszą kuzynkę, jakby czas dla nich wszystkich stanął w miejscu, w tamtych szczęśliwych latach, gdy byli dziećmi bawiącymi się w ogrodzie w chowanego. Mówili do niej tym samym tonem, co wtedy, nieco zaczepnym, a nieco dziecinnym. Zygmuntowi często wyrwało się „Sydonko", a Martin czasem mówił do niej „rudzielcu", choć ona zaczynała siwieć, a on sam od dawna był łysy. Przy nich mogła odpocząć, zapomnieć, że dawno skończyła pięćdziesiąt lat, trzymali ją w pionie. Ich żony użyczały jej swych panien służebnych, a te przeszywały suknie, krochmaliły kryzy, potrafiły nawet usunąć nieznośną plamę z ronda kapelusza. Była im wdzięczna. Zwłaszcza, że straciła Metteke.

— Służące nie są wieczne — powiedziała żona Martina, Anna. — Rozejrzyj się za kimś młodszym, kto dłużej ci posłuży.

— Metteke służyła mi długo — upomniała się o jej pamięć Sydonia.

— Czyli potrzebna ci nowa Metteke — zrozumiała ją Anna i razem zeszły do kuchni dla służby.

Mieściła się w osobnej części dworu w Krzywnicy, na tyłach kuchni dla państwa. W przestronnym wnętrzu znalazło się i miejsce na jadalnię. Wielki, prosty stół. Dwanaście wygodnych krzeseł. Porządnie poustawiane naczynia, rondle wiszące na ścianie, lśniące i wypolerowane. Czyściutki obrus, dzban na piwo, pełny.

Ładniej tu, niż było u mnie w Resku — pomyślała Sydonia.

— Nasza kuzynka szuka nowej panny służącej — oznajmiła Wedlowa. — Dziewczyny, która potrafi i uszyć, i ugotować, i sprzątnąć.

— To trzy panny — podliczyła gospodyni Wedlów, wycierając mokre dłonie ręcznikiem.

— Jedna, ale pracowita i zdolna — uściśliła jej pani.

— Córka kuzynki rozgląda się za pracą — odezwała się szczupła kobieta w wieku Sydonii.

— Ty jesteś ta nowa? — spytała Anna.

— Tak. Nazywam się Lene.

— Lene?

— Lene Schmedes — przedstawiła się kobieta i poprawiła chustkę na głowie. Kosmyki ciemnych włosów wymykały się spod niej.

— Przypomnij mi, twój mąż został ścięty za kradzież? — drążyła Wedlowa.

Na policzki Lene wystąpił krwisty rumieniec, tak nagle, jak ślad po uderzeniu.

— Nie, jaśnie pani — zaprzeczyła hardo. — Ścięli go, bo ukrywał złodzieja. Sam nie kradł.

— A ten złodziej? To była jakaś znana sprawa — ciągnęła Anna.

Lene nie odpowiedziała, wyręczyła ją gospodyni.

— Tamten hultaj okradał kościoły. Ale Lene nic z nimi nie miała wspólnego.

— Przyprowadź tę kuzynkę. Zobaczymy, co potrafi — powiedziała żona Martina, wymijająco.

Wyszły z kuchni dla służby i przeszły się do ogrodu warzywnego na tyłach domu. Anna interesowała się uprawą ziemi.

— Zobacz, Sydonio — pokazała na puste, bure zagony. — Czegoś takiego za mojego życia nie było. Jest maj, a nic nie wzeszło. Nic a nic. Jeśli tak dalej pójdzie, zimą czeka nas głód. Przesadzam — westchnęła, mocniej okrywając się płaszczem. — Nas głód nie dotknie, mamy zapasy. Ale biedacy? Nie wiem, jak przeżyją. Martin mówi, że bydło zaczyna chorować.

— Koszmarnie zimno — odpowiedziała Sydonia.

— Żeby w maju trzeba było palić w piecach? Chodzić w zimowych płaszczach? — weszła jej w zdanie Wedlowa. — Ten ogród zawsze był moją chlubą — wskazała na bezlistne, kolczaste gałęzie. — Gdy pomyślę, że róże nie zakwitną, to aż mnie skręca. Jak poradzę sobie bez róż? Zmieńmy temat, bo serce mi pęknie. Wiesz, ile lat ma żona Lupolda von Wedla?

— Słyszałam, że młoda.

Anna zaśmiała się złośliwie i zarazem od serca.

— Młodsza od nas i dużo, dużo młodsza od Lupolda! Ale czy młoda, sama orzeknij. Trzydzieści siedem lat skończyła, gdy nasz Lupold von Wedel poprowadził ją do ołtarza.

— Zamieniłabym się — powiedziała Sydonia. — Oczywiście nie na Lupolda. Tylko na lata.

— Ty ją powinnaś znać — ciągnęła Anna. — To córka dawnego wołogoskiego kanclerza.

— Była dzieckiem, gdy przebywałam na tamtejszym dworze. Nie pamiętam. Jak im się układa? — zmieniła temat Sydonia.

— Trudno orzec, ona nam się nie zwierza, Lupold zadziera nosa.

— Przestał podróżować?

— Wyobraź sobie, że tak! Choć mówią, że to może mieć związek nie z żoną, a ze zmianą na szczecińskim zamku. Książę Barnim nie ma aż takiego zaufania do Lupolda. Za to obdarzył nim Joachima von Wedla. Wiesz, jak to u Wedlów, trzymasz z tymi, albo tamtymi.

— Wiem — ucięła Sydonia. — Dlaczego Kordula skłóciła się z moją Dorotą przed jej śmiercią?

— Tego nikt nie potrafi zrozumieć — rozłożyła ręce Anna i puściła do niej oko. — Choć wszyscy są ciekawi. A kto to?

Z podjazdu przed dworem wyjeżdżał konny w barwach księcia.

— Goniec pocztowy? Ze Szczecina? Dzisiaj? — przyspieszyły kroku.

— Wiadomość dla panny Sydonii — powiedział sługa Martina, gdy weszły do domu.

Sydonia zdjęła płaszcz i rękawiczki. Wzięła pismo z pieczęcią kancelarii książęcej.

— To z sądu — powiedziała do patrzącej na nią wyczekująco Anny.

— Nie przeczytasz? — zdziwiła się Wedlowa.

— Muszę iść po okulary — przeprosiła ją Sydonia i poszła do swojego pokoju.

Serce biło jej mocno, gdy zerwała pieczęć i rozwinęła dokument.

„Sąd Nadworny w Szczecinie, dnia… po rozpatrzeniu… pozbawia pannę Sydonię von Bork praw do spadku po zmarłej siostrze, Dorocie von Bork".

Zrobiło jej się słabo. Jak to, pozbawia? Boże — druga myśl była przyziemna — pożyczyłam na poczet tego spadku sto guldenów na krótki termin, ledwie rok… na rok… co mam zrobić? Żyrował mi Henryk von Bork z Pęzina, nie mogę go zawieść… a tyle teraz mam tych pożyczek… Przecież ja nigdy nie przegrałam żadnego procesu. Pozbawia? — po raz kolejny dotarła do niej jednoznaczna wymowa wyroku. Kto się pod tym podpisał?

Rozpostarła papier. Podpisał się protonotariusz sądowy.

Kto wyrokował?!

Ach. Książę Barnim. Barnim, nowy pan Szczecina.


Kilka dni później Sydonia wracała ze spaceru. Mimo zimna wychodziła z domu co dzień, choćby na krótko. Przy kościele, który poprzednio odnawiał Zygmunt, tam, gdzie wówczas spotkała Hansa Hitze, natknęła się na kobietę z kuchni. Lene Schmedes wychodziła z cmentarza, zatrzymała się przy morwach rosnących po obu stronach bramy i dotknęła suchego pnia. Stała tak chwilę. Sroka, czarno-białe ptaszydło, drapieżnym, koszącym lotem przyleciała na morwę. Zaraz po niej zjawiła się kolejna, siadła na drugim z drzew, po przeciwnej stronie bramy. Wylądowała tak gwałtownie, że gałąź ugięła się pod nią, srokę podbiło i opadła ponownie, zawijając ostre pazury wokół morwy. Rozdziawiła dziób, jakby chciała skrzyczeć tę gałąź, ale nie wydała z siebie skrzeku. Gapiła się na Sydonię.

Ta podeszła do drzew morwy.

— Powinny już kwitnąć — zagadnęła.

— Ale nie zakwitną — odpowiedziała Lene twardo. — Zboże nie wzeszło. Rok stracony.

— Dziwne to zimno — powiedziała Sydonia, przyglądając się kobiecie. Miała twarz prostą, ale nie prostacką. Zacięte spojrzenie.

— Dziwne? — spytała Lene i odpowiedziała, mrużąc oczy — dziwne.

— Tylko patrzeć, jak wybuchną kolejne niepokoje — powiedziała Sydonia. — Ludzie boją się, gdy dzieje się coś niezrozumiałego.

— Znajdą winnego — odrzekła Lene. — Może to nowy książę?

— Może czarownice? — przekrzywiła głowę Sydonia. — Są bliżej.

— Jaśnie pan daleko, na zamku. Daleko — powtórzyła. — Szkoda tej morwy. Daje dobre owoce.

— Zbieracie owoce z drzew przycmentarnych?

— Dobre, jak każde. Innych morw nie ma w okolicy.

— Co z twoją kuzynką? — spytała Sydonia.

— Chętnie się do panny Bork najmie — odpowiedziała Lene. — Przyprowadzę ją dzisiaj.

— Jak jej na imię?

— Matylda, ale mówią na nią Metteke — odrzekła Lene Schmedes.


Książę Barnim śnił wodę. Morską toń i wiry. Przez zasłony snu przedzierał się z mozołem, by zrozumieć, gdzie jest. I obudził się gwałtownie, jakby wyskakiwał spod wody. Darłowo. Śnił Darłowo. Był zlany potem, ledwie łapał oddech. W Darłowie rezydował teraz jego najmłodszy brat, Kazimierz. Ten sen miał mu powiedzieć, że brat go prosi o spotkanie, potrzebuje, wzywa.

To nie był pierwszy raz. Pół roku wcześniej też śnił wodę, a rankiem przyszła poufna wiadomość, że Kazimierz kona. Wtedy co koń wyskoczy wysłał do Darłowa doktora Oesslera, którego był już wówczas odebrał Erdmucie. Oessler po drodze powziął pewność, że wiadomość była plotką, tym niemniej pojechał do Kazimierza. Na miejscu okazało się, że rozgorączkowany i ledwo żywy książę wydala kamienie nerkowe. Jakże więc mógłby Barnim nie zawierzyć snom o wodzie?

Nazajutrz kazał szybko przygotować podróż. Przez cały dzień, od rana do zmierzchu, pracował w kancelarii, by nie zostawić księstwa w bałaganie. Wieczorem okazało się, że spraw do załatwienia jest więcej, niż czasu. Został w Szczecinie o dzień dłużej. Chwilę poświęcił małżonce. Anna Maria nie upierała się, by z nim jechać, on nie proponował. Życzył jej wypoczynku, ona jemu dobrej podróży. Obiecał, że wróci w ciągu miesiąca, może trochę dłużej, ale najdalej na koniec września. Pożegnali się w zgodzie.

Jechali szybko, początek sierpnia, pogoda była wyborna. Po poprzednim roku i wcześniejszych, gdy ku zgrozie wszystkich, niemal nie było lata, to obecne cieszyło Barnima nadzwyczajnie. Doceniał każde źdźbło trawy, każdy liść na drzewie widział w osobnej krasie. Zatrzymali się na obiad w karczmie między Gryficami a Białogardem. Przygotowano dla niego potrawkę z zająca, lubił ją. Do niej zimne, gryfickie piwo. Na nie miał największą ochotę po trudzie jazdy. Upił łyk, potem drugi. Przyjemna fala chłodu w przełyku. Skosztował zająca. Poprosił o chleb. I nie mógł go przełknąć. Jakby kęs chleba utknął mu w gardle. Jakby krtań zacisnęła się niczym pięść. Krztusił się, charczał. Caspar Winsius uderzył go pięścią w plecy. Raz, drugi. Po trzecim uderzeniu Barnim odetchnął. Już był przy nim lekarz. Polecił przepłukanie ust wodą i obejrzał mu gardło.

— Niczego tam nie ma, najjaśniejszy panie — oznajmił z troską. — Ale może lepiej byłoby poniechać podróży? Już przed wyjazdem cierpiał książę na niestrawność i obstrukcję. Sugerowałbym...

— Sprawdź mi puls — polecił Barnim.

— W normie — orzekł doktor.

— Rano ruszymy dalej — oznajmił. Spał wyśmienicie. Nic mu się nie śniło. Obudził się silny i wypoczęty. Podróż do Darłowa minęła bez przeszkód.

Widok Kazimierza wstrząsnął nim. Brat był od niego osiem lat młodszy, miał niespełna czterdzieści pięć lat, a wyglądał jak starzec.

— Barnim! — uradował się na jego widok. — Czemu zawdzięczam wizytę księcia szczecińskiego w skromnych darłowskich progach?

Koszmarom sennym — pomyślał Barnim. Otworzył szeroko ramiona i krzyknął:

— Kto dzisiaj będzie Raciborem? Kto okręty puści na Konungahelę? Kto stanie się morskim królem?

— Nie ja — melancholijnie uśmiechnął się Kazimierz i wpadli sobie w ramiona. — Stęskniłem się, bracie.

Był wychudzony, garbił się, miał pasma siwizny w ciemnych, niegdyś lśniących włosach. Szczególny niepokój budziły zapadnięte policzki i jasnożółty odcień cery. Kazimierz z upodobaniem nosił kryzy, ich biel podkreślała niedobry kolor twarzy.

— Przejdziemy się? — zaproponował Barnim i natychmiast pożałował.

Kazimierz nie wyglądał jak ktoś, kogo stać na przechadzki.

Usiedli w sali kominkowej darłowskiego zamku. Barnim widząc mizerię brata, stracił rezon i szukał w głowie tematów zastępczych.

— Przychodzi do ciebie czasami duch króla Eryka? — zażartował. — Mnie odwiedzał nocami.

— Wolę, gdy zjawia się u mnie Katarzyna — odpowiedział żartem Kazimierz.

— Gdzie jest teraz? Dlaczego nam nie towarzyszy?

Kazimierz przekrzywił głowę i spojrzał na niego uważnie.

— Nie chciałem, by moja dama raziła twe książęce oko.

— Co ty opowiadasz! — roześmiał się Barnim, choć może śmiech zabrzmiał jak wymuszony. — Nie daj się prosić, całe życie mam znać słynną pannę tylko z opowiadań?

— Dobrze — skinął głową. — Ale musisz mi obiecać, że w niczym jej nie uchybisz. Traktuję ją z pełną powagą.

Jak wielka była ta powaga, Barnim przekonał się po chwili. Wejście Katarzyny Frorycken służba zapowiedziała z taką pompą, jakby wchodziła księżna.

Szczupła, niemal chuda kobieta, w wysoko upiętej fryzurze miała coś na kształt kapelusika z piór. Ubrana była w suknię znacznie lepszego kroju, niż te, na które upierała się Anna Maria. Wysoki, stojący kołnierz, niczym biała grzywa fali, okalał jej smukłą szyję. Łączenie niebieskich i zielonych taft jedwabnych sprawiało, że suknia Katarzyny Frorycken wydawała się kipiącą morską wodą.

— Doskonały strój, pani — pochwalił Barnim szczerze. — Zaskakujący i olśniewający.

— Dziękuję — dygnęła przed nim nienagannie. — Krawcy szyli według moich wskazówek.

— Suknia morskiej królowej — powiedział Barnim i pomyślał, że choć jest zwykłą mieszczką, to musi być niezwykłą kobietą.

— Katarzyna ma wielką wyobraźnię — dodał Kazimierz.

— Zatem nigdy się nie nudzicie — skwitował Barnim.

Ona uśmiechnęła się zdawkowo, mógłby odczytać ten uśmiech jako oznakę wyższości, gdyby nie skomplikowana sytuacja, w jakiej się znajdowali.

— Co w księstwie? — zagadnął Kazimierz. Usiedli. Dla panny Frorycken służba wniosła fotel, równie ozdobny jak te, na których spoczęli. Barnim domyślił się, że na co dzień jego brat i córka kołobrzeskiego rajcy tak właśnie siadają. Nie dał po sobie poznać, że coś w tym niestosownego.

— Jedyny syn naszego świętej pamięci Ernesta Ludwika, Filip Juliusz, znów w podróży kawalerskiej.

— Niech sobie użyje — uśmiechnął się Kazimierz, jakby wspominał własne, młodzieńcze peregrynacje. — A Franciszek? — spytał i nie udało mu się ukryć napięcia w głosie.

— Cóż — z namysłem odpowiedział Barnim. — Radzi sobie w nowej sytuacji.

Katarzyna Frorycken spojrzała na Kazimierza z wyczekiwaniem i Barnim po raz kolejny zauważył, że w tej kobiecie jest coś władczego.

— Oswoił się z rolą? — spytał Barnim.

— Trudno orzec. Synowie Bogusława są skryci, jak ich ojciec.

— Ja nigdy się nie oswoiłem — powiedział Kazimierz w zadumie.

Zaległo między nimi ciężkie, niezręczne milczenie. Rok temu, gdy okazało się, że podróż do leczniczych wód Karlsbadu nie pomogła Kazimierzowi odzyskać zdrowia, ten poprosił o zdjęcie z niego biskupiego brzemienia. Oni sami powinni byli na to wpaść, Bogusław i Barnim. Wyniszczony chorobami brat nie spełniał swej funkcji, a w państwie, którego biskupem jest książę, brat panujących, takie rzeczy nie uchodzą uwadze. Teraz, gdy kalwiniści zwierają szeregi, nie wolno sobie pozwolić na słabość władzy duchownej. Sukcesja biskupia od dawna była określona, koadiutorem był syn, Bogusława, Franciszek. Kazimierz po prostu przekazał bratankowi biskupstwo.

— Nie zajmujmy się tym, pomówmy o tobie — przerwał ciszę Barnim.

— To jest o mnie — odrzekł Kazimierz i wymienił spojrzenie z panną Frorycken. — Skoro nie jestem biskupem, mogę się ożenić.

Chryste, tylko nie to — w lot zrozumiał Barnim. Jak mam odmówić obłożnie, może śmiertelnie choremu bratu? W obecności jego kochanki? A przecież zgodzić się na takie coś, zupełnie niepodobnym.

— Mógłbyś — odpowiedział ostrożnie. — Lecz mówić o tak ważnych kwestiach musimy wyłącznie w obecności Bogusława i obu kanclerzy.

Widział, jak panna Frorycken unosi podbródek i zaciska szczęki, jak uchodzi powietrze z Kazimierza.

— Może na Boże Narodzenie? — zaproponował od razu. — W Szczecinie?

Spojrzenie panny zalśniło. Kazimierz się ożywił, przygładził brodę.

— Wyśmienicie. Dziękujemy za zaproszenie — uśmiechnął się.

— No to jak? — szybko zmieniał temat Barnim. — Odwiedza was duch Eryka? Króla trzech królestw? Może wskazał, gdzie jego legendarne skarby?

— Pozwolą ich książęce mości, że się oddalę — powiedziała Katarzyna Frorycken. — Będzie wam wygodniej rozmawiać o swych przodkach.

— Powinnaś posłuchać — nierozważnie zaproponował Kazimierz. — Skoro masz wejść do rodziny.

Ona jednak złożyła ukłon przed Barnimem, potem pocałunek na policzku Kazimierza i wyszła. Barnim patrzył za nią. Jej ruchy były oszczędne i wytworne. To, że nie urodziła się w stanie, który z perfekcją odtwarzała, zdradzało jedynie ułożenie łokci. Księżniczki, które niczego nie muszą udowadniać, którym wszystko podaje się na tacy z ukłonem, noszą je rozluźnione. Katarzyna Frorycken miała je w gotowości, jakby czuła, że zaraz będzie musiała się rozpychać.

Gdy wyszła, Barnim w pierwszej chwili chciał zbesztać młodszego brata, za to, co zrobił, ale wziął wdech i wstrzymał się. Przypomniał sobie, po co tu przybył. Sen, który go wezwał. Nie starczyło mu siły, by mówić o czymś poważnym. Znów zaczął o Eryku:

— Gdy mieszkałem w Darłowie, wyobrażałem sobie, jak tu gospodarzył. Że tu się urodził i tu zmarł, a pomiędzy jednym i drugim było całe długie życie wypełnione tak wielkim splendorem i walką.

Kazimierz w końcu uśmiechnął się lekko.

— Mnie odwiedza czasami, ale nie jako Eryk, wszak to imię przyjął dopiero w Danii. Do mnie przychodzi jako Bogusław, tak, jak się urodził. I wtedy myślę o naszym bracie, Bogusławie. Zobacz, jak niezwykłe są jego losy. Zrzekł się władzy dla Ernesta Ludwika, a po jego śmierci ta władza do niego wróciła.

— Odda ją niedługo — przypomniał Barnim. — Syn Ernesta wróci z kawalerskiej podróży i Bogusław będzie musiał mu przekazać księstwo wołogoskie.

Kazimierz patrzył na niego zmieszany. Kręcił głową bezradnie.

— Wybacz — powiedział po chwili. — Nie wiem, co ze mną. Jak mogłem o tym zapomnieć.

— Cierpisz? — spytał wreszcie Barnim.

Brat spuścił głowę i nie podnosząc jej, szepnął:

— W twojej mocy jest uczynić moje cierpienie znośniejszym.


Barnim nie mógł zapomnieć tamtej rozmowy. Wciąż miał ciężki żołądek i palił go przełyk. Wymówił się złym samopoczuciem i po kilku dniach, znacznie szybciej, niż zaplanował, zarządził powrót do Szczecina.

— Męczę się, jakbym miał niestrawność — wyznał Casparowi na popasie, gdy byli już daleko od Darłowa. — Bo to, co zafundował mi młodszy brat, jest nie do strawienia.

Poszli w las, za potrzebą i żeby rozprostować nogi. W cieniu wielkich starych buków poczuł ulgę, choć światło prześwietlające ich liście sprawiało, że trochę kręciło mu się w głowie.

— To był szantaż — przyznał mu rację Caspar Winsius i otoczył go ramieniem, opiekuńczo. — Chcesz wyciągnąć się tam, na mchu, pod paprociami? — wskazał miejsce tak zielone, jakby wszystkie barwy lasu skupiły się w nim jednym. — Dobrze ci to zrobi — zachęcił go.

Mech był miękki, Caspar troskliwie usunął z niego kłujące gałązki.

— Łoże gotowe, jaśnie panie — roześmiał się i podał mu rękę. — Spocznij.

Barnim zdjął kapelusz, rzucił go na poszycie. Położył się na plecach, ręce założył pod głową.

— O Chryste — westchnął — jak dobrze.

— Szczęście jest ścieżką idącą obok drogi — powiedział Caspar, moszcząc się obok.

Leżeli ramię przy ramieniu. Patrzyli w korony drzew prześwietlone późnym, letnim słońcem.

— Mylę się? — spytał Barnim. — Powiedz mi, czy się mylę, uważając, że Kazimierz przekroczył granice?

— Nie powinien wspominać imienia tamtej panny — powiedział Caspar. — Jego kochanka jest mieszczką, tamta była szlachcianką. To brak proporcji.

— Wiesz, co jeszcze powiedział? — wzburzył się Barnim. — Że odmówienie Sydonii von Bork uruchomiło lawinę. On twierdzi, że…

— Przestań — dłoń Caspara wylądowała na jego ustach. Pachniała potem, końską sierścią i igliwiem. Pocałował ją. Zapomniał się. Zamknął oczy i jego oddech natychmiast spowolnił, jakby zgrał się z szumem drzew nad nimi.

— Mógłbym tu zostać — szepnął Barnim po chwili. — Wrosnąć w ten mech.

Paprocie nad ich głowami zakołysały się łagodnie; przez chwilę uległ ułudzie, że są wielkie, jak drzewa. Caspar zesztywniał nagle, a potem uniósł się na łokciach powolnym, cichym ruchem.

— Obserwuje nas wilk — szepnął cicho. — Jest tam, w zaroślach. Co robimy?

— To zabawne, że wspomniałem o Borkach i pojawił się wilk — zaśmiał się Barnim. — Jak to, co robimy? Albo go przepłoszymy, albo…

— Uciekniemy? — w głosie Caspara zabrzmiała przekora.


Wilk sam odszedł, a dalsza podróż mijała bez zakłóceń. Aż do Dąbia. Tam dopadła Barnima słabość tak wielka, że powiedział Casparowi, iż nie ma sił, by jechać dalej.

— Książę, już widać rogatki Szczecina — spojrzenie Winsiusa dodawało mu pewności, jakby mówił: uspokój się, jeszcze trochę i zdejmę z ciebie płaszcz i wams i położę cię we własnym łóżku.

Nie zdążył go rozebrać. Gdy dotarli na zamek, Barnim płakał z bólu, jak dziecko.

— To nic takiego — mówił do niego Caspar, zdejmując mu tylko buty. — Pamiętasz? Z Amiens do Paryża przejechaliśmy czterdzieści mil jednego dnia, bez odpoczynku, bez posiłku, byłeś nieżywy. Ale przespałeś w oberży noc, poranek i w południe obudziłeś się rześki i zdrów. Pamiętasz, Barnimie? Tak było.

— Uhm — mruknął, nie przypomniawszy sobie ani krztyny z tego, o czym mówił jego druh.

Spał twardo. Obudził się rześki, ale do kaplicy kazał znieść sobie fotel. Potem ze wstydem odmówił udziału w nabożeństwie. Nie był w stanie ani stać, ani siedzieć. W oczach Caspara zobaczył panikę. Po południu nie mógł wykrztusić z siebie zdania. Słowa zostawały mu na końcu języka. Widział lepką pajęczynę, która spowijała jego gardło i usta. I był świadom, że zmyśla, że nie może czegoś takiego zobaczyć, ale co z tego? On to widział. Wchodził w głąb siebie, choć żaden żywy nie ma takiej mocy. Jakby jego jaźń była doktorem, medykiem, dokonującym egzenteracji ciała. Nawet słyszał ten ich napuszony język, to mlaskanie, zanim wypowiedzą słowo.

— Żołądek bez zmian.

— Pan nic nie jadł od kilku dni.

— Jadł przedwczoraj, ale upuszczał pokarm górą i dołem.

— Tak było.

— Tak było.

— Wątroba w normie.

— Zaskakujące, prawda? Mówi się, że pan pił sporo.

— Zawsze się mówi o książętach. To normalne.

— Że piją ponad miarę?

— Nie, że dworzanie ponad miarę plotkują.

— Jelita w normie.

— Pan pozwoli, że zerknę, bo przy tych dolegliwościach, w jelitach powinniśmy znaleźć przyczynę.

— Skoro nie ufa pan mojej wiedzy…

— Wiedzy ufam. Chcę spojrzeć. Rzeczywiście. Jelita w normie.

— Ale, ale, coś tu widzę na wątrobie…

— Proszę unieść wyżej. Światło słabe.

— Znamiona chorobowe?

— Jeśli tak, to pierwszy raz takowe rejestruję. Na Boga, prosiłem o więcej światła! Musimy się lepiej przyjrzeć. Dwór oczekuje od nas odpowiedzi.

— Doktorze, proszę spojrzeć, teraz coś widać.

— Hm.

— Hm.

— Znamiona na wątrobie wyglądają niczym przyklejone do organu listki.

— No, rzeczywiście.

— Proszę to odnotować.

Nicość, jaka zapadła potem, była nieznośna. Na szczęście rozjaśniły ją blaski świateł. Twarze. Setki twarzy pochylających się nad nim. Chlipiących. Szlochających. Obojętnych. W tym tłumie czarno odzianych ludzi szukał Caspara. Wreszcie dostrzegł go. Chciał wyciągnąć rękę, powiedzieć: obudź mnie z tego koszmaru, przyjacielu. Ale ręka nie słuchała jego poleceń. Caspar miał podkrążone oczy i kilkudniowy zarost. Wyglądasz koszmarnie, mój drogi — chciał mu powiedzieć, rozśmieszyć go. Głos też go nie posłuchał. Uwiązł w gardle przeciętym wcześniej przez któregoś z medyków. Myto go. Wycierano. Perfumowano. Czesano. Ubierano z uwagą godną największej ceremonii. Na palce siłą wsunięto mu pierścienie.

Wreszcie uwolnił się z pęt cielesnych. Zrozumiał, że uznano go za zmarłego a on, z niepojętych powodów, żyje. Okrutne wydało mu się to, iż teraz, gdy ma tyle do powiedzenia, nikt go nie słyszy. Wszyscy traktują poważnie jego ciało, lecz nie mają pojęcia, że on krzyczy. Nawet Caspar wydawał się głuchy na jego głos, choć wcześniej potrafił odczytać nawet zmrużenie oka, czy drżenie powieki. Wsadzono go do trumny. Uformowano pochód. Za trumną ustawił się jego starszy brat, Bogusław. Sukcesor. Ten Bogusław, który dobrowolnie zrzekł się władzy przed ponad trzydziestu laty, a teraz w jego ręce trafia kolejny splendor. Potem jego synowie: Filip i Franciszek. Za nimi młodzi Hohenzollernowie, Jerzy i Zygmunt. Dalej dwaj najmłodsi synowie Bogusława, dwudziestoletni Jerzy i czternastoletni Ulrich, którzy pod ramiona ujęli Annę Marię, mdlejącą raz po raz.

Dlaczego mdlejesz, kobieto? Zaczynałaś życie u mego boku, będąc skromną panią na Darłowie, skończysz jako bogata wolińska wdowa. Ach tak, jak mogłem zapomnieć: dzisiaj ten dzień. Jeden, jedyny, gdy napawasz się tytułem szczecińskiej wdowy. Czerp pełnymi garściami, przerywaj kondukt, ile zechcesz. Ta godność jest najwyższą dla kobiety w mym księstwie i trwa najkrócej.

Caspar! Słyszysz mnie? Szczęście to ścieżka obok drogi!

Nie mógł odnaleźć Caspara w kondukcie i to go rozwścieczyło. Czy był jednym z dziewięciu szlachciców w kapturach? A gdzie tam. Wielkie rody nie wpuściłyby Winsiusa. Gdzie on jest, do diabła?!

Kondukt był na Wielkiej Tumskiej, jego wściekłość u kresu wytrzymania. Nigdzie nie widział Caspara. Odepchnęli go od trumny? Po śmierci się zemścili? Eksplodował. Wybuchł. Z jasnego nieba uderzył grom. Błyskawica, piorun. Pociemniało. Przyroda spełniała swą powinność z opóźnieniem.

Gdzie Caspar?! Gdzie Caspar?! — wściekał się. Grad wielkości kurzych jaj spadał na kondukt, na żałobników, na mieszczan, na dachy domów i wieże kościołów.

— Oko! Moje oko! — ktoś zawołał.

— Chryste Panie, dziecku głowę rozbiła gradowa kula…

Połowa żałobników uciekła z procesji z krzykiem. Ci, którzy nieśli trumnę, zachwiali się. Miał to gdzieś. Szukał Caspara Winsiusa. Dzień pociemniał, jak w nocy. Gdy kondukt przerzedził się, znalazł druha. Zobaczył go z gromnicą, pod żałobnym kapturem.

— Do kościoła! — zawołał kanclerz.

Trumnę poniesiono z powrotem na zamek, do Świętego Ottona. Podążył za nią, błędny i wściekły. Widział panikę wśród zebranych, gdy z powodu ciemności trzeba było pastorowi zapalić świecę. Zdmuchnął ją trzy razy.

— Gówno widzi ojczulek — zaśmiał się młody książę Jerzy.

— Ale heca — potwierdził Ulrich.

Młodzi już nie podtrzymywali Anny Marii, szczecińskiej wdowy. Oddali ją w ręce fraucymeru.

— Jezu, alem się sprul! — zatoczył się na kandelabr książę Jerzy.

W ciemności słychać było świece spadające na posadzkę kaplicy Świętego Ottona.

— Dlaczego nikt nie zapala światła? — Ponad rozgardiaszem głośno zawołał Bogusław.

— Zapalamy, jaśnie panie, ale świece gasną — płaczliwie wytłumaczył się sługa.

— Gorąco mi, zrzucę płaszcz — wybełkotał młody Zygmunt Hohenzollern.

— Przestań, masz kolorowe pludry — skarcił go brat i beknął.

— Tak ciemno, że nie widać. Możemy zdjąć płaszcze.

— I tańczyć?

— Ucisz go. Upił się głupek — ofuknął ich najstarszy z bratanków, książę Filip.

— Sam jesteś…

— Ci-cho. Cicho — strofował młodszych Franciszek, ale i jego głos miał w sobie pijacki zaśpiew.

— No co? Żałoba była długa. Jezu, jak ciemno. Własnej ręki nie widzę.

— Widzieliście tego paniczyka, co płacze po stryju? Żona będzie wolińską wdową, a on?

— Caspar, wdowiec darłowski — zachichotał któryś z bratanków, Hohenzollernowie podjęli. Franciszek i Filip próbowali uciszać młodszych, ci, dusząc śmiech, bulgotali i parskali.

Barnim się wściekł. Już raz doświadczył dzisiaj siły swego gniewu, teraz powtórzył.

Piorun uderzył w kaplicę Świętego Ottona. Nekropolia Gryfitów zatrzęsła się w posadach. Żałobnicy jęknęli. Kobiety wpadły w obłęd lamentu.

— Dobra, stryj Jan Fryderyk w końcu nie będzie tu leżał sam jak palec — powiedział książę Jerzy i usiadł na posadzce.

— Ha, ha, ha — parsknęli pozostali.

To w dziwny sposób uspokoiło Barnima. Jan Fryderyk. Najstarszy z braci.

Wreszcie ktoś ze świecą stanął przy pastorze i oświetlił stronicę Biblii.

— Już siekiera do korzeni drzew jest przyłożona! — zawołał duchowny. — Każde więc drzewo, które nie wydaje dobrego owocu, będzie wycięte i w ogień wrzucone! Już groza bije — grzmiał pastor, a jego podświetlona od dołu twarz wyglądała upiornie.

Zalśniły świece, jedna po drugiej, rozpalone przez służbę w całym kościelnym wnętrzu. I w ich blasku zrozumiał te słowa. Tak. Już siekiera przyłożona. To chciał przekazać braciom, ale nie zdołał. Nie zdążył.


Sydonia jechała do Strzmiela wzburzona. Już nie miała sił do Ulricha, każde kolejne z jego posunięć było coraz gorsze. Rok temu pożyczył od Josta von Bork i jego żony, Ilse, tysiąc guldenów. Zastawem pożyczki było czterech chłopów z Zachow. Nie miał prawa tego robić, na dochodach z Zachow były zapisane jej alimenty. Cały jej dochód. Pożyczki nie spłacił i jak doniósł jej w liście Jost, użytkowanie tych chłopów przeszło na jego własność. Musiała coś z tym zrobić. Bardzo potrzebowała pieniędzy.

— Sydonio! — powitał ją Jost na podwórcu ich dworzyska. — Jesteś. Pomogę ci zsiąść.

Mogłeś wysłać po mnie powóz — pomyślała kwaśno — wtedy wysiadłabym sama. Z wiejskiej fury ciężko zejść kobiecie.

— Uściskajmy się — powiedział, gdy stanęła na ziemi. — Nie chcę między nami niezgody.

— Ja też, Joście — przyznała mu i pozwoliła, by wziął ją w ramiona. — Zaraz pomówimy. Gdzie Jurga? Chciałabym się z nim przywitać.

— Nie wiem, czy cię pozna — Jost spojrzał na nią smutno. — Całymi dniami siedzi na kamiennej ławie i patrzy na wzgórza.

— Teraz tam jest? — zaniepokoiła się. — Przecież zimno...

Jost wzruszył ramionami bezradnie i pokręcił głową.

— Powiedz to memu ojcu. Uparty jak zawsze.

— Pójdę do niego, jeśli pozwolisz. Dlaczego nie wspomniałeś w liście, że z nim gorzej?

— Zapadł się w sobie ostatnio, po tym, jak Ulrich nie spłacił nam pożyczki, sama rozumiesz.

Skinęła głową i ruszyła do Jurgi. Wiał chłodny, listopadowy wiatr. Zobaczyła go już z daleka. Siedział sztywno, z gołą głową, w rozpiętej szubie. Boże drogi — ścisnęło ją pod sercem. — Toż to starzec.

— Jurgenie, to ja, Sydonia — powiedziała. Nie drgnął, jakby nie usłyszał jej głosu. Stanęła przed nim. — Jurgenie?

Był nieogolony. Siwy zarost porastał mu brodę nierówno. Uniósł wzrok i spojrzał na nią z takim wyrzutem, jakby wszystko wiedział. Jakby znał tajemnicę, do trzymania której zmusił ją Asche.

— Odezwał się do ciebie? — spytał Jost, gdy dużo później szli na zamek Ulricha.

— Nie — powiedziała krótko.

— Jost von Bork i Sydonia von Bork do pana Ulricha — zaanonsował ich sługa Josta, gdy stanęli pod bramą zamku. Sydonia zadarła głowę. Rdza żarła żelazne okucia bramy. Wpuszczono ich na dziedziniec. Jęknęła cicho.

— Tak — powiedział Jost. — Tak to dzisiaj wygląda.

Potoczyła spojrzeniem po ruinie, jaką stał się rodzinny zamek. Tynk odchodził od murów płatami, niczym skóra z nieboszczyka. Okna wysokich pięter zabite były deskami. Szkło trzymało się w oknach parteru i pierwszej kondygnacji, lecz ramy okienne wyglądały okropnie. Stajnie owszem, odnowione, ale na dziedzińcu walał się koński nawóz. Rozgarniały go pazurami kury. Z zamku wybiegła Dorota. W ciemnej sukience, z kryzą.

— Cioteczko! — zawołała i zachłannie wpadła w ramiona Sydonii.

— Stettin tu jest? — spytała cicho Doroty.

— Nie. Ojciec oddalił go po drugiej czy trzeciej rozprawie. Wtedy, gdy zeznałam, że pobił cioteczkę, powołując się na niego. Nie chciał, by łączono jego nazwisko z tą sprawą.

— A ty? — badawczo przyjrzała się bratanicy Sydonia. — Ojciec nic ci nie zrobił? Nie mścił się, że zeznajesz dla mnie?

— Przestał się odzywać. Mała strata i nic mi nie będzie. — Dorota znów przylgnęła do niej, całym ciałem. Przyłożyła miękki policzek do jej policzka. Wzruszenie podeszło do gardła Sydonii. Odsunęła dziewczynę od siebie.

— Wyroku wciąż nie ma — powiedziała, siląc się na twardość. — Sąd Książęcy ostatnimi laty pracuje okropnie. Ciągnie się to i ciągnie. Twoja matka?

— Wyjechała do Dobrej. Dewitzowie mają kłopoty z poddanymi.

— To i lepiej. Nie chciałabym się z nią spotykać — skinęła głową. — Gdzie Ulrich?

— Nie wiem — powiedziała Dorota. — Jego sługa wczoraj mówił, że ojciec się was spodziewa, ale od rana go nie widziałam. Pewnie u siebie. Chodźcie. Hans! — zawołała na lokaja w znoszonej liberii. — Niech Hans powie panu, że przybyli goście.

Wielka jadalnia nie wyglądała źle. Olbrzymi stół wciąż trzymał się dobrze. Kandelabry na nim były porządnie wypolerowane, lśniły srebrem. Obicia krzeseł zmieniono. Kiedyś wzór na nich przypominał pokrzywy, teraz zdobiły je kwiaty. Ręka Otylii. W kominku płonął ogień, a w jadalni nie czuć było dymu, Ulrich musiał odnowić stare kominy. Tak, w tym pomieszczeniu można by zapomnieć, co stało się z domem Borków.

— Pan jest u siebie — powiedział lokaj, stając w wejściu.

Spojrzeli na siebie z Jostem.

— Doroto — powiedziała Sydonia. — Nie musisz przy tym być.

— Tak — odpowiedziała bratanica, chciwie wpatrując się w ciotkę. — Tak będzie lepiej.


W komnacie Ulricha było zimno. Obok kominka nawet nie leżało drewno, widać od dawna nie kazał tu palić. Za to w kandelabrze płonęły wszystkie świece. Nie czyszczono go, tonął w soplach starego wosku. Kilka rozbebeszonych kufrów, różnej wielkości, stało na środku komnaty.

— Kuzyn Jost i moja piekielna siostra! — powitał ich.

Wyglądał okropnie. W szerokich, niebieskich pludrach, brudnej koszuli wystającej spod rozpiętego wamsa. Na nim miał jeszcze zdobiony srebrem jerkin, też niezapięty. Na ramionach polską delię.

Wszystkie wersje Ulricha w jednym — pomyślała. — Tylko krzyża na szyi brakuje. Pewnie go zastawił.

— Kiedy to ostatnio zaszczyciłaś mnie spotkaniem? — spytał, przeczesując palcami długie, brudne włosy. Posiwiał. — Ach tak, jakże mógłbym zapomnieć. Wiedźmę ciągnie do ognia, co? Widzieliśmy się, jak paliłem moje czarownice — zaśmiał się krótko i równie nagle spoważniał. — Trzymaj się z dala od Doroty. To moja córka, nie twoja — warknął.

— Ulrichu — polubownie odezwał się Jost. — Nie chcę użytkować tych chłopów z Zachow. Oni powinni pracować na dochody Sydonii.

— Nie chcesz, to nie używaj ich — wzruszył ramionami Ulrich.

— Chcę odzyskać mój kapitał. Tysiąc guldenów. I odsetki.

— Nie mam — Ulrich założył ręce na piersiach i patrzył na nich wyzywająco.

— To dlaczego pożyczałeś? — odezwała się Sydonia. — Na co zmarnowałeś pieniądze Josta? Jak można tak żyć — rozłożyła ręce, pokazując na nieład komnaty.

— Pakuję się — powiedział i zmrużył oczy.

— Wyjeżdżasz? — spytał zaskoczony Jost.

— Tego nie powiedziałem — odpowiedział Ulrich hardo i znów przeczesał włosy palcami.

— Przestań błaznować — tupnęła Sydonia. — Nie zrobisz z nas głupców.

— Haaa-haaa-ha! — zaśmiał się Ulrich śpiewnie i Sydonia zamarła. Kołysanka babki. Jemu też śpiewała?

— Przez ogień, przez wodę — zanucił brat. — Po morzu konno książę jedzie? Galopuje, rozbryzguje fale? Kłamczucha — zaśmiał się. — Pamiętasz? Jak byłyście małe, mówiłem wam, że nie jesteście nasze, że podmieniła was Mamuna. A ty, harda gówniara, zasłaniałaś sobą Dorotę, bo ona była beksą. Teraz jesteś stara i sama chcesz być Mamuną? Odebrać mi córkę? Ani mi się waż.

— Nie pamiętam tego — zduszonym głosem odpowiedziała Sydonia.

— I dobrze — zmienił nagle ton na rzeczowy i spokojny. Ruszył do jednej ze skrzyń. Kucnął przy niej z trudem, musiał chwycić się jej, by nie upaść. Z wnętrza wyjął mieszek, Sydonia usłyszała brzęk ciężkich monet.

— No, nareszcie — z ulgą odetchnął Jost.

Ulrich podniósł się ciężko i wyszczerzył do niego zęby.

— Nie dla ciebie. Milcz, wilczku, gdy załatwiam sprawy z rodzoną siostrą. Jedyną, która mi pozostała wśród żywych. Sydonio — zwrócił się do niej poważnie. — To alimenty za dwa zeszłe lata. Wybacz, że nie dostałaś na czas, miałem tyle kłopotów. Nie będę ci tu skamlał. Bierz pieniądze, są twoje.

Wyciągnęła rękę, nie wierząc, że poda jej mieszek. Zrobił to. Zważyła go w dłoni. Tak, to mogło być sześćdziesiąt guldenów. Jost patrzył na nich zdumiony.

— A moja spłata? — spytał.

— Mówiłem: nie mam — krótko oświadczył Ulrich. — Resztę wiecie. Dziedziczy po mnie Otto, mój pierworodny. Zresztą, już dawno przepisałem na niego majątek, to też nie jest wam nieznanym. Ty — wskazał na Josta — masz zabezpieczenie długu na chłopach. O resztę użerajcie się z Ottonem von Bork, panem Strzmiela. Niech tę ruderę piekło pochłonie — splunął na kamienną posadzkę. — Ja się pakuję. Na tamtą stronę. Pastora mi tu nie wołajcie, wszyscy wiedzą, że nie życzę sobie przebierańca.

— Myślisz, że można umrzeć na żądanie? — spytała Sydonia.

— Jeśli ja żądam, to można — uniósł głowę.

Wzrok Sydonii spoczął na okładce książki leżącej na stole. Wcześniej widziała ją raz, w rzeczach po ich ojcu. Herb Borków, dwa skaczące wilki, odciśnięty na skórzanej oprawie.

— Zabierasz to ze sobą do grobu? — spytała poważnie.

— Sydonio — odezwał się Jost. — Uwierzyłaś w to błaznowanie?

— Już raz mówiłem — syknął na niego Ulrich. — Nie wtrącaj się, wilczku, między wilki. Sydonio — odwrócił się ku niej i odsunął włosy z czoła. — Nazywałem cię kurwą i garbuską. Ale ty… dałaś mi popalić. Jesteś prawdziwą wilczycą. Krwią Borków. Weź książkę — rzucił głową w jej kierunku. — Moi synowie nie rwą się do czytania. Zresztą — zawiesił głos — to po polsku.

Zobaczyła, że lewe, dłuższe ramię, zaczęło mu drgać. Złapał je prawym, jakby chciał przytrzymać przy ciele, uspokoić.

— Koniec posłuchania — powiedział do nich zduszonym głosem. — Idźcie stąd.

Sydonia chwyciła książkę. Jost spojrzał na nią, jakby pytał, co robić. Zawahała się. Ulrich oparł się o stół. Dyszał ciężko. Włosy spadały mu na oczy.

— Wynocha! — warknął przez zęby. — Nie chcę nikogo widzieć!

Jost dotknął ramienia Sydonii, kierując ją ku wyjściu. Zrzuciła jego rękę.

— Ulrichu — powiedziała do brata.

— Chcesz ostatniego słowa? — wycharczał. Lśniły mu białka oczu. — Do zobaczenia w piekle.

Jost wyprowadził ją siłą i sam zamknął drzwi. Na zewnątrz czekała pobladła Dorota.

— Pchnij gońca do Dobrej — powiedziała do niej Sydonia. — Przekaż matce, że Ulrich umiera.

— Sydonio — pokręcił głową Jost. — To widowisko. Ulrich robi to celowo, by wykpić się od spłat. Naprawdę mu uwierzyłaś?

— Zrób, jak mówię, Doroto — położyła rękę na ramieniu bratanicy. — Twój ojciec chce dzisiaj umrzeć i umrze.

W bramie Sydonia zatrzymała się. Odwróciła i spojrzała na zamek. Wilcze Gniazdo, które na jej oczach obracało się w ruinę. Zamieniało w pył.

Przymknęła powieki. Tego nie da się zapomnieć.


Konał długo i w koszmarnych męczarniach. Wył tak, że Sydonia słyszała go za zamkową bramą. On nie żegnał się z życiem. On witał się z piekłem.


Był listopad. Bury i chmurny. Po pogrzebie Ulricha nastał czas mgieł. Sydonia poszła nad jezioro, na brzegu butwiały liście brzóz. Zrzuciła płaszcz. Owionął ją wilgotny chłód. Szczękała zębami, sztywnymi palcami rozwiązywała suknię. Zdjęła koszulę i nago weszła w zimne wody jeziora. Obejrzała się za siebie, na brzeg. Wydawało jej się, że zobaczy tam Dorotę sprzed trzydziestu lat. Skuloną pod płaszczem, trochę wystraszoną, trochę drwiącą.

— Zostałam sama — wyrzuciła z siebie. — Oni nie żyją.

— *Żyją, żyją, żyją* — śpiewnie odpowiedziało echo odbite od tafli wody, od okalających jezioro drzew.

Wyciągnęła z włosów szpile. Długie pukle spadły jej na plecy. Zanurzała się głębiej. Po piersi, po szyję. Woda dotknęła jej podbródka, a pukle, jak wodorosty, rozpłynęły się po powierzchni.

— Mam już dosyć — jęknęła. Zęby szczękały jej z zimna.

Mgła leżąca na jeziorze zbliżała się do niej powoli. Sydonia przymknęła oczy. Zapragnęła dać się zagarnąć, pochłonąć. Tyle razy przychodziły tu z Dorotą. Ich rytuał od dziecka, ich miejsce tajemne. Ich ucieczka.

Otworzyła oczy gwałtownie. Naprzeciw niej stała Mamuna. Olbrzymka z lasu. Woda sięgała jej do pępka. Włosy porastające jej ciało unosiły się na powierzchni. Brązowe brodawki obwisłych piersi sterczały, a żółte oczy lśniły. Sydonia zmierzyła ją spojrzeniem i powiedziała ostro:

— Czego chcesz?

Widziadło poruszyło ustami, nie wydając z siebie głosu. Z ruchu jej warg Sydonia odczytała pytanie:

— Czego chcesz?


— Zawsze myślałam, że poczuję ulgę, gdy Ulrich umrze — powiedziała Jostowi, kiedy było po wszystkim. Gdy brata przykryła ciężka kamienna płyta rodziny Bork.

— I nie czujesz? — spytał, a potem sam odpowiedział: — Tak, teraz twój los jest jeszcze mniej pewny, niż był. Dał ci zaległe pieniądze, ale czy jego synowie będą płacić? Wątpię. Kolejnych alimentów możesz nie zobaczyć.

— Co robić, Joście? Mam pięćdziesiąt pięć lat i nie wiem, co dalej.

Pogładził ją po plecach. Zatrzymał rękę na ich nierówności, jakby ją badał. Wyprostowała się szybko, Jost spojrzał na nią ze współczuciem.

— Mam pewien pomysł, Sydonio — powiedział i usiadł naprzeciwko niej, blisko. Chwycił ją za ręce. — Spójrz na mnie — poprosił.

Tylko nie to — pomyślała. — Zaraz się rozkleję i wydam mu prawdę o Ascaniusie. Nie patrzyła mu w oczy, tylko obok.

— Zwolniło się jedno miejsce w Marianowie. To dom dla szlachetnie urodzonych panien, twoja siostra mieszkała w nim kiedyś, pamiętasz? Nasz Joachim von Wedel jest tam teraz zarządcą, pomówię z nim, wstawię się za tobą. Tyle przeszłaś. Jesteś taka zmęczona, a tam już nic nie będziesz musiała robić. Tam się tobą zajmą.

# Rozdział VI

# Dom dla panien

*Księstwo Pomorskie, Marianowo, rok 1604*

Sydonia zmrużyła oczy i nasunęła rondo kapelusza na czoło. Styczniowe słońce ostro odbijało się od śniegu. Wychyliła się z powozu i uniosła głowę. Wieża kościoła lśniła jak płynny ołów. Powóz, który dał jej Jost von Bork, wtoczył się na dziedziniec domu dla panien w Marianowie. Usłyszała dziwaczne skrzypienie za plecami, niczym jęk chorego zwierzęcia. Odwróciła się gwałtownie. Odźwierny pospiesznie zamykał bramę. Jak ponury ptak, który składa skrzydła.

— Nasmarować by trzeba — powiedziała nowa Metteke spłoszona i przeżegnała się.

Cały teren otoczony był wysokim murem. Na lewo od wjazdu stał kościół. Do niego przylegał rząd piętrowych zabudowań ciągnących się niemal do przeciwległego krańca muru. Na ośnieżonym placu stały pojedyncze budynki, kilkanaście drzew czarnymi konarami odbijało się od ostrego błękitu nieba. Na gałęziach siedziały wrony jakby czekały na Sydonię. Poza odźwiernym i ptakami nikogo nie było. Poczuła się nieswojo. Stangret zapytał:

— Gdzie stanąć?

— Przed kościołem — odpowiedziała, siląc się na pewność.

Metteke pomogła jej wysiąść. Sydonia patrzyła na swoje stopy w butach ze zbyt cienką podeszwą. Śnieg nie był wysoki, odgarnięto go wcześniej sprzed wejścia do kościoła. Po chwili, gdy wzrok przyzwyczaił się do bieli, dostrzegła oczyszczoną ze śniegu ścieżkę biegnącą wzdłuż zabudowań. Ktoś musi tu być — pomyślała. Z głębi kościoła dobiegł dźwięk dzwonka. Wyprostowała się, poprawiła kapelusz, Metteke, bystra i szybka, ułożyła jej płaszcz na ramionach. W tej samej chwili drzwi kościoła otwarto od środka i wybiegły z nich panny. Miały trzynaście, piętnaście lat, jedna mogła być jeszcze młodsza. Ubrane w szare płaszczyki, skromnie. Na widok Sydonii stanęły jak wryte. Za nimi wyszło kilka starszych panien, może dwudziestoletnich. Ubranych podobnie, w ciemnych wełnianych nakryciach głowy, spod których wystawały białe czepki. Spojrzały po sobie, jakby siebie się pytały, kim ona jest. Ponownie zabrzmiał dzwonek, tym razem głośniej, przez otwarte już drzwi. Wyszły kolejne panny, starsze od poprzednich, chyba trzydziestoletnie. Wydały się Sydonii siostrami, jedna podobna do drugiej, choć pewnie z powodu stroju, jednakowego, jak u młodszych. Miały zacięte usta i patrzyły na nią niepewnie. Wreszcie, niczym książęca para, wyszedł pastor, prowadząc pod ramię najstarszą z panien. Nie mogła mieć więcej niż lat czterdzieści.

— Przeorysza Magdalena Petersdorf i pastor Dawid Lüdecke — przedstawiła ich jedna z panien.

— Sydonia von Bork — powiedziała Metteke, a najmłodsze z dziewcząt zachichotały. Sydonia zgromiła je spojrzeniem.

— Czekaliśmy na pannę — powiedziała Petersdorf.

— Witamy w Marienflies — uśmiech rozciągnął pulchne i rumiane od mrozu policzki pastora.

Panny za plecami przełożonej zbiły się w grupki. Chowały zmarznięte dłonie w rękawach płaszczy i szeptały jedna do drugiej, nie spuszczając oczu z Sydonii. Poczuła się jak pierwszego dnia na dworze w Wołogoszczy.

— Zanim pokażemy pannie Bork nasz klasztor i jej pokoje, chciałabym w obecności wszystkich panien ogłosić — Petersdorf nie potrafiła przemawiać, nie miała autorytetu w tym stadku, co widać było po kręcących się i szepczących dziewczętach. — Proszę o ciszę! — uniosła głos. — Chciałabym ogłosić, że panna Sydonia von Bork będzie moją zastępczynią.

— Och! — przebiegło po pannach.

— Odmawiam — powiedziała Sydonia.

Na twarz Petersdorf wystąpił rumieniec. Uwagi Sydonii nie umknęła złość przeoryszy i to, jak siłuje się z sobą, by jej nie okazać.

— To dom dla szlachetnie urodzonych panien — polubownym tonem włączył się pastor Lüdecke. — Każda z pensjonariuszek jest z dobrej rodziny, ale żadna z tak dobrej, jak panna Sydonia.

— Tak — podjęła Petersdorf. — Z racji urodzenia i wieku... — panny zachichotały na ostatnie słowo, nawet te trzydziestoletnie — właściwym będzie, by objęła panna stanowisko.

— Nie sądzę — odparła Sydonia dotknięta do żywego. — Nie sądzę również, bym miała czas na takie zajęcie. Mam swoje sprawy, jestem w trakcie procesów, to wymaga ode mnie częstych podróży.

— Ooo... — przebiegło po pannach. — Ma swoje sprawy...

— To ci dopiero...

— Ale jej powiedziała...

— Nalegam — odrzekła Petersdorf. — Będziemy zaszczycone.

— Pomówmy o tym później — wymijająco powiedziała Sydonia.

— Przedstawię nasze pensjonariuszki — zaproponowała przełożona.

— Może prezentacji dokonamy, gdy się rozpakuję? — odrzekła Sydonia. Miała stopy zesztywniałe od stania na śniegu.

— Prezentacji, hi, hi — powtórzyły po niej szeptem najmłodsze.

— Naturalnie — gładko przełknęła przełożona. — Pokażę pannie jej cele.

Ruszyły odśnieżoną ścieżką wzdłuż zabudowań. Sydonia usłyszała za plecami:

— Widziałaś, jaki ma kapelusz?

— Ale mnie to śmieszy, że mówią do niej panna, a ona jest stara jak świat.

— Kloster Jungfrau — zaśpiewał jakiś głosik. — Kloster-ALTE--frau!

Nie odwróciła się. Już wiedziała, które to.


Klasztor w Marianowie założył przed prawie czterysta laty Gryfita, książę Barnim, pierwszy z Barnimów, którzy nastali po nim. Sprowadził tu cysterki, a te zgodnie z regułą zakonną, prowadziły duże gospodarstwo. Młyn, piekarnia, owczarnia, by była własna wełna na klasztorne płaszcze i welony. Ogrody warzywne i ziołowe, sady, pola, pasieki. Kwitnący niegdyś majątek od rana do świtu żył według liturgii godzin, rozbrzmiewał modlitwą i śpiewem zakonnic, biciem dzwonów, stukotem kołowrotków, gdakaniem kur. Ostatnie cysterki zmarły dawno, po reformacji klasztor wrócił do książąt, na kilka lat zabito dechami klasztorne cele. A potem okazało się, że problem panien niewydanych za mąż jest żywszy, niż kiedykolwiek wcześniej. Te, które niegdyś ojcowie kierowali na Bożą służbę, bo nie było dla nich mężów dość dobrych, teraz siedziały po domach. A co zrobić z takimi, które nie miały już rodzin? Albo dalekich krewnych godzących się na ich utrzymanie? Odbito deski z okien klasztornych. Naprawiono dach, wymieciono kurz z dawnych cel zakonnic. I sprowadzono panny, dla których nie było miejsca w rodzinnych domach. Gryfici nadal dbali o Marianowo. Pensjonariuszki dostawały skromne uposażenie, deputaty w ziarnie i żywym inwentarzu, którym miały się gospodarzyć zgodnie z własną wolą. Młodsze uczęszczały do przyklasztornej szkoły. Starsze miały oddawać się skromnemu życiu, modlitwie i pracy. A jednak było w tej idei coś kalekiego. Świeckie panny, nazywane zakonnicami. Ich przełożona, zwana przeoryszą. W klasztorze ideą skupiającą mniszki była służba Bogu. Prawdziwa, bądź wymuszona, ale była zadaniem, wokół którego skupiało się tamto życie. Konsekrowane dziewice, składające śluby posłuszeństwa, czystości i ubóstwa. To było sensem ich istnienia. W domu dla panien nie było życia zakonnego, nie było ślubów. I nie było żadnego celu. Każda z nich wiedziała, że będzie w Marianowie do śmierci, bez nadziei na zmiany.

Opiekę duchową nad tym cudacznym zgromadzeniem sprawował pastor Dawid Lüdecke. Urzędową dwóch zarządców: Joachim von Wedel i Johan von Hechthausen. Był i trzeci, nadzorujący z ramienia książąt — Ewald von Flemming. Gdy się pojawiał, śledził Sydonię wzrokiem, jak przed laty, na wołogoskim dworze, a ona niemal czuła piwo i kiszoną kapustę, woń tamtego wieczoru, gdy gonił ją, nomen omen, w klasztorze. Minęło prawie czterdzieści lat, on wciąż wyglądał jak lis, tyle, że dzisiaj ten lis był stary. Z trzech oficjeli w Marianowie mieszkał tylko Hechthausen. Miał młodą żonę, duży dom, poza terenem klasztoru i tam urzędował, w domu dla panien zjawiając się tylko, gdy było to nieodzowne. Jego żona, Ursula, była siostrą Joachima Wedla, zatem ci dwaj byli szwagrami. Sydonia szybko zorientowała się, że na miejscu władzę ma tylko Hechthausen i że aby cokolwiek z nim załatwić trzeba mieć za sobą także Wedla. Szwagrowie zwykle mieli to samo zdanie. A sprawę miała, i to niemal od dnia, gdy przyszło jej się tu wprowadzić.

— Chcę wybudować sobie dom, panie Hechthausen — oświadczyła, gdy ten przybył na inspekcję klasztoru.

— Panno Bork! — aż położył rękę na piersi. — To niemożliwe.

— Dlaczego? — spytała.

Nadął policzki i długą chwilę szukał odpowiedzi. Nie znalazł jej, a ona o tym zawczasu wiedziała.

— Tu się takich rzeczy wcześniej nie praktykowało — wyjąkał i już wiedziała, że postawi na swoim.

— Przejrzałam statut domu i fundacji — powiedziała. — Słowem w nim nie wspomniano, że pensjonariuszkom nie wolno wybudować własnego domu. Ja mam na myśli coś nieludzego.

— Książę nie da na to pieniędzy — nadął się Hechthausen.

— Nie będę prosiła. Mam fundusze na budowę.

Z sześćdziesięciu guldenów, które dał jej przed śmiercią Ulrich, nie wydała nawet szylinga. Trzymała pieniądze i oto ma cel, na który chce je wydać. Przemyślała wszystko. Tutaj utrzymanie zapewnia jej klasztor. Może coś zaoszczędzi z tych skromnych, ale wypłacanych systematycznie sum? Starczy na sądy i prawników, bo przeczuwa, że o wypłaty alimentów od bratanków będzie trzeba się upominać.

— Gdzie konkretnie ten dom miałby stanąć? — spytał.

— Za dawną owczarnią — powiedziała. — Chciałabym zacząć, gdy puszczą mrozy.


Kazimierz nie był na pogrzebie brata. Gdy tylko Barnim wyjechał z Darłowa, kolejny atak nerkowy przykuł go do łóżka. Krzyczał z bólu, jak wtedy, przed paroma laty, ale tym razem nie urodził żadnego kamienia. Przez kilka dni gorączkował, potem słabował tylko. Doktor się martwił, Katarzyna Frorycken zajmowała się nim troskliwie. Zdjęła piękne, paradne suknie i na prostą, domową, założyła fartuch. Zawsze pielęgnowała go w chorobie. W jej szczupłych dłoniach tkwiła pewność i siła. Kładła mu na głowie zimne kompresy, gdy był w gorączce. Sama podgrzewała płaskie, morskie kamienie, by potem starannie zwinięte w płótno wsuwać mu do łóżka, przykładać do bolącego krzyża. Było jasne, co śmierć Barnima dla nich znaczy, ale póki chorował, o tej sprawie nie mówili.

Bogusław słał listy. Jeden za drugim. Zmuszał go do opowiedzenia się. Naciskał: nie pochowamy brata, póki nie ma następcy. Kazimierz odpisywał: gdybyś mnie teraz widział, zrozumiałbyś, że nie jestem zdolny do przejęcia władzy. Wreszcie raport medyków przemówił za nim. Poświadczyli, że zdrowie najmłodszego z braci nie pozostawia złudzeń co do jego kondycji. Książę jest poważnie chory i nadzieje na wyzdrowienie są nikłe. Wynagrodził medyków za to stosownie do wagi raportu.

Najmłodszy z braci. Co dzisiaj to mówi? Czterdziestosiedmioletni. Było ich pięciu, pozostało dwóch. Wciąż wracał pamięcią do ostatniej rozmowy z Barnimem. Powiedział wówczas, że wszystkie zaszczyty, z których zrezygnował Bogusław, wracają do niego w dwójnasób. Barnim wypomniał mu, że się myli, że Bogusław odda księstwo wołogoskie Juliuszowi Filipowi, synowi Ernesta Ludwika. Żaden z nich nie wiedział, że ledwie parę tygodni później odziedziczy szczecińskie. Mam w tym swój udział — pomyślał Kazimierz z dumą, nie z udręką. I kazał zawołać Katarzynę Frorycken.

— Jakże ci pięknie, moja droga, w błękitach — pochwalił jej suknię, gdy tylko weszła. Lubił sposób, w jaki trzymała głowę. Ten wysoko uniesiony podbródek. Niektóre damy nie potrafiły nosić kryzy, zauważył to, gdy był chłopcem, na dworze matki w Wołogoszczy. Podsłuchał nawet rozmowę dwórek, Elisabeth von Flemming i Sydonii von Bork. Sydonia powiedziała o kimś, dzisiaj już nie pamięta o kim, że „kryza to nie podpórka pod brodę". Zapamiętał to na całe życie, bo nikt nie nosił kryzy tak pięknie jak Sydonia. Jego Katarzyna w mig nauczyła się, jak to robić, i prawda, miała wyjątkowo długą, łabędzią szyję.

— Usiądź przy mnie — poprosił. Nie leżał już, tego dnia kazał się ubrać.

— Jak się miewasz, książę? — spytała.

Nawet w łóżku mówiła do niego „książę". On wtedy nazywał ją „księżną". To była ich miłosna gra.

— Wyśmienicie — odpowiedział i wyciągnął rękę. Gdy usiadła na paradnym fotelu obok niego, złapała go za czubki palców. To też była ich gra. — Zrobiłem, co trzeba — powiedział.

Odwróciła głowę ku niemu. Robiła to z gracją. W jej oczach czaiło się pytanie.

— Odmówiłem — wyjaśnił. — Zostajemy na naszych nadmorskich włościach.

— Aha — powiedziała, a wyraz jej twarzy zmącił mu w głowie.

— Nie rozumiesz, moja droga? Nie obejmę księstwa szczecińskiego, wszystko zostaje jak dawniej. Będziemy mogli ze sobą być.

Spuściła powieki. Zawsze mówiła, że gdyby spotkali się jako prości ludzie, bez jego pochodzenia i tytułów, zakochałaby się w nim tak samo, jak w tym życiu, od pierwszego wejrzenia. Teraz spuszcza powieki?

— Katarzyno — powiedział tonem karcącym. — Gdybym przystał, nie mógłbym zabrać cię ze sobą na szczeciński dwór. Tu, na wschodnich kresach księstwa, możemy razem żyć. Ale tam, to nie byłoby możliwe.

— Pojmuję — odpowiedziała, nie podnosząc powiek, a jej głos dźwięczał ostro, jak stal.

— To o co się dąsasz?

— O nic — powiedziała i odwróciła głowę.

— Nie mogę cię zrozumieć — Kazimierz poczuł się bezradny.

— Nie możesz — powiedziała cicho.

— Jak Bogusław obejmie władzę, jak minie cały ten szum, porozmawiam z nim. Powiem, że Barnim się zgodził. Nasze małżeństwo to kwestia czasu.

Wciąż milczała i nie patrzyła mu w oczy. Czuł, że to jego wina, choć nie miał pojęcia, dlaczego.

— Katarzyno, takie jest życie książąt. Wszystko należy robić zgodnie z prawem i poddawać się upływowi czasu. U nas w rodzinie żałoba to rzecz święta. Nie wypada, bym mówił z bratem o nas, nim minie.

— Jan Fryderyk wyprawiał wesele córce nieślubnej — to słowo podkreśliła — w czasie żałoby po Erneście Ludwiku.

— To nieco inna sytuacja — powiedział i zrozumiał, jak trudno będzie to jej wyjaśnić. Westchnął. Właściwie nie miał ochoty na kontynuację tej rozmowy. Podjął decyzję, zapłacił medykom za odpowiedni raport, czuł w sobie przypływ siły.

— Jadę do Neuhausen. Kazałem sobie naszykować rybobranie — powiedział i lekko ścisnął czubki jej palców. — Bywaj, moja pani.

Wstała i złożyła mu ukłon. To wystarczyło, by zrozumiał, jak bardzo jest wzburzona.

Jestem jak młody bóg — pomyślał, wsiadając na konia. — Bo nic a nic nie robię sobie z jej fochów.

Neuhausen było jego miejscem na ziemi. Sam je stworzył, rezydencję wybudowano według jego projektu, niczym gniazdo zawieszoną na wydmie. Kochał morze. W księstwie o tak długiej linii brzegowej były wszelkie możliwe rodzaje wybrzeża. Strome klify. Sosnowe lasy przechodzące w płaskie wydmy. Albo zapraszające szerokie i piaszczyste plaże. Kamieniste i wąskie, niegościnne. Albo wydmy — łąki, znaczone pasami ostrej, srebrzystej trawy, te były w nieustannym ruchu, przesypywały się i przesuwały w różne strony. Lubił też lasy wydmowe. Sosny o szalonych, powyginanych pniach i korzeniach wynurzonych nad piaskiem. Ale jego Neuhausen stanęło na paśmie wydm długim, jak okiem sięgnąć. Miejscowi nazywali to „piaskowe wzgórza" i tak, ukochał je, urzekły go surowością i tu, nigdzie indziej, postanowił zbudować swą rezydencję. Uwielbiał sztormy w Neuhausen. Siedział wówczas w północnej komnacie, w wieży ponad wydmami, przy oknach wychodzących na morze. Patrzył przez nie na rozszalały żywioł. Nie bał się wiatru wprawiającego szyby w oknach o drżenie. Przeciwnie. Podniecał go ich trwożliwy śpiew. Napieranie wichury na wieżę. Kazał palić w kominku ogień i wyobrażał sobie, że jest widoczny dla zagubionych w morzu rybaków, niczym latarnia. Że do niego, Kazimierza, będą płynąć. Jest ich przystanią.

Uwielbiał łowienie ryb. Zimą i latem. Spod lodu, z wędki, z sieci, z łodzi, z włoka. Barnim wyobrażał sobie, że jest morskim królem. On, że jest księciem rybakiem. To był jego świat. Innego nie pragnął. Z marzeniem o sobie, jako księciu dziedzicu, rozprawił się we wczesnym dzieciństwie. Zrozumiał, że dla matki jest synem niewidzialnym i z czasem przyjął rolę, jaką mu wyznaczono. Gdy dojrzał, zażądał za nią zapłaty. Była wysoka. Zechciał być księciem bez obowiązków. Umiał się zrzekać tytułów, apanaży, zbytków. W zamian chciał odzyskać wolność. Biskupstwo, które mu narzucili, było jarzmem. Pozbył się go i żył pełną piersią, o ile pozwalało mu na to zdrowie. Śmierci braci wydobyły go z odmętów niewidzialności. Właśnie odmówił. Niech mu pozwolą poślubić Katarzynę i do śmierci łowić ryby w Neuhausen. To jest jego wybranka i dla niego stworzone miejsce na ziemi.

— Książę, szykować łódź? — zawołał Antoni.

— I to szybko! — odkrzyknął, zeskakując rześko z siodła. — Tylko zrzucę dworskie stroje i wypływamy na połów!

— W morze, rybaku — odpowiedział Antoni i charknął. — Ryby nie będą czekać! A zwiadowcy mówią, że zachodni wiatr przywiał nam ławicę tłustych śledzi.

— Łżą — zaśmiał się Kazimierz, szybko idąc do komnat. — Tłuste są w listopadzie, a mamy już luty.


Nie znała się na budownictwie, ale za klasztornym murem pole miał niejaki Heinrich Prechel, który wiedział, co trzeba, by dom postawić. Zawarli znajomość podczas jednego ze spacerów Sydonii. Mówił, że ma czterdzieści lat, wyglądał na nieco więcej. Gospodarzył sam, nie miał żony. Wyczuła jego intencje dość szybko. Szlachecka panna, nie-młoda, ale za to z posagiem i tytułem. Nie wyprowadzała go z błędu, nie on pierwszy i pewnie nie ostatni. Gdyby był rozumniejszy, wiedziałby, że jej posag, jej tysiąc guldenów, jest pewny tylko na zapisie testamen-towym. Synowie Ulricha nie chcieli płacić alimentów, już widziała, jak lekką ręką dają jej posag, dobre sobie. Nie pogardziła jednak niezdar-nymi zalotami Prechela, kierując jego zapał na budowę. On najął cieśli, zamówił drewno i sprawdził, czy dobrze wysezonowane. Wiedział, gdzie kupić kamień i ile trzeba furmanek. Chciał także przesunąć miej-sce pod budowę, ale się nie zgodziła.

— Wyobraziłam sobie widok z okna — powiedziała do Prechela, mrużąc oczy i przechylając głowę. — I bardzo się do niego przywią-załam. Dom stanie tu, gdzie wskazałam.

— Jak panna powie, tak będzie — odrzekł, biorąc się pod boki i błyskając w uśmiechu zębami. — Panna tu stawia warunki.

— Owszem — odpowiedziała.

Wiosna przyszła wcześnie i Prechel nie schodził z placu budo-wy. Stał na szeroko rozstawionych nogach, prężąc umięśnione łydki pod przybrudzoną pończochą. Gdy tylko się zbliżała, chwytał się pod boki, jakby chciał się wydać większym, bardziej pańskim. Naj-wyraźniej podpatrzył ten gest u Hechthausena. Budowa szła raźnie. Panny klasztorne przychodziły codziennie i chichocząc, obchodziły teren. Sydonia potrafiła patrzeć nie na nie, lecz przez nie, jakby były powietrzem.


Przystała na propozycję przeoryszy, gdy wpadła na pomysł budowy. Jako zastępczyni przełożonej mogła więcej. Magdalena von Petersdorf zleciła jej opiekę nad chórem. Głupi pomysł. Chóry były w czasach papistów, a te dziewczęta nie potrafiły śpiewać. Piszczały, jak zarzynane prosiaki.

— Jeśli robicie mi na złość — oświadczyła podczas pierwszych zajęć — to źle wybrałyście. Po pierwsze, nie zależy mi na tym, by was czegoś nauczyć. Po drugie, marnujecie swój czas, nie tylko mój.

— Staramy się — odpowiedziała jedna i Sydonia po raz pierwszy usłyszała ją osobno, bez chóru. Ten głos skądś znała.

— Skoro starając się, śpiewacie tak, jak przed chwilą, to znaczy, że Bóg poskąpił wam talentu, a rodzice nauczycieli. Koniec zajęć, idźcie sobie. Ale ty zostań — wskazała na bladą i zlęknioną dziewczynę. — Przypomnij mi, jak się nazywasz.

— Ja nie chciałam… — odpowiedziała tamta.

— Powiedz — rozkazała Sydonia.

— Sofija Stettin — przedstawiła się cicho.

— Siostra tego drania — Sydonia przypomniała sobie dwie kobiety na dole, gdy Stettin ją pobił. — Jak tu trafiłaś? — spytała obojętnie.

— Powiedział, że mam tu przyjść i siedzieć cicho.

— Dlatego Hans Hitze cię nie znalazł, gdy szukał świadków — zrozumiała.

Sofija Stettin wbiła wzrok w posadzkę kościoła.

— Nawet gdyby trafił do mnie, pan brat nie pozwoliłby mi stanąć przed sądem — powiedziała. — Ja nic nie znaczę, nic nie mogę. Nawet Dorotea nie ma na niego wpływu, co dopiero ja.

— Dorotea? Kogo masz na myśli?

— Naszą najstarszą siostrę. Tę, która trzyma się z Apenburg, z tą śliczną. Dzielą ze sobą celę.

— Idź już — odprawiła ją Sydonia. — Kiedyś mi za to odpłacisz.

Została sama w pustym kościele i przeklęła cicho. Dwie Stettinówny w klasztorze. Ile czasu trzeba, by się rozniosło, jak Stettin ją pobił? Wypuściła powietrze ze świstem i zaśmiała się ponuro. Czym się martwić? Przecież wszyscy wiedzą, o co się z nim sądzi.

Od tamtej pory zaczęła jednak przyglądać się współmieszkankom, zapamiętywać ich imiona, choć nadal udawała, że są powietrzem.

O Dorotei Stettin mówiono, że była w klasztorze od dzieciństwa. Na oko mogła mieć czterdzieści lat, co znaczyło, że już spędziła w Marianowie trzydzieści. Sydonia nie wypytywała o nią, nie chciała się do tego zniżyć. Po prostu przeorysza Petersdorf wspomniała, że nie przyjmują dziewczynek młodszych, niż dziesięcioletnie. Siostra Jacoba Stettina miała jasne, niebieskie oczy, jak on sam. To wystarczyło, by Sydonia nie mogła znieść jej obecności. Młodsza z sióstr, Sofija, wydawała się całkowicie pogubiona. Z nikim nie trzymała się bliżej, choć dzieliła celę z niejaką Katriną Hanow. Tylko Petersdorf i Sydonia miały do dyspozycji po dwie cele. „Z racji urodzenia" — mówiła przeorysza, a Sydonia krzywiła się w myślach. Petersdorf, też mi urodzenie. Znacznie lepsze miała Agnes von Kleist, choć była ledwie daleką kuzynką tych Kleistów, którzy zrobili karierę na dworze Jana

Fryderyka. Ich czas minął wraz z księciem, jego następcy utrącili ród, który wyrósł przy poprzedniku. Kleist, jak i jej kuzyni, miała w sobie coś klejącego, lepkiego, jak larwa. Tak widziała ją Sydonia. Agnes von Kleist miała dla siebie całą celę.

Z początku Sydonia porównywała życie we fraucymerze do życia w domu dla panien. Szybko zrozumiała, że to nietrafione. Dwór miał sens, zadania i cele. Marianowo było tego pozbawione. Życie jednak nie znosi pustki, więc klasztor, który nie był zakonem, wypełniał się kobiecymi plotkami, jadem, zawiścią i siostrą nudy — podglądactwem.

— Weźcie się do jakiejś pracy — karciła te najmłodsze, gdy widziała, jak zbijają się w grupki, by mielić językami.

Znienawidziły ją za to. W refektarzu, podczas posiłków, syczały, gdy przechodziła. Obnosiły się ze swą młodością, pojęcia o niej nie mając. Wiedząc jednak, że jest czymś lepszym niż starość. Z kolei panny dwudziestoletnie, o mysich, jedna w drugą podobnych twarzach, wodziły za Sydonią wzrokiem. I dzień w dzień przychodziły obejrzeć postępy budowy. Chichotały do robotników, albo i do Prechela, który owszem, rzucał na nie łakomym wzrokiem, ale tylko wtedy, gdy jak sądził, nie widziała tego Sydonia. Był głupcem. Prawda, wzrok jej się popsuł, ale tylko do czytania i haftu. Z wiekiem lepiej widziała dalej, niż bliżej.

Trzydziestolatki były zupełnie rozchwiane. Nie miały pojęcia, czy powinny być matronami, czy panienkami. Nic dziwnego, w życiu Marianowa wszystkie je nazywano „klasztornymi pannami", a to w jednym słowie zawierało młodość i starość. Kloster Jungfrau. Co za karkołomna konstrukcja.

Wczesnym latem jej dom był skończony. Dom, wielkie słowo, domek. Porządna piwnica, Prechel znał się na rzeczy: „Piwniczka — mówił — rzecz nieodzowna". Sień z miejscem do spania dla Metteke, z paleniskiem, miejscem na drewno i sporą kuchnią. Dwie komórki. I jedna główna izba, jasna i obszerna, pokój Sydonii. Był i strych, przez pamięć o Resku uparła się, że na strych będą schody, nie drabina. Dołożyć musiała do tego kilka guldenów, ale schody stanęły. Prechel sam przeniósł wszystkie jej rzeczy z cel w budynku klasztornym. Prężył muskuły, a panny młodsze i starsze strzelały ku niemu oczami.

— Czy pomóc się pannie Sydonii urządzić? — spytał, ocierając pot z czoła.

— Tak — odpowiedziała. — Będę wdzięczna, jeśli złoży pan łóżko dla Metteke. Muszę wrócić do klasztoru na chwilę — przeprosiła go. — Przeorysza prosi, bym przyszła.

Magdalena Petersdorf czekała na nią pod lipą rosnącą przed wejściem do głównego domu.

— Trochę cienia — zagadnęła niezdarnie.

— W czym mogę przełożonej pomóc? — oschle spytała Sydonia. Chciała być u siebie. Skończyć rozstawiać meble, otworzyć kufry. Na stole postawić srebrny kubek z herbem po matce. Bielutki obrus haftowany w kłosy. Zobaczyć, jak popołudniowe słońce wpada przez okno, jak układa się na blacie stołu i ścianie.

Petersdorf chrząknęła. Zasznurowała usta, co robiła często, gdy szukała słów. Niepotrzebnie, bo słowa, by wyjść, potrzebują bramy.

— Chór — wydukała wreszcie. — Chór, który panna ma w zakresie obowiązków, nie śpiewa.

— Ze stada beczących owiec nie zrobię słowików — odpowiedziała Sydonia. — To wbrew ich naturze.

— Ale… — zapowietrzyła się Petersdorf.

— Nie ma „ale", tak jak nie ma cudów — wzruszyła ramionami Sydonia. — Nie kształcono ich głosów od dziecka. Jako dorosłe panny nie zaczną śpiewać.

Petersdorf oddychała szybko, jakby brakowało jej powietrza. Mogłaby lżej związywać gorset — pomyślała Sydonia, ale zostawiła to dla siebie.

— Mimo to — odezwała się, łapiąc oddech — proszę, by kontynuować z nimi zajęcia. Niech chociaż nauczą się słów psalmów.

— Niektóre z nich ledwie potrafią czytać. Powinny wrócić do szkoły klasztornej.

Przeorysza znów zasznurowała usta.

— To wszystko? — spytała Sydonia. — Jeśli tak, pozwoli przeorysza, że się oddalę. Mam co robić.

— Klucze — wydukała Magdalena von Petersdorf i wyciągnęła suchą dłoń.

— Jakie klucze? — nie zrozumiała Sydonia.

— Od cel, które panna opuściła.

— Ależ ja nie opuściłam swoich cel — zaśmiała się. — Przeprowadziłam się do wybudowanego za własne pieniądze domu, ale cele nadal mi przysługują, bo jestem pensjonariuszką Marienflies. Proszę ze zrozumieniem przeczytać regułę fundacji. Żegnam — skłoniła się lekko, tylko tyle, ile wypadało Sydonii von Bork schylić głowę przed panną Petersdorf. Ani cala więcej.


Dawid Lüdecke odwiedził Sydonię u schyłku lata. Jego powierzchowność była inna niż u wszystkich znanych jej pastorów. Był pogodny i poza amboną nie moralizował za bardzo.

— Niech będzie pochwalony nasz Pan, Jezus Chrystus — powiedział, uchylając kapelusza. Sydonia z Metteke siedziała na ławce przed domem. Przebierały suche strąki grochu. — I słowo stało się ciałem! Powiedziała panna Sydonia, że dom będzie, i stanął.

— Samo się zrobiło — cicho mruknęła Metteke, odkładając kosz z grochem i wstając. Już wtedy wiedziały, że pastor ma kiepski słuch.

— Czemu zawdzięczam wizytę? — odezwała się Sydonia.

— Mogę spocząć? — spytał, wskazując miejsce zwolnione przez Metteke.

— Zapraszam — powiedziała Sydonia i skinęła na nią, by przyniosła dzban i kubki.

— Pomyślałem — powiedział po chwili Lüdecke, moszcząc się na ławce — że może panna Sydonia życzy sobie, bym poświęcił jej dom.

Metteke podsunęła stołek, postawiła na nim tacę z naczyniami. Zaczęła nalewać.

— To piwo? — ucieszył się pastor.

— Kwas chlebowy — odpowiedziała Sydonia. — Nie mam tu warunków, by uwarzyć dobre piwo.

— A czego pannie Sydonii brakuje? — roześmiał się i rozejrzał wokół. — Własny dom, dwie cele w klasztorze, czego chcieć więcej?

— Warzył pastor piwo? — spytała.

— Ja? Skądże. Ale wiem, kiedy jest dobre! — zarechotał beztrosko.

— Gdybym miała duży piec i porządne palenisko oraz chłodne miejsce do słodowania i piwnicę na przechowywanie, mogłabym zaprosić na takie piwo, które pastor uzna za bardzo dobre — powiedziała i upiła łyk kwasu.

— Hmm — chrząknął i też się napił. — Smaczny! — pochwalił szybko. — Wziął kolejny łyk, zamlaskał, oblizał usta i wypił kwas duszkiem.

— Panno Sydonio, kwas wyborny. Jeśli piwo potrafi pani uwarzyć równie smaczne, to trzeba znaleźć dla panny ten piec i palenisko...

— Już znalazłam — powiedziała. — W starym refektarzu.

— No, ale tam teraz... — zawahał się. Nie miał pojęcia, co z refektarzem.

— Panny korzystają z nowego, nie jest duży, ale się mieszczą — wyjaśniła Sydonia. — Starego się nie używa, bo podłoga zniszczona i okna ledwie się trzymają. Czasami Petersdorf zwołuje tam panny, gdy chce przemówić do całego zgromadzenia, ale przecież, równie dobrze, może korzystać z kościoła.

— Z kościoła?

— Tak. Dom Boży to miejsce modlitwy i spotkań — powiedziała Sydonia. — A jeśli Petersdorf zwołuje panny w innym celu, to niech lepiej zaniecha takich zebrań.

— Hm — mruknął.

— Proszę z nią pomówić — powiedziała.

— Moja żona, kiedyś, jak jeszcze żyła, warzyła dobre piwo — podrapał się po siwej czuprynie. — U nas to mówią, że po tym poznać dobrą, pobożną kobietę, że mleko jej nie skiśnie, masło zawsze się dobrze ubije, chleb w piecu wyrośnie i piwo wyjdzie w sam raz.

Metteke przewróciła oczami. Stała za plecami pastora, nie widział jej. Potem zrobiła gest ubijania masła i tak, wyglądało to obscenicznie.

— Proszę pomówić z Petersdorf — powtórzyła Sydonia. — Obiecuję, że moje piwo nie zawiedzie oczekiwań pastora.

— No dobrze — westchnął i dodał: — Z panną też mam do pomówienia. Jost von Bork został zarządcą książęcej domeny w Szadzku. Wielki majątek ma pod sobą i takąż odpowiedzialność na barkach. Wiele lat panny kuzyn starał się o uznanie w oczach książąt, ale przez te ekscesy panny nieżyjącego brata...

— Przez niego jestem tutaj — przerwała Sydonia.

— Przez Josta?

— Nie, przez Ulricha. Przyszłam na świat w Strzmielu, w Wilczym Gnieździe, rodowym zamku Borków, nigdy nie przyszło mi do głowy, że skończę w domu dla panien w Marianowie.

Pastor zamarł z otwartymi ustami. Niemal widziała dukt jego myśli. Sądził, że Marienflies i ten domek to jej spełnione marzenia.

— Cieszmy się tym, co mamy — wydukał i po chwili kontynuował: — Rozumiem, los obszedł się z panną okrutnie, ale przecież, koniec końców ma panna dach nad głową i jest co do spiżarni włożyć.

Czy nie czas poniechać tych sądów? Te swary rodzinne nikomu nie służą.

— Są mi winni pieniądze — powiedziała. — Roczne alimenty w wysokości trzydziestu trzech guldenów to dla panny mojego urodzenia nic. Rozumie pastor? To mniej niż jałmużna. Sąd Jana Fryderyka wydał wyrok, prawo jest po mojej stronie, a oni nie chcą go respektować. Muszę im o tym stale przypominać.

— Ja rozumiem, rozumiem, ale niech panna i drugiej strony posłucha. Ulrich zostawił ich z długami, potwornymi długami, pana Josta również nie spłacił.

— Pastorze — spojrzała mu w oczy. — Jeśli przyszedł pan w ich imieniu, to niepotrzebnie wtrącił się pan w nie swoje sprawy. Mają długi? Prawda. Ale mają też zamek, wsie, chłopów i wszelkie inne dobra, których mnie pozbawiono. Czy pastor jest świadom, że po trzydziestu sześciu latach od umowy spadkowej ja nadal nie otrzymałam wszystkich zapisanych w niej dóbr? Łatwo biadolić z wielkiej komnaty, bo z jej okna nie widać nędzy, w której żyję.

— Ja też nie widzę nędzy — powiedział. — Widzę zaradną kobietę, która się jakoś urządziła.

— W domku z jedną izbą, jako pensjonariuszka przechowalni dla niechcianych kobiet. Choć przyszła na świat w zamku na wzgórzu, jako córka jednego z najważniejszych rodów księstwa. Proszę tak na to spojrzeć, pastorze, bo ja właśnie tak widzę swoją sytuację.

Dawid Lüdecke nie obraził się na nią i załatwił u przeoryszy Petersdorf refektarz i piwnicę pod nim dla potrzeb Sydonii. Obiecała mu piwo i wzięły się z Metteke do roboty. Pierwsze wylały do koryt dla prosiąt. Drugie źle sfermentowało i powstał ocet piwny. Przecedziły go do słoja, jest cenny. Na trzecie zaprosiła pastora do domu. Wziął łyk, potem drugi, trzeci, zamlaskał i wypił duszkiem.

— Moja żona, świętej pamięci, warzyła inne — oznajmił i wyciągnął rękę z kubkiem do Metteke. — Nalej jeszcze, dziecko. Smak muszę lepiej złapać.

Liście na lipie pożółkły. W popołudniowym słońcu lśniły jak złoto. Po klasztornym murze przechadzał się z gracją rudy kocur. Zmrużyła oczy.

— Co takiego panna dodała, że wprost oderwać się nie mogę? — spytał pastor i znów podstawił kubek pod dzban Metteke.

— Kurdybanek — odpowiedziała, unosząc powieki.

— O. A co to?

— Roślina. Taki bluszczyk. Rośnie w marianowskim lesie.

— U nas rośnie? Coś takiego! — pokręcił głową pastor.

— Wszędzie rośnie — niedbale odpowiedziała Sydonia.

— O. A to aby nie trujące? — odsunął nagle kubek od ust.

Sydonia wzięła dzban z ręki Metteke, nalała sobie i wypiła duszkiem.

— No i na chwałę Boga, trzeci kubeczek — uspokojony pastor podsunął puste naczynie pod dzban i czekał, aż mu poleją. Zrobiła to Sydonia, a Metteke za jego plecami pokazała, że nie trzeci, a czwarty.

— Skarżą się na pannę — powiedział, gdy upił łyk. Zaspokoił pragnienie, już nie był tak łapczywy, jak wcześniej.

— Mówiłam, by pastor nie wstawiał się za moimi bratankami — przypomniała.

— Ja nie o tym. Panny klasztorne się skarżą. Matka przełożona się skarży.

— Żadna z niej matka przełożona — prychnęła Sydonia. — Kto jak kto, ale pastor powinien pamiętać, że to nie zakon. Petersdorf to prosta kobieta, przerasta ją stanowisko, którym ją obarczono, nic więcej.

— Może i tak — po piwie był polubowny. — Ale uszanować trzeba funkcję, jaką pełni. Nie mogłaby panna Sydonia powściągnąć języka, gdy rozmawia z nią w obecności pensjonariuszek? Podkopuje panna autorytet przeoryszy.

— Nie można podkopać czegoś, co nie istnieje — cicho powiedziała Sydonia.

— Usłyszałem — przestrzegł ją. — I bardzo pannę proszę, przez wzgląd na naszą przyjaźń, żeby jej panna nie dokuczała. Ona i tak dość ma zmartwień.

— Jak my wszyscy — odpowiedziała Sydonia, patrząc, jak rudy kocur zeskakuje z klasztornego muru.


Pojechała do Szczecina przed Bożym Narodzeniem. Maria von Ramel, żona Henryka von Bork z Pęzina, wybrała się tam na całe święta i zaproponowała Sydonii wspólny wyjazd.

— Pomyślałam, moja droga, że przyda ci się trochę odetchnąć. Jak oceniasz Marienflies?

— Prawie trzydzieści lat minęło od naszej poprzedniej podróży, pamiętasz? — nie odpowiedziała na jej pytanie Sydonia.

— Naturalnie. W moim, w naszym wieku, lepiej się pamięta, co było dawno, niż co wczoraj. To wtedy był ten wielki kongres?

— Nie. Książę remontował kościół Świętego Ottona i przewożono trumny Gryfitów do kolegiaty Mariackiej — przypomniała jej z uśmiechem Sydonia.

— To jednak słabo pamiętam i to co blisko, i to co daleko — pogodnie odpowiedziała Maria. — Za to co do ciebie, pamięć mnie nie zawodzi. Wciąż w kryzie, wciąż szykowna. Masz teraz pewnie częsty kontakt z Joachimem Wedlem, skoro on zarządcą tego Marienflies.

— Nie pojawia się w domu dla panien — zaprzeczyła Sydonia. — Hechthausen wszystkim zarządza. Ale, gdy wyjeżdżałam, panny plotkowały, że żona Hechthausena ciężko zaniemogła w połogu, więc pewnie Joachim przyjedzie, by ją odwiedzić.

— A to dlaczego? — spytała szczerze zaskoczona Maria.

— Bo to jego siostra — powiedziała Sydonia i zrozumiała, że z pamięcią żony kuzyna jest źle.


Barbara von Brockhausen była odmieniona. Przywitała Sydonię w bardzo ciemnej, niemal czarnej fioletowej sukni z kołnierzem.

— O czymś nie wiem? — spytała Sydonia, gdy usiadły w salonie. — Jesteś w żałobie?

— Nie, skąd taki pomysł? — zdziwiła się.

— Zwykle wybierałaś barwne materiały. Nie spodziewałam się.

— Nie byłaś na ostatnim pogrzebie — w głosie Barbary zabrzmiała przygana. — Nie masz pojęcia, przez co wszyscy przeszliśmy. Pogodne niebo, a tu nagle zgasło słońce, ciemno się zrobiło, huknął piorun, w życiu nie byłam w takiej burzy — przyłożyła do suchego oka chustkę. Białą z czarnym obrąbkiem. — Już siekiera do korzeni przyłożona, tak powiedział pastor i wierz mi, poczułam jej ostrze. Na nic to życie, tu i teraz — potoczyła pomarszczoną dłonią po salonie i zatrzymała na stojącej pod lustrem konsolce o giętych nóżkach. Sydonia posłusznie powiodła wzrokiem i przyjrzała się wielkiej muszli na srebrzonej podstawie.

— Piękne — przyznała. — To wazon czy kielich?

— Kielich, ale latem wstawiam do niego kwiaty. Wino mi już nie smakuje jak kiedyś. Ciężko żyć w świecie przytłoczonym całą tą marnością. Pastor mówi, że musimy się więcej modlić, tamto życie bliższe, niż to, które mija. Powinnaś zrozumieć, w końcu jesteś w klasztorze.

— Tamtejszy pastor ma większą pasję do piwa niż nabożeństw.

Barbara spojrzała na nią surowo i upomniała:

— Sydonio.

Wstała i podeszła do lustra za konsolką. Miało ciężkie, złocone ramy i lekko matową powierzchnię. Barbara dotknęła jej.

— Tak się uparłam na to lustro. Tyle kosztowało pieniędzy. I nie żałuję, bo gdy w nie spojrzałam, zrozumiałam, że już czas przygotować się na życie wieczne.

Jej głos brzmiał przeciwnie, jakby żałowała.

Ale na coś przydało się cenne lustro — pomyślała Sydonia. — Zaczęła ostrożniej używać bieli weneckiej.

— Zmarł książę Barnim, a wciąż mówili na niego „młody". Teraz w Szczecinie Bogusław. Tron musiał wziąć starszy, po młodszym. Takie życie — westchnęła i dodała na jednym tchu: — I zdechła moja papuga.

Przemiana Barbary sięgała głębiej, pod ciemną suknię i skromny, choć zrobiony z najlepszej koronki kołnierz. Gdy tylko zaczynały bić dzwony w kolegiacie, Barbara wzdychała i robiła znak krzyża. Codziennie chodziła na nabożeństwo do Świętego Jakuba. Codziennie też wspominała zmarłych. Zakazała służbie używania przypraw i wina. Bardzo straciła na tym jej kuchnia.


Zmienił się także Szczecin. Sydonia nie była już jedyną kobietą w wysokim, męskim kapeluszu. Pojawiło się też mnóstwo czepków z doszytą, krochmaloną częścią, która wyglądała niczym łuk nad głową i nieco wydłużała sylwetkę. Żony rzemieślników zaczęły nosić krótkie, luźne jupki, obszyte futerkiem, co wyglądało na ubranie niezwykle wygodne.

Mężczyźni zdobili buty szeroką klamrą, ich szuby stały się dłuższe, choć straciły swą fałdzistość. Dostrzegła też, że zmieniły się kryzy; za pierwszym razem pomyślała, że ktoś założył kryzę po ciemku, niewykrochmaloną. Ale potem drugi i trzeci z mężczyzn mieli taką samą, jakby opadniętą i zrozumiała, że to nowa moda. Na szczęście nie wszyscy się tak nosili i mogła napawać się różnorodnością.

Na dworze był ziąb, chciała się nieco ogrzać, wstąpiła do kolegiaty Mariackiej, ale nie dane jej było nacieszyć się spokojem. Nim go zobaczyła, usłyszała, jak perorował:

— ...dziękuję, Danielu Cramer, dziękuję. Usłyszeć takie słowa od człowieka, zwanego słusznie „postrachem heretyków" to komplement.

— Ależ doktorze Schwalenberg, prawdę mówię. Pewien jestem, że książę Bogusław mianuje pana prezesem konsystorza...

Stanęła w pół kroku, zaskoczona. Toż to dawny nauczyciel księcia Kazimierza. Drugi raz, po tylu latach, spotyka Schwalenberga w tym samym miejscu.

— Szanowna pani do mnie? — spytał ten, którego wcześniej Schwalenberg nazwał „postrachem heretyków".

— A może do mnie? — Schwalenberg już ją poznał i zagruchał: — Panno Sydonio? Czy może pani Sydonio, choć przyznam, nie słyszałem o małżonku.

— Rozpytuje pan? — powiedziała ostro.

Schwalenberg się zmieszał. To ją pchnęło dalej:

— Skąd taka ciekawość? Niech pan pilnuje swoich spraw, doktorze Schwalenberg, bo kto wtrąca się w cudze, płaci wysoką cenę.

Odwróciła się na pięcie i wyszła z kolegiaty szybko. Nogi niosły ją same, byle dalej. Ocknęła się na dźwięk dzwonka, zobaczyła, że jest przy Bramie Młyńskiej, w gęstniejącym tłumie.

— Przejście dla straży miejskiej! — wołał mężczyzna z dzwonkiem w dłoni.

— Przejście! Skazany jedzie!

Usunęła się z drogi, jak inni. Na wozie stała klatka. W niej siedział nieszczęśnik, mimo mrozu odziany w samą koszulę. Ludzie, którzy przed chwilą ustąpili miejsca strażnikom i wozowi, teraz przypadli do skazańca i przez kraty wyciągali słomę, na której siedział.

— Na szczęście — zawołała bezzębna kobieta i schowała wiecheć pod lichą dziurawą kapotę. — Na szczęście — powtórzyła z błogim uśmiechem.

Sydonia skrzywiła się, myśląc — tyle tego szczęścia, co cię ta słoma ogrzeje.

— Dokąd go wiozą? — spytała strażnika.

— Na Kruczy Kamień, za bramą — odpowiedział, nie zwalniając kroku. — Pani szanowna dawno w Szczecinie nie była?

— Dawno — odrzekła, nadążając za nim.

— Książę Jan Fryderyk kazał pobudować porządne miejsce kaźni — wyjaśnił. — Po tym, jak tę wiedźmę ze Szczecinka ścinali na Siennym Rynku i pospólstwo się pchało, że kata musielim bronić.

— Pchali się, bo chcieli uwolnić skazaną?

Zaśmiał się szeroko.

— A gdzie tam! Ino, że czarownica, to okrutną w ludziskach wzbudziła ciekawość. Każden jeden chciał widzieć z bliska. Książę się zdenerwował i zarządził, żeby publika nie mogła podchodzić bliżej. O! — wskazał brudnym palcem na podwyższenie z szubienicą, do którego się zbliżali. — Widzi szanowna pani? Tam na dole murek wyrychtowany, że nikt katu na miejsce pracy nie będzie właził. A to całe, to Raben Stein, Kruczy Kamień, nazywamy. Kata zara zobaczym, jak pani chce...

Nie chciała. Zawróciła, choć musiała się ramionami zasłonić przed tłumem napierającym w kierunku miejsca kaźni. Dopiero koło końskiego kieratu zrobiło się puściej. Odetchnęła i wtedy usłyszała:

— *Vanitas vanitatum et omnia vanitas!* — głos mężczyzny był potężny i mroczny. Przed jej oczami stanął Jurga von Bork, tylko on miał taki tembr głosu. — *Vanitas vanitatum et omnia vanitas!*

Sydonia struchlała. Obróciła się wokół siebie, szukając tego, kto wołał. Zobaczyła go na placyku przy kieracie. Stał na beczce, wokół niego garstka ludzi. Na głowie miał trójkątną czapę z wyciętymi dziurami na usta i oczy. W lewej ręce trzymał ludzką czaszkę, uszkodzoną, bez żuchwy. W prawej bicz i okładał się nim po plecach, nie przestając rytmicznie wołać:

— *Memento mori!* Dzień końca jest bliski!

Z daleka widziała nieźle. To nie mógł być Jurga von Bork. Mężczyzna, choć nie widać mu było twarzy, był od Jurgi młodszy.

Dwie młode mieszczki, trzymając się pod ręce, przeszły obok, rozmawiając tak głośno, że słyszeć mógł je cały plac:

— Na Różanej jest burdel i tam się spotykają...

— Na dziwki ma, a na ciebie skąpi?

— Koguuutek na rosół, koguuutek na rosół, koguuutek... — darł się chłopak z klatką na plecach. Ptak szamotał się w niej opętańczo. Pomyślała, że ma więcej woli życia, niż skazaniec, którego przed chwilą też widziała w klatce.

Pozbierała myśli i poszła na Szewską. Potrzebowała nowych butów, porządnych i pewnych, z zapiętkiem.

— Obcasik? — spytał szewc, gdy zdjął z niej miarę.

— Nie — odpowiedziała.

— A szkoda — mrugnął do niej. — Pani taka modna, pasowałby obcas.

— Panna — poprawiła go.

— Tym bardziej! — uśmiechnął się i pokazał dziurę po zębie. Nie zareagowała, więc wziął model buta i pokazał, co dalej. — Jak nie obcas, to zrobię podbicie, żeby stopę nieco unieść, o tyle. Wiązane z przodu. Będą za dwa tygodnie. Chodaki drewniane do kompletu?

— Poproszę — powiedziała, pamiętając, jak zmarzły jej nogi na śniegu.

Gdy podał cenę, nie było jej do śmiechu. Targowała się zaciekle. Zostawiła zadatek i pomyślała, że nie starczy jej na resztę. Zacisnęła palce na sakiewce przy pasku. Zastawię złoty pierścień — pomyślała. — Na co mi on? Buty ważniejsze.

Pod łukowatą murowaną przyporą u wlotu Szewskiej na Rynek Sienny minęła żebraka, który wyciągał ku niej pokrytą plamami rękę.

— Daj choć ziębie oczko, dobra córko, ojcu staremu…

Odskoczyła, bo jego dłoń wydała się jej drapieżna. Miała kilka drobnych monet, ale chciała za nie kupić coś do zjedzenia.

— Jędza — ryknął na nią. — Wstrętna wiedźma. Wsadź sobie ziębie oczko w dupę, wariatko!

Nogi same poniosły ją do portu. Przeszła jak zwykle Bramą Byczą i serce waliło jej jak młotem. Przy pomoście Kurzej Stopki za statkami pod flagą lubecką i niderlandzkimi, których było najwięcej, cumował statek ze strzałowską banderą, ale nie był to „Wielki Stralsund". Stała chwilę, by nabrać sił. Wokół niej rozbrzmiewał gwar, w którym, jak przy pomoście, najczęściej słyszało się niderlandzki.

W „Popiołku" wbrew temu, czego się spodziewała, nie było tłoczno. Kilku żeglarzy obsiadło największy ze stołów, pozostałe były puste. Rozglądając się za Mattiasem, podeszła do szynku. Trochę tu się zmieniło. Nad karczmarskim stołem zawisły sztokfisze, powyginane sylwety suszonych dorszy kołysały się lekko, jak jakaś upiorna girlanda. Między nimi wisiały warkocze czosnku, z boku kilka okopconych rondli. Na stole wielka gomółka sera, z wbitym weń nożem. Przełamany bochenek chleba. Taca z jeszcze parującymi krabami. Zaburczało jej w brzuchu.

— Dla pani szanownej? — spytał młodziutki chłopiec z przybrudzoną serwetą przerzuconą przez ramię.

— Szukam Mattiasa — powiedziała, przełykając ślinę.

— Ojciec towar przyjmuje — uśmiechnął się chłopak. — Bracia Rugijczycy przywieźli rum, szanowna pani rozumie — mrugnął i ruchem głowy wskazał na mężczyzn wokół stołu.

— Przyjdę kiedy indziej — powiedziała.

— Poczeka pani, coś przekąsi. Ojciec skończy na zapleczu i powiem mu, żeby przyszedł. Te kraby już zamówione, ale mogę obgotować nowych.

— Dziękuję — powiedziała. — Poproszę o chleb i ser.

— Wedle życzenia — ukłonił się przesadnie głęboko.


Usiadła tak, by widzieć i słyszeć, a pozostać niewidoczną. Żaden z gości, nawet tych siedzących do niej plecami, nie mógł być Ascaniusem. Śmiali się głośno, przeklinali głośno i gadali głośno.

— Ha, ha, ha! Tak było, potwierdzam, tak było! Ale jeszcze lepsze, że Zume w to uwierzył. Baba mu nagadała: obyś zdechł i on, rozumiesz, po tygodniu był pewien, że umarł. Takiej fiksacji dostał, że nie jadł i nie spał tygodniami...

— To zdechł! Zdechł zaprawdę, powiadam!

— No nie przerywaj! Wychudł, wymizerniał, prześcieradłem się okręcił i tak po mieście chodził, bo mu się zdawało, że nie żyje, a w mieście umarłych przebywa. My do niego: zjedz coś, brachu, a on patrzy tak jakby przez nas, myśli, że my go nie widzimy, a on nas owszem?

— Diabli wiedzą, co on tam sobie dumał, dość, że na nogach się słaniał z głodu...

Syn Mattiasa podszedł do Sydonii z tacą.

— Ser dla pani, chleb dzisiaj piekliśmy, kufel szczecińskiego, a dorzuciłem marynowanego śledzia, na spróbowanie, od „Popiołka". Na zdrowie!

Kiwnęła mu głową w podziękowaniu. Była tak głodna, że bała się, iż wszyscy słyszą, jak burczy jej w brzuchu. Ułamała chleba, zagryzła.

— To my żeśmy wpadli na taki pomysł...

— Nie przypisuj sobie zasług. To Boras wymyślił...

Chleb stanął jej w gardle, obiema rękami chwyciła za kubek z piwem. Popiła.

— I żeśmy się przebrali w prześcieradła, tak samo, jak wtedyk chadzał Zume, Boras to sobie jeszcze na głowę nocny czepiec nasadził, więc wyglądał z nas wszystkich najparadniej.

Nie tknęła śledzia, ani sera. Trzymała się kubka z piwem, by nie uronić ani słowa.

— I poszlim na cmentarz, tam, gdzie nasz Zume jako żywy nieboszczyk chadzał co dnia, włócznie my o krzyże oparli, ale kordelasów nie odpasali...

— Zapomniałeś powiedzieć, żeśmy ten kosz wzięli.

— No to właśnie, kosz mieliśmy, a tam, brachu, szynki, wędzone ryby, chleba, piwa dwa dzbany. I się z tym wszystkim rozsiedliśmy na cmentarzu...

— Ja nie mogę...

— Słuchaj, słuchaj. Boras, bo on jest taki wiadomo, akuratny, serwetę z koszyka na grobie rozłożył, wytwornie i dawaj, jak nie zaczniemy ucztować, śpiewamy sobie, gadamy a jemy, ile wlezie. I Zume przyszedł, my udajem, że go nie widzimy, on się gapi na nas...

— I Boras wtedyk mówi: „W życiu mi tak nie smakowało, jak po śmierci" i wtedyk Zume nie wytrzymał i do nas podszedł.

— Mówi do nas: „To wy, bracia mili, też jesteście zmarli?". A my na to: „No pewnie, skoro nas widzisz, ty, trup prawdziwy, to jakżeby inaczej". A Boras do niego: „Siadaj, Zume, poucztuj z nami". I Sumisko jak stał, tak se na grób koło nas klapnął i dalej sięga do koszyka od razu za szynkę. I je, aż mu się uszy trzęsą. Jak se podjadł, tak ożył i już gadki nie było, że on zmarły.

— No to powiem, bracia rugijscy, że z was najlepsze doktory!

— A jak! My po studiach! Uniwersytet morski my kończyli!

— Poznałem pannę po kapeluszu — powiedział Mattias, dosiadając się do Sydonii.

— Mówili o nim. O Borasie — odezwała się szeptem.

— Bo to jego dawni druhowie. Kiedyś pływał z nimi.

— Kiedyś — powtórzyła. — A teraz?

Mattias popatrzył na nią jak dawniej, na wskroś przenikliwie, jakby tym wzrokiem chciał jej coś powiedzieć i o coś spytać, jednocześnie. A potem położył przed nią zatłuszczony papier złożony i przewiązany szarym sznurkiem. Widziała, że na kolanach trzyma coś jeszcze, jakiś pakunek. Wzięła list i spytała ponownie.

— Co z nim?

— Nie wiem. Ci tam — wskazał na mężczyzn — też nie widzieli go od dawna. Mówią, że zaciągnął się w Rotterdamie. Pewnie napisał. Oni ten list przywieźli. I to również.

Wyjął na stół pakunek. Płaską i miękką paczkę zawiniętą w płótno.

— Może panna z nimi pomówić — dodał, choć jego wzrok mówił, że wie, iż tego nie zrobi. Miał rację.

Rozwinęła pakunek. Wewnątrz była chusta z cieniusieńkiego lnu, pokryta delikatnym czarnym haftem. Wiedział, że taki noszę, że właśnie taki lubię — pomyślała. — To drogi prezent.

„Sydonia miła" — Asche bazgrał jak kura pazurem, ale to chwiejne i nierówne pismo bardzo ją poruszyło. „Tamten rejs był rozczarowaniem. Cudem uszliśmy z życiem, ale statek był uszkodzony, ładownie przeciekły, towar poszedł na dno. Mam na oku coś intratniejszego. Tym razem wrócę ze złotem, obiecuję, moja Sydonio. Wiem, że Ulrich nie żyje, niech go piekło pochłonie. Nie mam pojęcia, co u ciebie, jak twoje losy, ale z uwagi na to, że dłużej mnie tym razem nie będzie, muszę cię przestrzec, moja Sydonio. Kto wie, jak dzisiaj wyglądają nasze, Borków, sprawy. Mówią, że papier jest cierpliwy, ale ja nie jestem. Nie mam do pisania ani ręki, ani głowy, dlatego napiszę wprost: Jost jest inny niż się wydaje. Uważaj na niego. Nie ufaj. W moim domu to on był Ulrichem, a ja Sydonią. Z jego powodu odszedłem. Czekaj na mnie, tak jak dom na Jasmund czeka na nas. Twój Asche".

Ze Szczecina wracała w połowie stycznia, z Marią z domu Ramel, tak jak przyjechała. Podróż wiodła przez Stargard. Zatrzymały się tam na noc. Maria była zmęczona jazdą i rozbita. Pamięć znów ją zwodziła. Sydonia potrzebowała rozprostować ścierpnięte w powozie nogi, a po prawdzie, chciała także odwiedzić stare kąty. Po pożarze, który wygonił je przed laty ze Stargardu, śladu już nie było. Miasto pokryte świeżym śniegiem wyglądało jak z bajki. Udało jej się kupić czarnych, jedwabnych nici, których nie znalazła w Szczecinie. Spotkała kilku dawnych znajomych, starzeli się szybciej, niż ona.

Nazajutrz, już w południe były w Pęzinie, pożegnały się serdecznie z Marią i choć jej mąż, kuzyn Sydonii, Henryk von Bork, zatrzymywał, wymówiła się zmęczeniem. Powóz odwiózł ją do Marianowa. Wróciła z mnóstwem pakunków. Z chustą od Asche pod kapeluszem, w nowych butach i bez dwóch złotych pierścieni. Zastawiła je u Gorga von Ramel, brata Marii. Wykupi je, jeśli bratankowie zapłacą alimenty. Gorg był gotów wziąć od niej także sygnet od Jurgi, ojca Ascaniusa, ale się nie zgodziła. Te dwa skaczące wilki od starego przyjaciela nie są na sprzedaż. Za tamte wypłacił jej godziwie.

Furtian domu dla panien, już teraz wiedziała, że nazywa się Mattias Winterfeld, otwierał bramy z takim namaszczeniem, jakby wpuszczał na zamek. Był ponury, z nastroszoną czupryną sterczących, siwych włosów, w za dużym płaszczu z postawionym kołnierzem. Małomówny, w przeciwieństwie do żony, wścibskiej i nieustannie mielącej językiem. Wołali na nią Horn, bo tak jej było z domu. Teraz też pojawiła się okutana w chusty, w czepcu nieco zsuniętym na bok, nie przez kokieterię, raczej przez pośpiech. Pewnie ubierała się prędko, by sprawdzić, kto takim powozem wjeżdża do Marianowa. Sydonia nie obdarzyła jej nawet skinieniem głowy, za to Horn wzięła się pod boki i zawołała:

— W klasztorze wielkie zmiany. Jeszcze się panna Bork zdziwi, że ho, ho!

— Co za babsko — szepnęła Metteke skulona w kącie powozu.

— Jakie zmiany mogą być w Marianowie? — wzruszyła ramionami Sydonia.

Stangret podjechał pod sam domek i wyładował kufer podróżny i pakunki. Sydonia otworzyła drzwi, pokazała, gdzie zanieść.

— Zaraz rozpalę — zatarła zziębnięte ręce Metteke.

Sydonia wyszła na ganek spojrzeć za odjeżdżającym powozem. Biegły za nim najmłodsze z panien, niczym chłopskie dzieci. Pokręciła głową. Zobaczyła, że przy wejściu do klasztoru zbiły się w grupkę starsze. Zapewne mówiły o niej, bo patrzyły w jej kierunku. Powóz wyjechał, Winterfeld zamykał bramę. Jego żona, z rękoma skrzyżowanymi na obfitym biuście też patrzyła w stronę domu Sydonii. Najmłodsze panny zawróciły spod bramy i biegiem, niczym stado wróbli, wracały w stronę kościoła. Tam stanęły, odwróciły się od wejścia i wszystkie naraz złożyły kulawe, prześmiewcze ukłony stojącej na ganku Sydonii. W tym samym czasie z budynku wyszła przełożona Petersdorf z Agnes von Kleist przy boku i obie ruszyły wprost do niej. Sydonia odwróciła się na pięcie i weszła do domu, zamykając za sobą drzwi.


— Panno Bork! — zawołała przełożona, pukając. — Niech panna otworzy.

— Panno Sydonio! — tym razem to była Kleist. — Musimy pomówić.

Metteke otworzyła drzwi. Stały tam, z rozbieganym wzrokiem, zmieszane, jakby zaskoczone tym, że je wpuszczono.

— Panna Bork przyjmie panie — powiedziała Metteke i przepuściła je przodem.

Rozglądały się po ścianach, były tu po raz pierwszy. Sydonia siedziała w dużym, skórzanym fotelu za stołem. Kapelusz zdążyła zdjąć, a chustę od Asche przełożyła na ramiona. Nie wstała. Kleist dygnęła przed nią, Petersdorf skinęła głową i zasznurowała usta. Sydonia zobaczyła przez okno, że najmłodsze panny już tu są, z nosami przy szybie. Starsze szybkim krokiem zmierzały ku nim, niczym stado wron. Sydonia odchyliła się, wygodnie opierając w fotelu. Dłonie splotła na piersi tak, by widziały jej pierścień. Nie odezwała się, zmuszając przełożoną i uczepioną jej boku Agnes, by powiedziały, w czym rzecz.

— Podczas przedłużającej się nieobecności panny — zaczęła przełożona. — Zgromadzenie domu dla panien uznało, że nie wypełnia panna obowiązków zastępczyni przełożonej. — Zrobiła pauzę, najwyraźniej powiedzenie tego długiego zdania kosztowało ją wiele. Sydonia nie spuszczała z niej wzroku. Niczym kot wpatrujący się w muchę na ścianie. Petersdorf straciła rezon, zaczęła chrząkać, co zaskoczyło ją samą, przyłożyła dłoń do ust, jakby chciała powstrzymać to dziwaczne zachowanie. Kleist zamrugała. Najpierw raz i drugi, potem powieki zaczęły jej trzepotać i nie potrafiła tego zatrzymać. Sydonia odwróciła się od nich i spojrzała przez okno. Dziewczęta wystraszone odskoczyły.

— Zgromadzenie postanowiło odwołać pannę Bork ze stanowiska — błyskawicznie dokończyła Petersdorf i odetchnęła z ulgą.

— Panny mnie wybrały na nową zastępczynię — szybko dorzuciła Kleist, jakby się bała, że obie zaniemówią.

Spojrzały jedna na drugą i zaczęły wycofywać się z izby. Nie wiedzieć czemu szły tyłem i w drzwiach Petersdorf potknęła się o miotłę.

— A! — krzyknęła głośno. Panny za oknem jęknęły. Panienki młodsze zaczęły się śmiać, jak opętane. Kleist chwyciła przeoryszę pod ramię i wyprowadziła z izby. Były w drzwiach, gdy Sydonia zawołała za nimi:

— Nie można odwołać nieobecnej. Przeczytajcie sobie statut tej fundacji!

— Już po sprawie — krzyknęła Petersdorf, stojąc przed domem. — Panowie Hechthausen i Wedel to zatwierdzili!

Sydonia nie przejęła się tym. Właściwie, było jej to na rękę. Ale zaczęła pisać skargę na Petersdorf i resztę, bo postąpiły bezprawnie. Książę szczeciński Bogusław musi się dowiedzieć, jaki bałagan panuje w jego domu dla panien.

Książę Kazimierz nie był na zaręczynach bratanka Filipa z księżniczką Zofią, ani na ślubie bratanka Juliusza Filipa z margrabianką Agnieszką. Pierwsze były w Bardzie, drugie w Berlinie, ale nawet na wesele do Wołogoszczy nie przybył. Zapraszano go, nikt mu nie uchybił, ale po prostu, nie czuł się dobrze. Owszem, na tamten raport medyków wpłynął, kazał przedstawić swe zdrowie w ciemniejszych barwach, by dać sobie i Katarzynie Frorycken nieco wolności, ale krótko po tym, jak urządził zimowe rybobranie, zaniemógł. Przeziębił się i tyle, lecz powrót do zdrowia nie przebiegał tak, jakby sobie życzył. Nie mógł spełnić obietnicy złożonej swej pani, że jak tylko ustąpi żałoba, pojedzie rozmawiać z Bogusławem o ich małżeństwie. Rok od śmierci Barnima minął, a Kazimierz czuł się coraz gorzej. Katarzyna towarzyszyła mu na dobre i na złe, w zdrowiu i chorobie. Bardzo żałował, że jeszcze nie mógł dać jej małżeńskiej obrączki. Zaczął się Wielki Post i kaznodzieja darłowski, Grantzin, jak co roku czytał Księgę proroka Amosa.

— *Tak mówi Pan:*
*Z powodu trzech występków Judy*
*Z powodu czterech*
*Nie odwrócę tego wyroku.*
*Gdyż odrzucili prawo Pana*
*I przykazań jego nie strzegli.*

Gdy doszedł do tego miejsca, Katarzyna nie wytrzymała i pochyliwszy się do niego, szepnęła:
— Koniec z tym. Nie będziemy wysłuchiwać obelg. Wyjedźmy.
Kaznodzieja uniósł wzrok znad Biblii, spojrzał na nią karcąco i kontynuował:
— *Zwiedli ich kłamliwi ich bogowie,*
*Za którymi przodkowie ich chodzili.*
— Proszę — przerwał mu Kazimierz. — Dość na dzisiaj, dziękuję.
Grantzin z trzaskiem zamknął księgę, skłonił się sztywno i wyszedł.
— Wyjedźmy — poprosiła Katarzyna. Oczy jej płonęły, jak w gorączce. — Duszę się tutaj, na tym dworze.


Pojechali do Neuhausen, do rezydencji na wydmach.
— Tam odetchniemy, najdroższa — powtarzał jej całą drogę. Ona uśmiechała się do niego. Tak dobrze wyglądała w sukni z zielonej

jedwabnej tafty, w podbitym złotym, kunim futrem płaszczu. Przez rozcięcie rękawiczki pokazywała pierścień z perłą, który dostała od niego.

Na podwórzu rezydencji powitały ich psy. Radosne szczekanie,
mokre nosy. Biegły za nimi aż na górę, do komnat. Nie pozwolił ich
odpędzić. Podróż, nawet najbardziej upragniona, jednak jest męcząca.
Po przyjeździe musiał się położyć. Zasnął głęboko. Słyszał jej oddech
obok siebie. Śnił wodę.

Spienione fale rozbryzgujące się pianą o wydmy. Obmywające mury
Neuhausen. Spłukujące brud, który nie wiedzieć czemu wciąż zatykał
mu nozdrza. Kazimierz we śnie się dusił. Nie miał siły odksztuszać. Coś
czarnego, lepkiego i gęstego zaklejało mu gardło i nozdrza. „Zróbcie
coś" — chciał krzyknąć — „to mnie zabija". Ale sen, głęboki sen,
uniemożliwiał mu wezwanie pomocy. Wiedział, że obok niego śpi Katarzyna, był świadom, że położyła się na chwilę, tak jak stała, w zielonych
sukniach. Spróbował się przekręcić, złapać ją za rękę. Zamarł z przerażenia. To nie Katarzyna Frorycken leżała przy nim, ale Sydonia von
Bork. Młoda, piękna, rudowłosa, z perłami w kolczykach. W kryzie.
Taką ją zapamiętał. Taka zjawiała mu się dziesiątki razy w snach młodzieńczych, po których budził się mokry. To jeden z takich snów —
powiedział sobie. — Zaraz się obudzę. Ale wciąż nie mógł się obudzić.
Czarna, lepka materia, jak gorące błoto, zatykała mu usta. I nie psy stały
wokół łoża, lecz wilki.

— Stało się to, czego się wszyscy spodziewali.

— Nasz ukochany pan tyle wycierpiał. Proszę nie rozcinać wamsa,
nie wolno. Gdzieś ty służył, człowieku, skoro nie rozumiesz. Rozpiąć
guziki i rozebrać. Z ciałem księcia obchodzimy się z najwyższym szacunkiem.

— Najmocniej przepraszam, o wybaczenie proszę…

— Już, już.

— Co to jest, doktorze Oessler? Pierwszy raz widzę, by ktoś wy-
dalał z siebie taką czerń. Gardłem, nosem, coś strasznego, istne piekło
przeszedł nasz książę.

— Widziałem to wcześniej. Książę Jan Fryderyk tak umierał.
A z notatek innych doktorów wiem, że także ich siostra, księżniczka
Amelia.

— Jakby rdzę w wodzie zetrzeć. W imię Ojca i Syna. Czarne jak…

— Trzeba przekazać kanclerzowi, by listy słał do Szczecina. Książę Bogusław musi postanowić, co z pochówkiem.

— Trzeba dyskretnie tę Frorycken odprawić z dworu.

— To nie nasze zmartwienie, doktorze. My musimy dopilnować egzenteracji, dokumentacji i balsamowania. Nieodżałowany książę zmarł młodo, ale jego śmierci spodziewali się wszyscy.

— Poza tą Frorycken. Wciąż słyszę jej krzyki.


Sydonia nie miała lustra, ale miała szybę w oknie. Stała przed nią i próbowała się przejrzeć. Czarnym jedwabiem wyhaftowała partlet, kopiując wzór z chusty, którą dostała od Asche. Był króciutki, ledwie za biust, bez rękawów. Świetnie wchodził pod suknię, zakrywając cały dekolt. Kończył się stójką. Czarny obrąbek ostro odcinał się od bieli płótna i wyglądał doskonale. Jedni nazywali to haftem angielskim, inni hiszpańskim, krawcy mówili na niego blackwork. Ona użyła nici ze Stargardu, szczecińskiego płótna i patrząc na swoją robotę, pomyślała, że haft nigdy nie był tak dobry, zanim ktoś nie wpadł, by haftować czernią na bieli. Partlet wyglądał tak efektownie, że nie potrzebowała kryzy. Rzadko nosiła ją w Marianowie. Na tutejsze błoto sprawiła sobie spódnicę farbowaną marzanną. Na rudobrązowej materii nie znać było brudu. Do tego krótki gorsecik, usztywniany tylko z przodu, wygodny. Na wierzch czarna suknia wełniana, codzienna i prosta. Jeszcze raz przyjrzała się swemu odbiciu. Może zimą, gdy czasu będzie więcej, wyhaftuje sobie czarną nicią koszulę z cienkiego płótna?

Nim odeszła od okna, postraszyła panienki, które podglądały ją, kryjąc się za drzewem.


Sydonia nie oddała kluczy, nie przekazała swoich dwóch nieużywanych pokoi w klasztorze do dyspozycji zgromadzenia, ani nie opuściła refektarza i piwnic. W tych ostatnich trzymała beczki z piwem i część zapasów. Stare klasztorne mury lepiej zabezpieczały żywność. Nowa zastępczyni, Agnes von Kleist, jątrzyła, by dostać choć jedną izbę po Sydonii. Mówiła, że należy jej się z racji funkcji, ale Petersdorf tylko kiwała głową i wznosiła oczy ku niebu, pomstując na pannę Bork, nic więcej nie robiła. Zaś panny, które dzieliły jedną celę we dwie, za plecami Kleist śmiały się z jej wymagań.

— O słodka, ukochana schadenfreude! — kwitowała takie nowiny Metteke.

— W środę targ? Dam ci pieniądze, idź i kup mi bat. Bicz — zaordynowała Sydonia. — Bo ta jędza Kleist przewlecze się tu prędzej czy później. Muszę mieć czym ją powitać.


Klasztor trząsł się od plotek. Siostra Joachima von Wedla, a żona tutejszego zarządcy, Hechthausena, okropnie zaniemogła po porodzie. Połóg dawno minął, a Ursula nie wstawała z łóżka i coraz słabiej karmiła. Hechthausen i Wedel gorączkowo szukali mamki dla niemowlęcia a także opiekunki dla starszych dzieci. Joachim von Wedel niemal zamieszkał w Marianowie. Sydonia natknęła się na niego, gdy wychodził z klasztornej kuchni. Chciał ją wyminąć, ale zastąpiła mu drogę.

— Dawnośmy się nie widzieli, panie Joachimie. Jak zdrowie?

Uchylił kapelusza, ale wyraźnie nie miał ochoty na rozmowę.

— Dziękuję — burknął. — Moje zdrowie bez zarzutu. Ale ma droga siostra w opłakanym stanie.

— Słyszałam, szczerze współczuję — powiedziała.

Joachim spojrzał na nią zaskoczony i nagle, nieoczekiwanie się rozgadał.

— Mówiłem właśnie z jedną kobietą z kuchni. Naraiły mamkę dla mego biednego siostrzeńca.

— To dobra wiadomość — odrzekła uprzejmie.

— Niby tak — pokręcił głową i ściszył głos — ale rzecz jest taka, że kobieta owszem, urodziła niedawno, piersi ma mleczne, lecz jej dziecko — zerknął na Sydonię niepewnie — zmarło.

— Niemowlęta umierają, nic w tym dziwnego — powiedziała. — A pański siostrzeniec dzięki mleku mamki może przeżyć.

— Dziękuję pannie Sydonii — odetchnął. — Też tak pomyślałem, ale sama panna rozumie…

— Nie rozumiem — odrzekła.

— Myśmy z Kordulą stracili córeczkę a potem… i jeszcze panny siostra na to wszystko…

— Tym bardziej nie rozumiem — szczerze powiedziała Sydonia. — Nigdy nie dowiedziałam się, dlaczego Dorota skłóciła się z panią Kordulą.

— Aha — sapnął i podrapał się po ręce.

— Niech pan powie — poprosiła. — Moja siostra od dawna nie żyje.

— Mieszkała u nas, kiedy moja kochana Kordula straciła dziecko. Była w ciąży i poród zaczął się przedwcześnie. Dziewczynka urodziła się bez życia. Rozpaczaliśmy oboje, a panna Dorota pozwoliła sobie na niewybredną uwagę...

— Jaką? — spytała Sydonia.

— Powiedziała: „Kordulo, jesteś taka tęga, że wcale nie było widać, żeś dziecko nosiła. Nikt nie zauważył, nikomu nie musisz mówić". A za kolejnym przyjazdem dobiła mą biedną małżonkę uwagą: „Skoro tym razem to nie ciąża, to co cię tak rozdęło?".

Sydonia pokręciła głową i dotknęła ręki Joachima.

— Nie powinna tak mówić — przyznała. — Ale proszę nie łączyć tych wydarzeń ze sobą. Pański siostrzeniec dostanie mleko od mamki i urośnie, jak na drożdżach. Jak się nazywa ta kobieta?

— Wolde. Wolde Albrechts.

— Nie znam, ale przez dawną przyjaźń zrobię dla pana wyjątek i wejdę do kuchni klasztornej. Rozpytam.

— Dziękuję — ucieszył się i zdziwił. — Panna nie korzysta ze wspólnej kuchni?

— Był pan tam — uśmiechnęła się ironicznie. — Sam zapach mnie mierzi. Gotuję w starym refektarzu, albo u siebie, w domu. Kazałam wybudować małą kuchnię.

— Tak, słyszałem to i owo. Po dawnej przyjaźni przestrzegę, że niektóre z sióstr bardzo się na panią skarżą.

— To nie są siostry — odpowiedziała z uśmiechem. — Przy okazji, ja także się na nie poskarżę.

— Słucham — odrzekł, choć wyraźnie wolałby już zakończyć rozmowę.

— Nie będę skarżyła panu, z całym szacunkiem. Spisałam swoje zarzuty i wyślę do księcia.

Na twarz Joachima wyszedł rumieniec. Zamachał rękami, zaperzył się:

— Panno Sydonio, tak nie można. Droga służbowa nakazuje złożyć skargę najpierw do zarządu fundacji, czyli do mnie i do Hechthausena.

— Pan Hechthausen dostał moją skargę i na nią nie odpowiedział.

— Panna to nie potrafi inaczej? Ostrzegałem kiedyś, że za dużo tych procesów, za dużo. Może skarga trafiła w zły moment, sama panna wie, ile mój szwagier ostatnio przeszedł. Niech panna znów ją złoży, ja dopilnuję. Nie ma co zawracać księciu głowy naszym Marianowem!

— Dziękuję za radę. Niech pan poczeka, obejrzę tę mamkę — powiedziała i zostawiła go na środku ścieżki.

Gdy po dłuższej chwili wyszła z klasztornej kuchni, wciąż tam stał.

— I jak, panno Sydonio? Co panna myśli o tej Wolde Albrechts?

— Wykarmi dziecko Hechthausena — odrzekła.


Pastor Lüdecke odwiedzał ją często. Naturalnie, chodziło mu o piwo, które warzyła, choć zwykle zaczynał od słów:

— Odkąd panna przybyła, mam wreszcie z kim porozmawiać.

— Każdej tak pastor mówi? — przekomarzała się z nim, udając surowość. Metteke już nalewała piwo.

— Skądże znowu! — zaparł się.

— A Dorotei Stettin? — zapytała celnie.

Zaczerwienił się.

— Przepytywałem ją. Z katechizmu. — Chwycił za kubek i popił sobie. — Marcin Luter nakazał kształcić kobiety, uczyć je czytania. Ale co zrobić, jeśli większość z nich znacznie woli gadać, niż czytać? Ileż ja się namęczę, by tej naszej marianowskiej trzódce przekazać prawdy wiary. A panny młodsze i starsze nic. Przepytuję z doktryn, milczą jak ryby. Albo dukają, że to trudno zapamiętać. Ale wystarczy im byle jaką historyjkę z dnia codziennego opowiedzieć, a w pamięci zostanie im wszystko, nawet najdrobniejszy szczegół. Panna Sydonia to co innego, widzę, ile ma panna książek. — Wstał i ruszył do jej półki.

— Piwo się skończyło — oznajmiła Metteke.

Pastor odwrócił się od książek Sydonii. Minę miał jak dziecko, któremu nagle pierś wyjęto z ust.

— Jest jeszcze beczułka w piwnicy — powiedziała Sydonia. — Weź tam którąś z klasztornej służby, niech ci pomoże przenieść.

— Trinę Pantels poproszę — dygnęła Metteke i wyszła.

— W taki gorąc dobrze mieć piwo w piwnicy — podjął z uśmiechem Lüdecke. — Ciekawe ma panna książki. A tamta, na najwyższej półce? — wskazał paluchem. By tam sięgnąć, trzeba by wejść na stołek.

— To nasze zapiski rodzinne — wyjaśniła. — Kto, z kim, jakie mieli dzieci, które dziedziczyło.

— A – machnął ręką lekceważąco. — Rozumiem. A ten romans *Pontus i Sydonia* to panna pewnie zna na pamięć, co?

— Nie bardzo — przyznała. — Nie ciekawią mnie takie książki. Wolałabym czytać o dalekich krajach, o podróżach morskich.

— O, kto by nie wolał. Poznawanie innych lądów, sięganie dalej, to dane nielicznym, a licznych interesuje — wrócił i przysiadł na krześle. — Podróże są takie niebezpieczne, zwłaszcza statkiem, przez morza. Tylu nie wraca, mój Boże. Nic dziwnego, że znane są przypadki ludzi, którzy duszę zaprzedali diabłu — mówiąc to, zrobił szybki znak krzyża — byleby móc przenosić się w inne miejsca. Czytałem o takim Jacobie de Rosa z Kortrijk. Podobnież miał magiczny pierścień, w którym trzymał zaklętego demona i tenże opowiadał mu, co się dzieje na świecie, nawet w najbardziej odległych zakątkach! Miał i księgi demoniczne, dzięki którym nauczył się leczyć…

— To jak się nauczył i pomagał innym wyjść z choroby, to gdzie tu działanie Złego? — spytała Sydonia.

— Panna mnie tu pod włos nie bierze — pogroził jej palcem. — Kto wtrąca się w plan Boży, ten popełnia grzech. I ten de Rosa w końcu został oskarżony o czary i skazany na banicję. Ale zanim go wygnano z miasta, musiał własną ręką, na oczach sędziów, spalić te księgi magiczne, a pierścień roztłuc w pył żelaznym młotem!

— Ciekawe — powiedziała. — A co z demonem, który mieszkał w pierścieniu?

— Uciekł — pokiwał głową pastor. — Uciekł. Demon, niezależnie od tego co obieca człowiekowi, a obiecuje cuda na kiju, zawsze na końcu ucieka.

Drzwi od domu otworzyły się z trzaskiem. Pastor podskoczył. Sydonia odwróciła głowę. Najpierw wtoczyła się beczka, za nią Heinrich Prechel, a na końcu Metteke.

— Triny Pantels nie mogłam znaleźć, ale pan Prechel się napatoczył — wyjaśniła.

— Dziękujemy panu — skinęła mu głową Sydonia.

On wyprostował się, przetarł spocone czoło i powiódł wzrokiem po izbie.

— Nie pogardziłbym kubkiem piwa w taki ciepły dzień — powiedział.

— Beczka musi postać, zanim będzie można odszpuntować — oznajmiła.

— To ja poczekam — oświadczył Prechel. Najpierw przestąpił z nogi na nogę, a potem, udając, że nie widzi pastora, zrobił krok w kierunku pustego krzesła.

— Hola — ostro zatrzymała go Sydonia. — Mam gościa, a pana nie zapraszałam. Dziękuję za przysługę — to mówiąc, wyjęła z sakiewki ziębie oczko i podała mu monetę, trzymając w dwóch palcach.

Zaczerwienił się, jakby mu w pysk dała.

— Tak się panna odpłaca za całe moje dobro? — żachnął się.

— Za przyniesienie beczki.

— Nie o tym mówię. Jak budowy dopilnować, to Prechel był dobry. A jak piwko popołudniu popijać, to woli panna pastora? Pókim miał się nadać, to słodkie oczka dla mnie były...

— Chwileczkę — przerwał mu pastor Lüdecke. — Pan jest nie-grzeczny. A słodkie oczka? To się musiało coś Prechelowi pomylić, bo panna Sydonia nie od tego. Nie znam nikogo, kogo by słodkim oczkiem zaszczyciła.

— Ja nie z tych — pogroził jej palcem Prechel — których można wykołować. Wiedziała panna Sydonia, że mam dla niej poważne za-miary.

— Pierwsze słyszę — oświadczyła chłodno. — Spytałby pan wcze-śniej, uniknąłby rozczarowań. Wypada się pożegnać.

Prechel rozejrzał się, jakby szukał sojusznika. Metteke odwróciła się na pięcie, by na nią nie patrzył. Nagle zmiękł, zrobił minę rozżalonego chłopca i jęknął:

— Chciałbym o rękę prosić pannę Sydonię...

— Zrozumiałam — powiedziała. — Czas, by i pan zrozumiał od-mowę.

Nie umiał przegrywać. Nie wiedział jak się zachować. Jak cham, brutal, czy jak dziecko. Chwycił za pusty kubek pastora i w gniewie uderzył nim o podłogę, potem tupnął i wybiegł, nie zamykając drzwi za sobą. Metteke wzięła miotłę i sprzątnęła skorupy. Przez otwarte drzwi do środka zajrzał duży, rudy kocur.


Książę Bogusław zajął gabinet należący wcześniej do Jana Fry-deryka, potem Barnima. Niektóre z rzeczy braci kazał spakować w kufry i wynieść. Inne zostawił, zwłaszcza książki, choć przywiózł tu z Barth sporo własnych. Astrolabium Jana Fryderyka odsunął nieco, wolał swoje, od lat służące mu do pomiarów instrumenta.

Przebiegł wzrokiem po obrazach na ścianie, portrety przodków, ich wspólne dziedzictwo. Cenna broń, do której zamiłowanie miał najstarszy z braci. Kolekcje muszli Barnima. Zegary, do których Bogusław miał osobiste upodobanie. Lubił otwierać je i sprawdzać mechanizmy. Sam konstruował to i owo. Zatrzymał wzrok na bukiecie stojącym na konsoli pod ścianą. W kutym pucharze pyszniły się wielkie maki. Mięsista krwistość ich płatków. Czerń wnętrz. Kto układa te bukiety? — zapytał siebie i nie znał odpowiedzi. Nagle zapragnął poznać autora lub autorkę tej kompozycji. Między pąkami maków i kwiatami w rozkwicie ułożono już zawiązane makówki.

— Książę — przerwał mu rozważania ochmistrz. — Co mamy zrobić z malowidłem?

— Którym? — spytał Bogusław nieuważnie.

— Z tym wielkim — nieco kpiąco odpowiedział ochmistrz i poprawił się pod surowym spojrzeniem księcia. — Z drzewem genealogicznym Domu Gryfa, które książę zamówił u pana Crommeny. Płótno ma niemal siedem metrów długości i wciąż jest nieoprawione. Przeprowadzając się do Szczecina, kazał książę zawinąć je i zamknąć w skrzyni. Ta zaś stoi w piwnicach zamku i martwię się, żeby płótno nie zawilgotniało.

— Pamiętam — odpowiedział Bogusław. — Chciałem je posłać bratu Kazimierzowi, ale nie zdążyłem. Pomyślę o tym, na razie zostaw je w skrzyni.

— Wedle woli — ukłonił się ochmistrz, a w drzwiach już stanął lokaj i oznajmił:

— Książę, goście przybyli.

— Prosić — powiedział Bogusław, śledząc, jak szybko spada płatek z kwiatu.

Zaprosił do gabinetu kanclerza Chemitza, a potem, po namyśle, kazał wołać jeszcze Marstallera. Ten wprawdzie nie musiał brać udziału w naradach książęcych, ale Bogusław polegał na jego gruntownym wykształceniu i obyciu w świecie. Wszak to Marstaller był wychowawcą jego synów i ich towarzyszem podczas kształcących kawalerskich podróży.

— Mój lęk jest nieuchwytny — powiedział, gdy we trzech pochylili się nad dokumentami. — Nie umiem powiedzieć, czego dokładnie dotyczy i gdy sam siebie pytam, wydaję się sobie człowiekiem podejrzliwym.

— Książę — Marstaller przerwał mu. — Masz umysł analityczny, zatem być może jakieś elementy przykuły twą uwagę, a naszym zadaniem będzie je złożyć w całość lub twe obawy oddalić.

Zegar wskazywał za kwadrans dwunastą. Opadł kolejny płatek maku. Sługa z dzbanem wina stanął przy nim, Bogusław kazał mu się wstrzymać.

— Hohenzollernowie — zaczął i zaśmiał się nerwowo — tak, wiem. Gdy na Pomorzu ktoś chce wskazać zagrożenie, zaczyna od sąsiadów, starych, dobrych Hohenzollernów. Ale spójrzcie na wschód, nie na zachód. Prusy Książęce, wierny lennik Rzeczpospolitej. U władzy jest tam boczna linia Hohenzollernów, która z naszymi, w Brandenburgii jest tak odległa, iż żenią się między sobą. I mój niepokój zaczął się od tych małżeństw.

— Ja byłem zgorszony, wstydu nie mają — pokręcił głową kanclerz Chemitz i tęsknie zerknął na dzban trzymany przez sługę. — Ojciec i syn żonaci z siostrami.

— No właśnie! — uderzył otwartą dłonią w stół Bogusław. — A przyjrzyjcie się temu nie od strony obyczajności, lecz z punktu widzenia dziedzictwa. Książę Prus, nieszczęsny Albrecht Fryderyk, od ponad trzydziestu lat jest umysłowo chory. Synów nie ma, córki owszem. Kuratelę nad nim, za zgodą polskiego króla, sprawowali Hohenzollernowie z mniejszej linii, z Ansbach. Zgadza się?

— Zgadza. Po bezpotomnej śmierci ostatniego z Ansbach, dziedzictwo i opiekę nad pruskim kuzynem przejęli nasi drodzy sąsiedzi, konkretnie Joachim Fryderyk, brat Erdmuty, naszej słupskiej wdowy. Czy mógłbym? — Chemitz spojrzał wymownie na sługę.

— Dobrze, kanclerzu — Bogusław skinął na sługę z dzbanem, chciał szybko przejść do sedna. — I pierworodny Joachima Fryderyka, Jan Zygmunt, ożenił się z córką biednego księcia Prus, ich podopiecznego. W tym jeszcze nie ma nic nadzwyczajnego — jego wzrok spotkał się ze spojrzeniem Marstallera i Bogusław już wiedział, że uczony zrozumiał, ku czemu zmierza.

— Do kroćset! — wraz z pierwszym łykiem wina pojął także kanclerz. — Ale w tym, że elektor, jego ojciec, po krótkim wdowieństwie pojął za żonę kolejną z córek księcia Prus, nominalnie swego podopiecznego, już jest coś niebezpiecznego!

— W tym rzecz. Rozwiązania są różne. Książę Prus ma tylko córki, jak mówiliśmy. Jeśli elektor ojciec, lub jego syn, który z kolei będzie następnym elektorem Brandenburgii, spłodzą z tymi dziewczętami synów, to Prusy zostaną w ich rodzie.

— Ja na ich miejscu zrobiłbym inaczej — zmrużył oczy Marstaller i teraz on skinął na sługę z winem.

— I tego się boję! — krzyknął Bogusław.

— Nie nadążam — przyznał kanclerz. — Choć rozumiem, że nasi zachodni sąsiedzi chcą włączyć leżące na wschodzie księstwo Prus w swoją dziedzinę.

— Od czasów Złotej Bulli Hohenzollernowie kierują się zasadą primogenitury, dzięki czemu najcenniejsza dla nich Brandenburgia jest zawsze w jednym ręku — spokojnie pokierował nim Marstaller. — Jeśli uda im się przeforsować to samo wobec Prus, czyli jeśli nie przekażą ich swym młodszym synom, ale samym sobie, to stworzą unię personalną Brandenburgii i Prus. A na mapie wygląda to tak, jakby brali nas w kleszcze.

— Do kroćset — nie zaklął, a wyszeptał Chemitz.

— Owszem — poważnie powiedział Marstaller. — Żeby połączyć pruskie wschodnie ziemie Hohenzollernów z zachodnimi, trzeba posiąść Pomorze. Do kompletu brakuje jeszcze przesmyku z Gdańskiem, ale przyznasz, kanclerzu, że to wizja niepokojąca.

— Przecież, gdyby nie daj Boże, w przyszłości coś stało się Gryfitom, oni dziedziczą nasze Pomorze… — Kanclerz skinął, by dolano mu wina.

— I nie wpadałbym w panikę — powiedział Bogusław — gdyby nie wiadomość, że król Polski, Zygmunt Waza, w maju oficjalnie przekazał kuratelę nad pruskim księciem elektorowi Joachimowi Fryderykowi.

— Włożyli stopę w drzwi i jej nie wyjmą — ponuro powiedział Chemitz.

— Stopę włożyli wcześniej. Teraz polski król dał im klucze do drzwi — wyraził swą opinię Marstaller.

— Oczywiście, jeśli taki plan zagnieździł się w umysłach Hohenzollernów, to jego wykonanie rozpisane jest na lata — powiedział Bogusław.

— A my w ubiegłym roku wydaliśmy księcia wołogoskiego, Juliusza Filipa, za margrabiankę. Nasz błąd — napił się kanclerz.

— Z tym koniec. Jasno sobie trzeba powiedzieć: ani jednej więcej Hohenzollernówny w rodzinie. Te małżeństwa trzeba ukrócić — Bogusław powiedział, co leżało mu na sercu.

— Zawsze tak mówimy, a potem jest potrzeba, by załatwić to czy tamto, i już Gryfita wkłada pannie z marchii na palec obrączkę — żachnął się kanclerz.

— Żadnego małżeństwa więcej — oświadczył twardo Bogusław. — Zwłaszcza, że każde jedno jest bezpłodne. A gdyby mnie zabrakło, proszę, abyście pamiętali.

— Co też książę mówi — Chemitz napił się z rozmachem i kropla wina została mu na brodzie.

— Tym razem próbuję być przewidujący, choć oczywiście nie życzę źle bratankowi i mam nadzieję, że Juliusz Filip doczeka się z margrabianką potomka.

— Szanse rosną, jest piękny jak ojciec, Ernest Ludwik — najwyraźniej kanclerzowi wino nieco zaszumiało w głowie.

— Książę, kanclerzu — zabrał głos Marstaller. — Na dworze brandenburskim mamy swych zaufanych ludzi, ale w świetle dzisiejszej rozmowy powinniśmy zadbać o korespondentów z Królewca.

Bogusław uśmiechnął się w duchu. Miał rację, prosząc Martina, by był na tej naradzie. Jego wzrok znów przyciągnął zegar. Wskazówki stanęły na trzy przed dwunastą.

— I, jeszcze jedno — ciągnął Marstaller — to, co nazwałeś, panie, nieuchwytnym lękiem, okazało się ciągiem zdarzeń ułożonych z konsekwentną logiką. A zatem, książę, to nie był lęk, ale przeczucie. Na dodatek słuszne. Jeśli w jakiejkolwiek sprawie nawiedzi cię podobne, sugeruję podzielić się nim, a być może uda nam się zapobiec nieszczęściom.

Sydonia przestała zwracać uwagę na panienki klasztorne, które w każdej wolnej od szkoły chwili skradały się za krzakiem bzu, lub pniem drzewa, by podglądać, co robi i kto do niej przychodzi. Nie miała czasu, by zajmować się durnymi dziewuchami, nie jej zmartwieniem było wychowanie pannic. Pastor Lüdecke potrafił tylko lamentować nad ich niechęcią do nauki, zaś sam nauczyć niczego nie umiał.

Sydonia miała dość własnych zmartwień i zajęć. Tonęła w papierach. Dnia jej nie starczało, by przeczytać i napisać wszystko. Nieraz siedziała po nocy, oczy łzawiły jej od łojówki, ale wciąż szukała rozwiązań.

Po śmierci Ulricha jej bratankowie grzecznie udostępnili Jostowi von Bork cztery chłopskie gospodarstwa z Zachow, te, na których był zastaw pożyczki. On zaś, jak się dowiedziała, pozwolił im tam gospodarzyć w zamian za czynsz roczny w wysokości sześćdziesięciu guldenów. Jak ustaliła, bratankowie płacili regularnie. Szlag ją trafił. Jej należało się od nich trzydzieści trzy, z tychże samych gospodarstw. Jej szylinga złamanego nie dawali, a Jostowi spłacali w terminie. To znaczy, zarobek musieli mieć z górką. Pozwała ich, oni przedstawili w sądzie, że gospodarstwa teraz należą do Josta von Bork. Zwróciła się do kuzyna, by wobec tego on jej płacił. Jost odpisał grzecznie, że alimenty należą jej się od zmarłego brata i spadkobierców. Sprawa zatoczyła koło. Sydonia się nie poddała. I wysłała do Sądu Nadwornego, by sąd ustalił, co w takiej sytuacji. Sędzia wezwał Josta do ustosunkowania się. Czas płynął. Nie płynęły alimenty. Aż wreszcie dostarczono jej kopię oświadczenia Josta, w którym ten tłumaczy, że nie może z zastawu płacić pannie Sydonii i że ona, jako pensjonariuszka fundacji książęcej, nie powinna być stroną w jakimkolwiek procesie. „Wobec panen klasztornych nie może być wydany jakikolwiek prawomocny wyrok ani żadne inne zarządzenie" — tak miał czelność napisać Jost, a brzmiało to, jakby dyktował mu jakiś adwokat. Czytała to na głos po wielokroć i za każdym razem jeżyły jej się włosy z wściekłości. „Jost jest inny niż się wydaje. Uważaj na niego. Nie ufaj" — krzyczał do niej Asche zza wody.

Czy to możliwe? Czy takie jest prawo? Nigdy tego nie sprawdzała. Potrzebny jej prawnik. Na prawnika potrzebne pieniądze. Te trzyma Jost, który chce udowodnić, że będąc w Marianowie, Sydonia nie może wystąpić przed sądem. Kto namówił ją, by przyjęła miejsce w fundacji klasztornej?

— Do diabła! — krzyknęła i złapała się za głowę.

Pod oknem usłyszała chichot i tupoty. Wciągnęła powietrze ze świstem. Zerwała ze ściany bicz i wybiegła z domu.

— Wzywa diabła! — pisnęły dziewuchy i udawały, że przerażone zasłaniają rękoma oczy. — Stara Sydonia wzywa do siebie diabła! — biegały wokół jej ganku szarą chmarą, śmiejąc się opętańczo.

— Stara Sydonia żenić się chciała! Hi, hi, hi…

— Ale Prechela Sydonia przegnała! Hi, hi, hi…

— Za niskie progi, na jej stare nogi! Hi, hi, hi…

Zamachnęła się batem. Świsnęło. Ostry rzemień przeciął powietrze i wylądował na twarzy pierwszej z brzegu, ześlizgnął się na piersi drugiej i trzeciej, a potem okręcił wokół nóg czwartej.

— Stara jędza nas bije! — pisnęły wszystkie razem i odwróciwszy się na pięcie, uciekły.

Jak stado myszy — pomyślała z pogardą.

Noc była głęboka, księżyc w pierwszej kwadrze. Kocur zjawił się bezszelestnie. Spojrzał na nią złotymi oczami i z obojętną miną wszedł do domu.

— Jak cię nazwać, skoro już się wprowadziłeś? — spytała na głos.

A potem zamknęła za sobą drzwi i z jasnym umysłem napisała dwie skargi do księcia Bogusława. Pierwszą, na Magdalenę von Petersdorf, przełożoną fundacji w Marianowie, skarżąc ją o zaniedbywanie obowiązków. „Najmłodsze z pensjonariuszek są puszczone samopas. Opuszczają klasztorne cele nawet w środku nocy". A drugą na Otylię von Bork, z domu Dewitz oraz jej synów. W punktach przedstawiła ich niegospodarność, zaniżanie dochodów i nieżyczliwość graniczącą z zuchwałością, co przyczynia się do ubóstwa jej, ich krewnej.

Skończyła pisać, wzięła oddech i nalała sobie odrobinę nalewki. Pod piecem wygasło, ale nie chciała budzić Metteke śpiącej w sieni. Wygarnęła trochę zwęglonego drewna. Wsypała do makutry. Dolała kapkę oleju i zaczęła ucierać. Na rano potrzebny jej był czarny barwnik.


Wbrew zachętom Marstallera książę Bogusław nie mógł się dzielić z nim każdym przeczuciem i lękiem, choć bardzo chciałby zapobiec nieszczęściom, które wylęgały się w jego głowie. Władca może prosić o radę, ale nie powinien okazać przerażenia. A on, od śmierci Barnima, od tego koszmarnego pogrzebu, czuł strach w tak czystej postaci, jakby stał nieuzbrojony oko w oko z wilkiem.

Przed wieloma laty Jacob Runge, astrolog, uczony i teolog, nauczył go stawiania horoskopów i ich interpretacji. Dlatego, gdy świętej pamięci matka i świętej pamięci stryj Barnim poprosili go, by ustąpił pierwszeństwa Ernestowi Ludwikowi, zrobił to. Czytał horoskop i był świadom, że nagroda za to nastąpi z czasem i będzie wypłacona w dwójnasób. Tak się stało. Po nieszczęśliwej i zbyt nagłej śmierci braci, najpierw został księciem Wołogoszczy, potem Szczecina. Synów miał pięciu, jak ich ojciec. Każdego wielkim kosztem wykształcił. Z każdym długo i szczerze omawiał przyszłość. Zapewnił dynastii ciągłość na pokolenia i teraz, choć odgadywał przerażające plany Hohenzollernów, wiedział, że nim sąsiedzi spróbują je spełnić, miną długie lata. Ale to go nie uspokajało. Czyż może czuć pokój w duszy człowiek, który wie, że jego dziedzice zmierzą się z nieuniknionym?

Przed dwoma laty skończył sześćdziesiątkę. Całe długie i dobre życie praktykował umiar. Żadnych ekstrawagancji. Wydatków ponad stan. Zabaw w czasie niedozwolonym. Pracował za dwóch, jadł za pół człowieka. Pił z umiarem, częściej wcale. Chciał zostawić świat lepszym, niż zastał. I być może tak było, lecz wiele spraw tego świata było poza jego zasięgiem. Czuł się jak rolnik, który uprawiał pole, by przekazać je synom, cieszącym się na tę perspektywę, lecz nieświadomym, że w lasach wokół pól już czai się szarańcza. W burzowych chmurach zapowiedź powodzi.

„Czas jest krótki, śmierć szybka, niechaj więc każdy żyje, jakby zaraz umierał" — napisał w sztambuchu młodziutkiego, rumianego szlachcica, który podsunięto mu podczas audiencji. Przeczytał, nim oddał sztambuch, ale było za późno. Przelał na papier myśli i atrament wsiąkł zbyt szybko. To młodzian — uspokoił siebie. — Skonstatuje, że książę staruch, ramionami wzruszy, napije się wina, ściśnie pannę w tańcu.

Czas zapustnych maskarad minął, Wielki Post przybył, a z nim Księga Amosa.

*Ja to przed nimi zgładziłem Amorytów,*
*Którzy byli wysocy jak cedry,*
*A mocni byli jak dęby.*
*I zniszczyłem owoc ich z góry,*
*A z dołu korzenie.*

Z początku nękał go ból głowy, wyczerpanie, czasem dreszcze. Potem krew płynęła z niego wstydliwie, dołem. Lekarze orzekli, że otworzyły się hemoroidy. Cierpiał w pokorze. Tęsknił za dniami, gdy bolała go głowa, nie odbyt. Jego synkowie, chłopcy, chcieli na polowanie. Widząc, że ojciec cierpiący, zaniechali. Wyprawił ich lekką ręką w drogę.

— Mam ochotę na sarninę — skłamał, machając synom z okna komnaty.

Tacy byli piękni. Silni, młodzi, rozumni. Jego krew. Najlepsze, gryfickie plemię.

Na nabożeństwo książę Bogusław już nie był w stanie zejść.

— Dzień, dwa w łóżku, mikstury wzmacniające, rosół z gęsi lub z ryb morskich, jak książę woli — oznajmił doktor Oessler. — A czytanie Ewangelii można odłożyć.

— A nie będzie nietaktem poproszenie doktora Cramera, by poczytał mi, gdy spocznę?

— Panie — brwi doktora uniosły się jak znaki zapytania. — Tyś jest książę. Żądasz i dostajesz.

To stwierdzenie przepełniło go zawstydzeniem, ale tak, poprosił, by przeczytano mu w łóżku. Przy: „Ojcze mój, jeżeli można, niech mnie minie ten kielich" odpłynął na chwilę, jego sen był gorączkowy i krótki.

Książę Bogusław śnił las głęboki. Zielone, porosłe mchem knieje. Szedł przez tę puszczę dziewiczą boso. Roślinność parowała po deszczu. Ptaki wypełniały gęstwinę świergotem. Czuł pierwotny lęk przed lasem i najgłębszy wobec niego podziw. Widział rośliny, których nie znał. Kielichy kwiatów drżące i nabrzmiałe od wilgoci. Nagle trzasnęła gałąź, a on zobaczył, że nadepnął na nakrapiany czerwony kapelusz. Przeniósł się w czasie. Znów był młodym ojcem, który pouczał syna: „Podziwiaj jego urodę, ale nigdy go nie dotykaj, nie próbuj i nie pragnij. To trucizna".

Ten muchomor z kryzą wokół szyjki, nie był głupcem, wiedział, kogo znaczy, nie trzeba wymawiać imion, może znikną? Nawet jeśli są starsze niż sam diabeł.

Słyszał i widział siebie sprzed lat. Chciał potrząsnąć Filipem, powiedzieć: nieprawda. Nie wierz mi, nie wierz. Ale wraz z tym obrazem zrozumiał, że już jest cieniem. To było najgłębsze doświadczenie jego życia. To świadome przejście do śmierci. Wkroczenie w nią bosą stopą po mchu zielonym i jednoczesne wydalanie czarnej materii tam, w łożu ustawionym w Szczecinie, w zamku, który nie zdążył stać się jego domem. Wyrzucał ją z siebie ustami, nosem, odbytem i nagle poczuł się wolny. Żadnych wyrzutów sumienia, że zapaskudza tym szlamem pościel. Że jest strapieniem dla przerażonych doktorów. Tak jak ja, jesteście w pracy, na służbie — pomyślał, widząc, jak zbierają ręcznikami tę czerń, błoto, które z niego chlusta. — Wykonujemy swoje obowiązki, panowie. Pamiętajcie, że zapisałem, iż nie zezwalam na egzenterację Śmierć to śmierć, jej przyczyna nie zmieni skutku. Obmyjcie mnie tylko octem. Ubierzcie stosownie. Synowie moi w biurku znajdą testament i instrukcje. Obsesja kazała mi je przygotować, nawet jeśli rozum przeczył. Nikomu nie powierzyłem finału horoskopu — śmierci nagłej, niespodziewanej, gwałtownej. Ale przecież znając ją, byłem gotowy. Żaden ze mnie lekkoduch. Bukiet z kwitnących maków i makówek upewnił mnie tylko w przeczuciu. Płatki opadają, gdy kwiat w rozkwicie. Czego żałuję? Że nie powiedziałem im, skąd wzięła się klątwa. Ale mówiłem, że danego słowa trzeba dotrzymać, choćby świat stawiał opór. Zrozumieją. Przecież ich wykształciłem.

A jeśli nie?

Boże, ratuj.


Odźwierny Winterfeld poskarżył się na Sydonię przeoryszy. Właściwie, on stał jak słup, wydukał jedno zdanie, a skarżyła Horn, jego żona.

— Ta stara jędza, panna Bork, budzi mego męża po nocach i każe sobie furtę otwierać. Co to ma być, przełożono?! Spokojnym ludziom sen odbierać? Straszyć?

— Jak to: straszyć? — Petersdorf sama była przerażona.

— Straszyć, że jak mój Mattias furty nie rozewrze, to ona porąbie siekierą! — Horn wzięła się pod boki, z oczu leciały jej iskry, a z ust ślina.

— Pana Winterfelda chciała siekierą porąbać? — spytała pobladła Petersdorf.

— Nie jego, tylko kłódkę na bramie — powiedziała Sydonia, wchodząc do pomieszczenia. Nie zorientowali się, że stoi za drzwiami.

— W imię Ojca i Syna — podskoczyła przestraszona Petersdorf.

— Na wieki wieków, amen — dokończyła Sydonia i zwróciła się do Horn: — Nie jątrz, kobieto. Jak ci się nudzi, męża opierz. Chodzi w brudnej koszuli, a i twoja pozostawia wiele do życzenia. Zmieniasz ją czasami?

— Panno Bork — usta przeoryszy ułożyły się w ryjek. — Nie wolno straszyć odźwiernego.

— Jego praca to otwieranie bramy — wzruszyła ramionami Sydonia.

— Ale nie po nocach! — wrzasnęła Horn. Jej mąż skulił się.

— Będę wychodzić wtedy, kiedy mi się podoba.

— Ale po co? — spytała Petersdorf.

— W najbliższym czasie po szyszki. Wiosną najlepsze, pełne soków, młode. Dodaję ich do piwa — spokojnie wyjaśniła Sydonia.

— Też coś! — prychnęła Horn. — Piwo z szyszek. Wydziwia. Kłamie.

— Zawrzyj pysk — syknęła do niej Sydonia. — Nie kłap nim w sprawach, na których się nie znasz. Młodych szyszek dodaje się na smak. Piwa z nich nie uwarzysz.

— Panno Bork — powiedziała Petersdorf tonem, który pewnie miał być przyganą, a wyszedł jak błaganie. — Państwo Winterfeld, omówiliśmy sprawę, proszę wracać do pracy. Ja chcę pomówić z panną Bork na osobności. Spocznie panna? — zaproponowała krzesło. Sydonia odmówiła.

— Od czego tu zacząć? — palce Petersdorf przebiegły po surowym blacie stołu. — Tyle się tego nazbierało. Hauptmann Johan Hechthausen skarży się, że Wolde Albrechts, która jest mamką jego synka, zaniedbuje swe obowiązki. Ponoć tłumaczy się, że musi biegać do panny, na wezwanie.

— Bzdura — odpowiedziała Sydonia. — Co dalej?

Zbita z tropu przeorysza wierciła się niespokojnie, jakby krzesło paliło ją w zadek.

— Chciałam... byłoby dobrze... — uniosła proszące spojrzenie na Sydonię. — Dogadajmy się same, panno Bork. Tak będzie lepiej. Ta komisja książęca, komu to potrzebne? Tylko wstyd dla Marienflies z takiej komisji będzie.

Sydonia patrzyła w te jej proszące oczy i nie uwierzyła w skruchę przeoryszy.

— Tak — powiedziała, unosząc podbródek. — Niech rozsądzi nas komisja.


Śmierć księcia Bogusława poplątała sprawy. Sydonia liczyła, że do komisji wezwani zostaną radcy ze Szczecina. Ludzie z zewnątrz, którzy spojrzą na Marianowo chłodnym, bezstronnym okiem. Tymczasem przewodniczącym komisji rozjemczej ustanowiono Joachima von Wedla. A w jej składzie znaleźli się jeszcze zarządca fundacji, Johan von Hechthausen i Ewald von Flemming. Ten ostatni na posiedzenie nie mógł przybyć, bo pilna sprawa zatrzymała go w Szczecinie. Tą sprawą była nagła śmierć doktora Schwalenberga. Dawnego nauczyciela księcia Kazimierza, co pouczał ją nieustannie.

— Jednego wroga mniej — powiedziała Sydonia do Metteke, gdy dowiedziały się o Schwalenbergu. Wychodziła już z domu. Jeszcze tylko założyła rękawiczki.


Komisja zebrała się w największej sali szkoły przyklasztornej. Panienki młodsze na ten dzień dostały wolne od lekcji. Strata niewielka, i tak się nie uczą, przez większość czasu czubkiem rylca robią dziury w pulpitach, niczym dziwaczne, klasztorne korniki.

Johan von Hechthausen był spięty, Joachim von Wedel przeciwnie, jakiś roztargniony. Przeorysza, która wcześniej prosząc Sydonię o zgodę, udawała pokorę, teraz z każdą chwilą okazywała narastające rozdrażnienie.

— Źle się stało — zaczął Wedel — że nasz dobry książę Bogusław w ostatnich chwilach swego życia musiał zajmować się sporem między pensjonariuszkami w Marianowie...

— Już widzę, jak na łożu śmierci myślał właśnie o nas — zadrwiła z jego pompatycznego tonu Sydonia.

— Niepotrzebnie panna kpi — skarcił ją Wedel. — W Szczecinie żałoba za żałobą. I książę, i doktor Schwalenberg, i jeszcze księżniczka Jadwiga Maria, dobry Boże!

— Co z nią? — zaniepokoił się Hechthausen.

— Nie słyszałeś? Nie żyje, córka świętej pamięci Ernesta Ludwika, wołogoska panna! Przeziębiła się biedaczka na pogrzebie księcia Bogusława, matka, wdowa z Loitz, zabrała ją do siebie, i tam albo opieki dość dobrej nie miała, bo medycy z Loitz to nie to samo, co szczecińscy...

— Świeć Panie nad jej dobrą duszą — przeżegnał się Hechthausen. — Naprawdę, nie widziałem. A ona nie była już zaręczona?

— No właśnie była! Zmarła narzeczoną...

Sydonia chrząknęła. Wedel i Hechthausen skończyli plotkować.

— Tak — oświadczył Wedel. — Spór między pannami należy zakończyć.

Sydonia poczuła, że jej gorąco, zaczęła ściągać rękawiczkę, powoli, palec po palcu.

— Ona musi mnie przeprosić, przy całym zgromadzeniu! I zaprzestać szykan, które godzą w dobre imię przeoryszy! — nieoczekiwanie krzyknęła Petersdorf. Chyba sama była zaskoczona swoim wybuchem, bo zachwiała się, jakby miała upaść. — Ona uważa się za lepszą od nas!

— Potwierdzam — powiedziała Sydonia. — Petersdorf, Kleist, Stettin, Hebron, Hanow. Co to za rody?

— Ależ wszystkie panny są podopiecznymi jednej fundacji — chciał załagodzić Hechthausen. — I wszystkie panny muszą nauczyć się żyć w zgodzie. Proszę, po prostu przestańcie się wzajemnie szykanować...

Petersdorf nagle zasłoniła twarz dłońmi i skuliła się, jęcząc:

— Ona robi na mnie żywy krzyż! Zabrońcie jej tego, to boli!

— Panna Bork zdejmuje rękawiczki, nic więcej — powiedział Wedel i pokazał kółko na czole. A potem zaczął się śmiać i podrygiwać. Hechthausen chwycił go za łokieć i poprosił:

— Joachimie, przestań, przestań. Co się z tobą dzieje?

Drgania z łokcia Wedla przeszły na Hechthausena, tyle że ten zaczął się trząść i płakać żałośnie:

— Przestańcie, wszyscy przestańcie...

Joachim von Wedel próbował zatkać sobie dłonią usta, ale niepokorny i dziki śmiech wciąż przez nie wychodził. Wzrok miał przerażony. Petersdorf odsłoniła twarz na chwilę i rzuciła w stronę Sydonii:

— Jadowita żmijo! Nigdy ci nie wybaczę tego, co robisz!

— Hi, hi, hi! Zamykam... hi, hi, hi! posiedzenie! — krzyknął Wedel między wybuchami śmiechu.

— To ma być książęca komisja? — prychnęła Sydonia. — To kpiny z księcia, obraza majestatu. Na dworze w Szczecinie zrobią z wami porządek.

— Ani mi się waż znów pisać do Szczecina! — wrzasnął Wedel i zerwał się zza stołu. Sydonia odwróciła się i ruszyła do wyjścia. Joachim za nią. Chwycił ją za ramię, chciał zatrzymać. Odwróciła się i lekko uderzyła go rękawiczkami. Puścił natychmiast.

— Moje ramię, ratunku! Moje ramię... pali mnie żywym ogniem!...

— To tylko rękawiczki — pokręciła głową z politowaniem i wyszła.


Panienki podsłuchiwały na korytarzu. Odskoczyły, przywarły do ścian. Przewracały oczami, robiły głupie miny.

— *Bitter Bier, Bitter Bier!* — zaczęła podśpiewywać któraś.

— Gorzkie piwo, piwko gorzkie — podjęły kolejne i gruchnęło po klasztorze:

— Ta panna lubi wypić!

Gorzkie piwo,

Otwórzcie beczkę, kufel jej dajcie

I nie patrzcie krzywo!

Sydonia wyminęła głupie psotnice, nie zwracając na nie uwagi.

— Ona patrzy krzywo! — wołały za nią. — Patrzy na nas krzywooo!

Chciałybyście — pomyślała, wzruszając ramionami.

— Auuu! Pokręciło mnie! — zawyła któraś.

Wyszła z klasztoru, a przed wejściem kolejne widowisko. Panny średnie, te dwudziestoletnie, niemal biegły, pod ramiona prowadząc jedną z nich.

— Gdzie przeorysza? — zawołały do Sydonii. — Matylda zraniła się w rękę.

— Petersdorf teraz wam nie pomoże — odpowiedziała. — Pokaż, co się stało?

Panna Matylda była blada, omdlewała w ramionach towarzyszek. Jej dłoń mocno krwawiła z lewego nadgarstka.

— Prowadźcie ją do mnie — rozkazała Sydonia. — To trzeba zatamować.


Metteke szybko udarła czystego płótna, Sydonia przemyła nadgarstek nieszczęśnicy. Potem zagniotła krwawnika z babką, zrobiła okład i zabandażowała.

— Wyjdźcie na chwilę — poprosiła jej towarzyszki i przykazała Metteke: — Zaparz jej pokrzywy z miodem.

Przyglądała się dziewczynie. Miała ładną, czystą cerę. Spod czepeczka wysuwały się kosmyki umytych włosów. Zadbana, co rzadkie, wśród tutejszych panien.

— Po coś to zrobiła? — spytała jej cicho.

Uniosła powieki. Patrzyły na Sydonię cierpiące oczy. Młode i stare jednocześnie.

— Któraś z nich cię dręczy?

Pokręciła głową.

— Przeorysza? Jej zastępczyni?

— Kleist… — wyszeptała. — Ale nie bardziej niż każdą z nas.

— Kleist to larwa — potwierdziła Sydonia. — Ale nie z jej powodu targnęłaś się na życie.

— To nie jest życie — powiedziała dziewczyna.

— Masz rację. To miejsce to pomyłka. Lecz jeśli nie masz dość siły, by stąd uciec…

— Nie mam dokąd — przerwała jej Matylda. — A ty, Sydonio von Bork? Też by cię tu nie było, gdybyś miała wybór.

— Prawda. Zatem skoro Marianowo to jedyne życie, jakie masz, przeżyj je, dziewczyno. Innego nie będzie.

— A to po śmierci, o którym mówi pastor?

— Tamto cię nie ominie — pogłaskała ją po głowie Sydonia. — Nie spiesz się do niego. Jak chcesz, możesz tu jeszcze chwilę posiedzieć.

Sydonia wyszła przed dom. Uspokoiła towarzyszki Matyldy i odesłała do klasztoru, mówiąc:

— Idźcie, nie chcę, by Petersdorf przyszła pytać, co to za zgromadzenie. Moja służąca odprowadzi ją później do klasztoru.

Panny dygnęły z szacunkiem. Jedna, ta odważniejsza, spytała:

— Nie wyda panna Bork Matyldy?

— Zacięła się nożyczkami, bo obcinała nitkę z rękawa. Nie ma o czym mówić — odrzekła Sydonia.

Dziewczęta popatrzyły z wdzięcznością i poszły. Metteke stanęła przy niej. Spytała:

— Gdzie się podział nasz kot? Mleka mu nalałam, nie wypił.

— Jak to kot — wzruszyła ramionami Sydonia. — Chadza własnymi drogami. Teraz będziemy miały psa — wskazała na czarnego kundla, który truchtał ku nim spod klasztornego muru.

— O rety — westchnęła Metteke. — Naprawdę tu idzie. Jak go nazwiemy?

— Niech sam nam powie, jakie ma imię.

Pies zaszczekał.

Sydonia śmiało weszła do tawerny „Popiołek". Był wczesny wieczór, trochę gości. Syn Mattiasa poznał ją, skinął głową i wskazał wolny stół. Usiadła. Mattias pojawił się po chwili z dzbanem i dwoma kubkami.

— My się starzejemy, panna wciąż taka sama — zagadnął z uśmiechem. — Szczecińskie, na koszt gospodarza. Pozwoli panna?

— Chętnie.

Polał z wprawą, zręcznie zakręcając dzbankiem, by piana nie kapnęła na stół. Napili się.

— Zapomniałam, że to takie mocne — powiedziała.

— Bukinger woliński mocniejszy — odrzekł. — Mam list dla panny.

Uniosła spojrzenie. Zwykle to on niemal przewiercał ją wzrokiem. Tym razem ona chciała dowiedzieć się czegoś od niego, zanim otworzy pismo. Patrzył jej prosto w oczy, zrozumiała, że wiadomości dobre. A jednak w sposobie, w jaki Mattias spoglądał na nią, było coś więcej.

— Aptekarz Melchior Brunner zmarł dzisiaj — powiedział.

— Niech odpoczywa w pokoju — odrzekła.

— Aptekę opieczętowano, póki jego syn nie wróci z Greifswaldu.

— Oby miał spokojną podróż.

— Tego mu wszyscy życzymy — kiwnął głową i położył na stole opieczętowany list. — Zostawię pannę. Coś podać? Syn uwędził flądry.

— Poproszę — powiedziała i otworzyła list.

„Sydonio, piszę do ciebie z Królewca. Nie martw się, mój rejs się powiódł, towar dowieźliśmy cało. Stoimy w porcie. Kapitan zachorował, i wóz albo przewóz. Nie nudzę się, zwiedzam miasto, z ludźmi, którzy coś ciekawego mogą powiedzieć, gadam, czekam biegu wypadków i będę cię o nich informował. Boras".

Nie zanotował daty i podpisał się tym okropnym przydomkiem. Ale żył, był zdrów i, jak zrozumiała, zarobił tyle, ile trzeba. Zjadła flądrę, poprosiła o wodę do umycia rąk, pożegnała się z karczmarzami, ojcem i synem, i ruszyła na miasto.

— Spodziewaliśmy się ciebie od wczoraj — powitała ją Barbara von Brockhausen. — Ponoć Joachim von Wedel widział cię wczorajszego wieczoru.

— Pamięć mu się miesza — powiedziała Sydonia, zdejmując kapelusz. — Dzisiaj w południe zrugał mnie przez okno. Co za wstyd. Krzyczał na całą ulicę.

— Co ty powiesz? Za co cię tak skrzyczał?

— Za cały świat — pokręciła głową Sydonia. — Pokręciło go, jakiś paraliż złapał na lewą stronę i wyżył się na mnie.

— Wstręty typ, chodź, usiądźmy. A ta jego Kordula? Co za babsko. Jak widziałam ją ostatnio, miała cztery podbródki. Można by tak oceniać jej wiek, co dekadę dochodzi kolejny.

Dogadałabyś się z moją siostrą — pomyślała Sydonia.

— Hedwig — Barbara przyzwała służącą — każ podawać obiad. Głodna jesteś?

— Nie jadłam od wczoraj.

— Ja też nic przełknąć nie mogę w podróży. Choć przyznam, że już nie lubię jeździć. Wolę miasto.

— Jesteś stała w upodobaniach, Barbaro — uśmiechnęła się do niej Sydonia.

— Nie mów tak — pokręciła głową gospodyni. — Stałość jest nudna.

— Masz nowe uczesanie.

— A ty niezły czepek. Mój krawiec namawia mnie na te czarne hafty, ale jakoś nie mogę się przemóc. A ten? — pokazała na czoło.

— Dzióbek — podpowiedziała Sydonia. Z przodu czepka był do-szyty zachodzący na czoło trójkąt. Sięgał do miejsca między brwiami. Sydonia wyhaftowała go w czarne kwadraty. — To czepek angielski — wyjaśniła.

— Tak? — jednak zaciekawiła się Barbara. — Angielski? A ja o tym nie wiedziałam? Pokażesz go później moim służkom? Jedna jest taka zręczna, że w mig go skopiuje.

— Z przyjemnością — odpowiedziała z kamienną twarzą Sydonia.

— A moje uczesanie, skoro pytasz, to peruka. W końcu się zde-cydowałam. Praktyczna. Na noc zdejmuję, zakładam czepek, rano nie ma kłopotu z czesaniem.

Jak poprzednio, nosiła się ciemno. Duże, spiczaste koronkowe kołnierze. Białe mankiety z plisami. Ciekawe, czy nadal biega do ko-ścioła? — pomyślała Sydonia.

— Wspominałam cię ostatnio, podczas pogrzebu księcia. Mój Boże, Sydonio, ty już zawsze kojarzyć mi się będziesz z książęcy-mi pogrzebami. Dlatego że pierwszy przeżyłyśmy razem. Tylu ich pomarło. Stary Barnim, Młody Barnim, Jan Fryderyk, choć był tak mocarny, Ernest Ludwik, Kazimierz, Bogusław. Szkoda, że nie wszyst-kich u nas chowali. Pomyśl tylko, Bogusław XIII wszystkim usunął się z drogi, żył sobie w Barth, na uboczu, spokojnie. I ledwie objął Szczecin, zaraz mu się zmarło. Biedny książę. Szkoda go. Na objęciu władzy nie byłam, bo dam z mojego szeregu nie proszono, a pogrzeb jest taki egalitarny.

— Tak to jest — ze współczuciem pokiwała głową Sydonia. — Na wesele książęce cię nie zaproszą, ale nikt nie zabroni pójść na pogrzeb.

— Więcej — oczy Barbary zaślniły dawnym blaskiem. — Na po-grzeb to sami proszą. *Via dolorosa* naszej drogiej dynastii ostatnimi laty była najczęstszą drogą.

Podano obiad. Jadły same. Pan Brockhausen był poza domem, a Claus, ich syn, został kapitanem szczecińskiego zamku, więc tam mieszkał i tam się stołował.

— W samą porę — powiedziała Barbara, maczając kawałek chleba w sosie. — Dobrze, że syn szaleńczo kocha mnie, jako matkę, bo zo-stałabym bez wiadomości. Pan Brockhausen już ledwie człapie, a mimo to chadza na zamek. Tyle, że co się tam dowie, to nim do domu doj-dzie, zapomni. Gdy patrzę na niego, boję się starości.

— Zatem, powiedz, co na zamku — poprosiła Sydonia.

— Władzę po ojcu objął pierworodny, Filip, nazwali go po dziadku...

Po pięknym księciu z obrazu Cranacha — wspomniała przeszłość Sydonia.

— ...więc oficjalnie jest Filipem II. No i mamy, jak to się teraz często mówi, dwóch Filipów u władzy. Bo w Wolgast Filip Juliusz, syn Ernesta Ludwika. Wydał się za Hohenzollernównę, i wiesz, co ciekawe, ta jego żona, to młodsza i przyrodnia siostra naszej pani Erdmuty, słupskiej wdowy. W Szczecinie krzywo się patrzy na ten mariaż. Wiesz, co mówią.

— Wiem. Hohenzollernówny nie dają Gryfitom potomków.

— No i właśnie — kolejny kawałek chleba wylądował w sosie Barbary. Brockhausenowa były szczupła, koścista, a jadła zachłannie, jakby chciała do czysta opróżnić talerz. — A z kolei nasz Filip, książę szczeciński, już po słowie. Holsztyńska pokrzywa znów będzie w dynastii.

— Kto? — nie zrozumiała Sydonia.

— Holsztyn ma w herbie takie liście, nieładne jak pokrzywa — z przyganą przypomniała jej Barbara. — Gdzie ty żyjesz, Sydonio? Całkiem zdziczałaś w tym Marienflies.

— Na szczęście mam ciebie, Barbaro — szczerze odpowiedziała Sydonia.

— Na szczęście — potwierdziła Barbara i pokazała służbie, by jej dołożyć pieczeni. — Biskupem został książę Franciszek, drugi z synów zmarłego. Właśnie szykują go do kawalerskiej podróży. W planach Czechy, Szwajcaria, Francja, Anglia, Szkocja i Holandia. Bogato.

— A co z młodszymi synami?

— Jerzy i Bogusław. Pierwszy po...

Jednookim pradziadku, najwyższym z Gryfitów — przypomniała sobie gobelin Sydonia.

— Uposażyli ich na Darłowie. Jest i piąty, Ulryk. Bogu dzięki, książę Bogusław był płodny. A ja ci opowiadałam, jaki wstyd ci młodzi książęta przynieśli rodzinie na pogrzebie Barnima?

— Mówiłaś, owszem.

— To dobrze — mina Barbary powiedziała, że uraziła ją, przypominając. — Powiem ci, Sydonio droga, że takich kryz, to już się nie nosi. Wychodzą z mody.

— Wszystko przemija — pokiwała głową Sydonia.

Służba uprzątnęła talerze i naczynia. Zmieniła obrus.

— U ciebie wciąż jak na książęcym dworze, Barbaro — pochwaliła Sydonia.

— Oczywiście — rozpromieniła się gospodyni. — Podajcie nalewki i małe kieliszki. Bogu dzięki, że ten mój syn tak daleko zaszedł. A ty wiesz, że teraz się mówi, że znów może nastać czas Borków na dworze? Matzke von Bork to najlepszy przyjaciel młodego biskupa Franciszka. Razem pojadą w kawalerską podróż. A Jost von Bork cieszy się zaufaniem księcia Filipa II. Opowiem ci o Filipie, bo jak wiesz, Claus teraz blisko dworu. Nowy książę pasjami kocha malarstwo, unikatowe monety, stare księgi, ponoć marzy, by mieć Kunstkamerę.

— Kunstkamera? Co to takiego? — zainteresowała się Sydonia.


Książę Filip projektował Kunstkamerę. Na papierze rozrysowywał, jak rozmieścić gabloty, jak szafy, jak na ścianach wyeksponować obrazy. Tych ostatnich miał już tak wiele, że ścian w zamku szczecińskim zabrakło. W połowie projektu przerwał, odłożył pióro i pojął, iż nie wystarczy mu jednej komnaty na gabinet osobliwości. Zbiorów, które zgromadził, nie pomieści, a przecież był ledwie na początku swej drogi i teraz, gdy objął rządy w Szczecinie, zamierzał swe pasje rozwinąć, nie zaś zacieśniać. Zatem nie pojedyncza Kunstkamera, lecz nowe skrzydło zamku. Na galerię obrazów, na nową bibliotekę, z półkami na tysiące tomów, na gabloty numizmatyczne i szuflady pełne kuriozów.

Uwielbiał miniatury w srebrze. Miał kolekcję Hubertusa Goltziusa, dwanaście rytowanych obrazów pasyjnych. Niezmierną namiętność wzbudzały w nim medale pamiątkowe, złote znaki ulotnej chwili. Potrafił godzinami porównywać je ze sobą, odgadywał mistrzów, którzy nad nimi pracowali.

Kolekcjonował też kielichy herbowe, zwłaszcza zaś kryształowe wielkie romery, puchary rzymskie z rżniętymi herbami, kwiatami i zwierzętami. Kunstmistrzów od dęcia szkła i szlifowania kryształów na dwór szczeciński zaprosił, by móc ich mieć w zasięgu ręki, na własne usługi. Jak dobrze poczuje się gość książęcy, gdy dostanie podczas uczty kielich z własnym herbem? Czyż nie pojmie, że oto jest w miejscu, gdzie docenia się go i szanuje?

Zbierał książki z wymalowanymi na pergaminie miniaturami zwierząt, potrafił zapamiętać się między stronicami i zapomnieć, że czas płynął. Fauna i flora budziły w nim podziw dla Bożego dzieła. Posiadał cudownie ilustrowany *Hortus Eystettensis* z obrazami kwiatów autorstwa Beslera, które powstały z obserwacji ogrodu botanicznego. A w nim tysiąc osiemdziesiąt cztery gatunki ułożone zgodnie z porami roku. Księgę tę wydano w dwóch wersjach, taniej, czarno-białej, z opisami roślin, i luksusowej, gdzie opisów nie było, za to wydrukowano ją na cudownej jakości papierze, w wielkim formacie, i zdobiono ręcznie. Egzemplarz kosztował pięćset guldenów. Książę Filip kupił obie wersje.

Objął Szczecin w wieku chrystusowym. Z szacunkiem wobec tego, co osiągnął ojciec, choć ten ledwie półtora roku gospodarzył na szczecińskim zamku. Tu, w każdym kącie, najsilniej odznaczał się duch stryja, Jana Fryderyka. Dla Filipa było to najlepsze towarzystwo. Żadnego z braci ojca nie kochał tak bardzo. I gdy zrozumiał, że dla kolekcji sztuki dobudować będzie trzeba nowe skrzydło zamku, uśmiechnął się do tego stryjecznego ducha. Obaj przejdziemy do historii, jako budowniczowie — pomyślał. Naturalnie, różnił się od Jana Fryderyka. On wolał artyzm, Jan Fryderyk sztukę wojny. Łączyła ich pasja do polowań. Ilekroć Filip jechał do dworu myśliwskiego w Podlesiu, tylekroć widział postać potężnego stryja. Kłaniał się jego duchowi. Pasję do czytania z kolei odziedziczył po ojcu. Księgi i druki ulotne miał wszędzie. Czytał także przy jedzeniu. Nie zamykał oczu bez lektury jednego lub trzech rozdziałów Biblii. „Jak pilnie Biblię czytamy, tak wysoki dom mamy", powtarzał za ojcem, a tamten za Lutrem. *Sola scriptura*, nie ma mądrości ponad Pismem. Głęboką pobożność Filip wyniósł z domu, kolejne ojcowskie dziedzictwo. W niedzielę i święta, a także inne dni, w które się spowiadał, pościł, nie uczestniczył w życiu dworskim, słuchał kazań i później, w samotności je rozważał. Nigdy nie dość badań. Czytał komentarze do Ewangelii, po łacinie czy grecku, obojętnie. Robił z nich notatki. W ćwiczeniach duchowych nie ustawał. Po przebudzeniu zwykł szybko się odziewać i udawać na godzinę do oratorium albo biblioteki, by tam oddawać się pobożnym rozmyślaniom. Dzień zaczęty od nich nie mógł być jałowym. Wiedział także, że przykład płynie z góry, zatem służbie całej, domownikom, dworowi, przykazał, by nikt nie opuszczał codziennych porannych i wieczornych kazań. A jeśli ktoś zaniedbał, musiał złożyć jałmużnę. Skarbonka stała u wejścia. Tak, wiedział, że w tym różni się od uwielbianego stryja Jana Fryderyka, którego pobożność nieco pozostawiała do życzenia. Nieślubna córka, Katarzyna, dowodem. Ale Filip byłby ostatnim, który kalałby pamięć zmarłego. Wolał modlić się za jego duszę i dziękować za szczecińskie dziedzictwo. Gdy spoglądał na zamkowy, czworoboczny dziedziniec, po którym chadzała para dzików, majestatyczny łoś i jeleń z wieńcem na głowie, którego udomowiony zwierz nie zrzucał, wspominał stryja, który nawet tu, w zamku szczecińskim odcisnął swą pieczęć łowiecką. Albo gdy patrzył na zamkową wieżę z zegarem, gdy wsłuchiwał się w jej kuranty, błogosławił pamięć Jana Fryderyka.

Filip objął Szczecin w pełni sił, w rozkwicie męskości. Z małżeństwem czekał, aż minie żałoba po umiłowanym ojcu. Księżniczkę holsztyńską Zofię, młodszą od siebie o sześć lat, kruchą i delikatną, przyjął z miłością, tak jak ślubował. Miała żywy umysł, była ciekawa świata, choć, Bogu dzięki, nie płocha. Ich pierwsze zbliżenia były nieporadne. Nie, nie dlatego, by brakowało mu doświadczenia, w końcu odbył kawalerskie podróże. We Florencji podziwiał nie tylko mosty i dziedzictwo Medyceuszy, ale także panny przy Piazza della Signoria. Mógł sobie pozwolić, wszak w tej rejzie występował pod przybranym nazwiskiem: Chrystianus von Sehe.

Lecz co innego oddać się rozkoszom z panną do tego stworzoną, a co innego z nowo poślubioną księżniczką, z którą dzielić się ma życie, a nie tylko łoże. Zofia w alkowie okazała się nad wyraz skromna. A Filip nie umiał jej z tej skromności uwolnić. Współżyli regularnie, lecz na skutek powyższego większą przyjemność sprawiała mu rozmowa z żoną i wspólny spacer lub wycieczka do Podlesia czy Oderburga. Szczególnie lubili przejażdżki powozem na winną górę, milę od zamku. Tam, w winnicach, które w dobrym roku dają i sto wiader wina w typie reńskiego, kazał rozstawiać namioty. Jedli obiad z widokiem na Szczecin, Stargard, Gryfino, Dąbie. Szczególnie zaś lubili z Zofią patrzeć stamtąd na Odrę i płynące jej wodami statkami.

Rok po ślubie odkrył, że zaprzyjaźnił się z małżonką. Potomstwa póki co nie mieli.

Gdy zaś czuł w ciele pożądanie, brał jedną z ksiąg, in folio, tych, które przywiózł z Florencji. Znów był Chrystianusem von Sehe. Oglądał nagość na rycinach mistrzów i doskonałością szkiców koił rozedrgane zmysły. Małżonce podarował nastrojowy pejzaż Cranacha, wyobrażający Miłosierdzie. Odwdzięczyła mu się za to własnoręcznie wyszywaną serwetą. Miała zręczne palce. Do haftu.

— Panie mój — głos osobistego sekretarza, Heinricha von Schwichelt wybił księcia Filipa z lektury. Z wypiekami na twarzy czytał o potwornościach roślin, takich na przykład czarcich miotłach wyrastających z gałęzi drzewa. Pojęcia nie miał, że mogą być długowieczne!

— Książę, przyniosłem listy — przypomniał o sobie sekretarz.

— O, proszę, to już czwartek! — zdziwił się Filip i odsunął od siebie księgę.

W każdy czwartek przychodziła poczta z Berlina, Lipska i Augsburga. Gońcy pocztowi ze Szczecina wyjeżdżali w soboty.

— Co dobrego ma dla nas świat? — spytał sekretarza.

— Najpierw czekają najjaśniejszego pana sprawy krajowe — przez przystojną twarz Schwichelta przebiegł grymas. — Kolejna skarga z Marienflies, za wybaczeniem księcia.

— Sydonia von Bork? — domyślił się Filip.

— Nie inaczej. Komisja rozjemcza, którą powołał świętej pamięci ojciec księcia, nie osiąga żadnych rezultatów. Nie potrafią sobie z panną Bork poradzić.

— Dlaczego uważasz, że wina leży po jej stronie?

— Panna Bork ma długą historię w Sądzie Nadwornym — kwaśno odrzekł Schwichelt. — Ona chyba lubi się procesować.

— A może to opinia krzywdząca? — spytał książę i coś sobie przypomniał. — Heinrichu, a czy Schwicheltowie to nie aby rodzina jej matki?

— Nie — zaprzeczył sekretarz i poczerwieniał aż po nasadę włosów. — Ona z innych Schwicheltów, ona była z brunszwicko-luneburskich, my jesteśmy z meklemburskich.

— Rozumiem — skinął głową Filip. — Nie chciałem cię zdenerwować. Pokrewieństwo ze starym rodem Borków to raczej powód do dumy. Myślę, że pokolenia Borków buntowników, banitów, rozbójników, skończyły się na Ulrichu z Wilczego Gniazda. Spójrz na Josta, wykształcony, elegancki, można we wszystkim na nim polegać. Albo przyjaciel mego brata, Franciszka, Matzke von Bork, to samo.

— Życzyłbym nam wszystkim, byś miał rację, panie. Choć, jeśli pytasz o prywatną opinię, to uważam, że pokolenie buntowników najmocniej reprezentuje Sydonia.

— Ciekawe — powiedział książę. — Daj mi jej suplikę i każ przynieść z sądu akta jej ostatnich spraw. Zapoznam się z nimi. Co dalej?

— Jest list z kancelarii berlińskiej, ale zgodnie z księcia dyspozycją, nie otwieraliśmy go.

— Proszę, złam przy mnie pieczęć i czytaj — Filip czekając, aż sekretarz wypełni zadanie, zerknął w dokument panny Bork. Nie pisała ładnie, to były raczej drapieżne, nerwowo stawiane litery. Ale myśli wyrażała klarownie. Lepiej niż wielu moich radców — przebiegło mu przez głowę.

— Najjaśniejszy panie — głos Schwichelta zabrzmiał grobowo. — Elektor brandenburski Joachim Fryderyk Hohenzollern pożegnał się z życiem doczesnym.

— Amen — skinął głową Filip. To nie była zaskakująca nowina. Chorował od dawna. Słupska wdowa, księżna Erdmuta, utrzymywała żywe kontakty z brandenburskim dworem brata i częściej dzieliła się wiadomościami stamtąd, niż przysyłali je sami Hohenzollernowie.

— Heinrichu, notuj — zaordynował książę Filip. — Żałoba dworska, krótka. Dłuższą niech odbędą w Wolgast, w końcu małżonka Filipa Juliusza to zmarłego siostra. Dzwony zamkowe niech uderzą w dniu jego pogrzebu. Jest już data?

— Owszem — potwierdził sekretarz.

— Tym lepiej. Od nas pojedzie na uroczystość Franciszek. Co ja mówię, Franciszek w kawalerskiej podróży. Niech jedzie najmłodszy, Ulryk. Wystosować listy kondolencyjne do wdowy i spadkobiercy. Do tegoż list z gratulacjami z powodu objęcia władzy po ojcu.

— Książę nie będzie chciał sam listów napisać? — zdziwił się Schwichelt. — Książę zwykle sam…

— Nie tym razem — oświadczył Filip, bo dobrze zapamiętał nauki ojca, księcia Bogusława. — Wobec Hohenzollernów wdrożyć musimy zupełnie nowe procedury. Naszym ludziom w Królewcu dać znać, że mają mieć uszy i oczy otwarte. Dziękuję, Heinrichu, to wszystko.

Gdy został sam, z powrotem sięgnął po dokument pisany przez Sydonię von Bork.


Komisja rozjemcza nie działała. Sydonia wiedziała, że zarządcy Marianowa, szwagrowie, Wedel i Hechthausen jątrzą przeciw niej. Z początku nie mogli się zdecydować, która z nich jest winna. Obie nazywali „jadowitymi żmijami", lecz w miarę upływu czasu, gdy choroba Wedla postępowała, jego złość coraz bardziej skupiała się na Sydonii, którą wprost oskarżał o swe złe zdrowie. Magdalena von Petersdorf też zaniemogła i na łożu boleści złorzeczyła przeciw niej. Pastor Lüdecke prosił przeoryszę, by zaprzestała rzucania oskarżeń. Agnes von Kleist, zastępczyni przełożonej, chodziła od panny do panny i jednym mówiła, że jak tylko Petersdorf umrze, ona w klasztorze zaprowadzi porządek, innym zaś, że trzeba pozbyć się z Marienflies Sydonii. Sofija Stettin, która już wcześniej zdradzała objawy słabości umysłowej, tańczyła po wieczornym nabożeństwie za owczarnią. Boso, bez czepka.

— Piekło nie musi być czarne — zaśmiała się Wolde Albrechts tak szeroko, że pokazała dziurę po wybitym zębie. — Dasz mi piwa, panno Bork?

— Nie odmówię — powiedziała Sydonia.

Siedziały przed domem, chcąc nie chcąc, patrzyły na tańczącą Sofiję. Widziały z daleka zbite w grupki panny klasztorne i Agnes von Kleist chodzącą między nimi.

— Gdzie nasz pies? — rozejrzała się Wolde.

— Pies jest mój — twardo powiedziała Sydonia.

— No to gdzie jest? — zaśmiała się tamta.

— Nie wiem. Gdzieś przepadł.

— Słyszałam, jak zwyzywałaś żonę odźwiernego — głos Wolde zawsze był drwiący.

— Nie mogłaś tego słyszeć. Byłaś u Hechthausena — złapała ją na łgarstwie Sydonia.

— Może tak, może nie. Darłaś się na tę Horn, aż szkło pękało. Naprawdę rzuciła urok na twoje prosięta?

Sydonia nie odpowiedziała. Patrzyła na Sofiję wijącą się w dziwnym tańcu. Ktoś powinien zabrać tę dziewczynę do łóżka.

— Może tak, może nie — powtórzyła po Wolde Sydonia. — Prawdą jest, że prosię mi zdechło. Ładnie jadło, wesoło chrząkało, Horn przylazła tu, pochwaliła prosiaka, a wieczorem biedak padł.

— Dziwne, że Winterfeld, jej małżonek, jeszcze dycha, co? — zarechotała Wolde.

— Nie dziwne — odrzekła Sydonia. — Jego nie chwali.

— Pastor już na piwo nie przychodzi? — zagadnęła po chwili. Wolde Albrechts nie umiała siedzieć cicho.

— Nie.

— A czemuż to?

— Wszystko musisz wiedzieć? — odpowiedziała pytaniem Sydonia.

— Lubię, co poradzić — wzruszyła ramionami Wolde. — Wiesz, co mówią klasztorne żmijki? Że nie spowiadasz się na głos w kościele. Że latasz do pastora, by cię wyspowiadał. To prawda, że nie dał ci rozgrzeszenia?

— Tak było — potwierdziła. — Uznał, że moja spowiedź jest dziwaczna.

— A była?

— Wolde Albrechts, czas na ciebie — oświadczyła Sydonia.

Albrechts dopiła piwo i wstała. Zagarnęła szerokie spódnice. Poprawiła krótki gorsecik. Rozluźniła go dla wygody a teraz musiała zasznurować. Wsunęła włosy pod czepek. Od mamki wymagano schludności. Wprawdzie coraz rzadziej karmiła dzieciaka Hechthausena piersią, ale z powodu złego stanu zdrowia Ursuli zarządca zatrzymał ją w domu. Robiła małemu mieszankę z mleka kozy i krowy. Przecierała mu kaszki. Mówiła, że dziecko się z nią zżyło, co dziwiło Sydonię. W Wolde Albrechts było coś odpychającego. Gdy sobie poszła, Sydonia zjadła kolację. Trochę chleba i sera. Metteke miała wychodne. Chłopcy we wsi kłócili się o nią. Sydonia lubiła patrzeć, jak między sobą drą koty, który zatańczy z Metteke pierwszy. „Tańcz, nawet jeśli ci się nie chce" — mówiła jej. — „Nigdy nie wiesz, gdy skończą grać dla ciebie. Wytańcz się tak, jakby każda zabawa miała być ostatnią". Dała jej parę drobnych, ziębich oczek, by sama sobie kupiła piwo, czy krwistą kiełbaskę. „Jak im zależy, niech ci kupią chustkę, albo słodkie ciastka. Za jedzenie płać sama" — pouczała służkę. Lubiła ją. Życzyła jej jak najlepiej. Dobrze im się razem żyło. Metteke była zręczna. Potrafiła gorącymi szczypcami prasować wykrochmaloną na sztywno kryzę i ani razu jej nie przypaliła. Umiała długie, kręcone włosy Sydonii umyć i wypłukać w skrzypie, pokrzywie i na koniec w rumianku. Czesała ją długo i cierpliwie, chwaląc sploty. To prawda. Sydonia nigdy nie narzekała na włosy. Wciąż były piękne, choć dawną rudość zastąpiło srebro. Pamiętała czasy, gdy rozpuszczone, strojne tylko w czepek z pereł, strzegły jej pleców. Żałowała, że nie może ich już tak nosić. Dlatego radziła Metteke: tańcz! Sama nie upilnowała chwili, w której zatańczyła po raz ostatni.

Zawołała psa:

— Joachim? Joachim! Chim! Chim? Gdzieś się podział?

Nie przyszedł. Na ramiona narzuciła wełnianą chustę. Na plecy założyła kosz. Zmrok zapadł, biedną Sofiję Sttetin panny chyba zabrały do celi, bo za owczarnią było pusto. Zamknęła dom na klucz. Nigdy nie zostawiała drzwi otwartych, wiedziała, ile wścibskich kobiet się tu kręci. Ruszyła do klasztornej bramy. Ale w ostatniej chwili odwróciła się i zobaczyła, że na murze klasztornym, w miejscu, z którego przyszedł do niej kiedyś kocur, potem pies, przysiadł wróbel. Ptak pod jej spojrzeniem rozłożył skrzydła i, co dziwne, nie machając nimi wcale, wzleciał. Usiadł na koszu, który trzymała na plecach.

— Jak ci na imię? — spytała.

Ćwierknął.


Winterfeld otworzył furtę, coś tam mamrocząc pod nosem. Był usłużniejszy, gdy jego żony nie było w Marianowie, jak dzisiaj. Sydonia poszła w stronę pól panów von Massow. Był czas na zbiory czarnego bzu. W jej *Hortus Eystettensis* nazywano go „Sambucus ebulus", ale na Pomorzu mówiono „Adich". Wróbel okazał się cudownym towarzyszem. Wzlatywał wysoko i potem spadał szybko, wskazując jej dorodne rośliny. Przyszła po czarny bez, wróciła z koszem pełnym rozmaitych okazów. Z nowymi, zielonymi miotłami wyciętymi spomiędzy gałęzi drzew.

Bramę zastała otwartą, co wzbudziło jej czujność. Winterfelda ani śladu. Za to na podjeździe pod kościołem kocioł. Lament. Krzyki i piski. Omijając to zgromadzenie, nadrobiła drogi, idąc do domu wzdłuż muru. Chciała najpierw odłożyć kosz, miotły, które jej ciążyły. Gdy pozbyła się balastu, poszła pod klasztor.

— Co się dzieje? — spytała płaczących panien.

— Przeorysza Magdalena von Petersdorf nie żyje — jęknęła Anna Hebron. — Zmarła w męczarniach.

— I pan Johan Hechthausen nie żyje! — zawyła Dorotea Stettin. — Co za straszna noc!

— Hechthausen? — zdziwiła się Sydonia. — Petersdorf chorowała, ale zarządca był zdrów.

— No właśnie! — zapłakały panny, jakby jego los je obchodził.

Wolde Albrechts zostanie bez pracy — zrozumiała. — Ależ ona jest głupia.

Nazajutrz okazało się, że trzecią stratą tamtej nocy był odźwierny. Mattias Winterfeld otworzył wieczorem furtę dla Sydonii i nie zamknął. Skonał pod bramą, co odkryła Horn, wracając rankiem z chrzcin bratanicy do domu.

Joachim von Wedel przyjechał do Marienflies po tygodniu. Ledwie stał na nogach, cerę miał żółtą. Ostatkiem sił dopilnował wyborów. Oślizgła Agnes von Kleist awansując z zastępczyni, została przeoryszą. Dorotea Stettin jej zastępczynią. Ale panny średnie, dwudziestoletnie, jednym głosem zażądały, by Sydonia Bork była ich

przedstawicielką. Jej kandydaturę wysunęła Matylda. Kleist protestowała. Sydonia przyjęła wybór. Stettin była przeciw. Zatem odrzucono
kandydaturę Sydonii, ale jednocześnie jakby ktoś kredą narysował
linię podziału w klasztorze.

Tamtego wieczora zmęczona dniem Sydonia siedziała na ławie
przed domem. Psa wciąż nie było, kocur zniknął. Wróbel przycupnął
na jej ramieniu. Metteke przybiegła z płaczem. Sydonia pomyślała, że
skoro ponad tydzień po wiejskiej zabawie służki nie było, to znaczy,
że zakochała się na zabój, a teraz dotknęła ją zdrada. Wstała i zrobiła
krok ku biegnącej dziewczynie. Otworzyła dla niej ramiona. Metteke
wpadła w nie ze szlochem.

— Ciotka Lene oskarżona o czary! Wedlowie ją spalili! Spalili —
łkała Metteke w pierś Sydonii.

Przygarnęła dziewczynę do siebie.

Pomyślała — znów się zaczęło. Jeden stos podpala kolejne. Boże,
zmiłuj się nad nami wszystkimi.


Książę Filip skłonił kuzyna, księcia Wolgast, Filipa Juliusza, by ten
udał się w podróż na Litwę, Inflanty, do Prus i do Polski. To była
polityczna droga. Choć niestety, jak się okazało, król Zygmunt Waza
nie był skłonny do nadstawiania ucha na pomorskie racje. Kwestie
Hohenzollernów trzymających i Brandenburgię, i Prusy były mu dość
obojętne. Polacy okupowali Kreml moskiewski i to ich zajmowało
dużo bardziej.

Filip skupił się na budowie letniej rezydencji na wzgórzu, na Dolnym Wiku. Zaplanował ją jako nieduży pałacyk o czterech wieżach
z wykuszami. W jednej umieścił schody, w trzech pozostałych było
miejsce na stoły, by ucztujący mogli podziwiać widoki z wysokości.
Oczywiście, ganki dla muzykantów i naprzeciw dla trębaczy. Na suficie
głównej sali Filip chciałby widzieć malowidła historyczne z dziejów
Pomorza. Obecnie szuka malarzy dość doświadczonych, by temu
podołać. Tam też, póki nie dobuduje skrzydła w szczecińskim zamku, może zawisnąć galeria obrazów. Ich zbiór wciąż rósł. Rezydencję
nazwał Lusthausem, domem przyjemności. Stryj Jan Fryderyk, gdy
chciał gości docenić i olśnić, zabierał ich do Podlesia, do rezydencji
myśliwskiej. Filip z radością myślał o uczonych, z którymi będzie
mógł dyskutować, patrząc na panoramę Szczecina i ciemną, żywą
wstęgę Odry.

Gdy z Marianowa przyszły doniesienia o serii śmierci: przeorysza, zarządcy, odźwierny, książę Filip przyjął to wzruszeniem ramion: bieg zdarzeń, plan boży, do którego człowiek nie ma dostępu. To samo przecież w Szczecinie: w jednym roku pożegnali się z życiem Kameke, dawny kamaryliusz jego ukochanego stryja i Rambow, jego zięć. Mąż skazy na gryfickim honorze, nieślubnej córki Jana Fryderyka. Trzeba było jakoś te sprawy uładzić.

Ale, ponieważ zmarło się obu nadzorcom fundacji w Marianowie, Hechthausenowi i Wedlowi, ustanowił nowym zarządcą Josta von Bork i Edgara Sperlinga. Wreszcie mógł tego Josta docenić. Dobry był z niego zarządca w Szadzku, ale z jednej domeny trudno wyżyć. Wpłynęło do księcia oskarżenie Sydonii von Bork, że Agnes von Kleist, nowa przeorysza Marianowie, nadużywa swych plenipotencji. Kazał w tej sprawie rozstrzygnąć Jostowi. Był pewien, że krewni szybciej dojdą do porozumienia. Książę starał się nie lekceważyć tych spraw fundacyjnych, choć z punktu widzenia Szczecina wydawały się błahe. Każdy poddany ma prawo do książęcej uwagi.


Tymczasem w Szczecinie Daniel Cramer kończył pracę nad Biblią i nowym psałterzem, powiada, że gotowe do druku będą lada chwila. Niestrudzony mędrzec, autor *Wielkiej Kroniki Kościoła na Pomorzu*, trafił w archiwach na nieznane wcześniej dokumenty i będzie wydanie swej księgi poszerzał. „Zostawmy potomnym, co mamy najlepszego" — powtarzał, choć trzęsła mu się głowa.

Paul Friedeborn z kolei skończył pisać *Historyczny opis miasta Stary Szczecin na Pomorzu*, książę był pełen uznania, choć zasugerował, że ryciny znacznie podniosłyby wartość dzieła.

I wreszcie Walentin Winther, uczony i przyjaciel z młodości, złożył księciu Filipowi projekt zakrojony bodajże na największą skalę:

— *Balthus Pomeranicus*, to wstępny tytuł — zapowiedział uroczyście i dodał: — Sam wiesz, mój panie, że im dalej w świat, tym wiedza o ojczyźnie naszej mniejsza i ułomniejsza. Podczas swych licznych podróży nie raz się spotkałem z ludźmi wykształconymi, którzy pewni byli, że Pomorze jest częścią marchii!

— Mój Boże — zmartwił się wówczas Filip. — Marchii nigdy by nie było, gdyby nie waleczne plemiona Pomorców i ich słowiańskich pobratymców, którzy siedziby mieli aż po rzekę Łabę. Och. Najciężej pracować nad umysłami tych, którzy myślą, że wiedzą.

— Dlatego, książę, chcę napisać historię Pomorza po łacinie, a nie po niemiecku — wyjawił swój pomysł Winther. — Żeby dzieło trafić mogło do jak największej ilości wykształconych czytelników.

Filip zrozumiał. I wypłacił uczonemu zaliczkę.

Ale potem książę wrócił myślami do sprawy, bo umysł miał żywy i krytyczny. Kroniki Pomorza mieli od czasu wielkich dzieł Jana Bugenhagena, a później Thomasa Kantzowa. Ich *Pomeranie* wciąż niewydane drukiem, ale to tylko kwestia czasu, a liczne odpisy obu dzieł udostępniano studentom w Gryfii i w szczecińskim Książęcym Pedagogium. Jak sprawić, by dzieło Winthera było czymś więcej? To powinno stać się studium na miarę nowych czasów. I pewnego poranka, gdy Filip, jak zawsze, oddawał się pobożnym rozważaniom w bibliotece, spłynęła na niego myśl, by połączyć kronikę Winthera z mapami. To było wyzwanie. Już stryjeczny pradziad, Barnim, powtarzał, że trzeba nowej mapy Pomorza. Filip od razu nazwał swój pomysł *Pomeranographia* i najął wybitnego kartografa, Lubinusa. Ten wsławił się już doskonale wyrytowaną mapą Rugii, dedykowaną Filipowi Juliuszowi. Księcia ujęło, że Lubinus do pracy podchodzi sumiennie; jeździ w teren, sam wszystko bada i mierzy. Spotkali się kilkukrotnie i Filip ze zdumieniem odkrył, że kartograf pracuje na prostych przyrządach — astrolabium do pomiarów astronomicznych; laska Jakuba, którą można zmierzyć odległość do miejsc niedostępnych, a także ich wysokość, czy kwadrant geometryczny do pomiarów kątów i odległości. Obdarzył uczonego listami, w których zobowiązywał urzędników i szlachtę Pomorza do udzielenia mu każdej możliwej pomocy w pracy nad mapą.

Sam skupiał się w międzyczasie na swojej kolekcji: konterfekty cesarza, cesarzowej, wszystkich elektorów Rzeszy z żonami, książąt i małżonek. Idea, że on właśnie zbierze największą liczbę portretów żyjących władców i umieści ich w jednej komnacie, dojrzewała z czasem w umyśle Filipa.

— Może dlatego, że wychowałem się w cieniu wielkiego gobelinu z Wołogoszczy? — wyraził przypuszczenie, gdy wraz ze Schwicheltem dyskutowali o kolekcji.

— Ta tapiseria robi nieprawdopodobne wrażenie — przyznał jego sekretarz.

— Tkanina, na której osnowa i wątek oddalają od siebie dwa stojące naprzeciw rody. Niby połączone, a obce sobie. Moi przodkowie mieli rozmach — uśmiechnął się, ale wypadło to smutno.

— Przypomnę, że i ojciec waszej książęcej mości, świętej pamięci książę Bogusław, zamówił wielki portret całej gryfickiej rodziny. Skrzynia z obrazem wciąż stoi w piwnicy, o czym raz po raz przypomina nam ochmistrz.

— Rzeczywiście. Umknęło mojej uwadze, że nigdy nie widziałem dzieła w całości. Pamiętam jakiś fragment z postacią Bogusława Wielkiego i obu jego małżonek. Ile lat temu ojciec zamówił to dzieło? — spytał nieuważnie.

— Tego nie wiem, ale znam datę ukończenia obrazu, bo widziałem rachunek dla pana Crommeny, malarza, datowany na osiem lat przed śmiercią twego ojca, książę. Opisano go jako drzewo genealogiczne z wyobrażeniem stu pięćdziesięciu pięciu członków rodu. Ponad siedem metrów płótna.

— Ciekawe — mruknął Filip bez entuzjazmu. Zapamiętał tę część z Bogusławem Wielkim i cóż, nie miał wysokiego zdania o panu Crommeny jako malarzu. Do Cranacha mu daleko. — Będzie trzeba zejść do piwnic i obejrzeć — uśmiechnął się z roztargnieniem do Schwichelta. — Przez szacunek dla mego ojca. Mamy dość zamków, by to dzieło w którymś z nich zawisło na ścianie, a nie tkwiło w skrzyni. Opowiem ci teraz o planowanej przeze mnie kolekcji — Filip rozpromienił się i roztoczył przed Heinrichem Schwicheltem wizję, w której w jednej komnacie gromadził portrety wszystkich władających współcześnie dynastii.

— Niczym rząd dusz, spoglądających na siebie, jak w zwierciadło sprawiedliwości, w którym przejrzeć się nigdy nie mieliby odwagi.


— Zerkadełko, zwierciadełko, powiedz, powiedz, szpetna jestem, czy śliczna? — zaśmiewała się Wolde Albrechts, udając, że się przegląda w kawałku zielonkawego szkła, które znalazła gdzieś pod klasztorem. Robiła przy tym miny, które wydawały jej się zalotne, a były raczej komiczne.

Sydonia wracała z marianowskiej karczmy. Poszła tam, by dowiedzieć się czegokolwiek o nieszczęsnej Lene Schmedes, jej procesie i egzekucji. Nie usłyszała nic, co by wybiegało poza plotki, jakie już znały z Metteke. Wolde Albrechts przyplątała się do niej po drodze. Po śmierci Hechthausena nie bardzo wiedziała, co ze sobą zrobić. Czasami dawano jej jakąś robotę w kuchni, częściej jednak mówiono, by poszła precz.

— Lubisz borowiki, panno Bork? — zapytała, gdy znudziło jej się lusterko ze szkiełka. — Jak lubisz, to poprowadzę. Wiem, gdzie rosną grzyby na schwał.

Sydonia skinęła głową w roztargnieniu. Dobre i grzyby, gdy nie ma nic pocieszającego do przekazania swojej służącej. Wolde zręcznie przeszła przez niewysoki kamienny murek oddzielający pastwiska.

— Tędy szybciej — powiedziała i uśmiechnęła się chytrze.

Tuż za pastwiskiem zaczynała się ściana lasu.

— Nie byłam tu — zauważyła Sydonia i baczniej zaczęła zwracać uwagę na ścieżkę, którą szły.

— Bo to las jaśnie pana Massowa — zaskrzeczała Albrechts. — A on bardzo nie lubi, gdy włóczą się po nim obcy. Za mną, za mną! — Wolde zręcznie i szybko poruszała się między drzewami, jakby naprawdę wiedziała, dokąd iść.

Las nie był tak gęsty, jak wydawał się z oddali. Prześwietlony promieniami jesiennego słońca zdawał się promienieć własnym, zielonym światłem.

— Wielcy panowie mają swoje lasy — gadała Albrechts nie wiadomo, do siebie, czy do Sydonii — a nigdy do nich nie chodzą. Mają i już. Co to za pomysł, by las należał do kogoś? Czy Borki też miały swoje lasy, hę?

Sydonia nie odpowiedziała na zaczepkę, zresztą Wolde zdawała się nie potrzebować odpowiedzi.

— Pan Hechthausen miał wiele rzeczy, z którymi nic nie robił — gadała, idąc coraz szybciej i szybciej. — Wystarczyło mu, że je posiadał. Pooosiadaaał — powtórzyła z lubością. — Ale powiem, panno Bork, że czasami posiadał i to, co do niego nie należało — zaśmiała się obscenicznie i podrapała po spódnicy na tyłku. — No i co?

Wolde Albrechts stanęła nagle w miejscu, jak wryta, a zaraz potem padła na kolana.

— Jak ja mówię, że borowiki na schwał, to same spod ściółki wychodzą! — zarechotała i rozłożyła szeroko ramiona. — Las pana Massowa, ale grzyby nasze! Bo on tu nie chodzi, nie chodzi. Po co jemu borowiki, jak jego stać, by codziennie mięso jeść?

Sydonia podeszła bliżej i aż pokręciła głową z niedowierzaniem. Wolde zdjęła z pleców kosz; wokół niej aż roiło się od brunatnych kapeluszy. Borowik na borowiku. Przykucnęła przy niej i zaczęły zbierać.

— Panna Bork to schyla się jak jaśnie pani — nie przestawała mówić Wolde. — Plecy prościutkie, jakby kto z daleka patrzył, to by myślał, że ino chusteczkę haftowaną upuściła i musi tak, o, sobie swoje cacko podnieść.

— Czujesz ten zapach? — spytała Sydonia, bo nagle nozdrza wypełniła jej ledwie wyczuwalna, a mimo to ostra woń.

Wolde pociągnęła nosem.

— Kocie szczyny — oznajmiła i uniosła brwi.

Sydonia odłożyła borowika, którego przed chwilą zebrała, i podniosła się, mimowolnie otrzepując spódnice. Znała ten zapach i nie, to nie był koci mocz, choć bardzo go przypominał.

— Smerwort — powiedziała, wskazując czerwone kolby dziwacznej rośliny rosnące pod rozłożystym bukiem. Ruszyła ku nim. Wolde rzuciła zbieranie grzybów i pospieszyła za nią.

— Nie, nie, nie — pokręciła głową i chwyciła Sydonię za ramiona. — To trujak, nie wolno, nie wolno. Po co pannie Bork ten czerwony smród?

— Po nic — odpowiedziała Sydonia. — U nas mówili na tę roślinę smerwort. Albo aron.

— A u nas rulpwort albo kocie siki — z powagą oznajmiła Wolde. — Zatrucia, śmiertelne sraczki, pomieszania zmysłów. Nikomu to niepotrzebne. Lepiej skończmy zbieranie grzybów.

— Tak — powiedziała Sydonia. — Zbieraj, zaraz do ciebie dołączę.

Podeszła do rośliny i przykucnęła. Przyglądała się wystającym ze ściółki prostym, pozbawionym o tej porze roku liści, łodyżkom. I krwistoczerwonym jagodom ułożonym jedna nad drugą, w lśniącą kolbę; w niezwykły sposób przyciągającą uwagę i bezwstydną.

Natura jest przedziwna — pomyślała i przypomniała sobie, że smerwort zwykle przestawał śmierdzieć, gdy kończył kwitnienie. Najwyraźniej gdzieś w pobliżu były jeszcze rośliny, które dopiero wypuściły kwiaty. Wstała i obeszła drzewo, by ich poszukać. Szła ze wzrokiem wbitym w ziemię i wtedy poczuła ciepło. Uniosła głowę, zobaczyła ją. Olbrzymią kobietę, o skórze starej i pooranej jak kora drzew. Nagich, zwisających piersiach. Długich, rozczochranych włosach, spomiędzy których wstawały trawy i liście. Żółtym spojrzeniu.

— Mamuna — wyszeptała.

— Co mówisz? — zawołała Wolde, oczyszczając grzyby. — Zostaw, panno Bork, te kocie siki, nic dobrego z tego nie będzie.

Wielka kobieta przekręciła głowę i teraz wydawała się obserwować Wolde. Sydonia czuła ciepło na skórze idące wprost od Mamuny. Nie. Ona nie patrzyła na Wolde. Patrzyła gdzieś dalej, za nią.

— Co tak stoisz, panno Bork, jak wmurowana? — spytała Wolde Albrechts i uniosła głowę.

Sydonia stała pomiędzy nimi. Między Wolde a wielką kobietą, i doznawała dziwnego uczucia, jakby te dwie się nie widziały.

— No i czas na nas — oznajmiła Albrechts, wstając i wycierając ręce w spódnicę. — Więcej mój koszyk nie pomieści, a panna Bork przecież kosza nie wzięła. Od tego ma służbę — zarechotała po swojemu.

Powoli, jakby nogi z trudem odrywały się od ziemi, Sydonia zrobiła kilka kroków w stronę Wolde i szepnęła do niej, wskazując ruchem głowy na Mamunę:

— Widzisz ją?

— Co? — rozejrzała się Albrechts. — Nic tu nie ma.

— Kobieta — wyszeptała Sydonia. — Tam.

Wolde Albrechts patrzyła w miejsce wskazane przez Sydonię. Patrzyła na wielką, nagą kobietę o starym ciele i żółtych oczach w młodej twarzy, i nie widziała jej.

— Mówiłam, żeby nie ruszać rulpworta — powiedziała i wytarła nos wierzchem dłoni. — Śmierdny kwiat pomieszał Borkównie w głowie, eee, ale wielka panna nie słucha prostej Wolde, co? — Albrechts założyła kosz na plecy, spojrzała na Sydonię z urazą i śmiało ruszyła w stronę Mamuny.

— Wolde! — Sydonia chciała przestrzec ją przed zderzeniem z Mamuną, ale Albrechts szła, jakby naprawdę jej nie widziała. — Uciekaj stąd! — syknęła Sydonia.

Wolde Albrechts zachichotała. Mamuna zniknęła.

— Gdzie niby mam uciekać i po co? — pociągnęła nosem Wolde.

Sydonia rozejrzała się zdezorientowana. Wciąż czuła to ciepło, lecz Mamuny nie było. Dogoniła Wolde.

— Nigdy nie słyszałaś o starej, leśnej kobiecie podmieniającej dzieci?

— Nie — wzruszyła ramionami Wolde Albrechts. — Ale wiem, że dzieci nie powinny się same włóczyć po lesie. Co innego młode panienki — zachichotała. — Albo takie damy, jak my. Gdzie moje zielone szkiełko? Kto mi teraz prawdę powie?

Sydonia pojęła, że Wolde nie mogła widzieć Mamuny, bo nikt jej nią nie straszył w dzieciństwie.

Jak zielsko rosną w nas widziadła, które nam zasiano do głów — pomyślała i mocniej owinęła się chustą.

Książę Filip do swej małżonki Zofii czuł serdeczność, głębokie przywiązanie i przyjaźń. Gdy patrzył na nią, wciąż myślał, jaką nową przyjemność jej sprawić. Zamówił dla niej biureczko wykładane srebrnymi płytkami. Zofia pisała przy nim listy, a on przyglądał się jej drobnym plecom lekko pochylonym nad eleganckim blatem. Kupił jej zwierciadło florenckie w kunsztownej, zdobionej kamieniami ramie i mógł długie chwile wpatrywać się w Zofię spoglądającą w lśniącą taflę. Widział wtedy i siebie odbitego w jej lustrze, oboje stawali się podwójni.

Jednak nie daj Boże, by w codziennych sytuacjach dworskich jego wzrok zsunął się na panny za jej plecami, albo rumiane służki. Z tymi było najgorzej. W lędźwiach natychmiast rozpalały mu florencki gorąc. Stawał się Chrystianusem von Sehe. Niepohamowana wyobraźnia uruchamiała się wbrew woli księcia. A w niej panny podwijały spódnice, ukazując krągłe uda. Obnażały piersi aż po brązowe sutki, rozkazując „ssij". Dobrze, że swego czasu zamówił sporą kolekcję figurek porcelanowych dla małżonki. Gdy dopadały go wybryki wyobraźni, natychmiast wyciągał ze skrzyni jedną z figurek i podarowywał Zofii. Cieszyła się z każdej. Wciąż nie mieli dzieci, choć współżyli regularnie.

Na Trzech Króli przyszła wiadomość, która sparaliżowała wszystkich: nowy elektor brandenburski, Jan Zygmunt Hohenzollern, porzucił wyznanie luterańskie i przeszedł na kalwinizm.

— To jakby wszedł na wieżę i odciął schody — powiedział książę Filip, chwytając się za skronie. Ból i strapienie chciały mu rozsadzić głowę.

— Panie, zapraszam — otworzył drzwi gabinetu doktor Albinus. Teolog, medyk i znawca astrologii. — Wyliczyłem wszystko, czego książę sobie życzył.

— I co? — spytał Filip, przestępując próg jego pracowni.

Dorota von Bork, bratanica, przysłała Sydonii list z wiadomością, że jej brat, a Sydonii bratanek, dziedzic Strzmiela, nie żyje. Otto von Bork zapił się na śmierć, tego wprawdzie Dorota nie napisała wprost, ale skoro skonał w karczmie, to jak inaczej rozumieć? Zgon bratanka nie poruszył jej. Z dzieci Ulricha znała dobrze tylko Dorotę i ta była jej bliska. Lecz śmierć w rodzinie oznacza pieniądze: podziały majątku i długów. Otto sporo był jej winien i teraz, gdy spadkobiercy siądą do dzielenia, powinna być między nimi. Wynajęła prawnika, by dopilnował jej spraw. W Marianowie udało jej się odłożyć nieco grosza. Z wiekiem tkała lepiej, jakby stare palce zawarły układ z kołowrotkiem. Jej płócienne obrusy zamawiała doktorowa Faber ze Stargardu. Sydonia stała się gospodarna, z deputatu klasztornego, jaki jej przysługiwał, potrafiła z pomocą Metteke przygotować zapasy na całą zimę i jeszcze co nieco odłożyć na sprzedaż. Z każdego warzenia odstawiała dwie beczki piwa, odbierał je karczmarz marianowski. W dodatku przez poprzednie lata, choć Otto von Bork nie płacił jej należnych trzydziestu trzech guldenów rocznie, coś tam jednak zawsze od niego wytargowała. Odkładała każdego guldena do szkatuły i teraz otworzyła ją, by zapłacić za prawnika.

To, co ustalił, było dla niej wstrząsem: Jost von Bork zajął za długi dobra Ottona. Już wiedziała, że poprzednie zagranie Josta było nieczyste: gdy napisał, że jako panna klasztorna nie może się procesować. Sprawdziła, to nie było prawdą. Teraz więc z prawnikiem napisali pozew. Do księcia Filipa II. „O bezprawne zawłaszczenie dóbr po zmarłym Ottonie von Bork i tym samym zajęcie należnych jej dochodów".

— Byłoby dobrze — zasugerował prawnik. — By pannę przedstawić tu jako, panna wybaczy, mówię dla dobra sprawy, jako… starą, chorą, ubogą krewną.

— Pisz pan — zgodziła się. — Tylko bez „chorej", słowa mają jakąś swoją moc — wyjaśniła.

Owszem, dokuczał jej ból pleców i nogi. Raz spadła z wysokości i tak ją trzymało. Robiła sobie kąpiele lecznicze i okłady z Adich zebranego z pól Massowa, pomagało.

Prawnik zawiózł pozew do Szczecina. Owszem, wolałaby sama wyrwać się na kilka dni z Marianowa, sprawdzić, czy nie ma listu dla niej u „Popiołka", ale atmosfera w klasztorze była tak gęsta, iż obawiała się, że po wyjeździe, Kleist i jej zausznice rozwalą zamek w drzwiach, byleby się dostać do jej domu i przetrząsnąć każdy kąt.

Petersdorf była żmiją, ale żmiją pozbawioną mocy kąszenia. Agnes von Kleist, przeciwnie, pluła jadem na oślep. Sydonia była jej solą w oku i to wystarczyło, by musiała nieustannie pilnować swoich spraw. Od czasu do czasu, gdy udało jej się dogadać z jakimś chłopem ze wsi i miała zapewnione miejsce na wozie w tę i z powrotem, wybierała się do Stargardu. To było na tyle blisko, by rano wyjechać, przed zmrokiem być w domu. Kleist była wredna, ale nie głupia. W świetle dnia nie odważyłaby się włamać do Sydonii.

Był schyłek lata, miały z Metteke ręce pełne roboty. To jeszcze nie czas na solenie i wędzenie mięsa na zimę, ale szczyt zbiorów. Sydonia wiosną wynajęła dziewuchy ze wsi, a te pięknie skopały jej ziemię i wyszykowały ogród warzywny na działce wokół domu. Brały się właśnie z Metteke do kiszenia jabłek z kapustą, gdy nagle, od otwartej za dnia furty klasztoru, uniósł się krzyk. O dziwo, męski.

— To Prechel — powiedziała zaskoczona Metteke, podnosząc się znad balii, w której szorowała jabłka.

— A ten tu czego? — Sydonia przysłoniła dłonią oczy. Biegł do nich.

— Jak mogłaś?! — krzyczał. — Co ci biedne dzieci winne?!

— O co mu chodzi? — spytała Metteke.

— Pojęcia nie mam — wytarła mokre ręce w fartuch Sydonia. Oparła się o framugę drzwi. Prechel, czerwony na twarzy, zapuchnięty, dysząc ciężko, już dobiegał do ganku.

— Twój wściekły pies pogryzł moje dzieci! Na śmierć je poszarpał!

— Co mi do tego? — chłodno przerwała jego krzyk. — Mogłeś nie kraść mi psa, to by twoich dzieci nie gryzł. Myślałeś, że nie wiem? Zarządca Sperling mi powiedział — pokiwała głową. — Ukradłeś mi psa, uwiązałeś na łańcuchu przy swoim domu. Trzeba było nie zabierać cudzej własności.

— Przyznajesz się! — ryknął Prechel, aż krople śliny wystrzeliły mu z ust.

Od strony klasztoru już szybkim krokiem zmierzały ku nim najmłodsze panienki. Najbardziej wścibskie. Nie chciała tu zbiegowiska.

— Nie, nie przyznaję. Nic wspólnego nie mam z tym, że pies pogryzł dzieci. Tyś jest winny, mnie i sobie samemu. Odejdź.

Prechel zmiękł, zrozumiał, że jego oskarżenia są puste. Jak kiedyś, przed laty, gdy odrzuciła jego zaloty, nie wiedział, co ma dalej zrobić. Rozpłakał się jak dziecko, rozmazywał łzy na brudnej twarzy.

— Daj mu chustkę — powiedziała Sydonia do Metteke. — Bo zaraz się zasmarka.

Przyjął chustkę, otarł nią twarz i chyba się uspokoił, bo bez słowa odwrócił się i ruszył. Ale po dwóch krokach zawrócił. Rozejrzał się dziko, najbliżej miał balię pełną wody i jabłek. Kopnął w stojak, na którym ją ustawiły, balia spadła, woda chlusnęła, jabłka potoczyły się po trawie. Sydonia zacisnęła szczęki. Pomyślała: tyle roboty na nic.

Prechel odszedł, już był pod bramą, gdy wysmarkał się w chustkę, co ją był dostał, i brudną rzucił na trawę.

— Nie będziesz prała jego smarków — powiedziała Sydonia do Metteke. — Chustek nam nie brakuje.

Panienki klasztorne, zwiedzione, że ominęło je widowisko, chciały ukraść leżących na ziemi jabłek. Sydonia pogoniła je miotłą.


Popołudniem, gdy odpoczywały po pracy na ławie przed domem, napatoczyła się Wolde Albrechts. Wdowa po Hechthausenie przeniosła się do Wedlów, a nowy zarządca, Sperling, nie życzył sobie Wolde Albrechts wśród służby. Ta włóczyła się teraz po okolicy, bez zajęcia, bez celu. Czasami najęła się do pomocy tu i tam, a potem znów nie miała gdzie mieszkać. Sydonia zwykle dała jej kawałek chleba, sera, czy miskę polewki, co tam było. Nie lubiła Wolde, ale czuła wobec niej litość.

— Jak sądzisz, panno Bork, czy te wszystkie klosterjungfrau są dziewicami? — spytała ni stąd, ni zowąd Albrechts, gdy podjadła skwarków i kaszy.

— Diabli wiedzą — odpowiedziała obojętnie Sydonia, poprawiając wysoki kapelusz. — Mam w tej chwili inne zmartwienie.

Głową pokazała na bramę. Wjechał Jost von Bork, konno. I nie skierował się do stajni, lecz jechał wprost do niej. To było dziwne, całkiem niezwyczajne.

— Kuzynie Joście von Bork — powitała go pierwsza, wstając z ławy i chwytając laskę. — Czemu zawdzięczam tę wizytę?

Patrzył na nią z góry, z siodła. Nie uchylił kapelusza, mocno trzymał wodze. Był wściekły, drgały mu zaciśnięte szczęki, a on z całych sił usiłował nad sobą panować.

— Sydonio, popełniłaś wielki błąd.

— Nikt nie jest idealny — odrzekła, mrużąc oczy. Siedząc na koniu, zmuszał ją, by zadzierała głowę, albo patrzyła na jego nogi.

— Siejesz zamęt — rzucił Jost przez zęby. — Takie jak ty trzeba wziąć w karby.

Koń Josta poruszał nozdrzami. Czuł woń jabłek, kilka zostało na ziemi, rzucał głową. Sydonia ukucnęła powoli, trzymając się laski, z prostymi plecami. Wzięła z trawy jabłko i podniosła się.

— Przeszarżowałaś — rzucił Jost gniewnie. — Ja to nie twój brat, ani głupi bratanek. Ze mną nie możesz sobie tak pogrywać.

Koń wyciągał do niej szyję. Sydonia ugryzła jabłko.

— Czyżby? — powiedziała do Josta.

Ten strząsnął z policzka muchę, która go ukąsiła, zostawiając nabrzmiały, czerwony ślad.

— W czym niby jesteś od tamtych lepszy? — znów ugryzła soczyste jabłko, a potem wyciągnęła rękę i koń Josta szarpnął się do niej. Jost to przewidział, nie zachwiał się w siodle. Koń jadł jej z ręki. — Oczywiście, wiem w czym — zaśmiała się szyderczo. — Ulrich był szalony i wściekły, Otto za dużo pił. A ty, kuzynie, jesteś przebiegły. Taki elegancki, taki dworski. I taki cwany. Nie wybaczę ci tego, że chciałeś mnie zastraszyć. Że próbowałeś wmówić mnie i księciu, że nie wolno mi stawać przed sądem. Ukartowałeś to. Spokoju ci nie dawało sześćdziesiąt guldenów, które przed śmiercią spłacił mi Ulrich. Radca dworu, Jost von Bork, i zawiść o sześćdziesiąt należnych guldenów — cmoknęła i koń zarżał cicho. Jost milczał. Jego twarz tężała, jakby nie mógł rozewrzeć szczęk. — Będziesz mi płacił, Joście von Bork — szepnęła. — Póki żyjesz. Postąpiłeś chytrze, ale ja wciąż mam w ręku wyrok Jana Fryderyka. I sentencję, że wszyscy spadkobiercy są mi winni alimenty do końca życia. Nie odpuszczę ci. Wiem o tobie więcej, niżbyś sobie życzył, i jeśli trzeba będzie — uniosła głos — tej wiedzy użyję. A teraz zjeżdżaj stąd. — Gwizdnęła i koń Josta sam zawrócił, a on nie powiedział ani słowa.

— To było coś — powiedziała z podziwem Wolde Albrechts. — Ale on, ten Jost — głos Wolde załamał się nagle — on wydaje się potworem.


W Księstwie Pomorskim świętowano stulecie reformacji. Rok tysiąc sześćset siedemnasty. Książę Filip zaplanował tyle jubileuszowych atrakcji, ale wczesną wiosną wszystko wzięło w łeb. Ich młodszy brat, książę Jerzy, zmarł nagle. Dla Filipa to była najczarniejsza żałoba, jakiej w życiu doświadczył. Gdy umierała matka, ojciec, a wcześniej stryjowie, albo w dzieciństwie, gdy zmarł ich czteroletni braciszek Jan Ernest, słodki chłopczyk, to było inaczej. Jerzy był okazem zdrowia, pogody ducha i dobrego humoru. Miał trzydzieści pięć lat, nie zdążyli go nawet ożenić! A kilka lat wcześniej, gdy miał wypadek podczas polowania, rusznica wypaliła mu prosto w twarz, doszedł do siebie w parę tygodni, zabliźnił się tak, że śladu nie było, śmiali się, że na Jerzym goi się jak na psie.

Książę Filip nie mógł się otrząsnąć z tej śmierci. Jego myśli wędrowały ku ponurym rachunkom. Budził się w środku nocy i liczył. Dziesięć lat byli z Zofią po ślubie, dziecka nie mieli, żona ani razu nie zaszła w ciążę. Kolejny z braci, Franciszek, żonaty od siedmiu. Też bezpotomny. Młodszy Bogusław od dwóch lat żyje z żoną. Jeszcze nic, ale on jeszcze nie beznadziejny. Jerzego stracili w kwiecie wieku. Jest najmłodszy, Ulryk, tego trzeba pożenić bezzwłocznie. A kuzyn ich wołogoski? Ma najdłuższy ze wszystkich staż małżeński, trzynaście lat. Dziecka nie ma, a to znaczy, że raczej nie będzie. Zatem nadzieja w Ulryku, może w Bogusławie. I tyle.

Żeby nie oszaleć od ponurych myśli, całym sobą rzucał się w wir pracy. Zdrowie miał średnie, ale co ma zdrowie do życia, skoro Jerzy zmarł nagle, w pełnym biegu?

Filip wstawał wcześnie, oddawał się rozmyślaniom, słuchał kazań i pracował, pracował ile sił. Budowę nowego skrzydła zamku rozpoczął rok wcześniej. Szła z oporem, wiadomo, pieniądze! Zamieszki w Szczecinie, rozruchy piwne, mówiono na nie, bo wybuchły po tym, jak książę podniósł podatek od piwa.

Walentin Winther zachorował, prace nad *Balthus Pomeranicus* nie posuwały się dość szybko. Za to pociechę wielką miał książę w Lubinusie. Kartograf dwa razy wszerz i wzdłuż zjeździł Pomorze, w pięćdziesiąt cztery dni przejechał sto pięćdziesiąt dwie miejscowości i przygotował mapy. Jeszcze zanim skończył, dzieło jego rokowało tak dobrze, że książę Filip postanowił wzbogacić mapę o panoramy miast i widoki miasteczek, wykonane z natury, tak by każdy na świecie, kto weźmie mapę do ręki, mógł zobaczyć, ile wież kościelnych ma Stargard i jak prezentuje się taka mieścina, jak to nieszczęsne Marianowo. Potem jeszcze Filip pomyślał, że obrazu Pomorza powinna dopełnić bordiura z herbami pomorskiej szlachty. I tu się zaczęło. Jedne rody wywiązały się szybko i sprawnie, innych trzeba było ponaglać, jakby nie rozumieli, nie czuli powiewu chwili. Wreszcie teraz, w stulecie reformacji, miedziorytnicy zaczęli prace z dostarczonych przez Lubinusa materiałów, a to znaczyło, że lada dzień można będzie obejrzeć próbne wydruki mapy.

Książęcy błazen, Mieczko, nudził się, bo pan jego pracował zbyt dużo. Snuł się po komnatach, czasem zadął w jedną w wielu trąbek, czasem po złości pierdnął. Uspokoił się nieco, gdy dla księżnej Zofii przyniesiono kołowrotek z pozytywką, który psalmy według Lobwassera wygrywał. Bardzo to było udane i co ważniejsze, szczecińskiej roboty. Księżna i dwórki miały z kołowrotka uciechę, a błazen jeszcze większą, jako że dziesięć razy można było pozytywkę nakręcać, więc siedział na posadzce i kręcił.

Żałoba trzymała Filipa i w sercu, i na zdrowiu. U schyłku lata, gdy łzy po bracie jako tako obeschły, wydarzeniem odrywającym myśli od rzeczy smutnych stał się przyjazd do Szczecina Filipa Heinhoffera. Z augsburskim kolekcjonerem i znawcą sztuki Filip korespondował od lat. Radził się go w kwestiach Kunstkamery i wreszcie, po gruntownych naradach, zamówił u niego sepet, mebel, który stać się miał centralnym punktem gabinetu osobliwości. Budowa zachodniego skrzydła zamku ciągnęła się, ale projekty wyglądały obiecująco. Mieścić się w nim będzie biblioteka, kolekcja obrazów, rycin, gabloty z pokaźnymi zbiorami monet z całego świata oraz wszelkiego rodzaju kurioza. Zaś pośrodku Kunstkamery stanie sepet. Augsburczyk wywiązał się ze zlecenia perfekcyjnie.

— Oto świat w pigułce — szepnął książę, gdy został sam na sam ze swym imiennikiem i przyjacielem, Filipem Heinhofferem.

Na potężnej, a jednak sprawiającej wytwornie lekkie wrażenie, hebanowej podstawie, mieścił się sepet. Czarna, hebanowa szafa, bogato inkrustowana kością słoniową, złotem, srebrem; zaopatrzona w ukryte drzwiczki, schowki wybijane aksamitem lub atłasem i szuflady wyłożone najprzedniej tkanym jedwabiem. Każda z nich stanie się domem którejś z książęcych kolekcji. Zmyślność niektórych mechanizmów budziła podziw, zachwyt i dreszcze.

— Jest jak opowieść szkatułkowa — z rozkoszą westchnął książę.

Wizerunki muz na drzwiczkach, gryfy strzegące jej rogów, kolumienki maleńkie odlane w srebrze, alegorie cnót strzegące tajemnic, które będą się w nich kryły. Przez cały dzień obaj Filipowie otwierali i zamykali szuflady. Układali muszle, potem przekładali, bo jednak w szafce mieszczącej trzy szuflady prezentowały się lepiej. Zaznaczyć należy, że górna szuflada najkrótsza, a każda następna dłuższa, więc po rozsunięciu wyglądały niczym schody. A przecież nie sam sepet przybył z Augsburga, była jeszcze zagroda. Meierhof, model dużego folwarku, z dworem, zabudowaniami gospodarczymi, ogrodem, podwórzem otoczonym płotem i zwierzętami hodowlanymi tak dobrze odtworzonymi, że kury, kaczki, gęsi miały na sobie prawdziwe piórka, a owce wełniste futerko.

Meierhof wzbudzał zachwyt tak samo wielki, jak sepet, a jednak przy nim Filip popadł w melancholię. Model folwarku wręcz wołał o dziecko, któremu na nim można będzie świat pokazać. Mój Boże — pomyślał książę. — Przed paru laty, kiedym go zamawiał, szczerze wierzyłem, że astrolog się myli. Że wbrew jego wyliczeniom i przewidywaniom, spłodzę z księżną dziecko. Wyobrażałem sobie, jak stoję z małym chłopcem za rękę i pokazuję mu to wszystko. Dzisiaj Meierhof jest piękniejszy, niż w tamtych marzeniach, a brak dziecka boli bardziej, niż potrafiłem przewidzieć.

W Marianowie działy się rzeczy okropne. Agnes von Kleist, jako przełożona, była najgorszym z możliwych wyborów. Jędzą, która napuszczała na siebie panny klasztorne, niczym ci ludzie, co na jarmarkach szczują niedźwiedzie. Dorotea Stettin jako jej zastępczyni prześcigała się z Kleist w złości wobec Sydonii. A za nimi dwiema chowała się młodziutka Anna Apenburg, którą łączyło z Doroteą coś więcej, niż fakt, że dzieliły celę. Do kompletu miały jeszcze Annę Hebron; ta lat miała dwadzieścia osiem, z czego siedemnaście spędziła w klasztorze, była więc zepsuta do szpiku kości. Kleist podpuszczała tamte, one we trzy szły pod dom Sydonii i potrafiły stać tam, wykrzykując nieprzyzwoite wierszyki albo śpiewając obraźliwie. Po tylu latach słania skarg na zarząd fundacji Sydonia wiedziała, że nic się nie zmieni, ale czuła przymus, nie umiała spraw pozostawić samymi sobie. Po każdym z jej zawiadomień do kancelarii książęcej, o którym przeoryszy donosili Jost i Sperling, przez chwilę była cisza, a potem konflikt wybuchał od nowa.

Dawid Lüdecke, pasterz duchowy tego wściekłego stada, nie umiał zająć stanowiska. Wygodnie przyjmował, że „nikt nie jest bez winy", i podczas nabożeństw, na których się pojawiała, bo były obowiązkowe, wolał z ambony gromić Sydonię z imienia, a panny ogólnie i bez nazwisk. Czyli żadna nie poczuwała się do winy.

Którejś niedzieli podczas kazania wypalił, patrząc wprost na nią:

— Wszelkie zło jest nieskończenie małe, w porównaniu ze złem kobiety.

Siedziała z tyłu. Wszystkie panny odwróciły się jak na komendę i wlepiły w nią wzrok.

— O, to znaczy, że pastor musi znać więcej kobiet, niż tylko swą świętej pamięci małżonkę — odpowiedziała złośliwie. — Dobrze myślę?

Lüdecke wiedział, że Sydonia przyuważyła go kiedyś, jak obściskiwał Dorotę Stettin. Poczerwieniał i zawołał:

— Kobieta myśląca samodzielnie myśli niewłaściwie!

Zaśmiała się gromko, na cały kościół, wstała i powiedziała mu:

— A tego to już pastor sam nie wymyślił. Ja to słyszałam, cytował kiedyś doktor Schwalenberg.

Wyszła z ławki i ruszyła do drzwi. Przy nich stanęła, odwróciła głowę i strzeliła palcami, jak w karczmie.

— Od teraz dla pastora moje piwo tylko w marianowskiej gospodzie. Pięć szylingów od dzbana, jeśli mnie pamięć nie myli.


Zarządcy, Sperling i Jost, trzymali ze sobą, jak poprzednio Hechthausen z Wedlem. Po śmierci Hechthausena Wedel sam zrezygnował, nie wrócił do zdrowia, a z listu Emerencji von Bork dowiedziała się, że zmarł krótko później. Kordula została wdową, ale wciąż miała matkę. Twardą i zażywną Małgorzatę, która ongiś, przed laty, po raz pierwszy skierowała Sydonię na ścieżkę sądową. Jeśli modły Sydonii miały jakąś moc sprawczą, Małgorzata będzie żyła wiecznie. Sperling mieszkał w domu, który wcześniej zajmował Hechthausen, Jost von Bork przyjeżdżał raz, dwa razy na tydzień. Od czasu, gdy oskarżyła go przed księciem o bezprawne zagarnięcie dóbr, z których należały jej się alimenty, panowała między nimi wrogość. Ponoć po tamtym zajściu, gdy przyjechał konno, by jej grozić, dopadł go paraliż. Nawet jeśli, to nie trwał długo, a szkoda.

Pewnego dnia Sydonia usłyszała rozmowę Sperlinga z Jostem. Na dźwięk głosu kuzyna zatrzymała się i wycofała w podcień klasztornego muru.

— Przed panem, panie Jost, nikt tego nie mógł dokonać — chwalił Sperling. — Nasi poprzednicy tyle razy zgłaszali, że klasztor w opłakanym stanie, a na remont funduszy nie było. Musisz mieć pan wyjątkowe wpływy u księcia.

— Nie przeczę, że użyłem wszystkich — głos Josta był rozpromieniony. — Nie tylko w Szczecinie, ale i u biskupa Franciszka, w Koszalinie.

— W Koszalinie? — Sperling pewnie już widział w Joście półboga.

— No tak, nasz książę Franciszek przeniósł siedzibę biskupią do Koszalina. Zamek tam rozbudowano, więc i skąpić nie wypadało na skromny klasztor.

Zaśmiali się obaj.

— Czekamy, drogi Edgarze, aż przyślą fundusze i materiały.

— A nie taniej byłoby zamówić gdzieś u nas, choćby w Stargardzie? — zmartwił się Sperling. — Toż sam transport z Koszalina pożre wielkie sumy.

— Nie wnikałem, gdzie książę Franciszek chce zamawiać. A może mu coś z własnej budowy zostało?

— Racja, racja. Darowanemu koniowi nie zagląda się w zęby.

Pewnie i mur klasztorny naprawią — pomyślała, odchodząc po cichu. Szkoda. Miała ostatnio sekretne przejście, korzystając z tego, że cegły dawno wykruszyły się z zaprawy. Po prawdzie, odkryła je Wolde Albrechts i pokazała Sydonii. Wolde przechodziła tamtędy nocą, gdy nie miała gdzie spać. Wieczorem nowy odźwierny miał przykazane, by obejść teren i sprawdzić, czy nikt obcy nie przebywa w Marianowie. Wolde czekała, aż odźwierny wróci do siebie, aż w oknie jego domku rozbłyśnie światło i wtedy po cichu wchodziła przez dziurawy mur. Mościła się w stajni albo klasztornej oborze, zimą w stodole też źle nie było, tak przynajmniej mówiła.

— A panna Bork wie, że Sperling wypasa swoje stada razem z klasztornymi? — zagaiła kiedyś do Sydonii.

— Już widzę, jak paniczyk Edgar wypasa — parsknęła śmiechem Sydonia.

— Każe wypasać — poprawiła się Wolde z miną „proszę jaśnie pani".

— I co z tego? — Sydonia udawała, że to jej nie ciekawi.

— To, że jałóweczki klasztorne, dziwnym trafem, są już w obórce zarządcy. Toż samo woły. Były marianowskie, są Sperlingowe.

Ciekawe — pomyślała, a potem przyszło jej do głowy, że owszem, konie odróżniłaby, ale woły? Krowy? Wolde, dziewczyna ze wsi, ma inne oko, to pewne.

— A tej coś zrobiła, panno Bork? — Albrechts wskazała na biegnącą od strony klasztoru przeoryszę. — Leci jakby ją giez ukąsił pod kiecką.

— Pewnie dostała pismo z kancelarii książęcej — uśmiechnęła się Sydonia. — Oskarżyłam ją.

— Jak by ją panna pochwaliła, nikt by nie uwierzył. To wredne babsko — wzruszyła ramionami Wolde. — Mam się schować? — spytała po chwili z niechęcią.

— Nie, i tak już cię widziała. Do zmroku wolno ci przebywać na terenie.

— To se popatrzę, jak będzie darła jadaczkę — Albrechts rozsiadła się wygodniej.

— Panno Bork! — wołała Kleist, dysząc ciężko. — Pastor Lüdecke pannę wzywa!

— Wie, gdzie mieszkam — odpowiedziała Sydonia.

Kleist stanęła, musiała złapać oddech. Poluźniła wiązanie czepka.

— Źle się poczuł, nasz biedny pastor — wysapała. — W łożu zaległ. Prosi, byś mu panna tego piwa dała, albo czego innego, na zdrowie.

— Nie ma własnej służącej, tylko się przełożoną wysługuje? — Sydonia zrobiła się nieufna. — Wszyscy wiedzą, że mu o piwie przygadałam.

— No, wiedzą, ale w chorobie niech mu panna Bork odpuści. Fatalnie się złożyło, że dał swojej wychodne. Ja mu tam naszą Trinę Pantels podsunęłam, niech przy nim zrobi, co należy.

— Niech Trina później przyjdzie — powiedziała Sydonia, wciąż z rezerwą. — Naszykuję pastorowi piwo i coś na wzmocnienie.

— A od ręki nie można? — skrzywiła się przełożona.

— To nie apteka. Muszę napar zrobić.

— Aha — powiedziała Kleist, pokręciła głową niepewnie i rzuciła na odchodnym. — Trina przyjdzie.

— Myślisz panna — odezwała się Wolde skrzekliwie, gdy przeorysza była już na tyle daleko, by nie słyszeć — że Trina Pantels łóżko będzie pastorowi grzała?

— Nie obchodzi mnie to nic a nic — powiedziała Sydonia zgodnie z prawdą i weszła do domu zakręcić się przy kuchni.

Zmierzchało, więc Wolde zawinęła w chustkę resztę chleba i sera, i chcąc nie chcąc, poszła sobie. Pantels nie przychodziła. Sydonia miała inne sprawy, niż czekać na nią, zostawiła więc dzban z piwem przykryty czystą ścierką i zioła przecedzone w garnuszku. Metteke została na gospodarstwie.

Sydonia zaszła do obory. Policzyła krowy, cielaki, woły. Zanotowała, ile czego, skrupulatnie. Gdy wróciła, Metteke kręciła się niespokojnie.

— Co jest? — spytała służki.

— Panno, bieda. Moja wina, nie dopilnowałam — twarz Metteke była przestraszona. — Pantels przyszła, wzięła, co było dla niej, i coś, co jej nie było.

Sydonia wzrokiem obrzuciła swój pokój. Zostawiła chustę od Asche, tę czarno haftowaną, na poręczy fotela. Metteke potwierdziła, kiwając głową.

— Nie mam pojęcia, kiedy ją zwinęła. Tak bardzo mi przykro.

Sydonia ruszyła do klasztoru. Mieszkanie pastora było w domku za kościołem. Wpadła tam bez pukania. W kuchni zastała Trinę mieszającą w garnkach.

— Oddawaj chustę — krzyknęła.

— Jaką chustę? — Pantels udała, że nie rozumie.

— Moją. Z czarnym haftem. Oddawaj, złodziejko!

— Ja nic nie wiem! — pisnęła Pantels. — Ratunku! Borkówna na mnie nastaje!

Sydonia podeszła do niej. Złapała za suknię na piersi i syknęła jej w twarz:

— Chusta ma rano leżeć na ławie przed domem. Jeśli jej tam nie znajdę, pożałujesz.

Rano chusty nie było, ale gruchnęła wiadomość, że pastor Lüdecke w nocy wyzionął ducha. Sydonia była wściekła, to przecież nie pierwsza lepsza chusta, tylko najpiękniejsza. Ale nie było komu się poskarżyć, Marianowo w żałobie. Pastor Beatus Schachts przybył odprawiać nabożeństwa. Trina Pantels udawała, że ją sparaliżowało, byle Sydonia dała jej spokój. Na pogrzeb Dawida Lüdecke Sydonia nie poszła. Źle się jej kojarzył. Z ukradzioną chustą.


Książę Filip miał rok tyleż bogaty, co ciężki. *Pomeranographia* nie powstała, bo choroba Walentina Winthera okazała się poważniejsza i długa, za to Lubinus pracował sprawnie, szybko i efektownie. Pierwsze mapy robiły nieprawdopodobne wrażenie. Z pozoru udało się więc tylko pół projektu, ale książę z tej połowy był zadowolony bardziej, niż się spodziewał. Zaprosił Lubinusa na kolację z muzyką na wieży Lusthausu. Patrzyli na tętniącą życiem Odrę. Na płaskodenne lichtugi, na które na Łasztowni przeładowywano materiały przeznaczone na budowę zachodniego skrzydła zamku. Na zgrabne kupieckie statki załadowane wełną pomorskich owiec, z których w dalekiej Anglii powstanie słynne sukno.

— Nikt w cesarstwie nie ma tak dokładnej, szczegółowej mapy — pochwalił Lubinusa i wznieśli toast. — Jak stanie nowa część zamku, umieszczę mapę w Kunstkamerze — oświadczył. — Widział pan mój sepet?

— Miałem to szczęście — potwierdził Lubinus. — Imponujący i w kształcie, i wykonaniu.

— Zaproszę pana na oglądanie kolekcji. Do tej pory zbiory monet trzymałem w szkatułach. Jeszcze nie było czasu ich przełożyć, a trzeba wybrać najdoskonalsze egzemplarze. Bo muszę przyznać panu, Lubinusie, że posiadam monety z każdego królestwa i księstwa. Z mennic niemieckich, włoskich, niderlandzkich, polskich, moskiewskich, angielskich, hiszpańskich, francuskich. I spory zbiór złotych monet rzymskich, i greckie starożytne drobniaki. Na razie każdy owinięty w osobną paczuszkę, bo cenne. Człowiek dreszczy doznaje, trzymając w ręku coś, co ma ponad tysiąc lat!

— Czuje się związek z wiecznością — zrozumiał jego pasję kartograf.

Na koniec października, w Szczecinie, wyznaczono kulminację obchodów stulecia reformacji. Wcześniej jednak był sejm w Szczecinku i książę Filip, choć czuł się coraz gorzej, pojechał. W podróży miał atak chiragry. Nie pierwszy w życiu, ale tak silny, że wykręciło mu wszystkie stawy w dłoni. Patrzył, jak każdy z palców wyginał mu się w inną stronę, niczym szpony jakiegoś antycznego ptaka. Widział taką rycinę w jednej z ksiąg. Doktor Oessler zaordynował postój, to było w Szadzku, zarządcy, Josta von Bork nie zastano, jak służba powiedziała, już pojechał na sejm. Nie spodobało się to księciu, bo powinien czekać na swego pana, ale dłonie bolały go tak bardzo, że nie myślał o Borku. Oessler sugerował natychmiastowy powrót do domu.

— Nie na spacer pojechałem do Lusthausu, tylko na sejm. Panowie pomorscy czekają.

Zażądał okładów i środków uśmierzających ból.

Z sejmu nic nie pamiętał, Bogu dzięki, Schwichelt, jego sekretarz, czuwał i gdy trzeba było odpowiedzieć, wiedział co mówić. Do Szczecina wracał zbolały, ale na uroczyste obchody przybył. Wysłuchał przemówień i kazań, w chwilach, gdy umysł miał jaśniejszy, rozpierała go duma, że takich doczekał się w Szczecinie uczonych. Ale gdy w Boże Narodzenie nabożeństwa słuchał w kaplicy Świętego Ottona, skryty przed wzrokiem obecnych w książęcym oratorium, to spojrzenie wciąż wędrowało mu w stronę krypty Gryfitów. Nad nią wisiały kirysy i chorągwie Jana Fryderyka, Barnima, Bogusława, Jerzego. Coś było w powietrzu, nie on jeden słabował. Kilku dworzan zmarło.

— Ten korowód śmiertelny po mnie idzie — powiedział jednego razu do błazna.

Mieczko zatrąbił, rozciągnął usta w grymasie i powiedział:

— To pewne jak w pacierzu amen.

— Rozumniejsza z ciebie istota, niż wszyscy tu sądzą. Tyle lat mi służysz.

— Wysługę mam lepszą niż niejeden junkier — przyznał Mieczko.

Książę wezwał Schwichelta i nakazał, by błaznowi pensję wypłacać aż do śmierci, a nie tylko do końca służby na dworze. Sekretarz był zaskoczony, ale spełnił polecenie.

— No tera to ja jezdem pan Mieczko — oświadczył błazen, gdy mu powiedziano. — Jakby Gryfów syn rodzony.

Książę odwrócił wzrok, by błazen nie dostrzegł, że płacze. Mieczko był starszy od niego, lecz o tym nie pamiętał, a może i nie wiedział. Jego umysł był tajemnicą Boga.

Po nowym roku książę Filip też częściej rozmawiał z Bogiem, niż z ludźmi. Jego ciało osłabło i nawet żelazna wola księcia nie zdołała go poruszyć. Usta zaś zamknęły się na sprawy ziemskie. Zasnął głęboko po naparze, który podał mu doktor Albinus.


Książę Filip śnił Kunstkamerę. Przechadzał się po świecie cudów. Przepełniał go zachwyt nad każdym tomem zgromadzonym w tej bibliotece. Co niezwykłe, gdy spojrzał na grzbiet książki, od razu ją czytał od pierwszej do ostatniej strony. We śnie czytał nawet po hiszpańsku, choć tego akurat języka, w przeciwieństwie do łaciny, greki, włoskiego, francuskiego i niemieckiego, nie zdążył się nauczyć. Ogarnęła go błogość, że wchłonąć zdołał całą mądrość zgromadzonych wokół tomów. Mapa Lubinusa jaśniała na ścianie Kunstkamery kolorami tak żywymi, jak prawdziwe. Gdy się zbliżył, odkrył, że w miniaturach miast wyobrażonych na niej tętni życie. Na kościelnych wieżach Stargardu, Kołobrzegu, Reska, biły dzwony. Na Odrze płynęły statki, zatrzymując się w miastach na cło i rozładunek towarów. Drogi na mapie żyły stukotem wozów kupieckich i furmanek chłopskich. Lasy falowały, tętniły kopytami jeleni i saren. W iluż miejscach nie byłem — westchnął Filip i dotknął pasm wzgórz wydmowych, które tak ukochał sobie stryj jego, Kazimierz, a wcześniej stryj Barnim. Pod jego palcem wydmy przesunęły się i zląkł się, że rezydencja Kazimierza, Neuhausen, spadnie z piaskowych wzgórz wprost do morza. Cofnął rękę. Pośrodku Kunstkamery stał sepet pomorski. Drzwiczki otwierały się, ukazując ukryte przejścia do szuflad. Trzeba do nich kluczyka złotego, który trzymał w biurku, w skrzyneczce z herbem, ale teraz szuflady otwierały się dla niego bez kluczy. Lśniący lakierowanym hebanem sepet był żywy. Filip dopiero teraz pojął, że ten niezwykły mebel jest gryfem poruszającym skrzydłami drzwiczek. Chciał tak stać w zachwycie, ale wezwała go galeria obrazów. Widział wszystkie zgromadzone przez siebie pejzaże, jak żywe. W tych morskich o brzeg uderzały spienione fale. Na spokojnych scenach pasterskich ponad pasącymi się stadami przelatywały jaskółki. Obrócił się, szukając, gdzie obrazy z nowej kolekcji, cesarz, cesarzowa, książęta. Nie było ich, ani jednego.

Zamiast tego dostrzegł potężną skrzynię, tak wysoką, że w pierwszej chwili pomyślał, że to trumna, którą ustawiono na sztorc. Podszedł bliżej, wieko uchyliło się bezgłośnie i ze skrzyni zaczęło wysuwać się sztywne, malowane płótno. Ludzkie wizerunki na ciemnym, różowym tle, połączone ze sobą gałęziami. Nikt tu nie był osobny, choć niektóre gałęzie drzewa biegły wyżej i niżej, lecz wszyscy oni byli ze sobą związani, wyrastali jeden z drugiego, ciało z ciała, krew z krwi. Drzewo genealogiczne mego rodu — zrozumiał — to, które zamówił mój ojciec. Płótno prowadzone niewidzialną siłą rozwijało się przed jego oczami, sunąc wzdłuż ściany i zapełniając ją galerią dawnych Gryfitów. Już minął go Bogusław Wielki i jego dziad, Filip I z żoną Marią Saską, i ukochany stryj, Jan Fryderyk z żoną Erdmutą. Książę Filip poczuł coś nieprzyjemnego, te wizerunki, choć przedstawiały ludzi, których znał osobiście, nie były mu ani trochę bliskie. Brakowało im kunsztu, lekkości i głębi, jaką kryją w sobie prawdziwi ludzie, a mimo to poznawał każdego, wiedział, kto jest kim. Ernest Ludwik z małżonką, troje ich dzieci, to gałęzie biegnące w dół. A powyżej ich ojciec, Bogusław XIII i matka, i wyrastające z nich dzieci, oni sami, Filip, czterech jego braci, dwie siostry, a nad nimi, och, wzruszył się: czworo rodzeństwa, które im zmarło w dzieciństwie, namalowani na biało, niczym anioły, tak, wszystko się zgadza, prawda, to były trzy dziewczynki, jeden chłopczyk.

Książę Filip zamarł. Skraj płótna. Obraz się skończył. Przebiegł wzrokiem. Są tu wszyscy, których zna. Bracia, siostry, kuzyn. I nie zostawiono nawet skrawka miejsca na kogokolwiek więcej. To drzewo jest skończone — zrozumiał.

Wizja, którą w spadku i w skrzyni przypominającej trumnę zostawił mu poprzednik, była upiorna. Dwadzieścia lat temu jego uczony ojciec, książę Bogusław, zapłacił za to malarzowi. Jak mógł? Po co to zrobił? Studiował astrologię, czytał księgi, był wcieleniem rozumu, przenikliwości i taktu. Dlaczego więc nie kazał przedłużyć tych gałęzi? Dlaczego nie pozwolił im rosnąć gdzieś tam, w dół, górę, gdziekolwiek poza płótno, byle dalej, w przyszłość?

Jakby już nikt nigdy nie miał się narodzić. Jakby siekierą odciął.

— Ojcze — jęknął książę. — Czemuś to uczynił?

Bogusław XIII, jego ojciec, w srebrzystej zbroi unosił wzrok i patrzył na niego. Tego namalowanego, na obrazie. Filipowi sprawiało przykrość, że przedstawiono go jako krępego, łysiejącego mężczyznę, w weneckich zwierciadłach widział siebie dużo przystojniejszym. Jednak w spojrzeniu ojca było coś upartego, nakazującego uwagę. Filip zbliżył się do płótna i spojrzał na podpis pod swym portretem. Rok narodzin, rok śmierci. 1618.


W Marianowie na śmierć księcia Filipa odprawiano egzekwie. Pastor Beatus Schachts był koszmarny, Sydonia szybko pożałowała zmarłego Dawida Lüdecke. Przeoczono jednak śmierć księcia Prus, Albrechta Fryderyka, chorego od lat na umyśle.

„Którym opiekował się jego daleki krewny i zięć jednocześnie, elektor brandenburski Jan Zygmunt Hohenzollern. Ten zaś, po śmierci starego, sam przyjął jego tytuł. W Królewcu świętują unię personalną, co znaczy, że jeden Hohenzollern połączył dwie odległe krainy, Brandenburgię i Prusy. Po prawdzie, nie wszyscy świętują, na dworze królewieckim wielu jest takich, którym to się nie podoba. Ale nic nie zrobią, stało się. To tak, jak z naszym kapitanem, zmarł zeszłego roku i na nic to nasze czekanie. Załoga wściekła, ja także. Czekamy, aż armator przyśle nowego kapitana i wypłaci nam zaległe pobory. Straciłem dużo czasu, Sydonio. A mogliśmy już spełniać swe marzenie. Twój B."

List doszedł do niej dziwaczną drogą, przez doktora Fabera ze Stargardu. Jak Mattias dowiedział się, kim jest Sydonia i gdzie ją znaleźć? Nie od parady miał to oko patrzące na wylot.

Żałowała księcia Filipa II. Miała w życzliwej pamięci, że uważnie rozpatrywał jej skargi. Żadnej nie zlekceważył. Teraz księciem został jego brat, Franciszek. Biskupstwo przesuną na młodszego, ale nie miała pojęcia, na którego, Bogusława czy Ulryka. Mało ją to obchodziło.

Zajmowało ją co innego: odkryła, że tak jak Edgar Sperling podkradał klasztorne stada, tak Jost von Bork okradł księcia Franciszka. Właściwie, okradł klasztor, ale ponieważ cegły na budowę przyszły od księcia, to można tak to było ująć na piśmie. Osiemdziesiąt trzy fury cegieł kazał sługom wywieźć z budowy w Marianowie. Napisała do bratanicy, do Strzmiela. Dorota odpisała jej bez zwłoki: „Naliczyłam osiemdziesiąt fur, które przyjechały na budowę nowej rezydencji Josta". Trzy furki pewnie ktoś zawinął po drodze. Oto on: elegancki i gładko ogolony. Zawsze trzeźwy, zawsze uprzejmy w rozmowie urzędowej. Jost von Bork, zarządca książęcych domen. Złodziej pospolity. Osiemdziesiąt trzy fury porządnej cegły, to majątek.

Nie mogła sobie pozwolić, by to doniesienie wpadło w niepowołane ręce, zanim zostanie wciągnięte w rejestr książęcej kancelarii. Wyłuskała pięć guldenów. Bolało ją serce, bo niewiele ich teraz miała. Prawnik zrobił, co trzeba, po powrocie doręczył jej dowód, że pismo w kancelarii księcia szczecińskiego Franciszka przyjęte. I dodał na odchodnym wesoło:

— Pan Elias Pauli, doktor praw, prosił przekazać pozdrowienia dla panny Sydonii.

— Pracuje w kancelarii? — zdziwiła się.

— Nie, praktykuje w Szczecinie. Po prostu spotkaliśmy się.

— Ach. Dziękuję.


Nie minął miesiąc, jak rozpętało się piekło. Jost von Bork przyjechał do Marianowa. Była niedziela, wcześnie rano. Widziała go, jak wjeżdża, jak zostawia konia w stajni, jak szybkim krokiem idzie do domu Sperlinga. Spodziewała się, że przybiegną do niej obaj, że ją zwymyślają. Nic takiego się nie zdarzyło, aż zaczęła przypuszczać, że się pomyliła, że Jost jeszcze nie wie o tym, że ujawniła jego złodziejstwo przed księciem. Ubrała się, poszła na nabożeństwo. Ale kiedy weszła do kościoła, poczuła, że coś jest nie tak. Powietrze było ciężkie, jak przed burzą. Piorun uderzył podczas nabożeństwa ustami Anny Apenburg. Mała i wredna, przyklejona do boku Dorotei Stettin, odwróciła się nagle do Sydonii i syknęła na cały kościół:

— Czarownica…

Potem odwróciła się Dorotea i wystawiwszy język, powiedziała głośno:

— Wiedźma… Jędza…

Panny młodsze natychmiast podjęły i z każdej strony zaczęły syczeć:

— Stara czarownica…

— Wredna wiedźma…

— Wściekła suka — głośno i bez ogródek krzyknęła Dorotea Stettin.

— Beczycie jak stado owiec — odpowiedziała im Sydonia. — Kto was poszczuł na mnie? Jost von Bork? Czy może ta larwa, Agnes von Kleist?

— Nie obrażaj przeoryszy! — wstała z ławki Dorotea Stettin.

— *Kleist du Beist!* — zaśmiała się Sydonia. — I co mi zrobisz?

— Nazwała przeoryszę bydlaczką! — zawołała Apenburg.

W tejże samej chwili do kościoła wkroczył Sperling, Jost i kilku junkrów.

— Stare wiedźmy trzymają się razem — wrzasnęła Dorotea. — Czyż ktoś zaprzeczy, że Wolde Albrechts to wiedźma? Nikt! A Sydonia z nią trzyma, zaprasza i gości!

— Proszę się uspokoić — oświadczył Jost von Bork. — Kto zaczął tę kłótnię?

— Dorotea — powiedziała Sydonia.

— Dorotea — potwierdziła Matylda, której kiedyś pomogła.

— Ale Sydonia obraziła przeoryszę! — zaczęła łkać na zawołanie Anna Apenburg. — Nazwała ją wstrętnie, larwą, bydlaczką i tak dalej.

— Zatem areszt domowy dla obu panien, Stettin i Bork — powiedział spokojnie Jost. — Proszę, by panny udały się do swych mieszkań i pozostały do wyjaśnienia sprawy. Junkrowie będą pilnowali drzwi jednej i drugiej. Komisja zbierze się natychmiast i wyjaśni, co zaszło.

— Padło oskarżenie na tę Woldę Albrechts — przypomniał Sperling.

— Ją też zatrzymamy i przesłuchamy. Pastorze, przykro mi, ale nabożeństwo w takich okolicznościach nie może być kontynuowane. Rozejść się, nie gromadzić dzisiaj, apeluję o spokój i chłodne głowy — zarządził Jost von Bork.

Skinął na junkra, ten chciał chwycić Sydonię za łokieć. Wyszarpnęła się.

— Sama trafię do domu — powiedziała.

Wychodząc z kościoła, spojrzeniem podziękowała Matyldzie. A potem odszukała wzrokiem Metteke, służące siedziały z tyłu, w ostatniej ławie. Szepnęła bezgłośnie: „Wolde". Metteke zrozumiała. Tylko czy zdąży ją znaleźć?

Tak się nie stało. Gdy Metteke przybiegła do domu, powiedziała, że Albrechts już pod kluczem i już ją przesłuchują.

Junkier stał pod ich drzwiami. Wieczorem nawet sobie usiadł na ławie przed domem. Spytały go, czy chce piwa, ale odmówił, choć oczy mu zalśniły, gdy zobaczył, jak Metteke nalewa Sydonii z pianką. Wypiły, dzień był ciężki, koszmarny.

— Co dalej? — spytała Metteke.

— Nic — wzruszyła ramionami Sydonia. — Pomęczą Woldę i wypuszczą. Ja mam dwa obrusy dla pani Faber. Zapakuję i jutro, jeśli ten brodacz wciąż będzie tu stał z halabardą, zaniesiesz je do karczmarza. On w poniedziałki jeździ do Stargardu. Mam nadzieję, że to widowisko skończy się najdalej za trzy dni.

Potrwało znacznie dłużej. Miesiąc. Sydonii nie wolno było opuszczać domu, ale mogła wszędzie posyłać Metteke. Nie marnowała czasu. Jako że alimentów wciąż nie dostała, wystosowała pismo do kancelarii książęcej, w którym przedstawiła wszystkie dowody, zaniedbania ze strony bratanków i poprosiła o odnowienie tytułu egzekucyjnego wobec nich, jak miało to miejsce w przeszłości. Dostała zgodę, na piśmie z adnotacją. Właśnie się z niej cieszyła, bo to oznaczało, że egzekutor wejdzie do Strzmiela i odzyska dla niej pieniądze w majestacie książęcego urzędu.

— A jednak! — zaśmiała się donośnie. — Zobacz, Metteke, jest sprawiedliwość!

— Panno, Edgar von Sperling i Jost von Bork idą tutaj — służąca wyjrzała przez okno, zza płóciennej zasłonki.

— No i dobrze — klepnęła się w udo Sydonia. — Zaraz skończy się ten durny areszt domowy. Otwieraj, wyjdę im naprzód.

A jednak, gdy Metteke otworzyła drzwi, strażnik natychmiast zagrodził je na skos halabardą. I tak stanęła.

Sperling trzymał się prosto, jakby kij połknął. Josta lekko krzywiło na lewo. Nogą powłóczył. Twarz miał nieprzeniknioną. Stanęli przed nią, odgrodzeni od siebie halabardą.

— Sydonio von Bork — powiedział Jost, jej kuzyn. — Zostałaś oskarżona o czary.

— Co? — zaśmiała się. — Jeszcze czego!

— Nie ma tu nic do śmiechu — oświadczył Jost. — Czarownica Wolde Albrechts wskazała cię podczas tortur.

# CZĘŚĆ II

Motto:

To, co chcesz usłyszeć;
to, co chcesz powiedzieć.

CZĘŚĆ II

# Rozdział 1

# Przesłuchanie początkowe. Cień się podnosi

*Księstwo Pomorskie, Marianowo, rok 1619*

Był wrzesień, ale w kościach czułam jakieś zimno. Poprosiłam Metteke, by rozpaliła w piecu, zanim wyjdzie. Siedzę więc teraz przy ogniu i usiłuję się rozgrzać. To dziwne, bo czuję żar płynący od płomieni, a nie ciepło rozchodzące się po ciele. Starość — myślę i wspomnienie podsuwa mi obraz mojej przyrodniej siostry, Anny. W ostatnich tygodniach życia też wciąż jej było zimno. Jakieś niedosuszone polano syknęło. Przeszył mnie dreszcz. Otrząsam się i na głos zaprzeczam myślom:

— Co za bzdura! To nie są moje ostatnie tygodnie.

Wstaję raźno, nawet jeśli mnie w krzyżu kłuje. Jupka zsuwa mi się z pleców, przytrzymuję ją. Idę po książkę, staram się nie szurać, to takie prostackie, ten dźwięk nóg, co nie potrafią oderwać się od podłogi. Siadam. Skórzana wytarta oprawa, w niej odciśnięte dwa wilki. Przesuwam palcem po ich płaskich grzbietach. Kolejne dni siedzenia w bezruchu skrócić mogę tylko czytaniem. Psiakrew, zapomniałam o okularach.

Mimo oskarżenia wypowiedzianego przez Josta właściwie nic się nie zmieniło. Dalej tkwię w areszcie domowym. Przed drzwiami stoi junkier z kordelasem i halabardą. Metteke wolno wychodzić i wracać.

Gdyby nie ona, nic bym nie wiedziała, bo Jost i Sperling nie zaszczycili mnie żadną informacją. Powiedzieli: „Należy czekać, co postanowią w Szczecinie".

Już mam wstawać po okulary, gdy słyszę kroki przed drzwiami. Chodaki Metteke, myślę z ulgą. Dziewczyna weszła, okutana wełnianą chustą. Dźwiga spory kosz, przykryty szmatką.

— Będzie konfrontacja, pani — szepce, oglądając się na drzwi. — To znaczy...

— Wiem. Każą nam spojrzeć sobie w oczy i jej słowo będzie przeciw memu słowu. Czy udało ci się dowiedzieć czegoś o pokrewieństwie prokuratora i pastora, Dawida Lüdecke?

Metteke postawiła kosz na stole, wyjmowała z niego dorodne, czerwone jabłka. Pachniały latem, słońcem, sadem. Trzymają mnie w areszcie domowym ledwie drugi miesiąc, a ja już cierpię z braku powietrza, jak prawdziwy więzień. Odkładam książkę i chwytam jedno z jabłek. Wbijam w nie palce, jakbym chciała sok wypić przez skórę.

— Nabrali wody w usta — odpowiada Metteke. — Ale kilka panien też zauważyło i przyznało mi rację, że to podpadające, iż prokurator nazywa się Kristian Lüdecke, a Wolde jest oskarżona o śmierć pastora, Dawida Lüdecke.

Ugryzłam jabłko. Było kwaśne.

— To już słyszałam. Muszę wiedzieć więcej, nim dojdzie do konfrontacji.

Metteke zakręciła się przy kuchni, wlała wody do garnka i stawiając go na ogniu, rzekła:

— Zaraz wszystko powiem, tylko kaszy nastawię. Kolacja niegotowa.

— Daj spokój, nie jestem głodna. Siądź i mów.

Metteke z roztargnieniem wyjęła worek z kaszą, włosy spod chustki wpadły jej na oczy, musiała być zamyślona, bo cały worek włożyła do garnka z wodą. Udałam, że tego nie widzę, zachęciłam ją:

— Usiądź przy mnie.

— No tak, od czego zacząć — przycupnęła na krawędzi krzesła.

— Od spojrzenia w oczy — powiedziałam do niej.

Dziewczyna uniosła wzrok. Był spłoszony.

— Prokurator i Jost von Bork przepytywali wszystkie panny zakonne — zaczęła i oczy jej się zaszkliły. — Katrina Hanow zeznała, że... że... nie pierwszy raz nazwano was czarownicą...

— Oczywiście — przytaknęłam z drwiną. — Każda z nich wyzywała mnie od wiedźm.

— To nie to samo — przełknęła ślinę Metteke. — Hanow powiedziała, że... że... — opuściła głowę, jakby nie chciała patrzeć na mnie.

— Wyrzuć to z siebie — powiedziałam. — No, już.

— Ponoć dziewięć lat temu moja ciotka, Lene Schmedes, podczas swojego procesu wskazała na was — na jednym tchu wyszeptała Metteke.

— Bzdura — zaprzeczyłam.

— Hanow mówiła prokuratorowi, że Zygmunt von Wedel to panny przyjaciel. U niego, w Krzywnicy sądzili ciotkę. Hanow twierdzi, że Wedel to zataił, żeby was uratować.

— Spójrz na mnie — pochyliłam się nad stołem w jej stronę. — Metteke. — Zastukałam palcem w blat, by przywołać jej uwagę. — Jeśli oskarżona podczas przesłuchania wskaże inną i nazwie ją czarownicą, mówią na to powołanie. Nawet, jeśli Lene kogoś powołała, zrobiła to na torturach. Z bólu mówi się, co ślina na język przyniesie. Jeśli wskazała na mnie, to dobrze, to znaczy, że niegłupia z niej była kobieta. Wiedziała, że szlachciance nic nie grozi. No, Metteke — oczy służącej były pełne łez i ulgi. — Nie mam żalu do twojej ciotki. A w klasztorze nikt nie wie, żeście spokrewnione. Nawet Wolde. To nasza tajemnica, twoja i moja. Pamiętaj.

— Tak — odpowiedziała. Drżał jej podbródek. — To znaczy, że panna... że nic... że...

— Metteke — przywołałam ją do porządku. — Nie daj się omamić. Im tylko o to chodzi, by człowiek zaczął wątpić. Płaczesz, bo głupia Hanow przywołała pamięć twej nieszczęsnej ciotki. Chwała Bogu, że nie wie o waszym pokrewieństwie. A teraz spokojnie, weź oddech, a ja zrobię porządek z kaszą. Nie wstawaj! — zabroniłam, bo dziewczyna już chciała się zerwać, choć jeszcze nie miała pojęcia, że gotuje worek.

Ostrożnie, by nie chlusnął ukrop, przelałam wodę i worek pękający od napęczniałej kaszy do cebrzyka ze zlewkami dla prosiąt. Naciągnie i będzie na poranne karmienie.

— Jesteś głodna? — spytałam, nie odwracając się od kuchni. — Mamy chleb, świeży twaróg.

— Ja? — Metteke była zaskoczona. — Panna nie może obsługiwać służącej.

— Ha, ha, ha. Panna może, co jej się podoba. Byleby siedziała w domu — dorzuciłam z przekąsem.

Postawiłam na stole miskę z twarogiem, chleb na czystej serwecie, solniczkę z jeleniego rogu. Nacięłam zielonej cebuli, pietruszki i dodałam gałązkę majeranku. Wiem, jak Metteke go lubi. Usiadłam naprzeciw niej i ruchem głowy zachęciłam do jedzenia. Dziewczyna wzięła zielony majeranek i zaczęła od skubania gałązki. Często tak robiła.

— No to tak — powiedziała po chwili, gdy uspokoiła się żuciem listków. — Byli wczoraj w domu Krossensche, tej, co u Hechthausena była opiekunką do dzieci w czasie, gdy Wolde tam robiła za mamkę. Matylda mówi, że to znaczy, że Wolde powołała nie tylko pannę, Sydonio, ale i tamtą. I znaleźli w jej domu świerkową szyszkę. Taką, jak my wkładamy do piwa, gdy nam nie chce zacząć dobrze buzować.

Nie wytrzymałam. Zaczęłam się śmiać.

— Mój Boże! Szyszkę do piwa znaleźli panowie prokuratorowie! Ho, ho!

Metteke też zachichotała:

— U nas tych szyszek pół koszyka w refektarzu stoi. Jak nic, twarde dowody!

— Może się od razu przyznajmy, że prócz kurdybanku i chmielu do piwa dodajemy wrzos lub piołun!

— A do sera soli!

— A do placka miodu! Straszne z nas wiedźmy!

— Tyle tylko — Metteke spoważniała w jednej chwili — że ta szyszka była we wrzecionie.

— Aha — powiedziałam.

Przestawiłam talerz, podsunęłam jedzenie służce. Po chwili spytałam:

— I co jeszcze?

Metteke nałożyła sobie twarogu.

— I szukali u Krossensche cycka.

— Czego? — skubnęłam chleba i posypałam solą.

— Cycka. Dodatkowego. Bo Wolde Albrechts powiedziała, że tamta ma taką brodawkę ukrytą pod pachą, długą jak palec. I że karmi nią swego chowańca, a on w zamian za to daje jej pieniądze i szczęście.

— Aha — mruknęłam, przegryzając chleb. — Bo Krossensche istna bogaczka.

— I szczęściara — dodała Metteke, przełykając twaróg. — Alem się zapchała.

— Podpiwek mamy, podaj. A znaleźli u niej ten cycek?

— Nie mam pojęcia, ale ją zwolnili za poręczeniem. To nie wszystko — nalała podpiwka do glinianych kubków. — Wolde powołała też Wiegemanową.

— A to kto znowu? Kolejna z domowniczek zmarłego zarządcy? Hechthausen miał tam istny dom czarownic.

— Nie, ta jest ze wsi i to nie od nas, z Marianowa, tylko gdzieś z sąsiedztwa. Ponoć czary jakieś nad Albrechts odprawiała.

Straciłam ochotę na podpiwek. Zatrzymałam kubek przed ustami. Pamiętam. Pierwszy raz usłyszałam wtedy o bregen. Zaszlachtowanym zwierzęcym mózgu.

— Zatrzymali tę kobietę? — spytałam.

— Nie. Przesłuchali i oddalili.

— Dziękuję ci, Metteke. Jesteś teraz moim okiem i uchem — uśmiechnęłam się do niej.

— Jestem panny sługą — odpowiedziała dziewczyna.


Sperling przyszedł wieczorem, Metteke szykowała się do snu. Jej łóżko stało w sieni, więc pierwsze, co zobaczył, gdy strażnik otworzył mu drzwi, to moja służąca w koszuli nocnej i chuście na ramionach, trzepiąca swą pierzynę. Speszył się. Nie wszedł. Przez zagrodzone halabardą drzwi powiedział:

— Dostaliśmy rozkaz ze Szczecina, by jak najszybciej skonfrontować pannę Bork z czarownicą Wolde Albrechts.

Siedziałam przy stole, w fotelu skierowanym wprost na drzwi. Nie wstałam, by go powitać. Jeszcze czego. Zamknęłam książkę i zdjęłam okulary.

— Czyli kiedy? — spytałam.

— Jutro. Jutro w południe.

— Do zobaczenia, panie Sperling. Śpij pan dobrze — powiedziałam, przykładając z powrotem szkła do oczu i patrząc przez nie na niego. On o tym nie wiedział, ale jego obraz przez okulary rozmył się zupełnie. Zniknij — pomyślałam.


Nie pierwszy raz nie mogłam zasnąć. Głowę miałam pełną myśli. Jestem szlachcianką. Nie mogą potraktować mnie poniżej godności. Sięgnęłam po książkę, którą zabrałam Ulrichowi. Nie. Nie zabrałam. Dostałam ją od brata, gdy ten postanowił przywołać śmierć. Zażądać od Damy z Kosą, by go wzięła do diabła. Otworzyłam, przebiegłam wzrokiem kilka stron. Zdania były węzłowate. Ulrich straszył, że księga napisana po polsku. Tak nie było. On chyba jej nie przeczytał. Dwa, trzy polskie zdania, z przodu. Reszta po pomorsku. Z początku ten język stawiał mi opór. Znałam go, często słyszałam, zwłaszcza po wsiach. Jurga pięknie mówił po pomorsku. Asche też, choć wśród szlachty mówiono tylko po niemiecku. Ale pisanego nie widziałam nigdy wcześniej, a książka była ręcznie spisana. Tyle, że wystarczyło wczytać się, usłyszeć, jak litery mówią swym głosem, i opowieść otworzyła się przede mną. Teraz tylko spojrzałam na pierwsze zdania i jak w bajkach piastunki, popłynęłam w już znaną sobie historię:

*Bork znaczy: wilk. Na Pomorzu tak było od zawsze. A mówimy: „To jest stare jak Bork i diabeł", bo zło także nie ma swego początku. Jak znaleźć pierwszego Borka, skoro pojawili się w czasach, gdy nikt nie używał pisma? Byli tu panami, gdy do brzegów morza zaczęli przybijać łupieżcy z Północy. Borkowie znaleźli z wikingami wspólny język. Jeden z braci, którego tamci z nordycka zwali Ulfem, zasłużył się skandynawskim władcom. Dali mu za żonę królewską córę, choć w tamtych czasach było u nich wielu takich królów. Wrócił z bladolicą pięknością do domu, a wraz z nią przywiózł rzemieślników i kupców. Wpłynęli nurtem Parsęty w głąb lądu. Znaleźli dobre miejsce, wzgórze na brzegu rzeki. Założyli osadę i nazwali ją Bardy. Borkowie z Bard. Dzieci jasnowłosej i Borka — Ulfa były rude. —* W tym miejscu zawsze przymykałam oczy i ręka wędrowała mi do włosów. Dotykałam ich, gniotłam palcami sploty. *— Przybysze z Północy stali się swoimi, wżenili w Pomorców. Osada kwitła, z pokolenia na pokolenie, a z nią potężniał ród Borków. Z czasem rodzinne gniazdo stało się dla niego za małe. Przenieśli się bliżej morskiego brzegu, zwłaszcza, że odkryli tam bogactwo ukryte w źródłach solanek. Prawnukowie Borka — Ulfa byli jasnowłosi, czasem rudzi —* tu przed oczami stawał mi Ulrich, Asche, Jurga i, choć nie chciałam tego, Jost. *— Dorobili się kroci na handlu solą. Potrzebował jej każdy, miejscowi rybacy i kupcy z daleka, z samej Starszej Polski. Ci ostatni opowiedzieli o Kołobrzegu swemu władcy, łakome oko księcia Mieszka zwróciło się na bogate miasto nad Parsętą. Nadciągnął tu ze swoimi wojami. Zdobył gród, obsadził załogą. Borkowie, wspierani przez wierną sobie ludność, zdołali wywieźć sporo srebra i zapaść się pod ziemię: w opuszczonym przed latami starym grodzie w Bardach. Tam przeczekali zawieruchę. Czasy, gdy syn Mieszka,*

*Bolesław, sprowadził do Kołobrzegu chrzest i biskupa Reinberna. Śle-*
*dzili każdy jego krok, każdy ruch, z oddali i z bliska. Wystarczyło, że*
*kapłan Chrysta próbował wyjść za próg świątyni, a któryś z Borków już*
*szedł za nim jak cień. Mieli w rodzinie żercę, zwał się Strosz. Złożył tyle*
*ofiar Trzygłowowi, że sam zdawał się mieć oczy z trzech stron głowy.*
*Strosz zaszczuł i przegonił biskupa Reinberna. Książę Bolesław miał*
*na głowie zbyt wiele innych wojen, ani się obejrzał, jak stracił bogaty*
*Kołobrzeg. Borkowie witani chlebem i solą wrócili do swego słonego*
*miasta. Kościół Chrysta rozebrano. Strosz Bork na jego gruzach złożył*
*żertwę. Ucztowano trzy razy po trzy dni. Bóg o trzech twarzach każdą*
*z ofiar przyjął. Kuzyn Strosza, a najstarszy z Borków, został wyniesiony*
*na ramionach ludzi i nazwany ich księciem.*

Przydałby mi się teraz Strosz Bork — pomyślałam, odkładając książkę i gasząc świecę. Kleiły mi się powieki.

Wstałam senna. Pod piecem wygasło, w izbie wiało chłodem. Przez okno widziałam mgły zwiastujące początek jesieni. Długimi pasmami kładły się na trawie, owijały wokół pni drzew i zabudowań starej owczarni. Zawsze lubiłam takie poranki i teraz też łatwo odpędziłam niepokój. Mgła się uniesie i dzień przyjdzie słoneczny — pomyślałam. Wypełniła mnie rześkość.

Metteke pomogła mi się ubrać. Zasznurowała gorset. Włożyłam odświętną suknię, tę, której czerń w spódnicy przechodziła w dziką zieleń piór sroki. Do niej najlepsze rękawy, wzorzyste, w ptaki. Partlet wyhaftowany własnoręcznie w czarne wzory. Kryza odprasowana przez Metteke i sztywna od krochmalu, aż drapała w szyję, mimo stójki partletu pod nią.

— Kapelusz? — spytała Metteke.

— Nie.

Odkąd Trina Pantels ukradła mi chustę, nie chciałam nosić kapelusza bez niej.

— Daj angielski czepek. Ten z dzióbkiem.

— Wytworny wybór — pochwaliła Metteke i przygładziła mi włosy, by skryły się pod nim.

— Rozpuść je — zdecydowałam w ostatniej chwili. — Chcę siwych pukli na plecach, spływających spod czepka.

— Wedle życzenia — powiedziała Metteke, rozplatając mi warkocze. Zapachniało rumiankiem.

Przesłuchanie odbyło się w sali lekcyjnej. Najmłodsze panienki znów miały wolne. Ich pulpity na jeden dzień odpoczną od nacięć i dziurawienia ostrym końcem rylców. Weszłam prosto, z uniesioną głową, ale gdy wprowadzono Wolde Albrechts, musiałam się starać, by nie ugięły się pode mną kolana. Wolde była ostrzyżona. Nierówno i sądząc po bliznach na skórze, brutalnie. Powłóczyła nogami. Ustawiono ją przy pulpicie klasztornych dziewcząt. Opadła na niego łokciami. Dłonie miała spętane. Sine, niemal fioletowe stopy, nagie i obrzękłe. Plecy skrzywiły jej się w łuk.

Jost von Bork w czyściutkim wamsie, lśniącym bielą kołnierzyku i takich mankietach. Lewe ucho, to ułomne, zasłonił rondem kapelusza. Sperling miał tę opadniętą kryzę, którą tyle razy ostatnio widziałam w Szczecinie, więc choć wyglądała na zaniedbanie służby, rozumiałam, że to duch czasu. Prokurator, *advocatus fisci*, Kristian Lüdecke, był cały na niebiesko. Aż kłuł w oczy ten boski błękit. Tylko pysk miał nie od pary, skrzywiony.

— Wolde Albrechts, czy w obecności szlachetnie urodzonej panny, Sydonii von Bork, potwierdzasz oskarżenie, które złożyłaś podczas ostrego przesłuchania? — spytał. Jego głos brzmiał wstrętnie. Za wysoko jak na mężczyznę. Drżał i wibrował na słowach „oskarżenie" i „ostre".

— Taaa — wybełkotała do pulpitu Wolde.

— Odczytam oskarżenie — pisnął prokurator i choć zabrzmiał śmiesznie, nie było mi do śmiechu. W tej chwili z całych sił poczułam ból Wolde Albrechts.

Chlusnęło na mnie jakby ktoś wiadro krwi wylał, wykręcił mi stawy. Poczułam ból kości, w których warzy się szpik. Zmroziło mnie, a nozdrza wypełniła woń śmiertelnego potu.

— Zeznanie Wolde Albrechts, lat trzydzieści i trzy, pod przysięgą, uzyskane na ostrym przesłuchaniu i potwierdzone po dobroci przed sądem — uniósł głos Kristian Lüdecke, prokurator. — Oskarżona oświadcza, że tylko we wczesnej młodości prowadziła się obyczajnie. Gdy była mała, nieboszczyk Hans von Wedel kazał jej przeczytać horoskop. Z niego dowiedziała się, że gdy skończy piętnaście lat, zostanie uwiedziona. Tak się stało i z tego powodu w młodości wyrzucono ją ze służby na dworze. Następnie, przez kwartał szlajała się z bandą złodziejaszków. Z nimi wywędrowała do marchii, gdzie włóczyła się z Cyganami i skąd powróciła do księstwa przed kilkoma laty. Tu zaszła w ciążę, choć nie potrafi powiedzieć, kto był ojcem jej dziecka.

Urodziła je, a ono z powodu nędzy zmarło. Jej, jako że posiadała mleko w piersiach, pracę dał Klosterhauptmann Hechthausen. Była mamką jego syna i pomocą kuchenną, mieszkała w jego domu w Marianowie. Wtedy poznała pannę Sydonię von Bork.

Wyprostowałam plecy. Wyżej uniosłam brodę. Zobaczyłam, że Jost patrzy na mnie, przekrzywiając głowę. Jasne oczy kuzyna były drwiące.

— Wolde Albrechts zeznała, że wraz z panną Sydonią von Bork, za pomocą diabła, którego miały na usługach, a którego imię brzmi Chim, zabiły pastora Dawida Lüdecke. Ponadto, sama Sydonia von Bork, bez współudziału Wolde Albrechts, zabiła z diabelską pomocą furtiana klasztoru, Mattiasa Winterfelda oraz groziła Lupoldowi von Wedel z Krępcewa swym Chimem. Oskarżona Albrechts udzieliła także wyjaśnień, na temat panny Bork, mówiąc, iż jej diabeł nie chce dawać jej pieniędzy. Pieniądze panna Bork otrzymuje od innych ludzi, ale nie ma ich w zapasie, bo za dużo wydaje na prawników, posłańców, furmanów i swoje podróże. Zeznanie potwierdzone po dobroci, w obecności prokuratora i świadków.

Zmuszałam się, by oddychać głęboko. Patrzyłam na Wolde. Ta, ostrzyżoną, pokiereszowaną głowę oparła o ramiona i zdawała się drzemać.

— Panno Bork — powiedział prokurator. — Ma panna głos.

— Zaprzeczam — odpowiedziałam wyraźnie i głośno.

— Czemu konkretnie? — spytał tym drażniącym tonem.

— Wszystkiemu — odrzekłam. — Nie zabiłam furtiana Winterfelda, ani pastora Lüdecke. Z tym ostatnim żyłam w przyjaźni, przychodził do mnie na piwo. Nie mogłam grozić Chimem, bo go nie mam.

— Masz — syknęła Wolde Albrechts powoli, z mozołem, unosząc głowę. — Przychodzi do ciebie pod postacią psa, kota lub wróbla.

Za oknami salki lekcyjnej rozległ się pisk. Tak, stały tam na palcach panienki klasztorne i przykładając ucho do ram, podsłuchiwały.

— Zaprzeczam — powtórzyłam stanowczo. — Przychodził kiedyś pies, ale został mi ukradziony. A kot, jak to kot, raz jest, raz go nie ma. Wróbli w Marianowie pełno. Nie znam żadnego diabelskiego zwierzęcia.

— Znasz — warknęła Wolde i opierając się na związanych rękach, niemal się wyprostowała. — I umiesz ich użyć.

— Zaprzeczam — powiedziałam szybko.

— Potwierdzam — odrzekła Albrechts, zanosząc się śmiechem, jak kaszlem.

Patrzę na nią i jej nie poznaję. Wolde jest omotana bólem. Spętana nim, niczym łańcuchem o krwawych ogniwach. Ona się mu poddała. Uległa.

— Wobec powyższego — oświadczył prokurator. — Powołanie Sydonii von Bork pozostaje w mocy.

Serce przestaje mi bić na chwilę. Potem rusza, zbyt gwałtownie, i krew uderza mi do głowy. Zmuszam się do spokojnego, równego oddechu. Zachowuję kamienną twarz.

— Jako że w wyniku przesłuchań posiadamy znaczną ilość innych oskarżeń obciążających pannę von Bork, mamy dość powodów, by zatrzymać ją w areszcie, póki Sąd Nadworny nie wyda opinii co do dalszego przebiegu jej procesu.

Czuję się jak zwierzę w matni. Kiedy zakończył się proces Wolde, a zaczął mój? Muszę uważać na słowa.

Błękit stroju prokuratora Lüdecke kojarzy mi się w tej chwili z papugą Brockhausenów. Tą, co zdechła.

— Przypomnę, że zgodnie z postępowaniem inkwizycyjnym, a z tym typem postępowania mamy do czynienia w przypadku oskarżeń o czary, wystarczy dwóch świadków o nieposzlakowanej opinii, by postawić akt oskarżenia. Sąd ma do dyspozycji zeznania pięciu panien klasztornych, których reputacja nie pozostawia nic do życzenia. Jeśli panny owe potwierdzą swe wcześniejsze wypowiedzi pod przysięgą, staną się one dowodem w sprawie.

Te jędze potwierdzą wszystko, byleby się mnie pozbyć. „Dowody w sprawie"? Oni nic na mnie nie mają.

— Wyrok dla Wolde Albrechts pozostaje w mocy, jak we wcześniejszej sentencji ławników ze Szczecina… — prokurator przekłada papiery, szuka czegoś, znajduje i czyta:

— Wolde Albrechts zostaje skazana na śmierć przez spalenie, przed egzekucją nastąpi dwukrotne szarpanie gorącymi obcęgami.

Albrechts chwieje się, unosi spętane ramiona, potrząsa nimi, krzywi się strasznie.

— Odpuście mi, panie, te obcęgi, i tak umrę, odpuście!

— Odwołaj swoje oskarżenie! — krzyczę. — Odwołaj je!

— Odpuście obcęgi… — błaga Wolde.

— Odwołaj! — wołam do niej, może jeszcze mnie słyszy.

Nie wiem tego. Ona wciąż powtarza swoje, zafiksowała się na obcęgach, ja za to niemal słyszę zimne myśli Josta: „Na śmierć, już jesteś zbyteczna". Stoi tam, niby poważny, a drwiący. Ledwie maskując swój tryumf. I dociera do mnie coś, co powinnam była wiedzieć wcześniej: Jost to ukartował. Proces Wolde był farsą, był mu potrzebny tylko po to, by padło moje nazwisko. Dlatego dzisiaj, w oskarżeniu, nie powtórzono nic o Krossensche, ani Wiegemanowej Tamte kobiety są bezużyteczne. Jostowi zależy tylko na tym, by oskarżono mnie.

Przestaję prosić Wolde. Trzymam się prosto. Nic na mnie nie mają. Jestem Sydonia Bork, nie Wolde Albrechts.

Strażnicy ją wyprowadzają. Szura nogami. Gdy mnie mijają, Wolde zatrzymuje się.

— To wszystko przez ciebie — pokazuje swoje spuchnięte, sine, wykręcone stopy. — Teraz twoja kolej — jej broda drży, Wolde próbuje to opanować i wysuwa szczękę. — Ja cierpiałam, ty też będziesz cierpieć, Sssydonio — syczy na mnie obnażając zęby.

Nie odpowiadam, nie dam się sprowokować. Składam palce na krzyż i dmucham w nie. Nie, nie dla Wolde. Ona już stracona. Żywy krzyż jest dla prokuratora Lüdecke.


Franciszek, książę szczeciński, trzymał w ręku projekt stempla monety pogrzebowej ku czci swego brata, Filipa. Nie przejmowałby się tym tak bardzo, gdyby nie to, że zmarły z monet pogrzebowych uczynił niemal osobną dziedzinę sztuki. Wcześniej było normalnie: portret drogiego zmarłego, data, jakaś sentencja. Ale Filip, gdy zmarł ich brat Jerzy, zainicjował modę na opowiadanie śmierci przez rośliny. Zgon młodego brata tak głęboko unieszczęśliwił najstarszego, że zamówił całą serię tych monet. Talary, orty, półorty i każdy inny. Na półorcie, który miał wartość jednej ósmej talara i przeznaczony był do rozdawania wśród tłumu żałobników, była ruta i podmuch wiatru, czyli złowrogie tchnienie Boga, które podcięło młode życie. Zaś na orcie promieniste słońce nad kwiatem, symbol zmartwychwstania. Wszyscy zachwycali się tym pomysłem, więc Franciszek wie, że powinien iść w tę samą stronę, by nie zarzucono mu, że się nie zna na sztuce. Szczerze mówiąc, nie bardzo się znał. Gdyby zależało to od niego, na awers dałby portret nieboszczyka, na rewers czaszkę i piszczele. Proste i jasne. Ale trzymał w dłoni projekt Daniela Sailera przedstawiający krzew róży podgryzany przez węża. Dziwaczne i dlatego był pewien, że spodobałoby się Filipowi. W jego stylu, jak te gabinety osobliwości. Niech już będzie ta róża z wężem, ale na półorta. Na talara niech Sailer przygotuje coś porządnego.

Franciszek, odkąd objął władzę, miał same kłopoty. Jego szlachetny, wykształcony brat nie przykładał żadnej wagi do wojska. Od lat powtarzano jak modlitwę: Pomorze jest neutralne. Owszem, ale to nie może oznaczać: bezbronne. Książę Filip otoczył się swoją republiką uczonych, rozpoczął budowę zachodniego skrzydła zamku, tylko po to, by umieścić w nim wielką bibliotekę, obrazy i te dziwaczne zbiory. Franciszek lubił sztukę, któż nie lubi, gdy do posiłku gra muzyka, albo gdy wzrok spocznie na czymś ładnym. Ale bez przesady, to tylko sztuka. I niepotrzebna im teraz rozbudowa. Każdego zaoszczędzonego guldena trzeba schować i wydać na wojsko. Rozruchy w cesarstwie zaczęły się daleko od Pomorza, w Czechach. Na tle religijnym, a jakże. Gdy, zaraz po wybuchu zamieszek, cesarz poprosił go o wsparcie wojenne, Franciszek skorzystał z tej, nieznośnej sobie, neutralności i odmówił. Cesarz Habsburg, zatwardziały katolik, Czechy protestanckie, nie będzie prowadził swoich wojsk na braci w Ewangelii. Na razie ani Gryfici, ani Hohenzollernowie nie przystąpili do Ligi Ewangelickiej, której przewodzili Wittelsbachowie. Na to jeszcze za wcześnie, ale nos Franciszka, wyczulony na sprawy wojenne, mówił mu, że wojna jest tylko kwestią czasu.

Cesarz Maciej zmarł, pół roku deliberowano, w końcu, przed paroma tygodniami wybrano następcę i ten wybór był jak zapowiedź koszmaru: Ferdynand Habsburg. Religijny, katolicki fanatyk. Już nim został cesarzem, mawiał, że wolność religijna nie jest potrzebna, bo jest tylko jedno słuszne wyznanie. Wszystkim pozostałym wygrażał kontrreformacją. Protestanccy elektorzy byli w mniejszości. W obliczu tego zbladła konwersja Hohenzollernów na kalwinizm, z marchii i Prus na Pomorze płynęły zapewnienia pokoju i przyjaźni, w duchu: „musimy trzymać się razem". Franciszek jednak dobrze pamiętał wszystko, co mówił im ojciec, książę Bogusław. Więcej, Franciszek się z nim zgadzał. Ojcowska wizja Hohenzollernów, którzy pod władzą elektora Jana Zygmunta złączyli dwa kraje unią personalną i nie spoczną, póki nie połączą ziem w całość kosztem księstwa pomorskiego, była obecna w jego wyobraźni. Na szczęście, Jan Zygmunt nie był władcą wybitnym, a jego syn i dziedzic, Jerzy Wilhelm, bardziej przypominał mu zmarłego brata, Filipa, niż dawnych wojowniczych Hohenzollernów z czasów Hektora czy Achillesa. Też mieli przydomki! Ale przecież kolejny na tronie może okazać się przenikliwym drapieżnikiem, wielu takich znali z przeszłości. Zatem gdy teraz, w obliczu wspólnego wroga, płynęły od nich wyrazy przyjaźni, Franciszek przyjmował je, odpowiadał i był ostrożny. Tyle, że nie chciał być wyczekujący. Wolał działać. A stany pomorskie odpowiadały mu: nie. Wydatki na wojsko: nie. Wydatki na zbrojenia: nie. Przegląd wojsk szlacheckich, by wiedział, czym w ogóle dysponuje: nie. Ten ostatni opór złamał przed kilkoma tygodniami i zmusił szlachtę szczecińską, by stanęła do przeglądu.

Z zazdrością patrzył na Szwecję i z żalem wspominał decyzję swego ojca. Miał wtedy dwadzieścia siedem lat, a ojciec, książę Bogusław, właśnie objął władzę w Szczecinie. Król Szwecji, Karol, walczył z Rzecz-pospolitą i zaproponował, by Franciszek został dowódcą jednej z jego armii. Szwedzi już wsiadali na pokłady okrętów płynących przez Bałtyk. Bogusław Gryfita odmówił. „Neutralność Pomorza nie podlega nego-cjacjom" — powiedział. Od tamtej pory minęło piętnaście lat. Karol nie żyje, na tronie zastąpił go Gustaw Adolf i już młodego króla zwą „żelaznym". Ma za sobą wojny z Moskwą, Polską i Litwą. I jak donoszą, zmodernizował szwedzką armię, korzystając z doświadczeń na polu walki, ponoć przestawia ją na wzór polski. Przezbraja, unowocześnia, musztruje. I okręty trzyma w nieustannej gotowości.

— A ja mam neutralność i szlachtę, która najchętniej pilnuje własnych posiadłości — żachnął się w rozmowie z żoną, księżną Sofią. — Ta neutralność mi ciąży — wyznał. — Jest jak owsiana, rozgotowana papka.

— Wygląda nieciekawie, ale jest pożywna — odpowiedziała Sofia, dotykając jego dłoni. — Zaufaj mądrości swoich przodków, Francisz-ku — dodała. — Oni od lat zmagali się to z najazdami polskimi, to z duńskimi, to znowuż z wojowniczą marchią. Nie wybrali neutralności pochopnie.

Spojrzał na nią. Sofia Saska była drobnej budowy i nieco przed-wcześnie dopadła ją siwizna. Wyglądała na starszą, niż swoje trzydzieści trzy lata. Jej skóra, bardzo delikatna i sucha, ubielona, bo tak nosiły się damy, przypominała kruche naczynie z porcelany.

— Jesteś dobrą żoną, Sofio — powiedział i złożył pocałunek na jej dłoni.

Może się zarumieniła, ale nie widać było tego pod warstwą bielidła. W jej oczach dostrzegł czułe iskry.

— A ty dobrym mężem, Franciszku — odpowiedziała i przez chwi-lę miał wrażenie, że jest za tym coś więcej. Stali przy jednym z ośmiu kominków wielkiej sali, jeszcze nie zaczęto w nich palić. Byli sami, drobni i zagubieni w tej przestrzeni. Lekko przyciągnął ją do siebie.

Nie odpowiedziała, więc przylgnął do niej i odchylając wysoki kołnierz, dotknął jej szyi.

— Nie dzisiaj, mój drogi — szepnęła. — Nie czuję się dobrze.

— Oczywiście, wybacz.

Odsunął się. Byli dziewięć lat po ślubie. Ich zbliżenia stały się coraz rzadsze i oboje wiedzieli, że na każdym kolejnym cieniem kładła się jej niemożność zajścia w ciążę. Albo jego niemożność spłodzenia. Liczni lekarze nie umieli orzec, po czyjej stronie jest wina, więc oboje brali ją na siebie po równo. Sofia lekkim krokiem podeszła do konsoli. Zaczęła przekładać kwiaty misternie ułożone w kutej, cynowej wazie wspartej na lwich łapach. Jesienne róże. Wiedział, że to jej ulubione. Wytworny, lekki zapach. Trzeba się zbliżyć, by go poczuć.

— Twój najmłodszy brat, Ulrich, ponoć wspaniale bawi się z młodą żoną — zaczęła i po brzmieniu jej głosu wyczuł, że myśli o tym samym. Z róży posypały się płatki. Sofia przesunęła je palcem, jakby układała z nich wężowy wzór. Zaraz mu się przypomniał ten półort pogrzebowy.

— Oby Bóg im darzył — odpowiedział.

Czuł trwogę. Jeszcze niedawno powtarzano na pomorskich dworach, że dzięki pięciu synom Filipa I, a potem kolejnym pięciu synom jego ojca, Bogusława, sukcesję na wieki mają zapewnioną. Słyszał to od dziecka, jak refren pieśni. Teraz zostało ich trzech braci i wołogoski kuzyn. Wiele wskazywało, że Ulrich jest ich ostatnią nadzieją. Filip Juliusz żonaty od piętnastu lat, bezdzietny. Bogusław od czterech lat z żoną i nic. Ciężkie chmury wisiały nad domem Gryfa i Franciszek niemal cieleśnie czuł bijący od nich chłód.

— Książę — sekretarz zjawił się cicho i wyrwał Franciszka i Sofię z ponurej zadumy.

— Zostawię was — powiedziała księżna i wychodząc, posłała mu czuły uśmiech, jak pocałunek.

— Walentin Winther prosi o posłuchanie.

— W jakiej sprawie?

— Tej pracy historycznej — sekretarz też wydawał się niezorientowany. — Zaczął ją na zlecenie twego poprzednika. Przesłał nam szkic i streszczenie.

— Nie czytałem — przyznał Franciszek. — Powiedz mu, że zapraszam w przyszłym tygodniu, że wezwiemy.

— Dobrze, panie. Jest i wiadomość od Josta von Bork, z Marianowa.

— Co pisze? — zainteresował się Franciszek. — To w sprawie tej czarownicy?

— Tak — potwierdził sekretarz, rozkładając list. Przebiegł go wzrokiem.

— Przypomnij mi, proszę, w czym rzecz. Coś mi przychodzi do głowy, ale mam na niej za dużo trosk.

— Wiejska kobieta, włóczęga jakaś, o, mam — sekretarz znalazł odpowiedni fragment — Wolde Albrechts, oskarżona o czary, podczas procesu powołała inną czarownicę i pech chciał, że ta powołana to kuzynka Josta von Bork.

— Ach — rozpogodził się książę. Zajął miejsce Sofii przy wazonie i pochylił, by powąchać róże. — A to ciekawe. Opowiadaj.

— Jost pragnął oczyścić rodowe nazwisko z zarzutów i za sugestią ławników ze Szczecina doprowadzono do konfrontacji obu kobiet. I, jak pisze wstrząśnięty Jost, zarzuty zamiast zostać oddalone, się potwierdziły.

— Żartujesz — zaśmiał się Franciszek i zamilkł zawstydzony. — Biedny Jost. Co za historia. — Mimowolnie przesuwał palcami po główkach kwiatów.

— On pisze, że zakonnice wezwane przez prokuratora zeznają różne straszne rzeczy, ale chce nas uprzedzić, zanim przyjdzie oficjalne pismo, że wśród zarzutów pojawia się imię twego zmarłego brata, księcia Filipa.

Franciszek, który jeszcze chwilę temu szukał w tej historii rozrywki, ucieczki od chmurnych myśli, spoważniał w jednej chwili. Odsunął rękę od kwiatów gwałtownie i płatki posypały się na blat konsoli. Mieli już zdarzenie z czarownicą w rodzinie, za czasów Jana Fryderyka i jego żony, Erdmuty. Tamta oskarżona też była stanu szlacheckiego. Przez kilka lat plotkowano o tym i na jaw wychodziły nieprzyjemne sprawy. Niemiłe także dla rodziny książęcej.

— Co konkretnie pisze Jost von Bork? — otrzepał ręce, jakiś płatek mu przylgnął do palców.

— Ponoć zakonnice mówią, że jego kuzynka, Sydonia von Bork, przepowiedziała śmierć księcia Bogusława i księcia Filipa. Niektóre z nich sugerują, że mogła mieć coś wspólnego ze zgonem twego brata. Tak — sprawdził, przekładając kartki listu. — Brata, nie ojca.

— Chcę raport z postępowania — powiedział Franciszek. — Zadbaj, by na razie sprawie nie nadawano rozgłosu. Nikomu nie są potrzebne przedwczesne oskarżenia.

— Oczywiście, mój panie — ukłonił się sekretarz i odszedł.

Pod drzwiami domu stanęło teraz dwóch zbrojnych, nie jeden, i wydarzyła się rzecz gorsza: prokurator Lüdecke nakazał, by wprowadziła się do mnie kobieta strażniczka. Gorga Hens. Skąd ją wzięli? Pojęcia nie mam. Metteke też wcześniej nie widziała jej w Marianowie. Mój dom jest mały, Gorga olbrzymia. Rozłożyste, szerokie plecy, płaska pierś, duże dłonie. Mogłaby być przebranym w suknie mężczyzną. Małe miała tylko oczy, ukryte w fałdach, lekko skośne. Nie można było przewidzieć, na co patrzy, więc z góry założyłam, że widzi wszystko. Była jesień, pierwsze dni października, odkąd zamieszkała z nami Gorga, w domu zrobiło się duszno.

— Rozumiem, że panna Gorga ma zadanie do wykonania — odezwałam się do niej trzeciego dnia, gdy już znieść nie było można bezruchu.

— Pani — poprawiła mnie. — Jestem wdową.

— Rozumiem — kiwnęłam głową. — My też mamy robotę. Zapasy na zimę same nie wejdą do piwnicy. Musimy oporządzić solenie mięs, wędzenie, suszenie.

— Czas po temu — przytaknęła.

— Gęsi skubiemy na podwórzu — poszłam krok dalej.

— Nie można — orzekła Gorga.

— Nie chcę zapaskudzić domu — nacisnęłam.

— Teraz to nie dom, a areszt — zacięła się strażniczka.
Ja ci pokażę — pomyślałam i powiedziałam do Metteke:

— Prosię zaszlachtowane?

— Właśnie przynieśli — odkrzyknęła z sieni. — Wszystkie trzy.

— Wnieś je tutaj — powiedziałam.

— Gdzie? — oburzyła się Metteke. — Przecież nie położymy na waszym stole z klonowego drewna!

— Racja. Musimy przemeblować nasz areszt — odpowiedziałam jej i się zaczęło.

Mój stół przeniosłyśmy pod samo okno, ciężki skórą obity fotel przystawiłyśmy do niego tak, by Gorga nie mogła tam usiąść. Krzesła stołowe nogami do góry. Moje kufry, skrzynie i na klucz zamykane kuferki ustawiłyśmy w niezręczną piramidę uniemożliwiającą tak wielkiej kobiecie jak Gorga poruszanie się po domu. Na centralne miejsce izdebki wciągnęłyśmy stół kuchenny, zmyślna Metteke na podłodze rozciągnęła stare płótno i wtedy dopiero na stole wylądowało prosię. Pracowałyśmy szybko, tak szybko, jak się dało. Osłupiała Gorga została w kącie, niemal przyciśnięta krzesłami.

— Ale ja nie mam się gdzie ruszyć — zauważyła.

— Sama pani Gorga tak sobie zażyczyła — odpowiedziałam, wzruszając ramionami. — Metteke, daj mi tasak!

Na stole przede mną leżało zaszlachtowane prosię. Szkliste oko zwierzęcia patrzyło wprost na Gorgę Hens. Ja też. Z tasakiem w ręce. Uniosłam oba ramiona, Metteke zręcznie okręciła mnie fartuchem.

— Uwaga, będę rąbać — ostrzegłam. Na twarzy strażniczki malował się niepokój. Uderzyłam prosiaka celowo tak, by resztka krwi chlusnęła w stronę Gorgi. Wielka kobieta nie chciała okazać lęku, ani wstrętu. Nie krzyknęła, wciągnęła tylko głośno powietrze.

— Cebrzyk, panno Sydonio — Metteke podsunęła go do blatu, a ja mocnymi uderzeniami odrąbywałam nogi prosięcia i ostrzem tasaka zrzucałam do cebra. W izbie zakręciło się od dusznej woni krwi.

— Mdli mnie, otwórzcie okno — poprosiła Gorga.

— Nie — powiedziałam. — Bo muchy się zlecą.

Porcjowałam metodycznie, myśląc, czy ona, strażniczka, rozumie, że jest unieruchomiona, a ja mam w ręku broń. Oczywiście, nie miałam złych zamiarów, chciałam tylko, by zrozumiała, że nie może traktować mnie jak więźnia we własnym domu. Są jakieś granice. Gorga Hens to pojęła, bo wieczorem, gdy prosięta były już zasolone, Metteke skończyła sprzątać, a ja wywietrzyłam tak, że strażniczka drżała z zimna, powiedziała:

— Skubanie gęsi można zrobić przed domem. Muszę tylko dostać zgodę pana Sperlinga i pana Borka.

Skinęłam jej głową, co znaczyło „dobrze", choć Gorga mogła zrozumieć to jak „dziękuję".


Nazajutrz Gorga wyszła, by uzyskać tę zgodę. Miałam czas, by uporządkować kilka spraw, nieprzeznaczonych dla jej małych oczu. Wróciła i na podwórzu zarządziła halabardnikami z wprawą:

— Hans, ustaw tu krzesło. Matzke, ławę przestaw tutaj. Drugą tam. Panno Bork! — zawołała. — Można wychodzić.

Obserwowałam ich przez okno, widziałam, że robią dla mnie zagrodę. Na krześle spoczęła wielka Gorga. Strażnicy stanęli za ławkami, z halabardami na sztorc. Metteke wyniosła dla nas taborety, wiadra, wodę i przyniosła gęsi. Okryłyśmy kolana płótnem i zaczęłyśmy je skubać.

— Te szare panny — powiedziała po chwili Metteke, wskazując na gęsi i tłumiąc śmiech — oddałyby jedno tuczenie, by to zobaczyć. Skubane pod strażą!

Matzke, już wiedziałam, po czym ich odróżnić, zachichotał. Wyglądał na chłopaka ze wsi. Zerkał na moją Metteke łakomie, pewnie po równo podobało mu się, że taka ładna, wygadana i robotna.

— Do wędzenia? — spytała po dłuższej chwili Gorga.

— Tak — potwierdziłam.

— Ta Wolde Albrechts — odezwała się strażniczka — zeznała, że błogosławiła gęsi.

— Jak? — spytała ciekawie Metteke.

— Chwytakiem wyciągała je z gniazda, wrzucała do durszlaka, odymiała pod kotłem i do tego mówiła zaklęcie — z powagą wyjaśniła Gorga.

— Jakie? — zaciekawił się Matzke.

— „Sadzam cię na zielone pastwisko, żebyś rosła bujna, jak trawa" — wyrecytowała Gorga i przeżegnała się zamaszyście. — Tfu, zabobon — skwitowała.

— Oho — stęknął Hans. — Zaczyna się zbiegowisko.

Podniosłam głowę znad gęsi, wierzchem dłoni otarłam policzek, na którym osiadło lekkie piórko. Panienki klasztorne, po dwie, po trzy, jak myszy, skradały się ku nam od strony klasztoru.

— Myślą, że jak staną za drzewem, to są niewidzialne — pokręcił głową Hans. — Na co mi przyszło. Zakonnic pilnować.

— Żadne z nas zakonnice — zaprzeczyłam. — Choć zamknęli nas w klasztorze.

— Na jedno wychodzi — zamędrkował.

Panienki, które przed chwilą zamarły w bezruchu, teraz znów zaczęły skokami zbliżać się do nich.

— Kicają jak zające — zaśmiał się Matzke i mrugnął do Metteke.

— Nie mów pan „zające" — zrugała go Gorga i znacząco wskazała mu spojrzeniem na mnie.

— A czego? — nie zrozumiał.

— Bo najgorszym oskarżeniem przeciw mojej pannie — odezwała się ze śmiechem Metteke — które wysuwają te tam — pokazała na skradające się panienki — jest to, że… — zawiesiła głos dramatycznie i uniosła rękę pełną gęsich piór — …że przed naszym domem widziano zająca! — Rozłożyła palce i pióra pofrunęły na Gorgę.

Strażniczka fuknęła i zaczęła się czyścić z piór, jakby te mogły ją splamić.

— Co takiego? — nadal nie rozumiał Matzke. — To jakiś żart, tak?

— Nic w tym śmiesznego — wyjaśniła Gorga Hens i znów się przeżegnała. — Zając, zwierzę diabelskie. A panny mówią, że widziano go w dzień śmierci księcia Bogusława, wieczny odpoczynek przynieś mu, Panie, i w dzień śmierci księcia Filipa.

Widziałam, że mówiąc to, wpatruje się we mnie, szuka reakcji, bada mnie spojrzeniem jak jakieś dziwne stworzenie. Ja jednak dalej skubałam gęś, nic więcej. Na dobrodusznym Matzke musiało to jednak zrobić jakieś wrażenie, bo spuścił głowę i mocniej zacisnął palce na halabardzie. Metteke jednak brnęła dalej:

— Też mi coś, zając, a bo to mało tu zajęcy?

— Zwykły zając nie jest niebezpieczny — wyjaśniła jej Gorga. — Dwa są wyróżniki zająca diabelskiego: pierwszy, gdy to płochliwe zwierzę samo przychodzi do ludzkich siedzib. Drugi, gdy jest naznaczone. A panny klasztorne zeznają, że ten miał obróżkę i tylko trzy nogi.

— Ja go nie widziałam — pokręciła głową Metteke i wróciła do skubania.

— Trójnogi zając nie może się poruszać, jakże to tak? Jak on by skakał? Na dwóch tylnych łapach? — dywagował Matzke.

— No właśnie — podchwyciła Gorga i obrzuciła nas obie zgorszonym spojrzeniem.

— Trina Pantels tu idzie — oznajmiła Metteke. — Ta złodziejka.

Skończyłam z gęsią, odłożyłam ją do cebrzyka. Tak, Trina wyminęła już panienki klasztorne przycupnięte za krzakiem bzu i szła ku nam. Przez ramię miała przełożony koszyk. Gorga, która siedziała plecami do nadchodzącej, a przodem do mnie, nie spuszczała ze mnie oka. Trina Pantels, widząc, że patrzę wprost na nią, zwolniła kroku i przycisnęła do boku koszyk. Ostrożnie zwinęłam z kolan płótno, zagarniając pierze do środka.

— Nie odkłada tego panna Bork do suszenia? — spytała Gorga.

— Niepotrzebne nam gęsie pierze — odrzekłam, patrząc na Trinę.

Ta już była za zagrodą z ławek. Dygnęła niezdarnie i wyciągnęła przed siebie koszyk.

— Chcę to oddać — powiedziała.

Gorga Hens odwróciła się ku niej z trudem. Zmierzyła dziewczynę spojrzeniem od stóp do głów. Spytała:

— Co tu jest?

— Chusta — odpowiedziała drżącym głosem Trina.

— Co za chusta? — zabrała się do przesłuchiwania Gorga. Było jej niewygodnie, wykręconej, więc rozkazała — Niech tu podejdzie.

— Za nic! — krzyknęła przestraszona Trina Pantels. — Ja... chcę prosić... oddaję chustę i proszę tylko, by panna Bork zdjęła ze mnie tę klątwę...

— Jaką klątwę? — Gorga próbowała się odwrócić bardziej, spojrzeć lepiej na Trinę.

— Już panna Bork wie, jaką — odpowiedziała tamta. — Błagam... niech panna to cofnie... nie chcę, by mnie pokręciło jak Katrinę Hanow...

— Byłaś złodziejką — powiedziałam, zdejmując piórka z palców i rzucając na wiatr. — A teraz jesteś kłamczuchą.

— Aaa!... — jęknęła Pantels i zaczęła się trząść. Rzuciła koszyk, odwróciła się na pięcie i zaczęła uciekać, krzycząc: — Jędza!

Na wysokości krzewu bzu dołączyły do niej panienki klasztorne. Zawołały:

— Wiedźma! Czarownica!

I ruszyły chmarą za Triną Pantels w stronę klasztoru.

— Wariatki — powiedziałam i chciałam sięgnąć po koszyk.

Gorga mi zabroniła. Schyliła się z wysiłkiem i sama go podniosła. Ze środka wyjęła moją chustę, rozłożyła ją, obejrzała uważnie, jakby w jej hafcie czaić się mogły diabelskie zaklęcia. Strzepnęła chustę i podała mi wreszcie. Chwyciłam ją, przycisnęłam do twarzy i odsunęłam szybko.

— Muszę ją uprać — powiedziałam do Metteke. — Moja ukochana chusta cuchnie tą kłamczuchą.


Na dziewiątego października, osiem dni po konfrontacji, zaplanowano egzekucję Wolde Albrechts. Moja chusta, pięknie odprana przez Metteke, rozciągnięta do suszenia na ramie, była gotowa, by ją włożyć. Ranek wstał mglisty, rześki i wiadomo było, że jak mgły opadną, dzień będzie słoneczny. Zawiązałam chustę na włosach, zawinęłam z tyłu w niski węzeł i sięgnęłam po kapelusz.

— Panna Bork nie pójdzie — oznajmiła Gorga Hens. — Areszt domowy. Służąca może iść, ona nie jest zatrzymana.

Odwiesiłam kapelusz na wieszak. Możesz mnie tu trzymać, ale mnie nie powstrzymasz.

Gdy Metteke wyszła, usiadłam w fotelu, bokiem do strażniczki. Wzięłam książkę, założyłam okulary i zanurzyłam się w słowach.

— A panna znów czyta psałterz — mruknęła Gorga ni to z podziwem, ni przyganą. — Ja nie mogę tyle czytać. Mnie się litery rozmazują...


Wieźli ją wozem. W samej koszuli, na plecy zarzucili jej jakąś brudną derkę. Krzywo ostrzyżona głowa Wolde Albrechts kołysała się w rytm kolein i wybojów. Wzdłuż jej ostatniej drogi stały panny klasztorne i służba z Marianowa. Przed wozem szedł kat ze Stargardu. Za wozem pastor Beatus Schachts, oby go pokręciło, co za wredny człowiek. Miejsce kaźni już było gotowe. Wzgórze Zbójów, za cmentarzem. Posępne i jałowe. Dwa wielkie głazy, uschnięty stary dąb, przed laty dotknięty piorunem. Zwykle nikt tu nie przychodził, tutejsi omijali Wzgórze Zbójów łukiem. Teraz było tu tłoczno. Sporo ludzi przybiegło ze wsi, niektórzy byli całkiem obcy, więc pewnie przyjezdni. Sława czarownicy od klasztornego zarządcy musiała się rozmieść. Przeorysza Agnes von Kleist z najbardziej świętoszkowatą ze swych min prowadziła panny klasztorne, jak na nabożeństwo. Zajęły w tym posępnym orszaku miejsce za pastorem. Starsze pochylały głowy, kryjąc twarze w cieniu czepców, młodsze błyskały oczami na prawo i lewo. Za nimi szła reszta ludzi z Marianowa. Służba, wśród nich Metteke. Wokół niej było pusto. Nikt nie chciał iść obok mojej służącej.

Wóz z Wolde dotoczył się na miejsce. Kat skinął na strażników. Wzięli Wolde pod ramiona i przenieśli do pala. Wiadomo, stopa czarownicy nie może dotknąć ziemi, bo przybędzie jej diabeł i uwolni wybrankę. Na suchym dębie zaskrzeczała sroka. Tak głośno, tak przejmująco, jakby krzyczała: „Wolde, uciekaj!". Stopy Wolde nie uniosłyby jej. Wyglądały jak racice źle zaszlachtowanego prosiaka. Pomocnicy zaczęli wiązać ją do pala, kat w żelaznym koszu prażył obcęgi. Na rękach miał długie, skórzane rękawice. Wolde zawołała:

— Daruj mi to! Daruj, a coś jeszcze powiem! Nie szczyp ogniem, panie kacie!

W tej chwili od strony klasztoru konno nadjechał Jost von Bork. Ciżba rozstąpiła się, robiąc mu miejsce. Podjechał pod sam stos. Okrążył go konno.

— Panie Hauptmannie! — zawołała Wolde błagalnie. — Daruj obcęgi, i tak dzisiaj zginę.

— Co mi za to dasz? — spytał.

— Wydałam ci wiedźmę gorszą ode mnie! — krzyknęła z pretensją Wolde. — Na nią już czas. Niech kat weźmie się za nią, nie za mnie!

— Raz ją uszczypnij, nie dwa — rozkazał Jost katu. Ten uchylił kapelusza na znak, że zrozumiał. Po czym wyjął z ognia rozżarzone obcęgi i sprężystym krokiem ruszył do Wolde.

— Nie! Nie! — zawołała, miotając się w pętach. Ale ręce miała związane na plecach. Była bezradna wobec tego mężczyzny z rozżarzonym żelazem. Wbił obcęgi w jej bok, przytrzymał krótko i otworzył. Wolde łkała.

— Podpalać — spokojnie rozkazał Jost. Pachołkowie kata sprawnie wrzucili wiązki chrustu w stos rozstawiony wokół pala.

— Panie kacie! — zaśmiała się dziko Wolde. — Porozciągasz sobie garbate plecy Sydonii. Borkówna więcej zawiniła niż ja. Więcej, niż wam się w czarnych snach przyśniło.

Dym na chwilę przesłonił skazaną, ale ogień nie chciał płonąć, chrust się kopcił. Pomocnicy kata zakrzątnęli się z drągami, podsuwali wiązki chrustu bliżej Wolde.

— Panie Hauptmannie! — zawołała Albrechts do Josta. — Dobrej nocy, za gościnę dziękuję! Tutaj już sobie nie pogadamy jak dawniej, ale nadrobimy po śmierci! Ja, dzisiaj, wieczerzę zjem z lepszym niż ty panem. Jezus Chrystus siądzie ze mną do stołu.

Ogień strzelił wreszcie. Wolde zawyła z bólu. Raz, drugi, trzeci. Szarpnęła się, ręce miała związane z tyłu, wykręcone ramiona utrudniały jej ruchy. Wyciągała szyję, jakby chciała ochronić twarz przed ogniem. Ten sięgał kolan, palił jej te poranione nogi, od gorąca pękała skóra. Wolde zaczęła szamotać się wokół słupa, krzyknęła krótko i ostro. Zgromadzony tłum zafalował, zaszemrał, jakby dopiero w tej chwili do nich dotarło, że tu, na ich oczach, żywa kobieta płonie.

Przeorysza Agnes von Kleist zaintonowała psalm, jakby chciała zagłuszyć Wolde Albrechts, ale panny podchwyciły śpiew nierówno. Nie miały przy sobie psałterzy, słów nie znały. Kleist jak zaczęła, tak skończyła. Wolde ucichła, głowa opadła jej na piersi, pewnie dym ją zadusił. Języki ognia przesłoniły ją.

Jost von Bork upewnił się u kata, że nie żyje, i odjechał. Gdy tylko minął gapiów, zaciął końskie boki. Aż się za nim kurzyło.

Gorga Hens spała mocno. Chrapała na rozkładanym łóżku dla służby. Wstałam cicho. Wieczorem nie zdjęłam butów. Na palcach podeszłam do drzwi. Nie skrzypnęły. W świetle księżyca, które wpadło do sieni przez uchylone drzwi, zobaczyłam otwarte oczy Metteke. Uśmiechnęłam się do niej. Ona do mnie. Kiwnęłyśmy sobie głowami. Wyszłam z domu. Matzke spał na ławie, Hans siedział na krześle. Wydawało mu się, że czuwa, a pochrapywał. Ostrożnie przeszłam między nimi. Obeszłam dom. Z tyłu, przy komórce z drewnem leżała siekiera. Zabrałam ją ze sobą i chowając się za drzewami, szłam ku małej furcie. Noc niestety była księżycowa. Drabinę znalazłam tam, gdzie prosiłam, by była. Odłożyłam siekierę. Skoro jest drabina, nie będzie mi potrzebna. Nie muszę rąbać furtki. Drabinę przystawiłam do muru. Była trochę za krótka, ale powinnam przełożyć nogę nad murem. Nie ma innego wyjścia. Wzięłam wdech, uniosłam głowę. Kot spokojnie siedział na szczycie muru. To nie jest tak wysoko, uspokoiłam się. Kot zerwał się nagle. Wygiął grzbiet w łuk i prychnął, ukazując zęby. Odwróciłam się, patrząc za jego spojrzeniem. Nie. Odkryli moją ucieczkę. Już tu biegli, z krzykiem.

Szybko zaczęłam wchodzić po drabinie. Ale jej stopnie były tak od siebie oddalone, że musiałam się podciągać. Zawadzały mi spódnice.

— Panno Bork! — Hans już był pod drabiną. Już na nią wbiegał, nie wchodził. Już chwycił mnie w pasie i ściągnął na dół. — Panno Bork — powiedział z podziwem.

— Ona nam uciekła — odkrył Matzke, dobiegając do muru.


Jost von Bork chodził po izbie. Przeorysza Agnes von Kleist siedziała z boku. Gorga mnie przyprowadziła i okłamała go, mówiąc:

— Pańska kuzynka musiała mi czegoś dosypać do picia, żem tak zasnęła. Ja nigdy mocno nie śpię.

— W tym kłopot — zamachał rękami Jost. — Że to moja kuzynka. Sperling, pisz pan, proszę, do księcia Franciszka. Ja się od tego chcę trzymać z daleka. To mi w żaden sposób nie leży. Nie mogę być odpowiedzialnym za pannę Bork. Nie upilnuję, będzie na mnie, że oko przymknąłem, bo moja krewna. Pilnuję, to ona pluje jadem, że się znęcam.

— Co ty wygadujesz, Jost? — przerwałam mu. — Co ty zmyślasz?

— Teraz to pokornie, Jost to, Jost tamto — nakręcał się. — Wydaje ci się, że nie wiem, jak na mnie pomstujesz po kątach? Pani Hens mówiła, że mi złorzeczysz.

— Szaleju się najadłeś?

— Notuj, Sperling. Grozi mi. Jak powiedziała? Niech pani powtórzy — zwrócił się do strażniczki.

— Życzyła panu Hauptmannowi, by zesztywniał jak łom. Do wyważania drzwi — podpowiedziała usłużnie.

— Ta baba jest przygłucha — oświadczyłam. — Co nie dosłyszy, to sobie dośpiewa.

— No i właśnie — Jost widowiskowo rozłożył ręce. Udawał, nigdy tak nie robił. — Dobrze mówili świętej pamięci zarządcy Wedel i Hechthausen, to istne kłębowisko żmij. Ja nie chcę być z oskarżoną pod jednym dachem, nic z tego dobrego nie wyniknie. Sperling, proszę, pisz do księcia. Jeśli proces Sydonii ma się odbywać w Marianowie, ja rezygnuję ze stanowiska.

— Joście, ależ, Joście — chwycił się za serce Sperling. — Nie możesz tak zostawić książęcej posady. My tu razem zostaliśmy powołani…

— No to odejdź razem ze mną — powiedział Jost i ktoś, kto go nie znał, pomyślałby, że dobrze radzi przyjacielowi. Tak samo troskliwie brzmiał, gdy po śmierci Ulricha poradził mi, bym przyjęła miejsce w Marianowie. Ale teraz nic nie mogę powiedzieć. Ani słowa. Wszystko, co wiem, muszę zostawić na później, na sąd, jakikolwiek, byleby poważny. Byleby nie kolejną „komisję w Marianowie".

— To tak napiszę księciu — posłusznie powiedział Sperling. — Że obaj chcemy odejść.

Już jest we władzy Josta, wielki pan zarządca. Jeszcze o tym nie wie.

— Tak napisz. Że składamy dymisję, jeśli proces ma się toczyć w Marianowie. Ja, jako krewny nie chcę mieć z tym nic wspólnego. Chcę zachować nieposzlakowaną opinię. Chcę być czysty.

Nigdy nie będziesz — myślę i wiem, że on wie; jego lodowate, i na końcu drwiące spojrzenie to potwierdza.

— Proszę także dopisać — odzywa się Agnes von Kleist — że panny klasztorne pragną, by oskarżoną gdzieś przenieść. Jej obecność bardzo źle wpływa, zwłaszcza na najmłodsze.

— Idę do siebie — oświadczam.

— Sama nie pójdziesz. Wciąż muszę cię pilnować — mówi Jost. — Pani Gorgo Hens, będzie jej pani towarzyszyć, jak wcześniej. A wy, junkrowie — jego głos jest protekcjonalny — od dzisiaj nie śpijcie na służbie. No, stało się, ale niech się nie powtórzy.

Wzdycha. Potem sprawdza, czy wszyscy patrzą, i zwraca się do mnie niemal współczująco:

— Sydonio. Tak bardzo pragnę, by te wszystkie zarzuty wobec ciebie zostały oddalone. Tymczasem wciąż dochodzą do nas wieści o kolejnych twoich ofiarach. O następnych poszkodowanych. Pastor Beatus Schachts, nasz wielebny, uskarża się, żeś go zaklęła, że przez ciebie choruje. I panny klasztorne cierpią. Jedna ma paraliż, druga niestrawność…

— Niech się nie zesrają — mówię, choć tak bardzo chciałam nad sobą panować.

— No i właśnie — rozkłada ręce Jost, niczym współczujący a zraniony ojciec. — Taka ty jesteś. Ja po dobroci, ty złym słowem.

Gryzę się w język. Znów mi to zrobił. Podpuścił mnie, poszczuł.

— Jak mówiłem. Najbardziej zależy mi na tym, by proces oczyścił twoje i moje nazwisko — kiwa głową. Zapamiętał się w tym teatrum i zapomniał. Odsłonił lewe, nisko osadzone ucho. Przeorysza wytrzeszcza oczy. Gorga też to widzi. Marszczy brwi. Ma lepszy wzrok, niż mówiła. W ślad za jej spojrzeniem patrzą obaj halabardnicy. Już zobaczyli jego ułomność. Jost zorientował się i lekko przekrzywił głowę. Włosy spadły mu na policzek tak naturalnie, jak kurtyna.

W nocy dręczą mnie koszmary senne. Śnię Szczecin, chodzę uliczkami i nie mogę wyjść na Wielką Tumską. Każdego przechodnia zatrzymuję i pytam o pastorową. Czy jest w Szczecinie? Nagle znajduję się przed bramą zamkową. Wołam do ciemnych, nocnych okien. Pytam księcia, czy się na mnie gniewa? Czy słyszał już, co te baby na mnie wygadują? Cicho, cicho — ktoś szepce — bądź już cicho. Nie będę — odpowiadam hardo we śnie. Nie pozwolę się uciszyć. I wtedy dociera do mnie, że szept płynął ze stołu. Szukam okularów, by dojrzeć, dlaczego. Nie mogę ich znaleźć, obraz mi się rozmywa. Widzę postać bez głowy stojącą pod oknem. Zlewa mnie pot, boję się, wręcz nie mogę się z przerażenia poruszyć. Na stole leży odrąbana głowa i mój tasak do porcjowania prosiąt. Głowa pastora Dawida Lüdecke szepce: cicho, cicho. Nie krzycz. Jak się chcesz ratować, to się otruj, moja droga Sydonio. Wiesz, jak to zrobić — mruga do mnie ta martwa głowa.

Chcę się obudzić. Ja wiem, że śnię. I wiem, że duch pastora ma rację. Powinnam się otruć. Otruć!

— Właśnie po to tu jestem — mówi w ciemności Gorga. — Żebyś tego nie zrobiła.

Dociera do mnie, że to już nie sen. Obudziłam się spocona, w skręconej i wymiętej pościeli. Słyszę szuranie. To ona, strażniczka, kręci się, by zapalić kaganek. W jego chwiejnym blasku sprawdzam, że na stole nic nie leży i nikt nie stoi pod oknem. Widzę, że Gorga jest w czepku i koszuli nocnej, na nią narzuciła kraciastą chustę. Siada ciężko na moim fotelu. Zrywam się i krzyczę na nią:

— Tu tylko ja mogę siedzieć!

— Dobrze, dobrze — mówi i wstaje. Przesiada się na krzesło. Przeciąga. — Ciekawe rzeczy panna gadasz przez sen. Bardzo ciekawe.


Po tym zajściu nie czuję się najlepiej, ale wzięłyśmy się z Metteke do roboty i jakoś mi mija. Zima za pasem, jest co robić. Półgęski ładnie doszły w wędzarni. Smalec wytopiłyśmy i garnce szczelnie owinęłyśmy płótnem, Metteke zniosła je do piwnicy pod refektarzem. Mnie tam pójść nie zezwolono, a piwa nic już niemal nie zostało, więc choć to nie było wygodne, zabrałyśmy się za warzenie w domu. Zawsze lubiłam słodowanie ziaren. Rozłożyłyśmy jęczmień na płaskich misach, zwilżałam go wodą, równomiernie, nie może pływać w wodzie, musi być tylko odpowiednio wilgotny. I trzeba czekać. Miałam do tego cierpliwość, czy trwało dwa, czy trzy dni, nieważne. Zawsze z bijącym sercem wyczekiwałam na efekt. Ja byłam jego sprawcą. Zmuszałam ziarno, by pękło i wypuściło biały kiełek. Tak. Sucha skorupka jęczmienia poddawała się pierwotnej sile, a ja, Sydonia Bork, patrzyłam, jak ten cud dzieje się na moich oczach. Pogoda nam dopisała, październik był słoneczny, jak rzadko. Gorga, patrząca mi na ręce, ale w jakiś sposób zainteresowana moją robotą, zgodziła się, bym suszyła słód na zewnątrz, na powietrzu. Trzeba to robić ostrożnie, kiełek nie może odpaść, bo w tej białej wypustce cała moc przyszłego trunku. Ziarno przeschło doskonale, był czas na prażenie. Metteke przyniosła z refektarza najmniejszą z naszych parzenic, tak, byśmy mogły ją ustawić tutaj, w małej kuchni. Prażenie było przyjemnością dla zmysłów. Dobrze przeschnięty słód wydawał tak słodki aromat.

— Zrobimy ciemne piwo, z wrzosem — powiedziałam, gdy zaczął się rozchodzić po izbie.

— Moje ulubione — powiedziała Metteke i przesunęła ziarna, by się podprażały mocniej.

Przestygło przez noc i rano wzięłyśmy się do kruszenia. Każda kolejna czynność przepełniała mnie spokojem, tak mi teraz niezbędnym. Kruszyłam w makutrze, ostrożnie, by nie zmielić ziarna na mąkę. Gdy było gotowe, Metteke nastawiła wodę w największym garze, jaki mogłyśmy zmieścić na domowej kuchni. Warzenie piwa było jak destylacja ziół. Wymagało odpowiedniej temperatury i cierpliwości. Mieszałam uprażony słód w podgrzanej wodzie, Metteke pilnowała jej ciepłoty. Nie może być za gorąca. Trzeba skłonić słód, by oddał swój uprażony aromat i smak do ciepłej wody. Przejście od ziarna do cieczy miało w sobie niezwykłą moc. Jakby kamień zamieniać w wino. Ostudziłyśmy wszystko i do małej kadzi, ostrożnie, przez sito i szmatkę zlałyśmy przecedzone. Dodałam naparu z chmielu i wrzosowy wyciąg. Osłoniłam kadź czystym, cienko tkanym lnem, obwiązałam, by żadna muszka tam nie wpadła, i odstawiłyśmy do fermentacji. To etap obarczony ryzykiem. Robisz wszystko dokładnie, jak trzeba, czynność po czynności. I teraz czas na sumę twych działań i siły natury. Tym razem, jak poprzednimi, ani ja, ani natura, nie zawiodłyśmy. Przy każdym kontrolnym mieszaniu sprawdzałam zapach. Był dobry. Ani kwaśny, ani gorzki. Pleśń się nie pojawiła. Po trzecim dniu fermentacji ostrożnie zlałyśmy piwo do czystej kadzi. Metteke z dna fermentacyjnej kadzi delikatnie zebrała drożdże, zamknęła i odłożyła na później. Jeszcze jedno cedzenie, przez najgęstszą szmatkę i przelałyśmy gotowe piwo do wyszorowanej beczki. Zostawiłyśmy sobie dzban, jak zawsze. Dobrze napić się takiego młodego, żywego piwa.

— Na zdrowie — powiedziałyśmy sobie i wychyliłyśmy po kubku.

— I już? To wszystko? — spytała zaskoczona Gorga. Przez ten cały czas patrzyła mi na ręce. — Warzysz jak każda jedna — powiedziała wyraźnie rozczarowana. — A ja myślałam, że masz tu jakieś tajemnice.

— Kto ich nie ma — wzruszyłam ramionami i podsunęłam jej dzban. — Chcesz spróbować?

Kiwnęła głową. Nalałam jej do kubka.

— Dobre — powiedziała. — Ale nic tu nie ma nadzwyczajnego.

— A czegoś się spodziewała? — spytałam rozbawiona.

Pokręciła głową, była zbita z tropu.

— No nie wiem — powiedziała. — Skoroś ty czarownica, jak mówią, to myślałam, że…

Przymknęłam na chwilę oczy. Byłam zmęczona. Upiłam jeszcze łyk, młode piwo tak dobrze szczypało w język.

— Gorga, Gorga — powiedziałam. — Mieszkasz ze mną drugi tydzień. Śpisz pod moim dachem, jesz przy moim stole, patrzysz, jak się przebieram do snu, jak chleb robię, i nadal wierzysz, że jestem czarownicą?

— Nie wierzę — powiedziała cicho Gorga. Lecz dodała po chwili surowo: — Ale one istnieją.


Jost postawił na swoim. Dzień później przybył ze Szczecina posłaniec od księcia Franciszka z wezwaniem, bym została przewieziona do Oderburga, zamku odrzańskiego.

— Proszę wysłać wiadomość do Szczecina — powiedziałam. — Do doktora obojga praw, Eliasa Pauli. Chcę się z nim spotkać niezwłocznie po przybyciu do Oderburga.

# Rozdział 2

# Akt oskarżenia.
# Memento mei

*Księstwo Pomorskie, Marianowo — Oderburg, rok 1619*

Na podróż ubrałam się starannie. Najlepsza suknia, wykrochmalona kryza, białe mankiety z czarnym haftem. Pod wyczyszczonym kapeluszem chusta od Asche. Kolczyki z perłą, choć dawno ich nie nosiłam. Płaszcz. Rękawiczki z rozcięciem. Potrzebne było mi już tylko jedno — na sygnet Jurgena. Tamtych pierścieni nie wykupiłam z zastawu. Może kiedyś. Rozcięć na rękawiczkach nie kazałam zaszywać. Wierzę, że się przydadzą.

Metteke także kazałam przystroić się godnie, w co miała najlepszego. Dałam jej nawet jedną ze swych jupek, tę z króliczym futrem, bo jej własny płaszcz nie nadawał się na dwór książęcy. Przysłano po nas powóz, nie był oznakowany herbem. Prócz stangreta było czterech junkrów pod bronią, konno. W piśmie zawarto informacje, że mam być przetransportowana dyskretnie, na popasach nie wolno mi rozmawiać z obcymi i nikt postronny nie powinien wiedzieć, kogo wiozą i dokąd. Kazano spakować mi rzeczy na, jak napisano, czas procesu, ale wozu na nie nie przywiedziono, więc oświadczyłam Jostowi, że dać musi go z Marianowa. Udawał zaskoczenie, ale był tak rad, że książę poddał się jego szantażowi, że dał wóz, woźnicę i konia. Metteke zagadała z jednym z junkrów, już ona miała na nich sposoby, a ten podpowiedział, żebyśmy wzięły swoją pościel i łóżka. Moje dało się łatwo rozłożyć, ale jej było tak grubo strugane, że prędzej by je porąbać siekierą niż wyjąć z ramy zagłówek.

— Dla mnie starczy materac — orzekła i tak właśnie zrobiłyśmy.

Wóz wypełnił się szybko. Moje łóżko, każdą część ułożono starannie, dwa materace, pościel, poduszki, dwa koce. Mała skrzynia z najpotrzebniejszymi naczyniami, kubki, miski, talerze, mosiężna lampa, zapas łoju do niej. Kazałam dorzucić miednicę, kto wie, co tam dla nas przyszykowano, a brudu nie znoszę. Mały kuferek ze szczotkami do włosów, grzebieniem, nożyczki, maść, woda do płukania ust, kawałek mydła. Potem szła skrzynia z bielizną i ubraniami, dorzuciłam do niej jeden zielnik i psałterz.

— Kiedy wrócimy? — spytała Metteke nie mnie, ale pustego domu. — W piwniczce świeże piwo, a dwa prosiaczki i dwie tłuste gęsi jeszcze biegają po podwórku — mówiąc o nich, załamała się. Łzy popłynęły jej po policzkach. Podałam jej chustkę i kazałam do kosza spakować jedzenie na drogę. Chleb miałyśmy świeży, wczoraj pieczony, a od Matyldy garniec miodu, przyniosła go rankiem. Gorga pozwoliła zabrać i nawet nie zaglądała pod przykrywkę.

Przejechałam dłonią po pustym blacie stołu. Przesunęłam świecznik, by stał równo. Uniosłam klepsydrę. Tyle razy mierzyła dla mnie czas. Przekręciłam ją i piasek zaczął się przesypywać z sykiem. Odstawiłam ją na półkę.

— Nic więcej panna nie bierze? — spytała strażniczka. Nie wiem, czy jej troska brała się z sympatii, czy z poczucia, że wraz z mym wyjazdem traci zajęcie i ważność.

Dość powiedzieć, że gdy powóz ruszył, Gorga machała nam chusteczką. Panny klasztorne wybiegły na podjazd. Przeorysza Agnes von Kleist trzymała się z tyłu, ale stała, póki nie upewniła się, że wyjechałam. Najmłodsze panienki tym razem nie stroiły żartów. Obyło się bez piosenek, wierszyków i robienia min. Myślę, że ten nieoznakowany powóz i czterech junkrów tak je uspokoiły. Prócz Gorgi machała nam tylko Matylda. I ja, z powozu, uniosłam do niej dłoń i życzyłam jej dobrze. Josta i Sperlinga nie widziałam, choć przypuszczam, że mogli z ukrycia patrzeć na mój wyjazd. Nim wsiadłam do powozu, dom zamknęłam na klucz. Teraz trzymałam go w dłoni, z całych sił zaciskając palce na chłodnym żelazie. Kiedy wyjechaliśmy za bramy domu dla panien w Marianowie, przypięłam klucz do łańcuszka przy pasie.

Druga połowa października, pełnia jesieni. Drogi były suche i przejezdne, podróż szła raźno. Na popasach nieco czekaliśmy na wóz, który jechał za nami, z tyłu. Gdy wjechaliśmy na podszczecińskie groble, gdy koła powozu zaturkotały na łączących je mostach, w mojej głowie odezwał się Joachim von Wedel. „Niektóre z nich są zwodzone". Jakże się ten człowiek zmienił na starość. Za ostatnim razem, gdy byłam w Szczecinie, wyzywał mnie, stojąc w oknie swego mieszkania. Krzyczał na całą ulicę, oskarżał o swoją chorobę, o paraliż. Dlaczegóż oni wszyscy skarżą się na paraliże? A Lupold von Wedel? Kolejny, który przed światem gra uczonego, a jak przyjdzie co do czego, chwyta za kij, bo rozmawiać nie potrafi. Siebie warci wszyscy.

Na moście Długim ruch był spory, jak zawsze, ale przy bramie, która od niego odchodziła, powóz się zatrzymał, a junkier, który dowodził moimi strażnikami, rozmawiał niespokojnie z tamtejszym dowódcą.

— Bramą Panieńską nie przejedziecie co najmniej do wieczora. Zablokowana, spójrz sam, wozy stoją w kolejce tak ściśle, że nie mają jak was przepuścić. Wypadek był — ściszył głos i nie dosłyszałam, co takiego zdarzyło się w bramie.

— Do Oderburga to najszybciej będzie Odrą — włączył się w rozmowę ktoś trzeci, kogo nie widziałam. — Zwłaszcza jak polecenie macie, żeby zatrzymanego dowieźć bez zbędnej sensacji. Wóz poślijcie, niech stoi w kolejce do bramy i dołączy do was później.

— Tyle, że na łódź chwilę trzeba poczekać.

Zatem czekaliśmy. Metteke była niespokojna, a trochę ciekawa. Nigdy nie płynęła Odrą.

— A panna? — spytała.

— Owszem — westchnęłam, przymykając oczy. — Dworską, ustrojoną i ukwieconą łodzią. W jednej pani i córki, w drugiej my, panny dworskie, w trzeciej grajkowie. Wioślarze ubrani jednakowo, w barwy książęce.

— Ach. To musiało ślicznie wyglądać.

— Owszem.

Wreszcie łódź przybiła do pomostu i kazano nam wysiąść. Straży bramnej niemal broń wypadła z rąk, gdy zobaczyli, że „zatrzymany" to kobieta, w moim wieku.

— Kto to taki? — pytali szeptem. — Kto to?

— Nie wolno nam powiedzieć — z dumą prężyli się junkrowie, a potem z szacunkiem poprowadzili nas na pomost i pomogli wsiąść do łodzi.

— Jak to dobrze, że nasz książę kazał pannę wywieźć z Marianowa — szepnęła z ufnością Metteke, gdy odbili i łódź wzięła kurs z biegiem rzeki, ku zamkowi odrzańskiemu. — W końcu nas traktują jak należy.

Mewy krążące nad rzeką zniżyły lot i zaskrzeczały nad naszymi głowami.

— Jakie zabawne — uśmiechnęła się Metteke, unosząc ku nim twarz. — I jakie bielutkie, czyściutkie. To na dobrą wróżbę.

Mewy zatoczyły krąg i rozpierzchły się. Wpatrywałam się w lewy brzeg, odliczając portowe pomosty. Przy Kurzej Stopce pusto, nikt nie cumował. Mignął mi szyld „Popiołka". Poczułam ciężar na sercu. Gdzie on jest? Gdzie Asche? Rozwiał się w moim życiu jak popiół. Udając, że przytrzymuję kapelusz przed wiatrem, dotknęłam chusty.

Dopłynęliśmy do ostatniego mostu. Na znak pokazany przez sternika podniesiono dla nas wielki bal strzegący wejścia i wyjścia z portu. To był most Kłodny i oto wypłynęliśmy poza miasto. Po lewej zaczęły się przedmieścia Dolnego Wiku. Na pomoście do prania kobiety rytmicznie tłukły kijankami namoczone ubrania i płukały je w wartkim nurcie. Dalej było miejsce do pławienia koni, ale nikt w chłodny jesienny dzień z niego nie korzystał. Za nim uchodził do rzeki Strumień Panieński. Potem cegielnia i wygon, na którym pasło się bydło.

— A ileż tutaj mew! — wyrwało się mojej służce, zwróconej w przeciwną stronę.

Spojrzałam za jej ręką. Całe stado kołowało z krzykiem nad małą odrzańską wyspą.

— Bo tam wyrzucają odpady z uboju, panienko — uświadomił ją junkier. — To Wyspa Kości, inaczej Łąka Rzeźników.

Metteke skurczyła się w sobie i aż do końca podróży nic więcej nie mówiła, o nic nie pytała. Wiatr wzmógł się, niskie chmury raz po raz przesłaniały słońce. Szło na deszcz.

Potężne mury zamku odrzańskiego widać było z daleka. Dwie wysokie wieże, trzecia niższa. Przybiliśmy do zamkowego pomostu i wtedy lunęło.

Na lądzie czekało na nas kilku ludzi. Brodaty mężczyzna przytrzymywał kapelusz, osłaniając się przed deszczem. Mnie było wszystko jedno.

— Paweł Zastrow, zarządca zamku — przedstawił się krótko. — Panno Sydonio von Bork, proszę za mną.

Elias Pauli stawił się po kilku dniach. Na widzenie musiał uzyskać zgodę księcia. Zajmowałyśmy dwie niewielkie izby w oficynie. Dla wygody w jednej kazałam ustawić swoje łóżko i siennik dla Metteke, w drugiej przebywałam za dnia. Zastałyśmy tam mały stół, dwa krzesła i jedną półkę. Jedzenie dostawałyśmy z książęcej kuchni; nosić wodę i sprzątać musiała sama Metteke. Drzwi pilnował strażnik, ale bez halabardy.

— Panno Bork — przywitał się Elias Pauli. — Znamy się niemal pięćdziesiąt lat, a panna zawsze w nienagannej kryzie.

— Owszem, choć kryza nie ta sama — powiedziałam. — Zapraszam.

Postarzał się. Gdy pierwszy raz go widziałam, był nieopierzonym młodzianem, teraz siwizna obdarzyła go powagą, lecz brwi wciąż miał ciemne. Głębokie bruzdy i zmarszczki dodały mu urody, przynajmniej w moich oczach.

— Zważywszy na położenie, w jakim się panna znalazła, zapewniono pannie dobre warunki — orzekł i usiadł na krześle, które mu wskazałam.

— Czego udało się panu dowiedzieć? — spytałam.

— Nie za dużo — powiedział. — Póki nie jestem oficjalnym obrońcą, sąd nie mógł mi udzielić informacji. Zaś z ustanowieniem obrony musimy się wstrzymać do czasu postawienia pannie ewentualnych zarzutów.

— Rozumiem że czegoś jednak się pan dowiedział — wyłowiłam z tych gładkich zdań.

— Naturalnie — uśmiechnął się tak samo nieśmiało jak przed laty. — Mam przyjaciół tu i tam, rozpytałem się. Póki co, prokurator Lüdecke dysponuje wyłącznie niepotwierdzonymi zeznaniami panien zakonnych.

— Co to znaczy?

— Że spisano te zeznania, są w aktach, to akurat niedobrze, ale panny klasztorne nie potwierdziły tych zeznań pod przysięgą.

— Nie mają mocy?

— Nie powinny mieć, ale… — spojrzał na mnie siwymi, uczciwymi oczami. — Sama panna rozumie. Sędziowie mogą przeczytać te bzdury i wyrobić sobie jako takie zdanie. To, co oficjalnie na pannę mają, to potwierdzone przysięgą zeznanie Wolde Albrechts oraz jej powołanie, a także waszą konfrontację, która wypadła według Lüdecke na korzyść Albrechts, bo ta nie odwołała powołania panny.

— Do procesu o czary potrzebne są oskarżenia dwóch osób — przypomniałam.

— Owszem, ale powołanie przez skazaną czarownicę wystarczy. Ba, jest nawet mocniejsze. Poza tym teraz, po wyjeździe panny z Marienflies, prokurator Lüdecke łatwiej może uzyskać od zakonnic zeznanie pod przysięgą.

Tak — dociera do mnie. — Te wariatki powiedzą, że się mnie bały. Teraz mogą zeznać, co im się podoba.

— Zatem co dalej? — pytam pana Pauli.

— *Constitutio Criminalis Carolina*, a nim posługujemy się w księstwie, przewiduje w przypadku oskarżenia o czary proces inkwizycyjny. To proces świecki, proszę się nie obawiać, ale oznacza, że naczelną rolę w nim gra oskarżyciel. Niepotrzebna jest ofiara, ani poszkodowani. Powołanie, albo jak w przypadku dwóch świadków, przekonanie, że ktoś uprawia czarostwo, wystarczy. Kiedyś było inaczej, dawniej poszkodowany musiał udowodnić, że odniósł szkodę w wyniku działań osoby, której zarzucał stosowanie czarów. W procesie inkwizycyjnym oskarżyciel, mając do dyspozycji całą paletę środków, będzie zmierzał do udowodnienia winy.

— Jakie to środki? — spytałam.

— Przesłuchania oskarżonego, szukanie dowodów winy, ostatecznie tortury — spojrzał na mnie przelotnie i spuścił wzrok.

— A świadkowie? — zapytałam.

Westchnął.

— Z tym jest kłopot, proszę zrozumieć dobrze. Świadkowie w procesie o czary są najsłabszym ogniwem. Nikt nie chce zeznawać, bo świadek może być posądzony o współudział. To logiczne, skoro wie, że ktoś używał czarów, to jest niejako współwinny.

— Ja pytam o świadków obrony — podkreślam.

— Najlepiej, gdy mogą po prostu powiedzieć, że oskarżony jest osobą uczciwą, pobożną i że w ich mniemaniu nie mógł zrobić nic złego. Ale o świadkach obrony można będzie myśleć, gdy zostaną pannie postawione zarzuty. Chciałbym dzisiaj wspomnieć to i owo o świadkiniach oskarżenia. Mam na myśli oskarżenia niepotwierdzone przysięgą…

— …które i tak sędziowie mogą sobie przeczytać — powtórzyłam ponuro.

— Wśród zarzutów, które się powtarzają, jest ten, że panna klnie strasznie, że jest harda, nieustępliwa.

— Mogę nie komentować? — pytam. Elias Pauli uśmiecha się. Dwie głębokie bruzdy na policzkach układają mu się w ładne linie podkreślające kształt szczęki.

— Panny klasztorne, zwłaszcza Dorotea Stettin, często powołują się na nieżyjącą przeoryszę Petersdorf. Często jest powtarzane, że ona nie chciała pojednać się z panną przed śmiercią.

— To akurat jej wina, nie moja.

Pauli znów śmieje się i kontynuuje:

— Przywoływana jest jakaś sytuacja w kościele, że się jej panna odgrażała i pokazała „żywy krzyż". Co to takiego? — pyta.

— Skąd mam wiedzieć — odpowiadam, wzruszając ramionami.

— Niejaka Hebron, Anna Hebron, dużo mówiła o kontaktach panny ze skazaną Wolde, że ponoć panna kazała tej Wolde zapytać się jej diabła, czy może dostać jakiegoś Wedige za męża.

— Wedige von Wedla — wyjaśniam.

— Coś takiego miało więc miejsce? — pyta Elias i patrzy na mnie pilnie.

— Owszem — uśmiecham się. — „Na Świętego Andrzeja dziewkom z wróżby nadzieja".

— Ach, oczywiście — teraz on się śmieje.

— Pytałam też o Zygmunta von Wedla — dodaję. — Nie wiem, czy Hebron to zapamiętała.

— Ta sama Hebron mówiła prokuratorowi, że wypytywała panna tego diabła Wolde, czy panny klasztorne są dziewicami.

— Tylko diabeł może to wiedzieć — mówię z powagą.

Pauli nie wytrzymuje, parska śmiechem.

— I dalej, pozostając w temacie, ponoć powiedziała panna, że nieżyjący pastor Dawid Lüdecke i Dorotea Stettin, za przeproszeniem, używają sobie za ołtarzem — Pauli zerka na mnie ciekawie.

Wzdycham, przewracam oczami.

— To akurat prawda — mówię. — I, za wybaczeniem pana moralności, nie było w tym żadnego czaru. Zwykłe obściskiwanie, dość niesmaczne, zważywszy na wiek pastora.

Pauli rumieni się. Nie wierzę, że mężczyzna w jego wieku, z takim doświadczeniem, może dostawać rumieńca na myśl o tajemnym sam na sam.

— Panna to widziała, tak?

— Owszem, ale jak się okazuje, nie ich wina, że się gzili, tylko moja, że ich przyłapałam.

— Rozumiem — mówi adwokat. — A pannie Sydonii ten pastor składał niestosowne propozycje? Bo tak mam w zeznaniach.

— Nawet jeśli, nie przykładałam do tego żadnej wagi. I żadnego nie miał u mnie posłuchu.

— Naturalnie. A „Katzgrau Sau"?

— To przeorysza, Agnes von Kleist — oświadczam.

— Nazwała ją panna „kocioszarą maciorą"? — unosi brew.

— Tak właśnie. Choć maciora, którą miałam w zeszłym roku, powinna się na to pogniewać. Zacna z niej była świnka, w przeciwieństwie do tej larwy, przeoryszy.

Elias Pauli przygryza wargę, oczy mu się śmieją.

— A „Niech Belzebub cię uderzy, niech trafi cię szlag, niech panny cię gonią"? — pyta.

Wzruszam ramionami.

— „Niech trafi cię szlag", owszem, często zdarzało mi się zakląć. „Niech trzepnie to Belzebub" może nieładnie, ale tak, jak mnie zdenerwowały. Zwykłe przekleństwa, nic takiego.

— Zgadzam się.

Chyba, że weźmie się do tego dziewczęcy fartuszek i w obecności małego dziecka otrze się nim koński brzuch, wypowiadając wszystko od końca. Wtedy koński skręt kiszek minie, jak ręką odjął. Ale w obecnej sytuacji nikomu to niepotrzebne — myślę. — Niech sami sobie leczą swoje konie.

— A czym jest zwierciadło saskie? — pyta.

Musiałam kiedyś nie zamknąć domu — konstatuję. — I te jędze węszyły mi po kątach.

— Wiele się o nim mówi — odpowiadam Eliasowi Pauli — i jak, to w plotkach, co opowieść, staje się coraz potężniejsze.

— Ma panna Sydonia takie zwierciadło?

— Nie.

— Chim — mówi Elias Pauli. — Wszystkie one zeznają, że ma panna diabła pod tym imieniem.

— Miałam kota, którego tak nazywałam. Później psa i nosił to samo imię, jestem wierna i przywiązuję się — uśmiecham się do niego.

— A wróbel? — pyta o to, co padło na konfrontacji z Wolde.

— Wróbelków całe chmary — uśmiecham się.

— Chim to zdrobnienie od Joachim, dobrze rozumiem?

— Tak.

— Co oznacza „zamodlić kogoś na śmierć? — pyta Elias Pauli.

— Potworne sformułowanie — kręcę głową. — Tak dziwaczne, że mogło powstać tylko w umysłach panien klasztornych, które opacznie rozumieją modlitwy i źle czytają psałterz. W ogóle kiepsko i mało czytają.

— Nie zamodliła panna na śmierć Ottona von Bork, swego bratanka?

— Zapił się. Każdy kto go zna, potwierdzi — odpowiadam.

— Dobrze, to ważne — odpowiada Pauli. — I teraz ostatnie pytania. Proszę się dobrze zastanowić nad odpowiedzią.

Jesteśmy w książęcym zamku — myślę. — Tu ściany mogą mieć uszy.

— Panno Bork — mówi Elias Pauli — czy miała panna coś wspólnego ze śmiercią księcia Filipa?

— Nie — odpowiadam — choć w jakimś sensie mogłam się jej domyślić.

— Co to oznacza?

— Gdy zmarł książę Bogusław, ojciec księcia Filipa, to w klasztorze widziano trójnogiego zająca. Po prostu skądś przykicał. Siedział w słupku, brakowało mu łapy z przodu, dlatego go zapamiętałam. Parę dni później dowiedziałyśmy się, że książę Bogusław skonał. Więc, kiedy dwanaście lat później taki sam zając pojawił się w Marianowie, powiedziałam głośno, że to może oznaczać podobne nieszczęście.

— Nic więcej w związku z tą sytuacją nie zdarzyło się? — dopytuje.

— Nic więcej nie pamiętam — mówię.

— Dlaczego uciekła panna przez mur klasztorny? — pyta szybko, jakby chciał mnie zaskoczyć.

— Nie uciekłam — wzruszam ramionami. — Ściągnęli mnie z drabiny.

— Tak — kiwa głową — źle się wyraziłem. Dlaczego?

— Marianowo to matnia. Zarządcy wyrokują we własnych sprawach, manipulują przeoryszą i pannami, proszę mi wierzyć, to nie jest trudne. Wiedziałam, że nie uzyskam tam nic dobrego. Chciałam do Szczecina, do księcia. Do prawdziwego sądu, w którym mnie ktoś uczciwie wysłucha.

— No to witamy w Szczecinie — mówi Elias Pauli. — Na koniec mam dobrą wiadomość. Panny odpowiedzi są dla mnie zadowalające. Spójne, sensowne wyjaśnienia. Jest panna wiarygodnym świadkiem i co najważniejsze, szlachcianką. W sądzie szlachcic jest równy dwóm mieszczanom. Według mnie oskarżenia są całkowicie niepoważne i powinniśmy obronić pannę nawet przy procesie inkwizycyjnym. Oczywiście, o ile nie pojawią się żadne mocniejsze zarzuty.

Oddycham z ulgą i zbieram się w sobie.

— Panie Pauli, teraz ja muszę panu wyjaśnić, jakie są prawdziwe przyczyny tych oskarżeń — mówię.

— Nie rozumiem — marszczy brwi i pociera czoło. Chyba jest już zmęczony. — To nie sprawa Wolde?

— Nie — mówię. — To sprawa Josta von Bork, mojego kuzyna.


Książę Franciszek ćwiczył pchnięcie i zasłony. Fechmistrzowi pot już płynął po czole, ale nie mógł zarządzić końca ćwiczeń, skoro jego pan był w formie. Stary Mieczko, błazen, siedział w fotelu książęcym, który kazał sobie przyciągnąć do lustra, i przeglądając się, udawał, że kijaszkiem powtarza książęce sztychy. Franciszek codziennie dbał o sprawność i wydolność. Lubił rapier, lubił zwinność i siłę, której ten wymagał, oraz to, co je łączy, niezwykłą koordynację ruchów całego ciała. Ćwiczył precyzyjne sztychy i śmiertelne pchnięcia, oczywiście te ostatnie jedynie udawali podczas ćwiczeń. Znał szkołę italską i francuską, obie poznał podczas podróży. Jako młodzian odwiedził Italię, tam nauczył się walki na obie ręce, w prawej rapier, w lewej sztylet, postawa niska, na szeroko rozstawionych nogach. Lubił też walkę z puklerzem, a jeszcze lepiej, z płaszczem służącym za broń. Dużo później był w podróży do Francji i gdy w Marsylii czy Paryżu jego towarzysze oglądali pałace i kościoły, on w szkole rycerskiej uczył się nowych technik fechtunku. Pochodziły z Hiszpanii i były rodzajem tańca z rapierem. Doskonale wyważone pozycje, wymierzone kroki, wyliczone ruchy.

— Dziękuję! — zawołał do fechmistrza. Ten skłonił mu się nisko, Franciszek oddał ukłon i skinął na pokojowca z ręcznikiem. Otarł czoło. Potrafił być nieustępliwy nie tylko na sali ćwiczeń, po szczecińskim przeglądzie wojsk pomorskich zorganizował kolejny, w Poczerninie. Termin wyznaczono za dwa tygodnie.

— Jutro o tej samej porze — przypomniał fechmistrzowi.

Nie obrażę go propozycją, by zastąpił go drugi fechmistrz — pomyślał. — Po prostu zaproszę Matzke von Borka i zrobimy sobie później kolejną rundę.

Błazen Mieczko zasnął w fotelu. Naprawdę miał swoje lata. Franciszek pokazał służącemu, by nakrył staruszka kocem, byle cicho.

Końca fechtunku wyglądał jeden z sekretarzy, teraz ruszył do Franciszka energicznie.

— Panie, ten uczony czeka od godziny — przypomniał. — Walentin Winther.

— Wiem, wiem. Tym razem przygotowałem się. Już idę.

Pokojowiec pomógł mu założyć wams, Franciszkowi wciąż było gorąco po fechtunku. Jeszcze raz przetarł czoło, napił się lekkiego piwa, poprawił kołnierz i wyszedł z sali ćwiczeń.


Winther stał w gabinecie. Gabinet Franciszek przejął po bracie, kazał tylko wynieść z niego te wszystkie kurioza i dziwaczne kolekcje, bo nie było miejsca, by usiąść i w spokoju list napisać. Teraz, gdy Franciszek wkroczył do gabinetu, uczony ukłonił mu się nisko.

— Książę — zaczął — twój świętej pamięci brat zlecił mi napisanie...

— Wiem, wiem, wiem — przerwał mu Franciszek. — Spocznij, proszę. Przy okazji, co sądzisz o moim projekcie, by Pedagogium zamienić na stajnie? Mało tam teraz uczniów.

Winther westchnął głęboko i powiedział:

— Nie przysporzysz ich, książę, pokazując, że konie dla ciebie ważniejsze od nauki. I, gwarantuję, że każdy jeden wykształcony Pomorzanin więcej znaczy niż nawet najlepiej wyszkolony koń. Na chwałę twego imienia proszę, zaniechaj tego pomysłu.

— Zastanowię się — rzucił Franciszek dotknięty do żywego i przeszedł do kontrataku. — Zapoznałem się ze wstępem do twej pracy i przyznaję, byłem zdumiony. Skąd taki pomysł, by szukać protoplastów naszej dynastii wśród Gotów? „Żyjący około sześciuset lat po Chrystusie możny Got..." — Franciszek cytując z pamięci, nieco drwił — „imieniem Baltus albo Gryphus, był przodkiem zacnej dynastii książąt Pomorza". Walentinie Winther, nie wstyd ci? Przecież każdy z nas kończył studia, uczył się o księciu, wnuku Mieszka, kto uwierzy w te bzdury?

Walentin Winther ani się nie zarumienił ze wstydu, ani nie zbladł ze strachu. Lekko przekrzywił głowę i słuchał cierpliwie. To nieco wytrąciło Franciszka z równowagi.

— No dobrze — powiedział. — Pisałeś na zlecenie Filipa. Mów, po co mój nieodżałowany brat kazał ci zmyślać takie rzeczy.

— Książę Filip studiował historię bardzo pilnie — odrzekł Winther. — I wraz z upływem czasu i obserwacją rzeczywistości nabrał pewnych podejrzeń.

— Słucham? — nie zrozumiał Franciszek.

Winther westchnął głęboko, a potem spytał:

— Panie, czy przeglądałeś rzeczy po zmarłych stryjach?

— Po Janie Fryderyku odziedziczyłem kolekcję broni i przyznaję, przejrzałem ją dokładnie. Jest jeden hiszpański rapier stryja, którego używam — odpowiedział Franciszek.

— A zapiski? Notatki prywatne? — dopytał Walentin Winther.

— Nie — oświadczył Franciszek. — Po cóż miałbym to robić?

Uczony przez chwilę nie odpowiadał, ale przyglądał mu się uważnie, jakby książę był egzotycznym ptakiem, dziwnym zwierzęciem, lub innym eksponatem z kolekcji zmarłego Filipa.

— Otóż książę, twój brat przeglądał schedę po swych poprzednikach bardzo dokładnie, nakazał zresztą jej skatalogowanie. I wśród rzeczy osobistych wspomnianego przez księcia Jana Fryderyka znalazł coś, czego tropem poszedł, bo wzbudziło w nim duży niepokój.

— Od zagadek bardziej lubię ich rozwiązania — powiedział Franciszek. — Zatem?

— Sugeruję, byś sam zobaczył, panie. Kufer Jana Fryderyka — wskazał dokładne miejsce, gdzie tenże stał.

Zaintrygowany Franciszek podszedł do kufra, chwycił wieko. Nie drgnęło.

— Klucz książę Filip trzymał w trzeciej szufladzie po lewej. Oczywiście, w skrytce szuflady — powiedział Winter.

Pojęcia nie miałem, że szuflady biurka mają skrytki — pomyślał Franciszek, ale nie skomentował tego głośno. Nie chciał wyjść na większego ignoranta, niż sugerował Winther.

Znalazł klucz, zresztą nie jedyny w owej skrytce, otworzył kufer.

— Na co mam patrzeć? — spytał Walentina Jurgi, bo wnętrze skrzyni wypełnione było po brzegi.

— Książeczka w wypłowiałej purpurowej oprawie. Właściwie sztambuch.

Znalazł go bez trudu. Przyniósł do biurka, siadł i przekartkował. Jakiś detal kolumny, drobne rysunki, sentencje łacińskie, w tym powtarzane w wielu wariantach „Memento mei" i…

— Czyj to portret? — zainteresował się. — To na pewno nie ciotka Erdmuta.

Patrzył na zręcznie wymalowany wizerunek młodej kobiety. Płomiennorude włosy w długich splotach opadały jej na ramiona i plecy. Na włosach czepek z kilku rzędów pereł. Perły w uszach. Czarna sukienka. Kryza. Zieleń oczu, czerwień ust. Ledwie pięć kolorów farb i oszczędne ruchy pędzla. Rysunki w sztambuchach były rzeczą powszechną, czasem zadawano sobie trud i brano dwie barwy atramentów, ale ten portret był namalowany.

— To właśnie powód niepokoju twego brata i jego poprzedników. Księcia Barnima Starego, Młodego, waszego ojca Bogusława.

— Czy to matka nieślubnej córki mego stryja? — domyślił się.

— Nie, panie. Matką panny Katheriny, po mężu pani Rambow, była, przykro powiedzieć, zwykła służka.

— Ty wiesz, kto to jest? — spytał i poczuł, jak zasycha mu w gardle.

— Tak, panie — odpowiedział Walentin Winther. — To Sydonia von Bork.


Jakże mogłabym spokojnie spać w murach Oderburga, skoro to miejsce było świadkiem? Nie ono jedno, ale to szczególne wspomnienie teraz nawiedza mnie każdej nocy i nie chce opuścić. O ileż łatwiej było nie pamiętać w Strzmielu, Marianowie, Krzywnicy, Krępcewie, Resku, Stargardzie. Ale tutaj, każda cegła szepce do mnie: widziałyśmy i pamiętamy.

To była jedna z szalonych maskarad. Zapusty młodzi książęta wyprawiali hucznie, a Saska Lwica godziła się na każdą ich fanaberię. Z Wołogoszczy do Oderburga jechaliśmy saniami, po drodze ten okropny nocleg w dawnym klasztorze w Słupie. Następnego dnia jazda po zamarzniętym zalewie. Stary książę Barnim, jeszcze wtedy u władzy, urzędował na szczecińskim zamku. Oderburg przystrojono, muzycy grali w nocy z galerii na piętrze, gdy kolejne sanie orszaku wjeżdżały na oświetlony pochodniami dziedziniec. Junkrowie, dwórki, parę matron, marszałek dworu. Potem były tańce z maskami. Tylko księżna wdowa wymówiła się od maskarady i udała na spoczynek, poza nią udział wzięli wszyscy. Nawet ochmistrzyni i marszałek Schwerin trzymali w rękach maski, którymi raz po raz zasłaniali twarze. Elisabeth von Flemming zamówiła dla siebie czerwoną, złożoną jakby z płatków, przez co przypominała kwiat maku. Moja była z lśniących piór czarnych i białych.

Jego zielona i złota, z nakładanych na siebie łusek, połyskliwa jak skóra węża. Tanecznym korowodem okrążaliśmy zamek, dziewczęta czasem piszczały, gdy jakieś niespodziewane schody stanęły nam na drodze, albo w zakręcie korytarza gasła pochodnia. Na drugim piętrze łańcuch dłoni pękł. Ktoś pobiegł za szybko, ktoś nie zdążył. Wśród śmiechów i okrzyków korowód się rozsypał, jak przewrócony kosz owoców.

Wyrósł przy mnie nagle, mocno chwycił za rękę i porwał w przejście między komnatami. Zamknął drzwi, przekręcił klucz i tak, po raz pierwszy w życiu byliśmy sami. Nie zmarnowaliśmy ani chwili na słowa, konwenanse, niepotrzebne pytania. Rzuciliśmy się ku sobie jak zgłodniałe zwierzęta. Pierwszy pocałunek był tak gwałtowny, jakbyśmy chcieli sobie wykraść oddechy. Rozbieraliśmy siebie nawzajem, choć ja robiłam to pierwszy raz w życiu i zupełnie niewprawnie. Śmialiśmy się przy rozwiązywaniu gorsetu, ale gdyśmy już byli nadzy, na krótką chwilę stanęliśmy naprzeciw siebie w bezruchu i czuliśmy, jak przepływa między nami fala gorąca. Od niego do mnie. Ode mnie do niego. Trwało to mgnienie. Blask księżyca wpadający przez zamkowe okno. Zimny i blady. Nawet jeśli chciał nas schłodzić, to daremnie. Wpadliśmy w siebie jak w głęboką wodę. Pragnienie wzbierające od tygodni wybuchło i do dzisiaj się dziwię, że nas nie spaliło. Kochaliśmy się gwałtownie i czule, odbierało nam oddech, oddawaliśmy go sobie z ust do ust. Nie zdążyliśmy wypowiedzieć ani jednego słowa. Nasyciliśmy się, a zostaliśmy złaknieni i głodni. Muzyka ucichła, nie zorientowaliśmy się kiedy, potem umilkły śmiechy i głosy bawiących się. Goście chyba udali się na spoczynek. Właśnie wyciągałam po niego ręce, by znów poczuć jego puls w sobie, gdy do drzwi załomotano. Wstrzymaliśmy oddech.

— Jest tam kto? — zawołał zza drzwi Ernest Ludwik.

Trwaliśmy w bezruchu, aż sobie poszedł, i dopiero wtedy Jan Fryderyk okrył nas oboje swoim płaszczem i zamknął mnie w ramionach.

— Czekałem na tę chwilę całe życie — powiedział mi do ucha. — Musiałem znać cię, zanim się spotkaliśmy, bo teraz czuję, jakbym dopłynął do przystani.

— Mogłabym powiedzieć to samo — odrzekłam mu i tak właśnie było. — Jakbym odzyskała cię po setkach lat.

Po tym wyznaniu kochaliśmy się znowu, ale już spokojniej, bo w końcu wszystko było wiadome. A jednak i jego i moją głowę musiały zaprzątać ciężkie myśli, bo później powiedzieliśmy sobie:

— Od tej chwili nic nie będzie łatwe.

Tak, oboje to wiedzieliśmy. Ale miłość, która zawładnęła nami, była silniejsza niż lęk.

— Twój brat... — zaczęłam.

— Wiem, że za tobą chodzi, że się zakochał, rozumiem. Ale to dzieciak. Jeśli nas zobaczy, jest gotów do najgłupszych posunięć.

— Rozłączą nas prędzej czy później — powiedziałam, bo przecież to było dla nas oczywiste.

— Więc niech to będzie najpóźniej — odpowiedział i od tej pory to stało się dla nas najważniejsze.

Osłanialiśmy tę miłość z największą uwagą, a nagrodą były ukradkowe dotknięcia, spojrzenia i rzadko, ale tak: schadzki. Staliśmy się mistrzami ukrywania. Ernest Ludwik przeczuwał coś, bo jak inaczej wyjaśnić, że zaczął nastawać na mnie coraz natrętniej? Szukał mnie, znajdował chwile, gdy szłam gdzieś sama. Czułam się zaszczuta, jak zwierzyna łowna.

Jan Fryderyk mówił, że współczuje bratu, że gdybym nie odpowiedziała na jego uczucie, zwariowałby. Ja byłam zakochana. Igrałam z ogniem, jak powiedziała Elisabeth von Flemming, choć nie miała pojęcia, co mówi. Cały dwór widział, że adoruje mnie Ernest Ludwik, nawet Saska Lwica była tego świadoma, i to stało się naszą tarczą. Wszyscy patrzyli na młodszego z braci i Sydonię. Nikt nie widział starszego. Mówiłam sobie, że nie zawiniłam cierpieniu Ernesta Ludwika, bo niczego mu nie obiecałam, nie dałam żadnego powodu ni przyzwolenia dla rozkwitu jego nieszczęśliwej miłości, ale tak, może moją winą było, że pozwoliłam, by wszyscy myśleli, że jest, jak nie było. Ukryłam jedną tajemnicę pod drugą. Potem zaś wszystkie zaczęły się plątać. Aż do tamtej chwili, gdy Jan Fryderyk powiedział do mnie:

— Mam plan tak obłąkany, że sam nie wiem, zły czy dobry.

Jego oczy rzeczywiście były szalone, ale takimi je widywałam w rzadkich chwilach, gdy byliśmy sami.

— Nie umiem sobie wyobrazić, że kiedyś nas rozłączą — powiedział. — Sama myśl o tym wydaje mi się koszmarem, Sydonio.

— Nikt nie pozwoli ci mnie poślubić — wypowiedziałam na głos to, o czym wiedzieliśmy. — Będziesz księciem zwierzchnim, to po prostu nie jest możliwe.

— Tak, ale Ernest Ludwik nie dziedziczy — odpowiedział i ujął moją twarz w dłonie. — Jemu matka pozwoliłaby na takie szaleństwo. — Wpatrywał się we mnie tak intensywnie, aż lśniły mu bursztynowe tęczówki.

— Nie — powiedziałam. — Nie poślubię Lutza.

— Wiem, brzmi jak szaleństwo, ale wtedy do końca życia bylibyśmy blisko. Pomyśl. Jako moja bratowa... wspólne wyjazdy, polowania, spotkania rodzinne...

— I łóżko twego brata — odrzekłam.

Ochłódł. Tak, to było mu nie w smak, ale myślał o tym wcześniej, bo powiedział szybko:

— I tak każde z nas będzie dzielić łoże z kim innym. Zastanów się, proszę. Gdybyś została jego żoną, prędzej czy później, za tę karę, dostalibyśmy nagrodę.

— Skąd myśl, że Ernest Ludwik odważy się postawić całej rodzinie? — spytałam, bo przez chwilę obłęd tego pomysłu wydał mi się całkiem logiczny.

— Nie widzisz go? Chodzi jak struty.

— Widzę — potwierdziłam ze smutkiem.

— Podsłuchałem jego rozmowę z Barnimem — powiedział po chwili.

— Ze starym księciem?

— Z naszym młodszym bratem, z tego co mówił, rozumiem, że mierzy się z decyzją.

Nie dokończyliśmy tamtej rozmowy, przerwało nam wejście służby, zaraz potem wezwano mnie do doktora Hogenberga, Elisabeth von Flemming była chora, należało odebrać maści. Potem wszystko potoczyło się jak burza, która niespodziewanie uderzy w napięty żagiel, zerwie go i łamiąc maszt statku, wepchnie łódź pod fale. Kiedy wracałam od doktora, Ernest Ludwik zdybał mnie w korytarzu, wyznał miłość i padł przede mną na kolana, a zobaczyła to Otylia von Dewitz. Przez tydzień udawałam chorobę, by zyskać na czasie. Gdy wreszcie wyszłam z naszej komnatki, Ernest Ludwik poprosił mnie o rękę. Nie miałam w głowie „tak" ani „nie", bo obłąkany pomysł Jana Fryderyka wciąż budził mój sprzeciw. Z ulgą przyjęłam wieść o śmierci mojej matki i konieczność wyjazdu do domu. Sądziłam, że to da mi czas do namysłu. Nie miałam pojęcia, że pod moją nieobecność wszystko się zmieni. Że nie będę miała do czego wracać. Że już nie będzie aktualna propozycja Ernesta Ludwika.


Książę Franciszek siedział w gabinecie, który wcześniej należał do jego brata, ojca i stryjów. Trzymał w ręku obity w czerwony jedwab sztambuch Jana Fryderyka, wciąż otwarty na portrecie Sydonii von Bork. Wpatrywał się w nią. Czy stryj sam potrafił tak malować? Czy może zlecił portret? I najważniejsze:

— Dlaczego wizerunek Borkówny znalazł się w rzeczach Jana Fryderyka?

Walentin Winther był w jego wieku, nie mógł znać tamtych czasów, tak samo jak i Franciszek.

— To właśnie jest zagadką, ponoć książę Filip znalazł jakiś trop w rzeczach księcia seniora Barnima, ale niestety, nie zdążył się nim ze mną podzielić.

— Znam plotki o stryju Erneście Ludwiku i tej pannie — wzruszył ramionami Franciszek. — Może obaj się w niej podkochiwali?

— To najbardziej prawdopodobne wyjaśnienie — potwierdził uczony.

— Jak pan wie, przyjaźnię się z Matzkem von Bork — powiedział Franciszek po chwili. — Ta plotka o Sydonii i księciu Erneście… Kiedyś, po kilku kielichach wina poruszyliśmy ten temat, przyznam, dość niewybrednie. Powiedziałem, że nawet jeśli propozycja została złożona, to Borkówna musiałaby być głupia, by wziąć ją poważnie.

Franciszek w głowie odtwarzał tamtą scenę. Byli bardzo młodzi, to było w którejś z niderlandzkich tawern. Gdy to powiedział, Matzke spojrzał na niego tak dziwnie, jakby nie znali się wcześniej. Wściekł się, później opanował nerwy.

— Przyjaciel Bork odpowiedział mi: „Znasz historię waszego księcia Świętobora?". Ja mu na to: „Nie wiadomo, czy taki w ogóle istniał, to postać z legendy". A Bork wtedy ostro, pamiętam, że to mnie zdziwiło: „Wy, Gryfici, wolicie zaczynać swój ród od jego synów, Warcisława i Racibora, bo nie chcecie pamiętać, że tego Świętobora z Pomorza przegnano". I przyznam, że brzmiało to pogardliwie. „Co to ma wspólnego z Sydonią von Bork?" spytałem przyjaciela, a on skrzywił się i rzucił: „Niewiele wiesz, mój książę" i nic nie chciał wyjaśnić. Nigdy więcej nie wracaliśmy do tego. Udawaliśmy, że byliśmy pijani i że tej rozmowy nie było. Skoro Matzke von Bork uznał, że czegoś nie wiem, może pan, panie Winther, pomoże mi to zrozumieć.

Walentin Winther zdawał się czekać na to zadanie, ale był świetnie wychowany i nie skomentował ani nie wypomniał, od ilu tygodni domaga się posłuchania. Po prostu skinął głową i powiedział:

— Skoro przysłowie mówi, że coś jest stare jak Bork i diabeł, musimy zacząć od początku, od najstarszych dziejów. Jak wynika z dokumentów, Pomorze od dawien dawna stanowiło obszar, z którego cesarstwo ściągało trybut. Gdy zdobył je Mieszko, choć na krótko, on był obowiązany płacić cesarzowi. Książę ten zostawił po sobie pierworodnego, Bolesława Chrobrego i synów młodszych, z margrabianki Ody. Bolesław nie zamierzał się dzielić władzą z młodszymi braćmi, synami macochy.

Franciszek otworzył usta, chciał przypomnieć, że świetnie zna tę historię i sam wspominał o niej podczas poprzedniego spotkania. Ale zaniechał. Wtedy, koniec końców, się zbłaźnił. Teraz postanowił słuchać. Walentin starał się być zwięzły:

— Wygnał braci z kraju. Ich matka, wciąż ustosunkowana w Rzeszy, wpłynęła na króla Niemiec i ten powierzył jednemu z jej synów Pomorze. Potem cesarz potwierdził tę donację i ostatecznie, w majestacie prawa, objął je wnuk Mieszka. Stąd się wzięła dawna nienawiść między Pomorzem a Starszą Polską. Z tego wygnania. Z gwałtownego rozerwania braterskich więzów. Wasi przodkowie za nic nie chcieli zostać pod znakiem orła, który już wówczas wziął na chorągiew Bolesław, a za nim jego synowie. Ale rządzić Pomorzem nie było im łatwo. Byli wychowani w chrześcijańskiej wierze, syn Ody wyrastał przecież w cieniu kwedlinburskiego klasztoru. Cesarz wymagał, by Pomorzanie czcili jedynego Boga, oni nie mieli takiego zamiaru, przeciwnie, szczycili się tym, że pierwszego biskupa wygnali.

Franciszek nie chciał przerywać uczonemu wzywaniem służby, więc wstał i sam przyniósł kielich.

— Wina? — spytał.

— Odrobinę — przytaknął Winther i mówił dalej, jakby bał się, że uwaga księcia jest krucha. Tak nie było. Franciszek po prostu poczuł pragnienie.

— Chrześcijański władca wśród pogańskich poddanych nie cieszył się autorytetem, jego władza była chwiejna i niepewna. Pamiętać trzeba, że w tamtych czasach rządziło się poprzez wiece. I tu dochodzimy do twego pytania, mój książę. Przodkom waszym przyszedł z pomocą najsilniejszy z miejscowych rodów, ród Borków. Można powiedzieć, że Borkowie byli wówczas kołobrzeskimi książętami. W każdym razie, to oni przewodzili wszystkim wiecom.

Franciszek pił, nie zauważył, kiedy opróżnił kielich. Dolał sobie, uczony ruchem głowy odmówił.

— W zamian za przywileje, jakie Piastowicze im dali, w zamian za zapewnienie, że solny gród, Kołobrzeg, po czasów kres będzie ich władztwem, Borkowie wsparli książąt. Nie wykluczam, że rozwiązanie to zaczerpnęli z nordyckich wzorów, był taki władca, król Hakon… — Walentin machnął ręką. — Mniejsza z tym, dość powiedzieć, że i w przypadku waszych przodków to się udało. Wówczas też, jak ustaliłem, zaczęli się pieczętować gryfem.

— Oni nie byli Gryfitami — pojął Franciszek i poczuł, że się poci. — Oni się nimi stali.

— Tak należy to rozumieć.

— Gryf powstał ze związku z Borkami? — zapytał i szybko sięgnął po wino.

— Nikt tego nie potwierdzi. Nikt temu nie zaprzeczy. Ale też nie jest to coś, co by przynosiło rodowi Gryfitów chlubę — z ponurą powagą powiedział uczony i wreszcie wychylił swój kielich. — Niestety muszę dodać, że pierwsze pieczęcie waszych przodków, na których pojawił się herb, są na tyle stare i nieczytelne, że trudno rozsądzić, czy tamten stwór z głową orła ma ciało lwa czy wilka. W końcu szlachetna nazwa „Gryfici" pojawiła się nieco później.

Franciszek wstał. Wino w dzbanie się skończyło. Podszedł do stojącej pod ścianą konsoli, na której czekał drugi dzban. Spojrzał w lustro. Odbijało nie tylko srebrzony dzban, jego twarz powyżej, ale i komnatę za plecami. Portret Jana Fryderyka, a właściwie stopy stryja i tarczę herbową pod nimi. Gryf odwrócony w lustrze. Zamazany.

— Wyrażam zgodę na to, byś kontynuował swe badania i pracę — powiedział Franciszek do Walentina Winthera. — Pisz, jak zacząłeś, i wywiedź nasz ród od Baltusa czy Gryphusa, jak uznasz za stosowne. Byleby oddalić to dawne połączenie. Zgadzam się, że pamięć o nim nikomu nie jest potrzebna. Jestem księciem Pomorza. To ja decyduję o tym, co trzeba pamiętać, a co zapomnieć.


Nie pierwszy raz podróżowałam we śnie, odkąd pamiętam, sen uwalniał mnie z pęt. Niemało ich było. Dwór książęcy, brat, siostra, tułaczka, przeklęty klasztor i wreszcie Oderburg. A przecież zaczęło się dużo wcześniej, moja pamięć przywołuje obrazy domu rodzinnego, a w nim mniej światła niż cieni. Zimna, wysoka komnata, łoże z czarnego dębu, haftowane narzuty, pod którymi nie mogłam złapać tchu i czekałam tylko, aż przyjdzie sen, mój wybawca.

Zatem śnię, zrazu świadoma tego, gdzie jestem, ale potem, szybko i z własnej woli oddalam się od dwóch komnat zamkowej oficyny, widząc z góry nieszczęśnika, który pełni wartę pod moimi drzwiami, choć marzy o własnej pierzynie i podanym przez matkę podpiwku. Lecę nad Odrą, wzdłuż szerokiej, drżącej wstęgi rzeki, w dół, ku ujściu, lecz skręcam nagle, nim wpadnie w zalew. Szybuję nad łąkami wodnymi, nad szuwarami kipiącymi życiem powietrznym i wodnym. Widzę ryby, których nie znam, olbrzymie, czerwonopłetwe i długie, grube jak owce, całkiem zielone, przetykane czerwienią żył, rozrywające wodę żółcią płetw. Lot jest krótki i kończy się nagle. Ląduję.

Otacza mnie dzicz, las olbrzymi. Gigantyczne, wściekle zielone paprocie. Podziwiam strzępiaste żyłki liści. Na ich czubkach lśnią wielkie krople rosy. Przeglądam się w jednej. Odkształcony w wypukłym kształcie pysk. Błysk ślepi. Spoglądam w dół. Potężne łapy należą do mnie. Oto ja: wilczyca. Biegnę lasem nietkniętym ludzką stopą. Odciskam trop we mchu, który zapamiętuje mnie na chwilę, bo gdy się oddalam, unosi się, jakby zapominał. Jakby mnie tu nigdy nie było. Las wokół mnie jest dziewiczy, pierwotny. Napawam się nim. Dziesiątkami woni. Otwieram pysk, by złapać je na język, oblizać się i rozsmarować tę przyjemność po podniebieniu. Język omiata zęby. Są długie, ostre i silne. Gonię przed siebie, aż wreszcie czuję głód. Węszę. Zamiast woni zwierzyny wpada mi w nozdrza woń wilka. Ostra i przenikliwa. Jeżę się. Warczę. Wreszcie dostrzegam go na skarpie. Stoi tam basior, wielki czarno-rudy, jakby futro mu zajęły płomienie. Unosi pysk i wyje, przyzywa mnie, już wyczuł, że tu jestem. W moich trzewiach budzi się zew. Część mnie pragnie biec do niego, podjąć grę. Chwycić zębami za kark, przygnieść do ziemi, a potem puścić, unieść ogon i odsłonić się przed nim, dać się pokryć. To tak silne, że drżą mi pazury. Ale jest i coś, co mnie od tego odciąga. Co szepce: biegnij dalej, świat nie kończy się na drugim wilku. I wtedy słyszę krzyk. Unoszę łeb, bo dobiega z wysoka. Nad lasem kołuje orzeł. Piękny i dumny. Zachwyca mnie rozstaw jego skrzydeł, to samiec. Dostrzegł mnie złotym okiem i wolno się zniża. Opada ku mnie. Czekam na niego, ciekawa, co dalej. Już widzę, że to młody ptak, mówią mi to białe plamy na skrzydłach i ogonie. Ląduje, wczepia się pazurami w mech, jakby chciał go zmiażdżyć. Najpierw patrzy na mnie złotym okiem, jak na wroga, potem, nie wiedzieć dlaczego, zaczyna wydawać gardłowe dźwięki. Przestępuje z nogi na nogę. Zadzieram ogon i sama się sobie dziwię. Obnażam zęby, stąpam w jego kierunku. Czuję przyciąganie silniejsze niż zew, którym przywoływał mnie z lasu wilczy samiec. W nim jest ciekawość. To ptak, władca przestworzy, miejsc, które są mi niedostępne, bo kroczę po ziemi. Obchodzimy się wkoło i sama nie wiem, kiedy staje się to godowym tańcem. Warczę do niego, on unosi skrzydła i krzyczy do mnie. Rozwarty dziób, obnażone kły. Zwarcie. Wczepia się we mnie pazurami, ja wbijam mu zęby w pierś. Kładę się na plecy, on wzlatuje nade mną. Obracam się, wstaję na równe nogi. Orzeł bije skrzydłami i wznosi się, dopada do mnie i tak. Co dzieje się w naturze, nie może być wbrew niej. Wycie, krzyk, bicie skrzydeł, drapanie. Warkot. Oto my. Jednia natury i jej dziw. Potem leżę i ciężko dyszę. Orzeł uwił mi gniazdo i stoi przy mnie. Osłania skrzydłami przed deszczem, znosi upolowane ptaki i ryby. Nocami czuję woń wilka, tamtego basiora, o futrze czarnym i rudym. Krąży gdzieś, wokół naszego gniazda, zatacza kręgi, ale nie podchodzi zbyt blisko. Moje łono jest nabrzmiałe i ciężkie, zamiast szczeniąt powijam jajo. Orzeł dziobem pomaga roztłuc skorupę. Wykluwa się pół zwierzę, pół ptak. Nazywamy go Gryfem. Podniebny ojciec, ziemska matka. „Zaopiekuję się tobą" — składam mu obietnicę. „Nigdy cię nie opuszczę" — mówi mój ptak i nie wiem, czy do dziecka, czy do mnie. Rosa. Obsypuje nas rosa, tęczowa i rześka. Prześwietlona słońcem.

Książę Franciszek oskarżył mnie o czary.

Mam trudności z oddzielaniem jawy od snu, więc w pierwszej chwili myślę, że oskarżył mnie z powodu tego, co robiłam w nocy. Potem się upominam. Co za bzdury lęgną mi się w głowie. Gdyby można było oskarżać za sny, to skazaliby mnie dawno temu, na dworze wołogoskim. Śniłam wtedy, że stoję ze sztyletem przed wielkim gobelinem. Wsuwam wąskie ostrze pod złote i purpurowe nici i przecinam, raz osnowę, raz wątek. Potem muzyka i świece, Saska Lwica wyprawia ucztę w tej sali, uśmiecha się i zagaduje gości, nie wiedząc, że za jej plecami, na oczach wszystkich zaproszonych, gobelin sam się pruje.

Sen to sen, a akt oskarżenia to walka o życie.

Czy książę naprawdę tak myśli? Czy tylko wypełnia swoją rolę, nakazując wniesienie oskarżenia? Przecież napisano w nim, że powodem jest powołanie przez Wolde Albrechts. Gubię się w domysłach. I występuję o oficjalnego obrońcę, doktora praw, Eliasa Pauli.

Zjawił się u mnie po paru dniach, zafrasowany, choć ubrany i uczesany nienagannie. Przywitał się uprzejmie, jak zawsze, ale od pierwszej chwili, gdy strażnik wpuścił go do mojej komnaty, czułam, że coś między nami uległo zmianie.

— Panno Sydonio — zaczął, kiedy usiedliśmy. — Mam dwie złe nowiny.

— Gdyby miał pan dobre, rozmawialibyśmy gdzie indziej — silę się na wesołość.

— Owszem — przytakuje. — Pierwsza jest taka, że panny kuzyn, Jost von Bork, wysforował się na prowadzenie i znalazł poza naszym zasięgiem.

Opiera przedramiona o stół, jak człowiek zmęczony. Zerka na mnie nie wprost, ale lekko z boku. Czoło przecina mu głęboka bruzda, siwe oczy są podpuchnięte.

— Nie rozumiem — mówię i opieram splecione dłonie o krawędź stołu, czuję, jak sygnet wciska mi się w palec.

— Pamiętam, co mi panna powiedziała, o kradzieży cegieł przez Josta, o jego wcześniejszych działaniach pozbawiających pannę dochodów i, co najnikczemniejsze, mających na celu odebranie pannie głosu przed sądem. Sprawdziłem stan tych spraw w Sądzie Nadwornym i jest on niezadowalający. To znaczy żadne z oskarżeń nie zostało potwierdzone, przez opieszałość sądu — obraca głowę tak, że teraz patrzy na mnie z ukosa i z drugiej strony.

— Ale przecież sąd może i powinien… — zaczynam i nie kończę, bo Elias Pauli kręci głową przecząco.

— Postępowania nie będę teraz prowadzone — wyjaśnia. — Bowiem oskarżenie o czary jest pilniejsze. W dodatku, Jost von Bork w akcie oskarżenia wobec panny został uznany za poszkodowanego. I cokolwiek na niego powiemy, zostanie uznane za nieudolną grę obrony. Za zwykły rewanż. Wytrącił nam z ręki broń, którą mieliśmy na niego.

— Nie — mówię mocno.

— Tak, panno Sydonio — kontruje Elias Pauli. — To jest pierwsza zła wiadomość.

— A druga?

— Książę Filip. Prokurator Lüdecke oskarża pannę o spowodowanie śmierci księcia.

— Niemożliwe.

— Tym niemniej znalazło się to w akcie oskarżenia. — Elias Pauli po raz pierwszy dzisiaj patrzy wprost na mnie. — Czy panna to rozumie?

— Nie — odpowiadam, mając na myśli, że nie mam pojęcia, dlaczego ktoś chce przypisać mi tę śmierć.

— To kluczowe — mówi Pauli. — Bo od tej chwili to będzie proces polityczny.

Dociera do mnie po kolei: co mówi i że ma rację. Serce zaczyna mi kołatać. Elias Pauli daje mi czas na wytchnienie, potem mówi:

— Jesteśmy w dziwnym, trudnym do wytłumaczenia momencie. Nikt tego nie powie oficjalnie, ale na dworze książęcym panuje swoisty popłoch. Śmierć młodego księcia Jerzego, który miał być przyszłością dynastii, po nim śmierć księcia Filipa....

— Co to ma do rzeczy? — przerywam ostro.

Obrońca pociera palcami czoło, jakby szukał słów.

— Gdy członek panującego rodu czuje się zagrożony, staje za nim nie tylko rodzina, ale i całe księstwo. A co za tym idzie, machina urzędnicza zostaje wprawiona w ruch — mówi z namysłem. — Przerabialiśmy to już, przed trzydziestu laty, podczas procesu Elisabeth Doberschütz. Wówczas świętej pamięci książę, Jan Fryderyk, uznał, że oskarżona jest realnym zagrożeniem dla ciągłości rodu, osobiście zaangażował się w proces, a Kleist doprowadził do tego, że pani Doberschütz, choć była szlachetnie urodzona, winę udowodniono i wiemy, jak skończyła.

— Jan Fryderyk — powtarzam po adwokacie bezmyślnie — nigdy by mnie nie oskarżył.

— Naturalnie, ale on nie żyje — mówi Elias Pauli, nie widząc, że mnie rani. — Oskarża panią, z urzędu, książę Franciszek. To już ten moment — sięga po dokumenty, z którymi przyszedł — bym zapoznał pannę z pełnym aktem oskarżenia. Jest panna gotowa?

— Tak — odpowiadam, ale myślę, że nigdy nie jest się na to gotowym.

— Zgodnie z *Cesarskim kodeksem prawa karnego*, w imieniu księcia szczecińskiego Franciszka, oskarżam Sydonię von Bork, pannę szlachetnego urodzenia, córkę Ottona von Bork i Anny von Schwichelt o to, że od młodości podejrzana była o uprawianie czarostwa. Oskarżona utrzymywała kontakty z czarownicami, w tym: Lene Schmedes z Uchtenhagen, skazaną i straconą; Wolde Albrechts z Marienflies, skazaną i straconą oraz Wagnerową, od której dostała zwierciadło saskie i możliwość przepowiadania przyszłości. Oskarżam Sydonię von Bork, że przy użyciu czarów wiele osób uśmierciła. W tym: Dawida Lüdecke, kaznodzieję, któremu przy użyciu swego diabła Chima skręciła kark. Księcia szczecińskiego Filipa, którego przy użyciu czarów zabiła. Odźwiernego z Marienflies, Mattiasa Winterfelda, zabiła. — Czyta coraz szybciej, coraz rytmiczniej. — Przy użyciu czarów zabiła przeoryszę Magdalenę Petersdorf. Przy użyciu czarów zabiła doktora Schwalenberga, Joachima von Wedel z Krępcewa, dwoje dzieci Heinricha Prechela z Buslar, swojego bratanka, Ottona von Bork ze Strzmiela. Przeczytał to na jednym tchu. Teraz zrobił przerwę, nie patrzył na mnie. Wziął oddech i kontynuował:

— Punkt kolejny — przy użyciu czarów spowodowała choroby następujących osób: Triny Hanow, której sparaliżowała ręce i stopy, Josta von Bork, Hauptmanna z Marienflies i Szadzka, któremu groziła, że zesztywnieje, i dopadł go paraliż, panny klasztornej Sofiji Stettin, która została opętana przez złego ducha, służącej klasztornej Triny Pantels, pastora z Buche, Beatusa von Schachts, który po groźbach oskarżonej zapadł na impotencję i nie wrócił do zdrowia.

Elias Pauli znów przerywa, bierze kolejny arkusz:

— Następnie, oskarżam Sydonię von Bork o to, że groziła użyciem czarów wobec następujących osób: zarządcy Marienflies, Edgara Sperlinga; Ewalda von Flemming, marszałka, o nim mówiła, że powinno mu wypłynąć oko, prokuratora książęcego, któremu groziła klątwą zwaną „żywy krzyż" oraz wszystkich panien klasztornych, którym groziła batem a także nożami i toporami przystawionymi do gardła.

Przeczytał to szybko, jakby nieuważnie. Teraz widzę, że czyta spokojniej, w każdym razie wolniej, bo cedzi słowa, jakby żadnego nie chciał uronić:

— Punkt kolejny: oskarżona ma złego ducha pod postacią psa, kota lub wróbla, a pod jej domem siadywał trójnogi zając z białą obrożą na szyi. Punkt następny: ilekroć oskarżona kogoś przy pomocy diabła Chima uśmierciła lub unieszczęśliwiła, tryumfowała, recytując formułę: „So krabben und kranzen meine Hunde und Katzen". Dalej: oskarżona trzyma w domu dwie skrzyżowane czarcie miotły. Następny: bierze podejrzane kąpiele, zauważono, że przez trzy czwartki z rzędu myje się w tej samej wodzie. Grozi swym wrogom, że zamodli ich na śmierć. Gdy jej wrogowie spali, ona siedziała w domu i odmawiała Psalm Judasza. Dąży do wybadania przyszłych i ukrytych rzeczy. Szczególnie interesowało ją, czy panny klasztorne są jeszcze dziewicami, na tę okoliczność przepytywała wszystkie czarownice, nawet te z daleka. Kolejny punkt: wie, co się dzieje o wiele mil stąd.

Odwraca stronę, ale nie robi przerwy, czyta poruszony:

— Dalej, czarownica Wolde Albrechts ukazywała się jej po swej śmieci. Dalej, z szafy oskarżonej wydobywają się dźwięki i wstrętne zapachy, zidentyfikowane jako demoniczne pierdnięcia. Następny, od młodości nie miała stałego miejsca zamieszkania, nieustannie się włóczyła. Kolejny. Dwadzieścia lat temu potajemnie zaręczyła się z Peterem Konemanem ze Stargardu, bez zgody rodziny.

Wzrok ma wbity w stół, ale wciąż trzyma arkusz z aktem oskarżenia, więc wiem, że coś jeszcze chce dodać.

— Razem siedemdziesiąt trzy zarzuty. W punkcie siedemdziesiątym czwartym opisano karę, która według kodeksu przysługuje za powyższe.

— Jaką? — pytam odruchowo.

— Śmierć — z rozpędu odpowiada mój obrońca.


Elias Pauli chciał skończyć spotkanie, widziałam, jaki jest zmęczony. We mnie jednak wstępują nowe siły.

— Czy będę mogła sama odpowiedzieć na zarzuty? — pytam.

— Nie rozumiem — mówi Pauli, przyciskając palce do czoła.

— Pan jest przytłoczony? — dociera do mnie, ale pytam, by nie postawić go w niezręcznej sytuacji.

— A panna nie? — odpowiada zaskoczony.

— Byłam, kiedy zaczął pan czytać — odpowiadam zgodnie z prawdą. Wyciągam rękę, dotykam jego opartego o stół przedramienia. — Ale to chyba jest tak, jak z biciem. Najbardziej boli pierwsze uderzenie, a potem, gdy spadają jedno za drugim… — przed oczami staje mi Jacob Stettin, jego wykrzywiona, straszna twarz. — W każdym razie nie zamierzam bronić się chaotyczne, i na każdy zarzut, który ma jakiś sens, chcę odpowiedzieć. — Ściskam jego przedramię lekko, potrząsam nim i puszczam. — Pan wybaczy, diabelskie pierdnięcia w szafce nie nadają się na jakikolwiek komentarz.

Elias Pauli wypuszcza powietrze, jego twarz rozluźnia się. Na moich oczach bierze się w garść i do roboty, jednocześnie. Przebiega wzrokiem akt oskarżenia, wyraźnie szuka tego, co go zdziwiło. I zatrzymuje się na ostatniej karcie.

— Peter Koneman, ze Stargardu — mówi, unosząc wzrok. — Co to za zarzut? Kim ten człowiek jest, a może był? — wpatruje się we mnie uważnie i rześko.

— Był — rozkładam ręce. — Cóż zrobić, nikt nie jest wieczny. Ale bez obaw, panie Pauli, mam wszystko w swoich dokumentach, cały przebieg naszej znajomości — uspokajam, uśmiechając się do niego opiekuńczo.

— Miała panna narzeczonego, o którym nigdy nie mówiliśmy? — pyta zaskoczony nie tym, że go miałam, ale tym, że nie miał o nim pojęcia.

— Owszem — unoszę brew, choć wiem, że moje brwi są już niemal siwe, dawno ich nie czerniłam. Śmiejemy się oboje.

— Nie odpuszczę — mruga do mnie i mówi, udając srogość. — Panieneczko, poproszę tu całą prawdę i tylko prawdę.

— Od starej kobiety wymagać takich wyznań — udawanie kokieterii jest zabawne i przynosi ulgę nam obojgu. — No dobrze — kapituluję. — To było zanim uległam Jostowi i poszłam do klasztoru, ale w czasie, gdy jeszcze żył mój brat, Ulrich. Moja sytuacja materialna była zawsze zła, a zgodnie z ugodą spadkową, w przypadku zamążpójścia należało mi się tysiąc guldenów posagu i trzysta na wydatki weselne. Zaś alimenty w gotówce, jakie należały mi się od brata, wynosiły trzydzieści trzy guldeny. Zatem przeliczyłam, że...

Elias Pauli kręci głową z niedowierzaniem. Jego oczy są tak rozbawione, że śmieję się i ja.

— Tak, tak. Trzydzieści lat mogłabym pożyć za pieniądze z posagu. Czy to coś złego, gdy panna na wydaniu potrafi liczyć? — wzruszam ramionami i puszczam mu oczko. — Zwłaszcza, że panna była wtedy po pięćdziesiątce, więc doliczyła do rachunku, że pewnie całych trzydziestu nie przeżyje, a to by dało jej większy fundusz roczny...

— Nie wytrzymam z panną — parska Elias Pauli. — A ten Koneman? Co z nim w tym, jakże szczegółowym, rozrachunku?

— No cóż, są zyski, których nie kupisz za pieniądze. Panna von Bork za żonę dla Konemana, zwykłego mieszczanina ze Stargardu...

Zwłaszcza, że był słabego zdrowia. Kaszlał i kłuło go w boku — przypominam go sobie. Nie był zły, ten Peter. Mogłabym z nim dzielić dom przez rok, może dwa. Czy wytrzymałabym trzy lata, nie wiem. On na pewno nie.

— Sprawy miały się tak, że pan Koneman zabiegał o moją rękę. Być może miał własne plany na słynny posag Sydonii von Bork, ale jeśli tak było, to znaczy, że oboje nie byliśmy ze sobą całkiem szczerzy. Jego niewątpliwą winą jest to, że komuś się pochwalił...

Widzę, jak nieznaczny rumieniec wychodzi na policzki Eliasa Pauli i w myślach nie pierwszy raz się dziwię, bo przecież nie jest już chłopcem, młodziankiem, którego poznałam w książęcej kancelarii.

— To musiało dotrzeć do mego brata, Ulricha — kontynuuję. —
Niestety, jak to w życiu bywa, ja nie wiedziałam, że Ulrich wie. I dałam
słowo Peterowi Konemanowi. On zaś poczynił pewne kroki, sprzedał
dom, kupił nieco większy, ale do mnie, w tym samym czasie, coś innego dotarło przez kuzyna, Zygmunta von Wedla, a może... może...
przez Wedige? — zastanawiam się, bo naprawdę nie pamiętam. —
W każdym razie, dowiedziałam się, że mój brat zmusił swego syna do
podpisania umowy potwierdzonej notarialnie, w której oświadczał, że
jeśli jego syn ożeni się poniżej stanu i wbrew woli rodzica, to ojciec nie
wypłaci mu żadnych pieniędzy. To było w tym samym czasie, w którym
Ulrich przepisał na syna Ottona dobra, na których były zabezpieczone
moje alimenty. Wtedy wiele rzeczy zaczęło się sypać, a nieregularne wypłaty stały się jeszcze mniej systematyczne. Dotarło do mnie
z całą mocą, że nie mam co liczyć na posag przy małżeństwie z Konemanem. Mieszczanin — kiwam głową. — Mieszczanin, wiem. Ale
wśród szlachty nikt nie zadarłby z Ulrichem von Bork. Zrozumiałam,
że także w tej kwestii jestem w matni. Szlachcic się ze mną nie ożeni,
bo wszyscy boją się mego brata, a przeciwko małżeństwu poniżej stanu
zabezpieczył się Ulrich w umowie z synem. Skoro taką sporządzili,
Ulrich bez trudu przed sądem przeforsowałby i wobec mnie taką samą
argumentację.

— I? — emocje Eliasa Pauli są wyśrubowane.

— Poprosiłam Konemana o zerwanie zaręczyn — wzruszam ramionami. — On się wściekł, że poczynił znaczne wydatki i tak dalej.
Chciał siłą ciągnąć mnie do ołtarza...

A ja na myśl o tym, że mam za niego wyjść za darmo, bez mojego
tysiąca guldenów, dostawałam pasji. Pamiętam, jak wstręt przed tym
prostakiem dopadł mnie wtedy z całą siłą. On naprawdę myślał, że będzie spał ze mną w jednym łóżku, co za głupiec. Niemal staje mi przed
oczami jego blada, pozbawiona męskiej witalności twarz. A przecież,
i to chyba jest najgorsze, w tym samym czasie odnalazł mnie Asche.
Mój dobry, miły Asche. I zaproponował: wyjdź za mnie, za Borasa (co
za przezwisko) z Rugii. To były dla mnie ciężkie dni. Otrząsam się ze
wspomnienia i kończę opowieść:

— Wobec powyższego zaproponowałam mu odstępne.

— Co?! — nie wierzy Elias Pauli.

— Mam to w dokumentach — kiwam głową. — Dołożyłam do tej
eskapady, nie ma co. Pięćdziesiąt guldenów mu zapłaciłam, gotówką.
Ale byłam wolna.

— Panno Sydonio — poważnie mówi Elias Pauli. — Ja słyszałem kiedyś w sądzie plotkę o siostrze panny i przyznam się, nie uwierzyłem.

Teraz ja patrzę na niego zaskoczona. Chyba nie wiem, co ma na myśli.

— Ponoć panna Dorota von Bork zaręczyła się z kimś szlachetnego stanu, narzeczony zerwał, ona oskarżyła go przed Sądem Nadwornym, argumentując, że sprzedała swój majątek na poczet planowanego mał-żeństwa… Teraz inaczej tę plotkę rozumiem.

— Śmiali się z niej — potwierdzam. — To też było w Stargardzie. Lubiłyśmy to miasto, ale jak widać, bez wzajemności. Dorota zawsze była taka impulsywna, nierozważna przy tym. A tamta sprawa, tak, ja byłam w Szczecinie, Dorota sama, postąpiła niemądrze. Nic to nam nie wnosi do sprawy.

— Tak, tak — potwierdza i wracamy do konkretów. — Skąd się wziął doktor Schwalenberg w oskarżeniu? Pytam, czy miała z nim pan-na jakiś związek, cokolwiek, co by powodowało, że wiążą jego śmierć z panią. W końcu, jak w przypadku księcia Filipa, nie mówimy tu o byle kim, lecz o znanym i szanowanym człowieku, przełożonym konsysto-rza.

— Pamiętam, kiedy zmarł — oświadczam i to budzi zaskoczenie pana Pauli. Ale szybko mu wyjaśniam: — Odbywały się wówczas posie-dzenia komisji rozjemczej w Marianowie. I aż nazbyt dobrze przypomi-nam sobie, że marszałek Ewald von Flemming, którego poza Wedlem i Hechthausenem powołano do tej komisji, nie przybył, bo zatrzymała go w Szczecinie śmierć doktora Schwalenberga.

— Nie o to pytam — łagodnie drąży Pauli. Jest zakłopotany i wy-jaśnia: — Panny klasztorne, w tych zeznaniach bez przysięgi, których obecnie nie dołącza się do akt, powiedziały, że na wieść o śmierci Schwalenberga ponoć się panna cieszyła i użyła sformułowania, że diabeł wypchał jego pysk ziemią. Znała panna doktora?

— Tak — potwierdzam. — Choć przelotnie. Poznaliśmy się na dworze wołogoskim, gdy był nauczycielem księcia Kazimierza.

— Coś więcej? — dopytuje.

— Widziałam go później raz czy dwa w Szczecinie — odpowiadam.

— Był panny wrogiem?

— Nie wiem — wzruszam ramionami. — Lubił się wymądrzać, po-pisywać i, co sam niejako przyznał, dopytywał o mnie i to nie było miłe.

Przywołuję spotkanie w kolegiacie Mariackiej. Pauli martwi się czymś innym.

— Daniel Cramer, z którym panna spotkała doktora Schwalenberga, nazywany jest postrachem heretyków — mówi.

— Nie jestem heretyczką — obruszam się.

— Czarownica nią jest — mówi z mocą, nawet ze złością. — Jeśli udowodnią pannie cokolwiek z tej długiej listy, zostanie pani także heretyczką. Daniel Cramer tropi każde odstępstwo od reformowanej wiary. Może on rzucił podejrzenie na pannę? A może zawiniło tylko tamto zeznanie, że cieszyła się panna ze śmierci doktora? Nie mam pojęcia. Proszę jeszcze raz powiedzieć, co powiedziała panna wtedy, w kolegiacie?

— „Niech pan pilnuje swoich spraw, doktorze Schwalenberg, bo kto wtrąca się w cudze, płaci wysoką cenę" — pokornieję. — Tak, rozumiem, panie Pauli, że dzisiaj brzmi to złowrogo.

— Mam inny pomysł. Znam medyka, który leczył Schwalenberga, zwrócę się do niego o raport z ostatnich dni choroby. To powinno uspokoić sędziów i pokazać naturalną przyczynę jego śmierci.

Zgadzam się z Eliasem Pauli, słucham go uważnie, ale moja pamięć przywołuje inny obraz. Dzień, gdy na życzenie Jana Fryderyka przewożono trumny Gryfitów ze Świętego Ottona do kolegiaty Mariackiej. Schwalenberga, który puszył się przede mną wiedzą. To ten, a to tamten, ho, ho. „Bogusław, syn księcia Jerzego, i takoż samo Bogusław, syn księcia Barnima. Zmarli od razu po narodzinach" i trach, sługa puścił trumnę u wrót kościoła. Tłum jęknął, wieko pękło, na bruk posypały się kostki, drobne jak zajęcze. Kilka wylądowało przy mojej stopie. Szybko nadepnęłam na nie. Poczułam, jak jedna pęka pod moim butem. Jak kruszy się ta książęca, poświęcona kosteczka. Aż po moich kościach przeszedł gorący dreszcz. Drobny paliczek wpadł w miękką ziemię, między kamienie brukowe; wydobyłam go bez trudu. „Spakujcie do trumny, co do jednej" — pieklił się Schwalenberg na służbę. No, nie wypełnili rozkazu.

— Jeśli skończyliśmy ze Schwalenbergiem — mówię do obrońcy — to chcę dodać, że Joachim von Wedel wyzwał mnie na ulicy w Szczecinie, ale potem wszystko cofnął i przeprosił. Można znaleźć te przeprosiny w aktach komisji rozjemczej.

— O — cieszy się Pauli. — Poszukam. To ważne.

— Odnośnie do Wolde, to przypomnę, że wypędziłam ją ze swojego domu batem. Może to stało za jej oskarżeniami, czego wcześniej, na konfrontacji nikt nie chciał uwzględnić. I jeszcze, Trinie Pantels, służącej, dałam olej jałowcowy na bolące kolano, to jej przyniosło ulgę, więc zarzut, że ja ją przywiodłam do choroby, jest chybiony, a Hanow, którą rzekomo moje czary sparaliżowały, była po prostu chora na reumatyzm. W klasztorze wszystkie o tym wiedziały. Zaś pytanie o to, czy są dziewicami? — prycham i kręcę głową. — To już same powinny wiedzieć, czyż nie tak?

— Panno Sydonio — Elias Pauli układa dłonie na stole, jakby chciał się go przytrzymać. — Teraz prokurator Lüdecke będzie przesłuchiwał świadków. My możemy wezwać swoich. Kogo panna proponuje?

— Na początek lekarzy, niech wyjaśnią przyczyny zgonów osób, o których śmierć mnie oskarżono — mówię. — To chyba jasne, prawda?

— Czy jest ktoś, stanem równy pannie, kto mógłby za pannę poręczyć? — pyta obrońca.

— Jest — odpowiadam i czuję, że to właśnie ten moment, w którym powinnam użyć broni, o której istnieniu nie ma pojęcia Jost von Bork. — Jedyna niedogodność, że przebywa poza księstwem i trzeba wykonać wysiłek, by go wezwać.

— Kto to taki? — szykuje się do zapisania Elias Pauli.

— Ascanius von Bork — mówię. — Mój najbliższy kuzyn.


Więzienie jest kosztowne. A ja, od postawienia mi oficjalnych oskarżeń, mam także zarządzony ścisły areszt. Ten prowokator, prokurator Lüdecke, udał troskę i przerażenie: „Panna Bork także w więzieniu może używać czarów". Żywy krzyż na niego to za mało. Muszę doprowadzić, by odsunięto go od postępowania, i męczę o to Eliasa Pauli. Ale oczywiście sąd przychyla się do wniosku prokuratora i nakłada na mnie surowe warunki. Odbierają mi większość rzeczy. Papier i atrament przynoszą tylko, gdy przychodzi adwokat. Potem strażnik zabiera je z powrotem. Od teraz muszę płacić za swoje utrzymanie. Z czego? Wskazuję moich bratanków i Josta, jako zobowiązanych do zapłaty, i kancelaria sądowa wysyła im wezwanie. Chociaż tyle. Odwiedza mnie tu pastor. Pierwszy, z którym rozmawiam od dawna, od czasów, gdy Dawid Lüdecke przychodził na piwo, jeszcze zanim się poróżniliśmy. Tutejszy pastor nazywa się Dionizjusz Rhan i jest uprzejmy, nawet wydaje się głęboko współczujący.

Jedzenie się pogorszyło. Brak ruchu powoduje, że tracę siły. Metteke nie może zostawać na noc ze mną w izbie, zabierają ją do izby dla tutejszej służby. Mówi, że tam wszyscy się od niej trzymają z daleka, jak od zapowietrzonej. Nie stać mnie na masło, na mięso, na wino.

Kasza, najtańsze jarzyny, rzepa, często podwiędła. Proszę adwokata, by na moje potrzeby sprzedano parę rzeczy z Marianowa. Starcza na ciut lepszą strawę, ale jeśli sąd nie wyegzekwuje od Borków alimentów, to będzie ze mną źle.

Ratują mnie sny i wspomnienia, jakie wywołują. Dzisiaj na przykład przyśnił mi się błazen Jana Fryderyka. Mój książę miał go, odkąd pamiętam. Oprócz niego jeszcze karlicę, trzpiotkę, która wspaniale grała na fleciku, i karła, zmyślnego do wszystkich sztuczek. Ale błazen Hintze był ulubieńcem Jana Fryderyka i owszem, słynny kongres szczeciński jego spostrzegawczości zawdzięcza pewien skandal.

To był mój pierwszy samotny spacer po Szczecinie. Gdy Barbara von Brockhausen zostawiła mnie w kancelarii książęcej, bo miała ochotę uwieść hrabiego Ebersteina, albo raczej jego kuzyna, Wolfganga. Tego samego dnia poznałam Eliasa Pauli, skromnego i zagubionego w wielkiej kancelarii. Gdy z niej wyszłam i przechadzałam się po Szczecinie, na Młyńskiej, nieopodal końskiego kieratu, ktoś skłonił mi się z powagą. Nie poznałam błazna, bo był ubrany jak szlachcic. Dopiero, gdy się odezwał, poczułam gorąco. Głos z przeszłości.

— Panna Sydonia sama w Szczecinie?

Zarumieniłam się, bo błazen ułatwił i ukrył niejedną z naszych schadzek. Wtedy, za moją zgodą, wsadził mnie do powozu i wywiózł do stojącego na uboczu domu na Dolnym Wiku. Książę zjawił się po godzinie, ubrany jak na polowanie. Było z nim kilkoro służby, ale tylko po to, by pilnować wejść. Gdy każde z nich zamknięto i zostaliśmy sami, nie traciliśmy czasu na słowa. Tylko to co zawsze: wezwanie, jakbyśmy potrzebowali wzajemnie się przywołać i zakląć. Nazywałam go swoim Gryfem, on szeptał do mnie: Wilczyco. Przez głowę mi nie przeszło, by mu odmówić, bo odmawiałabym sobie. Kto nie ma nic do stracenia, bierze wszystko, czyż nie tak się mówi? On jeszcze wtedy nie był żonaty. Narzeczeństwo z Erdmutą trwało. Czy zadawałam sobie pytanie o inne kobiety? Nie, nie w tamtej chwili. Gdy stanął przede mną, a ja przed nim, było mi wszystko jedno, byleby mieć go znowu. Pragnęłam wchłonąć woń jego skóry i włosów. Rozetrzeć na podniebieniu jego ślinę. Przejąć wargami smak mężczyzny, który budził we mnie wszystko. Chciałam krzyczeć i jęczeć, ale jedyne, co było nam dozwolone, to ciche westchnienia i głośny oddech. Cokolwiek więcej mogło sprowadzić na nas klęskę. Więc tak, oddychaliśmy dla siebie, w sobie. Chwytałam zębami płatek jego ucha. On gryzł moje ramiona, kąsał piersi i wczepiał się we mnie, jakby zamiast palców miał pazury. Najdłużej pieścił moje włosy. Rozpuszczał je równie szybko, jak rozsznurowywał mój gorset. Jakby nie wiedział, czego pragnie mocniej, włosów czy brzucha i piersi.

Pewnego razu, dużo wcześniej, jeszcze w moich czasach dworskich, kochaliśmy się w ubraniach, nie mogąc sobie pozwolić na rozpuszczanie moich włosów. Właściwie wtedy kochaliśmy się na widoku. Na plaży, w dzień, gdy po raz pierwszy zobaczyłam morze. Poszłam sama, wzdłuż brzegu, aż do odwróconej dnem do góry rybackiej łodzi. Jan Fryderyk czekał na mnie za łodzią. Jego bracia i siostry i panny dworskie wciąż byli na horyzoncie. Chwilami usłyszeć można było szczekanie pieska Małgorzaty. Oni nie wiedzieli, że Jan Fryderyk przegalopował konno wydmą i schował się za tą łodzią. Ja właściwie też tego nie mogłam wiedzieć, ale czułam zew, przyciąganie i poszłam tam, i znalazłam go. I tak, stałam oparta plecami o przewróconą łódź, czułam każdą chropowatą deskę poszycia, a on dostał się pod moją suknię, pod szeroko rozpinający ją fortugał i pieścił moje nagie nogi i łono. Drobinki piasku wzmacniały każde z dotknięć. Wtedy nie mogłam zdjąć czepka, ale on wsunął pod niego palce, jakby potrzebował tej pieszczoty do spełnienia. Tamtego dnia oboje marzyliśmy o wielkim przypływie, który zabierze nas i tę starą łódź i wypchnie na morze. Byliśmy dla siebie samych sztormem, gdy się kochaliśmy, gdy dotykaliśmy się, choćby przelotnie. A potem za każdym razem, kiedy rozdzielaliśmy się, stawaliśmy się rozbitkami, którzy ostatkiem sił płyną do brzegu, chwytając się czego popadnie.

No i tak, w chacie na Dolnym Wiku nasyciliśmy się sobą, Wilczyca Gryfem, Gryf Wilczycą, a nasze ciała dowiodły, że nic a nic między nami się nie zmieniło, choć przecież zmieniło się wszystko. Ja byłam panną bezdomną, błąkającą się między krewnymi z siostrą przy boku. On księciem zwierzchnim Szczecina, czekającym na brandenburską narzeczoną. Oboje tak samo nieszczęśliwi. Cóż z tego? Nic. Nie było w żadnym z nas siły, by powiedzieć sobie: skończmy to. Bo i po co, skoro życie za nas zgasiło najmniejszą nadzieję na szczęście tego związku? Wiedziałam, że Ernest Ludwik, którego tak sprytnym posunięciem zrobiono księciem wołogoskim, nigdy nie powtórzy oferty małżeńskiej, więc nawet szalony, obłąkany pomysł Jana Fryderyka się nie ziści. Było mi także wiadome, że Ernest Ludwik cierpi i popada w melancholię. Że nie potrafi sobie znaleźć miejsca na tym dworze, który darowano mu tak hojnym i okrutnym gestem. Że coraz więcej pije. Nic na to nie mogłam poradzić, jak wcześniej nie umiałam mu zakazać miłości do siebie. Wszyscy byliśmy ofiarami, ja, Jan Fryderyk i Ernest Ludwik. Choć on poniósł ofiarę największą, bo my przynajmniej byliśmy świadomi własnych uczuć i obdarzaliśmy się nimi, gdy tylko udało nam się do siebie zbliżyć. W chacie na Dolnym Wiku raz po raz ponownie łączyliśmy się ze sobą, chcąc wziąć tej miłości na zapas, ile się da. I wiedząc jednocześnie, że to niemożliwe. Że im więcej dostanie każde z nas, tym bardziej będzie głodne za chwilę. Na koniec Jan Fryderyk usiłował dać mi pieniądze. Nie wzięłam, obraziłam się. On przepraszał, mówił, że to nie zapłata za miłość, bo tej nie można wycenić, ale że rozumie, jak mi ciężko, i prosi, bym choć tyle od niego przyjęła. Zacięłam się i powiedziałam, że jedyne czego chcę, to pukiel jego włosów. Odciął go i podał mi. Błazen Hintze próbował w powozie wcisnąć mi sakiewkę, lecz zrozumiał, że jej nie zatrzymam. „Klejnotów też nie mogę wziąć" — zastrzegłam, widząc, jak sięga po drugą. „Ale pierścieni od pana nie odmawiaj, Sydonio" — poprosił i dał mi dwa. To te pierścienie zastawiłam u Gorga von Ramel, gdy musiałam kupić nowe buty. Wtedy, gdy Asche przysłał do „Popiołka" chustę haftowaną czarno i pierwszy list, a w nim ostrzeżenie przed Jostem. Ileż się wydarzyło.

A tamtego dnia, kiedy je przyjęłam, Jan Fryderyk spóźnił się na powitanie cesarskiej delegacji. Dawne czasy, kongres szczeciński i bez tego się odbył, Barbara Brockhausen miała swoją sensację, choć bez pojęcia, że powód tejże mieszka pod jej dachem. Och, Barbaro — wzdycham w chłodnej, pilnowanej przez strażnika, izbie w Oderburgu. — Gdybyś ty wiedziała, ile naprawdę się działo.


Nazajutrz w południe słyszę dzwony w kościele w Grabowie, potem dołączają kolejne i kolejne, jakby w każdym szczecińskim kościele bito na trwogę.

— Co się stało? — pytam strażnika, gdy wpuszcza do mnie Metteke. — Święto jakieś?

On robi stropioną minę, przewraca oczami, nadyma policzki i wypuszcza powietrze ze świstem.

— Cudowanie takie — odpowiada. — Książę Franciszek kazał pogrzeb wyprawić błaznowi w kościele, z honorami, jak jakiemu radcy dworu.

— Błaznowi? — powtarzam pomna tego, że mnie dzisiaj śnił się błazen Hintze.

— Ano, nawet pannę to dziwi — potakuje. — Całe miasto huczy, ludzie się buntują, bo kto to widział, żeby błazen miał taki wystawny pogrzeb. Kaznodzieja mowę ma ponoć wygłosić — kręci głową. — Tego w świecie nie było, żeby dla błazna mowę pogrzebową szykować.

— Ale o jakiego błazna chodzi? — dopytuję nerwowo.

— O Mieczka, trefnisia księcia Filipa, a teraz księcia Franciszka — odpowiada i uspokajam się. Nie znam tego Mieczka. Śniłam błazna Hintze.


Książę Franciszek był świadom, że mieszczanie podnieśli tumult przeciw idei pochowania Mieczka w kościele Świętego Piotra. I się zaparł.

Błazna Franciszek odziedziczył po bracie, Filipie. I o ile do innych aspektów dziedzictwa, takich jak budowa zachodniego skrzydła zamku, odniósł się zdecydowanie wrogo, o tyle Mieczka pragnął zatrzymać na służbie. Ten jednak, z początku, postanowił towarzyszyć wdowie po Filipie, księżnej Zofii, która po krótkich dniach „szczecińskiego wdowieństwa" stała się „wolińską wdową". Mieczko pojechał za nią, ale wrócił. Znudziła go monotonia życia żony po śmierci męża. Franciszek przyjął go na wikt, zaopiekował się nim i od starego błazna nie wymagał służby.

Kiedyś, za życia Filipa, obecność tego człowieka w otoczeniu księcia erudyty była dla obcych, spoza rodziny i dworu, nie do pojęcia. Lecz Franciszek rozumiał, że Mieczko jest dla brata przeciwwagą dla republiki uczonych. Sam zastanowił się nad istotą błazeństwa Mieczka, dopiero gdy zobaczył go w przedstawieniu teatralnym. Na stulecie reformacji, wśród wielu innych uroczystości, konrektor Pedagogium Książęcego, Kielmann, napisał i przygotował wystawienie sztuki pod tytułem *Tetzelocramia*. Oczywiście rzecz była ostrą satyrą na katolików, grubym żartem z papiestwa i odpustów. Kielmann kazał Mieczkowi zagrać siebie samego, błazna, lecz kwestie, jakie dla niego napisał, pod błazeńskim konceptem kryły nadzwyczajną trafność. Franciszek zapamiętał jego pocieszną rozmowę z handlarzem odpustów, gdzie błazen mówił: „Mimo, żem tylko biedny półgłówek, nie całkiem przecież łeb mam pusty. Czy na głupotę też masz odpusty?". Zaśmiewali się z tego z Sofią do łez. A potem przychodziła smutna do trzewi puenta: „Świat chce być oszukiwany, czyż nie tak?".

Zatem teraz, gdy osiemdziesięcioletni błazen dokonał żywota, Franciszek poczuł wielką potrzebę uczczenia jego osoby. Tak, tak, donoszono mu, że bardzo buntują się mieszczanie. Ba, nawet na jego dworze ośmielono się szeptać po kątach, że książę chyba oszalał. Dzieci i błazny mówią prawdę. Franciszek nie miał dzieci i właśnie żegnał błazna. I, im bardziej docierał do niego ferment wśród poddanych, tym mocniej trwał w swej decyzji. Razi ich, że kazał bić we wszystkie dzwony? Dołożył chorągwie pogrzebowe do orszaku. Drażni, że błazen spocznie w kościele? Kazał przygotować uroczyste druki ulotne. A samemu Filipowi Cradelowi, pastorowi od Świętego Piotra, napisać i wygłosić mowę pogrzebową. Ba, życzył sobie ją najpierw przeczytać i jeśli uzna za stosowne, wprowadzić zmiany. Nie musiał, Cradel stanął na wysokości zadania i mowa była prześwietna. Pouczająca i poruszająca, niejeden po jej wysłuchaniu musiał poczuć, że buntując się przeciw temu pogrzebowi, sam się zbłaźnił. Umarł błazen, umarł człowiek — myślał Franciszek, wsłuchując się w ton żałobnych dzwonów.

— Nie życzę sobie, by prowadzono poszukiwania nowego trefnisia — powiedział swemu sekretarzowi.

— Ale księżna Sofia prosiła…

— Mój rozkaz jest ostateczny.

— Rozumiem — ukłonił się sekretarz.

Franciszek dopił wino i poszedł do gabinetu. Czekały na niego otwarte i wybebeszone kufry stryja, Jana Fryderyka.

Nie, nieprawda, że głodowałyśmy z Metteke w Oderburgu. Po prostu nie jadłyśmy tak dobrze, jak u siebie, w Marianowie. Pieniądze od bratanków wciąż nie nadchodziły. Pisałam do innych krewnych, bez odpowiedzi. Czasami siedząc nad cienką polewką, wspominałyśmy nasze zapasy zostawione w klasztorze. Kazałam adwokatowi sprzedać wędzone gęsi, zasolone prosięta i zboże, ale szło to opornie. Nikt nie chciał kupować jedzenia od czarownicy. Za to podesłano mi do wglądu, oczywiście, przez Elisa Pauli, spis z natury, jaki sporządzono pod nadzorem prokuratora (żywy krzyż już mu niegroźny), Josta (widać paraliż go puścił) i Sperlinga (temu musiały ustąpić lęki, jakie wywołały moje groźby) oraz kilku pracowników sądu i oczywiście przeoryszy i jej zastępczyni (niech je). Wśród rzeczy, wymienionych w spisie, moich rzeczy pozostawionych w domu, refektarzu i celach klasztornych od razu dostrzegłam braki i je zgłosiłam do protokołu. Komuś przykleiły się do rąk dwa obrusy, ręczniki, mój czepek (dobrze, że ten haftowany czarno zabrałam ze sobą), fartuszki, dwie skóry, które suszyłam na strychu (komuś się wydawało, że jak jest osiem, to dwóch się nie doliczę), pięć cynowych kotłów, jeden z zielników i co, najważniejsze, zginęła moja szuflada na listy. Mój skarbczyk, do którego klucz mam tutaj, przy sobie. Każę to wszystko zapisać, dołączyć do akt. Drażni mnie wiadomość, że moje dwie utuczone gęsi i dwa prosięta przekazano przeoryszy Agnes von Kleist. „Pod opiekę" napisano. Już to widzę. Zeżre je i tyle.

Zaczyna się nowy rok, tak samo chłodny, jak stary, co się skończył. Elias Pauli odwiedza mnie. On nos ma czerwony od mrozu, ja chowam dłonie w rękawiczkach, palą tu słabo.

— Wiem już, kogo przesłuchują — mówi mi po wymianie grzeczności. Wciąż trzymamy formę.

— Proszę, niech pan mówi — zachęcam go.

— Kordula von Wedel, wdowa po Joachimie…

— Nienawidziła mojej siostry — przedstawiam świadkinię. — I tę złość przeniosła na mnie. A zresztą, była jak wszystkie ciotki Wedlowe.

Wścibskie, grube, małostkowe, czasem nawet wredne — przypominam je sobie.

— Czyli jakie? — pyta Pauli.

— Nie takie złe — mówię i dodaję po chwili: — Zła była nasza sytuacja, moja i siostry, więc może i kontekst naszych spotkań nie był zbyt dobry. Ale, przyznaję: dzięki nim żyłyśmy.

— Krzysztof von Wedel z Krzywnicy.

— W porządku — kiwam głową i myślę sobie: szkoda, że nie powołali Zygmunta. Ale na pewno słuchają krzywnickich Wedlów na okoliczność Lene Schmedes. Tam ją poznałam i oni ją przed dziesięciu laty oskarżyli i spalili.

— Heinrich Prechel — mówi Elias i sam sobie wyjaśnia: — To ten od dzieci pogryzionych przez psa, tak?

— I odrzucony narzeczony — dodaję, bo nie wiem, czy już o tym mówiliśmy. Z zimna rozum pracuje mi gorzej.

— Wszystkie panny z Marianowa i ich służące.

— No, to wiemy, czego się spodziewać — krzywię się.

— Tak i nie. Proszę pamiętać, że to prawdziwe przesłuchanie, pod przysięgą.

— One przysięgną — mówię. — One Boga w sercu nie mają, a diabła się nie boją.

Elias Pauli patrzy na mnie przeciągle.

— Wdowa po Winterfeldzie, pani Horn.

— Sama jest wiedźmą.

— Wielebny Beatus Schacht.

— Fantasta i głupiec. Nie dał mi rozgrzeszenia.

— A powinien? — znienacka pyta Elias Pauli.

— Pastor tutejszy, z Oderburga, Dionizjusz Rhan, udzielił mi spowiedzi i komunii — patrzę na Eliasa groźnie. Po czyjej stoi stronie?

— Jakieś dwie kobiety z Chociwla, nazwisk nie podali.

— Może jakieś pszczółki? — mówię. Pamiętam je z czasów, gdy znosiły plotki pod skrzydła Korduli, pszczoły matki. Ale, ale, to było w dobrych czasach, a Kordula zeznaje w złych, więc skąd mi wiedzieć, co to za kobiety i co powiedzą?

— Jest jeszcze pastor z Krzywnicy, od Wedlów.

— Bywałam tam w kościele — przypominam.

Bywałam i w okolicy. Dwie morwy u wejścia na cmentarz, Lene, co zbierała ich słodkie owoce. Nasze rozmowy, nasze spacery po lesie, kto podglądał, kto podsłuchiwał, kto co z tego zrozumie? Lubiłam Lene. Ona nauczyła mnie szukać czarcich mioteł. Nie było łatwo, czasem czaiły się na wysokich drzewach, zwykle przyrastały do najtrudniej dostępnych konarów. Bałam się, gdy pierwszy raz wspinałam się, by odciąć miotłę. Lene posmarowała mnie jakąś maścią i nogi pode mną przestały się trząść. W zielniku opisali to jako „potworność roślin", ale dla mnie ta gęstwina szalonych, dzikich pędów, była cudem. Swą pierwszą pozyskałam z brzozy. Drugą z sosny. Trzecią z jodły i tę lubiłam najbardziej. Gdy odcięłam sobie pierwszą miotłę, Lenę uznała, że jestem dzielna i zaprowadziła mnie do lasu, który zwała czarcim gajem. Odkryła przede mną tajemny świat roślin. Nauczyła tłoczyć olej z jałowca (który złodziejce Trinie Pantels przyniósł ulgę), pokazała, jak używać Adich, czarnego bzu, by się nie zatruć, a pomóc w chorobie. Mój zielnik nazywa go „ebulus", też ładnie, ale lubię tę naszą, pomorską nazwę. Pokazała i takie rośliny, których lepiej nie oglądać, gdy się nie wie, na co się patrzy. Z nią odkryłam smętosza. Narośl drzewną, co najpierw wygląda jak różowe zniekształcone ciało noworodka, a z czasem staje się czarna. Bytuje na korze żywych sosen, albo na osikach. Z czasem, już w Marianowie, sama nauczyłam się ich szukać i znajdowałam takie, co osiadły na martwych drzewach. Były zupełnie inne, przypominały mózgi zwierząt wczepione niewidzialnymi mackami w tkankę obumierającej kory. Przeto tak, lubiłam Lene Schmedes i z wdzięczności za to, czego mnie nauczyła, pokazałam jej smerwort, największe z moich odkryć.

Prokurator Lüdecke wnosi do sądu o przedłużenie terminu na przesłuchanie świadków. Skarży się, że jest ich wielu i każdego musi przepytać po kolei z siedemdziesięciu trzech zarzutów. Nadal nie oddano mi zielnika ukradzionego z domu i szuflady. O tej ostatniej dowiaduje się czegoś Elias Pauli:

— Zatrzymał ją sam książę.

— Ach tak — odpowiadam i zacinam się.

Adwokat rozkłada papiery na stole, wyjmuje kałamarz, otwiera go ostrożnie. Podaję mu szmatkę poplamioną atramentem, zostawia ją u mnie. Teraz podkłada pod kałamarz, by nie ubrudzić stołu.

— Mamy dzisiaj sporo pracy — mówi. — Ale zacząć muszę od nowego zarzutu.

— Co znowu? — pytam nieuprzejmie. Wciąż myślę o tym, że książę Franciszek grzebie w moich papierach.

— Właściwie zarzut jest stary, tyle, że Lüdecke go uszczegółowił — Elias Pauli wyjmuje odpowiedni papier. — Tam, gdzie było „wie, co się dzieje wiele mil stąd", pojawił się inny zapis: „wie, co się dzieje teraz w Królewcu". Jak sama panna wie, Królewiec to dzisiaj dla księstwa pomorskiego miasto szczególne. Po unii personalnej Hohenzollernów mówi się, że tam bije drugie serce marchii. W kręgach dworskich przywiązuje się do tego wagę, lęk przed dziedzictwem Hohenzollernów na Pomorzu jest wyraźniejszy niż kiedykolwiek. Dlatego przyznaję, że trochę martwię się tym Królewcem w akcie oskarżenia.

Czuję, jak złość podchodzi mi falą od serca do języka:

— A to czort! — syczę. — Jost, Jost, jesteś draniem! Przeczytał moje listy — rzucam zdumionemu adwokatowi. — Obrócił nasz argument przeciw nam! Znów to zrobił, znów mnie wykorzystał!

— Panno Sydonio? — Elias Pauli jest nieskończenie uprzejmy. Uspokajam się. — Podając pana Ascaniusa von Bork jako świadka, ujawniliśmy sami, że ostatnio przebywał w Królewcu. Nie rozumiem pani wybuchu.

— Sam pan teraz powiedział, że dopisali mi ten Królewiec do aktu oskarżenia — mówię z pretensją, dziwiąc się, że nie pojmuje. — My wskazaliśmy Ascaniusa jako świadka, oni dowalili Królewcem. To ręka Josta. Chciał się zemścić.

— Jest coś, o czym panna mi nie powiedziała? — pyta Elias Pauli, przekręcając głowę.

Zaciskam usta. Myślę. On mi ułatwia, mówiąc:

— Przyznała pani, że Ascanius von Bork jest pani kuzynem.

— Młodszym bratem Josta — uzupełniam jego wiedzę. — Zaginionym, uznanym za zmarłego. Zaginął na własne życzenie, bo nie chciał dorastać w cieniu starszego. Zaszło między nimi coś, o czym nie wiem, ale takie, jak powiedziałam, było podłoże zdarzenia. Wzywając Ascaniusa...

— Ujawniła panna Jostowi, że zna prawdę o nim i jego bracie — dopowiedział. — Źle, że dowiaduję się o tym dopiero teraz. Może inaczej podszedłbym do wezwania tego świadka.

Kulę się w sobie. Jestem zła, bo Jost von Bork mnie pokonał.

— Panno Sydonio? — z troską pyta Elias Pauli. — Co z pani plecami? Czy dobrze się panna czuje?

Z trudem, ale się prostuję. Jeszcze nie jest ze mną tak źle, bym miała pokazać się garbuską. Przegrałam bitwę, ale wojna dopiero przed nami.

— Przeczytali moje listy do Ascaniusa i od niego — mówię i panuję nad głosem. — Nie było w nich nic nadzwyczajnego, poza marzeniem dwojga rozbitków o wspólnym domu. I rzecz jasna, Królewcem, bo stamtąd pisał. Ale nikt nie może zrobić z tych listów dowodów na to, że jestem, lub on jest, jakimś szpiegiem Hohenzollernów. Uważam, że użyli tego Królewca, by mnie zastraszyć. Nic więcej z tego wątku nie wyciągną.

— Dobrze — mówi Pauli — ale bardzo pannę proszę o szczerość. Zatajanie szczegółów, o których wiedzą inni i mogą je przeciw pannie wykorzystać, utrudnia moją pracę.

— Rozumiem. To się nie powtórzy — obiecuję.

— Zatem, zaczynajmy — rozkłada papiery. — Dzisiaj będę spisywał panny odpowiedzi na zarzuty. Nie mam jeszcze wiadomości od lekarza, który leczył doktora Schwalenberga, ale doktor Schmidt ze Stargardu odpowiedział wyczerpująco.

— Faber — poprawiam adwokata. — W Stargardzie mówimy na niego doktor Jacob Faber. Młodszy, w odróżnieniu od ojca.

— Bardzo zacna rodzina — odpowiada z podziwem. — Jego dziadek matczyny, pan Runge, był superintendentem greifswaldzkim i astrologiem dworu.

— Tego akurat nie wiedziałam — mówię.

I wtedy jednak przypominam sobie obu, Jacob Runge i jego brat Andreas gościli na wołogoskim dworze. Czy to stawiane przez nich horoskopy przyczyniły się do tego, że Ernest Ludwik dostał władzę? Jeśli tak, to mieli wpływ na moje życie. Zatem ich wnuk, doktor Faber, którego żona kupowała ode mnie obrusy, jest mi coś winien.

— Co orzekł? — pytam z napięciem.

— Że badał pastora Lüdecke i stwierdził, iż ten miał *pneumothorax*, obrzęk w płucu, blisko serca. I że taka przypadłość powoduje, że po pęknięciu obrzęku pacjent musi umrzeć. Podał również, że opisano mu ciało pastora po śmierci, w tym: brązowe plamy na twarzy, stopie i wzwyż, na łydce aż do kolana oraz wydęcie klatki piersiowej nieboszczyka sięgające aż do ust i wszystko to odpowiada symptomom *pneumothorax*. Zatem doktor Jacob Faber Szmidt uważa, że śmierć pastora Lüdecke wygląda na naturalną, spowodowaną obrzękiem płucnym.

— Wspaniale — mówię i myślę, że wnuk astrologów odwdzięczył się. Choć po chwili uważam, że mój entuzjazm był pochopny. On nic nie jest mi już winien, ale tamci? Czy gdyby nie wsparli Saskiej Lwicy, moje życie dzisiaj nie byłoby inne?

Elias Pauli przepisuje diagnozę doktora i załącza do akt. Spisujemy również ogólną wiedzę na temat śmierci księcia Filipa, bo choć poprosiłam doktora Oesslera na świadka, to póki co, nie uwzględniono mojej prośby.

— Książę miał podagrę, był słabego zdrowia i było to powszechnie wiadomym.

— A co z zarzutem odnośnie do panny bratanka?

— Otto von Bork przez dłuższy czas przed śmiercią był chory — mówię. — Pił bez umiaru, zwłaszcza hiszpańskie petersimon. Wszyscy znamy to wino, jest bardzo ciężkie, bardzo mocne. Zmarł w Szczecinie, w oberży, z powodu przepicia, gdyby zbadał go jakiś lekarz, powiedziałby, że to zapalenie wnętrzności, ale przecież nikt nie wzywał do pijaka doktora.

— Co z Flemmingiem? — pyta Pauli.

— Nie żyje — wzruszam ramionami. — Przypisano mi go tylko dlatego, że panowie Wedel i Hechthausen z klasztornej fundacji kontaktowali się z nim, wzywali na te komisje. Więc skoro zmarł w podobnym czasie, proszę, dlaczegóż by nie!

— Miała panna z nim do czynienia wcześniej?

— Widywałam go na dworze, łaził za mną, nastawał, wydawało mu się nie wiadomo co — mówię zniecierpliwiona. — Zresztą, panie Pauli.

O to, że Flemmingowi wypłynęło oko i o jego późniejszą śmierć już oskarżono kobietę i spalono. Nie można w kółko o to samo…

— Kogo?

— Lene Schmedes z Krzywnicy, o ile się nie mylę — odpowiadam niechętnie.

— Zapisałem, to dobry argument — mówi Pauli, nie odrywając wzroku od papieru. — A to dziwaczne zaklęcie? Co na to odpowiemy?

— „So krabben und kranzen meine Hunde und Katzen" — powtarzam rytmicznie i mówię: — Zabawnie brzmi, prawda?

— Jak się wymówi tak jak panna, żartobliwie — Elias Pauli próbuje powtórzyć, ale mu nie idzie. Wpatruje się we mnie wyczekująco.

— No właśnie — śmieję się. — To przecież żart słowny. Jeszcze raz, niech pan posłucha: „To skrobały i drapały moje psy i koty". Uwielbiam tworzyć takie rymowanki. „Pies to drapał" mówiła moja piastunka. Ja dodałam kota, bo w Marianowie miałam takiego rudego, przychodził i odchodził. Na Boga, doktorze Pauli! Uważa pan, że gdybym była złą kobietą, to po wyrządzeniu szkody zwalałabym winę na koty?

— Ja nic nie uważam — odpowiada. — Ja chcę pannę przygotować na proces.

— Dobrze. Zatem na punkt o „zamodleniu na śmierć" proszę odpowiedzieć, że tak, często nie mogłam w nocy spać i wtedy brałam psałterz i modliłam się. To mnie uspokajało i nadal uspokaja. I proszę im napisać, że tutejsi, szczecińscy duchowni udzielili mi dwukrotnie komunii.

— Czy chcemy coś dodać w kwestii Wolde? Może trzeba napisać wprost, że uwzięła się na pannę i że stąd jej późniejsza zaciekłość?

— Nie wiem, co zrobić z Wolde — odpowiadam bezradnie. — Jak dotąd wszystko, co ma z nią związek, obraca się przeciw mnie. Ta nieszczęsna konfrontacja, powołanie mnie jako czarownicy. Dzisiaj rozumiem, że Wolde była podejrzana i obłąkana jednocześnie, ale jak mam to udowodnić? Jost von Bork spalił ją, bo była jedynym dowodem na to, że mnie wrobił.

Milczymy chwilę. Potem Elias Pauli pisze w moim imieniu o obłąkaniu Wolde Albrechts, ale nie o obłąkaniu przez diabła, tylko o chorobie umysłowej.

Czekam, aż zapisze, i wspomnienie Wolde przychodzi do mnie samo, niewołane. Stoimy w marianowskim lesie, jest wczesny poranek, mgły. Ta wariatka pochyla się nad ściółką, w której ledwie co znalazłyśmy skarb, i rży. Śmieje się jak opętana, porusza biodrami w przód i tył.

„Niech mnie wyrucha czarci chuj!" — woła. Klęka i unosi spódnice. Widzę jej blade, silne uda. „No dalej!" — teraz rusza biodrami na boki, jeszcze wyżej zadziera spódnice i naprawdę chce nasadzić się na ten grzyb. Odpycham ją. „Zwariowałaś?" — szepcę. „Chcesz ściągnąć tu pół Marianowa? Uspokój się natychmiast. Tygodniami szukałam tego muchomora i nie pozwolę ci go zmarnować". „Dobrze, dobrze" — wstaje i śmieje się. „Naprawdę mówią na niego czarci chuj. Przyjrzyj się mu. Nie poznajesz?". Przymyka oczy i wdycha smród wydzielany przez grzyb. „Cuchnie jak nasz Czarny Jurgen" — mówi, a potem zaczyna poruszać ustami i szeptać jego nazwy z taką lubością, jakby brała ten ohydny zapach w usta: „smrodziuch, śmierdziak, cuchnik", oblizuje się przy tym ohydnie. „To sromotnik, jeden z wielu" — tłumaczę jej. „Mam go w swym zielniku. Ma przydomek bezwstydny albo smrodliwy, co samo się rozumie. Odsuń się, muszę sprawdzić, czy ma jajo. W jaju najwięcej zdrowia". Klękam i ostrożnie wkładam dłonie pod ściółkę, i wymacuję palcami to, po co przyszłam. „Nie ma choroby, na którą by nie pomogła nalewka z czarciego jaja" — mówię, wyciągając je spod grzyba. Wolde klepie mnie w ramię i śmieje się jak głupie dziecko: „Czarcie jajo, czarcie jajo, sama przyznałaś". „Tak się nazywa" — wzruszam ramionami i wyciągam je spod grzyba. On sam rzeczywiście wygląda jak fallus, choć wedle mnie jak jego karykatura. Długi kapelusz, wilgotny jak napletek, szarawy, pomarszczony. „Grzyba nie bierzesz?" — upewnia się Wolde i gdy potwierdzam, robi to, na co miała ochotę. „Jak mnie czarci chuj zapłodni, to urodzę ci tych jaj, ile zechcesz!" — rechoce. Odwracam głowę, nie chcę patrzeć na jej wygłupy. Przyglądam się drzewom, robię znaki na korze. Muszę tu wrócić, bez tej wariatki. Gdzie jest jeden sromotnik, będą kolejne. A do nalewki potrzeba więcej czarcich jaj. Owijam je w płótno i chowam do kosza. „Skończyłaś?" — pytam Wolde, nie patrząc na nią. Nie odpowiada, więc odwracam się. Leży na ściółce z rozpostartymi ramionami, z rozrzuconymi włosami, twarzą do ziemi. „Wolde?" — wołam ją po imieniu i klękam nad nią. Milczy, ale oddycha. Podnoszę ją, przewracam na plecy. Ma zamknięte oczy i wyraz takiej rozkoszy na twarzy, że siadam przy niej i czekam, aż się ocknie. Gdy się budzi, nie pamięta, co robiła. Kuca i sika. I krzyczy, że srom ją piecze. „Mogłaś nie spółkować z muchomorem" — mówię. „Mogłaś nie spółkować z diabłem" — przedrzeźnia mnie, siada pod drzewem, obejmuje kolana ramionami i wydaje się zasypiać. Głowa leci jej na bok. Nie bardzo wiem, co zrobić. Martwię się, cucę ją, klepię w policzek. Nic. I właśnie wtedy znów pojawia się Mamuna. Stara leśna kobieta, jej żółte oczy lśnią w półmroku. Jestem wściekła. Na głupią Woldę, na Asche, który zostawił starego ojca bez słowa, na wszystkich bratanków, co nie płacą. I na Mamunę, której się wydaje, że może ukazać mi się i zasiać w głowie lęk.

— Wynoś się starucho! — krzyczę do niej. — Wyrwę cię z korzeniami, jak zielsko! Jestem Sydonia Bork i nie będę się ciebie bać!

Jak powiedziałam, tak było. Nie zobaczyłam jej nigdy więcej.


— A co z Jostem, panno Bork? Panno Bork? Proszę się ocknąć — mówi do mnie Elias Pauli. Jesteśmy w mojej izbie, w areszcie na zamku odrzańskim.

— Przepraszam — uśmiecham się do niego, bo przecież nie do wspomnień.

— Ustosunkujemy się jakoś do zarzutu, że panna zaszkodziła jego zdrowiu? — pyta adwokat.

— Jost von Bork jest ułomny od urodzenia — mówię.

— Przypomnę, że każde słowo przeciw niemu musimy poważnie przemyśleć.

— Jost von Bork jest ułomny — powtarzam. — Ma jedno ucho niżej osadzone niż drugie. Lewe ucho. Wiedział pan o tym?

— Nie zauważyłem — unosi brwi Pauli.

— No właśnie. Bo umie to ukryć.

— Ale taka ułomność nie jest…

— Poza tym od dziecka był słaby, chorował często, byle wiatr i się przeziębiał.

— Dobrze, dobrze — przerywa mi Pauli. — Napiszmy ogólnie o słabym zdrowiu, ale pominąłbym informację o uszach. Odbierze to jak ujawnienie sekretu, a przecież wkłada tyle wysiłku, by tę deformację ukryć.

— Jak pan uważa — wzruszam ramionami. — W tym względzie zdaję się na pana.

— Ale? — pyta. — No przecież słyszę, że nie powiedziała panna wszystkiego, co chciała.

— Chcę, by do obrony włączono akta dawnego procesu o pobicie przez Jacoba Stettina — oświadczam. — Tam wyraźnie wskazany jest sprawczy nadzór mojego brata. Zwracam uwagę na więzy rodzinne, to znaczy, panny klasztorne, Dorotea i Sofija Stettin, to jego siostry, więc wydaje mi się, że to także rzuca światło na ich zeznania. I chcę, by dołączyć akta mojej skargi na Josta i Sperlinga. Już nie mam nic do stracenia. Muszę wykazać, iż moja własna rodzina uwzięła się na mnie i chciała doprowadzić do zguby. To moja ostatnia szansa, by wybrnąć z tych wyssanych z palca zarzutów o czary. Wykazać, że prawdziwym powodem procesu są waśnie rodzinne o pieniądze i moja w tym względzie nieustępliwość.

Sąd przychyla się do mojej prośby, by wydać mi uposażenie należne pannom klasztornym. Sędzia w Szczecinie trzeźwo rozumuje, panna von Bork wciąż jest pensjonariuszką, a musi płacić w areszcie za jedzenie. Idę za ciosem i proszę na piśmie, by z mego domu w Marianowie przysłano mi wodę do płukania ust, miód różany i Schlagwasser, bo szwankuje mi zdrowie. Dostaję to wszystko. Więc w kolejnym piśmie proszę o wydanie mi mojej szuflady na listy, bo mogą być w niej dokumenty, które zechcę dołączyć do akt procesowych. Na nią czekam najdłużej, bo jest na zamku, u samego księcia, więc wciąż jej nie mam. W międzyczasie występuję na piśmie o wypłacenie mi przez spadkobierców Ulricha z dóbr ojcowskich należnych stu talarów, których potrzebuję na proces. Mój adwokat, Elias Pauli, jest cierpliwy, ale nie chcę nadużywać jego dobrej woli. O dziwo, i tu sąd reaguje. Wysyłają do bratanków list dłużny. Ci zaś piszą o swojej biedzie i tak dalej, to co zawsze. Sąd zmniejsza im należność do pięćdziesięciu talarów. Oni swoje. Sąd wystawia nakaz egzekucyjny. Przywożą w zębach należne pieniądze.

Po wielokroć poprawiam listę świadków obrony. Mam na uwadze, co mówił Elias Pauli — niektórych można skrzywdzić wezwaniem, by stanęli w obronie oskarżonej o czary. Więc usuwam z tej listy Dorotę von Bork. Ale proszę, by zeznała Sofija Stettin, w końcu była świadkiem, jak jej brat mnie pobił, i nigdy nic złego ode mnie nie usłyszała. Proszę o trzech doktorów. Słynnego Constantina Oesslera, medyka książąt szczecińskich, doktora Fabera Schmidta Młodszego, ze Stargardu, już raz mi jego opinia pomogła, i wreszcie doktora Petera ze Stargardu, on leczył przeoryszę Petersdorf, może przemówi za mną. Proszę jeszcze o trzech Wedlów, tych, których jestem pewna. O jednego urzędnika z Marianowa i jednego z Szadzka, obaj, jeśli zeznają prawdę, potwierdzą, że Jost jako książęcy urzędnik zachowywał się jak pospolity złodziej. I robię woltę, prosząc o zeznanie Horn i jej córek, czyli wdowy po odźwiernym, którego śmierć mi zarzucają. Niech ta krowa przyzna, że miała ze mną na pieńku, że przez nią zachorowała moja maciora. I tyle.

Elias Pauli prowadzi listowną potyczkę z Kristianem Lüdecke, pro-kuratorem. Same bzdury, ale chodzi o to, by pokazać ich złą wolę. Zarzuty Lüdecke w tej rozgrywce są żałosne. Na przykład, że Pauli celowo postarzył mnie do procesu, by wymusić litość na sędziach. Po to kończy się dwa fakultety, by pisać takie bzdury? Naprawdę sądzi, że jest różnica w oskarżeniu panny siedemdziesięcioparoletniej a osiem-dziesięcioletniej? Jak dla mnie, szkoda papieru, ale Elias mówi, że to zbija z tropu pana Lüdecke, więc niech robi, co chce.

Jedyne, na co mój obrońca wciąż się nie zgadza, to na dołączenie do akt oskarżenia Josta o kradzież. Mówi, że mi to zaszkodzi. Ja ob-staję przy swoim. On peroruje, że żaden szanujący się obrońca nie może tego polecić swemu klientowi. Gdy dochodzimy do ściany, piszę oświadczenie, że robię to wbrew jego woli i radom. Złodziejskie inte-resy Josta lądują w aktach sprawy. A co, wcześniej były tam niezaprzy-siężone plotki panien klasztornych i mógł je czytać każdy z sędziów. Niech poczytają o Joście! Oto jeden z nich, mały, cwany złodziej w bie-lutkim, wykrochmalonym kołnierzyku i czyściutkim wamsie. Z lewym uszkiem skrytym pod włosami. Jost, gdybym dostała cię w swoje ręce, przegryzłabym ci tętnice.

Życie w celi jest lepsze, odkąd mam swojej roboty płukankę do ust i moją Schlagwasser. Z dobrym zapachem nawet areszt jest znośniejszy.


Pierwszy raz Schlagwasser powąchałam u Ursuli von Dewitz, w cza-sie świątecznej wizyty. Byłyśmy małe, Otylia jeszcze młodsza, ona bardzo chciała pozyskać uwagę moją i Doroty. Zaprowadziła nas do sypialni swej matki i pokazała flakon z „cudowną wodą”. Natar-łyśmy się nią bez umiaru, choć Otylia prosiła Dorotę, by już prze-stała. Potem, podczas kolacji, pani domu poruszała nosem raz po raz i niewiele potrzebowała, by wytropić winowajczynie. Nam nie powiedziała złego słowa, swoje zebrała jej córka. W Wołogoszczy Saska Lwica mówiła na ten sam eliksir Wunderwasser i kazała sobie nim nacierać skronie, gdy dopadał ją ból głowy, kolana w dni chłodne i wilgotne, kiedy zimno szło od rzeki; szybko zrozumiałam, że pani cierpi na reumatyzm. Pamiętam, jak jednego dnia księżna Maria powiedziała do Otylii: „Moje dziecko, natrzyj mnie cudowną wodą”, a Dewitzówna idąc do księżnej, obrzuciła mnie długim i wyniosłym spojrzeniem. Pewnie chciała powiedzieć: „Warto było raz dostać burę od matki, by teraz nacierać eliksirem skronie samej księżnej”.

Ja o tym myślałam dokładnie odwrotnie. Nigdy w niczym nie umiałam się zgodzić z Otylią.

Kiedy Barbara von Brockhausen zabrała mnie do apteki Melchiora Brunnera, wiedziałam, że niczego bardziej nie pragnę, niż tej wiedzy, którą on posiada. Oczywiście, nie miałam na myśli Jana Fryderyka, on był pragnieniem poza moim zasięgiem, a umiejętności mistrza Melchiora wydały mi się osiągalne. Odkładałam każdego talara, by móc kupić zielniki, wiedziałam, że od nich się zaczyna. Musiałam znać rośliny, by wiedzieć, co z ich mocy można porwać i zamienić w tynktury, sole, eliksiry, wyciągi, mazidła. Aż wreszcie, któregoś razu, zebrałam się na odwagę i zapukałam do drzwi apteki, nieopodal Bramy Świętego Ducha. „Panna Sydonia von Bork" — powitał mnie aptekarz, a ja zrozumiałam, że ma świetną pamięć. „Czym mogę służyć?" — spytał, wpuszczając mnie do ciemnawego, przesiąkniętego setką woni wnętrza. „Chciałabym się dowiedzieć, ile kosztuje nauka u mistrza" — powiedziałam, pozwalając, by przyglądał mi się jak wtedy, za pierwszym razem, raz z prawej, raz z lewej strony. „Kobiety nie mogą terminować" — odrzekł. „Ale mogą się uczyć" — odpowiedziałam, a kolczasta ryba zakołysała się pod sufitem, prezentując śmiertelnie nadęte policzki. Umówiliśmy się na talara za lekcję, co nie oznaczało jednego spotkania, lecz temat. Z początku sądził, że interesować mnie będą bielidła i pomady do ust, ale wyprowadziłam go z błędu szybko. Nie mieliśmy wiele czasu, moje przyjazdy do Szczecina były wszak nieregularne i zawsze niepewne. Byłam niczym piesek do towarzystwa swej damy, Barbary von Brockhausen, dobrodziejki dającej mi dach nad głową i alibi. Tego drugiego nie była świadoma, ale przecież nie robiłam nic złego. Pragnęłam wiedzy, a tylko tak mogłam ją posiąść. Zatem wypełniałam zobowiązania towarzyskie wobec Barbary, a każdą chwilę poza nimi przeznaczałam na naukę u mistrza Melchiora. Moja wiedza wyczytana z zielników przydała się. Reszty nauczył mnie on w niskiej i dusznej pracowni na tyłach apteki. Był dobrym nauczycielem, wymagającym i precyzyjnym. Pokazał mi, jak używać retorty i alembiku. Jak ważne jest pilnowanie temperatury. Gdy skropliłam pod jego okiem swój pierwszy olejek różany i gdy udało mi się pomyślnie oddzielić go od wody, poczułam się jak Bóg Ojciec w dniach stworzenia. Oczywiście, zachowałam ten tryumf pychy dla siebie. Kobieta winna być skromną. Do Schlagwasser doszliśmy przy piątym lub szóstym spotkaniu. Pokazał mi proporcje olejku rozmarynowego (półtorej porcji) do tymiankowego (porcja) i spirytusu (dwadzieścia pięć porcji) oraz sekretne dodatki:

lawendę, różę, gałkę muszkatołową. „Oto woda królowej Węgier" — oznajmił. „Regularnie przyjmowana ucisza mankamenty starości, utratę pamięci, tępotę, szumy uszne, głuchotę, przytępienie wzroku, bóle reumatyczne, obstrukcję wątroby, jelit i śledziony. Nadto, bóle głowy, kobiece słabości, bóle zębów, opłucnej, niestrawności. Słynna Elżbieta, królowa Węgrów rodem z Wawelu, używając jej, zachowała urodę do lat starczych. Naciera się nią skronie, miejsca bolące, lub przyjmuje do ustnie, kilka kropel rozpuszczając w winie". Zapytałam, czy będę mogła wziąć ją ze sobą. „Za talara" — oznajmił. Nie kupiłam swojej pierwszej Schlagwasser, choć wysupłałam talara z sakiewki. Przeznaczyłam go na kolejną lekcję — Gebrandwasser. Destylat poziomek i szczawiu, pachnący pięknie i pomagający na wszelkie gwałtowne gorączki. Opłacało się, gdy w Marianowie odkryłam, że działa także na uderzenia gorąca dotykające przekwitających kobiet. Pomogłam nim nie tylko sobie, ale i podłej Trinie Hanow i teściowej jej siostry, wrednej Apenborg. Powinny mnie całować po rękach, a nie klepać bzdury prokuratorowi Lüdecke. Niech je.

Któregoś razu, gdy uczył mnie technik ucierania, by jak najwięcej właściwości destylatu przekazać do tłuszczu, powiedział mimochodem: „Ktoś pytał o pannę". Zamarłam. To mogło znaczyć wszystko, mogło znaczyć nic. Ale w lot pojęłam przestrogę. Szlachecka panna ucząca się u aptekarza. To nie było bezpieczne. „I co pan odpowiedział?" — spytałam. „Nic" — uśmiechnął się chytrze, a w tym uśmiechu było coś nieznośnego. Ucierałam dalej. On nie miał nic do roboty, usiadł w szerokim krześle i przyglądał mi się. Zaległa między nami nieznośna, napięta cisza, w której rytmicznie rozbrzmiewał dźwięk drewnianej pałki, którą rozgniatałam tłuszcz z destylatem. „Proszę więcej pracować nadgarstkiem" — odezwał się po długiej chwili i pokazał mi, jak mam to robić. Nie miał pałki w ręku, zwinął więc palce w powietrzu, udając, że ją trzyma, i ten gest w połączeniu z ruchem był obsceniczny. Zwłaszcza, że wykonał go nad swoim kroczem. Udałam, że tego nie widzę. W końcu jestem panną, skąd miałabym wiedzieć, co to znaczy. Odwróciłam spojrzenie, skupiłam się na moździerzu, jakbym wzrokiem chciała roztopić gęsi smalec, w którym ucierałam destylat majeranku na maść rozgrzewającą. A jednak w jakiś sposób zorientowałam się, co on robi. Siedział tam i dotykał się, patrząc na mnie. Że skończył zrozumiałam po westchnieniu, jakie z siebie wydobył. Potem wstał, wyszedł, wrócił po długiej chwili. Podałam mu moździerz, nabrał palcem maści, powąchał i ocenił, że bardzo dobrze. „Jeśli panna chce, może zabrać tę maść, za darmo" — powiedział. „Dziękuję, nie maść jest mi potrzebna, lecz wiedza i spokój, gdy ją zdobywam" — odrzekłam. „U mnie ma panna gwarancję jednego i drugiego" — oznajmił i nigdy więcej tego przy mnie nie zrobił. Trzymałam się jednak na baczności. Trzeba było czasu, bym pojęła, że tym, kto o mnie pytał, był Mattias z tawerny „Popiołek" i że zrobił to na prośbę Asche. Po latach Mattias dał mi znać o śmierci Melchiora. Od dawna miałam już w Marianowie własny aparat do destylacji, ale nie wszystkie olejki można pozyskać z tego, co się zbierze na polach. Wiadomość Mattiasa była więc cenna. Wiedziałam, jak wejść do apteki ukrytym wejściem od podwórza. Niestety, najkosztowniejsze ingrediencje mistrz Melchior trzymał pod kluczem, tych zatem nie zdobyłam. Ale kilka innych, owszem. Nie byłoby mnie na to stać. Wzięłam je jak zapłatę za tamten akt, którego dopuścił się w mojej obecności i zapewne za moją przyczyną. Wychodząc z apteki, pomyślałam: „Melchiorze Brunner, jesteśmy kwita".


Zatem dostałam swoje eliksiry i mimo zamknięcia w Oderburgu, mam się lepiej. Schlagwasser jest skuteczna. Żadna ze mnie królowa Węgier, ale mam się zdrowiej, odkąd znów ją stosuję. Muszę jednak oszczędzać eliksir. Kto wie, kiedy będę mogła przyrządzić nowy. Dużo czytam. Psałterz, bo wciąż się modlę, i zielnik, bo mój umysł potrzebuje podniet. Wyobrażam sobie, jak zbieram w lesie zioła, grzyby i jagody. Jak przetwarzam je na dobre nalewki, susz do odwarów, jak roztapiam ich zdrowotne właściwości w tłuszczu gęsim i mam z tego swoje słynne maści. Fantazjuję, że wyrabiam maść, od której staję się niewidzialna i opuszczam Oderburg. Idzie wiosna.


Zakończyli słuchanie świadków, lecz nie pokazali nam zeznań. To mnie przygnębiło. Elias Pauli tłumaczy, że w inkwizycyjnym trybie procesu tak bywa. Ja mam złe przeczucia. Od tej chwili często nawiedzają mnie sny ciemne i mroczne. A jednak, mimo to, wreszcie przynoszą moją szufladę na listy. Nic nie zniknęło. Znajduję to, czego nam brakuje do dokumentów, i oddaję obrońcy. Dołącza do akt. Czekamy. Przychodzi wiadomość, że zarzuty wobec mnie pozostają w mocy. Prokurator Lüdecke chce wysłać akta do wyższej instancji, pod ocenę prawników uniwersyteckich. Elias Pauli walczy o wyłączenie Greifswaldu.

— W Gryfii studiowali pokrzywdzeni — tłumaczy mi. — Nie możemy dopuścić, by oceniał panny sprawę jakiś ich dawny przyjaciel.

Sąd Nadworny wyraża zgodę. Wiosna już w pełni. Lüdecke wnosi o przekazanie akt do Frankfurtu nad Odrą. Elias Pauli uważa, że to też niedobrze. Sąd w Szczecinie znów przychyla się do wniosku mego obrońcy. Wskazuje Magdeburg i Elias musi się ugiąć. Akta zostają spakowane w jego i Lüdecke obecności i „sprawa Sydonii von Bork" rusza w drogę, za Odrę. Elias Pauli idzie za ciosem, wnosi o wypuszczenie mnie z aresztu. Sąd Nadworny oddala tę prośbę. Jestem oskarżona o poważne zbrodnie. Można oszaleć od tego czekania. Dostaję na głowę. Uciekam we wspomnienia, złe czy dobre, lepiej drugi raz przeżywać własne życie, niż czekać na wyrok.


Moja miłość do Jana Fryderyka nie słabła, a każdy przyjazd do Szczecina ją potęgował. Tylko raz odważyłam się posłać wiadomość na zamek, na samym początku, ale już po spotkaniu na Dolnym Wiku. Wykorzystałam obecność księżniczki Małgorzaty, wszak byłam jej dwórką, mogłam prosić o spotkanie i zaproszono mnie. Wtedy Barbara pożyczyła mi czepek z pereł, a ja, stojąc w rozpuszczonych pod nim włosach, przed Janem Fryderykiem, czułam się, jakbyśmy byli sami i nadzy. Taką mnie widywał. On czuł to samo, widziałam jego oczy, dłonie, palce na podłokietniku książęcego krzesła, nigdy nie wydawał mi się bardziej pożądanym. Jego spojrzenie mówiło „moja Wilczyco", moje odpowiadało „jestem, Gryfie". Cud, że tego nie słyszeli ci wszyscy ludzie wokół nas, Eberstein, Manteuffel, Kleist i Zitzewitz. Kanclerz od pierwszego spotkania czuł wobec mnie coś niedobrego. Oczywiście, do niczego nie mogło między nami dojść na zamku, oficjalne posłuchanie, przyznanie reprezentantów w sporze z Ulrichem i tak dalej. Ale Jan Fryderyk znalazł sposób i drogę i nic, nawet śmierć Zitzewitza, nie mogła przeszkodzić naszemu spotkaniu. Nie, nie chcę go dzisiaj rozpamiętywać, zostawię to sobie na potem. Jestem w ponurym nastroju, więc myśli szybują do pogrzebu księcia Barnima Starszego. „Nasz pierwszy książęcy pogrzeb" eksytowała się Barbara, a ja szczelnie skryłam się pod klagbinde. „W tym czymś nikt cię nie rozpozna" — mówiła, mając na myśli, że mogę iść z nią, nie z żonami Borków. I tak, nazajutrz, znów owinęłam głowę opaską żałoby i w niej poszłam na znane sobie miejsce, do chaty na Dolnym Wiku, jak wcześniej. Mój Gryf rozwijał mnie z tych pogrzebowych płócien, omal ich nie rozszarpał. Potem wąchał moje włosy długo i niespokojnie, jakby nie rozpoznawał zapachu. I ja czułam od niego obce wonie, ale nie zwróciłam na to uwagi. Od Szczecina słychać było żałobne dzwony, celebracja wciąż trwała. Rozbierałam go po raz pierwszy z ceremonialnego czarnego stroju. Pamiętam, jak uniosłam baskinkę jego wamsa i odnalazłam haczyki trzymające spodnie. Wyczepiałam haftkę po haftce, aż opadły i mój ukochany stał przede mną półnagi. Czarne pontaliki na jego wamsie lśniły złowieszczo i podniecająco. Ta woń śmierci w jakiś sposób była obecna między nami, ale tylko zwielokrotniała pragnienie. Rzuciliśmy się w siebie jak zawsze, ale przy pocałunku po raz pierwszy zgrzytnęły nam zęby o zęby, jakbyśmy ich nie schowali. To podnieciło nas jeszcze bardziej i kochaliśmy się niczym dwa drapieżniki. Od tamtej pory rozumiem, że bliskość śmierci wzmacnia pożądanie. Nasze było nie do zaspokojenia. Kończyliśmy, ja łkałam z rozkoszy, on jęczał i nie czekając, aż wyrównamy oddechy, znów do siebie przywieraliśmy. W jego włosach woń kadzidła, za uchem zapach cedru. Moje dłonie na jego pośladkach, zaciśnięte. Przewracał mnie na brzuch, brał od tyłu. Ja jego na plecy i posiadłam jak wierzchowca jeździec. On mnie na stół i zjadł, jak ostatnią wieczerzę. Ja go pod ścianę i brałam na stojąco. Nasza inwencja tamtego dnia nie miała końca i granic i gdyby nie wieczorne dzwony i ciemność, jaka zaległa wokół chaty, nie mielibyśmy pojęcia, że nasz czas upłynął. Pomógł mi się ubrać, zawsze to robił, gorset sam się nie zasznuruje, kryza z tyłu nie zawiąże. Ja pomagałam jemu, haczyki znów trzymały spodnie na miejscu. To wzajemne ubieranie budziło naszą czułość, ale tamtego dnia, jako że były to stroje żałobne, odczuwaliśmy też dziwny smutek. „Chcę ci coś podarować" — powiedział. — „I nie mów, że nie weźmiesz. Kazałem wybić dwa medale i zniszczyć stempel". „Co to takiego?" — spytałam, choć nim mi go podał, już wiedziałam, że powinnam była zapytać „Z jakiej okazji?". Właściwie odpowiedziałam sobie, zanim zbliżyłam medal do świecy, by zobaczyć, co przedstawia. Chciałam tylko wiedzieć, jak kazał to ująć. Dwie dłonie splecione w pożegnalnym uścisku i napis „Memento mei". Na rewersie jego imię i portret, w kryzie, jaką oboje ostatnio nosiliśmy, wąskiej, wiązanej pod wysokim kołnierzem, blisko szyi. I rok. 1573. Przełknęłam ślinę. „A więc to koniec" — powiedziałam cicho. „Tak" — odpowiedział. Stanął za mną i zamknął mnie w uścisku. „Dlaczego teraz?" — spytałam. „Już dłużej nie mogę. Muszę pogodzić się z życiem bez ciebie, bo inaczej sam siebie unicestwię, jak robi to Ernest Ludwik, a na to nie pozwala mi obowiązek wobec księstwa. Myślałem, że jestem silniejszy, ale nie jestem. Z dala od ciebie staję się jak pisklę". Dobrze, że stał za mną, że nie patrzeliśmy sobie w oczy, że każde z nas mogło płakać bezgłośnie i bezkarnie. „Ale dlaczego dzisiaj?" — ponowiłam pytanie. „Prosił mnie o to stryj Barnim, więc jego pogrzeb... sama rozumiesz". Objął mnie jeszcze mocniej. Pożegnalne uściski mogą połamać żebra, jakby żegnający chcieli dobrać się do ukrytych pod nimi serc i je żywcem pożreć. Przeszło mi przez głowę, że tak, właśnie tak chciałabym umrzeć. Zjedzona przez niego. Nagle poczułam się bardzo zmęczona. Tak bardzo, że nie miałabym siły dojść do Brockhausenów. „Jest tu gospodyni, przyślę ją, ona zorganizuje powóz i czego potrzeba na twój powrót" — powiedział, bo zrozumiał, że to teraz ponad moje siły. „Dziękuję" — odrzekłam i po chwili spytałam: „Barnim wiedział o nas?". „Domyślił się. Długo był pewien, że to Ernest Ludwik". „Gdyby tak nie było, nie zrobiliby całej tej zamiany" — kiwnęłam głową, przysiadłam na brzegu łóżka, które jeszcze chwilę temu było naszą areną. Ukucnął przede mną. „Sydonio. Nigdy cię nie zapomnę i błagam, i ty o mnie pamiętaj. W najczarniejszych chwilach będę nas wspominał". I tyle. Wstał, pocałował mnie w czoło i wyszedł. Pamiętaj o mnie. *Memento mei.* Teraz są moje najczarniejsze chwile i tak wspominam.

Koszmarną, drugą stroną tego medalu, było zaginięcie Asche. Tamtego roku, po Trzech Królach wróciłam do Strzmiela, czekała na mnie płacząca Dorota i Jurga Bork samotnie siedzący na kamieniu. I ten, jak się okazało, kłamca, Jost, udający, że szuka brata. *Memento mei* rozbrzmiewało w mojej głowie trzysta razy na dzień, aż bałam się, że oszaleję. Tak się nie stało. Okazałam się silniejsza, niż to pożegnanie. Nigdy nie rozstawałam się z medalem. Miałam go przy sobie, idąc w kondukcie pogrzebowym Jana Fryderyka, dwadzieścia siedem lat po pożegnaniu. Zazdrościłam szczecińskiej wdowie, Erdmucie, że może swój żal okazywać jak się jej podoba. Ja musiałam łzy zasznurować pod klagbinde. Wiele się wydarzyło, tak wiele. Nie zabrałam medalu do Oderburga. To nie jest coś, co powinni przy mnie znaleźć.

Zgoda Sądu Ławniczego w Magdeburgu na kontynuowanie postępowania karnego wobec oskarżonej Sydonii von Bork, wydana 28 czerwca 1620 roku. Publicznie ogłoszona w Szczecinie 26 lipca 1620 roku.

Zaleca się, aby rzeczoną Sydonię von Bork w obecności kata poważnie postraszyć jego narzędziami; a gdy w taki sposób nic więcej nie da się z niej wydobyć, by zgłębić prawdę, należy przeprowadzić przesłuchanie przy użyciu narzędzi tortur, jednak bez zbytniej przesady, po ludzku.

To, co potem wyzna, zgodnie z *Cesarskim kodeksem prawa karnego* [*Peinliche Halsgerichtsordnung; Codex Criminalis Carolina*], Art. 54 pod tytułem: „Von Nachfrag und Erkundung ect." [„O sprawdzaniu i dociekaniu etc."], należy poddać sprawdzeniu podczas śledztwa, a następnie ustalić, co jest zgodne z prawdą. Na mocy prawa karnego.

[Pieczęć odciśnięta przez papier na podkładzie z wosku]: Sigillum scabinorum Magdeburgensium

My, ławnicy z Magdeburga zaświadczamy, że tę decyzję wydaliśmy na podstawie przesłanych zapieczętownych akt z procesu karnego i odpowiedniego prawa.


Po ogłoszeniu tego orzeczenia (ciągle nazywam to „wyrokiem", a Elias Pauli wciąż mnie poprawia) przenoszą mnie z oficyny zamku na drugie piętro. Pewnie się boją, że taka wiedźma jak ja ucieknie przez zakratowane okno. Nie umiem rozpoznać, czemu kiedyś służyła ta komnata, choć wciąż wydaje mi się, że w niej już byłam, ale możliwe, że mój starczy, zmęczony umysł podsuwa mi takie pułapki. Z pewnością to nie pokój, w którym po raz pierwszy kochaliśmy się z Janem Fryderykiem. Tamten miał dwa okna, ten jedno. Coś tam jeszcze pamiętam. Komnata jest pozbawiona kominka, to bez znaczenia, w końcu mamy lipiec. Wnoszą tu moje łóżko, przy okazji przeszukując siennik. Dostaję swoją pościel. Kochana Metteke pierze ją i suszy, zanim oblecze poduszki i kołdrę. Wnoszą też moją skrzynię z odzieżą, naturalnie, przeglądając każdą rzecz. Kapitan zamku, Paweł Zastrow, pilnuje, by wszystko odbyło się godnie. U jego boku jest młody knecht, ma na imię Daniel, jest wyjątkowo uprzejmy. Obiecują, że będą wpuszczać do mnie Metteke, by przynosiła posiłki i sprzątała izbę. Proszę, aby wezwali pastora Dionizjusza. Chcę się wyspowiadać.

„Przewielebny drogi panie, bracie w Chrystusie! Proszę, abyście wysłuchali mojej spowiedzi. Ja, biedny grzeszny człowiek, wyznaję przed Bogiem i Wami, że po wielokroć zgrzeszyłam. Nie jestem w stanie, nie mogę zachowywać dziesięciu przykazań boskich, dać pełnej wiary Ewangelii, kochać mojego Pana Boga i przyjaciół z głębi serca. Nie umiem też kochać moich bliźnich, jak siebie samą. Jestem porywcza. Jestem zazdrosna. Niemiłosierna wobec ludzi. Nie jestem w stanie ścierpieć ich słów. Ledwie dźwigam Twój i mój krzyż, Panie. Jestem chciwa, rozdziewiczona, nieczysta, niecierpliwa i nieposłuszna. Mam grzechy, których nie umiem wypowiedzieć, ale cierpię z ich powodu w głębi serca. Wyrażam skruchę! Proszę, udzielcie mi rozgrzeszenia. Z Bożą pomocą chcę się poprawić. Sydonia von Bork".

Spowiedź podpisuję własnoręcznie. Jak cyrograf.

# Rozdział III

# Ostre przesłuchanie. Hexenschlaf

*Księstwo Pomorskie, Oderburg, rok 1620*

Metteke przyszła pomóc mi się ubrać. W nocy dużo o tym myślałam, co założyć. Wcześniej przepytałam młodego knechta, Daniela. Był zawstydzony, ale zrozumiał moją intencję, bo powiedział:

— Podczas ostrego słuchania rozbierają kobiety i mężczyzn do bielizny. Nigdy jednak nie uwłacza się czci oskarżonych kobiet.

— A kat? — spytałam. — Jakim jest człowiekiem?

— Wybaczcie — powiedział, robiąc znak krzyża — ale nigdy nie zamieniłem z nim słowa i nigdy nie widziałem go przy pracy. Jednak ci, którzy znają go trochę lepiej, mówią o nim z szacunkiem.

Z szacunkiem dla kata, czy ofiary? — przebiegło mi wtedy przez głowę.

Zatem rankiem stoimy z Metteke nad otwartą skrzynią i przeglądamy moje koszule. Najpiękniejsza jest ta z czarnym haftem na całym przedzie, od wykończenia przy szyi, po piersi, niczym partlet. Jest i inna, dość cienka, ubierałam ją latem (teraz jest lato), pod najlżejszą z sukien. Ma przy rękawach zdobienie krzyżykowym haftem, zielone.

— Zbyt przejrzysta — mówię. — Potrzeba czegoś skromniejszego.

— A może ta? — Metteke wyjmuje prostą, lnianą koszulę z zakładkami.

Nie odpowiadam, więc wyciąga drugą, z szerokim mankietem przy rękawie.

— Też nie? To może... — pochyla się i grzebie w skrzyni.

— Założę tę pierwszą — decyduję się i sięgam po koszulę z czarnym haftem. — W niej będę się czuła ubrana.

Wkładam na nią szeroką spódnicę, krótki codzienny kaftanik i jupkę. Wciąż mam nadzieję, że wezmą pod uwagę moje urodzenie i wiek, i mnie jednak nie rozbiorą. Gdyby tak było (oby tak było), będzie mi dość wygodnie. Potem Metteke zaplata mi włosy i upina w niski węzeł, na to czepek.

— Sygnet? — pyta.

— Nie — kręcę głową. — Ponoć zaczyna się od zgniatania palców. Daj mi krzyż.

— Co?! — Metteke wytrzeszcza oczy i dopiero mi się przypomina, że mogła go nie widzieć. Gdzie ja go schowałam? Ach tak, jest na dnie skrzyni. Sama go wyjmuję. Stare drewno jest takie lekkie, porowate, zakładam go na szyję.

— Z Bogiem, panno — żegna się ze mną Metteke i w oczach lśnią jej łzy.

— Do zobaczenia — mówię do niej i staram się uśmiechnąć krzepiąco.


Sąd Nadworny przybył do mnie, nie ja do sądu. Przesłuchanie odbędzie się w Oderburgu, w dużej sali. W tej, w której stary książę Barnim przyjmował gości, w której rozpoczęliśmy taniec z maskami. On w zielono-złotej, połyskliwej jak skóra węża. Ja w czarno-białej, z lśniących piór. Wprowadza mnie dwóch knechtów, jednym z nich jest Daniel. Imienia drugiego nie staram się zapamiętać. Przed nami, niczym marszałek, kroczy kapitan zamku, Paweł Zastrow. Prostuję plecy, głowę trzymam wysoko, krok mam równy. Brakuje tylko muzyki. Wydaje mi się, że mijamy panny dworskie z dawnych lat. Elisabeth von Flemming w swej masce przypominającej kwiat maku. Panienki z drugiej pary znów mają po szesnaście lat i kołnierzyki białe jak śnieg. Przed nimi najmłodsze, marszałkówna w masce psa i Otylia von Dewitz w masce ropuchy. Co za bzdura. Otylia miała srebrną maseczkę, przez otwory lśniły te jej kocie oczy, a Puttkamerówny wcale nie pamiętam. Muszę się skupić.

Przede mną najważniejszy dzień w życiu. Jeśli się nie spiszę, będzie jednym z ostatnich.

Wchodzimy do dużej sali. Wszystko się tu zmieniło. Okna przysłoniono, nie ma dziesiątek świec w kandelabrach. Ze ścian zniknęła większość obrazów. Wisi jakiś nowy, nie pamiętam go. Wyobraża Sąd Ostateczny, a jakże. Za solidnym stołem siedzi kilku mężczyzn. Ciemne wamsy, białe kołnierzyki. Szukam koloru. Prokurator Kristian Lüdecke nosił się niczym papuga, barwnie. Żaden z tu obecnych nie jest nim i wiem, że to dobry znak. Wkrótce zostają przedstawieni przez Pawła Zastrowa, kapitana zamku:

— Doktor Teodor Plonnies, przewodniczy sądowi.

Ma kapelusz z klamrą, filc musi być dobry, bo rondo wygięte nienagannie. Starannie przystrzyżona ciemna broda i takież oczy. Dłonie o nieco zgrubiałych stawach trzyma złożone na stole.

— Radca książęcy Fryderyk Hindenborch.

Ten z kolei ma francuski kwadratowy, koronkowy kołnierz. Nie ma co, eleganccy panowie będą mnie sądzić.

— Antonius Petersdorf, protonotariusz.

A zatem, choć mój proces świecki, on tu reprezentuje godność reformowanego Kościoła. Niczym się nie wyróżnia.

— Johan Candi, skryba sądowy.

Ten siedzi przy końcu stołu, wokół niego równo przycięty papier, dwa kałamarze, osobna świeca. Gdyby nie zasłaniali tych wielkich okien, nie trzeba by dodatkowego światła. Ta sala kiedyś była słoneczna. Zatem, zarządca zamku przedstawił mi skład sędziowski. Mnie im nie przedstawiano, to zrozumiałe.

— Panno von Bork — zaczął Plonnies i odetchnęłam z ulgą. Bałam się, że może mieć piskliwy głos, jak Lüdecke, a nie chciałam się denerwować podczas przesłuchania bardziej, niż to konieczne. — Została panna oskarżona o czary, to nadzwyczaj poważny zarzut. Zna panna pełen akt oskarżenia, nie ma potrzeby go teraz przytaczać, bo wszystkie zarzuty pozostały w mocy.

— Chcę to zaskarżyć — mówię. — Pozostawienie zarzutów oznacza, że mojej skargi i moich odpowiedzi na zarzuty procesowe nie uwzględniono. Proszę również, by przyszedł tu mój obrońca, doktor Elias Pauli.

— Zgodnie z prawem, na tym etapie, nie może pannie towarzyszyć adwokat, tak jak ze strony oskarżenia nie ma tu prokuratora. Wszystko mamy w dokumentach, poświadczone i podpisane — mówi

Plonnies. — Skarga także nie przysługuje. Zaczynamy postępowanie dowodowe. Proszę ponownie wezwać mistrza katowskiego.

Ponownie? Czyli przed moim przyjściem kat był tutaj? Odebrał instrukcje? Nauki, jak ma mnie męczyć? Słyszę, jak za moimi plecami, na drugim końcu sali otwierają się drzwi. Słyszę szuranie kilku osób, niosą coś ciężkiego. Panowie sędziowie przypatrują się temu, wyglądają zza stołu. Ktoś mówi:

— Tu proszę postawić, bliżej. Ostrożnie.

Głos tego mężczyzny nie wydaje mi się obcy. Ma niskie, głębokie brzmienie. Rezonuje, jak u Jurgi. Ciekawość bierze we mnie górę. Odwracam głowę.

Jest przystojny. Wysoki, ciemne długie włosy w naturalnych splotach spływają mu na ramiona. Oczy nieco skośne, też ciemne, wyraziste brwi i wydatne kości policzkowe. Ma na głowie kapelusz, nie tak elegancki jak doktor Plonnies, ale porządny. Wams w kolorze ciemnego wina, proste białe mankiety, czyściutkie. Nie mogę oderwać od niego wzroku. Wiem, że służba wnosi kolejne skrzynie, ale nie one mnie ciekawią, lecz ten człowiek. Mój kat.

— Mistrz Joachim — przedstawia go Paweł Zastrow.

— Sydonia Bork — i ja przedstawiam się odruchowo.

Joachim skłania się z szacunkiem.

— Panno Bork, zgodnie z prawem, teraz mistrz katowski pokaże wam narzędzia tortur i wyjaśni, do czego służą.

— Zapraszam — eleganckim gestem mistrz Joachim prosi, bym podeszła z nim do czegoś, co wygląda jak drewniane łóżko. Z bliska widzę, że wykonane jest z przylegających do siebie szczebli.

— Nazywamy to ławką — tłumaczy kat, a ja, niczym we śnie, idę za jego głosem. — Chociaż w istocie to rodzaj rozciąganej drabiny. Człowieka kładziemy na plecach…

Jest coś nieprawdopodobnego w sposobie, w jakim wymawia słowo „człowiek".

— …ręce zostają zawiązane, za głową, wysoko. Drabina jest rozciągana w górę, nie w dół. Robi to mój pomocnik, tym oto kołowrotkiem. Dzięki przymocowaniu rąk do drabiny, człowiek po uruchomieniu kołowrotu zostaje mocno wyciągnięty wzdłuż kręgosłupa.

Powinnam się wzdrygnąć, straszliwe to łóżko, ale ja, jak zaczarowana wsłuchuję się w melodię jego głosu.

— Zapraszam do pierwszej skrzyni — mówi i mój wzrok podąża za jego gestem. Ruchy ma niesłychanie harmonijne, jak tancerz. Tyle, że wszystko robi jakby nieco wolniej. Pochyla się nad skrzynią i wyjmuje z niej żelazną obręcz ze śrubami.

— Huwe. Pomorska czapka, choć niektórzy wolą nazywać ją wień-cem. Zakładamy ją na czoło człowieka i dociskamy te śruby, by wyznał sędziemu prawdę. Do kompletu jest gruszka, proszę się nie obawiać, nie taka, jaką stosuje się wobec heretyków. Tamta, rozszerzana w ustach człowieka, sama w sobie jest narzędziem. Gruszka pomorskiej czapki to zwykły knebel. Chodzi o to, by człowiek nie marnował sił na krzyki, lecz by zachował je na wyznanie prawdy.

— Czy tę gruszkę się myje? — pytam.

— Ja to robię — odpowiada. — Za innych mistrzów nie ręczę. Proszę dalej — już prowadzi mnie do kolejnej ze skrzyń. — Hiszpań-skie trzewiki. Zakłada się je człowiekowi na bose stopy i znów działa się, przykręcając śruby. Kruszą kości, dlatego tak wielu skazanych ma trudności ze staniem na własnych nogach. Jednak częścią mego zawodu jest również leczenie. Zapewniam pannę, że po przesłuchaniu zajmuję się każdym człowiekiem równie starannie, jak w trakcie.

Od tego żelastwa, które prezentuje, bije groza, lecz nie rdza i nie smród. Wszystko starannie wyczyszczone, skórzane paski natłuszczo-ne. W każdej ze skrzyń równiutko poskładane białe płótna.

— Nie widzę tu maski hańby — mówię, pamiętając okrutny przy-rząd, w którym zamknięto głowę praczki. Tej, co ośmieliła się powie-dzieć, że ogrodnik był ojcem jej dziecka, przed półwieczem, na wo-łogoskim dworze.

— Słuszne spostrzeżenie — przyznaje Joachim i patrzy na mnie z atencją. — To mizerne narzędzie, nieprzystające do sytuacji i do po-zycji panny Bork.

— Dziękuję — odpowiadam nie wiedzieć dlaczego, uspokojona.

— Prezentacja moich narzędzi skończona — ukłonił się kat. — Mogę tylko poprosić pannę, by się oszczędzała i wyznała, co ma do wyznania, po dobroci. Wówczas nie będę pannie i panom sędziom potrzebny.

„On pannę zwodzi" — szepce głos rozsądku, głos Eliasa Pauli w mojej głowie. „Przyznanie się do winy to kara śmierci. Będzie po-trzebny tak, czy inaczej. Niech się panna broni".

— Nie mogę się przyznać do winy — mówię nie do kata, lecz do sędziów. — Bo nie jestem winna ani jednego z postawionych mi zarzutów. Wyspowiadałam się i jeśli teraz kłamię, jeśli cokolwiek, co zapisano w oskarżeniu jest prawdą, niech Bóg da nam znak.

— Panno Bork — mówi protonotariusz Petersdorf. — Wzywanie tu Boga jest pychą.

— A kogo mam wezwać? — pytam prowokująco. — Skoro odmawiacie mi teraz adwokata? Obawiam się, że nie znajdę u was sprawiedliwości. Chcę apelacji.

— Odrzucam — beznamiętnie mówi Plonnies. — W tej sprawie apelacja nie przysługuje. Ostrzegam także, by nie ważyła się panna obrażać dobrego imienia swych krewnych, bo w takim wypadku kat będzie musiał wkroczyć w nasz proces szybciej.

Jost von Bork zamyka mi usta głosem doktora Plonnies — myślę. — No to karty zostały już rozdane.

— Rozpoczynamy przesłuchanie po dobroci — oznajmia Teodor Plonnies i prosi radcę Hindenborcha, by ten czytał po kolei zarzuty. Po każdym mam czas na odpowiedź.

— Nie umiem czarować. Nikomu nie wyrządziłam krzywdy, ani człowiekowi, ani zwierzęciu.

— Kim jest Bholen?

— Nie mam pojęcia. Nie znam. Jedyną siłą wyższą, do jakiej się zwracałam w potrzebie, jest Jezus Chrystus.

Radca wyczytuje z aktu oskarżenia najwymyślniejsze nazwy dla czarowskich zajęć, jakim się, wedle nich, oddawałam. Jak mam odpowiedzieć na coś takiego?

— O wymienionych tu rzeczach nie wiem, nie myślałam, tym bardziej nic takiego nie uczyniłam.

Widzę, jak Plonnies przewraca oczami, jakby już się nudził. To budzi we mnie bunt, zwłaszcza wobec tego, co powiedział przed samym przesłuchaniem. Sprawdzam, skryba notuje każde słowo, więc mówię teraz:

— Przypuszczam że w tę sprawę zamieszany jest Jost von Bork. Pytacie o czary? Pytajcie Josta.

Widzę, jak Plonnies blednie, jak daje znak skrybie, by przestał pisać, jak pochyla się do ucha Fryderyka Hindenborcha. I wtedy w mojej głowie odzywa się Elias Pauli: „Tylko nie to, panno Sydonio, tylko błagam, niech panna nie próbuje powołać Josta".

Już za późno, dobry, kochany Eliasie — myślę. — On mnie w to wrobił, ja wrobię jego. Niech i Josta postawią przed takim sądem i skażą na to samo, co mnie.

— Panie sędzio — powtarzam głośniej, dobitniej. — Moja sprawa wyda się klarowna i zupełnie odmienna od zarzutów mi postawionych, gdy zwróci się uwagę na udział w przebiegu zdarzeń mego kuzyna, Josta von Bork — unoszę głos. — Proszę się temu przyjrzeć, jestem pewna, że pan sędzia to zauważy, że nie tylko ja tak myślę.

— Kobieta myśląca samodzielnie myśli niewłaściwie — mówi lekceważąco Hinderbroch.

— Słyszę to nie po raz pierwszy! — wołam rozzłoszczona.

— Ooo — fałszywie dziwi się protonotariusz. — Panna czytała dzieło Sprengera i Kramera?

— Nie — zaprzeczam.

Moi sędziowie wymieniają się uśmieszkami, jakby padł jakiś sprośny żart.

— *Młot na czarownice.* Oczywiście, że panna nie czytała, bo i skąd. To podręcznik — z wyższością fuka Hinderbroch.

A więc w tym zaczytywali się Schwalenberg i pastor Lüdecke. Dobre sobie. A ja znów dałam się ponieść. Jestem porywcza, wyznałam to na spowiedzi. Psiakrew.

Teodor Plonnies wstaje, podchodzi do skryby, schyla się nad nim, patrzy mu w protokół, coś mówi na ucho, kiwa głową, wraca na miejsce. W tym samym czasie Hindenborch już pyta dalej:

— Zarzut piąty, zamordowanie przy użyciu czarów pastora Lüdecke, z wezwaniem diabła czarownicy Wolde Albrechts.

— Nie wyrządziłam mu żadnego zła — protestuję. — Gościłam go w swoim domu, dzieliłam się z nim chlebem i piwem. Nic nie wiem o diable Wolde Albrechts, a ona swoje zeznania po wielokroć zmieniała i odwoływała.

Wszystko idzie szybko, pytania padają szybko, odpowiadać muszę szybko, a przecież po powołaniu Josta powinniśmy się zatrzymać na tym. Powinni spisać moje zeznanie i wezwać go. To mnie teraz interesuje, a nie kolejne zarzuty. A jednak muszę na nie odpowiadać, bo trwa proces. Boję się, że ten sługus, skryba, nie zanotował, że powołałam Josta von Bork.

— Nie uczyniłabym nic złego księciu Filipowi. Doświadczyłam pod jego rządami opieki i dobra, dobrych sprawiedliwych wyroków. Nie mogłam też nikomu innemu nakazać, by czynił zło temu księciu, niech Bóg mnie broni.

— Panno Bork — doktor Plonnies unosi głos po raz pierwszy. — To najpoważniejszy z zarzutów stawianych pannie. Proszę przyznać się do swego udziału w śmierci księcia Filipa, jak potwierdzili to liczni świadkowie.

— Nie mam pojęcia, co ludzie wygadywali — bronię się. — Ale wszystkim jest wiadomym, że najjaśniejszy pan zachorował w drodze do Szczecinka, w pobliżu Szadzka.

Widzę, jak na wspomnienie Szadzka, którym zarządzał wtedy Jost, brew sędziego unosi się. Pióro skrzypi po papierze, dobrze, zatem chociaż tyle zostało zapisane. Jak nadejdzie czas procesu Josta von Bork, znajdą to. Książę zachorował tam, gdzie był Jost. Tak zeznałam.

— Tylko książęcy lekarz, którego też prosiłam jako świadka, może powiedzieć, co stało się księciu. Jego pytajcie — proszę.

Hindenborch pyta coraz szybciej. Muszę się uwijać, by zdążyć z odpowiedziami.

— Nie i nie. Żadnej z wymienionych tu osób nie wyrządziłam krzywdy. Odźwiernego Winterfelda nie raz poczęstowałam polewką lub plackiem, jakżebym mogła go zabić? Przeoryszę Magdalenę Petersdorf tak samo. Z Joachimem Wedlem żyłam w przyjaźni, doktora Schwalenberga niemal nie znałam, nie mogłam im nic uczynić.

Hindenborch zostawia mi coraz krótsze przerwy na oddech.

— Nie wiem, co rozumiecie przez zamodlenie na śmierć. Owszem, modliłam się często, ale używając Słowa Bożego, Psalm 109 odmawiał ponoć sam Jezus Chrystus, zaczyna się od słów „Niech Bóg, moja sława, nie milczy". Dalej? Nie pamiętam, nie znam całego na pamięć, modlę się zawsze z psałterza.

— Czy oskarżona odmawiała psalm przeciw Jostowi von Bork? — włącza się Plonnies.

— Ja w modlitwie nikogo nie wymieniałam z imienia — sprawdzam, czy skryba nadąża z notowaniem. — Jost von Bork jest moim najgorszym wrogiem.

— Proszę przestać znieważać krewnych — denerwuje się Plonnies.

— Nie możecie mnie torturować z powodu modlitwy! — krzyczę.

— Heinrich Prechel — wywołuje kolejnego ducha Hindenborch, nie zważając na mój protest.

— Zabrał mi psa. Zarządca Sperling mi o tym powiedział. Nie, nie. Nie przeklinałam go, jakżebym mogła, starał się kiedyś o moją rękę. Dzieci? To było jedno dziecko. Tak, pogryzł je mój pies, ten ukradziony. Dwoje dzieci pogryzł, ale tylko jedno zmarło, proszę sprawdzić, a zresztą, nie mam nic z tym wspólnego. Wierszyk? Tak, to możliwe. Czyż nie słyszą panowie sędziowie, że ten wierszyk to żarcik? „So krabben und kranzen meine Hunde und Katzen". Na Boga, gdyby takie żarciki miały jakąś moc, to ludzkość by wyginęła bezpowrotnie.

— Trina Pantels? Złodziejka. Tyle czasu trzymała moją chustę. Bóg ją pokarał, nie ja. Katrina Hanow powinna mnie po rękach całować. Dałam jej nalewkę, Gebrandwasser, po której wyzdrowiała z gorączki. Podobnie pomogłam teściowej jej siostry. Musiały to zapamiętać i poświadczyć.

— Co to takiego? — po raz pierwszy włącza się protonotariusz.

— Destylat poziomek i szczawiu, pomocny w gwałtownym przebiegu gorączki. Oczywiście, można to sprawdzić, mam tu ze sobą zielnik, drugi został w Marianowie. W każdym z nich jest osobny wpis poświęcony Gebrandwasser, to znany lek.

— Jakie inne zioła panna stosowała?

— Na przykład bez czarny, po łacinie *ebulus*, ja mówię na niego po pomorsku, Adich. Jest jednocześnie zdrowy i trujący, trzeba z nim uważać, w każdym zielniku znajduje się stosowny zapis. Trzeba zrobić wyciąg, wlać go do wody i myć się w tym. Ja stosowałam go na odcisk na stopie. Przemywałam w czwartki, następnie w piątki. Dlaczego tak? To akurat podpowiedziały mi kobiety ze wsi, że tak działa najlepiej. Gdzie zbierałam? Na polu u Massowa. Tam rósł najbujniej.

— Co jeszcze?

— Dziurawiec...

— O! — przerywa Petersdorf i unosi palec, jakby chciał mnie na niego nakłuć. — Toż to słynne Hexenblume, kwiat czarownicy!

— Jak pan woli, szanowny panie sędzio — kręcę głową. — Mówi się na niego też Teufelsbiss czy Jagenteufel i nie ja wymyśliłam nazwy z diabłem. Zresztą, pewna panna z Polski pouczyła mnie, że w jej kraju to ziele Świętego Jana. Zatem jak zwał, tak zwał.

Tego, że dawniej miało sławę *fuga daemonum*, ucieczki demonów, nie wiesz, panie Petersdorf, bo i skąd. Ciemnym sokiem dziurawca wypędzano złe duchy z nieszczęśników. Tyle, że Sofiji Stettin to nie pomogło. Jej zmora była innej natury.

— Jakie jeszcze mikstury stosowała panna? — pyta Plonnies.

— Długo by wymieniać, na przykład Schlagwasser, dwie małe flaszki i pan sędzia oddaliłby od siebie chorobę, widzę przecież, rok, dwa najdalej i wykręci was reumatyzm...

— Oskarżona mi grozi? Wyklina mnie? — unosi głos Plonnies i odruchowo chowa dłonie pod stół.

— To nie klątwa, to wiedza — kręcę głową nad jego głupotą, choć w duchu już rozumiem, że w ich towarzystwie kobieca wiedza rzeczywiście jest przekleństwem, a czynienie rzeczy grzechem równym z pierworodnym. Mogłabym im zrobić wykład o zastosowaniu *ebulus* ale Hindenborch leci z pytaniami dalej. Muszę odpowiadać szybko.

— Ottonowi von Bork nic złego nie uczyniłam, niech Bóg broni.

— Nie złorzeczyłam pastorowi Beatusowi Schachts. Niewiele miałam z nim do czynienia. Jostowi von Bork? Już odpowiadałam na to pytanie.

— Teściowa Kristofa von Wedel? — muszę się chwilę zastanowić, to jakaś nowość, wiem, że przesłuchiwali Wedlów z Krzywnicy, ale nie pamiętam tej kobiety i sprawy, więc zaprzeczam.

— Panno Bork — odzywa się doktor Plonnies. — Wiem, z zeznań świadków, że dla panny posiadanie diabła o imieniu Chim nie było łatwe. Że on nie tylko daje, ale i odbiera. Że sprawia nieprzyjemności, kłopoty. Że opętania z jego udziałem mogły...

„Proszę nie dawać im podstaw. Proszę pilnować, by nie mieli się do czego przyczepić. Sędziowie potrafią łapać oskarżonych za słówka, prowokować. Najgorsze będą te punkty związane z rzekomym diabłem" — Elias Pauli przygotowywał mnie do przesłuchań i teraz jego spokojny głos rozbrzmiewa w mojej głowie. Zaprzeczam, zaprzeczam, zaprzeczam. Tak, wiem, mam siedemdziesiąt trzy zarzuty i za każdy jeden grozi mi śmierć. Muszę obronić się siedemdziesiąt trzy razy.

Doktor Teodor Plonnies jest niepocieszony.

— Żałuję, że nie przyznała się panna po dobroci — mówi i ściąga ten elegancki kapelusz. Wyciąga chustkę, ociera pot z czoła i dodaje, jakby mimochodem: — A świadkowie zeznali przeciw wam jednoznacznie.

Głowy panów Hindenborcha i Petersdorfa pochylają się ku niemu. Kiwają potwierdzająco. On mówi:

— Musimy przejść do przesłuchania ostrego. Mistrzu Joachimie, oskarżona należy do pana. My zrobimy sobie krótką przerwę, zawoła pan po nas, gdy będzie gotowa.

Plonnies, Hindenborch, Petersdorf i skryba wychodzą, mówiąc o kwarcie zimnego piwa, ale kapitan zamku zostaje.


Pojawia się zastęp pomocników kata. Ubrani schludnie, jak służba w dobrym domu, ale coś jest z nimi nie tak. Jeden utyka, drugi patrzy z ukosa, jakby nie mógł wyprostować głowy. Jest też trzeci, ten trzyma się na uboczu, i kobieta, choć w tamtej chwili jeszcze nie mam pojęcia, co tu robi. Chyba młoda, ale nawet tego nie jestem pewna, szaro ubrana, w chuście szczelnie zawiniętej wokół głowy. Ma twarz dziecka bitego od małego, nieufnego na zawsze. W każdym miejscu, w którym mieszkałam, w Strzmielu, w Wołogoszczy, domach Wedlów i Borków, byli ludzie, tacy jak oni. Niewidoczni, skryci w cieniu, pracujący w kurnikach, chlewach, stajniach, psiarniach, oborach, gdzieś, gdzie spojrzenie panienki rzadko dochodzi. Tak, boję się tej czwórki i nie chcę tego okazać. Wzrokiem szukam kata.

— Panno Sydonio — jego głos znów działa na mnie kojąco.

Nie uśmiecha się, lecz twarz ma pogodną, jakby obiecywał, że przeprowadzi mnie przez to, co uniknione. Wyciąga rękę i odwraca dłoń, niczym tancerz zapraszający damę do tańca. Przez chwilę się waham, a potem kładę dłoń na jego dłoni.

— Musimy pannę przygotować — mówi. — Proszę spocząć — pokazuje na ławę tortur.

— Mam się położyć? — pytam schrypniętym głosem.

— Nie, na razie proszę usiąść. Hedwig — przywołuje kobietę — zdejmie pannie czepek. Pozwoli panna?

Kiwam głową.

— Staram się zapewnić obyczajność w tych trudnych dla człowieka chwilach — tłumaczy i znów słyszę niemal każdą głoskę w słowie „człowiek".

Dziewczyna rozwiązuje mi czepek i zabiera go gdzieś na bok.

— Musimy się zająć panny włosami — mówi Joachim tak, jakby chciał je ułożyć w najwymyślniejszą z dworskich fryzur. — Pozwoli panna, że je rozpuszczę?

Kiwam głową.

On delikatnie i z wprawą wyjmuje szpilki podtrzymujące kok. Potem wsuwa je w kieszeń wszytą w rękaw wamsa i mówi:

— Przechowam je dla panny.

Włosy rozsypują mi się po plecach, on rozgarnia je bardzo delikatnym ruchem i co mam powiedzieć? Wspomnienia są silniejsze ode mnie, i tak, przed oczami staje mi Jan Fryderyk i pieszczoty, jakimi obdarzał moje włosy.

— Claus jest balwierzem — mówi Joachim. — On zajmie się panny włosami.

— Ale… — próbuję zaprotestować, pamiętam, jak strasznie wyglądała Wolde Albrechts. — Czy to konieczne?

— Tak, panno — smutno odpowiada Joachim. — Bez obaw. Claus zna się na swoim rzemiośle. Nie zatrudniam partaczy.

Mężczyzna, który trzymał się z tyłu, jest już przy mnie. Otacza moje ramiona płócienną pelerynką.

— Tylko nie brzytwa — mówię, przypominając sobie krwawe zacięcia na głowie Wolde.

— Co to, to nie, szanowna pani — odzywa się balwierz. — Dla dam mam naostrzone nożyce.

Słyszę ich szczęk i to niezwykłe, dziwaczne uczucie, gdy tną włosy. Podcinałam je nie więcej niż trzy razy w życiu, ale teraz myślę sobie: to tylko włosy. Odrosną. A potem paraliżuje mnie lęk i pytam na głos:

— Co zrobicie z moimi włosami? Nie wolno wam ich spalić. Proszę — nagle, nieoczekiwanie dla siebie samej, mięknę.

— Nic podobnego — uspokaja mnie kat. — Ja odpowiadam za pannę Bork. Ja się nimi zajmę.

Strzyżenie trwa. Chwilami czuję chłód żelaza blisko skóry. Joachim stoi z boku, jakby oceniał robotę balwierza. Coś mu pokazuje i nożyce zmieniają kierunek. Wiem, że to idiotyczne w takiej chwili, ale tak bardzo chciałabym się zobaczyć. Ledwie o tym pomyślałam, a mistrz katowski skinął na dziewczynę i ta po chwili zjawia się z niewielkim lustrem z wypolerowanej miedzi. Joachim bierze je od niej i podsuwa mi przed oczy. Czuję oblewające mnie gorąco. Rama tego lustra jest identyczna jak w moim, tym od Lene. Te same drapieżne zawijasy metalu. Nie mogę się mylić, ale raczej nie powinnam nic mówić. Nagle nie pamiętam, co zeznałam o saskim zwierciadle, Boże, mam pustkę w głowie.

„Gdy nie jest panna czegoś pewna, proszę zaprzeczać" — wypełnia ją Elias Pauli.

Chcę się zobaczyć, a jednocześnie boję się. A co, jeśli to prawdziwe saskie zwierciadło, które pokazuje przyszłość? Mam wiele powodów, by lękać się przyszłości. Moje oczy błądzą po zdobieniach ramy, byleby nie spojrzeć w polerowaną taflę, waham się zbyt długo i Joachim zabiera lustro.

— Rozumiem, że jest panna zadowolona — mówi i to może oznaczać wszystko. — Hedwig pomoże się pannie rozebrać.

Ta kobieta, a może raczej, ta dziewucha, już jest przy mnie. Jej palce nie mają delikatności Joachima. Zaparłam się w sobie, nie pomogę jej. Nie będę kurą, która sama się skubie do garnka. Zdejmuje mi jupkę, rozsznurowuje kaftanik i bierze się do rozwiązywania spódnicy.

— Wstaniecie? — odzywa się do mnie. Jej głos jest nijaki. Nie odpowiadam, kulę ramiona. Ona kiwa na tych dwóch, podchodzą, chwytają mnie pod ręce i podnoszą. Hedwig zdejmuje mi spódnicę i sadza, niczym lalkę. Potem klęka przy moich nogach i zzuwa mi buty. Dopiero teraz, z bosymi stopami czuję się naprawdę obnażona. Widać moje wykrzywione paluchy, sine żyłki oplatające kostki, pożółkłe paznokcie. Ale nie cofam stóp, nie chowam ich pod koszulę. Muszę się jakoś oswoić z tym, co ma nastąpić.

— Panie Zastrow — słyszę głos Joachima. — Panna Bork jest gotowa do pytania.

Ci dwaj, utykający i pokrzywiony, przenoszą stół sędziów bliżej. Potem krzesła i osobno pulpit dla skryby. I jeden kandelabr. Czy to możliwe, że już zapadł wieczór? — myślę — czy tylko słońce zaszło z tej strony zamku? Siedzę przodem do pustej, póki co widowni, tyłem do drzwi, więc słyszę wchodzących, ale widzę ich dopiero, gdy zjawiają się przede mną. Doktor Plonnies siada jako pierwszy, tamci dwaj po nim. Skryba staje przy pulpicie, nieco z boku. Hindenborch musiał pić piwo łapczywie, ma ciemną, mokrą plamę na kołnierzu.

— Po raz ostatni pytam — odzywa się Plonnies. — Przyznaje się panna Bork po dobroci do postawionych jej zarzutów?

Oto ja. Siedemdziesięciodwuletnia, ostrzyżona krótko ze swych siwych włosów. Obnażona do ostatniej koszuli. Usadzona na ławie tortur. Ja, Sydonia Bork urodzona w Wilczym Gnieździe, mówię:

— Nic złego nie zrobiłam. Wszystkim zarzutom zaprzeczam.

Plonnies kiwa głową, jakby się tego spodziewał.

— Mistrzu Joachimie — mówi. — Sprawdził pan głowę oskarżonej na obecność diabelskich znamion?

— Nie ma żadnego — odpowiada Joachim. — Ta głowa jest czysta.

— Co oskarżona ma na szyi? — pyta Hindenborch i wychyla się ku mnie zza stołu.

— Krzyż — mówię i dotykam tego lekkiego drewna pod koszulą.

— Proszę jej to zdjąć — mówi Plonnies.

Joachim staje przede mną, odgradzając mnie od składu sędziowskiego. Pochyla się, widzę jego ciemne, lśniące oczy, równo przycięte wąsy.

— Piękna jest ta koszula — mówi i wyciąga rękę. — Poda mi panna? Nie chciałbym naruszać cielesności…

Zdejmuję krzyż i daję mu. On wkłada go w kieszeń na rękawie, gdzie wcześniej moje szpile.

— Oddam go pannie później — obiecuje.

— Proszę zaczynać — rozkazuje doktor Plonnies, a w jego głosie słyszę zniecierpliwienie, choć nie wiem, czy dlatego, że chce mieć już to za sobą, czy dlatego, że spieszy mu się do krwawego widowiska.

I w tym właśnie momencie czuję, jak oblewają mnie poty. Z obu stron ławy zjawiają się te pokurcze, pomocnicy kata. Brzydzę i boję się ich rąk, po równo. Pociągają mnie siłą na ławę, przekręcają, by móc na niej położyć. Przez chwilę siedzę bokiem do sędziów i wtedy Plonnies woła:

— Chwila, chwila! Co oskarżona ma na plecach?

Hindenborch wstaje i podchodzi do mnie, pochyla się, dotyka moich łopatek, jakbym była klaczą na targu i mówi zaskoczony:

— To garb.

— Garb, którego wcześniej nie miała — oświadcza Plonnies i nie odrywając wzroku ode mnie, rzuca do skryby. — Zanotujcie to.

— To znak. Diabeł ją tak naznaczył — odzywa się z powagą protonotariusz Petersdorf.

— I przez lata diabeł to dla niej ukrył — pokiwał głową Plonnies.

Nie diabeł to ukrywał tylko ja, moje Metteke i zręczni krawcy. Kryzy przyciągające wzrok, włosy puszczone na plecy, krótkie pelerynki, stojące wysokie kołnierze. Głupcy. Jacy z was głupcy.

— Teraz położę pannę na ławie i zwiążę ręce z tyłu — mówi Joachim. Pod plecami czuję twarde szczeble drabiny. On bierze moje ramiona, układa za głową, zawiązuje. Nie zaciska węzłów za mocno, ale i tak mogę ruszyć tylko palcami, nic więcej.

— Zakładamy hiszpańskie buty, widziała je panna — informuje, a ja cieszę się, że teraz ich nie widzę. Niestety czuję palce jego pomocników na łydkach i zaczynam kopać.

— Cicicicici… — uspokaja mnie Joachim, jakbym była ptakiem, którego chce zwabić, ale ja szarpię się i kończy się tym, że on sam zakłada mi żelazne obejmy na stopy.

— Proszę zaczynać — rozkazuje Plonnies, nim zdążę się oswoić z tym niewygodnym ciężarem na nogach. Chciałam się jakoś przygotować, ale bez ostrzeżenia zacisnęli śruby hiszpańskich butów i krzyknęłam.

— Czy oskarżona, Sydonia von Bork, stosowała czary? — pyta Plonnies, głośno.

Ból nie ustaje, kolce tkwią w moich stopach, a ich droga cierniowa promieniuje, biegnąc wzdłuż nóg aż do krocza.

— Dalej — słyszę czyjś głos i nagle moje ramiona związane i ułożone za głową podrywają się. Ból nie idzie z dłoni, tylko z barków. Kołowrotek, myślę, do diabła, przecież pokazał mi kołowrotek. Szczeble, na których leżę, rozsuwają się, ławka staje się upiorną drabiną, na której mnie rozciągają, jakby chcieli wyrwać z tułowia ramiona. Moje ścięgna zdają się wyć.

— Czy oskarżona stosowała czary?

— Tak! — krzyczę z bólu.

Przestają mnie naciągać. Oddycham jak topielec wyciągnięty na brzeg, krótko, ale zachłystuję się tym oddechem. Wciąż strasznie boli, ale nie rozciągają mnie, nie pogłębiają tej męki, a to już coś.

— Przyznała się — słyszę doktora Plonniesa. — Zapisać.

— Uwolnijcie mnie — proszę.

— Od kogo nauczyła się czarów?

— Od Lene Schmedes — szepcę. To bezpieczne, Lene nie żyje.

— Kiedy nauczyła się czarów?

Kiedy doktor nauczył się czytać? Kiedy pisać? — przedrzeźniam go w myślach.

— Czternaście lat temu — mówię i na ile pozwalają mi więzy, odwracam głowę w ich stronę, by na nich spojrzeć. Przemówić do nich.

— Przyznała się — słyszę, jak między sobą mówią z tryumfem. — Tak, przyznała się.

— Niech mistrz zawiąże czarownicy oczy — rozkazuje Teodor Plonnies.

Tak. Właśnie zostałam czarownicą. Dzięki hiszpańskim butom i drabinie tortur, własnymi słowami powiedziałam, że to ja. Od tej chwili moje spojrzenie może zabić, albo ściągnąć klątwę, albo nie wiem co. Trzeba zamknąć mi oczy.

Joachim pochyla się nade mną. Jak dobrze, że on. Mimo bólu, bardzo nie chciałabym widzieć teraz tych niemot. Te katusze mogę dzielić tylko z nim. Jego palce są subtelne i czułe, czarna opaska zbliża się do mojej twarzy, ostatnie, co widzę, to jego rozszerzone źrenice. Zapadam się w ciemność. Słyszę z daleka chichot dwórek, rozróżniam Otylię von Dewitz, zdyszane głosy, panny dworskie umykają między kolczastymi żywopłotami, równo przyciętymi drzewkami rajskich jabłoni. Książęce ogrody i zabawa w ciuciubabkę. Poczułam gorąco, jak wtedy, niczym ostrzeżenie, ale wiem, że to na nic, zaraz wpadnę w kolce róż.

— Gdzie oskarżona nauczyła się czarować?

— W klasztorze — mówię. — W Marianowie. Wśród panien klasztornych.

Inaczej nie przetrwałabym tam ani dnia, te jędze doprowadziłyby mnie do śmierci. Im jestem od nich dalej, tym bardziej rozumiem istotę spraw, które nas dzieliły i potęgowały ich niechęć do mnie. Moje wysokie urodzenie. Pieniądze, śmiertelne guldeny, spłacone przez mego piekielnego brata, za które kazałam sobie wybudować dom. Ich głupota i niechęć do jakiejkolwiek wiedzy. Nie chciały się uczyć, klasztorne zdziry, więc wolały mnie prześladować, bo miałam za dużo książek.

Zawiązane oczy i ciemność, w jakiej tkwię, dają mi poczucie jakiegoś wyobcowania. Zaczynam mówić:

— Lene przychodziła do mnie, do domu. Uczyła mnie.

— Co chciała w zamian?

— Pieniędzy, ale nie miałam. Dawałam jej mięso. Miałam przecież prosięta, kaczki, gęsi, kury.

— Jakich konkretnie sztuk czarowskich nauczyła was Lene? — pyta Hindenborch.

— Zdejmowania uroków — mówię, a wykręcone barki i naciągnięte ścięgna bolą mnie wściekle. Drżą mi kolana. Nie mogę powstrzymać tego konwulsyjnego ruchu.

— Czego jeszcze?

— Mocy ziół… trucizn…

— Konkretnie, proszę wymienić nazwę trucizny.

— *Mercurium* — mówię. — Można je kupić w aptece. Za talara, miejscowego.

— Jak się je podaje?

— Wystarczy, że dotknie ust, a człowiek umiera — coraz trudniej mi mówić.

— Ale jak je podawaliście ofierze?

— W dzbanie piwa… Uwolnijcie mnie… — proszę. — Powiedziałam już, co miałam do powiedzenia.

— Tak zrobimy — mówi Plonnies. — Gdy potwierdzi panna wszystkie postawione zarzuty.

To nieprawda, byłam niesprawiedliwa, mówiąc o pannach klasztornych „zdziry". Wiem o tym, wiedziałam od początku. To nie tylko ich wina, to wina ich ojców i braci, którzy je tam zamknęli. Ponoć na początku Marianowa wmawiano pannom, że będą tam tylko do zamążpójścia, a one wierzyły. Trzeba być jednak głupią, by w to uwierzyć, czyż nie? Nie, nie będę o nich źle myśleć. Po prostu, te, z początków zgromadzenia, miały jeszcze nadzieję. Jak Dorotea Stettin (jej brat to bestia), Magdalena von Petersdorf (nie mogę mieć pretensji do protonotariusza, że nazywa się jak ona, bo Petersdorfów w księstwie jak psów), czy Agnes von Kleist (to też byle jakie nazwisko). Ale zanim ja przybyłam do Marianowa, te kobiety tkwiły tam po dwadzieścia czy trzydzieści lat. I na kołowrotkach w swych głowach tkały materię rozczarowania, rozgoryczenia, zawiedzionych marzeń. Nagromadzenie żalu, wściekłości i beznadziei, na tym ufundowano dom dla panien. Niczym kożuch pleśni na źle sfermentowanym piwie, psuł każdą, która przekroczyła progi. Nie usprawiedliwiam żadnej z nich, postępowały ze mną szkaradnie, ale można uznać, że rozumiem, dlaczego tak było.

— Ach! — krzyczę. Bo znów bez ostrzeżenia zaciskają mi śruby na nogach. Jęczę na mękach, nie jestem ani trochę dzielna. Jestem udręczona i stara.

„Bitter Bier, Bitter Bier!
Gorzkie, gorzkie, piwo
Stara panna lubi pić!
Gorzkie piwo,
Otwórz beczkę, kufel daj
i nie patrzcie krzywo!"

— Jak oskarżona uśmierciła Dawida Lüdecke, pastora?

— Ten klecha lubił piwo! — krzyczę. — Tak, dostał *mercurium* w piwie. Podała mu je Wolde, bo on z ambony obwiniał mnie o zło w klasztorze.

— Skąd mieliście *mercurium?*

— Z apteki. Ze Stargardu. Kosztowało talara. Rozkręćcie te śruby, przecież ja tu umrę!

— Nie tak łatwo umrzeć — mówi nagle Joachim. — Moja rola w tym, byś nie umarła, panno Sydonio.

— Skąd mieliście diabła o imieniu Chim? — pyta Plonnies, a ja czuję w powietrzu smród. Niemożliwe, bym ja tak śmierdziała, nawet moje śmiertelne przerażenie, pot udręczonego ciała, nie może mieć takiej woni.

— Od Wolde — wykrzykuję szybko. — Ona go przyprowadziła.

— Pod jaką postacią?

— Cicicici… — znów cmoka kat, jakby chciał mnie uspokoić. Joachim. Chim.

— Kota — szepcę. — Dukata. Ty-le jej da-łam. — Zęby zaczynają mi szczękać i przestają po chwili. — Siedział na belce nad wejściem do domu. Mógł chodzić, gdzie chciał.

— Do czego go użyliście?

— Do szkodzenia — mówię ostatkiem sił. To już musi się skończyć. — Pannom. Klasztornym. Pozbawił. Zmysłów. Katrinę. Hanow. Koniec.

— Jeszcze nie — słyszę głos doktora Plonniesa i nakaz: — Podciągnąć ją mocniej.

Wrzeszczę. Kołowrót skrzypi, deski rozsuwają się pod moimi plecami, wyrywając ramiona ze stawów.

— Jak oskarżona zabiła księcia Filipa? — pytają.

— Wysłałam Chima... — jęczę. Powiem, co zechcą, pragnę tylko końca tej tortury. Skąd była we mnie taka hardość, by się nie poddać bez walki? — Wysyłałam Chima do księcia tak... często. Wtedy jechał do Szadzka... umęczył księcia, aż ten się rozchorował... Nie byłoby tego, gdybym dostała sprawiedliwość w sądzie.

— Skąd oskarżona wiedziała, co przydarzyło się księciu w podróży?

— Chim, Chim mi powiedział. Wrócił i oznajmił, że dość już go umęczył. Że książę już ma dość. Ja też już mam dość, proszę...

— Jak dobrze pójdzie, do wieczora będzie po wszystkim — mówi Plonnies, ale chyba do tamtych, nie do mnie.

— Nie zrobiłam nic złego przeoryszy, ani odźwiernemu, ani Schwalenbergowi, ani Wedlowi, przysięgam. Prechelowi też nic nie zrobiłam.

Podciągają mnie bez ostrzeżenia, o pół obrotu, nie o cały, ale to wystarczy. Moje ramiona są tak nadwyrężone, że jęczę:

— Złorzeczyłam mu, bo ukradł mi psa, nic więcej...

Zaczynam płakać. Z bezsilności. Łzy wsiąkają w opaskę na oczach. Co mam robić, by to się skończyło? I nagle, jakby w odpowiedzi, czuję dłoń mistrza Joachima na głowie.

— Czy diabeł Chim prócz zadawania bólu waszym ofiarom, robił z wami coś jeszcze?

— Pocieszał mnie — mówię z ulgą.

— Jak?

— Powiedział, że zostanę uwolniona.

— No właśnie. To często zeznają czarownice — mówi Plonnies do sędziów, jakby mnie tu nie było.

— Uwolniona przez śmierć! — krzyczę, by wytrącić go z poczucia, że cokolwiek wie, cokolwiek rozumie.

Wokół mnie zionie otchłań. Pochłania mnie czerń, spadam, spadam, tak bardzo chcę przestać czuć.

— Jak oskarżona zaszkodziła Trinie Pantels?

Przypomnienie tej złodziejki wydobywa ze mnie jakieś siły.

— Dałam jej lekarstwo — mówię. — A ona później ukradła mi chustę, niewdzięczna.

— Lekarstwo? — pyta któryś z nich, ale głosy mi się zamazują. Mógłby teraz mówić do mnie stary książę Barnim, pyszałek Schwalenberg, rudzielec Flemming albo i Saska Lwica. Wszystko mi jedno. Jestem bólem. Wyję, co ślina mi na język przyniesie:

— Truciznę. Miksturę. Zrobiłam ją w domu jej teściowej.

Albo mogłabym powiedzieć (już nie mogę):

— Gęsiego puchu jej dałam. Kaczej spermy. Krwi z prosiaka urodzonego w pełnię zimnego księżyca. Z nieba gwiazdkę.

— A Katrinie Hanow?

— Katrinie Hanow nic nie zrobiłam! — krzyczę. — Nic nie zrobiłam… Nic nie zrobiłam…

— A Ottonowi von Bork?

— *Mercurium,* w winie. W dzbanie. Do oberży, gdzie pił. Nachlał się i skonał. To tyle. *Mercurium* kosztuje jednego talara, miejscowego.

— A Jostowi von Bork?

— Jost, ta żmija, żyje!.. — wrzeszczę i boję się, że zaraz stracę głos. — Kazałam Chimowi go dręczyć, ale nie zabijać. Rozchorował się, mój diabeł, mój dobry Chim tak go załatwił, że Jost tracił przytomność raz po raz.

— To ciekawe — mówi Plonnies i znów raczej do swoich towarzyszy, nie do mnie. — Tak go nienawidzi, tak na niego złorzeczy, a zabijać go nie pozwoliła.

— Doprawdy, intrygujące — potwierdza protonotariusz.

Jurdze serce by pękło, gdyby stracił ostatniego syna — myślę i czuję, że mój koniec jest bliski. Jurga, stary i wypalony, jak jesion w czarnym lesie, wciąż siedzi w mej głowie na głazie i pustym wzrokiem patrzy na lasy Borków.

— Wolde Albrechts zeznała, że prócz Chima miała diabła imieniem Jurgen, z którym spółkowała. Czy panna także spółkowała z Jurgenem?

— Nieee… nie…

Czy oni czytają w mojej głowie? Słyszą moje tajemnice bolesne? Skąd wyłowili imię, gdy pomyślałam o starym Jurdze? Wolde powiedziała, że diabeł zawsze kładzie się po lewej stronie kobiety. Że jego prącie (Wolde powiedziała: chuj) jest lodowato zimne. Że spółkowanie z diabłem (Wolde powiedziała: ruchanie) jest bolesne i że nie zna lepszego bólu.

— Ostatecznie, od kogo panna nauczyła się czarów? Od Wolde?

— Tak... tak...

— A wcześniej zeznała panna, że od Lene.

Nie dam rady wypowiedzieć ani jednego słowa więcej. Jestem upodlonym strzępem starego ciała. Mam bregen, mózg jak zaszlachtowane zwierzę, jak mawiała Wiegemanowa.

— Oskarżona ma dosyć — powiedział cicho mistrz katowski.

— My też — westchnął Plonnies. — Zbyt wiele plugastw jak na jeden dzień. Czy oskarżona chce pozostać przy tym, co zeznała?

„Czas na fajerwerki!" — krzyczy marszałek Schwerin, a ja (ta stara, zmaltretowana przesłuchaniem) patrzę, jak wszyscy spieszą do pokrytych śniegiem ogrodów. (Patrzenie na śnieg sprzed pół wieku sprawia, że mniej mnie teraz boli). Ognie błyskają, tworząc na zamkowym murze najdziwniejsze w kształtach cienie i blaski. Czterech junkrów fechtuje ze sobą, jakby na śmierć i życie, a z długich cholew ich butów wystrzeliwują rakiety, aż wreszcie zawirowało wielkie koło na żerdzi i wśród huków zapłonęło żywym ogniem. Stoję tam, między dwórkami, jak należy, ale raz po raz odwracam wzrok od fajerwerków i napotykam na spojrzenie Jana Fryderyka. To był dzień, gdy spotkaliśmy się po raz pierwszy. On, zwycięzca nad Turkiem, w tryumfalnym pochodzie przybył do domu. Tak, tak. Od pierwszego wejrzenia. Oboje patrzymy więc na płonący krąg i płomienie jaśniejsze niż gwiazdy i oboje widzimy tylko siebie. Gdy wreszcie gasną i nad żerdzią unosi się dym, zza jego zasłony wyłania się wielki, srebrny księżyc. Pełnia zimnego księżyca stała się naszą patronką.

Słyszę pytanie, ale nie mam pewności, czy jeszcze żyję, czy mogę (czy muszę) odpowiedzieć. Chim dotyka mego ramienia i powtarza:

— Czy panna Sydonia chce coś jeszcze zeznać?

Kręcę głową na boki, choć nawet to sprawia mi ból.

— Trzeba odpowiedzieć — podpowiada mi Joachim.

— Nie — mówię. — Nie chcę. Mam dosyć życia.

— Panna powiedziała, że zostaje przy złożonych dzisiaj zeznaniach.

— Mistrzu Joachimie, proszę ją uwolnić.

Mam lukę w pamięci. Nie wiem, kto mnie ubrał, kiedy rozwiązano pęta, podniesiono z drabiny tortur i zdjęto z nóg żelazne trzewiki. Wracam do przytomności, siedzę na stołku, ubrana, lecz bez butów. Patrzę na swoje stopy tak samo jak Wolde Albrechts, gdy wprowadzili ją na konfrontację. Oni coś do mnie mówią, z trudem unoszę głowę, by na nich spojrzeć. Opaski na oczach też już nie mam.

— ...uniknęlibyśmy tego wszystkiego. Naprawdę, mogła się oskarżona przyznać po dobroci. Kat byłby niepotrzebny.

Kat był potrzebny — powtarzam w myślach. — W końcu zobaczyłam prawdziwe oblicze Chima.

— Chcę porozmawiać z pastorem Dionizjuszem Rhanem.

— To zbożne — mówi protonotariusz. — Czas na pojednanie z Bogiem. Bo tamta spowiedź panny, ta, którą mamy w protokole, to jakiś heretycki bełkot. Pastor odwiedzi pannę w celi, dopilnuję tego.

— I chcę sporządzić testament — mówię. — Nagrodzić moje kochane służące, moje Metteke, co całe życie tak wiernie mi służyły...

— Dobrze, dobrze, to już z pastorem. Panie Petersdorf? Czy wszystko zaprotokołowano? Całe przyznanie się do winy?

— Tak, panie sędzio.

— Zatem, odstawić oskarżoną do celi.

— Ona sama nie pójdzie — protestuje Joachim, mistrz katowski.

— Oczywiście, słuszna uwaga — przytakuje sędzia Plonnies. — Noga czarownicy nie może dotknąć ziemi.

Teraz rozumiem, skąd ten zwyczaj — przebiega mi przez głowę. — Po torturach żadna nie ustoi na własnych nogach.

— Ja ją zaniosę — mówi Chim i po chwili, w jego ramionach kołyszę się jak dziecko. Nim zasnę na dobre, wiem, że kładzie mnie w moim własnym łóżku, że obmywa mi czoło. Ogarnia mnie spokój. Błogość. To wszystko już za mną.

— Krwawisz.

Kto mówi do mnie? Joachim? Czy może Ernest Ludwik? Młody książę złapał mnie wtedy, w ciuciubabce, gdy wpadłam w ciernie i zdjął z moich oczu jedwabną zasłonę. — „Ale nic ci nie grozi" — powiedział i to była prawda, i to było kłamstwo, zapowiedź kłopotów. Czy wtedy, przed ponad półwieczem, zrobiłam pierwszy krok w stronę izby tortur? Maska hańby nie przystaje do mojej sytuacji i pozycji. No tak, jestem z Borków. Muszę dostać coś więcej.

— Ja się tobą zaopiekuję i ja cię uwolnię — szepce z tak bliska, że czuję jego oddech na twarzy.

Kto szepce?

Kilka razy się budzę, ale nie chcę żyć, wybieram sen i jego lepkie skrzydła. Słyszę, jak ktoś mówi do mnie:

— Śpij, dojdziesz do siebie.

Co jest kiepską pociechą, bo ja chcę od siebie uciec. Od obolałego ciała, które nie ma początku i końca, rozlewa się po łóżku tak, że czuję ból nawet w sienniku.

Śni mi się ojciec, Otto von Bork (wiem, że to on. Jest podobny do mnie, rudowłosy). Ojciec jedzie konno przez czarny las, ten za Strzmielem. Wiem, że szuka swoich psów, że kochał je i wychowywał od szczeniąt. I wiem, że opowiadano, iż odnalazł je w tym lesie zdziczałe, nie poznały go i zagryzły. Tak mówiono: własne psy go wykończyły. Ale ja teraz oglądam to wszystko we śnie i widzę, jak Otto von Bork (podobny do mnie) zeskakuje z siodła, wiąże konia do drzewa i idzie w bujny, czarny las. Potem słyszę wycie. Biegnę, chcę go odnaleźć, uratować (we śnie to możliwe). Ale przybiegam za późno. Zagryzły go nie psy, a wilki. Widzę, jak wiozą jego ciało, rozszarpane. Jak na wozie wwożą go przez bramę. Jak mój brat, Ulrich (we śnie jest stary, taki jak w dniu, w którym przyzwał śmierć i ona po niego przyszła) dopada do wozu i widzi ojca w tym stanie, i dostaje szału, tak dosłownie, jak wchodzi w jego głowę jakiś potworny byt, i widzę siebie (malutką), jak zamykają mnie w baszcie, a ja krzyczę i krzyczę i mój głos, mój sprzeciw wnika w żelazo kłódki, jednej z dwóch, którymi zamknięto drzwi tej baszty. I widzę tę kłódkę przy mnie, przez całe życie (we śnie życie przebiega mi teraz przed oczami, wybrane momenty). Dopiero teraz rozumiem, dlaczego tak trzymałam te kłódki. I dociera do mnie: Jost von Bork jest wilkiem, który chce mnie zagryźć. Niedoczekanie. Nie pozwolę ci na to, Joście.

Nie mam pojęcia, ile dni i nocy trwa ten sen, lecz za którymś razem, kiedy wybudzam się, rozumiem, że ja to ja, że jestem w Oderburgu, i tylko nie poznaję tej komnaty. Dociera do mnie, że sen nie był wieczny, nie umarłam i najgorsze minęło. Bolą mnie plecy, ramiona, barki, na dłoniach mam bandaże. Na stopach także, aż po kolana. Opatrunki są czyste, rany pod nimi nie sączą się. I nie mam pojęcia dlaczego, bo nigdy tak nie robiłam, mówię na głos, do siebie:

— Witaj, Sydonio Bork.

Na te słowa budzi się Metteke, która, czego nie zauważyłam, spała na sienniku pod ścianą. Zrywa się, ale przychodzi do mnie na czworaka.

— Panno, moja panno — klęczy pod łóżkiem i płacze, i cieszy się jak dziecko. — Jak panna to wszystko zniosła? Jak przeżyła? Ja wyobrazić sobie nie umiem i nie chcę.

Mówię, że chcę jeść, ona biegnie do kuchni, wraca po jakimś czasie z rosołem.

— Kupiłam kurę, gotowałam go i gotowałam, a panna spała i spała — mówi, podając mi kubek. Smakuje mi. Boże, jak mi to smakuje. Metteke śmieje się i płacze ze szczęścia. Chcę mięsa, dostaję mięso. Dostaję też czerstwego chleba i znów popijam rosołem.

— Koszula z haftem, co to ją panna miała na sobie w czasie męczenia, stracona. Rękawy wydarte, jakby kto drzewo z korzeniami… — chlipie, wyciera nos. — No to ja sobie pomyślałam, jak panna tak spała i spała, że wyhaftuję przodzik w tej z zakładkami na rękawach. Coś musiałam robić, żeby nie zwariować, z nerwów to idzie oszaleć. Jeszcze nie skończyłam, ale mało mi zostało, tylko na karczku.

Patrzę na nią. Mam nadzieję, że widzi czułość w moim spojrzeniu.

— Gdy panna spała, on tu przychodził dwa razy dziennie — opowiada dalej. — Ten kat. Pielęgnował pannę. Nakładał na stawy maść, a nogi przemywał i jeszcze nadgarstki, bo miała panna straszne otarcia, aż do krwi. I ciągle kazał mi pannę przez sen karmić rozgotowaną owsianką.

— Jadłam? — pytam zaciekawiona, bo tego nie pamiętam.

— Jadła panna, ale się krzywiła — chichocze Metteke i nagle milknie. — Co będzie dalej?

— Muszę pomówić z obrońcą.


Przychodzi na drugi dzień. Poruszam się z trudem, ale o własnych siłach. Zdjęłam opatrunki z nadgarstków i nóg. Metteke założyła mi buty. Jestem umyta, ubrana, na ostrzyżonych włosach mam czepek, jak ktoś nie ma pojęcia, to się nie domyśli. Elias Pauli wie.

— Jestem pełen podziwu — mówi z szacunkiem, ale to koniec dobrych wiadomości.

— Teraz zwołają posiedzenie sądu, na którym poproszą, by potwierdziła panna swoje zeznania z tortur po dobroci. Gdy panna to zrobi, zapadnie wyrok i... — głos mu więźnie w gardle. — I zostanie wykonany.

— Jaki wyrok? — pytam, choć wiem.

— Śmierć — mówi Elias Pauli i ucieka wzrokiem.

— Czy są inne... — nie umiem znaleźć słowa — ...rozwiązania?

— Nie rozumiem — odpowiada adwokat i po chwili orientuje się, czego mi trzeba. — Nie, nie. Gdyby coś się pannie stało, obwinią osoby, które miały z panną kontakt, i potraktują jak zabójców. Służącą, mnie, strażnika, kata, pastora. Przy okazji, on chce przyjść z pociechą duchową, czeka na panny wezwanie. Nasze działania muszą skupić się nie na zmianie wyroku, bo to niemożliwe, ale na zmianie sposobu jego wykonania. Bo... — wbija wzrok w ziemię.

— Niech pan mówi — zachęcam. — Nic nie może być gorsze, niż to, co już przeszłam.

Nie odpowiada i dociera do mnie, że nie mam racji. Wreszcie Elias Pauli mówi:

— Wyrok już zapadł, panno Bork. Tylko pani potwierdzenia brakuje, by go ogłoszono. Zasądzili pannie to samo, co Wolde Albrechts, tylko... gorzej. Czterokrotne szarpanie rozgrzanymi obcęgami i stos.

— To niemożliwe — zaprzeczam. — Jestem szlachcianką, zapomnieli o tym?

— Doktor Plonnies argumentuje to ogromną ilością potwierdzonych zarzutów.

— Co to ma do rzeczy? — denerwuję się. — Przysługuje mi miecz. Z racji urodzenia należy mi się ścięcie, nie pozwolę palić się żywcem! Boże... czy ja naprawdę muszę walczyć o dobrą śmierć?

— Wciąż ma panna wpływowych przyjaciół — przypomina Elias Pauli. — Musimy teraz użyć każdego możliwego wpływu. Zaraz napiszę listy w pani imieniu, tylko zastanówmy się, do kogo.

Rozkłada papier, wyjmuje kałamarz, już jest w swoim żywiole. Dopiero teraz orientuję się, jak bardzo cierpiał przez ten czas, gdy był bezsilny.

— ... zacznijmy od samej góry, czyli wytypujmy najwyżej postawionych. Najwięcej zdziałałoby, gdyby wsparł pannę ktoś z książęcej rodziny, ale to akurat niemożliwe...

— Dlaczego? — przerywam mu.

Patrzy na mnie, jak na chorą, albo niespełna rozumu.

— Z powodu zarzutów o śmierć księcia Filipa.

— Ach tak — kiwam głową. — A książę Ulrich z Meklemburgii? Czy on jeszcze żyje? Bo wie pan, znaliśmy się w czasach wołogoskich, on musi mnie pamiętać, podobałam mu się.

— Nie, panno Sydonio, książę Ulrich już nie żyje — odpowiada ze smutkiem, wciąż niepewny, czy nie zwariowałam. Nie, nic z tego, po prostu przeszukuję pamięć.

— Z panien wołogoskich — kontynuuję na głos — żyje jeszcze księżniczka Anna, czyż nie tak?

— Owszem, jako wdowa po księciu Ulrichu, ale na Boga, panno Sydonio, ona jest z urodzenia Gryfitką. Czy z Matzkem von Bork, przyjacielem księcia Franciszka, ma panna dobre relacje?

— Nie mam żadnych, więc tak, jak najlepsze — mrugam do Eliasa Pauli. On kręci głową z niedowierzaniem i wreszcie parska śmiechem.

— Dobrze, napiszemy do niego. Kto jeszcze?

— Andreas von Bork. I Jurga von Bork, ojciec Josta. Tyle, że jest bardzo stary i nie mam pojęcia w jakim stanie. (Widzę go, jak siedzi na kamieniu, z gołą głową, pada na niego śnieg, jak na posąg dawnego boga. Ma trzy twarze i żadnej własnej. Pierwsza to Ascanius, druga ja, a trzecia ten skurwiel, Jost. Więc twarze Jurgi to maski). Ale są jeszcze Schwicheltowie, krewni mej matki…

— Akurat najlepiej ustosunkowany z nich, radca księcia Franciszka, odcina się od panny, gdzie tylko może — uświadomił mnie Pauli.

— Są i inni. I Wedlowie, wciąż na kilku z nich mogę polegać. Przy okazji, podczas przesłuchania pytali mnie o jakąś notatkę Bastianowej von Wedel, zaprzeczyłam, jak mnie pan pouczył, bo nie mogłam sobie przypomnieć, o co chodzi. Wie pan cokolwiek na ten temat?

— Chodzi o Wedlów, którzy oskarżyli Lene Schmedes o czary — odpowiada nieuważnie, bo już pisze listy z prośbą o wstawiennictwo. — Żona Bastiana Wedla zeznała wtedy, że znalazła u Lene kartkę z zapisanym zaklęciem i pokazała ją pannie, gdy panna tam mieszkała. Krótko po tym kartka i zaklęcie zniknęło, a po waszym wyjeździe z Krzywnicy zmarły osoby, których inicjały były na tejże kartce.

— Wredna suka — wyrywa mi się, bo teraz już sobie przypominam. Bastianowa prosiła Lene, by ta powiedziała, kto rzucił urok na jej rodzinę. Lene zapisała jej inicjały winnych, a Bastianowa potem, gdy tamci się pochorowali i owszem, może i zmarli, oskarżyła o wszystko samą Lene. Dlatego Wedlowie wytoczyli jej proces i spalili ją na stosie. To jest szlachecka wdzięczność, nie ma co.

— Trzeba to wszystko wyjaśnić — mówię na głos, a Elias Pauli przerywa pisanie i unosi wzrok znad kartki. Świdruje mnie wzrokiem.

— Panno Sydonio, tamte sprawy już stracone. Już nie będzie dodatkowych zeznań — kręci głową. — Skupmy się na ludzkim wymiarze kary.

Ludzkim — powtarzam w myślach. — Obcięcie głowy. Walczymy, by odrąbano mi ją, nie palono.

Elias Pauli nie zostaje ani chwili dłużej, mówi, że mamy bardzo mało czasu, listy muszą trafić do adresatów, a ich wstawiennictwo do księcia i sędziów. Żegnamy się pospieszenie.

— Znów trzeba przygotować pieniądze — szepce adwokat do Metteke, już stojąc w drzwiach. Myśli, że nie słyszę. — Na drewno.

— Co? — moja służąca nie rozumie.

— Panna musi zapłacić za drewno na swój stos — wyjaśnia jej Elias Pauli nerwowym szeptem. — Takie jest prawo.


Mam apetyt, jakbym nie jadła przez tydzień. W jakimś sensie, to prawda, skoro nie pamiętam, jak Metteke mnie karmiła. Ją to cieszy, idzie do kuchni, gotuje. Kasza z okrasą i zsiadłym mlekiem smakuje mi wybornie. Gdy jestem sama, zdejmuję czepek i dotykam głowy. Próbuję wyobrazić sobie, jak wyglądam. Przypomina mi się zwierciadło podsunięte przez mistrza Joachima i oblewa mnie gorąco. Z powrotem zakładam czepek, szybko.

Pastor Dionizjusz Rhan odwiedza mnie pod wieczór, jestem już trochę zmęczona, ale zapraszam go.

— Wiem, co panna zeznała pod wpływem tortur — mówi i patrzy na mnie współczująco. — I, muszę powiedzieć to, co nakazuje mi sumienie: nie wierzę w ani jedno, uzyskane na mękach, słowo. W moim mniemaniu ostre przesłuchanie to barbarzyństwo.

Rozklejam się, choć tego nie chciałam. Zaczynam płakać. A on po prostu podaje mi chustkę i przygarnia do siebie. Nie pamiętam, kto i kiedy przytulił mnie tak, po ojcowsku. Chyba Jurga, ale w czasach, gdy jeszcze żył Ascanius. To znaczy, zanim dla nich nie zniknął. Moje życie jest pasmem sekretów. Jedna tajemnica przykrywa kolejną i im dalej, tym mniej można się dzielić z kimkolwiek. Teraz czuję, jaki to był ciężar, kryć to wszystko, nieść to wszystko, Boże, Boże. Pierwszy raz płaczę nad sobą, co za dziwne uczucie. Pastor mnie nie pogania, a gdy wreszcie obsychają mi łzy, mam w sobie jakąś lekkość, choć jestem bardzo znużona. Proszę go, by spisał moją ostatnią wolę. Pieniądze dla Metteke, wynagrodzenie Eliasa Pauli. A książki? Biblię, którą kupiłam z uczciwie zarobionych pieniędzy, tych za tkanie, ma wziąć dla swojego syna. Opowiadał mi o nim kilka razy, z tego wnoszę, że to dobry chłopiec. A fotel, obity skórą, który zostawiłam w Marianowie, niech zabierze dla siebie. Pastor protestuje, mówi, że jego posługa nie wymaga ode mnie zapłaty, ja się upieram i pastor przystaje.

Gdy skończyliśmy to wszystko, pyta, czy chcę się wyspowiadać. Ja mówię, że już się wyspowiadałam, łzami. On kiwa głową, rozumie.

— Czy mógłby pastor jeszcze chwilę ze mną zostać? — pytam. — Poczytać mi trochę.

Uśmiecha się, pyta:

— O dobrym Bogu?

— Nie — mówię. — O Borkach.

I pokazuję mu, gdzie leży książka.

— *Sto lat po tym, jak Strosz, kapłan Trzygłowa, złożył bogu ofiarę chwalebną za wygnanie biskupa Reinberna, ze Starszej Polski nadciągnęły zastępy zbrojne* — zaczął pastor i o dziwo, nie zadrżał mu głos na „Trzygłowie" ani na „wygnaniu Reinberna".

Dionizjusz Rhan czyta po pomorsku. Powoli, ale czyta. Kiedyś wspomniał, że jego matka w domu tak mówiła. Nie brzmiał jak Jurga, ale takie głosy, idące z samych trzewi, zdarzają się nader rzadko. Przymknęłam oczy i powędrowałam wspomnieniem do tego wieczoru, kiedyśmy siedzieli z Jurgą na kamieniu. Pamiętam, spytałam, dlaczego Borkowie opuścili Kołobrzeg. A on odpowiedział: „Dobre pytanie. Zauważyłaś, że są pytania, na które jest więcej, niż jedna odpowiedź?".

Teraz jestem starsza, niż on był wtedy i znam odpowiedź. Zaczęło się wcześniej, nie od biskupa Gleichena. Wojowniczy książę Bolesław Krzywousty niczym żniwiarz z wielką kosą postanowił zagarnąć Pomorze raz i na zawsze. Ale chcę znów o tym posłuchać, zająć czymś moje nieposłuszne myśli. A pastor jest taki miły, czyta dla mnie:

— *Zdobywał gród po grodzie. Podszedł pod Kołobrzeg. Solny książę, Bork, zrobił to, co przed laty, zniknął. Wierni ludzie z podgrodzi wypuścili go rzeczną bramką, a Parsęta, jak matka, ukryła. Był na ten najazd gotowy, jego siostra, wieszczka Sambora, przepowiedziała wojnę. Wojowie Krzywoustego do grodu nie weszli. Kołobrzeskie podgrodzia im wystarczyły. Łupy olśniły, zaspokoiło ich srebro, które tam zdobyli.*

*Bork, patrząc, jak objuczeni odchodzą, wiedział, że wrócą. Zwołał pomorskich panów, wspólnie przemogli niechęć wobec rodu Gryfa i postanowili wespół z książętami zebrać siły, które odeprą Krzywoustego.*

— Byli w błędzie — odzywam się, przerywając pastorowi. — Ten polski książę był bezwzględny. Krwawo zagarniał gród po grodzie.

— Racja, racja — szepce podekscytowany Dionizjusz Rhan, jakby pierwszy raz widział tę opowieść. — Już czytam, co było dalej: *Gdy po czterech latach znów drużyny księcia Bolesława stanęły pod Kołobrzegiem, Bork zrozumiał, że albo otworzy bramy, albo skaże na śmierć wszystkich swoich ludzi. Wybrał życie. Ale nie zgiął karku przed polskim księciem. Wyjechał mu naprzeciw konno. I nie zsiadł z konia, wprowadzając Piasta do solnego grodu. W zamian, w nowych, piastowskich porządkach, został u władzy, choć już nie nazywano go „księciem Kołobrzegu". Kilka lat później, po krwawym podboju poddał się książę Warcisław, syn Świętobora z rodu Gryfitów. Krzywousty wziął go do niewoli i zmusił do złożenia sobie hołdu. Tysiące Pomorców książę zdobywca przesiedlił do Starszej Polski. A na Pomorze przybył biskup Otto z Bambergu i zaczęła się prawdziwa chrystianizacja.*

— Chwilę — przerywam pastorowi. — A o tej Samborze jest coś więcej?

Wraca, wertuje kartki. Zatrzymuje się.

— Tylko rok — mówi. — „1090" i zapiska, że *książę Świętobor zerwał zaręczyny z Samborą z rodu Borków.*

— Co? — nie rozumiem. Kartki mi się skleiły? Jak mogłam przeoczyć wiadomość o tej kobiecie?

— Dziwne, że odnotowano zerwane zaręczyn — namyśla się pastor i ostrożnie przewraca stronice. — O niej nic nie ma. Ale zaraz, jest o tym Świętoborze. Czytam: *Pomorcy, mimo upływu lat, mając w pamięci zniewagę, wypędzili księcia Świętobora, a on wezwał na pomoc swego dalekiego krewniaka, Bolesława Krzywoustego, ten zaś przywrócił go na tron, ale i uszanował Borków.*

— Czyli najazd wojowniczego Piasta na Pomorze był zemstą?…

Pastor przerywa, zamyka książkę.

— Co za historia — szepce z niedowierzaniem. — Panna Sydonia pochodzi z niesamowitego rodu.

„Panna nie zna historii. Panna nie wie, że ona się powtarza. Na pohybel z tym wszystkim" — śmieje się w mojej głowie okrutnie i chrapliwie stary Zitzewitz. W dzień swej śmierci. Zasypiam.

Dwa dni później sędziowie wzywają mnie przed swe oblicza. Nie mam pojęcia, ile zdołał zdziałać Elias Pauli, nie było go u mnie w tym czasie. Ubieram się starannie, żadnych jupek i kaftaników. Metteke pomaga mi założyć suknię z rękawami w ptaki i kryzę. Najładniejszy z czepków, ten haftowany czarno. Prostuję plecy. Daniel, młody knecht, podaje mi ramię, bym wsparła się na nim. Do pokonania jest przecież rząd schodów.

W dużej sali ani śladu po narzędziach katowskich, wszystko uprzątnięte, stół, krzesła, panowie jak wtedy: Plonnies (w brodzie po lewej stronie ma siwe pasma, jak to możliwe?), Hinderbroch (kołnierz wykrochmalony), Petersdorf (nijaki, jak poprzednio) i skryba. O dziwo, jest i pastor, Dionizjusz. Stoi z Biblią w dłoni między stołem sędziowskim a miejscem, które przewidziano dla mnie. Paweł Zastrow, zarządca zamku, wchodzi przed nami.

— Panno Sydonio von Bork — mówi Teodor Plonnies. — Spotykamy się, by ogłosić wyrok w sprawie. Najpierw proszę jednak potwierdzić zeznania, jakie złożyła panna na ostrym przesłuchaniu. Pan Hindenborch je odczyta.

— Nie ma potrzeby — mówię.

— Takie jest prawo — unosi się Plonnies. — Aby nikt nie zarzucił, że panna podpisała bez wiedzy, co dokładnie zawierają.

— Nie ma potrzeby — powtarzam. — Bo wszystkiemu zaprzeczam.

Plonnies zrywa się z miejsca i zrywa z głowy kapelusz, jakby ten zaczął go palić. Petersdorf i Hindenborch unoszą się gniewem, zaczynają pokrzykiwać.

— Co to jest?!

— Co to ma znaczyć?!

— Co za fanaberie jakieś oskarżona wyczynia! Co za głupoty tutaj…

— Takie mam prawo i z niego skorzystam — mówię z całą mocą. — I proszę się do mnie zwracać jak należy. Jestem Sydonia Bork, szlachetnie urodzona w Wilczym Gnieździe, siedzibie Borków, najstarszego z rodów Pomorza. Odwołuję zeznania złożone pod wpływem tortur.


Tym razem to książę Franciszek prosił Walentina Winthera, by raczył znaleźć czas dla niego. Gdy uczony przybył, książę spytał gorączkowo:

— I co? Napisał już pan? Czy dzieło o historii mego rodu gotowe? Chciałbym je przeczytać, nie ukrywam…

Winther był blady, policzki mu wychudły, dopiero gdy w odpowiedzi zaniósł się suchym kaszlem, Franciszek zrozumiał, że jego niecierpliwość jest nie na miejscu.

— Pan choruje? — zapytał ze szczerą troską.

— To nic takiego — uśmiechnął się zdawkowo Winther. — Zdrowie mam słabe od kilku lat i czasami po prostu chwytają mnie takie nawroty. Zaraz mi przejdzie.

— Mam wzmacniające wino, petersimon — zaoferował książę. — I, gdyby pan sobie życzył, doktor Oessler może pana osłuchać i obejrzeć.

— Wystarczy wino i, nie chcę być niegrzeczny, ale nie petersimon. Dla mnie za ciężkie.

Poczekali, aż sługa poda reńskie, chwilę niezobowiązująco gawędzili o pogodzie, lato było ciepłe, winnice książęce obrodziły.

— Przyznam, że utknąłem — powiedział wreszcie Winther. — Pochodzenie od Gryphusa — Baltusa jest atrakcyjne, ale brakuje mi kilku ogniw, by je jakoś uwiarygodnić. A idąc dalej, ku czasom historycznym, sprawia mi problem ten książę Świętobor, o którego tak natarczywie pytał księcia Matzke von Bork. Zadanie, jakie najjaśniejszy pan mi postawił, wymaga wymazania pamięci o Borkach w początkach gryfickiej dynastii. W poważnych źródłach o Świętoborze nie ma zbyt wiele — Winther spojrzał na Franciszka pytająco, a książę podjął decyzję:

— Jeśli Świętobor jest problemem, to go usuń — powiedział.

Walentin Winther zamarł, jakby się w sobie skulił.

— Źle się wyraziłem — załagodził książę Franciszek. — Po prostu go pomiń.

Uczony odetchnął z ulgą.

— Tak. Umiałbym go obejść. Bylebym odpowiednio dobrze ukazał najdawniejsze początki Gryfitów. Stara zasada: naświetlić to, na co chcemy zwrócić uwagę, a cień padnie tam, gdzie światła nam nie trzeba. Pomogłoby wertowanie ksiąg w Greifswaldzie, mam nawet pewien pomysł.

Książę Franciszek uważnie przyjrzał się uczonemu, skinął głową.

— Zatem, jak tylko wydobrzeję, udam się do Greifswaldu — oznajmił uradowany Winther.

— Oferuję książęcy powóz i asystę — obiecał Franciszek.

— Sam książę chciałby się pofatygować ze mną? — źle zrozumiał go uczony.

— Niestety, nie mogę — wyjaśnił. — Ale dam junkrów na drogę, stangretów, służbę i co by było potrzebne. Sprawy wielkiej wagi zatrzymują mnie w Szczecinie.

— Podatki na wojsko, słyszałem o kłopotach z pomorską szlachtą — pokiwał głową Winther. — Ale, mnie się zdaje, że wojna nie rozleje się dalej, niż na królestwo czeskie, może Styrię, Karyntię, rodowe posiadłości Habsburgów.

— Chcielibyśmy, by tak było — oględnie odpowiedział Franciszek. — Rzecz w tym, że cesarza Ferdynanda już wsparły wojska bawarskie, a właśnie mówi się, że idą mu na odsiecz także Hiszpanie. To stawia siły katolików w innym świetle i, jak mniemam, nie zostanie bez odpowiedzi ze strony protestantów.

— Nasza neutralność ma swoją cenę — ze zrozumieniem przyznał Winther. — O ile wyznanie reformowane udało się wprowadzić na Pomorzu niemal bez tumultów, co zawdzięczamy zdecydowanej i roztropnej postawie przodków księcia, to jak czas pokazał, pokój augsburski nie okazał się trwały. A szkoda, bo zasada „czyj kraj, tego religia" wydawała się rozwiązaniem idealnym.

— Zwłaszcza wobec wcześniejszych rozwiązań — zaśmiał się Franciszek. — Gdy zdobywcy narzucali swą wiarę pokonanym. Mam na myśli podbój Pomorza przez Bolesława Krzywoustego.

— Rzecz ciekawa, książę, ale z perspektywy czasu, można już podejść do tamtych wydarzeń bez uprzedzeń. W poprzedniej rozmowie wspominałem, że stąd brała się ta wzajemna nienawiść między Gryfitami a Piastami, z rozerwanego braterstwa, z wygnania. Ale spójrzmy jak władca i jak uczony: tamten podbój stał się przyczynkiem rozwoju. Wielkie dzieło misyjne Ottona z Bambergu wreszcie przyniosło chrystianizację kraju, w przeciwieństwie do nieudanych wcześniejszych misji. Proszę pamiętać, z jakim trudem wcześniej przodkowie księcia zarządzali swymi pogańskimi poddanymi. A po podboju, książę Warcisław owszem, stał się polskim lennikiem, musiał zgiąć kolano, ale w konsekwencji zyskał. Bolesław Krzywousty wprowadził bowiem na Pomorzu administrację podobną do tej, jaką miał w swoim księstwie. Tym samym…

— Uniezależnił księcia od wieców i pomorskich panów — zrozumiał Franciszek.

— I miast — dodał Winther. — Bo już wówczas miasta, zwłaszcza bogate, portowe, jak Kołobrzeg, Szczecin czy Wolin, mieniły się republikami miejskimi. Warcisław więc z jednej strony coś stracił, ale z drugiej zyskał. Oczywiście, musiał jeszcze podzielić się z biskupami. Wcześniej, za Reinberna, siedzibą biskupa był Kołobrzeg. Drugi raz tego błędu nie popełniono.

— Rozumiem — mruknął Franciszek. — Stąd biskupstwo w Kamieniu. Czy wtedy Borkowie stracili na znaczeniu?

— Nic nie dzieje się nagle — pokręcił głową Walentin Jurga Winther. — W tamtych latach młodszy brat Warcisława, książę Racibor, wyprawiał się ciągle na Danię. Wiadomo, że Borkowie pływali z nim, sami wystawiali po kilkanaście bojowych łodzi. Pod banderą z wilkami płynęli z Raciborem na Konungahelę W kolejnych latach też odnotowuje się ich przy boku książąt, zawsze z przydomkiem „principes terrae"...

— Książątka niemalże — żachnął się Franciszek.

— Owszem. Ale któryś kolejny Bork będzie już kasztelanem Kołobrzegu. Czyli urzędnikiem, nie księciem. Przypuszczam, że ten proces trwał latami i może z początku zmiany dla rodu Borków nie były uchwytne, ale...

— Po pełnej chrystianizacji Pomorza nie byli już Gryfitom niezbędni.

— Otóż to, mój książę. A ich, powiedzmy żartobliwie, dziki urok, przestał mieć dla waszych przodków znaczenie w opanowaniu poddanych. Po prostu, wszystko się zmieniło.

— Kiedy opuścili Kołobrzeg?

— Gdy nastał biskup Gleichen. Miał pasję do gospodarki i w lot rozgryzł potencjał solnego miasta. A przy tym ówcześni książęta mieli do Gleichena słabość. Odsprzedali mu swoje udziały, on lokował miasto na prawie lubeckim i koniec końców, Kołobrzeg stał się domeną biskupa. Borkom nie po drodze było z Gleichenem.

— Czekaj — przerwał Franciszek uczonemu. — Chcesz powiedzieć, że byli poganami?

— Nie sądzę — zaprzeczył Winther. — W każdym razie nie mogli nimi być otwarcie. To był rok 1255. W tym czasie oficjalnie w cesarstwie nie mogło już być pogan. Ale jak było naprawdę? To powiedzenie, że coś jest stare jak Bork i diabeł, coś mogło być na rzeczy, wszak wcześniej mieli tego kapłana Strosza i po nim równie mocnego Jarycha i jeszcze ponoć jakąś wieszczkę...

Przerwało im wejście książęcego sekretarza, Schwichelta. Minę miał nietęgą.

— Przepraszam, że przerywam — powiedział, patrząc na Winthera. — Może jednak przyjdę później?

— Jak już wszedłeś, mów — skinął na niego Franciszek. — Co jest tak pilnego?

— Doktor Theodor Plonnies przesłał wiadomość. Ta wiedźma wszystkiego się wyparła.

— O czym ty mówisz? — w pierwszej chwili nie zrozumiał książę.

— Sydonia von Bork nie potwierdziła swoich zeznań.

Franciszek milczał chwilę. Co za ironia, że mówili właśnie o rodzie Borków.

— No cóż — odezwał się wreszcie. — Zatem sama siebie skazała na powtórne ostre przesłuchanie.

— Jest coś jeszcze — wydukał Schwichelt. — Prokurator Lüdecke ponownie przeszukał dom czarownicy i...

— Doprowadzasz mnie do pasji! — zrugał go książę. Schwichelt w sprawie Sydonii von Bork od początku zachowywał się dziwacznie.

— Znalazł dowody — szybko odpowiedział sekretarz.


16 sierpnia 1620 roku, o godzinie pierwszej po południu, w dużej sali na Oderburgu, zamku odrzańskim zebrali się: doktor Teodor Plonnies, radca Fryderyk Hindenborch, protonotariusz Antonius Petersdorf, zarządca książęcy Paul Zastrow oraz książęcy skryba, Johan Candi. Następnie wezwano mistrza katowskiego, Joachima. Doktor Plonnies, jako przewodniczący składu sędziowskiego, poinformował kata o zaistniałych wypadkach, to jest o odwołaniu zeznań przez oskarżoną Sydonię von Bork. Pouczył go także, że zgodnie z prawem, należy przeprowadzić drugie ostre przesłuchanie. Mistrz katowski odrzekł, że na mocy swojego zawodu gotów jest do wykonania tego, co konieczne. Wtedy sędziowie złożyli ciężką przysięgę. Po tym akcie doktor Plonnies wysłał Eustachego Schmidta, urzędnika zamkowego, aby sprowadził Sydonię von Bork.


Metteke skończyła haftować koszulę z zakładkami i oczywiście, zakładam ją, choć gdzieś z tyłu głowy mam myśl, że szkoda tej koszuli. Ale nie chcę sprawić jej przykrości, a poza tym, to teraz najładniejsza z moich koszul. Tyle, że czepek biorę codzienny.

— A krzyż? — pyta Metteke.

— Jaki krzyż?

— No ten drewniany, co panna miała ostatnio. O ja głupia, zapomniałam powiedzieć, że kat, jak do panny przychodził leczenia doglądać, to oddał krzyż i szpile do włosów.

— Załóż mi go — proszę i myślę z żalem, że szpile do włosów już się nie przydadzą.

Rozlega się pukanie do drzwi. To tylko tak, bo wiadomo, że nie mogę powiedzieć „Nie życzę sobie, nie wpuszczam". Ale i tak zawsze pukają, Daniel, młody knecht mówił, że chcą zachować się przyzwoicie, jakbym się przebierała, czy coś takiego.

Wchodzi Schmidt, tutejszy urzędnik. Szura, kłania się zaczerwieniony i mówi, że przyszedł po mnie. Że ma mnie doprowadzić na tortury. Metteke w płacz, choć wiedziałyśmy obie, co to za dzień. Ja mówię:

— Odwołałam zeznania, bo jestem niewinna. Nie pójdę na tortury.

— Ależ panno Bork… — Schmidt zdaje się mnie prosić. — Co ja mogę? Nic nie mogę, kazali przyprowadzić…

— Zmusi mnie pan? — pytam.

— Nie, ja nie jakiś gwałtownik — pokręcił głową i dodał: — A panna przecież nazywa się Bork. Ja… ja… — przestępuje z nogi na nogę — ja jestem z tych Schmidtów.

Nie mam pojęcia, z których, to powszednie nazwisko i dość plebejskie.

— Moi przodkowie służyli Borkom — mówi. — Wielkiemu Hansowi von Bork ze Strzmiela, temu, co wydał zbójom wojnę. Pradziad opowiadał, jak pod rozkazami Hansa tropili największych pomorskich rzezimieszków, jak złapali tego, co miał przydomek „Papież" i tego, którego wołano „Ksiądz Jan", i nawet słynnego „Manfrasa" i tak razem rozprawili się ze zbójami w księstwie.

— No to panie Schmidt, niech pan wraca do tych sędziów z Bożej łaski i im powie, że Sydonia Bork po dobroci nie da się torturować.


Doktor Teodor Plonnies pocił się obficie.

— Upał niemiłosierny — powiedział do Zastrowa i zdjął kapelusz, by przetrzeć czoło chustką. Robił to kolejny raz i cienkie, haftowane przez żonę płótno już było całkiem mokre. Schował chustkę i wytarł palce w spodnie.

— Coś długo nie idą — odezwał się Hindenborch. — Muszę powiedzieć panom, że okropne są te przesłuchania z torturą. Byłoby lepiej, gdyby sam kat to robił...

— Ależ panie Hindenborch — oburzył się Plonnies. — Kat to nie sędzia, jego robotą wymusić mówienie prawdy, ale gdzie w nim byłby rozum, żeby ją od fałszu oddzielić?

Petersdorf chrząknął i pokazał ruchem głowy, że kat stoi wystarczająco blisko, by słyszeć ich rozmowę. Na szczęście wszedł Schmidt. Tyle, że bez oskarżonej.

— Kolejne fanaberie czarownicy — żachnął się Plonnies. — To babsko śmiało sobie z nami poczyna, nie powiem.

— Przyjdzie czas na buty hiszpańskie i inaczej zaśpiewa — powiedział gniewnie Hindenborch.

— Ośmielę się zaprzeczyć — odezwał się kat, choć go nie pytano o zdanie.

— Czemu?

— Butów hiszpańskich dzisiaj nie będzie. Stopy oskarżonej nie doszły do porządku po poprzednim razie.

Panowie spojrzeli na siebie z oburzeniem.

— No bez przesady — powiedział Plonnies. — Stała na własnych nogach, tu przed nami, kiedy w twarz nam rzuciła, że odszczekuje co zeznała.

— I potem się jej pogorszyło — powtórzył kat. — Moja profesja zabrania pogłębiania ran niewyleczonych po wcześniejszym przesłuchaniu. W orzeczeniu z Magdeburga, które pan sędzia raczył nam wszystkim przeczytać przed pierwszymi torturami, takoż stało, że mają się odbyć po ludzku.

— To może ten pomorski wieniec? — nieśmiało zaproponował protonotariusz. — Ja nigdy nie widziałem zastosowania...

— Bo używa się go najczęściej wobec fałszerzy i miejskich złodziei, a to nie ten przypadek — oświadczył kat i wyprostował się dumnie. — Będzie drabina, jak poprzednio.

Doktora Plonniesa nieco zirytował fakt, że kat sam decyduje o narzędziach tortur, ale w istocie, mistrz Joachim miał rację. Wybór nie przysługiwał mu wobec wykonywania wyroku, tam co zasądzone, to ma być zrobione, ale przesłuchanie to inna sprawa.

— Dobrze, dobrze — machnął ręką. — Niech pan weźmie tych swoich pomagierów i przyprowadzi do nas oskarżoną. Byle szybko.

Gdy poszli i sędziowie zostali sami, Hindenborch zapytał:

— Dlaczego książę Franciszek nie dopuścił nowych dowodów?

— Takie jego prawo — wtrącił się protonotariusz.

Doktor Plonnies okazał mu swoją wyższość, mówiąc:

— Najjaśniejszy pan uznał, że mamy dość potwierdzonych zarzutów, by skazać czarownicę. A nowe dowody zatrzymał jedynie chwilowo — to słowo doktor podkreślił. — Na wypadek, gdyby nam się stawiała zbyt mocno.

Myślałam, że przyślą po mnie Daniela, ale się myliłam. Może nie ma dzisiaj służby? Przybył mistrz Joachim z tymi dwoma, utykającym i pokrzywionym, jeden gorszy od drugiego.

— Panno Sydonio — podał mi rękę. — Czas nadszedł.

Wsparłam się na jego ramieniu i po drodze podziękowałam za opiekę.

— To mój obowiązek — powiedział, a po chwili dodał: — Sen jest lekarzem duszy i ciała. Nie każdy człowiek posiada dar śnienia, zaś tylko nieliczni potrafią używać snu na jawie. Namawiam.

Jego głos wciąż na mnie działał uspokajająco, jakby sączył mu się z ust eliksir z maku, ale miałam się na baczności. Pamiętałam o zwierciadle.

Gdy weszliśmy do dużej sali, sędziowie czekali. Doktor Plonnies pocił się jak szczur. Dopiero gdy stanęłam przed nimi, poczułam, jak tu jest duszno. Pełnia lata, szło na burzę.

— Proszę o otwarcie okna — powiedziałam.

— Niemożliwe — zaprzeczył protonotariusz. — Czarownica może uciec przez okno.

— Nawet związana? — zniecierpliwiłam się jego głupotą. — Przecież za chwilę będę zakuta w żelastwo.

— Prawo nie zezwala — powiedział Plonnies, choć minę miał taką, jakby sam chciał prosić o łyk powietrza.

— Związana wiedźma pozostaje wiedźmą — wygłosił kolejną mądrość Petersdorf. — Zwłaszcza taka, która na posługi miała diabła i to w trzech postaciach. A niechby tu wleciał ten wasz Chim w ciele wróbla. Chroń nas Boże. Idźmy za myślą Marcina Lutra: „Nie pozwolisz żyć czarownicy".

Plonnies spojrzał na Antoniusa Petersdorfa krzywo, chyba poczuł, że protonotariusz chce mu zabrać dochodzenie.

— Chcę złożyć oświadczenie do akt — powiedziałam i wygłosiłam je, nie czekając na zgodę. — Jestem niewinna i proszę o uwolnienie.


Tkwię przywiązana do ławki tortur, o której już wiem, że wkrótce okaże się drabiną rozciąganą kołowrotem. Pocę się. Ciężko oddychać w tej wymuszonej pozycji. Mimo to, moje ciało zdaje się ją rozpoznawać, a po chwili nawet odnajdywać w niej. Tak, to ja na dworze. Garbuska zamieniona w piękność; wywrócona na drugą stronę, niczym skóra zdarta z żywego zwierzęcia. Łopatki ściągnięte, szyja naprężona, broda do góry i żebra przy każdym oddechu napierające na sztywny gors sukni. Tyle, że teraz nie chroni mnie ubranie, jestem w samej koszuli, gorsecik zdjęła mi ta niemota, Hedwig, pomocnica kata. Związana i okiełznana; zaraz zaczną lżyć mnie od czarownic.

A może wreszcie się wahają? Może chcą zawrócić z tej potwornej drogi? Jeszcze jest nadzieja, wciąż nie kazali zawiązać mi oczu.

Tylko wiedźmom zasłania się oczy. Sędziowie lękają się, że mogą zostać zauroczeni. Sędziowie zaskakująco dużo wiedzą o diable i jego mocach, o służkach diabła i diablętach, chowańcach. Sędziowie mają w głowie rzeczy, o których się czarownicom nie śniło. Kiedy ja stałam się czarownicą? Gdy pierwszy raz mnie tak nazwano, nie wcześniej. Oni koniecznie chcą wiedzieć co do dnia, poznać datę, najlepiej godzinę. Na szczęście jestem stara i wszystko rozmywa się w mej pamięci. I wiem, czego mam się trzymać: Lene Schmedes i Wolde Albrechts. Ich stosy wystygły, ich prochy rozwiał wiatr. A pamięć żyje.


— Jestem niewinna. Chcę polecić Bogu swoje ciało i duszę — zaklinam, patrząc w sufit sali, która widziała mnie długowłosą, młodą, w tańcu, skrytą pod maską. Tylko to ostatnie się nie zmieniło.

— Sydonio von Bork, już zostałaś osądzona jako czarownica i już raz przyznałaś się do winy. Dostałaś wyrok śmierci.

— Więc po co fundujecie mi piekło? — pytam, tropiąc rysy w dawno nieodnawianym sklepieniu sali.

— Czarowskie sztuczki — przestrzega Petersdorf. — Szatan potrafi podszywać się pod ludzi wiary.

I kocha kościelne rekwizyty — myślę. — Hansa Selike, męża Lene Schmedes skazali za ukrywanie złodziei okradających kościoły. Nie wydał ich, zapłacił głową. I zostawił Lene więcej, niż dał jej za życia.

Kielich mszalny, małą skrzynkę pełną hostii. Flaszkę wody święconej. Psałterz pastora. I obraz, z czasów papistów, ale przecież też poświęcony. Przedstawiał Jana Chrzciciela i młodego Jezusa, chrzest w Jordanie. Dwóch pięknych mężczyzn z wydrapanymi oczami i przyrodzeniem przeciętym na krzyż.

— Po co panna nosi ten dziwaczny krzyż na szyi? — pyta Plonnies. Wstaje zza stołu, zbliża się, ale tak, bym nie mogła spojrzeć mu w oczy.

— Żeby odegnać diabła — odpowiadam. Mistrz Joachim pochyla się nade mną. Widzę jego ciemne, lśniące oczy. Dodają mi odwagi. Rzeczywiście, Plonnies nie wie co powiedzieć. Z pomocą przychodzi mu protonotariusz.

— Czas zacząć tortury — mówi. — Słyszymy, jak ustami oskarżonej przemawia sam Szatan.

Muszę coś im dać, cokolwiek, byleby odsunąć uruchomienie kołowrotu. Wolde Albrechts jest niezawodna. Uwielbiają historie o niej.

— Ona powiedziała, że pewnego dnia odnajdę skarb — zaczynam. — A diabeł, wróg Pana i nas, dzieci jego, jest przeciwny temu, byśmy odnaleźli w sobie to, co cenne. I Wolde Albrechts powiedziała: gdy znajdziesz, diabeł wymierzy ci ostry cios. Ale, jeśli będziesz miała przy sobie krzyż, znak męki Pańskiej, nic ci nie będzie mógł zrobić. Żaden diabeł.

— Zasłonić wiedźmie oczy! — wrzeszczy Teodor Plonnies i odskakuje w tył, jak oparzony.

— Czyż nie Boga powinieneś się bać, panie? — pytam. Mistrz Joachim pochyla się nade mną i szepce bezgłośnie:

— Powinien.

A potem zdejmuje mi krzyż, obiecuje, że odda, i jedwabną, czarną opaską zawiązuje mi oczy, więc znów, ostatnim co widzę, jest jego kojące i ciemne spojrzenie.

— Niech oskarżona powie, dlaczego odwołała zeznania?

To ich męczy, nie mogą zrozumieć. Wyjaśniam tak:

— Podczas spowiedzi zrozumiałam, że jestem winna różnych grzechów, ale nie tego, o co mnie oskarżacie. Nie zamierzam umierać za cudze winy.

— Mistrzu Joachimie — zarządza Plonnies. — Podciągnij wiedźmę.

Wiem, skąd przyjdzie ból, napinam ciało w oczekiwaniu, słyszę szuranie, pewnie ten niemota się zbliża. Odgrodzona od świata opaską na oczach odruchowo mówię:

— Nie, nie, nie, nie… I nagle zamiast bólu, czuję na szyi muśnięcie. To długie włosy Joachima, pochyla się nade mną i szepce:

— Namawiam na sen.

Z ramionami wyciągniętymi za głową, przywiązanymi do piekielnej drabiny, czekam na rozciągnięcie, na skrzyp kołowrotu, który je poprzedzi, na zaciskanie się konopnej liny na nadgarstkach i tak, skupiona w oczekiwaniu na torturę, zapadam w żywy sen.

— Od kogo oskarżona nauczyła się czarów?

Zaczęło się. Czuję deski rozsuwające się pod moimi plecami, mięśnie naprężające się ponad miarę, trzaski we wnętrzu kości. Ale nie czuję paraliżującego mnie bólu.

— Od Wolde Albrechts, od Lene Schmedes.

— Proszę jeszcze ją podciągnąć, wciąż nie padły imiona nowych czarownic.

— Lene, Wolde.

Wiem, że pękła mi skóra na nadgarstku, co za straszne uczucie, odjęcie mi bólu nie sprawia, że tortury przestały być męką. Przeciwnie, wciąż są cierpieniem, o tyleż okrutniejszym, że przeżywam je świadomie.

— Zapłaciłam za diabła jednego miejscowego talara. Tak, tak, pastor Lüdecke umarł przez niego. Zrobiła to Wolde i jej diabeł, bo prosiłam.

— Czyli razem to były dwa diabły?

— Dwa… już nie mogę…

— Podciągnąć mocniej.

Mój kręgosłup składa się z wielu kości. Każda z osobna błaga, by przestali.

— Czy oskarżona zabiła księcia Filipa przy użyciu diabła?

— Tak…

— Dlaczego to uczyniła?

— Szukałam sprawiedliwości…

— Jakich ziół oskarżona używała? Skąd je brała?

— Adich… mówiłam… z pól pana Massowa…

— Czy Ottona von Bork uśmierciła?

— Sam to zrobił. Jego usta go zabiły. Był pijakiem…

— Czy użyła zaklęcia spisanego na kartce, by zaszkodzić wdowie po Bastianie Wedlu i jej córce?

— Nie… tak nie było…

— Mistrzu Joachimie, proszę podciągnąć oskarżoną. Koniec tych matactw.

Czuję woń własnej krwi, a nie wiem, skąd krwawię. Udręczona, ale wciąż żądam życia. Dlaczego trzymam się go tak kurczowo? Jestem złą wolą, upiornym pragnieniem krzywdy, gniewem z bólu wrzącym pod skórą. Moje życie domaga się odwetu. Kołowrót skrzypi, stare kości jęczą.

— Lene napisała dla Bastianowej, jak odwrócić klątwę, ale ta chyba nie potrafiła... Lene nie chciała tego zrobić... to było tylko jedno zdanie i ma je ta Bastianowa...

Lene miała dość powodów, by się mścić. Zabili Hansa Selike, jej męża, skazali ją na złe języki. Bardzo, bardzo jej żałuję, mimo, iż na torturach podała moje imię. Rozumiałam ją wtedy i wybaczyłam jej. Teraz, gdy rozciągają mnie na drabinie, odpuszczam jej każdą winę. I przysięgam sobie: nikogo nie pociągnę na stos.

— Sofija Stettin tańczyła jak opętana, ale ja jej nic nie zrobiłam. To biedne stworzenie... ktoś jej nagadał... jakiś klecha. Tak, klecha z Massowa wypędził z niej diabła. Tyle, że nic a nic to nie pomogło... Sofija lubiła tańczyć...

— Massow to sąsiad klasztoru w Marienflies — mówi Plonnies. — Skąd teraz wzięła oskarżona pastora z Massowa?

— Nie wiem... jego pytajcie...

Głuchnę wyciągnięta na ławie tortur, przestaję słyszeć skrzypienie kołowrotu. Wiem, że wciąż zadają pytania i chyba na nie odpowiadam, ale tego nie wiem, bo unoszę się jak mgła ponad tym udręczonym ciałem. Nic nie czuję, nic nie widzę. Stara, ślepa i głucha. „Sen jest lekarzem duszy i ciała" — mówi w mojej głowie Chim, a jego głos już nie brzmi kojąco, już nie może mnie oszukać, zwieść, bo sama jestem snem czarownicy.

— ...Josta von Bork?

Przebudzenie, i to tak nagłe, aż świszczy. To nie mój brat, Ulrich był diabłem, lecz ty nim jesteś, przeklęty kuzynie! Nie odpuszczę ci aż do śmierci, nie łudź się! Tylko dlatego kazałam Chimowi przestać cię dręczyć, żebyś uwierzył, że skończyłam z tobą. Czekałam, aż znów zaczniesz wieść to swoje wygodne życie w wykrochmalonym kołnierzyku, aż znów wsiądziesz na konia z batem w ręku i wtedy zwróciłam twój bat przeciw tobie! Bolało? Mam nadzieję, że tak samo jak mnie!

Wrócił mi słuch i wzrok, bo widzę, że oczy mam zasłonięte czarną opaską. Wróciło mi czucie i tak, mam ramiona wyrwane ze stawów, kręgi z kręgów, jestem już workiem kości. Przywiązana do łoża boleści, wyję.

— Czy oskarżona potwierdza, że czytała Psalm 109?

— Tak! Modliłam się...

— Proszę zanotować. Odmawiała Psalm Judasza. Przeciw komu oskarżona odmawiała Psalm Judasza?

— Nie można modlić się przeciw komuś... — jęczę, ale myśli zachowuję dla siebie. Tak właśnie było. Prawda, prawda. Odmawiałam go, oskarżając Josta von Bork o kradzież przed książęcym sądem:

*Gdy go sądzić będą, niech wyjdzie jako przestępca,*
*niech prośba jego stanie się winą.*
*Niech dni jego będą nieliczne,*
*a urząd jego niech przejmie kto inny.*

Ale dzisiaj im tego nie powiem, zresztą, jak przewrotnie brzmi to o sądzie.

Każą przekręcić kołowrót. Pęka lina, moja głowa uderza o deski drabiny. Krzyczę:

— Tak!... Zamodliłam ich na śmierć!...

— Dosyć. Mamy przyznanie się do wszystkich zarzutów — mówi Plonnies z taką ulgą w głosie, jakby to jego męki się skończyły. — Mistrzu Joachimie, proszę zabrać czarownicę do celi. Pan zapisze — zwraca się do skryby. — Odczytanie i potwierdzenie po dobroci zeznań odbędzie się jutro.

— Za przeproszeniem, panie sędzio — odzywa się Joachim. — Nie jestem w stanie na jutro doprowadzić panny Bork do zdrowia.

— Niech pan spróbuje dokonać cudu — drwi doktor Plonnies.

— Oskarżona nie będzie mogła stanąć o własnych siłach przed sądem — ostro przeciwstawia się mu Joachim.

— Zatem przyniesie ją pan na salę rozpraw. Na dzisiaj koniec.


Najpierw musiał zanieść mnie do celi. Nie byłam w stanie nawet usiąść. Mdlałam. Słyszałam, jak mówi do Metteke:

— Gdzie czyste prześcieradła? Gdzie pościel?

I jej szloch w odpowiedzi:

— Zabrali, proszę pana. Kapitan Zastrow przysłał sługi i powiedzieli, że muszą wziąć z celi wszystko, co mogłoby posłużyć pannie do... ach. Więc zostawili tylko koce. Nawet poduszkę panny zabrali.

— Ona akurat niepotrzebna. Musi leżeć na płasko i potrzebuję czystych płócien.

— Mam ręczniki, wyprane.

— Daj mi je.

Kładą mnie na ręcznikach. Słyszę:

— Przygotuj rosół z koguta dla swej pani.

— Mam z kaczki — odpowiedziała ona, a Joachim zaprzeczył:

— Rosół z czarnego koguta. I nie chwal się tym na kuchni.

Potem musiał mi zdjąć koszulę, nie pamiętam tego, ale kiedy się ocknęłam, leżałam naga, a on obmywał mnie szmatką zanurzoną w ciepłej wodzie. To ciepło dawało mi ulgę. Powiedział:

— Wyobraź sobie, że jesteś w domu, że śpisz w swoim łóżku, przechadzasz się po swoich pokojach i robisz to, co najbardziej lubisz.

Nim skończył mówić, byłam tam. Nie, nie w Wilczym Gnieździe. W Marianowie. Zjeżdżały furmanki z drewnem pod budowę. Prechel stał na szeroko rozstawionych nogach, uśmiechał się do mnie zalotnie, i pokazywał palcem: „Lepiej zbudować o, tutaj". A ja mu na to: „Wyobraziłam sobie widok z okna. I bardzo się do niego przywiązałam. Dom stanie tu, gdzie wskazałam". Tak się stało. Teraz, w moim wspomnieniu, dom buduje się sam, raz dwa i już gotowy, Prechel nie jest potrzebny, znika. Prawda jest taka, że miejsce pod budowę wybrałam starannie, po wielu próbach i przymiarkach. Mój dom przysłaniają drzewa. Nie widać go z domku odźwiernego i z żadnego z okien klasztoru. Nikt nie może mnie bezkarnie podglądać. Noc jest głęboka (była głęboka, to wspomnienie, ale znów je przeżywam), księżyc w pierwszej kwadrze. Kocur zjawia się bezszelestnie. Spogląda na mnie złotymi oczami i z obojętną miną wchodzi do domu. „Jak cię nazwać, skoro już się wprowadziłeś?" — pytam. „Joachim, Chim" — odpowiada i wiem, że to on dzisiaj (wtedy) przepędził klasztorne panny, stadko szarych myszy. Potem jest wieczór (wiem, że po nocy nastaje poranek, to inny wieczór), a ja tańczę przed domem. Chim siedzi na ławce, oblizuje łapę. Tańczę i śpiewam: „Pan wypchał pysk mojego wroga ziemią". To nieładna piosenka, ale ja dobrze ją śpiewam. I nagle ktoś mnie chwyta za rękę i przeciąga do innego domu. Resko. Jestem w Resku, stoję przy kuchni i gotuję raki. Przy mnie Dorota von Bork. Dziwi się, że rak nie szczypie. Przytrzymuje moją dłoń, tę, w której trzymam raka, a ja tłumaczę jej: „Jest otępiały, spójrz, jak wolno rusza odnóżami. Złapali go nad ranem". Palce dziewczyny są miękkie i ciepłe, trochę wilgotne. Pochyla się do mnie, jest bardzo blisko, a mnie zalewa fala nieznanej tkliwości. Chcę tej Doroty. Tak bardzo pragnę, by była moją córką, moją towarzyszką. Chcę jej pokazać świat, wszystko co potrafię, podzielić się z nią, tym co mam i tym, czego nie mam. Już, już, starczy tych wspomnień, tych domów. Otwieram oczy.

Metteke karmi mnie rosołem. Jest bardzo, bardzo smaczny.

— Mistrz Joachim powiedział, że zajrzy do panny później. Zostawił ten krzyż, co go pannie zdejmują na męki. Powiedział, że jak się lepiej poczujecie, to dobrze by było z powrotem założyć.


Nie skłamał, przychodzi nocą. Ma przy sobie słój z mazidłem.

— To maść czarownic? — kpię, podnosząc się wysiłkiem. — Po której wzlecę na sabat?

— Bobrowe sadło — odpowiada poważnie. — Od lat kuruję nim skazańców i nigdy się nie zawiodłem. Pozwoli panna?

Kiwam głową. Pokazuje, że mam się przekręcić na brzuch.

— Będę dotykał panny — uprzedza.

Nie pierwszy raz — myślę.

Teraz jego dotyk jest kojący. Nakłada maść na swoje dłonie i z nich przenosi je na moje plecy, barki, ramiona i szyję. Wciąż jestem obolała, czuję każdą kość z osobna, ale umęczenie z wolna ustępuje.


Jest wieczór. Jezioro i Strzmiele, Wilcze Wzgórze w oddali. Jesteśmy młodziutkie i płoche, Dorota, moja siostra, i ja. Biegniemy ku wodzie. Rozbieramy się, śmiejąc. Jej jasne włosy zakrywają wystającą łopatkę, która za kilka lat ułoży się w garb. Woda jest zimna, gęsta od glonów, wchodzimy w nią, nie przestając się śmiać. Ja zanurzam się pierwsza, z głową pod wodą i tam, przez toń jeziora słyszę prychanie konia. Wynurzam twarz ponad taflę, powoli i cicho. Ascanius jest chłopcem, nieopierzonym młodzianem, śledził nas. Jego ogierek rzuca głową, z chrap unosi się mgła. Asche uwiązuje konia do drzewa, uspokaja: cicicicici, kładąc dłoń na nozdrzach. Para z jego oddechu wydostaje się między palcami Ascaniusa. On przybył tu ukradkiem, on nas podgląda. Dorotę i mnie. Bardziej mnie. Trawa wokół pęcin jego konia lśni złotem. Widzę wszystko, nawet krople potu, które osiadły wokół końskich chrap. Ascanius pierwszy raz w życiu widzi nagie dziewczyny. Chcę go oszczędzić. Przesadnie głośno wołam do Doroty: wychodzimy? On szybko odwiązuje konia, wskakuje na siodło i odjeżdża. Czarne włosie ogona uderza o koński zad. Ja pierwsza wychodzę z wody, naga. W powietrzu jeszcze unosi się pył spod kopyt jego konia. Rude włosy przylgnęły mi do piersi, do brązowych, dużych sutków, teraz sterczących z zimna. Moja skóra paruje. Idę, patrzę na brzeg. Tam, na wzgórzu w oddali, stoi samotne drzewo. Olcha? Trawy wokół niej uginają się pod naporem wiatru, ale gałęzie olchy pozostają nieporuszone (wiem, że to niemożliwe). Ale do wychodzącej z wody siostry mówię: „Znów nam się udało i nikt nas nie widział. Łap ręcznik".

— Co panna zobaczyła w zwierciadle? — pyta, kończąc i zakrywając moje plecy koszulą.

Nie odpowiadam.

— Chce panna Sydonia w końcu w nie spojrzeć?

Nie odpowiadam.

— Kto nie ma nic do stracenia, bierze wszystko, czyż nie tak się mówi? — odzywa się Joachim moją dawną myślą.

— Pomoże mi pan usiąść? — proszę. — Nie chcę widzieć swej przyszłości na leżąco.

O dziwo, siadam bez większej męki.

— Nogi na podłogę — podpowiada. — Podparte ciało będzie mniej bolało.

— Czy to prawda, że gdy wiozą czarownicę na stos, pilnują, by jej stopy nie dotknęły ziemi?

— Prawda — potwierdza. — I pilnują, by nie miała styczności z wodą.

— Powietrze ją omiata, ogień zaraz przyjdzie. — Dopowiadam.

— Proszę się przygotować — mówi.

Kiwam głową i podstawia mi przed oczy zwierciadło. Tym razem nie błądzę wzrokiem po ramie. Patrzę wprost w połyskliwą taflę. Mrugam, by się upewnić, że to nie uługa. Obraz jest jasny i wyraźny.

— Będę gotowa, mistrzu Joachimie — mówię drżącym głosem, gdy widziadło znika i odbija tylko mnie. Moje prawdziwe oblicze. — Dziękuję. — Dodaję po chwili.

Nazajutrz jem wczesne śniadanie i zmuszam Metteke, by spożyła je ze mną. Widzę, jak wychudła, wiem, że nie może jeść z nerwów. Potem pomaga mi się ubrać. Wybieram czarną, codzienną suknię. Gdy ją zakładam, musimy poluzować sznurówki gorsetu. Obolałe ciało nabrzmiało na żebrach. Biorę odrobinę bielidła i barwiczki. Barbara von Brockhausen więcej zużywała na jeden policzek — myślę. Nie chcę, by patrzyli na tę siną twarz.

— Przyciemnimy brew? — pyta Metteke.

— Czemu nie — odpowiadam i jej zostawiam tę robotę. Gdy kończy, proszę: — Podaj Schlagwasser.

— Zostało nie więcej niż pół kieliszka, na dnie — mówi, przynosząc flaszkę.

— Wiem, wiem. Ale gdyby nie cudowna woda królowej Węgier, nie wróciłabym do życia po pierwszych torturach.

Biorę parę kropli i smaruję wokół twarzy, potem palce wycieram w krótkie włosy, żeby nic nie uronić.

— To co? Kryza, panno Sydonio! — wesoło mówi Metteke, ale wiem, że kosztuje ją to wiele.

— Kryza, Metteke.


Daniel, młody knecht wprowadza mnie do dużej sali. Słyszę, jak doktor Plonnies mówi do Hindenborcha:

— Mistrz Joachim dokonał cudu. Przyszła na własnych nogach.

Nie komentuję. To nie było przeznaczone dla moich uszu. Są wszyscy. Protonotariusz Peteresdorf, kapitan Zastrow, skryba. Nie ma Joachima, ale wiem, że to nic nie musi znaczyć.

— Po dwóch ostrych przesłuchaniach oskarżona Sydonia von Bork została doprowadzona przed Sąd Książęcy w celu potwierdzenia wcześniej złożonych zeznań — otworzył posiedzenie doktor Plonnies.

Nie mogę wzroku oderwać od jego brody. Lewa połowa jest siwa, prawa nadal ciemna. On zachowuje się jak ktoś, kto nie ma o tym pojęcia. Nie był u balwierza — dociera do mnie, bo broda jest zapuszczona i dłuższa, a na policzkach ponad nią wielodniowy zarost. Nie patrzył w lustro. I nikt mu nie powiedział.

— Za pozwoleniem, panie doktorze Plonnies — odezwał się protonotariusz Peteresdorf. — Zanim zaczniemy, chciałbym zacząć od kawałeczka z kazania doktora Bugenhagena, naszego szlachetnego, pomorskiego ojca reformacji, który służył samemu Marcinowi Lutrowi i jego myśli przywiódł do naszego księstwa.

— Zgadzam się — kiwnął głową Plonnies.

Petersdorf wstał, chrząknął i powiedział z pamięci.

— Hexenpredigt, Wittenberga, rok 1526. „To bardzo sprawiedliwe prawo, zgodnie z którym czarownice powinny być zabijane, ponieważ wyrządzają wiele szkód, co się często pomija, a mogą one przecież..."

Widzę cię, mistrzu Bugenhagen. Na wielkim gobelinie wciskasz głowę ubraną w czarny beret między księcia Filipa i księcia Barnima. Pilnowałeś rodu panującego, jak agent Marcina Lutra. Pilnowałeś i nie upilnowałeś. Znasz mój sen o tym, jak stoję z nożem przed tą piękną tkaniną i was wszystkich po kolei pruję?

— „...ukraść mleko, masło i wszystko z domu, dojąc je z ręcznika, stołu, uchwytu, wypowiadając odpowiednie słowa i równocześnie myśląc o krowie. A diabeł przynosi mleko i masło do dojonego instrumentu. Potrafią rzucić urok na dziecko, żeby wciąż płakało i nie jadło, nie spało, itp. Mogą też wywołać tajemnicze choroby w ludzkim kolanie, które konsumują potem cały organizm. Kiedy widzisz takie kobiety, mają one diaboliczne formy, ja kilka widziałem. Dlatego należy je zabijać".

— Stary Testament — popisał się wiedzą Hindenborch i wyprężył pierś.

— Księga Wyjścia — dodałam. — „Prawo moralne". Ale ten werset brzmi krótko: Nie pozwolisz żyć czarownicy.

— Dobrze, dobrze — wtrącił się szybko Petersdorf. — Niech już tu oskarżona się znajomością Pisma nie zasłania. Wszyscy wiemy, czym jest Psalm 109, do którego odmawiania przeciw bliźnim się przyznała.

— Koniec wstępów — bez ogródek gasi go doktor Plonnies. — Czy oskarżona potwierdza swoje zeznania?

— Jestem niewinna zarzucanych mi czynów — mówię, unosząc wysoko głowę. Wspaniała woń Schlagwasser wypełnia mi nozdrza. Jestem silna w swej decyzji postawienia się im po raz kolejny.

— Znów odrzuca?! — wścieka się protonotariusz. — To niebywałe... Będą trzecie tortury!

— Proszę, panie Petersdorf — mówi doktor Plonnies — by trzymał pan nerwy na wodzy i poskromił przedwczesne komentarze. Ja kieruję przebiegiem procesu i tylko ja wiem, co będzie dalej.

Nijaka twarz Petersdorfa czerwieni się spektakularnie. Przełykam ślinę. Coś mi tu nie gra.

— Zanim panna Sydonia von Bork odrzuci swoje własne zeznania, wypowiedziane na drugim ostrym przesłuchaniu, chcę pokazać jej dowód rzeczowy. Znaleziony przez prokuratora Lüdecke po dokładnym przeszukaniu jej domu w Marienflies.

Serce zaczyna mi walić tak mocno, że odbija się od opuchniętych, obrzmiałych żeber.

Doktor Plonnies wyjmuje spod stołu niewielką, okutą skrzyneczkę. Moją skrzyneczkę. Otwiera wieko, ja zamykam oczy.

— Oto dowód rzeczowy, odkryty przez Kristiana Lüdecke, w obecności komisji śledczej, na strychu domu Sydonii von Bork, w Marienflies. Proszę panów sędziów, oto naszyjnik złożony z guldena księcia Jana Fryderyka, florena księcia Ernesta Ludwika, ćwierćguldena księcia Barnima Młodszego, orta księcia Kazimierza, Bogusława, Jerzego i nawet najnowszego półorta księcia Filipa II. Imponująca kolekcja.

— Och — jęk przebiega po sędziach.

— I upiorna — dodaje Hindenborch. — Naszyjnik z pogrzebowych monet. Tylko diabeł mógł wpaść na taki pomysł. Przyznaj, on szeptał ci do ucha? On?

Szeptał mi do ucha Jan Fryderyk — myślę, a serce mi łomoce. — Ale to było tak dawno. I nie znaleźliście medalu, który wybił tylko dla mnie. Jesteście blisko, lecz wciąż mam przed wami sekret. I nie oddam go aż do śmierci.

— Jak się panna z tego naszyjnika wytłumaczy? — pyta zachwycony swą prezentacją Plonnies.

— Zbierałam numizmaty — mówię na chybił trafił. Naprawdę nie byłam na to gotowa.

— Wyłącznie pogrzebowe? — zadziornie pyta Plonnies. — I od razu kazała je panna zakuć w naszyjnik? Kiedy go panna nosiła?

W pełnię, w marianowskim lesie, na mchu, tratując stopą zeschłe gałązki, w świetle księżyca, nago, tańcząc i pijąc…

— Nigdy go nie założyłam — odpowiadam. — To była dla mnie pamiątka po…

— Pan nie notuje! Takich rzeczy nie można powierzyć aktom! — gwałtownie rozkazuje skrybie Plonnies. Potem pociera brodę, błądzi wzrokiem po ścianie i dopytuje świszczącym od gniewu szeptem: — Pamiątka po dynastii, która za panny przyczynkiem odchodzi bezpotomnie?

— Nie — mówię. — Nie tak było.

— A jak? — naciska na mnie.

Broda osiwieje ci do reszty, jeśli się dowiesz — myślę.

A potem przypominam sobie, co zobaczyłam w zwierciadle, i podejmuję decyzję:

— Proszę o odczytanie mi zeznań z ostrego przesłuchania. Chcę je potwierdzić.

— Co do jednego? Wszystkich piętnaście punktów? — nieufnie dopytuje Fryderyk Hindenborch.

— Tak — mówię.

A potem piętnaście razy potwierdzam. Na każdy odczytany mi punkt mówię „tak", skryba zapisuje: „Sagt: ja". Na koniec powtarzam do protokołu swój testament. Żeby zabezpieczyć Metteke, uhonorować pastora i jego syna. Dodaję jeszcze parę guldenów dla Daniela, młodego knechta.

No i po wszystkim. Więcej ostrych przesłuchań nie będzie. W świetle prawa zostałam czarownicą. I co teraz ze mną zrobicie?

(Eliasie Pauli, mam nadzieję, że zdążyłeś).

# Rozdział IV

# Sąd ostateczny.
# Krew czarownicy

*Księstwo Pomorskie, Oderburg — Szczecin, rok 1620*

Ziemia od dawna tli się pod powierzchnią traw. Ogień pali ich korzenie na długo przed tym, zanim go ktokolwiek spostrzeże. Ja widzę.

Jestem wściekła, że przegrałam z Jostem. Że dałam się podejść. Już wcześniej, za te kilkadziesiąt guldenów, które był mi winien, był gotów się mnie pozbyć. A tego, że nazwałam złodzieja złodziejem, nie wybaczył, bo łatwiej żyć na dworze jako ten, co nie płaci alimentów starej kuzynce, niż taki, co okrada swego pana, czyż nie? Złodziei w naszym dobrym księstwie też karze się śmiercią, ale dużo prościej spalić czarownicę, bo dym z jej stosu oczyści dobre imię rodu. Jost miał plan i go ziścił. Ja miałam prawo do ostatniego listu. Kazałam wysłać Jostowi to: „Ty mówiłeś, że raz na kilka pokoleń w naszym rodzie otwiera się piekło. Trzymaj się, bo nie ja w nie wpadnę. Wilki w naszym herbie są dwa. Gdy jednego zabiją, drugi zdechnie".

Wciąż nie mam wiadomości od Eliasa Pauli. Wyrok nadal brzmi przerażająco: „Zawlec na miejsce kaźni, czterokrotnie szarpać rozpalonymi obcęgami. Potem spalić". Metteke zalewa się łzami, mdleje raz po raz. Ja nie wierzę.

Mój brat, Ulrich Bork, wezwał śmierć, zażądał, by do niego przyszła, nie odebrał sobie życia własną ręką. Ja, nawet gdybym chciała (chwilami chciałam), nie miałabym czym tego zrobić. Zabrali z celi wszystkie ostre przedmioty, a także prześcieradła, na których mogłabym się powiesić. Okno jest zakratowane.

Przeszukuję celę starannie. Obmacuję mur, cegła po cegle. Ściany są ledwo pobielone cienkim tynkiem. Co w tej komnacie było kiedyś, nim stała się celą czarownicy? Stary Barnim miał rękę do snycerki, do mechaniki, dziwacznych wynalazków. Moja skrupulatność zostaje wynagrodzona, odnajduję niewielkie drzwiczki w ścianie. Tak małe, że nie prześlizgnęłoby się nimi dziecko. Do czego służą? Gdy wsuwam rękę w otwór za nimi, czuję wilgotne powietrze znad Odry. Co to za nagroda? Co z niej mogę mieć? Nie wiem, więc zostawiam drzwiczki otwarte. Są pod łóżkiem, więc strażnicy nie zauważą, a nawet jeśli, co z tego?

W nocy śnię intensywnie, mocno i szybko, jakbym chciała naśnić się na zapas. Przywołuję sny, ale po chwili każdy z nich płynie jak zechce. W końcu to żywe sny, sny czarownicy.

Moja miłość do Jana Fryderyka nie słabła, a każdy przyjazd do Szczecina ją potęgował. Tylko raz odważyłam się posłać wiadomość na zamek, na samym początku, wtedy, gdy Barbara pożyczyła mi czepek z pereł... nie, nie mam czasu, a to już śniłam.

...zaczęło się w pełnię zimnego księżyca i później każdy nów i pełnia potęgowały pragnienie. Pamiętam, jeszcze w Wołogoszczy, mniej więcej wtedy, gdy Ernest Ludwik coś zwęszył i zaczął na mnie nastawać, wczesnym rankiem, wyjazd na polowanie. Na dziedzińcu zamieszanie, słońce jeszcze nie wzeszło. Dostrzegliśmy się w tej porannej szarówce, między stajnią a powozami szykowanymi przez służbę do drogi. Wtedy jeden, jedyny raz w życiu, zobaczyłam, jak Jan Fryderyk wygląda, gdy wstanie, zbudzony przedwcześnie. Powieki opuchnięte, usta nieco obrzmiałe, jak po pocałunkach. Przeszliśmy obok siebie, żeby podzielić się ze sobą wonią snu, tym, co wspólnie nie jest nam dane. Zadrżeliśmy oboje, łowczy dął w róg, czas był w drogę. Dworskie polowania były udręką, dla zwierzyny i dla fraucymeru. Damom i pannom szykowano czatownie, specjalne miejsca, coś jakby namiot z grubego, niebieskiego płótna, z zewnątrz okrytego gałęziami i liśćmi.

Książęta, goście i junkrowie mieli takie same, tyle że ich były z przodu, a kobiece na tyłach. Trzeba było wystawać w tym niewygodnym miejscu cały dzień, zabawiać księżną, czekać, aż łowczy napędzą na czatownie zwierzynę, co oznajmiał dźwięk rogu, a następnie patrzeć na chmury dymu z wystrzałów, przez które nic innego nie dało się dojrzeć. Czasami do naszych stanowisk podbiegały sarny i zające. Płoszyłyśmy je wtedy, by uciekły jak najdalej. Oczywiście, po wszystkim należało chwalić myśliwych, zwierzynę, psy i polowanie, co się nadzwyczaj udało. Tak było i wtedy i teraz śnię to, co wcześniej było dla mnie niewidoczne, jak Ernest Ludwik i Jan Fryderyk, konno, nie w czatowni, ścigają się o zwierzynę. Obaj chcą dopaść tego samego jelenia i żaden z nich nie odpuszcza. Ale Lutze nie ma szans, Jan Fryderyk jest lepszym strzelcem i on trafia, on zabija. Ernest Ludwik nie umie pogodzić się z porażką, szczuje swoje psy, a one rozszarpują zastrzelonego jelenia, pozbawiając Jana Fryderyka pięknej skóry. Jest wściekły, takim go widzę (widziałam naprawdę) po południu, gdy wracamy do dworu myśliwskiego. Zaczyna się ważenie jeleni, potem patroszenie zwierzyny, zwane „sprawiedliwością łowiecką", mdli mnie od zapachu krwi i szczekania psów, szukam miejsca, gdzie mogłabym się ukryć. Jan Fryderyk odnajduje mnie przy powozach, nie jesteśmy tam sami, wszędzie kręci się służba. On jednak na nic nie zważa, wzrok ma niemal szalony. Chwyta mnie za rękę, przyciąga do siebie i całuje. Moje ciało natychmiast odpowiada gotowością. On pociąga mnie do powozu swojej matki, księżnej pani, ja w jego bliskości też tracę rozsądek. Czuję krew z bliska i widzę zastygłą juchę na jego piersi, policzku. I dociera do mnie (ale dopiero teraz, gdy śnię, wtedy tego nie widziałam), że to nie ja go tak podniecam, ale krew, którą ma na sobie. Przychodzi stangret, odskakujemy od siebie i jest po wszystkim. Księżna pani wzywa dwórki, by pomogły jej się przygotować do kolacji. Ukradkiem wycieram palce z krwi jelenia, którego wcześniej Jan Fryderyk sprzątnął sprzed nosa bratu. To na nic. Przede mną chlusta cała rzeka krwi. Co to jest? Gdzie ja jestem?

Znów las i znów Jan Fryderyk. Takim go już nie znałam. Jest starszy, tęższy. Ma siwe pasma we włosach i brodzie. Może mieć nawet pięćdziesiąt lat (wciąż mi się podoba). Ubrany w skórzaną, myśliwską kurtkę, wysokie buty. Przed nim jeleń schwytany na liny, uwiązany między dwoma drzewami. Są jacyś słudzy, ja ich nie znam. Przytrzymują zwierzę. Jan Fryderyk idzie do niego z długim nożem (nie chcę tego krwawego snu, przeraża mnie). Czuję bicie potężnego serca, strach wielkiego zwierzęcia. On znów ma w oczach szaleństwo. Ktoś (kogo nie widzę) mówi do niego: „musisz, panie, własnoręcznie obedrzeć żywego jelenia ze skóry, wtedy odzyskasz…".

Budzę się z krzykiem, uspokajam Metteke, która zrywa się z siennika na podłodze:

— Cicicici… nic takiego, zły sen, śpij.

Zasypia posłusznie, ja siadam na łóżku, myślę: co to było? Mężczyzna, którego kochałam, naprawdę sądził, że w ten sposób odzyska płodność? Że ożywi jałowe łono żony? Nie chcę śnić dalej, nie chcę wiedzieć, czy naprawdę to zrobił. Jan Fryderyk, którego znałam, uchodził za takiego, co zawsze stawia na swoim. To nieprawda. Ja wiem, że tak nie było.

Zatracaliśmy się w miłości dlatego, że ona od początku skazana była na zgubę. A przecież wiedzieliśmy (ja wiedziałam), że rzecz nie w każdym z nas z osobna, tylko w tym połączeniu. On i ja zespoleni, stawaliśmy się siłą. Wyczuł to książę Barnim i on to zatrzymał. On nas zniszczył. Stary Gryfita bał się i dlatego nie dał nam szansy. Nie muszę kłaść głowy na poduszce, ani oczu zamykać, by słyszeć jego myśli sprzed półwiecza. Tu, w tej komnacie, każda cegła powtarza po nim: „wilczyca i gryf" (gdyby tylko wiedział, że tak właśnie mówiliśmy do siebie, rozgrzani i nadzy). Stary chodzi w kółko, szepce do siebie, brodę ma siwą i długą. „Ożywić krew dynastii, jak przed wiekami, jak na początku, przywrócić jej rozpęd, pierwotną siłę". Od razu zaprzecza: „Nie, nie. Za daleko zaszliśmy, świat się zmienił, to już nie jest możliwe". I opiera głowę na zaciśniętej pięści, wertuje księgę, zamyka z trzaskiem. Komnatę (to ta cela, w której teraz jestem) wypełnia „neutralność". Do diabła, jak tu duszno! Cuchnie tchórzem.

Słyszę drapanie, potem mruczenie, wchodzi przez otwarte drzwiczki pod łóżkiem. Miauknięcie. Rozpoznaję ten głos natychmiast. Pytam go:

— Co tam jest? Za tymi drzwiczkami, w ścianie? Czy tam coś zostało schowane? Ukryte?

— Karty popalonej księgi starego Barnima — mówi Chim. — Myślał, że jak ją zniszczy, zniknie pamięć.

— Co by było, gdyby Barnim nie stchórzył? Gdyby pozwolili nam się połączyć z Janem Fryderykiem?

— Początek nowego świata — odpowiada Chim. — I koniec starego — prycha.

Tylko ktoś, kto nie ma nic do stracenia, bierze wszystko — myślę. — Oni mieli, dlatego nie wzięli nic. Zawsze wiedziałam, że najgroźniejsi są tchórze.

Do świtu wciąż daleko. Kładę się na boku, naciągam koc. Są wspaniałe historie, które nie mają dobrych zakończeń, jak nasza. A przecież kochaliśmy się bardziej, niźli... palce Jana Fryderyka były szorstkie, dłonie, którymi chwytał moje biodra, suche. Kładł rękę na mojej lewej łopatce i szeptał: „Moja". Nie było między nami pieszczot zakazanych, sprawdziliśmy każdą, która... Brałam go w usta, by poczuć delikatność skóry, smak, od którego kręciło mi się w głowie, by połknąć go i na chwilę zamienić się miejscami. On kładł się na brzuchu, ja na nim, obejmowałam jego pośladki udami. Wsuwał palce w moją pochwę i wydobywał stamtąd miękką wilgoć, smakowaliśmy jej i dzieliliśmy się nią. Lubiłam, gdy drżał pode mną i we mnie...

— Panno, panno!

Metteke wybudza mnie ze snu.

— Nie teraz — proszę.

— Ale pastor...

Przede mną ostatnie dni życia, a wciąż muszę robić, co należy. Wstaję, Metteke pomaga mi doprowadzić się do porządku. Myję ręce, ochlapuję twarz, trę zapuchnięte powieki.

— Płakała panna? — pyta z troską Dionizjusz Rhan.

— Nie, nie — odpowiadam, chociaż w sumie tak, z rozkoszy.

— Dzień wstał pochmurny — mówi pastor i odwraca się tyłem do mnie, przodem do zakratowanego okna. — Jeden z tych dni u kresu lata, gdy deszcz po kilkakroć przetoczy się wzdłuż Odry.

— Lubię takie dni — odpowiadam mu, a Metteke zawiązuje mi czepek. — Ciepłą wilgoć w powietrzu, mokrą, mięsistą trawę, dojrzałe czarne jeżyny. Zapraszam, usiądźmy.

Mam dwa krzesła i mały stół, przenieśli je z poprzedniej celi. Pastor odwraca się do mnie i wyraz jego twarzy... Dionizjusz Rhan jest zdumiony. Siwe brwi uniósł tak wysoko, że sięgają włosów.

— Co się stało? — pytam.

— Panna powiedziała „jeżyny"... — szepce, wpatrując się we mnie.

— Tak — odpowiadam.

— Nigdy nie rozmawialiśmy o tym, że panna je lubi... ja... — wyciąga rękę, w niej trzyma mały koszyk pełen jeżyn lśniących jak onyksy. — Chciałem sprawić pannie niespodziankę...

— Dziękuję — mówię i uśmiecham się do niego kojąco, jak nauczył mnie Joachim. — Za pańską wizytę, za troskę i za jeżyny.

Stawia koszyczek na stole, między nami. Wciąż nie dowierza, ale już nie jest przerażony.

— Czy ma pastor jakąś wiadomość od mego obrońcy?

Oczy Dionizjusza Rhana mają barwę rozwodnionego nieba, patrzę w nie i myślę, że on nie potrafi kłamać i że to jest jego przekleństwem.

— Mam, panno Bork — odpowiada. — Pan Pauli złożył apelację, lecz została odrzucona, co jest zwykłą praktyką w procesie o czary. Przekazuje pannie, że nie ustaje w wysiłkach na rzecz zmiany wyroku. To znaczy, kary śmierci zatrzymać się nie da, ale on walczy, by miała mniej brutalny wymiar.

— Ile mamy czasu? — pytam.

— Niewiele. Egzekucja odbędzie się w przyszłym tygodniu.

— Kiedy dokładnie? — naciskam, a pastor nie potrafiąc skłamać, blednie, przygryza wargę i wreszcie mówi:

— Pierwszego września.

Zatem zostały trzy dni. Wzdycham głęboko.

— Wie pan, że gdybym przetrzymała trzykrotne męki, musieliby mnie uniewinnić? — mówię to, co przyświecało mi przez jedno i drugie ostre przesłuchanie.

— Wiem, panno Bork. Ale odkąd pełnię posługę, nigdy czegoś takiego nie doczekałem. Oskarżeni przyznają się na pierwszych torturach i nie odwołują zeznań. W mojej dwudziestoletniej pracy panna jest pierwszą, która przeżyła dwukrotne męki.

— Myślałam, że wytrzymam, że dam radę — wyznaję mu z taką skruchą, jakbym się przyznawała do winy. W jakimś sensie popełniłam występek wobec siebie samej. Ale nie byłabym Sydonią Bork, gdybym nie spróbowała po raz drugi. Trzeciej próby ławki tortur nie zniosę, to jedyne, czego jestem pewna. Na samo wspomnienie skrzypienia kołowrotu, który ją (mnie) rozciągał, żołądek kurczy mi się i zbiera się na wymioty. Moje ciało pamięta każdy ból, który mu zadano. Na szczęście, równie mocno zapamiętało pieszczoty. Gdybym tego nie miała, powiesiłabym się na sznurze uplecionym z własnej sukni.

— Chciałbym dodać pannie otuchy — mówi Dionizjusz, bo nie wie, że największą, jaką mi przyniósł, jest ten koszyk jeżyn. Dowód, że mam siłę. — Czy panna nie straciła wiary w życie wieczne?

— Nie — mówię. — Przeciwnie, teraz myślę o nim więcej, niż kiedykolwiek. I oswajam się z myślą, że będzie ono inne, niż to, o jakim myślałam.

Rozbielone niebo w oczach pastora uśmiecha się do mnie, jakby obłoki już były w moim zasięgu. Wyciąga ręce przez stół, by chwycić moje dłonie, podaję mu je. Dotyk działa na mnie kojąco.

— Człowiek wierzący ma dwa życia i jedną śmierć — mówi Dionizjusz Rhan. — A niewierzący tylko jedno życie i dwie śmierci.

Korzystamy z Metteke z dziennego światła, ile się da, bo zostały nam dwa kaganki i niewiele oleju do lampy. Nie opłaca się kupować nowego, bo sprzedają na kwarty, a tyle nie zdążę wykorzystać. Naprawiamy moją odzież. Nie pójdę na ostatnią drogę w byle czym. Metteke starczyło sił tylko na raz, więcej nie spytała:

— Jak będą pannę... te obcęgi... to jak... chyba w koszuli? Bo nie w sukni...

Zebrałam się w sobie i odpowiedziałam tak spokojnie, na ile było mnie stać, w tamtej chwili:

— Wyszykujmy najlepszą koszulę i najlepszą suknię.

Więc nie tracimy czasu i światła, robimy. Odcięłyśmy cały haftowany czarno przód od koszuli, której rękawy wyrwali mi na pierwszym ostrym przesłuchaniu, i naszyłyśmy go na tę cieniutką koszulę, którą kiedyś (jeszcze zeszłego lata) nosiłam do lekkich sukni. Wygląda to pięknie, jakby zawsze tak było. Metteke naszywała, ona wzrok ma lepszy i pewną rękę do drobnego, bieliźnianego ściegu. Gdybym przewidziała, jak ważne staną się moje koszule, wyhaftowałabym jeszcze ze dwie. Głowę mam pełną pomysłów: roślinne pędy zawijające się wokół siebie, ptaki, zwierzęta, trójnogi zając. Ale kompletne wyszycie koszuli to kilka miesięcy, teraz pozostaje nam reperować to, co mamy. Ja poprawiałam czepek, ten z czarnym haftem, mój najlepszy. Odkąd obcięli mi włosy, odstawał od głowy, jakby chciał całemu światu pokazać, że czegoś tam brakuje. Dopasowałam go i jestem zadowolona.

— Napiłabym się piwa z miodem — mówię, odkładając robotę. — Zostało nam jeszcze miodu z tego, co dostałyśmy na drogę od Gorgi?

— To nie był miód od Gorgi — odpowiada Metteke, wzmacniając sznureczki na rękawach koszuli. — Miód dała nam Matylda, ta, co ją panna wykurowała po wiadomo czym.

— Bzdura — zaprzeczam. — Miód przyniosła Gorga, od siebie z domu.

— Gorga Hens? Olbrzymka nadzorczyni? Ona nie opuszczała nas aż do wyjazdu, ani na chwilę — Metteke podnosi wzrok znad roboty i patrzy na mnie badawczo.

Wzruszam ramionami. Napiłabym się piwa z miodem i tyle.

Pastor nie wiedział, czy Eliasowi Pauli udało się dotrzeć do Ascaniusa, ale czy to miało jakiekolwiek znaczenie? Mogłam się łudzić myślą, że Asche przypłynie z Królewca, i co? Obroni mnie jak jakiś rycerz na białym koniu? Nie, nie. Jeśli liczyłam, że przybędzie (nie liczyłam), to tylko po to, by wymierzyć sprawiedliwość Jostowi. Ale przecież Asche dlatego uciekł z domu, by zerwać więź łączącą go z bratem, a ja tak naprawdę nie mam pojęcia, co między nimi zaszło; wiem tylko, że nie mylił się co do Josta. Asche znaczy popiół. Przezwałam go tak w dzieciństwie, bo był wiecznie umorusany, a potem, kiedy zaginął, pomyślałam, że poszedł za tym imieniem i postanowił rozwiać się niczym popiół z ogniska. Zniknąć. Czy z racji nazwy wybrał spośród tylu innych właśnie tawernę „Popiołek"? Znając go, tak mogło być. Gdy spotkaliśmy się po latach, gdy powiedział, byśmy wzięli ślub i uciekli na Rugię, przez chwilę przyglądałam się w tej wizji. Widziałam nas, jego i mnie, w tym domu na klifie. On łowił ryby, ja je piekłam nadziane na ruszt, jedna obok drugiej. Chodziłam na wrzosowisko, wiatr rozwiewał moje siwe włosy. Wieczorem siedzieliśmy na ławce przed domem i patrzyliśmy na morze. I wreszcie zrozumiałam, że w tym wyobrażeniu pociąga mnie właśnie to: morze, grzywy fal aż po horyzont. A także przepełnione przyjaźnią życie u boku człowieka, na którym mogę polegać. Nigdy tego nie zaznałam. Gdy powiedział, że moglibyśmy tam zabrać Dorotę, jęknęłam: nie. Nie było dla niej miejsca w mojej wizji. Byłam już tak nią zmęczona, że gdyby pomysł Asche miał jakiekolwiek szanse, by się ziścić, nie chciałabym na Rugii czy Jasmund mieć przy sobie Doroty. To nie jej wina, była jaka była; ona także miała dosyć i w końcu mnie zostawiła. Nie ma nic gorszego, niż być skazanym na czyjąś obecność, musieć, a nie móc. Kiedy spotkaliśmy się po raz drugi w „Popiołku", gdy powiedział, że nie zarobił dość i musi znów wypłynąć, poczułam, że nic z tego nie będzie. Nie, nie sądzę, by mnie oszukiwał. Przypuszczam, że tak samo jak ja, pielęgnował swoją wizję nas obojga w tym domu. Po prostu, Ascanius Bork przed laty uciekł ze Strzmiela, wiedział, co robi i po co. A kto raz ucieknie, będzie to robił całe życie. Myślę, że on nawet wierzył w składane mi obietnice, ale nie wykluczam, że podobne złożył komuś innemu, w innym porcie, gdzie mężczyźni żądni podróży i przygód spotykają kobiety i częstują je winem. I mówią im, że są piękne, że chcieliby mieć z nimi dom i dzieci. A te kobiety, choć biorą pieniądze za miłość, przez jedną chwilę odpowiadają szczerze: tak, ja też cię kocham, najmilszy. Nie ma w tym nic nieuczciwego. To się dzieje w jednej chwili, a w drugiej już znika i tyle. Zatem tak, przy drugim spotkaniu już wiedziałam, jak z nami będzie, co nie zmieniało faktu, że Asche nadal był i jest mi bliski. Że jeśli o nim myślę, to czule i bez żalu. I że wizja tego domu nad morzem była piękna. A teraz, gdy siedzę w zamku odrzańskim i czekam na egzekucję, pragnienie, by znów zobaczyć morze, wzbiera we mnie jak przypływ.

Książę Franciszek był wojakiem, nie uczonym. Nie wdał się w ojca, ani w starszego brata, ale dobrze rozumiał wojskowe strategie, do tego także potrzebny jest rozum. Szło na wojnę i choć ta wciąż była daleko od księstwa, instynkt podpowiadał mu, że jest tylko kwestią czasu, kiedy je przekroczy. I że nawet jeśli kruchy pokój pękł wzdłuż granic między katolikami a protestantami, to kiedy się rozpęta wojenna zawierucha, tamto przestanie mieć znaczenie. Więcej, fakt, iż Hohenzollernowie od sześciu lat byli kalwinami, sprawiał, że łatwiej wyłamią się z obozu luteranów.

Wezwał swych braci. Bogusława, który urodził się po nim, i najmłodszego, Ulryka. Chciał, by na spotkaniu był ich wołogoski kuzyn, Filip Juliusz, ale ten, swoim zwyczajem, podróżował. Ostatnie doniesienia mówiły, że dobił do wybrzeży Anglii.

— To narada wojenna — powiedział, gdy Bogusław i Ulryk przybyli.

— Zatem dlaczego nie ma tu radców? — spytał Bogusław. Był podobny do ojca, którego imię nosił. Nieufny.

— Nikt nie może nam doradzić w naszych sprawach — powiedział Franciszek.

— Sądziłem, że będziesz chciał o habsburskiej wojnie… — Ulryk z kolei przypominał ich stryja, Barnima. Tego, którego w rodzinie zwali „morskim królem", ponoć od jakiejś zabawy z dzieciństwa.

— Wojna jest jeszcze daleko — uspokoił ich Franciszek. — Ale mam przeczucie, że zguba jest blisko.

— O czym ty mówisz, Franz?

— O nas. O rodzinie.

— Nie rozumiem — wzruszył ramionami Ulryk. Ale odczuł niepokój, bo spytał:

— Mogę się napić?

— Nalej i nam — poprosił Bogusław.

Franciszek nie miał dzisiaj cierpliwości, z wiadomych powodów:

— Czyż nie widzicie, że książęcych wdów mamy więcej niż żyjących braci? — powiedział tak ostro, że Ulryk rozlał wino. — Nasz kuzyn, książę wołogoski, Filip Juliusz, z bożej łaski, podróżnik! Tyle lat po ślubie i nie ma dziedzica, myślicie, że od czego ucieka? Nie od żony. Ta jest śliczna, rozumna i miła, a mimo to, ich łoże pozostało pustym! Ja i Sofia, kolejny przykład. Kocham swą małżonkę i nieustannie próbuję. I nic. Byle łajza, co raz tknie dziewkę, zostawia w jej łonie dzieciaka, a ja nie mogę. Ty, Bogusławie, kolejny w łańcuchu nieszczęść, wybacz, najpierw powiedziałem o sobie. Pięć lat i nic, a jak mniemam, starasz się jak ja z Sofią. Wreszcie ty, Ulryku, nasza ostatnia nadzieja…

Ulryk pił wino, wbijając wzrok w kielich.

— Tylu nas było… — skończył Franciszek i choć tego nie planował, oparł głowę na dłoniach i zapłakał.

— Pamiętacie obraz, który zamówił nasz ojciec? — odezwał się cicho Bogusław. — Takie wielkie drzewo genealogiczne dynastii, dziwaczne, bo nie rosło wzwyż, tylko wzdłuż.

— Ojciec chciał pewnie udekorować nim jakąś ścianę — matowym głosem dopowiedział Ulryk. — Znając jego skrupulatność, może i obraz malowany był na wymiar…

— Albo zapowiadał nasze wymieranie — nie unosząc głosu, przerwał mu Bogusław. — Któryś z was go oglądał? Nie. Zróbcie to i sami się przekonacie, jak upiorne sprawia wrażenie. Jesteśmy na nim my wszyscy. I nie ma miejsca dla nikogo więcej. Od protoplasty Świętobora, po najmłodszą na obrazie, naszą siostrę, Annę.

Franciszek zapomniał o łzach w jednej chwili.

— Ojciec wywiódł dynastię od Świętobora? — spytał gniewnie. — I kazał to uwiecznić? Zatem ten obraz powinien zgnić w skrzyni.

— O czym ty mówisz? — zdziwił się Bogusław.

— Później wam wyjaśnię — Franciszek wypił swoje wino na raz, jakby to była okazja do pomorskich łyków. Może i była. Podszedł do stoliczka pod ścianą, po drodze mijając Ulryka, klepnął go w ramię i wyjął mu z dłoni pusty kielich. Polał im obu, a do Bogusława podszedł z dzbanem.

— Słyszeliście o procesie Sydonii von Bork? — powiedział.

— Owszem — potwierdził Ulryk. — U mnie na dworze śmieją się z ciebie. Że szukasz kozła ofiarnego, który położy głowę, by dać igrzyska gawiedzi i odwrócić uwagę od podatków na wojsko.

— U mnie się nie śmieją — powiedział Bogusław. — U mnie się boją, że wywołałeś wilka z lasu.

Franciszek poczuł wzburzenie po jednym i drugim, ale powściągnął je. Nie po to wezwał braci.

— W procesie czarownicy wypłynęło parę wątków, które kazałem wyciszyć — rzucił po chwili.

— Masz na myśli ten romans z naszym stryjem Ernestem Ludwikiem? — spytał Bogusław.

— Między innymi. — Powiedział. — Są i inne.

— Na przykład? — prowokacyjnie spytał Ulryk.

— Przychylność rodziny Bork jest nam niezbędna — wyjaśnił Franciszek oszczędnie i dodał, bo nie zrozumieli: — Na wypadek wojny. Nie masz lepszych wojaków od Borków.

— No to chwila… — rozłożył ramiona Ulryk. — Zależy ci na Borkach, a skazujesz jedną z nich na stos?

Franciszek spojrzał w oczy młodszego brata.

— Taka jest ich wola — orzekł. — Ród o to prosi. Chcą oczyścić swe imię, poświęcając Sydonię.

— O Chryste — jęknął Bogusław i wypił duszkiem, to, co miał w kielichu.

— To nie wszystko — uprzedził Franciszek. — Ona mogła działać na rzecz Hohenzollernów.

— Co ty mówisz? — żachnął się Bogusław. — Stara uboga kobieta w klasztorze? Jak?

— Wymieniała listy z kimś, kto donosił jej, co dzieje się w Królewcu. Co za zbieg okoliczności, ale są datowane na czas, gdy przebywał tam elektor i książę Prus w jednej osobie. W dodatku są pisane czymś w rodzaju szyfru. Jakby pod słowami zamykali inne informacje.

— Ale jakie?

— Różne. To przecież jasne, że aresztowano ją w trakcie, nie na końcu misji, czymkolwiek by ona była. Moją czujność wzbudza sam fakt. Dlaczego akurat pisała z kimś z Królewca? Tak jak mówisz, Bogusławie, stara kobieta z klasztoru utrzymuje kontakty z człowiekiem, który w zaszyfrowany sposób przekazuje jej, co dzieje się na tamtejszym dworze? Ale dobrze, gdyby to było tylko to, powiedzmy, umknęłoby uwadze sędziów i mojej. Lecz, jak wiecie, ona przyznała się do udziału w śmierci naszego brata, Filipa. W takiej chwili trzeba głowę odwrócić wstecz i przyjrzeć się zgonom poprzedników. Nasz brat, Jerzy, młody, bezżenny i zdrowy jak rydz. Nasz ojciec Bogusław, owszem, w wieku, ale takoż zdrowy, na nic się nie skarżył. Stryj Kazimierz, zmarł schorowany, ale jak odkryłem, on był z oskarżoną w bliskich relacjach. Jako chłopiec, na wołogoskim dworze, nie odstępował jej na krok, znalazłem świadków. Stryj Barnim, bezdzietny i zdrowy, zmarł w kwiecie wieku bez żadnej wcześniejszej przyczyny. Stryj Jan Fryderyk, o tym później wam coś jeszcze powiem, mocarz, jak słynny Bogusław Wielki i, choć miał córkę z nieprawego łoża, zmarł bezpotomnym. Stryj Ernest Ludwik, o którym wiemy, że z oskarżoną miał do czynienia, zmarł nagle, ale od czasu wiadomo czego, żył jakby we śnie.

— Przyznała się do jednego, a uśmierciła siedmiu? — spytał wprost Ulryk.

Franciszek pokazał im, by podsunęli kielichy. Nalał im wina i powiedział:

— Wypijcie, proszę.

— Powinniśmy wznieść toast? — spytał Ulryk.

— Nie sądzę — pokręcił głową Franciszek i pokazał im naszyjnik z pogrzebowych monet.


Dzisiaj, późnym popołudniem, przyszedł Joachim i powiedział, że przysługuje mi prawo do ostatniego, wykwintnego posiłku. Że mam zdecydować, co jutro mi podadzą, zanim wyruszymy na egzekucję. Namyślałam się długo, a potem poprosiłam o chleb i wino. Czerwone.

Potem go śniłam. Śniłam prawdziwie, choć prawda była podwójna. Tańczyliśmy w dużej sali w Oderburgu. On w masce zielonej i złotej, niczym łuska węża, ja w biało-czarnej, z piór ptasich. Wokół nas cały dwór, każdy z każdym, trzy kroki, dłoń prawa, trzy kroki, dłoń lewa, trzy kroki, obrót i zmiana partnera. Gdy jego szorstka ręka muskała mnie po raz ostatni przed zmianą, zamykałam oczy i przenosiłam się do lasu. Uciekałam przed Flemmingiem, Schwalenbergiem, marszałkiem Schwerinem, przed książętami braćmi, Ernestem Ludwikiem, Bogusławem, Barnimem i nawet miłym i oddanym Kazimierzem, bo nie mogłam ścierpieć innego dotyku, niż palce ukochanego. Byłam dziewczyną ze wsi, co w rozchełstanej koszuli dopada ściany lasu i rwie kwitnące gałęzie kaliny, i zaklina je na miłość, na wzajemność, pocałunki, dotknięcia i przysięgi na zawsze. Dziewczyną owiniętą pasem z piołunu, co za chwilę spotka swego lubego i on jej wyszepce wyznanie, gorącym oddechem pod koszulę, za ucho, pod spódnicę, w rozplątane w tańcu warkocze. Chwycimy się (marzyłam wtedy) w pasie, jak młodzi ze wsi, bratersko, a on mnie uniesie w podskoku i oboje na mgnienie oderwiemy się od ziemi. Zamiast tego spadałam na nią, z rytmicznym stuknięciem bucików o posadzkę. Bo muzyka dworska kazała tańczyć inaczej. Trzy kroki, dłoń. Dotyk krótki, przelotny. Trzeba wiedzieć, jak przez niego przekazać to wszystko, te gałęzie kwitnącej kaliny, ten las i przysięgi na zawsze. Tamtego dnia, dużo później, w ciemnej komnacie, do której mnie zabrał, dowiedziałam się wszystkiego o nim i sobie, ale wówczas, w dużej sali, jeszcze nie wiedziałam, co mnie, co nas, czeka i że to przekroczy moją wyobraźnię, zburzy marzenia i zaprowadzi mnie znów do tego samego zamku. Już niemal docieram do chwili, gdy taneczny korowód się rozrywa, a on zaraz mnie porwie, gdy słyszę szczęk żelaznej zasuwy na drzwiach. Budzę się. Nie otwieram oczu.

Ktoś wchodzi i zamykają za nim drzwi. To mężczyzna, czuję woń jego skóry pod ubraniem. Poci się. Metteke znów śpi w mojej komnacie, pozwolili jej. Powinnam ją obudzić, czy raczej uśpić? — myślę. Zapach ma w sobie coś znajomego, więc chcę, by moja służka spała. Jest taka zmęczona.

Leżę na boku, plecami w stronę, z której podszedł. Pochyla się nade mną i przez chwilę mam ochotę zerwać się i zjeść jego zapach. Jak to możliwe? Czy ja też pachnę tak jak mój brat i ojciec, i inni Borkowie? — Panno Sydonio? — odzywa się. Nawet głos ma podobny. Gdyby żył Jan Fryderyk i Ernest Ludwik, i z ich głosów zrobiono by jeden, brzmiałby tak, jak on. Więc już wiem, kim jest. Ich bratankiem. To książę Franciszek.

— Wiem już o tobie i Erneście Ludwiku… — mówi.
Wietrzę go. Wie znacznie więcej.
— … nie wstawaj, panno Bork — mówi, choć ja wciąż udaję, że śpię, więc skąd ten pomysł? Że niby mam się przebudzić na sam dźwięk jego książęcego głosu?
— …rozumiem, że cierpisz…
Nic nie rozumiesz — warczę w myślach i zaciskam powieki.
— …i że cierpiałaś przed laty, przez niedotrzymane słowo mego stryja… jestem wojownikiem, wiem, że rozkaz na polu bitwy ma moc sprawczą, a to przecież tylko słowo… wołanie o pomoc też może mieć moc, prawda? Przyszedłem tutaj, za zgodą braci, z wołaniem o pomoc…
Och, niemądry i chciwy Franciszku… Kto wypowiada słowo, wprawia w ruch machinę tajemną. Jeden z was przed setkami lat dał słowo Samborze Bork i go nie dotrzymał. Za karę stracił Pomorze. Drugi z was

dał słowo mnie i znów go nie dotrzymał, więc od tamtej chwili wasze słowa nie mają żadnej mocy. A ja swego nie cofnę. Dlaczego miałabym wymazać, co było, z tak błahego powodu, jak twój strach?

— Czy to prawda, że?...

Nie umie przyznać.

— Czy mogłaby panna odwołać?

Co takiego?

— Panno Sydonio — wielki wojownik, a drży mu głos. — Czy mogłabyś cofnąć to?...

Co? No wykrztuś to wreszcie. Po co ten proces, tortury i moje obcięte włosy (tego nie daruję), jeśli nie umiesz powiedzieć, o co błagasz?

Długa chwila ciszy, w której słyszę, jak Chim wchodzi przez drzwiczki otwarte pod moim łóżkiem. Ciekawe, co zrobi jaśnie pan, gdy za chwilę kot otrze mu się o te wyszukane buty? Mam ochotę krzyknąć: albo mów wprost, albo wynocha. A potem biorę wdech i skupiam myśli na kłódce. Po raz wtóry zamykam w nią słowa. To moja sztuka: oswajanie myśli. Porządkowanie ich, ustawianie w szeregu. Myśli puszczone wolno są jak stado dzikich ptaków, polecą gdzie chcą. Moje muszą być sforą dobrze wyuczonych psów. Czekać na rozkaz, iść za nim, dopaść ofiarę, łup przynieść do moich nóg.

— Panno Bork — słyszę zniecierpliwienie w jego głosie. — Jestem gotów cofnąć wyrok, jeśli tylko odwoła panna...

O! Nie wstyd ci? Kolejna fałszywa przysięga — kpię w myślach, bo nie wierzę mu nic a nic. Upojna woń Gryfity, która gdy tylko tu wszedł, uderzyła w moje nozdrza, zamienia się w smród tchórza i kłamcy. Cofnie wyrok? Nagle nie będę winna śmierci księcia Filipa, Lüdecke, Wintrefelda, przeoryszy, Schwalenberga, bachora Prechela i mego bratanka? Nagle *mercurium*, które kupowałam w aptece w Stargardzie za talara, przestanie działać? A te wszystkie opłakane paraliże okażą się czym? O, nie, mój książę, twoje obietnice są gówno warte, ja to wiem i ty to wiesz, bo wypowiadając je, cuchniesz. Ty chcesz dostać coś ode mnie, a potem się mnie pozbyć, jak wstydliwego sekretu. Mój stos pewnie już stoi, zaś tobie zabraknie odwagi, by zbliżyć do niego pochodnię. Ty tylko wydasz rozkaz. Zrobi to za ciebie ktoś inny. Biedny książę, gdy nikt cię nie widzi, pod osłoną nocy, stoisz nad skazaną i skamlesz? Gdybyś chociaż potrafił powiedzieć, o co prosisz. Ale zamiast tego mówisz:

— Niepotrzebnie się ośmieszyłem. Uwierzyłem w coś, czego nie można dowieść.

Otóż to, mój książę. Nie wiesz, o co naprawdę mnie oskarżyć, albo tego właśnie się boisz. Ale ja nie jestem wyrozumiała, bo skąd? Nigdy taką nie byłam. Więc w niczym ci nie pomogę, idź stąd. Nie uspokoisz sumienia moim kosztem.

Rano jestem niewyspana, nic dziwnego, skoro książę ukradł mi pół nocy. Zresztą, starzy ludzie nie potrafią odespać zmęczenia, ich sen jest zbyt krótki. A ja dzisiejszego ranka już wiem: jestem stara jak Bork i diabeł. Zanurzam dłonie w misce z zimną wodą i przykładam najpierw do twarzy, potem do zapuchniętych powiek. Myję się starannie, serce bije mi szybko. Proszę Metteke, by zapytała strażnika, czy ma dzisiaj służbę knecht Daniel i czy są wiadomości od Eliasa Pauli. Wraca po chwili, zapłakana.

— Tak, Daniel odprowadzi pannę i nie, nie… — zaczyna szlochać rozdzierająco — …nie ma wiadomości od adwokata…

Biorę długi wdech. Krople wody, którą wcześniej myłam twarz, płyną po szyi w dół, pod koszulę, jak lodowe strugi. Jestem przerażona, sparaliżowana lękiem i wiem, że muszę się z nim szybko uporać, w przeciwnym razie, w ostatniej chwili zawiodę. Ta myśl mnie trzeźwi. Gdy tylko przypominam sobie skamlącą Woldę Albrechts. Nie. Nie dopuszczam do siebie, że mogłabym, jak ona, błagać o litość na oczach gapiów… Do tego nie dojdzie.

Przymykam oczy i odtwarzam to, co zobaczyłam w saskim zwierciadle. Oddycham głęboko. Gdy unoszę powieki, jestem spokojna (wystarczająco spokojna).

Ubieram się. Nigdy tak starannie nie dobierałam ubrań, jak w Oderburgu. Procesy są bardziej wymagające, niż książęcy dwór. Zatem cienka koszula z doszytym haftowanym przodem. „Elegancko, wytwornie" — odzywa się w mojej głowie Barbara von Brockhausen (dlaczego zapomniałam o jej istnieniu?). Na to czarna suknia, jedwabna tafta spódnicy lśni ni to fioletem, ni to ciemną zielenią. Białe mankiety. Haftowany czarno czepek.

— Kryza, panno Sydonio? — pyta Metteke, siląc się na wesołość.

— Bez niej nigdzie nie idę — odpowiadam zadziornie.

Metteke zawiązuje mi ją na szyi, poprawia, a ja nagle myślę, że tak dawno nie byłam w Szczecinie, że już nawet nie wiem, czy kryzy są jeszcze modne. Jakby to miało teraz znaczenie. Słyszę ciężkie kroki na korytarzu, więc wiem, że nie zostało nam wiele czasu. Biorę Metteke w ramiona, wciskam jej w dłoń pięć guldenów, każę schować pieniądze, nikomu nie pokazywać.

— Weź z moich rzeczy, co zechcesz — szepcę jej do ucha. — I nie idź na egzekucję. Nie musisz tego oglądać.

— Ale...

— Metteke — odsuwam ją na długość ramion i patrzymy na siebie. Myślę o tych wszystkich latach, które razem przeszłyśmy. O wspólnie uwarzonym piwie, upieczonych chlebach. Już słyszymy szczęk żelaznej zasuwy. — Nie pozwól, by inni decydowali za ciebie — mówię jej, bo z tych wszystkich myśli, które teraz chciałabym jej przekazać, ta wydaje się najważniejsza.

— Będę za panną tęskniła — odpowiada. — Okropnie tęskniła.

— Odnajdziesz mnie — mówię i nie kończę, bo już nie jesteśmy same.

Paweł Zastrow, kapitan zamku, obwieszcza:

— Panno Sydonio von Bork, już czas. Przybył mistrz katowski, Joachim.


Na szczęście był sam, bez Hedwig, bez tych dwóch niemot, kulawego i krzywego. Odświętnie ubrany, w wiśniowy aksamitny wams i czarne spodnie. Ma białe pończochy, takież rękawy i kołnierz. Długie włosy wyczesane i lśniące. Kapelusz, taki sam, jak ja kiedyś nosiłam. Przyniósł tacę, na niej pachnący chleb, kielich, dzban z winem. Ostatni posiłek.

Nie odzywał się, ale patrzył na mnie czujnie spod opuszczonych powiek. Sam nalał mi wino i podał kielich. Upiłam łyk.

— Wyborne — powiedziałam.

Potem ułamałam kawałek chleba. Skórkę miał chrupką.

— Życzy sobie panna odrobinę soli? — zapytał.

— Poproszę.

Solniczkę miał przy pasie, wyjął korek zręcznym ruchem kciuka, przechylił ją i nasypał sól na wierzch swojej dłoni. Podsunął mi ją, a ja z ręki kata wzięłam szczyptę.

— Proszę wziąć trochę więcej — powiedział i tak zrobiłam.

Posoliłam chleb, pogryzłam i powoli popijałam winem.

— Jeszcze szczypta soli — poprosiłam, a on podsunął dłoń. — I jeszcze pół kielicha wina.

Na jego ręku została odrobinka soli, ale nie strząsnął jej, tylko uniósł dłoń do ust i zlizał. Wtedy nalał mi wina. Dokładnie pół kielicha, ani mniej, ani więcej. Gdy skończyłam i skinęłam głową, zeszliśmy na dół.

Na dziedzińcu zamkowym czekał wóz. Zacisnęłam szczęki na sam jego widok. Cała naczepa przykryta jest drewnianą kratą. Więc tak, przewoźne więzienie, tym pojadę. Ale natychmiast przypominam sobie małą klatkę, w której widziałam skazańca, przy Młyńskiej Bramie, i owszem, na to wspomnienie oddycham z ulgą. Knecht Daniel pochyla się do mego ucha i mówi:

— Poprosiłem, by prawdziwą ławkę zamontowali dla panny.

Rzeczywiście, wewnątrz nie ma wiązki słomy, jak u tamtego nieszczęśnika, tylko ławka łańcuchem przypięta do burty powozu. Dziękuję Danielowi skinieniem głowy.

— Panno Bork — odzywa się kapitan Zastrow. — Kat musi związać pannie ręce.

Czy on mnie przeprasza? Czy sama sobie to wymyśliłam? Joachim ma dla mnie wstążki z białej tafty i to on wiąże mi dłonie za plecami. A potem otwierają kratę, dostawiają dwa stopnie drewnianych schodków, po nich wchodzę.

Gdy siadam i przez kraty rozglądam się po dziedzińcu, dostrzegam pomocników kata, ich widok mnie złości. Orszak się formuje. Na przedzie dwóch konnych z bronią. Za nimi mistrz Joachim, pieszo. Wóz otacza po trzech halabardników z każdej strony. Daniel bierze miejsce środkowe, by iść jak najbliżej mnie. Za wozem idą te dwie niemoty, za nimi jeszcze jeden zbrojny. Bramy Oderburga zostają otwarte. Ruszamy.

Dzień jest słoneczny. Między końcem lata a początkiem jesieni. Poranne mgły już się uniosły, ale gdzieniegdzie rosa jeszcze lśni na trawie. Jedziemy wzdłuż Odry, ale nie widzę rzeki. Oddzielają mnie od niej domy rybaków, a przed nimi, przy drodze rosną topole, ich liście poruszają się na wietrze. Po prawej stronie, w oddali, niebo przecinają ramiona wiatraka. Raz po raz mijamy ludzi. Ci przystają, patrzą na nasz orszak. Dopiero przy karczmie „Nobis" jest szerokie zejście do rzeki i pomost dla łodzi. Widzę jeden statek z wydętym żaglem płynący do miasta i jeden, który je opuszcza, na wiosłach. Marynarze dopiero podnoszą płachty żagli. Wydaje mi się, że odpływa „Wielki Stralsund", ale trwa to zbyt krótko, my w jedną, oni w drugą stronę, mijamy się i znów rzeki nie widać. Zasłania ją teraz skład drewna, potem książęca cegielnia. Po prawej wygon dla bydła, za nim zabagnione bajoro, zdaje się, że zwą je „Kocim Stawem". Dalej nowy targ koński, a od strony rzeki miejsce, w którym pławią konie. Widzę wodę lśniącą na kasztanowych bokach kobyły, która wyszła z Odry. Tłum gęstnieje.

— Skąd tu tyle ludzi? Jarmark? Dzień targowy? — pytam knechta Daniela, który idzie obok wozu.

Patrzy na mnie smutno i mówi:

— Przyszli tu dla panny.

Nie dla mnie — myślę ponuro. — Na egzekucję. Tego im trzeba. Chcą zobaczyć, jak płonie szlachcianka.

Przed nami cztery smukłe wieże Lusthausu, zameczku, który wybudował książę Filip. W tym słońcu mienią się, niczym jakaś budowla z bajki. Skręcamy w prawo.

— Nie wjedziemy Bramą Panieńską? — pytam Daniela, zaskoczona.

On patrzy, czy nikt nie słyszy, i mówi:

— Zastrow obawiał się przejazdu przez Szczecin. Tłumy zbierały się od rana, w ostatniej chwili zdecydowano, że nie wjedziemy do miasta.

— Tłumy? — nie wierzę. — A skąd wszyscy wiedzieli?

— Panno… tym procesem żyje całe księstwo… ponoć w gospodach wolnych miejsc nie ma, tak mi brat powiedział. Zjechało się ludzi spoza Szczecina…

Nie słyszę, co mówi dalej. Szumi mi w uszach. Znów lęk, ten sam, co o poranku, rzuca mi się do gardła. W tej samej chwili Joachim idący przed wozem odwraca się i odnajduje mnie wzrokiem. Patrzy jakby rozkazywał. Ulegam mu. Uspokajam się. Co za różnica — mówię do siebie — czy przed jednym człowiekiem, czy przed setką.

Okrążamy teraz targ koński z drugiej strony i z bliska widzę, że setka ludzi zebrała się tylko na jego terenie, a dalej, wzdłuż drogi ciżba gęstnieje i gęstnieje. Niektórzy trzymają w ręku czerwone płachty uwiązane do kija. Co za koszmar.

— Gdzie będzie egzekucja? — pytam Daniela, choć wiem, że mówił mi to wcześniej.

— Na Raben Steinie, Kruczym Kamieniu przed Bramą Młyńską.

No tak, wiedziałam. Co za ironia. Kazał go wybudować Jan Fryderyk po egzekucji Elisabeth Doberschütz. Szlachcianki i czarownicy.

Za targiem końskim jest droga w bok, do Grabowa. Cała zapchana ludźmi, nieprzejezdna. My tam nie skręcamy, do Bramy Młyńskiej wciąż prosto. Od strony miasta widzę wieżę kościoła Świętych Piotra i Pawła. Z jego murów patrzą na mnie kamienne maszkarony wykute na podobieństwo dawnych mieszkańców. Wąsaci i brodaci mężczyźni o spłaszczonych nosach. Damy o zapadniętych policzkach. Ludzie kiedyś nie byli ani brzydsi, ani ładniejsi od nas. Ci biedacy w kamieniu zostali na wieki. Patrzą na mnie, na nasz pochód prowadzony przez mistrza katowskiego, obojętnym pustym spojrzeniem. Za to tłum nie milczy.

— Czarownica!

— Arcykurwa!

— Wściekła dziwka!

— Podpłomyki! Świeżutkie podpłomyki!

— Ryby wędzone, ryyyby!

— Wiedźma!

— Kaszanka stargardzka!

Od strony miasta przedmurze aż do drogi, którą jedziemy, jest zabudowane szczelnie, teraz mijamy książęcy plac turniejowy, ale z drugiej strony całe pole uprawne zamieniło się w improwizowany jarmark. Przy drodze zbita ciżba, każdy chce popatrzeć, jak mnie wiozą, jak jadę, jak siedzę, jak patrzę. Ale nieco głębiej kopcą się ogniska, na nich ruszty, niewielkie namioty z wyszynkiem.

— Piwo szczecińskie, piwo!

Widzę też dzieci z koszami na szyi, sprzedają rumiane jabłka, złote gruszki.

— Diabelska nierządnica!

— Mięsiwo z rusztu! Pieczone mięsiwo!

— Kurewskie nasienie! Spalić ją!

— Spalić!

Żebyś sobie tej kaszanki nie przypalił — myślę i zamykam uszy na te okrzyki.

Wóz zwalnia. Zbrojni muszą siłą przeganiać tłuszczę z drogi. Ten i ów rzucił się na wóz, chciał coś wyrwać spode mnie, zdziwił się, że nie ma słomy. Daniel dźgnął dziada, który przez kraty wozu próbował chwycić mnie za suknię. Moje strzępy nikomu szczęścia nie przyniosą — myślę mściwie. Jesteśmy niemal na miejscu. Kaplica, a po prawej droga do wioski Drzetowo. Też zapchana gapiami. Widzę i barbakan bramy, i bramę przednią. Jak okiem sięgnąć ludzie, ludzie i ludzie. Morze twarzy. Woźnica zatrzymuje się przed obmurowaniem. Pomocnik kata otwiera przejazd i wjeżdżamy. Zbrojni pilnują, by nikt nie przedarł się na miejsce kaźni. Tu władzę przejmuje Joachim. Oto jego twierdza, Kruczy Kamień. Podmurówka z cegły, na niej równy drewniany podest. Wiedzie do niego kilka stopni schodów, z obu stron. Całość wielkością przypomina sporą chałupę, oczywiście bez ścian. Po obu stronach Raben Steina, na klepisku, płoną ognie w żelaznych koszach. Widzę też równo ustawione beczki z wodą, rząd cebrów. A także okute skrzynie Joachima. Nie próbuję się domyślać, co w nich jest.

— Panno Bork! — krzyczy jakaś kobieta z tłumu i na ten okrzyk unoszę głowę.

Nie wiem, kto wołał, ale widzę, że nieco z boku, od strony kaplicy, ustawiono duży namiot. Loża dla sędziów — myślę i rozpoznaję Plonniesa. Hindenborcha, Peteresdorfa. Jest i pastor Dionizjusz Rhan, kiwa mi głową, krzepiąco. Za sędziami jacyś radcy, których nie znam. Wszyscy wystrojeni lepiej, niż do kościoła. Białe kołnierze, wysokie kapelusze. Powaga i napięcie na twarzach.

Joachim wchodzi na podest i nie unosząc specjalnie głosu, ucisza ciżbę.

— W czasie przygotowania do egzekucji należy śpiewać pobożne pieśni — poucza.

— *Warownym grodem jest nasz Pan* — zaczyna śpiew pastor, radcy i sędziowie się włączają, tłum także, choć piekielnie nierówno.

Szukam wzrokiem knechta Daniela, stoi, pilnując wejścia. Pomocnicy kata otwierają kratę powozu i dostawiają stopnie. Joachim zjawia się przy zejściu i podtrzymuje mnie za łokieć, gdy schodzę. Ręce związane za plecami ścierpły mi w drodze, dopiero teraz to czuję.

— Wejdziesz, panno, o własnych siłach? — pyta szeptem. — Możemy cię zanieść.

— Nie — mówię bez urazy. — Ostatnie kroki należą do mnie.

Lecz gdy zaczynam wchodzić, ciżba przerywa psalm, skowyczy i wyje wściekle.

— Kurwa jędza!

— Czarownica!

— Auuuu!

I kto tu jest opętany przez diabła?

Rzucają jabłkami. Piękne, czerwone owoce odbijają się od desek. Joachim robi jakiś gest ręką i kanonada w mgnieniu oka przycicha.

Jestem na górze. Pusta przestrzeń budzi niechęć. Nie ma się o co oprzeć, za czym schować. Dwaj pomocnicy (niemoty) wnoszą katowską skrzynię. Stawiają nieco z boku. Joachim na chwilę odwraca się do mnie i zasłaniając przed tłumem, mówi:

— Mam dla ciebie prezent. — I spogląda na tę skrzynię. A potem staje obok mnie, na wyciągnięcie ramienia. Kładzie mi rękę na barku, katowskim gestem. Drugą zaś ucisza tłum. Ludzie milkną posłusznie. Wtedy, z namiotu odzywa się doktor Plonnies.

— My, sędziowie... — zaczyna.

— Nic nie słychać!

— Głośniej! — żąda tłum.

— My, sędziowie! — posłusznie krzyczy doktor Plonnies. — Po sprawiedliwym procesie ogłaszamy wyrok dla oskarżonej Sydonii von Bork!

— Spalić wiedźmę! — buczy tłum.

— My, sędziowie! — wściekle woła Plonnies. — Uznajemy, że oskarżona podczas przesłuchań przyznała, że potrafi czarować, i że kilkoro ludzi otruła...

— Porżnąć na kawałki! — żąda ktoś z tłumu i budzi kolejnych śmiałków.

— Na pal!

— ...skazać na... — próbuje przebić się Plonnies.

— Rozerwać końmi!

— Zajebać staruchę!

— Buuu!

Widzę, że Plonnies cały czas mówi, ale nie słyszę co, bo wrzeszcząca tłuszcza zagłusza wszystko.

— ...w imieniu prawa! — kończy Plonnies, a ja, gdyby nie ramię Joachima trzymające mnie w pionie, zemdlałabym. I wtedy, w tłumie wyławiam twarz Eliasa Pauli. A on śmieje się i płacze, i macha do mnie, i kiwa głową „tak, tak". W tej samej chwili Joachim puszcza mnie, podchodzi do swojej skrzyni. Przyklęka na jedno kolano, otwiera ją i wyjmuje długi, zawinięty w czerwoną materię przedmiot. Serce bije mi jak szalone. Joachim zręcznym ruchem zdejmuje materiał i widzę katowski miecz. Oddech ulgi niemal mnie oszołamia. Patrzę na Eliasa i dziękuję mu spojrzeniem, a on się śmieje i cieszy, i płacze, i oboje mamy gdzieś pomruk niezadowolenia, który przebiegł przez ciżbę.

— Obiecywali obcęgi katowskie! — drze się jakaś rozczarowana baba. — Obcęgiii!

Pomocnicy kata wnoszą szerokie krzesło z oparciem, ale bez podłokietników. Stawiają je na środku podestu. Czuję, jak po policzkach płyną mi łzy ulgi. Joachim podchodzi do mnie i mówi:

— Nie płacz. Szlachetnie urodzonej pannie od początku przysługiwał miecz. Ode mnie masz i tron na ostatnią ziemską drogę.

— A potem? — pytam, a łzy przestają mi płynąć po twarzy. — Spalą ciało?

— Ja to zrobię — mówi i przymyka oczy. — Ale wcześniej musisz się postarać. Zwierciadło nie kłamie.

Zgiełk, krzyki, wszystko to byłoby nie do wytrzymania, gdyby nie ulga, jaką czuję na widok lśniącego ostrza. Czysta, szybka śmierć. Nie złamią mnie. Nie będę błagać, jak Wolde Albrechts.

— Przysługuje ci także ostatnie słowo — mówi.

— Nie mam nic do powiedzenia tej tłuszczy — przeczę.

— Czyżby?

Spoglądam na nich wszystkich, rozmazują mi się. Eliasowi Pauli chciałabym powiedzieć „dziękuję" — myślę. Ale on o tym wie, więc czy muszę?

— A gdybyś wiedziała, że tam, pod drzewem, w płaszczu żebraka i kapturze, stoi książę Franciszek? — pyta Joachim.

Nie rozpoznałabym, gdyby go nie wskazał. A teraz wpatruję się w postać zbyt dobrze zbudowaną, jak na proszalnego dziada. W szary kaptur zakrywający pół twarzy. W trzech tak samo przebranych, jeszcze roślejszych mężczyzn wokół niego. Kiwam głową. Powiem.

— Panna Sydonia Bork ma głos! — zawołał Joachim i tłum na chwilę zamilkł. Wsłuchiwał się chciwie.

Nie spieszyłam się, ten czas miał należeć do mnie. Po kolei obdarzałam spojrzeniem siedzących w namiocie pod Kruczym Kamieniem sędziów. Och, przybył nawet stary prokurator Kristian Lüdecke, cały na żółto. Ale to dla doktora Teodora Plonnies zostawiłam najdłuższe spojrzenie. Odwrócił wzrok. Wbił w ziemię.

— No, mów! — wyrwało się komuś z tłumu. Tłuszcza znudziła się milczeniem.

— Niech powie! — poniosło następnych.

— Ostatnie słowo czarownicy! Dalej, dalej! — poganiali mnie.

I wtedy, biorąc na świadków lud Szczecina i wszystkich sędziów, którzy mnie (w obliczu prawa) przesłuchiwali, męczyli i skazali, wyszeptałam werset trzynasty Psalmu Judasza:

— *Niech jego potomstwo ulegnie zatracie; niech w drugim pokoleniu zaginie ich imię.*

Pomruk tłumu oznaczał złość, że nic nie usłyszeli. Złowiłam przerażone spojrzenie Eliasa Pauli i Dionizjusza Rhana. Przeniosłam wzrok na księcia i zawołałam pełnym głosem:

— Niezadane pytania się mszczą!

Poruszył się gwałtownie, odsunął z twarzy kaptur i upoiło mnie jego przerażenie.

— Odwołaj to! — krzyknął, ale mężczyzna stojący obok niego natychmiast nasunął mu kaptur na twarz.

— Słowo się rzekło — szepnęłam, a słyszał to ten, kto chciał.

— Sydonia z Borków przemówiła — powiedział z uznaniem Joachim. — Gotowa?

— Tak — odpowiedziałam. — Teraz tak.

Usiadłam na krześle. Oddychałam równo.

— Spalić czarownicę! — podjął swoje tłum.

— Stara jędza!

— Flaki wypruć!

Oto ciżba: słuchać chce tylko siebie. Czyż jeszcze nie dotarło do nich, że wyrok jest inny? I wtedy, wśród ludzi zaczęłam dostrzegać znajome twarze. Metteke? Nie posłuchałaś i przyszłaś? Ach tak, posłuchałaś: nikt nie będzie decydował za ciebie. Wyprostowałam plecy, ściągnęłam łopatki. Wysoko uniosłam brodę. Moje ciało wie, co robić. Joachim pochylił się nade mną i spytał:

— Przywiązać pannę do krzesła?

— Nie trzeba.

— Pozwoli panna, że rozwiążę jej kryzę?

— Czyń swą powinność, mistrzu — mówię i mam nadzieję, że mój głos brzmi równie pięknie, jak jego.

Zimnymi jak lód, ale zręcznymi palcami rozwiązuje mi kryzę. Zdejmuje ją z mojej szyi i z szacunkiem odkłada na bok, na złożony w równiutki kwadrat purpurowy materiał, którym wcześniej osłonięty był miecz. I wtedy widzę, że Metteke wyciąga kryzę (moją, jedną z kilku) i zawiązuje sobie na szyi. A potem inna kobieta w tłumie robi to samo. Zakłada kryzę. Klara? Moja córka chrzestna, pastorówna? Nie widziałam jej tyle lat, ale wygląda jak skóra zdarta z matki, więc tak, przyjechała ze Strzmiela? I kolejna kryza rozkwita niczym biały kwiat w tłumie: szary kapturek, szara suknia, och, to Matylda z Marianowa! Jeszcze kobieta w kwiecistej chustce, poznaję ją, choć się postarzała, to gospodyni z chaty na Dolnym Wiku, ta, która pomogła mi wrócić, gdy rozstał się ze mną Jan Fryderyk. Następna biała kryza pojawia się w tłumie, nawet dwie. Mattias z tawerny i jego syn. Mattias pomaga młodzieńcowi zawiązać sztywny, wykrochmalony krąg. Poznaję jeszcze kogoś: wielka i zwalista Gorga Hens. Stoi wyprostowana, olbrzymia, pewnie zasłania szerokimi plecami widok wszystkim, którzy mieli nieszczęście ustawić się za nią. Miętoli coś białego w rękach, ale to nie kryza. To chustka. Gorga Hens patrzy na mnie z wyrzutem, a ja słyszę jej gniewne myśli: „Wywróciłaś moje życie do góry nogami. Kim jesteś, Sydonio Bork?". Wreszcie widzę ostatnią znajomą postać. Barbara von Brockhausen. Zasuszona, pokrzywiona, w pelerynce z białego futra i wymyślnej peruce z rudych włosów (gdyby nie to, że obcięli mi siwe, byłabym pewna, że moje). Umalowana na biało, jak śmierć. Barbara patrzy z dezaprobatą na Metteke, Matyldę, Klarę i innych, co dla mnie założyli kryzy. Przysłania twarz wachlarzem z usztywnionej koronki.

Nie wiem, czy to ja znów straciłam słuch (jak podczas snu czarownicy), czy tłum milczy. Cisza nad Kruczym Kamieniem jest jak powietrze przed burzą. Nabrzmiała. I w tej ciszy słyszę bicie ich serc (usłysz uderzenia tysiąca serc naraz, nie biją równo, każde po swojemu). Otwieram usta, wchłaniam tę pieśń życia i zamykam w swoich płucach.

— Zwierciadło nie kłamie — szepce do mnie Chim. A ja czuję podmuch spod jego ramion. Nie oglądam się, ale wiem, że wziął zamach. Z gałęzi dębu nad głową księcia Franciszka zrywa się sroka (naprawdę? Dlaczego nie kot?). Rozpościera czarno-białe skrzydła szeroko, te na bokach lśnią zielono i fioletowo, jak moja suknia, rozwiera czarny dziób. Skrzeczy. Bicia serca i ten skrzek, i jeszcze szelest wiatru w liściach. Miecz Joachima spada na moją szyję z tyłu. Jest niezawodny. Głowa oddziela się od tułowia. Krew czarownicy pryska na Kruczy Kamień purpurową strugą. Przeniesienie jest szybkie. Zwierciadło nie kłamało. Skrzeczę, całą piersią skrzeczę! Słyszycie mnie?


Popioły użyźnią ziemię.

Ziemia tli się pod powierzchnią traw. Ogień pali ich korzenie na długo przed tym, zanim go ktokolwiek spostrzeże. Ja widziałam. Widzę.

Idę nocą po lesie. W lewej ręce trzymam czarcią miotłę, tę, po którą sama wspięłam się na jodłę. Jestem niemal naga, a noc prawie ciepła. Najpiękniejsze są noce między latem a jesienią. Moje ciało spowija suknia utkana z mokrej mgły. Gdy drzewa wokół mnie gęstnieją, zrzucam tę iluzję. I palcami rozplatam warkocze (nie ma rzeczy niemożliwych). Pasma włosów plączą się. Szpile rzucam za siebie, wbijają się w mech niczym sztylety. Siwa korona pęka i zamienia w dziesiątki żywych splotów. Okrywają moje plecy. Tak, teraz jestem naga. Jestem stara, a noc jest wieczna. Idziemy pogodzone ze sobą. Wąskie paski piersi, do których nigdy nie przystawiłam dziecka, kołyszą się w rytm mych kroków. Brzuch, co nie rodził, choć brał w siebie nasienie, obwisa i tryumfalnie się śmieje. Skóra ud, co oplatały kiedyś ukochanego, teraz marszczy się bojowo i gniewnie. Wykrzywione paluchy stóp i ich obrzękłe kostki oplecione pajęczyną sinych naczyń wyzywająco kroczą naprzód. I tak, jestem garbata, a mój garb to bagaż, który zebrałam, idąc przez życie. Dumnie wypinam ten garb. Oto ja. Sydonia Bork Prawdziwa. Pani samej siebie. Kroczę przez mroczny las i mam gdzieś was wszystkich, wasz świat, wasze pytania i odpowiedzi. Księżyc lśni tej nocy tylko dla mnie. Potrząsam miotłą. Sztywnieją mi sutki, pochwa wilgotnieje. Przykucam (plecy proste) i zrywam purpurową kolbę smerworta. Unoszę dłoń, pokazuję go tym, które widzą. Och, jak dobrze. Czarownicą można się stać, ale wiedźmą trzeba się urodzić. Ja wzięłam jedno i drugie (zastanów się, kim jesteś?). Dobrze radzę, nie wychylaj się, sędzio, zza drzewa! Znam was, plugawcy i zakłamańcy, nie chcecie przyznać starej kobiecie prawa do życia. Albo wnuki niańczyć, albo zniknąć. Mam dla was złą wiadomość: ja nie znikam. Ja dopiero zaczynam. I wiecie co? Wy sami mnie tu przywiedliście, nikt inny. Wam zawdzięczam swą przemianę i nowe życie. Kolejne.

Zawołaj, a przybędę. Poproś, a cię znajdę. Nie próbuj mnie topić, wypłynę. Oto ja, żywy sen, krew czarownicy.

Usłyszysz szelest skrzydeł, to będę ja. W szumie podziemnej rzeki. W wielogłosie i wiekuistej ciszy. W miękkim stąpaniu kota. W nieznośnym skrzeku sroki mnie znajdziesz. Powąchaj mech i paproć (szukaj Adich), poczujesz mnie.

Nie jestem mądrzejsza od ciebie, jestem tylko starsza. Na nic nie jest za późno. Człowiek wierzący ma jedną śmierć i dwa życia. Ja wierzę z całych sił i zaczynam drugie. *Memento mei.*

***

Sydonię Bork (von Borke, Borck, Borcke) stracono jako czarownicę w Starym Szczecinie 1 września 1620 roku, po trwającym rok procesie, który odbił się szerokim echem w Księstwie Pomorskim i poza jego granicami. Akt oskarżenia sformułowany zgodnie z cesarskim prawem z 1532 roku, *Constitutio Criminalis Carolina*, zawierał początkowo 74 artykuły, ostatecznie skrócił się do 14. Wyrok zapadł po dwukrotnym przesłuchaniu z użyciem tortur, co było niezwykłe; najczęściej oskarżeni przyznawali się do winy po pierwszym kontakcie z katem. Proces Sydonii rozpoczął się z tzw. powołania przez sądzoną wcześniej Wolde Albrechts i był przewodem szczególnym, bo niezwykle rzadko sądzono, a jeszcze rzadziej skazywano, szlachcianki. Książę Franciszek zmarł w niespełna trzy miesiące po egzekucji Sydonii. Ponura i niesłabnąca sława jej procesu rosła wraz z bezpotomną i szybką śmiercią jego następców: Ulricha (1622), Filipa Juliusza (1625) i Bogusława XIV (1637), który zakończył panującą na Pomorzu przez blisko 600 lat dynastię Gryfitów. Przez ostatnie lata ich panowania wprost mówiono o klątwie Sydonii, która miała być karą za niedotrzymanie obietnic małżeńskich. Grozy całej sytuacji dopełniała przetaczająca się przez Pomorze wojna trzydziestoletnia i nieunikniony upadek księstwa. Najlepiej tę lawinę zgonów ilustruje fakt, iż właśnie Jan Fryderyk wybudował dla Gryfitów na zamku w Szczecinie nową grobową kryptę. W krótkim czasie nekropolia rodu zapełniła się i nie można było do niej przenieść wcześniejszych szczątków. Podróżnik, przejeżdżający przez Pomorze, po krwawej wojnie trzydziestoletniej zapisał refleksję, że kraj niegdyś płynący mlekiem i miodem, teraz znaczą osmolone słupy wypalonych stosów czarownic.

Po wymarłych Gryfitach Księstwo Pomorskie przejęli Hohenzollernowie i Szwedzi. Zniknęło księstwo, które w czasach Sydonii przeżywało złoty wiek. Pozostała prawdziwa historia czarownicy. Prawdziwa, bo książka powstała w oparciu o uwierzytelnione przez książęcych notariuszy autentyczne siedemnastowieczne akta z procesu Wolde Albrechts i Sydonii von Bork oraz akta z jej procesów rodzinnych. Ale pytanie, czy bohaterka tej historii naprawdę była czarownicą, pozostaje otwarte.

# Od autorki

Byłam nastolatką, gdy po raz pierwszy usłyszałam wiersz Julio Cortázara *Stos na którym*. Oszalałam na jego punkcie. Niedokończone wersy rytmicznie wybrzmiewały w mojej głowie. Po ponad dziesięciu latach sama powiedziałam go na scenie. Zapewne wtedy zasiałam w sobie potrzebę mówienia głosem czarownicy. W jakimś sensie to *Stos na którym* ukształtował sposób narracji, jaki przyjęłam w tej książce. Jeśli usłyszycie go gdzieś, między wersami *Sydonii*, to będzie mój hołd dla tego wiersza.

Dłużej żyję z Sydonią niż bez niej. Jej historię przeczytałam jako jedną z pierwszych, gdy zamieszkaliśmy w Kołobrzegu, zachłysnęłam się nią, ale znów, podobnie jak tamten wiersz, musiała się we mnie odleżeć i dojrzeć. A może ja musiałam się otworzyć na ciągi zdarzeń i zbiegów okoliczności. To jedna z tych książek, które napisałam pod wpływem impulsu — stos był gotowy od 27 lat, czekał na iskry (co pewnie znaczy, że nie jestem łatwopalna).

W tej historii ekscytujące jest wszystko: to, że zdarzyła się naprawdę, więcej, że znaczna część akt procesowych przetrwała wieki, a klątwa, rzekoma czy prawdziwa, ziściła się. Zatem pokrótce i po kolei:

Są dwie Sydonie von Bork — legendarna i rzeczywista. Pamięć o tej pierwszej jest niezwykle żywa na Pomorzu Zachodnim, zwłaszcza w Szczecinie. Opowieść o szlachetnie urodzonej pannie ze starego rodu Borków (tak starego, jak diabeł), której książę Ernest Ludwik obiecał małżeństwo, cofnął słowo i skazał swój ród na klątwę. Jest nawet rymowanka „Nim pięćdziesiąt lat przeminie, ród Gryfitów zaginie". I intrygujący portret podwójny starej i młodej Sydonii (nie wiadomo czy jej, ale tak się przyjęło). Piękna i młoda, z tajemniczym uśmiechem wpatrująca się w widza (w ciebie, nic nie poradzisz), zza jej ramienia wygląda stara i brzydka (patrzy jeszcze bystrzej, uważaj). Portret podwójny wisi w Muzeum Narodowym w Szczecinie, blisko dawnej Bramy Młyńskiej, miejsca, w którym ją stracono. A na ścianie naprzeciw Sydonii zawisł portret księcia Filipa I z pracowni Cranacha (ten to był piękny), męża Saskiej Lwicy i ojca książąt. Nadzwyczajnie lubię tę ekspozycję i przeglądających się w sobie Gryfitę i obie Sydonie. Twórca portretu podwójnego Borkówny, choć brak mu talentu Cranachów, dobrze ujął sedno jej legendy i stereotypu.

Legenda o klątwie Sydonii rzuconej na ród Gryfitów pojawiła się już po jej śmierci, ale stosunkowo szybko. W 1620 odbył się jej proces, trzy miesiące później zmarł nagle książę Franciszek, dwa lata po nim Ulrich, potem Filip Juliusz i w 1637 ostatni z Gryfitów, Bogusław XIV. Mimo starań, żaden z nich nie doczekał się dziedzica. Było ich wielu, nikt nie pozostał.

Darzę głębokim uczuciem Gryfitów, nieco tajemniczy ród władający Pomorzem nieprzerwanie przez sześć stuleci. Księstwo Pomorskie było unikatowe, przenikały się w nim kultury i wpływy, tworząc osobną, swoistą jakość, właściwą tylko temu miejscu i trudno uchwytną, gdy próbuje się je opisać z polskiej czy niemieckiej perspektywy. Pomorze ma własną. Najlepiej widać to podczas podróży, gdy przekraczamy granicę państw, ale wciąż widzimy i czujemy, że to jedno miejsce. Chciałam przedstawić je Państwu i zarazić uczuciem do niego, chciałam, byśmy spojrzeli na Pomorze oczami Sydonii i Gryfitów, jednocześnie. Na chwilę przed tym, nim nastąpi koniec: Sydonii von Bork, rodu Gryfa i złotego wieku Pomorza. Ona, książęta i księstwo są związani ze sobą finałowym, śmiertelnym węzłem. Prawdziwym albo wymyślonym przez Pomorzan, przygnębionych apokaliptycznym końcem epoki, w koszmarnych czasach wojny trzydziestoletniej. Koniec końców, Sydonii von Bork przypisano klątwę oficjalnie umocowaną w akcie oskarżenia, gdy Sydonia podczas tortur przyznała się do zabicia księcia Filipa II.

Analizując jej legendę, wiele razy zatrzymywałam się nad rzekomą obietnicą małżeństwa. I zawsze dochodziłam do wniosku, że w tamtych czasach coś musiało być na rzeczy, skoro tak łatwo przyjęła się informacja o tym, że książę Gryfita chciał pojąć Borkównę za żonę. Teoretycznie mezalians, ale przypuszczam, że w pamięci Pomorzan Borkowie byli wielkim rodem. W ich powieściowych dziejach pozwoliłam sobie skorzystać z wykładów profesora Edwarda Rymara o początkach Borków i dołożyć do tego własną teorię. Jak Państwo pamiętają, według opowieści Galla Anonima o podboju Pomorza przez Bolesława Krzywoustego, książę Kołobrzegu występuje tam bezimiennie, zatem — nadałam mu imię. I rodowe gniazdo. Bardy nad Parsętą to piękne miejsce, często jeździmy tam na spacery. Badał je profesor Władysław Łosiński i mam nadzieję, że tamtejsza osada wczesnośredniowieczna doczeka się wreszcie solidnego naukowego opracowania. Przy okazji dodam, iż pozwoliłam sobie użyć przydomka „Krzywousty", będąc świadoma, iż nadano go później, i kierując się uproszczeniem lektury i szybkim sytuowaniem akcji książki w polskiej historii.

Dzieje procesów o czary wciąż budzą głębokie emocje. Są historycznym i socjologicznym fenomenem. Nie godzimy się z faktem, że tysiące ludzi osądzono i skazano w myśl fanatycznej — z dzisiejszego punktu widzenia — ideologii. Proces Sydonii von Bork przypada na szczytowe lata tzw. polowania na czarownice. Nie będę tutaj analizowała tła historycznego i społecznego oraz samego zjawiska polowań, jest sporo dobrych prac na ten temat, chcę podzielić się z Państwem ledwie kilkoma uwagami, które związane są bezpośrednio z procesem mojej bohaterki.

„Typowa czarownica" to kobieta wyrzucona poza margines „zdrowej" społeczności. Najczęściej samotna, kłótliwa, stara, zgorzkniała i biedna. Sydonię od tego modelu odróżnia wysokie urodzenie, ale całą resztę można już z łatwością do niego przypisać, zwłaszcza, mając kiepskie intencje.

Prawdziwą, nie legendarną, Sydonię von Bork poznajemy dzięki dokumentom procesowym. Zachowało się tego sporo, przy czym akt dokumentujących jej procesy o majątek z bratem, potem jego spadkobiercami oraz kuzynem Jostem von Bork jest znacznie więcej niż tych, które dotyczą samego procesu o czary. Ale dla mnie te pierwsze są już materiałami źródłowymi do sprawy finałowej.

„Przeklęte babsko", „chwast", „jadowita żmija", „wichrzycielka", „kłótliwa baba", to najłagodniejsze ze słów, jakimi (na piśmie!) określali Sydonię współcześni. Tym ich drażniła. Swoją nieustępliwością. Odkryła siłę prawa i przez 50 lat dążyła do tego, by je wyegzekwować. Owszem, oddawała do sądu nawet błahe sprawy, oskarżała współmieszkanki Marianowa, bratową, bratanków, ale za tym wszystkim stał jej osobisty dramat. Chciała sprawiedliwości, chciała być wysłuchana.

Jak zauważyła niemiecka badaczka, Gerda Riedl, Sydonia wygrywała kolejne procesy i wierzyła, że w sądzie zawsze dopnie swego, aż do dnia, w którym trafiła na przeciwnika mocniejszego od siebie — swego kuzyna, Josta. Gdyby potrafiła się pohamować i nie oskarżyć go o to, co zrobił, prawdopodobnie nie byłoby procesu o czary. Sydonia nie zamilkła w odpowiedniej chwili i to ją zgubiło. W jej przypadku wysokie urodzenie nie stało się argumentem obrony, lecz narzędziem oskarżenia. Jost von Bork chciał oczyścić siebie, zatem musiał oczernić Sydonię. Zrobił to w sposób ostateczny.

Przyznaję, że analiza akt procesu o czary była dla mnie głębokim przeżyciem. Oglądanie jej własnoręcznego podpisu, pisma, czytanie słów, którymi się broniła, czy tej niezwykłej spowiedzi, jaką złożyła do akt, wszystko to było obcowaniem z realną, prawdziwą kobietą, która do końca miała nadzieję na odmianę swego losu. Nawet najokrutniejsze fakty należy interpretować w kontekście historii. I tu trzeba powiedzieć jasno: jej proces odbył się w zgodzie z ówczesnym prawem. Przekroczył je, z tego co jest mi wiadome, w jednym tylko punkcie — wobec Sydonii zastosowano dwa różne narzędzia i rodzaje tortur w czasie jednego przesłuchania, podczas gdy powinno być jedno narzędzie na jedno przesłuchanie. Ale, jak mówią znawcy tematu, takie naruszenia zdarzały się i pod tym względem Sydonia nie jest przypadkiem wyjątkowym.

Nie istnieje opis egzekucji Sydonii von Bork, dysponujemy jedynie informacją o miejscu kaźni, ścięciu i spaleniu zwłok. W powieści posłużyłam się metodą stosowaną przez Franza Schmidta, mistrza katowskiego z Norymbergi, praktykującego w czasach Sydonii. Jemu winnam wdzięczność za wstążki z białej tafty i krzesło do egzekucji.

Wszystkie opisane przeze mnie w powieści elementy ostrego przesłuchania były ówczesnym standardem — golenie głowy w poszukiwaniu znamion, prezentacja przez kata narzędzi tortur, zawiązywanie oczu oskarżonej o czary, by nie mogła spojrzeć na sędziów, przekonanie, że noga czarownicy nie powinna dotknąć ziemi. Wymuszanie zeznań torturami i zmuszanie na kolejnym przesłuchaniu do potwierdzenia zeznań „po dobroci". Płacenie przez skazańców za utrzymanie w więzieniu i drewno na stos. A także, co również mnie zaskakuje, asysta duchownych, spowiadanie i komunia skazanych. Przypomnę: w świetle prawa były heretyczkami i wspólniczkami diabła. Sakramenty nie sprawiały, że zdejmowano z nich winę, a mimo to udzielano ich, więcej, odmowa przyjęcia sakramentów była bardzo źle widziana.

Czy za każdą oskarżoną stał „jakiś Jost", ktoś, kto fałszywym oskarżeniem o czary chciał usunąć niewygodną sobie kobietę czy mężczyznę? Nie za każdą, ale za wieloma tak, na pewno. Tysiące innych kobiet zginęły w wyniku łańcuchowego charakteru procesów, gdy wymuszano (to pytanie było obowiązkowe) od oskarżonych nazwiska współwinnych. Sydonia nie pociągnęła za sobą nikogo.

Praktyki magiczne w większości języków mają źródłosłów wywodzący się od słów oznaczających działanie, czynienie. Zatem, według obserwatorów, ludzie uprawiający czary mieli moc czynienia. Sprawczość. Potem, gdy szaleństwo polowań na czarownice rozwinie się i uprawomocni, inkwizytorzy dojdą do wniosku, że kobieta parająca się czarami musiała zawierać pakt z diabłem i pieczętować go rytualnym stosunkiem. Tego zarzutu zwykle nie stosowano wobec (nielicznych) mężczyzn oskarżonych o to samo. Zatem? Sprowadzając akt inicjacji magicznej do seksualnego poddania się kobiety diabłu, umniejszano jej osobistą sprawczość. Co nie zmniejszało wyroku. Kobieta myśląca samodzielnie myśli niewłaściwie — powtarzano za autorami *Młota na czarownice*. Tezą do przyjęcia (i osądzenia) było, że kobieta może czynić zło, ale nieprawdopodobne wydawało się, że może niezależnie myśleć, działać i podejmować decyzje.

Sydonia von Bork wyłaniająca się z dokumentów procesowych i rodzinnych nie jest łatwa do zinterpretowania. Znikąd nie możemy czerpać niepodważalnej wiedzy o latach jej przebywania na dworze Gryfitów, ani nawet o tym, czy na pewno tam była. Z jej młodości potwierdzone są informacje o śmierci matki i postępowaniu spadkowym, jakie ona, i jej siostra Dorota, miały z bratem, Ulrichem von Bork. Według legendy tym, który się w niej zakochał, był trzeci syn Saskiej Lwicy, Ernest Ludwik, notabene, miał przydomek „Piękny". Dlaczego śledztwo poprowadziło mnie inaczej? Dokładnie prześledziłam akta jej procesów rodzinnych. Wygrywała każdą sprawę, dopóki żył i rozstrzygał w nich Jan Fryderyk. Uniewinnił i wybaczył jej nawet udział w sprawie o zniesławienie jego osoby (tej historii nie ma w powieści, ale udział w niej brała pani Brockhausen). To był mój pierwszy trop. Potem długo zastanawiałam się nad tym, dlaczego „winowajca" Ernest Ludwik został księciem wołogoskim z pominięciem starszego brata, Bogusława. Tego, który miał tak dobre kompetencje do sprawowania władzy. Kolejnych tropów było kilka, wszystkie poszlakowe. Przeważyła intuicja i medal Memento mei (o tym w podziękowaniach).

Czy była garbuską? W ten sposób wyzywał obie siostry brat (to jest w jej aktach), ale najważniejsze, że o jej krzywych plecach powiedziała Wolde Albrechts, gdy szła na stos. Jakby ujawniała jakąś ostatnią tajemnicę. Co jeszcze wiemy o Sydonii? Czytała i pisała, to w tamtych czasach już nie było nic nadzwyczajnego, ale kupowała książki za własne pieniądze, a tych nie miała wiele. Była zaradna. Te wszystkie poświadczenia pożyczek i spłat, to życie niemal od kredytu do kredytu, szarpanie się z rodziną o alimenty, z wierzycielami, żyrantami, w tym aspekcie jest niezwykle współczesna. Brat (klasyczny przemocowiec) chciał odciąć ją od pieniędzy, usunąć ze swojego życia, dowieść, że jest nieobliczalna, kłótliwa, niegodna zaufania. A ona walczyła o prawo do życia na własnych warunkach.

Nauczyła się rzeczy, które za kobietę o jej urodzeniu wykonywałaby służba. Warzyła świetne piwo, tkała obrusy na sprzedaż, prowadziła gospodarstwo domowe, robiła leki. Poruszająca jest lektura inwentaryzacji, którą przeprowadzono w jej domu w Marianowie, już po aresztowaniu. Zapasy na zimę zrobione, mięso zasolone i uwędzone, piwo w piwnicy. Bieg zdarzeń musiał ją zaskoczyć.

W jej domu prócz książek religijnych znaleziono zielniki, aparat do destylacji, czarcie miotły, okulary. Naszyjnik z pogrzebowych monet jest moim wymysłem.

Oto ona, Sydonia von Bork. Prawdziwa kobieta sprzed ledwie 400 lat. Myśląca samodzielnie, kochająca, kłócąca się, procesująca i skazana za czary.

Chciałabym powiedzieć: to czas przeszły dokonany. Ale to nieprawda. Świat wciąż skazuje czarownice. 2017 — Tanzania, 2015 — Państwo Islamskie; w Indiach w ostatnich latach notuje się tysiące przypadków samosądów dokonanych po oskarżeniu o czary. A społeczeństwa zachodnie odnajdują czarownice w innych figurach, których nie nazywa się wprost, czyniąc to eufemizmami. Histeryczna artystka, działaczka, fanatyczka, sfiksowana emerytka, albo przeciwnie, młoda, narowista i głupia. Rycząca czterdziestka (pięćdziesiątka, sześćdziesiątka), wredne babsko, ta, co koty karmi, dołóżcie, co chcecie, za każdym razem opiszecie kobiety, które wyróżnia sprawczość. Które nie godzą się na schemat narzucony im przez innych.

W opinii tych, którzy to czynią, porównanie kobiety do czarownicy ma ją ośmieszyć i zdyskredytować. Pogrozić palcem, przypomnieć, jaki los czekał czarownice.

Zupełnie inaczej traktują to dzisiaj same kobiety. Bez skrępowania odrzucają narrację o złej czarownicy i budują własną: o samoświadomości i życiu na własnych zasadach. Gdy same siebie nazywają czarownicami, sięgają do źródła siły.

Kobiety w historii nie miały łatwo. Mogły realizować się tylko na akceptowalnych wówczas polach — najczęstszym było „dobra żony i matka", co sprowadzało je do ważnej roli społecznej, ale o dziwo, w konsekwencji czyniło niemal niewidzialnymi. Jeśli wyryły się na kartach historii, to zwykle jako święte lub przeklęte. Spektrum szerokie, ale wybór wąski. I zdecydowanie odrzucany przez współczesne.

Dzisiaj kobiety mówią pełnym głosem. W swoim imieniu i tych, które jeszcze milczą.

A mężczyźni, którzy znają swoją wartość i nie muszą jej podnosić kosztem umniejszania innych, stoją przy kobietach, a nie naprzeciw nich.

Jestem szczęściarą. W moim życiu jest wielu świetnych mężczyzn. Zaś kobiety, które mnie wychowały i ukształtowały, które spotkałam i z którymi mam zaszczyt współpracować i przyjaźnić się, sprawiły, że pisząc tę książkę, miałam z czego czerpać siły.

Proces i egzekucja Sydonii nie były jej końcem. Stały się początkiem legendy.

Pisząc o prawdziwej Sydonii, tej, która latami procesowała się o swoje prawa, chciałam sięgnąć do źródła, do miejsca, w którym zaczęła się legenda o czarownicy.

## Podziękowania

Na liście podziękowań Damian Chmiel jest pierwszy. Fundator Fundacji Ścieżkami Pomorza, pasjonat, miłośnik pomorskich historii, archeologii, człowiek instytucja. Znaliśmy się na długo przed *Sydonią*, prowadził moje spotkania w Szczecinie, ale jak rozumiem, i ta znajomość musiała dojrzeć. Damian należy do ludzi, dla których nie ma rzeczy niemożliwych. Wraz ze swoją żoną, Agnieszką, wspierał mnie od pierwszych chwil, obwoził po miejscach akcji, organizował literaturę, wynajdywał niedostępne książki, opowiadał, pokazywał to, czego już nie widać i, co najważniejsze: dzięki niemu poznałam dwie niezwykłe dla tej książki kobiety: panią profesorkę Agnieszkę Gut i panią Joannę Kościelną.

Pani Agnieszka jest skarbnicą wiedzy o dawnym Pomorzu i procesach o czary. W dodatku naukowo bada zachodniopomorskie czarownice, a my, zgromadzeni wokół, mamy wielką nadzieję, że wyniki jej historycznego śledztwa znajdą się kiedyś na kartach książki. Dziękuję jej za szczodre dzielenie się wiedzą i dyscyplinowanie mnie, gdy było trzeba. Za poczucie humoru, bez którego trudno byłoby przebrnąć przez ten temat, i za odważne wyrażanie swoich opinii. Nasze wspólne z Chmielami wycieczki po miejscach związanych z Sydonią były dla mnie bezcenne.

Gdyby nie Joanna Kościelna, gdyby nie nasza żywiołowa wymiana informacji, tak energetyzująca, jakby dotyczyła tu i teraz, nie byłoby wielu, naprawdę wielu faktów i pomysłów w tej książce. Pani Joanna jest dla mnie gigantką w kwestii Księstwa Pomorskiego, Gryfitów, kultury i życia codziennego na ich dworze. Przydomek „Saska Lwica" to jej pomysł, który po prostu musiał znaleźć się w książce. Podsunęła mi Memento mei, tajemniczy medal Jana Fryderyka, wynajdywała informacje o imionach koni, przedmiotach należących do braci Gryfitów (skóry z jelenia obdartego z niej żywcem sama bym nie wymyśliła), o ludziach, miejscach, szczegółach dotyczących śmierci książąt i ich pogrzebów. Wyliczyć zasług pani Joanny nie zdołam (za nagrobek Korduli von Wedel wdzięczna jestem wyjątkowo). Mogę tylko złożyć jej hołd, a Państwu gorąco polecić jej fascynujące publikacje.

Pan Jarosław Aptacy z Uniwersytetu Adama Mickiewicza w Poznaniu podjął się wyzwania i przetłumaczył dla mnie akta procesowe Sydonii von Bork ze zbiorów niemieckiego historyka i archiwisty Georga Sello. To była żmudna praca, ale obfitowała w odkrycia i emocje, za co jestem niesłychanie wdzięczna. Przy tej okazji dodam, że takie perełki jak „So krabben und kranzen meine Hunde und Katzen" („To skrobały i drapały moje psy i koty"), czyli rzekome zaklęcie Sydonii, jak i jej obraźliwe rymowanki, czy imiona koni Jana Fryderyka, pozostawiłam w oryginalnym zapisie, w języku dolnoniemieckim.

O ubiorach Gryfitów zachowało się sporo informacji, ale ubrać trzeba było nie tylko książąt. Tajniki ówczesnych strojów męskich pomógł mi zrozumieć Zielony Kawaler (pod taką nazwą znajdziecie go na Facebooku), za co serdecznie dziękuję. Zaś w modę kobiecą wtajemniczyła mnie Agnieszka Terpiłowska. Fantastyczny był ten historyczny Fashion Week, jaki przeżyłyśmy, i jestem pełna podziwu dla szerokiej wiedzy i umiejętności Agnieszki (można mieć w nie wgląd na Facebooku, na profilu Waliza pełna wspomnień).

Bohaterów trzeba nie tylko ubrać, ale i podjąć godnie. Skoro Sydonia ważyła piwo, i ja musiałam się tego nauczyć, przynajmniej w teorii. Przez ten proces przeprowadzili mnie Hanna i Paweł Lisowie, zajmujący się kuchnią dawną i archeologią doświadczalną. Nie pierwszy raz korzystałam z ich pomocy, ale tym razem było to szczególnie ekscytujące.

Dziękuję również panu profesorowi Tadeuszowi Maciejewskiemu, autorowi książki o narzędziach tortur, za życzliwość i możliwość skonsultowania się w sprawie tortur zastosowanych wobec Sydonii.

Specjalne podziękowania należą się pani Dorocie Makrutzki z Pommersches Landesmuseum w Greifswaldzie. Pani Dorota jest pomysłodawczynią niemiecko-polskiego projektu *Akta Sydonii 1620*, zrealizowanego z okazji 400. rocznicy śmierci Sydonii von Bork i cały czas dostępnego online. Nasza długa rozmowa i świadomość, że Sydonia wciąż budzi w tylu ludziach gorące emocje, były dla mnie niezwykle inspirujące.

Pozostanę dłużniczką pana dr. hab. Pawła Guta z Uniwersytetu Szczecińskiego, który poświęcił wiele czasu Sydonii i jej licznym procesom. Dzięki jego publikacjom mogłam zacząć swoją pracę nad historią bohaterki. Nieodzowną i nieocenioną lekturą były także dzieła profesora Edwarda Rymara, od *Rodowodu książąt pomorskich* po wykłady o nich samych i historii rodu Borków.

Osobno kłaniam się Joannie Mueller, za to, że wielkodusznie pozwoliła mi użyć swego wiersza *warum* z tomu *Hista & her sista* na motto do powieści.

Podczas pracy nad historią Sydonii dostałam niezwykle dużo wsparcia od współpracowników i przyjaciół, nie sposób wymienić wszystkich, nikogo nie chciałabym pominąć. Zawsze podkreślam, że książka powstaje w samotności, ale jej wydanie to praca zespołowa, dlatego całemu zespołowi redakcyjnemu, w każdym pionie, kłaniam się nisko.

Z wydawniczym teamem Tadeusz i Andrzej Zysk przegadywaliśmy tę historię wiele razy, ich towarzyszenie mi w tej podróży było uważne i twórcze. Cieszę się, że chociaż wychodziliśmy z różnych punktów patrzenia na Sydonię, stanęli po stronie mojej wizji. Wspólne uczestniczenie w procesie jest nie do przecenienia.

Osobno dziękuję Tobiaszowi Zyskowi za kreatywność podczas prac nad okładką. Chciałam czegoś innego, niż słynny „portret podwójny", a Tobiasz użył swego talentu i doświadczenia, i mnie zaskoczył.

Aleksandra Miszczyńska, gdy tylko wspomniałam jej, że tym razem piszę „coś z listy", od razu wiedziała, krzyknęła: „Sydonia, nareszcie!" i była przy mnie przez cały czas, nie pierwszy zresztą raz. Patrycja Poczta trzymała rękę na pulsie, niczym najczulsza lekarka. A moja redaktorka, Elżbieta Żukowska, no cóż, jest integralną częścią tej książki. Nie wyobrażam sobie przejścia przez ten proces bez niej. Elu, dziękuję ci, mądra, czuła i wymagająca towarzyszko. Podnosiłaś mnie, gdy upadłam i wspierałaś, gdy leciałam. To drugie było najważniejsze.

Dodam, że wszystkie moje przyjaciółki mają swój udział w moim entuzjazmie podczas prac nad powieścią. Każda z nich miała swój ulubiony, zwykle inny moment, w historii Sydonii. Ale wszystkie razem podtrzymywały ogień.

Pracuję w domu, nie wyjeżdżam w odosobnienie, więc moja rodzina zawsze jest częścią procesu twórczego, Sydonia długo mieszkała z nami (jeszcze się nie wyprowadziła). Dziękuję moim córkom, że z taką ciekawością przyjęły jej obecność, zwłaszcza Julii, która od początku się z nią zaprzyjaźniła. Mojemu mężowi, za podróże po księstwie pomorskim i godziny spędzone przy interpretacji horoskopów książąt (tak, tak; jak wspominałam, przygotowuję się do pracy na każdym możliwym polu, skoro „moi" książęta mieli astrologów, chciałam wiedzieć, co mogli od nich usłyszeć). Dodam, że mieszkamy pod Kołobrzegiem, a najbliższą naszej miejscowością jest Stary Borek. Według profesora Rymara, to mogły być ziemie dawnego kasztelana Kołobrzegu, Borka. Schodziliśmy wspólnie z mężem tutejsze lasy, czerpiąc z tego, sięgającego setek lat, sąsiedztwa.

Chcę zakończyć podziękowania taką oto historią:

Jak napisałam wcześniej, ta opowieść dojrzewała 27 lat. A 12 lat temu znalazła się na mojej prywatnej krótkiej liście powieści, które chcę napisać (z powieści „z listy" napisałam już *Hardą*). Wtedy tę listę dostał Tadeusz Zysk, mój wydawca. I, rzecz jasna, zgubił.

W 2020 roku, po premierze *Odrodzonego Królestwa*, gdy zastanawiałam się, którą książkę z bogatej spiżarni swoich pomysłów wybrać, odwiedził nas mój kuzyn, Daniel, wraz ze swoją żoną Marią. Oboje mieszkają w Szczecinie i przywieźli ze sobą wino o nazwie „Sydonia". Wtedy podjęłam decyzję, ale z nikim, poza mężem, się nią nie podzieliłam.

W tym samym czasie Tadeuszowi wpadła w ręce *Sidonia the Sorceress*, w przekładzie Lady Jane Wilde, matki Oscara Wilde'a, która była tłumaczeniem oryginalnego dzieła pastora Wilhelma Meinholda *Sidonia von Bork, die Klosterhexe*, opublikowanego w 1847 roku. Tadeusz nie zadzwonił do mnie, chcąc uszanować mój urlop od pisania, ale podzielił się swym odkryciem z Maciejem Strzemboszem, któremu z kolei zdążyłam już opowiedzieć o moim przesiadywaniu w Muzeum Narodowym w Szczecinie.

I tak oto Sydonia, po kilkunastu latach, zmaterializowała się, sobie tylko znanym sposobem, w głowach autorki i wydawcy (a listy Tadeusz Zysk nadal nie odnalazł).